FRANÇOIS MAURIAC

Jean Lacouture

FRANÇOIS MAURIAC

Seuil, 27 rue Jacob, Paris 6e

Pour Catherine et Guy

En couverture.
p. 1 : photo Philippe Halsman - p. 4 : photo Jean Lattès.

ISBN 2-02-005471-X

« De tous les romans qu'il a écrits, celui que je mets au-dessus de tous les autres pourrait s'appeler François Mauriac et c'est aussi le plus tragique. »

Julien Green

« Si jamais je survivais, je sais bien que ce ne serait pas moi, puisque même de mon vivant je ne suis pas cet homme que les autres imaginent et que je ne sais pas moi-même qui je suis.

« L'impossibilité de survivre se rattache au mystère de la personne. Ce qui disparaît, c'est justement ce qui centrait les êtres différents dont nous sommes composés. La mort rompt le faisceau et éparpille au hasard des esprits qui les recueillent, des fragments de cette " somme " que nous étions. Pour la reconstituer, il faut travailler, non sur la personne vivante mais sur des textes, sur des lettres (ce qu'il y a au monde de plus mensonger) sur des journaux prétendus intimes et toujours destinés au public. Nous ne disons jamais l'essentiel, même quand nous en avons le désir. Pour ce qui touche aux lettres, le mot même de « correspondance » devrait nous donner à réfléchir : cela seul importe de correspondre à une certaine image que se fait de nous-même l'être à qui nous écrivons.

« *...Toute biographie est romancée et ne peut pas ne pas l'être. Quand j'essayais de pénétrer le secret de Racine, je sentais bien que je n'allais pas au-delà du seuil. On racontera, sous mon nom, l'histoire d'un personnage fabriqué d'après des données fausses et de fausses confidences* [...] *Cette loi de l'oubli est inéluctable même pour l'artiste.*

[*Mais*] *(...) nous sommes libres de lutter contre le sommeil de la mémoire et du cœur et de vaincre en nous la puissance formidable de l'oubli. Il nous appartient de ressusciter les morts et de rendre la vie à cette cendre et à cette poussière qui furent un sang brûlant et une chair aimée. »*

François Mauriac, « Cinquante ans »,
NRF, octobre 1939.

Remerciements

Une expérience de biographe acquise en vingt ans m'a permis d'apprécier à leur juste valeur l'esprit d'accueil et de coopération de plusieurs familles et entourages. Ai-je jamais reçu pourtant meilleur accueil que des proches de François Mauriac, dont l'amitié, éprouvée dès avant que j'entreprenne ce travail, n'a cessé depuis lors de s'affermir et de s'approfondir ?

Jeanne Mauriac, qui fut associée pendant un demi-siècle à l'élaboration de l'œuvre de son mari, et à des titres divers, leurs quatre enfants, Claude, Claire, Luce et Jean, n'ont cessé de mettre à ma disposition, sans compter, une documentation d'une richesse sans égale, à commencer par la correspondance et les papiers personnels du grand écrivain. Ainsi firent de leur côté mes amis les plus chers, Catherine et Guy Cazenave, ses neveux. Mais il va sans dire que l'usage que j'ai fait de ces richesses généreusement dispensées m'est purement personnel, et que je suis seul responsable de l'ouvrage présenté aujourd'hui au lecteur.

Même accueil chez les « mauriaciens » savants et enthousiastes que sont Jacques Monférier et Michel Suffran, André Séailles et Jean Touzot, Yves Leroux et Jacques Petit. Tous ont généreusement facilité mes recherches, ainsi que M. Yvon, le directeur de la bibliothèque municipale de Bordeaux, François Chapon, conservateur de la bibliothèque littéraire Jacques Doucet à laquelle François Mauriac a légué la presque totalité de ses manuscrits, Bernard Privat et ses collaborateurs de la maison Grasset, principal éditeur de Mauriac.

Comment remercier comme il le faudrait tous ceux qui ont évoqué pour moi les souvenirs de leurs relations avec François Mauriac, m'ont autorisé à consulter ou à citer leur correspondance, prêté leurs papiers personnels ou éclairé de leurs avis : Mehdi Alaoui, Dominique Aury, Denise Barrat, Leila et Patrice Blacque-Belair, Marguerite Blanzat, Jean Cayrol, Louis Clayeux, Jacques Debû-Bridel, Denise Decourdemanche, Jean-Marie Domenach, le révérend père Dubarle, Gaston Duthuron, Jean-François Duflos, Jean-Jacques Gautier, Françoise Giroud, Henri Guillemin, Georges Hourdin, Michel P. Hamelet, Jacques Isorni, Roger Leenhardt, le révérend père Louvel, le révérend père Massabki, Pierre Mendès France, Claude Morgan, Eve Paret, Daniel Pézeril, Alain Rivière, Jean Rous, Pierre Siré, Françoise Verny, le révérend père de Week, Elie Wiesel..

Il me faut dire enfin ma reconnaissance à ceux qui ont pris soin de ce texte et d'abord à Paul Flamand, qui m'a fait l'amitié de reprendre « le collier » pour faire bénéficier mon travail de son incomparable regard de lecteur critique, Jean-Claude Guillebaud, Liliane Cravagnolo, Anita Tinoco, Simone Lescuyer, Martine Tardieu, Hubert de Novion, et bien entendu Simonne Lacouture.

Merci à tous,
J. L.

I

Provinciales

1. Le miel amer de la Guyenne

Un jeune homme seul prend place dans le train de midi qui, le dimanche 15 septembre 1907, va quitter Bordeaux pour Paris. Le remarque-t-on seulement au milieu des hommes d'affaires corpulents qui se hâtent sur les quais de la gare Saint-Jean, ce personnage svelte, la taille longue un peu ployée, habillé avec une recherche nonchalante, le cou pris dans un col très haut ? Le front est ombragé d'une mèche rêveuse, l'œil d'antilope brille très noir sous la paupière lourde (étrange, ce regard inégalement dense dans la face dissymétrique) et le nez se busque dans un élan retombé. Quelque chose d'espagnol dans la mine, de barrésien dans le style, de britannique et de gascon dans le goût.

« Regretté seulement par ma mère… », écrira-t-il un demi-siècle plus tard, François Mauriac prend enfin congé de cette ville qui l'étouffe, sous ce ciel brouillé d'une pluie ordinaire. Faut-il qu'il se sente exclu désormais de son enfance pour s'enfuir ainsi, deux semaines avant les vendanges de Malagar, trois semaines avant de fêter son vingt-deuxième anniversaire avec sa mère et les siens, un mois avant le passage des palombes dans le ciel de Saint-Symphorien…

Ce qu'il quitte là, Bordeaux et ses maussades délices, les pins des premières vacances, les vignes de l'adolescence, il ne peut savoir encore que c'est la matière unique d'une œuvre vaguement entrevue. Mais peut-être est-il conscient d'emporter en lui ces confuses merveilles, pareil à ces vaisseaux des flottes bordelaises qui, chargés des tonneaux de la dernière vendange, s'en allaient aux Indes la faire vieillir de plusieurs années, le temps d'un voyage sous les tropiques.

Ce départ, c'est à la fois une révolte et une récolte. C'est la manifestation d'un refus, et la promesse d'un mûrissement. « J'ai toujours, dira-t-il, rompu avec prudence [1]. » Rebelle adolescent en qui sommeille déjà le gestionnaire ironique de sa propre rébellion. Le pont métallique de la Bastide (nous l'appelons, à Bordeaux, « la passerelle ») que franchit le train de Paris avant de s'engouffrer sous les tunnels de Lormont, il a pris garde de ne pas le couper derrière lui.

Mais qui est-il, ce François de Gironde, au moment où il dit adieu à l'adolescence en même temps qu'à la ville qui l'incarne et l'incarnera toujours à ses yeux ? La meilleure esquisse de sa personnalité à 20 ans, on la

1 *L'Express*, 4 mai 1970

doit à celui qui le connaît alors mieux que quiconque, son frère Pierre, un aîné de deux ans dont il a longtemps partagé la chambre, les efforts et les jeux : « … Musard, artiste ; se sachant, se voulant différent des autres, aussi brillant en société qu'il était exigeant et morose en famille, réservant au monde ses sourires et aussi ses traits qu'il eût voulu retirer à peine lancés ; grand lecteur, passionné, d'une sensibilité à fleur de peau que la moindre égratignure faisait frémir ; logeant dans une mémoire sans défaillance les offenses d'abord (il était rancunier), les paroles, les gestes, les regards qui lui ouvraient la porte des âmes ; ayant le don de vue perçante pour découvrir le ver dans le fruit avant même de l'ouvrir. Et toujours la plume à la main, railleur, sévère, d'une sévérité qu'il avait vite fait de corriger par la découverte de vertus et de qualités qu'il se reprochait de ne voir que le coup porté. S'il n'eût été habité de la Grâce et du constant souci religieux, on l'imagine redoutable. Au fond très bon, ignorant la haine et sensible à la grandeur[1]… »

Tel est le jeune fugitif qui vient de prendre congé de sa ville, c'est-à-dire de son enfance.

Port d'attache

De sa ville, ou de son terroir ? De Bordeaux, ou du Bordelais, de la Gironde, de l'Aquitaine, de la Gascogne ? Où finit son « territoire » ? Il commence à Bordeaux, bien sûr, dans la vieille et noble ville qui n'est plus guère celle d'Ausone mais qui est encore un peu celle du Prince noir, du duc d'Épernon et de M. de Tourny, dans ces rues anciennes où la pruderie de terre ferme frôle alors la débauche maritime sans en être entamée, où les grâces opulentes du XVIIIe siècle se patinent des premières retombées industrielles, une ville où les perruques du temps de Montesquieu se poudrent étrangement de la fumée des steamers en partance pour Fort-de-France et pour Dakar. C'est entre la place de la Bourse, la tour Pey-Berland, la « Grosse Cloche » et la « flèche » de Saint-Michel, dans cette médina d'Occident tortueuse comme le cœur de *Galigaï*, sous la patiente pluie, au bruit lointain des sirènes et des appareillages, qu'il est venu à la conscience.

Mais ce Bordeaux de l'enfance s'élargit aussitôt en un lieu plus diffus, en un espace double. D'abord celui de la lande hérissée de pins, pays de l'*alios*. Ensuite celui, plus gras, du vignoble. Gironde argileuse et fluviale, toute ourlée de vignes moutonnantes, le Langonnais ; Gironde sèche, boisée, accotée à la grande forêt debout, le Bazadais. Déjà les deux faces de Mauriac : l'une ouverte aux plaisirs des richesses et du monde, l'autre rivée à la fascinante aridité du bien.

1 Extrait d'un mémoire inédit du Pr Pierre Mauriac : « Une amitié fraternelle ».

Ce territoire, son humus, François Mauriac l'a enfin nommé, le jour de ses 80 ans, s'adressant à la foule bordelaise venue le saluer, toute rancune tue (pour un soir...) : c'est la Guyenne, étroite province qui n'est jamais citée que jumelée avec la Gascogne au nom plus beau, plus juteux et sonore, qui a des odeurs plus fortes, des gestes plus éclatants, des héros plus fameux ; la Guyenne coincée entre la Gironde, les Pyrénées et l'Océan, langue d'argile, de sable et de cailloux plantée de pins, striée de vignes et remuée par le souffle du large.

Quel écrivain — fût-il Giono, Faulkner ou Jouhandeau — aura été plus marqué, façonné, défini par le terreau même d'où il a surgi ? « Tout s'est passé comme si s'était refermé sur moi, à 20 ans, ce qui devait être la matière de mon œuvre... » A 20 ans, il est encore le prisonnier frileux et rétif de ce territoire en forme de jardin où le monde se résume en un double peuple d'arbres fiers et de ceps de vigne, un entrelacs de rues gluantes et grises, un insistant passé, une famille exigeante et attendrie, quelques amis inquiets, des rites parfois moqués, une foi sans question — et des livres.

Aux yeux de ces jeunes gens de la fin du siècle, Bordeaux n'est plus qu'une citadelle moussue aussi oubliée du temps que celle du *Rivage des Syrtes,* un conservatoire mou où flottent les odeurs proches de vin et de résine, les odeurs lointaines de rhum et de vanille, un port échoué au bord de son fleuve, une cité asthénique, presque aussi infirme que l'est depuis trente ans sa vigne. Le Bordeaux de cette fin de siècle leur paraît plus poussiéreux que les bouteilles de ses chais, les programmes de son théâtre, ou la vision du monde qu'entretiennent ses notables.

Cette ville aquitaine que l'on quitte alors en hâte quand on s'appelle Jacques Rivière, François Mauriac ou Jean de la Ville de Mirmont, est-elle si morte, et si coupée du monde, et si désespérément ligotée dans ses conformismes bourgeois, bigot, conservateur ?

N'est-elle que le Grenoble de Beyle, le Charleville de Rimbaud ?

Au moment où le XIXe siècle touchait à sa fin, le maire de Bordeaux, Alfred Daney, avait demandé à Camille Jullian, mémoire vivante de la ville, alors professeur à la faculté des lettres, d'écrire une *Histoire de Bordeaux des origines à 1895:* Au terme de son travail, le grand historien des Gaules affirmait que de 1860 à 1890, la capitale de l'Aquitaine avait vécu les années « les plus brillantes et pourvues d'or de notre histoire contemporaine », une période de prospérité culminant en 1889, et qu'en ces trente ans Bordeaux s'était « une fois de plus modifié sous la double influence de la société démocratique et de la science industrielle A la cité de Tourny[1] trop semblable à un château majestueux, à la cité de la bourgeoisie de 1830 [ ] a

1 Le grand intendant du XVIIIe siècle

succédé la cité vraiment populaire, faite pour le peuple, pour son travail, son repos et ses besoins [1]... »

Démocratisation, ou enjolivement du paternalisme ? Jullian mettait l'accent sur les « progrès de la charité collective », dus aussi bien aux municipalités de la IIIe République qu'aux initiatives des communautés protestante et juive, et à l'impulsion de grands prélats catholiques successeurs de Mgr de Cheverus — tel Mgr Donnet, prêtre conquérant et bâtisseur, véritable « roi plébéien » de Bordeaux [2]. Il signalait les développements rapides de l'enseignement public et privé, ajoutant enfin que « les aventures artistiques et joyeusetés littéraires de Paris ont immédiatement leurs coureurs à Bordeaux... »

Tableau un peu riant. Deux historiens plus récents de la capitale de l'Aquitaine, Louis Desgraves et Georges Dupeux [3], formulent un diagnostic différent. Pour eux Bordeaux souffre, à la fin du siècle, de n'avoir « pas su prendre, sous le second Empire, le tournant de l'industrialisation ». Le vrai baromètre de son économie reste l'activité du port, dont le déclin après 1870 est dû à son « mauvais outillage », aussi bien qu'au retour au « protectionnisme voulu par les dirigeants de la IIIe République ». Ils décrivent la période 1885-1895 comme celle des « années difficiles », liées aussi bien au « découragement des armateurs » qu'à l'affaiblissement général de « l'esprit d'initiative qui caractérisait autrefois notre ville [4] ». Et comment ne pas relever, parmi les causes du marasme qui afflige alors le Bordelais, le désastre qui, à partir de 1869, a frappé entre autres le vignoble girondin — dévasté par le phylloxera et le mildiou. Les exportations de vins et liqueurs diminuent de moitié entre 1880 et 1905.

Le paradoxe veut que le redémarrage de l'économie, ou plutôt du commerce de Bordeaux, soit dû en partie à la brusque poussée de ses *importations* de vins (de 50 000 hectolitres en 1870 à 2 400 000 en 1887), importations dont l'objectif n'est pas alors d'amplifier, par coupages et manipulations diverses, la production du « bordeaux », mais tout bonnement de faire pénétrer des produits étrangers, vendus comme tels, sur le marché français. « Coûteuse pour l'économie nationale, cette opération fut heureuse pour l'économie bordelaise en période délicate [5]. » Bordeaux sauvé par l'importation des vins !

Mais d'autres facteurs jouent en faveur d'une renaissance de la prospérité girondine : le brusque accroissement de l'importation du charbon gallois (200 000 tonnes en 1870, 1 million en 1966) l'exportation, maintenant massive, des bois de mine produits par la forêt landaise (200 000 tonnes en 1872, 500 000 en 1905) — sans oublier le développement d'une industrie légère, alimentaire surtout — conserves, chocolat, liqueurs, huiles — ou

1. Camille Jullian, *Histoire de Bordeaux...*, p. 766.
2. Dont un oncle de François Mauriac, Léonce Coiffard, enfant de chœur, portait la traîne, lors d'un pèlerinage : « Nous gravissions le calvaire de Verdelais... et il pétait, et il pétait... ».
3. *Histoire de Bordeaux*, 1900.
4. *Annuaire économique de Bordeaux,* 1886, tome VI, chap. IV, p. 387
5. Louis Desgraves et Georges Dupeux, *op. cit.*, p. 386.

participant de l'activité vinicole comme la tonnellerie (ces deux dernières données sont directement liées à la fortune des Mauriac, le grand-père paternel de François ayant été importateur de bois merrain[1] d'Autriche, et les propriétés de pins de la famille ne cessant de prendre de la valeur à partir de 1880).

Évidente de 1860 à 1880, gravement affectée par la crise viticole, le vieillissement des outillages et le protectionnisme jusqu'en 1896 environ, la prospérité bordelaise est relancée au tournant du siècle. Ce qui ne signifie pas que cette activité essentiellement commerciale, contrôlée par une centaine d'entreprises et de maisons assez puissamment établies pour avoir surmonté l'épreuve de la crise, assure à la cité la paix sociale et la sérénité politique.

Bordeaux-Misère, publication animée par Sébastien Faure à partir de 1890, témoigne de la vigueur du courant anarchiste. De grandes grèves ont éclaté en 1891. Deux ans plus tard, une alliance électorale de type « Front populaire » (radicaux et socialistes) donne, aux élections législatives en Gironde, la victoire à la gauche. Plus significatif encore : à l'occasion des élections municipales de 1896, les radicaux et les socialistes (du Parti ouvrier français de Jules Guesde) concluent avec les monarchistes le remarquable « pacte de Bordeaux ». Cette coalition des contraires l'emporta sur la liste modérée, chassant de la mairie la municipalité dite « opportuniste » de Daney. C'est au sein de ce nouveau conseil municipal de gauche que commence la carrière politique d'un professeur de lettres venu de Bretagne, nommé Marcel Cachin.

Faut-il préciser que ces soubresauts sociopolitiques, pas plus que les tribulations de l'économie bordelaise, n'eurent la moindre part dans la décision de François Mauriac de prendre le large ? De part consciente en tout cas... Contestant volontiers les valeurs qui avaient cours autour de lui, dénué de toute ambition relative aux « affaires » et s'y croyant (à tort ?) impropre, ne pensant qu'à une vie axée sur les livres et les mots, il lui importait assez peu que la Bourse fût bonne ou les modérés au pouvoir. S'il jugea bon de s'éloigner, ce ne fut pas seulement parce qu'aux yeux de ce grand lecteur de Balzac, Paris, ses « grands hommes », ses « salons », ses éditeurs et ses journaux, Paris seul pouvait donner élan à une carrière littéraire. Aussi parce que Bordeaux lui paraissait « bête ».

Avait-il lu le dernier chapitre du livre de Camille Jullian, et cette phrase du grand historien à propos des écrivains et des artistes locaux : « Aujourd'hui, Bordeaux n'a pas de nom véritablement grand, comparable à ceux de Montaigne et de Montesquieu. S'il a jamais des gloires aussi lumineuses, soyons sûrs qu'elles iront briller à Paris[2]. »

Désert culturel ? Au XVIIe et au XVIIIe siècle, Bordeaux avait été une sorte de capitale, rayonnant autour du collège de Guyenne et du Parlement. En 1830, Stendhal y voyait encore la plus belle ville de France. A l'aube du

1 Prépare en vue de la fabrication des tonneaux.
2 Camille Jullian, *op. cit.*, p. 773.

xxe siècle, ce n'est plus qu'une cité de province, avec ce que l'expression recouvre en France de mineur et de rétracté. Une presse active et diverse y prolifère pourtant, de *la Petite Gironde* républicaine au *Nouvelliste* monarchiste et à *la France* radicale-socialiste. Des revues paraissent et disparaissent — *la Vie bordelaise, Burdigala, Tourny-Noël* — la dernière illuminée par l'exceptionnel talent du caricaturiste Sem.

De 1880 à 1888, Francis Jammes a fait ses études au lycée puis à la faculté de Bordeaux, y laissant sa trace. Autour de son ami Gabriel Frizeau, qui est aussi celui d'Odilon Redon et fut l'un des premiers lecteurs de *Tête d'or*, s'organisera à partir de 1890, sous le double signe de Claudel et de Gide, toute une vie d'échanges intellectuels auxquels seront mêlés Jacques Rivière, André Lhote, Alexis Léger qui n'était pas encore Saint-John Perse, Jammes lui-même et, furtivement, François Mauriac.

Collectionneur éclairé, Frizeau avait rassemblé chez lui des Gauguin[1], plusieurs dizaines de toiles de Redon, des Maurice Denis, des Rouault, des Monticelli. Ami et correspondant de Claudel, admirateur de Gide qui vint deux fois lui rendre visite à Bordeaux, il avait fait de sa maison de la rue Régis un foyer intellectuel d'une intensité peu banale. Pourquoi Mauriac y fut-il si rare ? Le « désert » bordelais lui eût semblé à coup sûr moins aride s'il avait su goûter à cette source.

L'université de Bordeaux n'est pas si médiocre, au début du siècle, qui compte quelques vrais maîtres : Pierre Duhem[2] à la faculté des sciences, Léon Duguit en droit, Durkheim, Jullian, Strowski[3] en lettres, et en médecine Arnozan[4], Demons ou Paul-Louis Lande — qui devint même maire de la ville. Sous leur férule, ou alentour, naissaient des talents très divers, ceux de Jacques Rivière, de Jean de la Ville de Mirmont[5], d'André Lafon — avec lesquels Mauriac ne se liera vraiment qu'après les avoir retrouvés à Paris : frappante réserve que celle, entre eux, de ces Bordelais du début du siècle, séparés par les coteries, les snobismes, le « rang », les castes, les jalousies, les courants d'amitiés vraies ou fausses, acquises ou héritées, et ce bienséant principe des invitations à « rendre » qui pétrifiait relations et échanges.

Contribuent à donner cadre et substance à cette vie culturelle fragmentée, stratifiée mais réelle, un admirable théâtre bâti par Victor Louis au milieu du XVIIIe siècle à l'initiative orgueilleuse du duc de Richelieu, et qui fait la fierté de ceux mêmes des Bordelais qui ne s'y aventurent jamais ; une tradition musicale entretenue par une grande bourgeoisie commerçante attentive à paraître digne des vins qui l'enrichissent ; et l'apparition dans l'univers

1. Notamment la grande toile intitulée *Qui sommes-nous ? D'où venons-nous ? Où allons-nous ?* qui fit rêver bien des Bordelais avant d'autres publics, et fascinait Jacques Rivière, mieux alors que François Mauriac.
2. En faveur de qui Yves Frontenac prend parti dans sa famille, sans connaître ses travaux
3. Qui fut le professeur de Mauriac.
4. Modèle supposé du docteur Courrèges du *Désert de l'Amour*
5. Tous deux fils de professeur à l'université.

musical de grands virtuoses « indigènes » comme Jacques Thibaud et, à u
moindre titre, Francis Planté.

Le répertoire du Grand-Théâtre ? On y donne plus souvent *Mignon, les Huguenots* ou *la Bohème* (celle de Leoncavallo, d'abord) que *la Flûte enchantée* ou *Lohengrin*. Un ténor toulousain à l'aigu rayonnant, Escalaïs, s'y mesure à un rival inattendu : le champion cycliste Bourrillon, converti à l'opéra. Mais les abonnés viennent surtout au Grand-Théâtre pour admirer celle qui deviendra l'étoile du ballet, la « troublante » Régina Badet, que le jeune François Mauriac juge « adorable » dans *la Zingara*[1].

D'autres noms hantent sa mémoire :

> « Mme Brégent-Gravière, Mme Fiérens et le ténor Scaremberg... Pour se reposer du *Trouvère* et du *Pré-aux-Clercs*, les dilettantes cherchaient aux concerts du Cercle philharmonique de la musique sérieuse : Mme Georgette Leblanc[2] y parut un soir les pieds nus. Une ceinture d'écailles d'argent retenait sous les bras sa tunique grecque : en vain chanta-t-elle avec peu de voix, mais bien de l'habileté, *la Jeune Religieuse*, de Schubert : mes concitoyens furent choqués, et jugèrent inacceptables ces pieds nus[3]... »

Et puis il y a la tragédie :

> « J'avais 18 ans lorsque je vis à Bordeaux, sur la scène du Grand-Théâtre, Sarah Bernhardt qui n'était pas une Phèdre échappée de la Salpêtrière, un sujet pour Charcot, mais la créature sur laquelle pèse la griffe du Dieu de Jansénius... »

Dans un article publié en 1906 dans *le Mercure musical*, Jacques Rivière — sur le point de quitter lui aussi Bordeaux, et à jamais — évoque une vie musicale savamment balancée entre les concerts Sainte-Cécile, très ouverts à un large public, où l'on joue Bach, Beethoven, Wagner ou *l'Enfance du Christ*, et les soirées de la Société philharmonique, plus mondaines, où l'on vient surtout écouter les grands virtuoses, Ysaye, Fugère, Kubelik, Dufranne chantant Debussy et Mlle Grandjean dans la mort d'Isolde. Désert ? Pour qui s'est résigné à ne point écouter...

Bordeaux s'enflamme aussi — bien davantage... — pour la course automobile Paris-Madrid, pour les sept victoires du Stade bordelais en finale du championnat de France de rugby (de 1899 à 1910) ou pour les prouesses des toreros Reverte, Bombita ou Mazzantini aux arènes de la Benatte. Le jeune François Mauriac ne résiste pas à l'envoûtement tauromachique. Dans un de ses derniers blocs-notes, soixante-dix ans plus tard, il reconnaît avoir passionnément aimé les corridas[4]. Ainsi évoque-t-il l'impatience qu'ils éprouvaient, ses frères et lui, le dimanche pendant les vêpres :

> « Nous redoutions, les jours de corrida, de manquer le premier taureau. Le temps se voilait : l'orage n'éclaterait-il pas avant la course. Impossible à

1 *Commencements d'une vie*, p. 78.
2. Épouse de Maurice Maeterlinck.
3 *Revue hebdomadaire*, 28 septembre 1918.
4 Il s'en déprendra plus tard. En témoigne un article publié en 1952

> travers les vitraux, de mesurer la montée de l'orage. Nous savions seulement qu'il n'y avait plus de soleil... »

Le rugby, en revanche, excite sa verve narquoise :

> « De même qu'elle fut la première à reconnaître le roi, Bordeaux la première accueillit aussi le culte du nouveau Dieu : le ballon ovale. Le soir où Bordeaux perdit son titre de champion pour le rugby, j'ai vu, sur les trottoirs de l'Intendance, des jeunes gens qui pleuraient... »

Même ironie à propos de la croissante vogue du tennis ou des régates d'Arcachon qui passionnent les jeunes Bordelais.

Qu'importe au maigre jeune homme qui prend le train pour Paris en septembre 1907 ? Ces jeux-là ne sont pas les siens. Cette ville qui vit en lui à jamais, qui est « l'histoire de (son) corps et de (son) âme », il n'y peut plus vivre, il ne peut plus s'y souffrir — étouffé comme un asthmatique, fût-ce au milieu des siens, dans ce cadre familial qu'il chérit amèrement.

Le sable et les pavés

> « La première pensée du biographe, qui veut avancer dans la connaissance d'un homme, est de chercher d'abord du côté de ses ascendants. L'individu le plus singulier n'est que le moment d'une race. Il faudrait pouvoir remonter le cours de ce fleuve aux sources innombrables, pour capter le secret de toutes les contradictions, de tous les remous d'un seul être. »
>
> François Mauriac, *La Vie de Racine,* p. 12.

Il y a l'ascendance rurale du côté paternel (mi-sable, mi-argile) et la lignée citadine, proprement bordelaise, du côté maternel. Il y a ceux qui ont des hectares de pins du côté de Bazas et de vignes autour de Langon, et ceux qui ont produit, commercé, échangé, marchandé au cœur du vieux Bordeaux. « J'étais, écrit-il dans ses *Mémoires politiques,* le rejeton d'une de ces familles françaises paysannes, commerçantes, qui produisent aussi des magistrats, des notaires, des bons prêtres et même des poètes. »

Du côté bordelais, on est commerçant et « calotin ». Du côté landais, on est propriétaire terrien, libre penseur et « républicain ». Tous bourgeois, les laïques comme les dévots, tous attentifs à gérer et accroître leur bien (sauf, on le verra, le propre père de François). Classe moyenne ? C'est trop peu dire Bourgeoisie ascendante (« mes deux grand-mères " de bonne famille " avaient épousé des hommes qui s'étaient faits tout seuls[1] », sans attache avec le pouvoir, certes, sans répondant politique, sans caractère dynastique, mais grosse de toutes les promesses, et donnant vers la fin du siècle tous les signes d'une puissante fécondité.

Du côté maternel et citadin la famille, où l'on avait « autrefois navigué[2] », était « enracinée dans les profondeurs du vieux Bordeaux », rappelle souvent Mauriac. La raffinerie Abribat qui appartenait à ses grands-parents du côté maternel, détruite par un incendie au temps de sa première enfance alors qu'elle périclitait, s'élevait rue Sainte-Croix. A portée d'arbalète de la belle église romane qui s'y dresse, le beffroi de la Grosse Cloche, construit par les Anglais, enjambe la rue Saint-James, dont le nom rappelle à la fois l'occupation britannique et le pèlerinage de Compostelle : c'est là, au pied même de cette tour imposante porteuse d'une cloche dont le bourdonnement, les jours d'incendie, terrorisait l'enfant Francis Jammes, « comme l'eussent fait les trompes du Jugement dernier », qu'un autre grand-père « parti de rien, précise François Mauriac, s'enrichit à l'enseigne du « Magot » : tissus, châles de l'Inde ».

Son mariage avec l'héritier du « Magot », Raymond Coiffard, avait fait d'Irma Abribat une puissance. Cette aïeule vigoureuse et dévote jouera un rôle capital dans la formation première de François — hébergeant dans sa maison de Bordeaux « le groupe éternellement serré de la mère et des cinq enfants », leur offrant pour cadre d'une partie de leurs vacances le « château Lange » de Gradignan sur lequel elle règne souverainement, et suggérant au futur écrivain, à l'heure de sa mort, ses premières réflexions décisives sur les comportements et valeurs de la bourgeoisie catholique.

Considérer les portraits des trois ascendants masculins de François Mauriac, c'est découvrir le matériau pour une esquisse de l'histoire iconographique de la bourgeoisie française au XIXe siècle. L'arrière grand-père, Jean, paysan trapu, la tête épaisse posée sur un poitrail formidable, les pouces coincés dans les entournures du gilet, c'est un conquérant balzacien des *Scènes de la vie de province,* le modèle achevé du Toussaint Turelure de Claudel. C'est lui qui, originaire de Castets, dans les Landes méridionales, près de Dax, d'abord fabricant de tonneaux, puis importateur de bois, s'installe dans la région girondine en acquérant un domaine à Saint-Pierre d'Aurillac, dans l'Entre-deux-Mers, et entreprit de rassembler des terres près de Langon. Quand, en 1840, il achète Malagar (on écrit alors Malagarre, qui signifie probablement mauvaise garenne) il est déjà un propriétaire terrien.

Cette propriété de « Malagarre », dont un bourgeois de Saint-Macaire nommé Armand Duthoya avait fait don aux célestins de Verdelais en 1695 puis qui avait été achetée à titre de « bien national » par Jean-François Moulinié en l'an IV et acquise enfin par Jean Mauriac le 18 septembre 1843, n'apparaît pas, dans ses commencements, comme une très bonne affaire. Les premiers feuillets du « livre de raison » de Jean Mauriac, en 1843, font même

1. *Commencements d'une vie,* p. 80.
2. *Les Maisons fugitives,* in *Œuvres complètes,* tome IV, p. 325

apparaître un bilan catastrophique : « débours : 3 004,44 francs ; rentrées : 79,37 »... Il est vrai que, dans les débours, il y a d'innombrables frais d'installation ou d'équipement (« achat à Jean Pan d'une paire de bœufs : 550 francs », « payé à Cazenave une corde de puits : 8 francs » « frais en réparation aux maisons : 398,70 francs ») alors que les premières cultures sont d'un petit rapport (« vendu à Payselanne 3 hectares de pommes de terre à 2,75 francs », etc.). Mais Jean Mauriac ne s'affole pas. Il note paisiblement : « Observation : comme on le voit par les comptes qui précèdent, mon revenu a été totalement épuisé en réparations aux maisons, transports de terre, achats de fumier, etc. D'un autre côté, la valeur de ma propriété a augmenté de plus que du montant de ces réparations. » Son arrière-petit-fils François ne fera pas toujours preuve de la même sérénité...

Tout propriétaire de Malagarre qu'il est, Jean Mauriac s'y sent à tel point le « vassal » du marquis de Lur-Saluces, maître du tout voisin château d'Yquem, qu'il lui envoie chaque année, comme un tribut, les premières asperges de sa récolte. Selon son arrière-petit-fils, « il était fort sentencieux et développait volontiers les trois points du même discours : ordre, travail, économie[1] ».

Chez le grand-père, Jacques, le type s'est affiné : on lui voit, jeune, l'air d'un commerçant aisé, ou même d'un juriste dans sa redingote à la Guizot, le front vaste, le regard grave sous la mèche distinguée, main posée sur un livre. Héritier de la maison d'importation de bois merrains, fondée par son père, le châtelain de Malagar élargit les assises de la fortune familiale et bâtit aux portes de Langon le « château Mauriac », grande bâtisse à deux pavillons, vaguement seigneuriale, que font frémir les trains. C'est là que vivent et meurent les personnages de *Genitrix*. Epousant Mathilde Lapeyre (« ce qu'il y a de mieux dans la Lande »), originaire de Villandraut, mariant ses moyennes propriétés de vin du Langonnais et de l'Entre-deux-Mers aux 2 à 3 000 hectares de pins des Lapeyre, il fera des fils Mauriac de la prochaine génération de beaux partis pour les demoiselles de Bordeaux.

Curieux personnage que ce Jacques Mauriac : son petit-fils avait gardé le souvenir d'un vieillard qui sifflait ses hôtes pour les convier à déjeuner et « se rinçait la bouche, au dessert, avec du curaçao[2]... ». Il était resté assez paysan jusqu'à la veille de sa mort pour ne jamais rendre visite à ses petits-enfants, à Bordeaux, que les bras chargés de volailles et de pâtés, et pour avoir ordonné que l'on porte de la terre de Malagar sur son tombeau, ramenant « sur son cadavre, comme une couverture, cette argile bien-aimée ». Assez paysan aussi pour avoir depuis vingt ans liquidé son entreprise de bois importés afin de se consacrer à l'exploitation de ses propriétés de vignes et de pins, non sans avoir contraint son fils aîné Jean-Paul, dès l'adolescence, à abandonner de bonnes études pour l'aider à gérer son entreprise commerciale — soudain abandonnée.

Jean-Paul Mauriac, c'est le père de François. Il faut considérer les effigies

1 *Ibid.* p. 323.
2 *Ibid.* p. 337

de cet homme mort si jeune, et les textes qu'il a laissés. On faisait allusion plus haut à une esquisse d'histoire iconographique de la bourgeoisie française : elle nous mènerait ici de l'épais rassembleur de terres Jean Mauriac, encore planté dans son argile, au bourgeois négociant et libre penseur Jacques Mauriac, membre d'une classe sûre d'elle-même et de ses droits, portée par la vague expansionniste du second Empire à une large aisance — et puis à Jean-Paul au fin visage mélancolique, regard timide, sourcils tombants, fine moustache, avec cette tournure de hussard que l'on apprend en même temps que le latin et le piano. Un peu plus tard, une barbe soyeuse accentuera la mélancolie de son air. En un siècle, et trois personnages, les Mauriac sont passés, avec l'ensemble de la bourgeoisie française, de la conquête des « biens nationaux » à la culture un peu lasse du moi.

Un fantôme de père

« Je ne me suis jamais accoutumé à ce malheur de n'avoir pas connu mon père. » C'est par ce soupir véhément que Mauriac entame les *Commencements d'une vie.* Il avait 20 mois quand son père fut emporté soudain, à 35 ans : « Quand on me porta dans la chambre où il agonisait, je poussai des cris et ne pus l'embrasser [1] » aussi le connut-il moins que chacun d'entre nous aujourd'hui. La découverte du journal de Jean-Paul Mauriac par l'une de ses petites-filles, Laure Rioux, en 1973, permit à Claude Mauriac d'en publier dans *le Temps Immobile* des extraits qui en apprennent beaucoup plus sur sa personnalité que n'en devinèrent en son temps la plupart de ses proches.

Non que ce jeune homme de l'âge de Rimbaud livre le moindre secret intime dans ces pages discrètes et mesurées. Mais ce qui apparaît à l'évidence, c'est la sensibilité tendre et narquoise de ce Jean-Paul, son appétit de culture, son aisance à s'exprimer. Il n'est pas douteux que c'est de lui que François tint sa passion de la lecture — et le Baudelaire qu'il découvrit, à 15 ans, dans la bibliothèque familiale, où traînaient peu de livres aussi sulfureux, est de l'un à l'autre le legs le plus précieux, et entre eux la chaîne la plus solide. « Il aimait les livres et faisait de mauvais vers », avait écrit l'auteur des *Maisons fugitives.* Ce journal n'est pas de la mauvaise prose.

Comme François Mauriac l'aurait goûté, ce « journal » de son père ! Il y aurait en tout cas reconnu cette liberté d'esprit, ce refus des conformismes dont il s'est toujours fièrement réclamé. Il y aurait aussi trouvé confirmation de cet agnosticisme qu'il connaissait assez pour s'être demandé parfois ce qui serait advenu de sa propre personnalité si, au lieu de son père irréligieux, c'est sa mère dévote qui avait prématurément disparu de sa vie...

1 *Le Journal d'un homme de trente ans,* in *Œuvres complètes,* tome IV p. 228

> « Il avait très tôt perdu la foi et j'ai retrouvé des lettres pathétiques de prêtres qui le chérissaient. Toute notre enfance, pour son salut et pour celui de mon grand-père, s'est inquiétée et a prié. Il réagissait violemment contre la religion telle qu'elle se manifestait dans la famille de sa femme et dans la vie politique du pays. »

François Mauriac fera de temps à autre allusion à la tension latente, dans sa famille, entre l'état d'esprit qui régnait du côté de sa mère, par essence clérical, et celui qui dominait chez les Mauriac et se voulait libre penseur. Jean-Paul Mauriac poussait-il l'anticléricalisme jusqu'à se faire servir, chaque vendredi, une côtelette — comme devait le raconter plus tard François à un hebdomadaire qui monta le trait en épingle, provoquant une tempête parmi les proches de l'écrivain ? Le ton de son « journal », très nuancé, ses portraits si doucement mélancoliques ne portent pas à accréditer l'idée d'un comportement aussi provocant vis-à-vis de sa dévote épouse [1].

Claire Mauriac, au fort visage espagnol peuplé d'un regard de nuit, avait hérité d'Irma Coiffard, sa mère, une foi sans mélange, un attachement irréductible aux formes les plus traditionnelles de la pratique religieuse, une pruderie de haute époque, un tempérament fougueusement autoritaire, la conviction absolue que, sauf exception rare, la fortune sourit aux vertueux — ou la vertu aux fortunés —, la certitude enfin que le péché entre tous odieux au Seigneur est celui de la chair.

Ce parangon de vertu maternelle n'en avait pas moins été une épouse amoureuse. Sa petite-fille Laure, l'aînée des enfants de son fils aîné Raymond, faisait ainsi écho aux confidences de « bonne maman Claire » devant ses cousins, dont Claude Mauriac, en septembre 1974 : « ... Elle me parlait beaucoup de notre grand-père, son mari. Elle lui avait été très attachée et l'avait aimé follement. Physiquement, si vous voyez ce que je veux dire. Un jour oncle Jean [2] la surprit peu avant sa mort, qui brûlait des lettres de son mari, dont elle disait qu'elle ne voulait pas les laisser derrière elle [...] Il en prit une, la lut, revint en nous disant : " C'est inimaginable. On ne peut imaginer ce qu'il lui écrivait... " Elle l'aimait, oui, encore qu'il lui avait fait cinq enfants en sept ans ! Elle n'en était pas encore remise [3]... »

Aussi bien proscrivait-on chez les Mauriac toute allusion à l'amour physique et aux gestes qui peuvent, de près ou de loin, s'y rapporter. Quand la sœur aînée de François, Germaine, épousa le Dr Fieux, gynécologue, l'un des « garçons » demanda quelle était la spécialité de leur beau-frère ; il s'entendit répondre : « les affections de la gorge ». Avec cela, Claire Mauriac était musicienne, chantant volontiers d'une belle voix de mezzo-soprano la prière d'Elisabeth de *Tannhäuser*, et des mélodies de Schumann ou de Gounod.

1. Ce qu'écrira en 1957 Pierre Mauriac à François qui avait raconté à un hebdomadaire l'histoire de la « côtelette du vendredi ».
2. L'abbé, aumônier au lycée de Bordeaux. Il avait entendu beaucoup de confessions.
3. Claude Mauriac, *Le Temps immobile* 2, p. 509.

En François Mauriac, ce doux père agnostique et amoureux des livres, cette forte mère dévote, quelque peu janséniste et gardienne des rites, assurée de l'éminente dignité des valeurs bourgeoises, ne cessèrent de livrer combat. Contradiction créatrice.

> « L'absent bien-aimé, en moi, dut faire contrepoids, au-dedans de moi, à tout ce qui m'était inculqué par ma mère (il avait tenu à accrocher chez lui, face aux images pieuses disposées par sa femme, les portraits de Galilée, de Copernic et de Descartes). Elle parlait toujours avec une arrière-pensée critique, sinon hostile [...] de ce que je savais ou devinais des Mauriac. »

Et dans une lettre à sa mère, en 1910, François parlera de « ces paysans obscurs et doux dont je sors ». L'auteur du *Mystère Frontenac* a toujours eu conscience d'être issu d'une conjonction singulière entre le milieu bordelais, négoce et dévotion mêlés, une terre à vignes aux horizons modérés, peuplée de paysans prudemment rapaces, et des propriétaires landais voltairiens, émergeant des marécages sablonneux de ce désert du milieu du siècle où il n'était de lumière, l'hiver, que de chandelles de résine, de transport qu'en charrettes à bœufs et de vie que celle qu'assuraient les grands troupeaux.

Méditant un jour, comme Renan ou Massignon devant le désert, sur « ce paysage immuable (où) le monde extérieur [...] s'anéantit devant le monde intérieur », Mauriac écrit : « Pays désincarné qui échappe à l'accident et à qui je dois d'avoir, tout enfant, pressenti que dès ici-bas, nous sommes dans l'éternité. » Et il précise : « Que mon grand-père de Langon soit allé prendre femme dans la grande lande, du côté de Villandraut et de Saint-Symphorien, j'ai toujours cru que le don littéraire en moi était lié à cette double appartenance[1]. » A laquelle il faut ajouter le troisième « filon » de parenté, le bordelais, le négociant.

Bourgeois citadins et paysans économes, vignobles moyens et amples pinèdes, fidéisme et laïcité — ce n'est pas un nœud de vipères, mais un nœud de contraires, savoureux et fructueux, qui forme cette « race » dont François Mauriac se disait, lors de ses entretiens radiophoniques avec Jean Amrouche, en 1952, le dépositaire ou l'interprète, l'exutoire ou le porte-parole presque inconscient.

En lui, à jamais, combattront les ascendants économes et madrés, ce que ce christianisme espagnol aura nourri en son caractère d'exigence fiévreuse et d'angoisse du péché, le libéralisme enfin, l'esprit de libre pensée qui lui vient de son père. Pascal, *Candide* et le Magot... Jamais le troisième ne s'effacera tout à fait. Mais jamais il ne dominera. Jamais non plus l'esprit de Voltaire, jaillissant, ne pourra apaiser tout à fait le feu des incendies landais qui brûle en lui.

Un terroir multiple mais convergent, une « race » contrastée, un milieu social à tout prendre cohérent. Mais aussi une date : 1885. L'année de la mort de Hugo, de la vraie mort du XIXe siècle. François Mauriac naît au crépuscule d'un temps qui ne fut pas seulement celui du romantisme et des

1 *Mémoires politiques*, préface, p 9

nationalités européennes, mais aussi celui du positivisme et de la première vague de l'impérialisme, du scientisme et du Syllabus. Il naît au revers de ce XIXe siècle qui ne fut stupide qu'au regard des stupides et qui restera planté en lui, vivant par l'intercession de Maurice de Guérin, de Baudelaire et de Barrès. Mais s'il est un enfant du XIXe siècle, il est un homme du XXe. Il a 15 ans en 1900.

Déjà notre siècle s'avance, plus fumant d'orages qu'un étang des Landes en juillet, ce siècle qui en dépit des apparences sera le fils de Nietzsche plus encore que de Marx, et aussi celui de Franz Kafka et de Sigmund Freud, un temps où l'on a cessé de croire que l'avenir immense de la science est le bel avenir de l'homme et que l'ordre du monde est arrêté par les messieurs de la City de Londres et les cardinaux de la Curie romaine.

François Mauriac devient homme à l'orée du XXe siècle. Ses références, il les cherchera souvent chez Balzac et chez Hugo. Mais plutôt au-delà, et en deçà, chez Pascal et chez Rimbaud : il est avec ceux qui annoncent notre temps Il est notre contemporain

2. La matrice

François Mauriac, bordelais, aurait pu naître comme la majorité de ses concitoyens dans le Bordeaux du XIXe ou du XXe siècle, le long de l'une de ces longues rues à l'aspect « lugubre », qui pourraient être lyonnaises ou lilloises, de ces « cours » qui strient la ville de longs fleuves d'ennui. Mais non : il fallut que ce soit — le 11 octobre 1885 — au plus profond du vieux cocon noirci, au cœur de la vieille cité négociante et artisane, 86, rue du Pas-Saint-Georges, à l'angle de la rue des Herbes, dans ce Bordeaux dans Bordeaux où Montaigne dut se pincer le nez devant les victimes de l'épidémie et Montesquieu flâner en se rendant au Parlement.

Claire et Jean-Paul Mauriac ont déjà quatre enfants, Germaine, Raymond, Jean et Pierre [1], qu'ils élèvent dans un climat austère. Depuis que son père a liquidé son affaire de bois et s'occupe de ses propriétés, Jean-Paul se livre, selon les indications données par son dernier fils, à des opérations bancaires. Sans grande joie, peut-on penser d'après ce que l'on sait du personnage. Vingt mois après la naissance de François, il disparaissait donc, après une très brève maladie : rentrant un soir de la propriété familiale de Saint-Symphorien, il s'était plaint de maux de tête. On diagnostiqua un « abcès au cerveau ». Trois jours plus tard, il était mort. Veuve à 29 ans, chargée de cinq enfants, Claire Mauriac fut accueillie par sa mère, Irma Coiffard, au troisième étage de la maison qu'habitait la vieille dame, 7, rue Duffour-Dubergier, artère assez récemment tracée, unissant le cours Pasteur — où vient d'être installée la faculté des lettres — et la place Pey-Berland, où se dressent la tour du même nom et la cathédrale Saint-André.

Les régentes

C'est sur cet axe symbolique que se produisit l'éveil de François à la vie consciente, de 1887 à 1894. C'est à cet appartement qu'il faut rapporter les souvenirs de la petite enfance, marquée par le pelotonnement de la maisonnée autour de la mère dans la grande chambre où brûle l'unique feu

1 Nés en 1878, 1880, 1881 et 1883

de l'appartement, et dominée par l'autorité conjointe de deux maîtresses femmes : Irma Coiffard et Claire Mauriac. Il ne faudra jamais oublier ceci, que l'auteur de *Commencements d'une vie* a rappelé lui-même à diverses reprises : que le pouvoir était de fait exercé par des femmes, dans sa famille. La révolte contre l'autorité, chez lui, a eu très longtemps une signification inconsciemment antiféministe. Œdipe ou Oreste ?

Il y a les premiers « souvenirs » — ou imaginations de souvenirs — la grand-mère de Langon assise dans le grand vestibule du « château Mauriac » : François lui dérobe une des pastilles de chocolat dont elle porte toujours avec elle une boîte, et elle le menace de sa canne en riant ; les « saltimbanques » qui leur font signe un été, à Malagar, et ses frères s'enfuient, le laissant en arrière, épouvanté, sanglotant ; et les cérémonies rituelles autour de l'ânesse, « Grisette », proprement « adorée » par ces petits chrétiens... Il a 3 ans, 4 ans... Et encore ce séjour à Bagnères-de-Bigorre chez « Mme de Pénautier », qui flatte la vanité familiale jusqu'au jour où l'on apprend que la « comtesse » n'est qu'une « personne entretenue » par un hobereau. Les enfants de Claire Mauriac...

François est chétif. Il joue de cette faiblesse. Nul des enfants ne s'applique plus passionnément que lui, le petit dernier, « dans la chambre tendue de gris, autour d'une lampe chinoise coiffée d'un abat-jour cannelé », à se blottir contre la robe maternelle, disputant à ses frères « le coin » entre le prie-Dieu et le lit au moment où à 9 heures, Claire Mauriac, agenouillée, la tête dans ses mains, commence de réciter d'un ton pathétique la prière en usage dans le diocèse de Bordeaux : « Dans l'incertitude où je suis si la mort ne me surprendra pas cette nuit, je vous recommande mon âme, ô mon Dieu... » Et François croyait entendre « que la mort ne me surprenne, ah ! pas cette nuit[1] ! ». Sur la cheminée, une statue fascine l'enfant, celle « d'une dame très belle, très mystérieuse, que j'appelais je ne sais pourquoi Mme Colorado[2]... » : c'est la *Jeanne d'Arc* de Chapu écoutant ses voix.

Les chemises de nuit des enfants Mauriac étaient si longues

> « que je n'eusse pu, observe François, me gratter le pied. Nous savions que l'Etre Infini exige des enfants qu'ils dorment les mains en croix sur leur poitrine. Nous entrions dans le sommeil les bras repliés, les paumes comme clouées sur notre corps, étreignant les médailles bénites et le scapulaire du Mont-Carmel que pour le bain même il ne fallait pas quitter[3] »...

Ses cinq enfants endormis ou bordés, Claire Mauriac descendait à l'étage inférieur retrouver sa mère : le conseil des Régentes. « Je me souviens du bruit retentissant et terrible de la porte d'entrée qu'elle fermait derrière elle Contre une telle solitude, il ne restait que le refuge du sommeil[4]. »

Le souvenir du père était entretenu par la photo agrandie par Nadar d'un

1 *Commencements d'une vie*, p. 132.
2 Claude Mauriac, *Le Temps immobile*, I, p 246.
3 *Commencements d'une vie*, p 133.
4 *Ibid*

visage barbu, pâle et triste, posé dans son cadre sur la table de la chambre tendue de gris. Et quand Mme Mauriac ouvrait son armoire, François apercevait, sur l'étagère la plus haute, un chapeau melon noir, « le chapeau de pauvre papa ». Sa sœur, ses frères évoquaient souvent le disparu. En vain : rien ne remontait de sa mémoire. Une légende s'était créée autour de l'agonie de Jean-Paul Mauriac. Selon sa pieuse épouse, il avait alors tenté d'approcher un crucifix de ses lèvres. « C'était pour se gratter ! » ripostait le grand-père...

Dans *Un adolescent d'autrefois*[1], François raconte que vers sa dixième année, au collège, il crut soudain que son père était revenu : alors il s'était précipité en courant, bousculant les passants sur le trottoir, pour retrouver, inchangée, la chambre grise de sa mère... Jean-Paul Mauriac était enterré au cimetière de Langon : chaque année, la veuve y emmenait les enfants devant la pierre tombale édifiée par les Mauriac libres penseurs, auquel elle trouvait un air fâcheusement païen — et que François prenait, lui, pour le purgatoire.

Jacques Mauriac y était inhumé aux côtés du fils mort trois ans avant lui. Pour l'édification des enfants — et des grandes personnes — Claire Mauriac racontait la fin exemplaire de ce libre penseur. Venu voir ses petits-enfants à Bordeaux, il avait d'abord regardé un album de photographies familiales, soupiré : « Quel cimetière ! Je suis le seul survivant... », puis abondamment fait honneur au poulet aux nouilles cuisiné pour lui. Rentré à Langon le lendemain, il avait visité sa propriété préférée, celle de Malagar, et l'hospice de vieillards dont il était l'administrateur, puis, à la surprise de tous, accepté lui, le vieil anticlérical, d'accompagner une amie à l'église pour une bénédiction. Victime d'une défaillance sur la route du retour, transporté jusqu'à son lit, il avait expiré en murmurant : « La foi nous sauve... » L'ardente piété des enfants Mauriac s'alimentait de tels traits.

François avait 5 ans quand sa mère le conduisit au jardin d'enfants gouverné par la sœur Adrienne, rue du Mirail, en face de l'école Sainte-Marie tenue par les pères marianistes où étaient éduqués ses frères. C'est un souvenir qui ne l'a pas quitté, sa peur du premier jour, cette chaleur contre sa cuisse, cette flaque à ses pieds, qu'il contemple... Autour de lui les gosses qui l'entourent, lui font les cornes en criant : « Oh ! la fille ! Oh ! la fille ! ». L'humiliation à l'état pur, entretenue par les rires de ses frères qui prétendaient que lorsqu'un bruit insolite retentissait au jardin d'enfants « la sœur reniflait tous nos petits derrières jusqu'à ce que son odeur eût décelé le coupable [...] [et] qu'en cas de besoin pressant, on devait lever un doigt pour " le petit ", et deux doigts pour " le gros ". Mais nous sommes ici en pleine légende[2] ».

Serrés autour de leur mère, les cinq enfants Mauriac — Germaine, Raymond, Jean, Pierre et François — forment un monde à part, une petite planète autonome, bien qu'à leur vie tribale soient étroitement associées quatre personnes : leur grand-mère Coiffard, qui les héberge et les

1. Ici clairement autobiographique.
2. *Commencements d'une vie*, p. 133.

« patronne », l' « oncle Louis », frère cadet de leur père devenu leur tuteur, qui consacre à la gestion de leurs biens tout le temps que lui laissent ses fonctions de magistrat (c'est le touchant Xavier du *Mystère Frontenac*) et deux cousines confiées à la garde d'Irma Coiffard, Louise et Jeanne. Ni les boucles de la première, ni le nez retroussé de la seconde ne semblent avoir jamais troublé François — qui, lors de ses entretiens avec Jean Amrouche, en 1952, ne se découvrait, avant la seizième année, aucune amour enfantine.

S'il lui est souvent arrivé de s'inspirer de souvenirs familiaux pour peindre quelque passion trouble, ce n'est pas dans son foyer, à coup sûr, qu'il trouva le modèle des amours incestueuses qui rôdent, inaccomplies, à travers ses livres — celles, par exemple, de Tota et d'Alain Forcas... Rien de plus naturel que ses relations avec sa sœur aînée Germaine, sa marraine (à laquelle il dédiera son premier « roman »...). Rien de plus classique que ses rapports avec ses frères — sarcasmes, brimades, jeux.

Et même celui qui tourna mal. Il avait 4 ans quand, raconte-t-il,

> « mon frère Jean [1] et moi nous disputions un fouet dont la ficelle, qui était terminée par un bout de fer m'entra dans la paupière. Et ma bonne Octavie, s'affolant, fit ce qu'il fallait surtout éviter de faire, elle tira sur le crochet... On me recousit sans m'endormir, me maintenant pour que je ne me débatte pas... J'avais déjà la paupière gauche naturellement tombante — et voici que maintenant mon œil droit celui dont la paupière était arrachée, était relevé »...

Ses frères en profitent pour l'affubler d'un sobriquet : « Coco Bel-Œil » (ainsi appelle-t-on l'un des phares qui surveillent l'entrée de la Gironde). Souffre-douleur, François ? Non. Ces familles-là ne le permettent pas — et moins que toutes celles où la mère veille de si près. A partir d'un certain revenu, l'enfance est protégée et introvertit sa souffrance, réelle ou imaginaire.

Dieu sait si le dernier des enfants Mauriac s'y entendait, en souffrance rêvée — peut-être subie, à sa façon. Avant même d'avoir lu, d'avoir même imaginé Barrès, l'enfant bordelais avait mis en pratique les leçons de *l'Ennemi des lois :* « Sentir le plus possible en s'analysant le plus possible. » Il jouait à être « solitaire et méconnu ; et c'est le plus passionné des jeux... Il faut commencer par souffrir, et je me souviens que je faisais flèche de tout bois ». Cet « enfant triste que tout blessait [2] », François le fut-il ? S'appliqua-t-il à l'être, utilisant avec minutie le décor et les accessoires d'une vie bourgeoise et privilégiée pour modeler, avec un art de romancier, déjà, son personnage d'enfant « triste, incompris, différent des autres » (« différent », c'est le mot qui ouvre *Un adolescent d'autrefois,* le plus autobiographique de ses livres avec *le Mystère Frontenac*).

Donnons ici la parole au plus attentif et lucide des témoins, son frère Pierre ici particulièrement compétent : « Chétif, il l'était, et d'une insuffi-

1. Le futur abbé.
2. *Commencements d'une vie,* p. 137.

sance musculaire qu'il ne fit rien pour corriger, mais pas plus maladif que ses frères. Comme Montaigne, il avait la peau tendre et sensible. Les jeux de mains " indiscrets et âpres à la française " lui faisaient peur. Aussi bien une maladresse insigne l'en écartait... Ce sentiment intime d'inaptitude servait son personnage... » Tous ces jeux, ces sports auxquels se divertissaient les autres lui semblaient dépasser ses forces. C'est lui qui précise : « Comment vivre dans cette cohue ? Les disputes violentes de la récréation préfiguraient pour moi une vie où je me croyais déjà bousculé, piétiné, vaincu. »

Son frère aîné Raymond devait écrire de l'enfant François : « C'était un enfant tranquille, tendre, aimant, et qui pleurait facilement, préfigurant ... l'homme qui jamais ne connut la joie de chasser, de diriger une barque au fil de l'eau entre les arbres, de se laisser emporter dans les bois au galop d'un cheval, bref qui ne voulut pas connaître la nature dans les sports de plein air[1]... »

Et Pierre de souligner : « Aucun sport ne le retint : tous les essais furent des échecs. Je me rappelle les quelques leçons d'équitation qu'il prit pour satisfaire à une tradition de famille (à 10 ans on nous mettait en selle) : les rires de ses cousines eurent raison de sa bonne volonté. Sur un court de tennis, il était aussi mal à l'aise qu'au manège. Il abhorrait les bains de mer et, je crois bien, ne sut jamais nager. Il n'était ni pêcheur ni chasseur, ne fit jamais plus de quelques mètres à bicyclette et ne tint jamais le volant d'une voiture. Mais il ne fut ni bousculé, ni piétiné, ni vaincu comme il l'avait présagé. D'autres armes lui assurèrent la victoire dont, je crois, il ne douta jamais[2]. »

Sous l'œil des barbares

Ces émois, ces craintes, cette angoisse qui ne purent être tout à fait simulés, c'est à l'école Sainte-Marie de la rue du Mirail où ses frères poursuivaient leurs études sous l'autorité des pères marianistes[3], que François les éprouva surtout. Il l'a dit souvent : c'est entre la septième et la douzième année, à 9 ans surtout, qu'il se crut cet enfant piétiné dont il a plus tard orné la tristesse des « embellissements pathétiques » chers à Chateaubriand. « La conscience du malheur date de mes 7 ans, lorsque j'entrai en dixième chez les marianites », assure-t-il. Non sans ajouter « Si je racontais mon enfance, j'en pourrais donner à volonté une idée lugubre ou radieuse : il suffit de régler l'éclairage[4]... »

1 Raymond Housilane, *La Table ronde,* numéro spécial, janvier 1953
2. Pierre Mauriac : « Une amitié fraternelle ».
3. Mauriac écrit le plus souvent « marianites » On adoptera indifféremment les deux orthographes.
4. *Nouveaux Mémoires intérieurs* p 100

Qu'il a donc détesté ces lieux, cette atmosphère, ces maîtres-là ! D'abord parce que l'école, c'est ce qui le sépare de sa mère :

> « Les matins étaient horribles, qui m'arrachaient d'elle et me livraient aux terreurs de la classe et aux brutalités de la récréation... Mais les soirs (étaient) bénis, qui me ramenaient vers cette lampe chinoise, vers la lecture de *Saint Nicolas* tout près du feu, vers la prière récitée en commun[1]. »

Et puis il y a ses rapports avec les maîtres. Fantasmes ? Il croit avoir compris que c'est parce qu'il n'est pas beau que les professeurs ne l'aiment pas. Les petits garçons frisés sont toujours les premiers : même en lecture, lui qui lit comme il respire, il se voit mal noté ! Son indignation est telle qu'il lui arrivera de cracher sur son bulletin et de le frotter avec son mouchoir pour effacer la note, faisant un trou... Drame familial : « On commence par faire un trou sur son bulletin, et puis on finit au bagne[2] ! »

Deux de ces maîtres, entre autres, lui paraissent odieux. L'un, M. Garrouste (qui donnera son nom à un personnage du *Drôle*), frappait de sa baguette la tête des élèves — très doucement lorsque c'étaient les premiers, leur disant : « Voilà une tête qui sonne plein ! », plus fort s'il s'agissait des derniers : « Oh ! voici une tête vide... il n'y a rien dedans[3] ! » L'autre était le professeur d'allemand, un Alsacien nommé Rausch, qui le terrorisait (on le retrouve dans *la Pharisienne*). « Lorsqu'il lui arrivait d'être en retard, nous espérions qu'il était mort. Mais non, M. Rausch arrivait. Quand il était content d'un élève, il sortait de sa poche une tabatière, un mouchoir dégoûtant, puis un biscuit — et il le lui donnait... »

Mort ? Il arrivait à François, les soirs de mauvaises notes, de leçons pas sues, de devoirs difficiles, de souhaiter ne plus jamais se réveiller : mais c'est le sort de tant d'enfants sensibles et que la vie, d'autre part, préserve si bien...

> « Lorsque j'étais en classe rue du Mirail, racontait-il un soir de 1951, je me trouvais si malheureux que j'enviais les marchandes de quatre saisons que j'entendais crier : " Les petits pois verts ! " sous les fenêtres de l'étude. Le sort de n'importe quelle personne, fût-ce celui du mendiant aveugle du coin de la rue, me paraissait plus enviable que le mien, puisqu'il ne l'obligeait pas à aller en classe. »

Les promiscuités du collège lui faisaient horreur à 10 ans, au point qu'il lui arrivait de préférer s'enfermer dans les latrines pour rester seul — et quelques années plus tard, le premier point d'accord qu'il trouva entre sa sensibilité et celle de Barrès fut de découvrir que l'auteur de *Sous l'œil des barbares* avait été avant lui un petit garçon effarouché, serré contre le pilier du préau, seul au milieu des camarades criards... Et lui, François, il est au surplus cet enfant scrupuleux, à ce point terrifié par l'approche des

1. *Ibid.*, p. 172.
2. Claude Mauriac, *Le Temps immobile*, 1, p. 248
3. *Ibid.*, p. 249.

« mauvaises pensées » qu'un tic, une grimace lui tire la tête de droite à gauche, « pour dire non au péché [1] ».

Piété convulsive, dévotion obsessionnelle, dues à ce qu'un de leurs proches devait appeler un jour la « dictature religieuse » ou la « rigueur jalouse » de Mme Mauriac. François s'interrogera plus tard sur l'authenticité chrétienne d'une telle éducation ; dans la préface écrite en 1927 pour *les Mains jointes*, il dénoncera avec une sorte de fureur une formation qui faisait de la couronne d'épines le premier jouet d'un enfant tel que lui... Cinq ans plus tard, écrivant *Commencements d'une vie*, Mauriac corrigera ces propos polémiques, assurant que « bien loin que la religion ait enténébré mon enfance, elle l'a enrichie d'une joie pathétique ». Pathétique en effet. Au surplus, n'est-il pas question de foi, ici, et là de rites ?

Revenant plus tard encore sur le sujet, il retrouvera un ton sévère pour parler « du monde étroit et janséniste de mon enfance pieuse, angoissée » ou encore :

> « Suis-je cet animal dressé, dès l'enfance, par la crainte ? Souviens-toi : ce Dieu de ton enfance qui régnait dans la maison de famille, contrôlant non seulement tes moindres gestes, tes plus furtives pensées, mais encore il entrait dans d'infimes détails de nourriture. Il fallait faire attention, au jour du Vendredi Saint que la croûte du petit pain de quatre heures ne fut pas " jaunie " car l'usage des œufs était interdit, même aux enfants. Une gorgée d'eau avalée en se lavant les dents et ta communion, croyais-tu, devenait sacrilège. Tu connaissais beaucoup mieux ton âme que ton corps [2]... »

Peurs, repliements, scrupules, châtiments, hantises presque névrotiques : pour qu'un enfant aussi fragile et passionné ait résisté à ce traitement-là, il fallait qu'il y eût, dans ce petit-fils de paysans landais et de marchands bordelais, autant de bon sens et d'équilibre naturels qu'en puisse tenir une tête de Gascon.

Le 12 mai 1896 il fait, rue du Mirail, sa première communion. « Date éternelle pour moi... » On le croit d'autant plus volontiers que c'est le jour choisi par Claire Mauriac pour se libérer de ses vêtements de deuil, neuf ans après la mort de son mari... — geste tranchant pour une fois sur une pratique tendant à enfouir dans la pénombre répressive l'ensemble des pratiques religieuses. Au surplus la ferveur de l'enfant ne pouvait que s'enchanter d'un cérémonial qui en a ému beaucoup d'autres

Écoutons l'auteur des *Nouveaux Mémoires intérieurs* évoquer ce jour entre les jours :

> « ... Nous avions chanté (le) *Magnificat*, entrant en procession à la chapelle, entre la double haie des parents attendris, dans le parfum des lilas, tous tondus et étrillés, le corps et l'âme passés à la pierre ponce... L'abbé nous invita à aller demander pardon à nos parents de toutes nos fautes passées et de tout le mal que nous leur ferions durant notre vie Ceux qui

1 *Commencements d'une vie* p 142
2 *Dieu et Mammon* in *Œuvres complètes*, tome VII, p 293

avaient perdu leur père ou leur mère avaient droit à une ration de larmes supplémentaires... J'étais à genoux au bord de l'allée. Une main se posa sur mon crâne tondu. C'était ma grand-mère... Cette main est encore sur moi après 68 ans. Des enfants chantèrent le cantique de Gounod, *Jusqu'à moi vous osez descendre, humilité de mon Seigneur !* »

Citant à ce propos une réflexion de Barrès (« ces excès de sensibilité font frémir ») le vieil écrivain ajoute, quant à lui : « Maintenant, je fais aussi large que possible la part d'une certaine comédie larmoyante mise au point par des spécialistes qui en connaissaient les ficelles... »

Il vient d'avoir 12 ans quand il entre en cinquième, au collège de Grand-Lebrun que les pères marianistes viennent d'acheter à Caudéran, aux portes de Bordeaux. Une gentilhommière du XVIIIe siècle doublée d'une grande bâtisse en forme de boîte à chaussures, comme toutes celles où les éducateurs et les militaires entassent leurs effectifs. Mais le parc est beau, les ombrages superbes.

Quelques arbres ont-ils le pouvoir de transformer ainsi le rapport d'un enfant avec un système d'éducation ? Ou bien, en grandissant, en s'étoffant un peu, François a-t-il perdu un peu de son angoisse de chétif ? Le fait est que lui, jusqu'alors si perdu, si esseulé, il se sent soudain accueilli et reconnu à Grand-Lebrun. Dès avant ce jour de juillet 1951 où, illustre et comblé, il se vit appelé à présider la distribution des prix de son vieux collège, Mauriac reconnaissait volontiers avoir été « heureux et aimé » dans le Grand-Lebrun de son adolescence.

Bien sûr, il y a les levers à 5 h 30 dans l'aube noirâtre, la chambre glaciale où leur mère se refuse à faire du feu, les pieds gonflés d'engelures qui n'entrent pas dans les souliers raidis, l'attente sur le trottoir du « parcours » — l'omnibus à chevaux qui fait le ramassage des collégiens, la pluie sur les vitres ruisselantes, qui lui donne l'impression d'être entouré de visages couverts de pleurs. Il y a les rigueurs du système, les cours de mathématiques et de sciences qu'il déteste et néglige ostensiblement. Mais il a cessé de croire que seuls les garçons jolis et bouclés peuvent se faire entendre de leurs maîtres : il monopolise désormais les prix de rédaction ou de dissertation, brille en latin, en histoire. En musique aussi : dès la dixième, il obtenait un prix de chant. En quatrième, il était classé « soprano hors concours ». En philosophie, il se voyait décerner un prix de ténor...

En histoire, il fut cité huit fois en dix ans, non sans que son professeur, l'abbé Timmel, ne lui ait dit (réprimande ? éloge ?) : « Avant tout, François, vous êtes un poète !... » Mais c'est en français qu'il obtint les résultats les plus constants — neuf premiers prix en dix ans. Études brillantes et faciles, qui n'allaient pas sans satisfactions marginales : il consacrait l'étude du soir, plutôt qu'à ses devoirs, à la rédaction d'un journal qu'il devait détruire quelques années plus tard, et de poèmes qui, retouchés (insuffisamment...), devaient devenir l'essentiel des *Mains jointes*.

Ce que François Mauriac aura trouvé, à Grand-Lebrun, c'est par-dessus tout un maître et un ami également exceptionnels : l'abbé Péquignot, son professeur de lettres, et André Lacaze, son condisciple pendant huit ans, qui fut auprès de lui cette conscience éveillante et torturante, ce double incommode que peuvent souhaiter les jeunes hommes qu'un don trop naturel risque de conduire à la facilité.

De l'excellence du professeur que fut l'abbé Péquignot, les témoignages abondent. Selon André Lemarchand qui fut son élève avant Mauriac, en 1900-1901, c'était, sous des dehors calmes et presque ascétiques, un passionné dont les leçons sur Pascal, sur Racine, l'émotion avec laquelle il commentait les *Pensées* de l'un, les tragédies de l'autre, « et qui se trahissait par un léger tremblement de la voix », faisaient une assez forte impression sur son jeune auditoire [...] pour qu'un demi-siècle plus tard, François Mauriac ait dit à l'un de ses amis communs : « Ah ! que les séances de l'Académie me font regretter les classes de Grand-Lebrun ! »

C'est avec ferveur en effet que Mauriac évoque ce maître

> « décharné, spectral, myope jusqu'à la cécité. Son prestige sur nous était immense. Le pire chahuteur n'aurait osé devant lui lever le nez. Ses cours nous paraissaient sublimes. Le certain est que l'abbé Péquignot a éveillé mon intelligence, qu'il a donné à plusieurs d'entre nous le goût des idées, que les auteurs du programme m'apparurent, grâce à lui, des êtres vivants dont la rencontre ne laissait pas d'être importante. Je lui dois d'avoir à 16 ans, goûté Montaigne, entrevu ce qu'est l'apport de Descartes, et surtout chéri Pascal. L'exemplaire du *Pascal* de Brunschvicg, qui ne me quitte pas, est le même dont je me servais en rhétorique.
> Nous avions le manuel de littérature d'un certain abbé Blanlœil, imposé par l'établissement ; mais il suffisait que nous en récitions une ligne pour que notre maître nous fît rasseoir... Je n'oublierai jamais son air de mépris, le jour qu'interrogé sur Montaigne, je débitai ce titre d'un paragraphe de Blanlœil :
> — *Scepticisme en théorie, épicurisme en pratique.*
> — Zéro ! Asseyez-vous !
> — Mais, monsieur l'abbé, c'est dans le livre...
> — Justement, vous avez un zéro ! »...

Un autre disciple de l'abbé Péquignot évoque un après-midi d'octobre où, « dans un raccourci bouleversant, il condensa pour nous l'histoire de la pensée grecque. J'appris, ce jour-là, que penser, comprendre, ce pouvait être une incomparable joie ». Cet auditeur que fascine le pédagogue de Grand-Lebrun, c'est André Lacaze. Avec lui, nous passons de la préhistoire d'une sensibilité à l'histoire d'une intelligence.

Le premier ami

« C'est en huitième, à la rentrée de Pâques[1], au cours d'une composition de calcul, que je connus pour la première fois ce jeune François... » Cinquante-sept ans plus tard, au cours de la distribution des prix de Grand-Lebrun qu'en juillet 1951 le romancier préside enfin, André Lacaze évoque ainsi la naissance de leur amitié, qui illumina — dans le sens qu'on donnait à ce mot au XVIIIe siècle — la jeunesse de Mauriac, aux yeux duquel il fut ce Louis Lambert que tout adolescent sensible et intelligent croit avoir connu, fier d'opposer à l'univers clos et tout-puissant de la famille une autre source de savoir et de découvertes : l' « autre », si proche et différent à la fois.

« Ce que je me rappelle du petit Mauriac de 10 ans, disait ce jour-là André Lacaze, ne ressemble guère à l'image qu'il a cruellement tracée de lui-même (dans *Commencements d'une vie*). Je fus attiré, jusqu'à ne pouvoir cesser de le regarder, par ce visage de prédestiné. Plus tard se noua entre nous une de ces amitiés qui naissent d'une communauté de curiosités passionnées et aussi d'obscures et tumultueuses appréhensions devant la vie... Bon élève, sage, rarement puni [...] il détestait qu'on lût les poèmes qu'il écrivait en cachette... Il était de ces élèves qui craignent de faire violemment usage de leurs corps : rien de clair ne peut monter des fonds troublés... A la chapelle, il était un jeune chrétien inégal, tiède ou passionnément dévot tour à tour... Il m'a souvent paru, au milieu de ses camarades, comme un îlot de ferveur au milieu des lagunes... »

Quelle amitié aura marqué François Mauriac plus que celle-là ? Celle même d'André Lafon, plus sereine et profonde, fut moins créatrice. D'abord, il y eut entre eux cette complicité, cette communauté dans ce qu'il faut appeler la « délinquance infantile », qui crée les liens les plus forts. Mauriac l'évoque dans *Commencements d'une vie,* après en avoir fait le thème du *Démon de la connaissance.* Il y reviendra dans *Un adolescent d'autrefois.* « Mauriac, apportez-moi le billet que Lacaze vient de vous jeter ! » C'est l'apostrophe favorite du surveillant de l'étude du soir — à l'heure où le pudique fils de Claire Mauriac reçoit de son ami un plan de la chambre à coucher d'un de leurs professeurs, jeune marié, où figure un rectangle marqué de cette indication « lit nuptial ».

Le Démon de la connaissance, dernier des *Trois Récits* publiés par Mauriac un quart de siècle plus tard, s'ouvre par un : « Lange ! Maryan ! vous ne jouez pas ! » transparent, comme l'est le portrait tout entier du personnage de Maryan qui entraîne son condisciple, le timide Lange, à un permanent « libertinage intellectuel ». Il faut lire ce beau texte pour savoir ce qu'était alors André Lacaze, le jeune professeur de révolte de Mauriac :

> « En lui, l'effervescence intellectuelle paraissait décuplée par l'effervescence du sang. Aucune grâce ne voilait sur ce visage le mystère de la mue.

1 En avril 1894

> Cette face brûlante, comme tuméfiée, effrayait nos maîtres, et aussi le désordre des gestes... La connaissance le saoulait, et la musique. Soudain, au milieu de la classe, il plaquait un accord sur le pupitre, et de la tête rythmait des notes qu'il inventait. « Maryan, à la porte ! »... Ses tics excitaient à rire le surveillant... En dépit des punitions, des lectures clandestines, des heures perdues au piano, il achevait en une heure des devoirs qui l'eussent mis d'emblée à la tête de sa classe ; mais le défaut de plan et quelques extravagances permettaient à nos maîtres d'humilier cet esprit superbe[1]. »
>
> « Il faisait rire, il faisait le fou exprès. Il était de ces adolescents dont l'adolescence est physiquement une disgrâce. Enfants cruels, nous l'avions surnommé " beau visage ". Il m'a plus tard reproché de lui avoir donné une conscience de sa laideur qui aurait décidé de son entrée au séminaire[2]... »

Le portrait de l'ami pionnier, Mauriac devait le reprendre, l'affiner dans les *Nouveaux Mémoires intérieurs* et dans *Un adolescent d'autrefois,* récit chaudement autobiographique, que le narrateur est supposé adresser à son ami André Donzac,

> « infiniment plus intelligent que moi (bien qu'il m'ait écrit un jour : " Tu n'es pas tout à fait aussi intelligent que moi, mais presque... ") [mais] d'une stérilité qui l'étonne lui-même : il comprend tout et n'exprime rien. Il ne compose pas, il ne crée pas... C'est toujours ma copie qui avait l'honneur d'être lue à toute la classe, jamais la sienne. " Quand je pense que c'est toi et que ce n'est pas moi, soupirait-il, qui deviendra quelqu'un... " Mais c'est là qu'il était merveilleux : il ne trouvait pas que ce fut injuste. »

Lacaze croyait pourtant, assez fort pour que son ami en fût persuadé, que c'était lui et lui seul qui disposait des moyens de ce qu'il appelait la « découverte », de la réponse à la question fondamentale. Comment réconcilier la révélation chrétienne et les apports de la science ? Ce que tenta Teilhard sur le terrain de la vie des espèces, Lacaze aura rêvé de l'accomplir sur le plan de la pensée. Étrangement, il n'en laissa guère d'autres traces que des lettres, adressées notamment à Jacques Rivière.

A Grand-Lebrun, ce rebelle scandalisait d'illuminations et d'interrogations neuves l'adolescent inspiré dont la route joignait la sienne. Indépendamment d'une correspondance que je n'ai pu consulter, le seul fruit de leur long tête-à-tête passionné semble avoir été une sorte d'opéra écrit en classe de seconde par les deux adolescents, intitulé *Gaetano.* Les quatre premiers vers seuls nous sont parvenus :

> Le zéphyr de la nuit passe à travers les branches
> En remède céleste à la chaleur du jour
> Il relève les fleurs, boutons d'or et pervenches
> Et prend de leur parfum comme un gage d'amour.

(Après tout, Claude Debussy fait presque croire au génie poétique de Maeterlinck...)

François Mauriac adolescent admirait assez passionnément son ami pour

1 *Trois Récits,* p 137 141.
2 *Bloc-Notes,* 3, 1961-1964, p 451

tenir un carnet intitulé « Pensées d'André Lacaze recueillies par François Mauriac ». Ensemble, ils avaient établi une liste dite des « catholiques intelligents » : peu de noms y figuraient après ceux de Blondel, de Laberthonnière, de Le Roy et de l'abbé Péquignot... Ils trouvaient « tout le monde bête », et, citant Barrès — découvert à 16 ans, en 1901 — dénonçaient des « barbares » le « large rire blessant ».

L'apport de Lacaze à la culture de son ami fut déterminant. C'est lui qui lui fit connaître *les Annales de philosophie chrétienne* du père Laberthonnière, oratorien que Rome contraignit au silence, Maurice Blondel dont ils lisaient *l'Action* dans un exemplaire dactylographié, et l'abbé Loisy, dont l'œuvre, consacrée à la critique historique des Évangiles, devait être mise à l'index en 1903 : tout le courant d'idées que Pie X allait condamner en 1907 sous l'appellation globale de « modernisme ». La critique de Loisy, « mortelle pour la foi en Dieu-Homme[1] » les impressionnait assez puissamment pour qu'ils se soient interdit pendant des années la lecture du Quatrième Évangile — le plus beau, en tout cas le plus conforme à leur cœur.

L'auteur du *Mystère Frontenac* a rendu souvent hommage à son ami de lui avoir ouvert l'accès à des idées novatrices qu'il eût été incapable de dégager par lui-même, n'ayant pas, c'est le moins que l'on puisse dire, la « tête philosophique ». Il y a vu le « venin injecté assez tôt pour immuniser un petit chrétien contre tous les poisons de la connaissance[2] ». Il n'en a pas moins marqué l'étrangeté de la démarche de son ami, d'autant plus révolté contre cette Église répressive et bornée qu'il n'envisageait pas d'autre avenir que sous la « camisole de force qu'il se passa lui-même en revêtant la soutane » — alors qu'aucune contrainte sociale ou économique ne s'exerçait sur cet intellectuel issu d'une famille de riches commerçants bordelais.

> « Quand nous nous retrouvâmes à Paris, moi étudiant, lui séminariste aux Carmes où il préparait sa licence de philosophie, je le suppliai de ne pas faire le dernier pas. C'était le règne de Pie X [qui] rejetait et condamnait tout ce qu'André, disciple de Blondel, croyait vrai. Tout ce qu'il haïssait ou tournait en dérision triomphait à Rome. Il me faisait rire et m'épouvantait un peu[3]... »

En fait, estimait Mauriac *in petto,* en se faisant prêtre, Lacaze avait « fui la vie ».

Dix ans après la fin de leurs études communes à Grand-Lebrun, le séminariste André Lacaze déjeunait à Paris chez son ami François, qui venait de se marier. Ses propos sur le catholicisme scandalisèrent Jeanne Mauriac : « Mais enfin, monsieur l'abbé, pourquoi êtes-vous entré dans l'Église ? — Pour tout faire sauter, madame ! »

Les relations entre les deux amis de Grand-Lebrun traversèrent des phases d'aigreur, quand Mauriac crut constater que Lacaze s'interposait exagérément entre Jacques Rivière et lui[4] et quand le romancier publia *le Démon de*

1. *Ibid.*, p. 103.
2. *Commencements d'une vie*, p. 214.
3. *Bloc-Notes*, 3, p. 451.
4 Voir chap.9 p.189

la connaissance, où « tout est inventé, mais non le personnage lui-même[1] ». Son esprit de contestation y est rapporté moins à une avidité spirituelle ou intellectuelle de synthèse entre rationalisme et révélation, qu'à l'angoisse charnelle qui le torture.

Deux ans après la publication de ce récit, Lacaze écrivant à Isabelle Rivière qu'il trouvait le *Pascal* de Mauriac « attristant », qu'il n'avait pas eu « le courage de lui écrire à ce sujet » ajoutait, sur un mode plus personnel : « Pour moi, le problème sexuel a bien son importance, mais c'est une bien petite chose en comparaison de tant d'autres que Mauriac n'a jamais connues[2]. »

De son côté, le jeune prêtre agaçait de plus en plus son ami. François écrivait à sa mère :

> « Lacaze s'en va demain et j'en bénis le ciel. Il est très bon, très intelligent. Mais on sent qu'il est dans la place pour tout observer et tout ridiculiser... Une vie qui n'est pas purement intellectuelle lui est paraît-il odieuse. Il n'a ni tact, ni discrétion... Bien que nous nous soyons parfaitement entendus, je ne renouvellerai pas l'expérience. »

Leur amitié n'en résista pas moins, pour l'essentiel, aux épreuves et aux divergences de comportement. A François Mauriac qui lui demandait ce qu'il avait dans l'esprit, pendant la guerre, au moment de s'élancer de la tranchée — ce prêtre avait été un combattant intrépide — André Lacaze répondait : « Je me suis dit : enfin, je vais savoir ! » C'est la phrase que le héros du *Démon de la connaissance* prononce au moment de mourir. Les deux hommes se reverront régulièrement. En mars 1955 encore, François écrit à sa femme : « Demain, journée avec Lacaze. Je m'en promets du plaisir... »

Pour simplement imaginer l'influence qu'exerça André Lacaze sur François Mauriac, de la huitième à la vingtième année, peut-être faut-il avoir connu, comme nous, l'extraordinaire personnage qu'était cet abbé courtaud, rubicond, pétillant, explosif, avec un nez comme une carotte planté dans une face de lune rousse, toujours une idée, deux histoires et trois rires sur les lèvres, sautillant, vrombissant, facétieux et les bras ouverts, planant comme un canard poétique entre un ciel peuplé de Kant et de Bach, de Spinoza et de César Franck, et une terre dérisoire où s'ébattent ceux qui ne savent, ne lisent ou n'entendent que les bruits de la rue.

Un ami commun devait le comparer plus tard à l'abbé de Percy, le pittoresque héros du *Chevalier Destouches* de Barbey d'Aurevilly, qui disait de son teint : « Voilà la seule pourpre que j'aurai à porter... » Il était le mouvement même, du corps et de l'esprit, et disait : « N'être que soi, ce n'est jamais assez. Il faut aussi que les autres soient... Prenez garde à une inquiétude qui serait une trahison de la joie.. Manquer du sens du sacré,

1. *Bloc-Notes,* 3, p 451.
2. Cité par Jacques Monférier, *J Rivière et la Vie intellectuelle de son temps* Bordeaux p 86

c'est être incapable de vivre en état de poésie. » Et ceci, plus beau encore : « Je suis si peu fait pour la mort[1]... »

Ce prêtre singulier, ce philosophe d'une admirable vélocité intellectuelle (mais qui, étrangement, ne publia pratiquement rien, consacrant ses recherches à des cours qu'il donnait à des publics infimes) était aussi un musicien rayonnant. Il jouait superbement Bach sur le piano de son appartement de la place Gambetta où, dans les années quarante, nous montions l'écouter chaque semaine, à peine distraits de notre admiration par les tics étranges qui accentuaient alors les disgrâces de son visage. Il interprétait aussi, avec une fougue adolescente, les chorals de Bach ou de Franck sur les orgues de la cathédrale Saint-André, dont il était devenu à la fin de sa vie le titulaire (ayant été nommé chanoine...).

C'est là, écrivait François Mauriac, que « cette pauvre âme tourmentée connut ses dernières joies... et le meilleur refuge pour finir sa vie[2] » — cette vie à nulle autre pareille, vécue, ajoutait merveilleusement son ami, dans un « état d'ébriété métaphysique ». François ne pouvait oublier qu'il avait écrit à André, en juin 1906, ces quelques mots : « Le François Mauriac que tu connais... celui que tu réfléchis dans l'eau profonde de ton âme, est celui que j'aime le mieux... »

Éveilleur, pilote, agitateur ? L'auteur des *Nouveaux Mémoires intérieurs* parle lui-même d' « initiateur ». N'eût-il été que celui qui, plus intimement que l'abbé Péquignot, lui fit sentir la présence de Pascal, et qui, dans le domaine intellectuel, sinon sur le plan social, le conduisit à remettre en cause les valeurs de cette société bourgeoise dont ils étaient l'un et l'autre issus, André Lacaze, celui qui ne devint rien que lui-même et que « nulle ambition humaine ne détourna de ce combat avec l'ange qu'il mena jusqu'à la fin[3] » mérite d'être situé ici, porteur de torche ou jeteur de sorts, à l'orée de la vie intellectuelle de son ami.

« J'en suis venu à croire que la nature compte plus que l'éducation reçue », écrit le vieil écrivain au soir de sa vie[4]. Et d'évoquer dans un soupir navré le « manque de culture [de] ceux qui instruisirent mon enfance ». Il ne dissimule pas d'avoir été jaloux de ce que reçurent sur ce plan un Gide ou les disciples d'Alain :

> « J'ai été élevé sans que personne jamais n'ait eu le souci... de former mon goût — mais seulement de me tenir en lisière de telle sorte que je ne puisse m'éloigner des routines en quoi tenait toute cette religion bourgeoise de ces bonnes gens pour qui un sou était un sou mais pour qui Shakespeare n'était qu'un nom, et qui n'avaient aucune idée de ce qui tient dans le mot culture... Mais j'étais leur fils, j'étais l'un d'eux... »

1. Pierre Laumonier, discours de réception à l'Académie de Bordeaux.
2. *Bloc-Notes,* 3, p. 451.
3 *Nouveaux Mémoires intérieurs,* p. 217
4 *Ibid.* p 299

Amer propos, quelque peu dissonant d'avec ceux qu'il tient par ailleurs, on l'a vu, sur l'abbé Péquignot ; propos qui ne résume pas son opinion sur Grand-Lebrun et ses maîtres, telle qu'il la formulait trente ans plus tôt dans *Commencements d'une vie*, assurant qu'il y fut « heureux et aimé ». Mais, ajoutait-il,

> « Grand-Lebrun que je porte dans mon cœur ne me porte pas dans le sien. Jean Giraudoux a présidé la distribution des prix du lycée dont il est la gloire ; les frères Tharaud ont connu le même honneur à Périgueux [1]. Il faut que j'en fasse mon deuil ; je ne serai jamais à pareille fête [2]... »

Une vingtaine d'années plus tard, néanmoins, l'auteur de *Thérèse Desqueyroux* était convié à présider cette cérémonie qui lui tenait tant à cœur, le 7 juillet 1951. Il y parla, avec cet abandon ému qui faisait le charme incomparable de sa conversation, des raisons pour lesquelles l'écrivain qu'il était devenu restait tributaire de son collège.

> « L'état de poésie qu'est l'état d'enfance se trouve le plus souvent contaminé, souillé par la vie réelle, par l'horrible et dure vie des grandes personnes... Un élève de Grand-Lebrun, à l'époque où j'y ai vécu, était merveilleusement défendu, protégé contre le monde corrompu et criminel . un collège catholique comme celui-ci, derrière ses hautes murailles, sous les arbres de son parc enchanté, dans le silence de sa chapelle, préserve cette eau toute pure de l'enfance qui s'y accumule comme dans un puits dans lequel je ne me suis jamais interrompu de puiser au cours de ma vie d'écrivain... »

Le collège comme réserve à bons sauvages ? L'ermitage de l'*Émile* ? Pourquoi pas...

Bien que le collège soit moins présent à son œuvre que la famille, la lande ou les vignes, et bien qu'il y ait peu acquis, lui qui ne fit jamais son miel que de lui-même, sinon de cet autre insatisfait, Lacaze (qu'il aurait pu connaître au concert ou à l'Université), il faut tenir Grand-Lebrun pour l'une de ces « maisons fugitives » qui composent son espace intérieur — c'est-à-dire son œuvre.

Le vaisseau nocturne de pierres qui, tous hublots flamboyants comme dans un film de Fellini, accueillait au petit matin les enfants aux doigts boudinés d'engelures, le cœur endolori d'absence et la mémoire vide des leçons mal apprises ; le grand couloir dallé de noir et blanc qui longeait la chapelle où l'élève Mauriac aimait entrevoir, abîmés en prières, les pieux maîtres en redingotes noires et pantoufles de feutre ; les grands platanes de la cour nimbés de poussière contre lesquels, jalousement isolés des hurleurs aux gestes fous, Lacaze et lui s'abritaient pour échanger une boutade de Barrès contre un trait de Pascal ; les études du soir propices aux poèmes ; les

1 En fait, c'était à Angoulême.
2. *Commencements d'une vie*, p 40

cérémonies de carême trop longues, soyeuses et dorées, avec des jonchées de fleurs et des brassées de feuilles, et les cantiques mous du père Hermann, et les poèmes patriotico-mystiques du cher abbé Péquignot en qui le poète n'égalait pas le pédagogue...

Tel fut ce port d'embarquement où l'on entasse la cargaison et les vivres comme dans un roman de De Foe ou de Stevenson, ce havre sur le seuil de la vie où il joua « avec les modèles réduits de (ses) passions futures », au temps où, balançant sur son compte entre la certitude d'être un avorton promis aux pires défaites et la conscience d'une mystérieuse supériorité intellectuelle, il se plantait devant l'armoire à glace de sa chambre et se pinçant les joues, répétait : « Moi ! moi ! moi ! »

3. L'odeur des truffes

« Il dévore les livres, on ne sait plus que lui donner », soupirait Claire Mauriac. Et lui, de longues années plus tard : « Je me réjouissais, les jours de congé lorsque la pluie empêchait toute promenade... pourvu que, seul dans une chambre, je pusse lire... »

D'abord il y eut le *Saint-Nicolas,* mensuel pour enfants qu'il lisait à 5 ans comme trente ans plus tôt le petit Arthur Rimbaud, blotti entre la robe de sa mère et le feu, dans la chambre grise éclairée par la lampe chinoise ; *les Veillées des chaumières, le Journal de la jeunesse* et *le Petit Français illustré,* magazines patriotiques et bien pensants. Puis la kyrielle des auteurs dont la bourgeoisie catholique nourrissait alors ses rejetons, avec une inégale perspicacité : la comtesse de Ségur, Raoul de Navery, Maryan[1], Marlitt. Et surtout Zénaïde Fleuriot :

> « Aucun livre ne m'a plus profondément ému qu'un très chaste roman que j'adorais quand j'avais 14 ans et qui s'appelait *les Pieds d'argile.* C'était l'œuvre d'une vieille demoiselle pleine de vertu mais aussi d'imagination et de sensibilité : Zénaïde Fleuriot. L'héroïne des *Pieds d'argile* répondait au beau nom d'Armelle Trahec. C'était une jeune personne rousse avec des taches sur la figure... Quand un journaliste me demande quels maîtres m'ont le plus influencé, je parle de Balzac et de Dostoïevski, mais je n'ose pas parler de Mlle Fleuriot[2]... »

Il y eut aussi *le Petit Lord Fauntleroy,* découvert avec ravissement dans le *Saint-Nicolas,* Jules Verne, dont il aimait par-dessus tout *l'Ile mystérieuse,* et *le Tour de France par deux enfants,* qu'il trouvait tout de même « trop technique ». Il goûtait enfin, un peu surprenant ici, Paul Féval : certaines pages du *Bossu,* violentes ou passionnées, avaient dû échapper à la censure de Mme Mauriac. « Est-ce pour lui ? » C'était alors, en matière de littérature, le leitmotiv des mères.

Mais deux auteurs l'emportaient sur tous les autres dans son cœur d'enfant de 10 ans : Hector Malot et Alexandre de Lamothe. Du premier, il aimait tant *Sans famille* qu'il avait écrit sur la page de garde, provoquant les quolibets de ses frères : « Ce livre est beau puisqu'il m'a fait pleurer... » Dès les premiers mots de *Sans famille,* il était saisi d'émotion : « Je suis un enfant

1. Le nom sous lequel est peint Lacaze dans *le Démon de la connaissance*
2. *Dieu et Mammon,* in *Œuvres complètes,* tome VII, p. 311

trouvé... » Tout l'enchantait dans les aventures de Rémi à la recherche du *Cygne*, le bateau de la « grande dame anglaise », Mrs Milligan (« J'avais deviné dès la première lecture qu'elle était sa mère ! ») — que ce bateau voguât sur le canal du Midi aux abords de Malagar, ou que Rémi préférât Bordeaux à Paris, ou que l'enfant chantât en jouant de la harpe à l'entrée des villages, entouré d'une troupe aux noms délicieux : Vitalis et Zerbino, Dolce et Capi...

Si *Sans Famille* le ravissait d'émotion, *les Camisards* de Lamothe lui semblaient un chef-d'œuvre. Et aussi, du même Alexandre, *les Faucheurs de la mort, Marpha* et *Pia la Sampietrina.* Nulle trace pourtant dans ses souvenirs de ces enchanteurs de nos adolescences que furent Alexandre Dumas et Walter Scott. Le dernier des enfants Mauriac serait passé d'un coup d'Hector Malot à Balzac, s'il n'avait, entre-temps, découvert la poésie dans un recueil appelé *la Corbeille de l'enfance.*

Qui donc était le responsable de cet assortiment ? Qui donc, dans l'œuvre immense de Hugo, avait été choisir, pour orner ce recueil, le poème qui commence par

Quand l'été vient, le pauvre adore...

Aussi bien le petit François faisait-il alors peu de cas de l'auteur de *la Fin de Satan,* lui préférant *la Pauvre Fille* de Soumet, dont les premiers vers lui arrachaient des larmes :

Je fuis un pénible sommeil
qu'aucun songe heureux n'accompagne...

Et aussi la *Jeanne d'Arc* de Casimir Delavigne :

Silence au camp, la vierge est prisonnière [1] !

Et mieux encore, le *Petit Savoyard* de Guiraud :

J'ai froid, vous qui passez, daignez me secourir
je n'ai rien pour me couvrir...

Et puis vinrent, entrelus d'abord dans *les Morceaux choisis* de l'abbé Ragon, Lamartine et Musset, enchanteurs de ses 13 ans — Musset dont un exemplaire échappé à l'autodafé familial qui avait à demi anéanti la bibliothèque d'un oncle libertin, et plus tard constellé des taches d'une pluie nocturne sous laquelle il l'avait oublié, l'émouvait si fort. Il aima Sully Prudhomme.

Mon cœur d'enfant, mon cœur sans tache
que ma mère m'avait donné...

et Albert Samain (qu'il partagea, si l'on peut dire, avec Charles de Gaulle...). Puis Baudelaire vint, le Baudelaire de son père, étrangement épargné et accessible, qu'il lut vers la quinzième année, en même temps que

1 *Commencements d'une vie*, p. 30

les premiers Balzac — et qui restera, avec Racine et Rimbaud, avant Maurice de Guérin, Jammes et Valéry, le poète d'entre ses poètes, qui résistera même, dans la hiérarchie de ses admirations, aux révélations apportées, vers la fin de la dix-septième année, après la première année du bachot, par l'Anthologie poétique de Van Bever et Léautaud.

« J'ai dû sourdement rêver d'écrire dès que je suis né à la vie consciente », écrivait-il soixante-quinze ans plus tard. Et son frère Pierre, qui partagea sa chambre à partir de sa neuvième année, s'interrogeait : « Je ne saurais dire à quel âge François commença à écrire. Il me semble que ce fut toujours. Tout au long de sa vie de collégien, il noircit des feuillets de prose et de vers tenus jalousement secrets. » En tout cas vers la septième année, après que la lecture lui eut ouvert ses portes sur un monde enchanté. C'est à 10 ans qu'il écrit ses premiers poèmes, n'osant pas s'imaginer bien sûr qu'il pourrait appartenir « à cette race quasi divine des écrivains et de poètes » mais espérant sourdement qu'il serait un jour publié dans *les Veillées des chaumières.*

Pierre Mauriac croit se souvenir que c'est à 8 ou 9 ans que François écrivit sur un petit carnet son premier roman *le Boudoir conspirateur,* dont son autre frère, Jean, le futur abbé, affirmait qu'il avait pu lire au moins cette phrase : « Dans un élan de passion, il la baisa au front. Le lendemain, elle était mère. »

Écrit en catimini chez les marianistes, rue du Mirail ou à Grand-Lebrun, au creux de l'étude du soir ? Ce besoin d'écrire qui très tôt s'empara de lui, c'est là surtout qu'il l'assouvissait, aux côtés d'André Lacaze que nous pouvons imaginer pianotant sur le vieux pupitre les notes de l'ouverture de *Gaetano*... « Que ne donnerais-je pas, soupire-t-il dans *Commencements d'une vie,* pour retrouver les cahiers intimes de ma première adolescence que j'eus la sottise de brûler ! » Il se sentait vivre dans un « perpétuel état de transe poétique ». Et bien que « transe » soit un mot bien fort pour évoquer ce type de versification, c'est alors qu'il commença de rédiger les premiers morceaux des *Mains jointes.*

Quelle part eut-il, jusqu'à son adolescence, aux jeux littéraires, revues de vacances et improvisations qui enchantèrent ses cousines et ses frères ? Raymond adorait les bouts-rimés, Jean versifiait un peu, et Pierre savait par cœur le recueil de l'abbé Ragon. C'est lui qui raconte qu'aux premiers temps de l'alliance franco-russe, alors que l'escadre de l'amiral Avellan mouillait en rade de Toulon, un journal lança un concours publicitaire à la gloire du « savon du Congo ». Les frères Mauriac obtinrent le premier prix en expédiant ce quatrain :

> Le Russe me serra la main ; et je compris
> à l'exquise senteur dont elle était empreinte
> que pour rendre encore plus française son étreinte
> c'est un bain au « Congo » que ce brave avait pris. .

Il a 13 ans — il est passé en tout cas de l'école de la rue du Mirail à Grand-Lebrun — quand il écrit la première de ses « œuvres » qui ait survécu aux autodafés de l'adolescent ambitieux. C'est un roman, intitulé *Va-t'en*, dédié à sa sœur Germaine, de sept ans son aînée et sa marraine, qui a le regard de velours noir et la gravité de leur mère. Il précise à son usage, sur la page de garde : « Prière de ne pas faire lire ce roman qui pourrait vexer des gens... »

Dès la première ligne, il apparaît qu'Alexandre de Lamothe et Paul Féval ont là un disciple un peu gauche, mais doué [1].

> « Ce soir-là, l'élite de la société nantaise s'était donné rendez-vous dans les salons du général Mornet... Près d'un palmier aux feuilles artistement découpées, un groupe de dames s'occupait à bêcher le prochain... On y remarquait Mme Corlone, femme du colonel, qui passait son temps devant son miroir afin d'imiter le sourire charmant de M. de Voltaire... Elle criait bien haut que Dieu n'était qu'un mot sans signification et effrayait les connaissances par ses phrases creuses et son sourire d'Arouet... Mlle de la Tripouille était sa voisine. Cette jeune fille avait 60 ans et ne parlait que romans, jeunes personnes enlevées, martyrs d'amour, etc. »

L'amour, en effet, va faire ici quelques martyrs. « Va-t'en ! » c'est le cri que la vicomtesse Armelle [2] de Terraimée jette à son mari qui vient de tuer en duel l'époux de sa meilleure amie, Mme de Saint-Valdier. Le vicomte s'enfuit. On apprend peu après sa mort sur un bateau en route pour les Indes ; la vicomtesse et son amie deviennent « soeur Marthe et sœur Marie » au couvent où elles élèvent dans un climat de sainteté Jane de Terraimée, fille apparemment posthume du duelliste meurtrier. Mais on apprendra au début de la deuxième partie que le vicomte avait seulement feint de mourir pour dépister les recherches ; qu'ayant rencontré aux Indes un « ravissant trésor » nommé Tzilla, il avait abjuré la foi de ses pères pour l'épouser ; qu'un enfant était né de cette union sacrilège, nommé Ludvis ; et qu'apprenant, « saisi d'horreur, que son père était deux fois marié », Ludvis avait fait voile vers l'Europe.

Le voilà à Paris où — devinez ! — il aperçoit dans une église une « jeune fille ravissante mais en deuil » qu'on lui dit se nommer Jane de Terraimée : « Ludvis n'en mangeait pas ! » Devenue sa fiancée, Jane lui apprend que Ludovic-le-renégat est leur père commun. Ciel ! « Dieu avait permis que Ludvis découvre sa parenté avec Jane pour empêcher un mariage dont les suites auraient pu être terribles ! »

Il ne reste plus au romancier de 13 ans qu'à envoyer Jane au couvent, à revêtir Ludvis de la soutane du missionnaire et à l'expédier en Orient, où il retrouvera et convertira sa mère. Et en guise de conclusion, François Mauriac nous offre cet allégro : « Mme Corlone est morte d'une attaque d'apoplexie. Son âme est sûrement en enfer. Mlle de la Tripouille est fiancée à un ancien acteur très riche. Bonne chance au jeune ménage ! »

Il lui reste trente ans pour devenir l'auteur de *Thérèse Desqueyroux*.

1 On s'est référé ici à la version établie par M. Jacques Petit pour son édition de la Pléiade (tome I).

2 Référence évidente à Mlle Fleuriot

Ces brouillons de Mauriac, si bien dissimulés qu'ils fussent (mais quels « gens » *Va-t'en,* interdit à d'autres que Germaine, pouvait-il « vexer », dans l'esprit de François ? quelques vieilles demoiselles romanesques de la famille, imagine-t-on, plutôt que les « renégats » qu'auraient pu devenir tels de ses grands-pères Coiffard voyageant aux Indes pour y acheter les châles du Magot...) il faut y voir moins les promesses assez aléatoires qu'ils contiennent que le triple reflet d'une sensibilité imaginative, de lectures fiévreuses et d'un milieu familial. Un milieu qui ne se dessina pas seulement à la clarté de la lampe chinoise de la chambre de Mme Mauriac, mais plus encore dans la lumière de Saint-Symphorien, parfois du château Lange : celle des vacances.

Les sources de la Hure

> « Je n'habitais Bordeaux que corporellement. Au long de l'année scolaire, mon esprit ne quittait pas les campagnes de nos vacances et de notre joie... Au collège, dans ma famille, je n'existais qu'en fonction d'un groupe... Mes frères et moi appartenions à cette collectivité dénommée " les garçons " comme on eut dit " les canards ". " Qui a cassé ce vase ? Ce sont les garçons. Mr l'abbé nous a débarrassé des garçons... il les a menés du côté de Tartehume... " Je me rappelle des mots bien inoffensifs qui m'atteignaient jusqu'au tréfonds... " Tu n'es pourtant pas différent des autres... Tu es fait de la même pâte. " Ce qui m'intéressait en moi, c'était justement ce qui n'était pas les autres. A la campagne, enfin, je me retrouvais moi-même... »

Les enfants Mauriac avaient décidé que, hors le pays « des pins, du sable et des cigales », les landes, il n'était pas de vacances heureuses. Une propriété de vignes comme Malagar[1] ne trouvait pas même grâce à leurs yeux : ne s'ennuie-t-on pas dans les vignes ? Pauvres camarades qui croyaient s'amuser à Royan, à Arcachon ou à Bagnères !

> « Ainsi sont entrés en moi, pour l'éternité, ces étés implacables, cette forêt crépitante de cigales sous un ciel d'airain que parfois ternissait l'immense voile de soufre des incendies... Aussi brûlant qu'ait été l'après-midi, le ruisseau appelé la Hure et ce qu'il traîne après soi de brouillards flottants et de prairies marécageuses dispensait le soir une fraîcheur dangereuse qu'au seuil de la maison nous recevions, immobiles et la face levée. Cette haleine de menthe, d'herbes trempées d'eau, s'unissait à tout ce que la lande, délivrée du soleil, fournaise soudain refroidie, abandonne d'elle-même à la nuit : parfum de bruyère brûlée, de sable tiède et de résine — odeur

1. Ortographié alors *Malagare*. Un « r » est tombé, en attendant le « e »

délicieuse de ce pays couvert de cendres, peuplé d'arbres aux flancs ouverts[1]... »

Les arbres — c'est autour d'eux, à propos d'eux que s'organisaient les jeux de Saint-Symphorien. L'oncle Louis[2] sculptait dans une écorce de pin une infime barque qui, mâtée d'une bougie et posée sur le courant de la Hure était supposée, de ce ruisseau à la petite rivière voisine, le Ciron, et de cet affluent à la Garonne, gagner la haute mer, voire les Amériques, tandis que la petite bande chantait en chœur une ronde landaise :

Sabe, Sabe caloumet
Te pourterey un pan naouet
Te pourterey une mitche toute caoute
Sabarin, Sabaro...

Les pins rugueux, les pins blessés, gluants de résine et vibrants dans le vent, n'avaient pas seuls part à leurs jeux lyriques : un chêne aussi, dominant de sa masse bienveillante la maison que Mme Mauriac fit construire en 1895, à quelques centaines de mètres des deux métairies familiales, et que l'on appela « le chalet » parce qu'elle imitait, dans un déploiement de couleurs et de cabochons, le style arcachonnais.

« Ce chêne que notre enfance adora se rappela la chaleur de ma main, de mes lèvres, de ma joue lorsque je lui redis les vers que mon frère l'abbé, quand il était enfant, avait composés pour lui et que j'étais seul à connaître :

Vieux chêne qui m'a vu souvent chercher ton ombre,
pleurer tout bas l'amour qui ne reviendra plus[3]. »

François n'était ni pêcheur ni chasseur, ne prenant guère part qu'à la chasse à la palombe qui est plutôt une attente propre à la lecture, à l'entretien à voix basse, et à la gastronomie... Mais il suivait souvent ses frères et ses cousins Larrue de Villandraut à la pêche aux « arbouilles », aux anguilles, aux assèges, aux brochets : et « aller aux écrevisses » était une plaisante aventure, sous l'œil vaguement indulgent de l'abbé Carreyre, que ces excellents bourgeois chrétiens appelaient en toute simplicité « notre abbé ». Les devoirs de vacances étaient copieux et, précise Pierre Mauriac (que François appelait, pour louer acidement son acharnement à l'étude et son esprit de sacrifice, Mucius Scaevola), « nous en faisions toujours des supplémentaires ».

Si assurés qu'ils fussent d'avoir reçu en partage dans la lande une « île mystérieuse » loin de laquelle tout repos devenait fade, ils firent pendant l'été 1898 un séjour dans les Pyrénées — Bagnères, Luchon, Argelès — voyage d'où Pierre et François rapportèrent un « trésor » fait de cailloux des

1. *Commencements d'une vie* p. 94
2. Le Xavier du *Mystère Frontenac*
3 *Conferencia* n° IX, 1933-1934.

gaves, qu'ils cachèrent en un lieu connu d'eux seuls[1], mais qui les ancra plus avant dans leur conviction, formulée en cette sentence romaine : « Lorsqu'on a l'honneur et le bonheur de posséder de la terre, il y faut passer ses vacances. » Et l'on revint sans désemparer aux touffeurs de Johannet, aux fraîcheurs perfides de la Hure, aux longues soirées entre le perron du chalet et le grand chêne, préparant les saynètes du type de celle où, en juillet 1906, on parodia non sans admiration le Rostand de *l'Aiglon* — que l'un « des garçons » fit mine d'attaquer et que les cousines, en chœur, défendirent comme la ligne bleue des Vosges.

Saint-Symphorien, c'est l'été. Aux vacances de Pâques, on va à château Lange, domaine d'Irma Coiffard qui tirait un immense prestige d'avoir obtenu de l'évêché le droit de conserver, dans un pigeonnier transformé en chapelle, le Saint-Sacrement. L'arrêt de tramway le plus proche de château Lange était baptisé par le cocher la « halte des curés », car il n'était pas une soutane montée dans la voiture qui n'y descendît... La discipline était plus stricte à château Lange qu'à Saint-Symphorien : deux régentes au lieu d'une. La vieille dame était obsédée par la crainte des refroidissements générateurs de pleurésies : « Les garçons, ne vous mettez pas en nage ! » — expression du temps qui n'évoque pas la moindre piscine, simplement les sudations consécutives aux jeux violents.

Ni la sollicitude de sa grand-mère ni son peu de goût pour de tels exercices n'empêchèrent François, à 18 ans, de contracter cette maladie qu'en ce temps-là, les médecins ne savaient pas toujours distinguer de la tuberculose. Ces familles bourgeoises bordelaises, suralimentées, vivant dans un climat très doux, mais qui surveillaient mal leur hygiène dans les vastes maisons humides des bords de Garonne et ne pouvaient admettre que les pins d'Arcachon ne fussent pas aussi bénéfiques aux maladies que l'altitude montagnarde, virent alors « s'en aller de la poitrine », comme on disait bizarrement, nombre de leurs enfants. La famille de François paya un lourd tribut à cette manière d'épidémie : son cousin préféré, Raymond Laurens, fut ainsi emporté à 16 ans.

La pleurésie de François Mauriac terrifia sa famille — et plus que tous son frère Pierre, alors étudiant en médecine (peu porté à l'emphase, il parle du « supplice » que ce fut pour lui). Il persuada leur mère d'emmener le jeune homme passer quelques semaines en Suisse, à Zermatt où l'adolescent subit la fascination du « Cervin enchanté », et de l'inciter à ménager ses efforts : il vient d'échouer par deux fois à son bachot de philosophie et doit redoubler, malgré l'aiguillon intellectuel qu'est pour lui André Lacaze. « Telle est ma honte, glisse-t-il, mi-grave, mi-rieur, que je préfère aller au lycée... »

Ce congé donné à Grand-Lebrun permit à François Mauriac de bénéficier, au lycée, de l'enseignement d'un véritable maître, Marcel Drouin (le beau-frère d'André Gide) qui signait Michel Arnauld ses essais littéraires, et devait bientôt être l'un des fondateurs de *la Nouvelle Revue française :* type même du grand intellectuel laïque du début du siècle, dans la lignée de

1. *Nouveaux Mémoires intérieurs,* p. 257.

Lucien Herr, et dont l'œuvre publiée rend mal compte du rayonnement qu'il exerçait. Mais les dons philosophiques du jeune Mauriac étaient trop faibles pour être fécondés par cet enseignement exceptionnel. Tout de même, il obtint cette année-là un troisième accessit (dans la section voisine, Jean de la Ville de Mirmont obtenait le premier) et son diplôme de bachelier.

Le trône et l'autel

Mais la « politique », en tout cela ? Où et comment se situent les Mauriac ? Où François se situe-t-il lui-même ? Bien sûr, on exècre les « politiciens », que l'on appelle le plus souvent dans ces familles les « politicards ». Mais ce ronronnement grognon qui fait le fond du comportement politique de la bourgeoisie de province, il est difficile de s'y cantonner tout à fait dans les années qui vont de 1897 — explosion au grand jour de l'affaire Dreyfus — à 1903 — séparation de l'Église et de l'État.

Le profil politique d'un groupe ou d'un individu, on le dessine d'ordinaire à partir de données diverses : traditions familiales ; tissu culturel — journaux, livres, fréquentations — dans lequel on s'enveloppe ; état de la fortune ou plutôt importance qui lui est reconnue dans la vie quotidienne. Aucune de ces trois données n'est, chez François Mauriac, déterminante.

La tradition familiale, on l'a vu, est double, et plus ou moins contradictoire. Du côté Mauriac, on est « républicain », ce qui signifie encore quelque chose : anticlérical, sinon antireligieux, on croit au « progrès », on est (en ricanant) rallié au régime, on tient la justice pour une exigence égale à l'ordre et à la grandeur nationale, et dans l'affaire Dreyfus, on croit volontiers à l'innocence du prisonnier de l'île du Diable. Du côté Coiffard on est résolument clérical, attaché aux vertus bourgeoises, et persuadé que de l'étranger d'une part, et du monde ouvrier d'autre part, ne peut venir que le mal.

> « S'il se trouvait parmi les grandes personnes autour de moi un seul esprit capable de concevoir un monde moins injuste et de croire son avènement possible, et surtout de le désirer, j'en doute beaucoup. Mais qu'en revanche, ils fussent tous capables de le craindre, c'est ce dont je suis persuadé. Car il n'y avait rien de plus redoutable à leurs yeux que le nom de socialiste [1]... »

Bien que tenant convaincu de la « ligne Mauriac », — il avait suivi, jeune homme, l'enterrement de Victor Noir, ce rendez-vous des républicains contre l'Empire — le timide oncle Louis se gardait de toute allusion politique, fût-ce au temps du procès Zola : « Ma mère ne l'eût pas permis », précise François. Il limitait son « opposition » à ne pas accompagner sa belle-

1. *Nouveaux Mémoires intérieurs*, p. 201

sœur et ses enfants à la messe du dimanche, ce que ses neveux trouvaient naturel : « Oncle Louis n'allait pas à la messe comme un chien de garde ne va pas à la chasse… » Il ne pouvait à lui seul faire contrepoids au traditionalisme satisfait de ce foyer sans époux, c'est-à-dire, en ce temps, sans politique, c'est-à-dire conservateur.

Retenons ces précisions de Pierre Mauriac : « Défenseurs du trône ? Non. Défenseurs de l'autel ? Oui. Aucun doute n'effleurait cette cellule familiale quant à l'infaillibilité de l'Église en matière politique. » De l'Église de ce temps-là, de son inféodation aveugle aux puissances les plus lourdement conservatrices, réactionnaires même, à commencer par ce grand état-major de faussaires de « l'affaire », nul n'a parlé avec plus de verve vengeresse que François Mauriac un demi-siècle plus tard. Aussi bien l'enfant de 1898 que l'adolescent de 1903 semble avoir entrevu les grimaces qui se cachaient alors sous le masque de satisfaction glorieuse du cléricalisme français.

Ces réflexes conservateurs du noyau familial s'entretenaient, se confortaient de la lecture d'une presse enracinée dans un monarchisme de combat, et dans un cléricalisme de choc. *La Petite Gironde,* organe républicain « opportuniste » (le mot, alors, ne servait qu'à qualifier les héritiers de Gambetta), ne forçait pas les portes des demeures de la rue Vital-Carles, de la rue Margaux ou de la rue Rolland, où nichèrent tout à tour les Mauriac. Cette feuille n'appelait-elle pas un évêque « monsieur » ? Ne formulait-elle pas l'hypothèse de l'innocence de Dreyfus ? N'y affichait-on pas quelque respect pour le général André, responsable des « inventaires » dans les couvents, des « fiches » dans l'armée ? N'y lisait-on pas, sous la plume de Louis Barthou, un vigoureux plaidoyer pour le divorce — fût-il « par consentement mutuel » ?

Pas question de telles horreurs chez les Mauriac. En attendant que Pierre introduise dans le foyer sa chère *Action française,* on lisait *La Croix, le Pèlerin* et *le Nouvelliste.* Cette dernière feuille n'était en fait qu'un sous-produit local du quotidien de Maurras, dont le directeur, Henri Vaugeois, était son correspondant à Paris. Le ton y est : le général André est traité, tantôt de « canaille », tantôt de « drôle », tantôt d'« ignoble larbin au service de l'Allemagne ». Delcassé ? « Ce bandit ! » Dreyfus, bien sûr, n'est jamais appelé que « le traître » — même après les aveux d'Esterhazy !

Le Nouvelliste, qui proclame que « le Pape a le droit d'intervenir dans les affaires françaises, car il n'est pas un souverain étranger comme les autres », soutient la campagne du leader antisémite Max Régis à la députation de Paris, qualifie Édouard Drumont de « vaillant sociologue », assure que « les dreyfusards sont d'accord avec ceux qui lynchent les Noirs aux États-Unis » et que « le syndicat juif achète des fusils Gras, réformés par le ministère de la Guerre, pour les revendre aux bandes d'assommeurs de la capitale » L'hystérie la plus imbécile, la plus permanente, une *Action française* pour croquants de province…

Faut-il s'étonner qu'un adolescent aussi fin et sensible que Mauriac ait résisté, sans en être infecté, à l'injection de ce venin de haine — ou plutôt qu'écœuré par tant de sottise cruelle, il n'ait pas poussé plus loin une réaction mal-pensante qui fut longtemps timide ? On ne peut douter en tout cas que contre ce « matraquage » du conformisme le plus grossier (dans ces familles alors, on appelait un pot de chambre un « Zola »), son bon sens et sa sensibilité aient regimbé : « A 12 ans, l'affaire Dreyfus déjà me tourmentait[1]. »

Claire Mauriac n'était ni républicaine, ni monarchiste, ni bonapartiste. Les prétentions et la morgue des dames « à particule » qu'elle coudoyait aux offices, aux ventes de charité, suscitaient, selon Pierre Mauriac, sa « verve railleuse ». En fait, la « ligne » politique du petit clan était faite de deux données, les plus courantes alors dans la bourgeoisie catholique de province : cléricalisme et antiparlementarisme. Députés, sénateurs, notables, hauts fonctionnaires du régime leur étaient suspects du fait de leurs seules fonctions. On sait de quel ton Blanche Frontenac réagit aux propos de son fils Jean-Louis lui annonçant qu'il a décidé d'être professeur : « Fonctionnaire ! Il veut être fonctionnaire ! » Servir l'État républicain… Et pourquoi pas se faire franc-maçon !

Il se trouve qu'ainsi conditionné, le petit François de 10 ans, assistant de la fenêtre de l'appartement de la rue Vital-Carles à la visite du président Félix Faure à Bordeaux, en 1895, cria « Vive Felisque ! » et se souvient du sourire que lui adressa le président, non d'un rappel de sa mère à la décence… (Félix Faure, il est vrai, s'était signalé, dès les premiers temps de son mandat, par ses partis pris antidreyfusards.) Plus significatif : Pierre Mauriac se souvient du jour où, le président Carnot ayant été assassiné, le procureur général, relation de la famille, vint annoncer la nouvelle à Mme Mauriac en pleurant « La stupéfaction, note-t-il, l'emporta chez moi sur l'indignation ; il m'eût paru naturel qu'on pleurât la mort d'un roi ; je n'avais pas imaginé qu'un Français pût pleurer à la mort de son président. »

Tradition ambiguë, climat conservateur, lectures réactionnaires. Mais de quel poids et en quel sens pesait cette fortune amassée par Jacques Mauriac et Raymond Coiffard, et qu'administrait minutieusement Claire Mauriac, avec le concours de son beau-frère Louis ?

Dans une interview publiée en 1962, François Mauriac a ainsi évoqué le mode de gestion de la fortune familiale :

> « … Quand mon père est mort, très jeune, son père a légué tous ses biens à sa belle-fille, c'est-à-dire à ma mère, alors qu'il n'en avait absolument pas le droit ; c'est illégal, cela nous revenait à nous, pas à elle, puisque toute la fortune venait du côté paternel[2]. Mais mon grand-père admirait sa belle-fille, il la jugeait capable de tout gérer, de tout conduire, et il lui a tout légué, à condition qu'elle ne se remarie pas[3]… N'est-ce pas étrange ? C'est incroyable, non ? Ma mère, d'ailleurs, s'est révélée une femme d'affaires

1 *Bloc-Notes*, 4, p. 141

2 La question de la « légalité » de ce geste est indépendante de l'état de la fortune dont hérita aussi Mme Mauriac du côté Coiffard.

3. Situation et exigences classiques dans les romans de Mauriac (à commencer par *Le Baiser au lépreux*)

remarquable, et ce fut pour elle un gros travail, car nous avions de très, très grandes propriétés. »

Jusqu'à leur majorité, François et ses frères furent dans l'ignorance complète de leur situation de fortune, la croyant modeste, mais suffisante dès lors qu'ils se plieraient aux règles d'une économie que l'on ne cessait de leur prêcher. « Tu mourras sur la paille ! » disait l'oncle Louis à qui gaspillait le pain.

Dans cette maison sans homme, on n'entendait guère parler commerce ou finances — sinon quand il était question d'« amasses » de résine, du prix du bois de pin sur pied, du tonneau de vin ou des redevances métayères — encore que l'on remarquât, non sans aigreur, que ces rentes-là étaient « tous les ans plus réduites ». Les frères Mauriac arrivèrent à l'âge d'homme fermés à toutes les activités bancaires (qui avaient été le dernier métier de leur père). Les soucis d'argent n'effleurèrent leur jeunesse que le soir où le notaire de la famille « leva le pied », comme on disait alors, détournant 60 000 francs du capital familial : pendant quelques jours, un vent de catastrophe souffla sur la maisonnée. Mais, note Pierre Mauriac, « nous y fûmes peu sensibles, inconsciemment assurés que la terre pourvoirait toujours à nos besoins ».

Terres, bois, métayages prendront assez vite une place croissante dans la conscience de François — sa mère y attachant beaucoup d'importance, par atavisme, par goût, par devoir aussi, en tant que tutrice et gestionnaire des biens des orphelins. Dans la correspondance entre la mère et le fils à partir de 1907, puis dans les romans de l'auteur de *Genitrix*, les formes diverses de la possession bourgeoise affleureront progressivement en tant que thèmes, jusqu'à devenir l'obsession majeure, maladive, du héros du *Nœud de vipères*.

François Mauriac ne sera jamais un homme d'argent. Mais ses grands-parents campent assez fortement dans son subconscient, il appartient assez fermement à une classe dont il a su combattre les folies ou les bassesses sans jamais s'en détacher, pour que la propriété, en tant qu'instinct, en tant que donnée de conscience, sinon en tant que vertu ou même qu'ambition, joue dans la formation de son personnage, dans l'élaboration de son œuvre, et dans la définition de sa « politique », un rôle significatif. Mais dans un premier temps, on le verra, ce rôle restera ambigu, contribuant à écarter son esprit et sa sensibilité critiques de la « ligne » commune de la tribu.

Que François Mauriac ait, dès sa dix-huitième année, dérapé vers des horizons politiques et sociaux fort différents de ceux où restaient fixés les regards de la majorité des siens, et qu'il ait pu apparaître, adolescent, une sorte de rebelle, un déviant, il y a à cela un peu plus que la propension naturelle d'un jeune homme sensible et généreux à contester les valeurs de ses aînés, pour peu qu'elles soient fondées sur d'injustes rapports de forces ou de classes Il s'est dit à diverses reprises « né du côté des injustes » et c'est une conscience qu'il gardera jusque dans ses périodes les plus conservatrices — le début des années vingt, au temps du *Gaulois,* ou celui des années trente et de *l'Écho de Paris.*

La remise en question des préceptes et des conditionnements de son milieu semble antérieure, chez François Mauriac, à sa dix-septième année. Il n'a pas 15 ans quand son amitié pour André Lacaze le « moderniste » s'approfondit et s'avive ; et le jeune Yves Frontenac est plus jeune encore quand il apostrophe sa mère et son oncle Louis à propos de la hiérarchie sociale établie chez les siens entre une maison de commerce et l'enseignement, à propos aussi du « grand peuple allemand » et des « vaincus de 70 »... Propos sacrilèges.

Et le voilà qui part en guerre contre la bigoterie familiale :

> « Les pratiques pieuses des miens, les gestes de mes maîtres et des ecclésiastiques amis de ma famille, c'est peu de dire que dès 16 ans je me roidissais contre. Tel de mes camarades, prêtre aujourd'hui [1], pourrait dire avec quelle mauvaise frénésie je les tournais en dérision. C'est le seul moment de ma vie où j'ai fait mes délices d'Anatole France, et dans son œuvre je cherchais précisément les caricatures cléricales [2]. »

Il aime alors scandaliser les siens, et choisit de citer un jour — en famille ! — ce vers de Laurent Tailhade :

> « ... et les nonnes qui font crever leurs orphelines ! »

C'est le François de 17 ans qui, nous semble-t-il, reçoit l'illumination décisive, à l'occasion de la mort de sa grand-mère Coiffard, la vieille dame du château Lange. De cet épisode, nous avons la relation admirable qu'il donne dans les *Nouveaux Mémoires intérieurs :*

> « Je doute que [ma grand-mère] ait jamais été jolie. Dans son extrême vieillesse, elle avait encore des restes éclatants de laideur... Elle me plaisait telle qu'elle était. J'aimais jusqu'à son odeur de vinaigre de Bully lorsqu'elle me pressait dans ses bras en grondant avec tendresse : « Ah ! ce drôle ah ! canaille ! Tous les hommes sont des canailles ! » Allusion probable aux infidélités d'un époux que son négoce de tissus et de châles avait obligé à de constants voyages. Elle m'appelait aussi Briscambille [3]... »

Mais voici que la vieille dame, en ce jour d'automne 1902, agonise. Autour de sa mort s'organise un psychodrame, fusent des allusions, se croisent des regards, se répandent d'étranges fous rires qui en disent beaucoup plus à ce garçon de 17 ans, en quelques heures, que des milliers de pages de Balzac. Y a-t-il un coffre ? Faut-il l'ouvrir ? Filles, sœurs, beaux-frères soudain perdent

1. Évidemment André Lacaze.
2. *Dieu et Mammon,* in *Œuvres complètes,* tome VII, p. 288.
3. Mauriac crut longtemps que c'était le nom d'un bandit fameux. Son fils Claude lui apprit que c'était le pseudonyme d'écrivain du comédien Deslauriers.

leurs masques. Faut-il vendre château Lange, qui ne rapporte rien, qui coûte même ? « Je voyais pour la première fois les vrais visages... » Alors, pour les fuir, François entre dans la chambre où « bonne maman » n'est plus qu'un grognement inhumain. Il entend l'abbé Izans, confesseur de Mme Coiffard, murmurer : « C'était une grande âme... » Quoi ?

> « Cette vieille gardienne du patrimoine entourée de ses filles et de ses gendres attentifs à ne lui déplaire en rien, et qu'une sœur du Bon Secours servait jour et nuit, comme s'il n'eut pas existé d'œuvre plus agréable au Seigneur que les soins prodigués à cette vieille dame, ma grand-mère était une grande âme ? »

François éprouva à cet instant le sentiment d'une profonde discordance « entre les paroles et les pensées, entre les gestes visibles et les désirs cachés : ce fut — précise-t-il — l'une des sources de ce que j'allais écrire ».

Et peut-être aussi le secret dont il reçoit alors la révélation. Car le propos de l'abbé Izans n'est peut-être pas la suprême flatterie d'un ecclésiastique mondain. Mieux que personne, l'abbé pouvait savoir qu'à certaine époque, cette femme était passée « à travers le feu » et que sa vie de grande bourgeoise n'avait été qu'une façade.

M. Izans avait été mêlé de plus près que personne à la tragédie inaperçue de cette vie. Une dizaine d'années plus tôt, un fils d'Irma Coiffard, Georges, avait été trouvé mort à Lyon. Mort très subite... S'était-il suicidé ? On le murmurait craintivement. Quelle horreur pire que celle-là, une mort marquée de l'« impénitence finale », pour une femme imbue d'une religion aussi littérale, aussi espagnole ?

> « Les paroles de M. Izans, observe l'auteur des *Nouveaux Mémoires intérieurs,* ne pouvaient être comprises que des trois filles de la moribonde — peut-être pas même des gendres que leur appartenance à une race étrangère rendait indignes de partager ce secret. Ma grand-mère avait été ce cœur percé d'un glaive et qui ne crie pas... »

Mais c'est trop à la fois de silences, de semi-vérités, de décalages entre le dit et le pensé, de rituels trompeurs, de secrets révélateurs dérobés. Le cocon de respectabilité dans lequel on l'a emmailloté, cette agonie baignée de chuchotements acides et de révélations cruelles ont beaucoup fait pour le dénouer, le déchirer. Avec la mort de cette stoïcienne cachée sous le masque de la dévotion satisfaite, c'est tout un univers conformiste qui s'effondre en François Mauriac. « Comment, doué pour la moquerie comme je l'étais, lecteur d'Anatole France dès ma quinzième année, ai-je gardé la foi en dépit de ce que je voyais et entendais ? » La question qu'il pose, comme en conclusion de ce récit de la mort de « bonne maman », il a tenté d'y répondre dans *Bonheur du Chrétien,* dans *Ce que je crois.* La foi résiste, le fait est là : mais non l'adhésion inconditionnelle à un système de valeurs sociales, voire morales.

Une fraternité contre la solitude

Comment, sans quitter cette Église ni renier cette foi, s'affirmer contre cette classe murmurante de rapacité ? Comment mener sur ce plan le combat parallèle à celui qu'André Lacaze a entrepris — la recherche d'une synthèse entre fidéisme et connaissance scientifique ? Le problème que son ami pose en termes philosophiques, Mauriac le formule, aux approches de la vingtième année, en termes sociaux. Il se trouve que vers ce temps-là, le Sillon de Marc Sangnier devint « comme le catalyseur de ce parti pris à l'intérieur de l'Église, et (dans une fidélité sans ombre aux vérités de la foi) de toutes ces oppositions à ce qui m'avait été imposé par mon milieu[1]... ».

Imposé ? En fait, François, au débouché de son adolescence, est soumis aux influences contradictoires, non seulement de son hérédité, mais surtout de deux de ses frères, Jean le silloniste et Pierre le maurrassien. Le premier, qui avait probablement moins de prestige à ses yeux, ne l'emporta que parce que ses arguments nourrissaient la tendance intime de son plus jeune frère.

Dès ce moment-là, en tout cas (vers 1905) François Mauriac a acquis la conviction qu'il n'y a pas d'œuvre plus urgente pour un jeune catholique que de libérer « l'Église gallicane enchaînée à la droite la plus aveugle et, depuis l'affaire Dreyfus, à mes yeux la plus criminelle ». En dépit d'une admiration éperdue pour l'antidreyfusard Barrès, et même de l'ascendant intellectuel qu'exerce sur lui Charles Maurras — il lit régulièrement *l'Action française* — il rejoint le Sillon, pour remonter, dit-il, « ce courant contre lequel je n'ai cessé de m'épuiser toute ma vie[2] ».

C'est dans une petite chambre, le médiocre local du *Sillon* bordelais, accoté à la très bourgeoise église de la Madeleine — la paroisse du Bordeaux la moins silloniste qui put être — que François commença en 1905 de militer. Un mot un peu abusif, s'agissant de lui, si « musard », si personnel, si inclassable. Mais enfin il lui advint de vendre *la Démocratie,* le journal de Sangnier, et son homologue local *la Vie fraternelle.*

C'est dans *la Vie fraternelle,* organe du « Sillon de Bordeaux et du Sud-Ouest », dont la couverture bleu ciel portait l'image d'un Christ bénissant des ouvriers et des paysans, que Mauriac fit paraître son premier texte publié, le 15 juillet 1905. C'est une courte nouvelle intitulée « La tour d'ivoire », qui met en scène, avec une gaucherie surprenante pour un élève de l'abbé Péquignot, pour un lauréat de l'enseignement catholique de ce temps, deux jeunes « philosophes » — Philippe, en qui chacun peut reconnaître François Mauriac, et Jean, qui est un mixte de son frère et de Lacaze.

Jean argue qu'il convient de sortir de sa « tour d'ivoire » pour aller à la

1 *Mémoires politiques,* p. 10
2 *Ibid.*, p. 14.

rencontre des « autres ». Si Philippe fait valoir non sans une assez fine perfidie, que ce qui retient les jeunes gens au Sillon, « c'est la découverte de leur éloquence », Jean, qui a visiblement rodé la sienne, met en lumière « l'amitié » que pratiquent les disciples de Sangnier, et l' « émotion » qu'entretient le Sillon. Plutôt que de le suivre, Philippe préférera « s'enfoncer... orgueilleusement dans la nuit » — et ainsi ce petit texte d'une platitude désolante a-t-il le mérite de décrire les deux attitudes de François Mauriac face au Sillon[1].

Un tel texte a aussi l'intérêt de révéler d'où partait Mauriac pour édifier son œuvre. Il a souvent exprimé lui-même l'étonnement que lui procuraient ses propres œuvres, compte tenu des « moyens » qui étaient les siens à l'origine. Sans aller jusqu'à Rimbaud, jusqu'à Claudel[2] il est troublant de comparer ces balbutiements de la vingtième année à ce qu'écrivaient au même âge Malraux ou Montherlant. Ce qui ne rend que plus admirable l'effort de Mauriac, cette constante ascension qui l'amènera, à 80 ans sonnés, aux *Nouveaux Mémoires intérieurs*.

C'est encore dans *la Vie fraternelle* silloniste, au mois d'octobre suivant (alors qu'il fêtait ses 20 ans) qu'il publie le premier de ses poèmes échappés au secret de ses carnets, sous le titre *Intellectuels :*

> Ils vont, fermant les yeux aux tristes visions
> et poètes bercés par la langueur des strophes
> ce sont aussi de doux et subtils philosophes
> pour qui tous les amours sont des illusions
> L'été, dans la douceur des nuits, ils vont...
> Ils aiment les bijoux, les fleurs, les saxes rares
> l'étoffe précieuse où leurs doigts s'égarent
> Mais sont tristes — goûtant la douceur de pleurer
> [...]
> Ô petit ouvrier aux mains faibles, mon frère,
> dans le sombre atelier tant de jours enfermé
> regarde-les passer sans haine et sans colère
> Tous ceux-là dont les cœurs ne surent pas aimer.

Bon. D'autres engagements l'inspireront mieux...

Est-ce parce qu'il avait déjà le sens aigu de l'autocritique qu'il découvrit vite là les raisons de prendre ses distances par rapport au Sillon, sur ce terrain même de l'esthétique ? C'est à la même époque que se situe sa découverte de Marc Sangnier, à l'occasion d'une réunion du Sillon à Langon. François offrit au fondateur du mouvement auquel il avait adhéré l'hospitalité de la grande maison construite par Jacques Mauriac aux abords de la gare. Mais la rencontre ne fut pas heureuse. De cette réunion, de la soirée et de la nuit qui

1. Auquel André Lacaze n'appartint d'ailleurs jamais, étant plutôt conservateur sur le plan social. C'est son personnage qui est évoqué ici. Les idées de « Jean » sont plutôt celles de Jean Mauriac.

2. Qui, à 20 ans, écrivait *Tête d'or*.

la suivirent, l'écho nous parvient, cruel, à travers un épisode du premier roman de Mauriac, *l'Enfant chargé de chaînes* :

> « Ils entouraient le lit de Jérôme[1] qui devait regagner Paris dans la journée... Vincent Hiéron, à genoux sur le tapis, ramassait pieusement le linge du grand homme, les flanelles encore humides d'une généreuse sueur. Le maître lui avait enseigné que la plus humble besogne est magnifique, si on l'accomplit pour *la cause*... Les autres dévotement contemplaient leur idole... Et le maître, s'adressant à tous, déclara d'une voix grave : " Mes petits enfants, il convient que, même éloigné, je sois présent au fond de chacun de vos cœurs. Il faut qu'il n'y ait dans ce troupeau aucune volonté hostile à la mienne. Mes petits enfants, vous m'êtes fidèles, je le sais, mais pas tous. " Était-ce consciemment qu'il parlait le langage du Christ ? »

Ce récit ne devait être publié que cinq ans plus tard — déclenchant un scandale parmi les disciples de Sangnier. Mais Pierre Mauriac assure que ces quelques pages résument très bien les impressions de sa soirée que lui rapporta dès le lendemain son jeune frère — et qu'il en fut effaré comme d'un sacrilège. Aurait-il osé, lui, peindre sous de tels traits Maurras passant par la Gironde ?

Un demi-siècle plus tard, dans son *Bloc-Notes*[2], Mauriac donnera une autre version, plus autocritique encore et convaincante, de l'échec de ses relations avec Sangnier.

> « Après un débat houleux avec les anticléricaux langonnais, Sangnier réunit des fidèles au milieu de la nuit. Ce fut là que la grâce me toucha. Sangnier était avant tout un mystique... Les propos qu'il nous tint, d'une voix sourde et brisée, paraphrasaient *le Mystère de Jésus*... Il n'aurait tenu qu'à lui de m'attirer et de me retenir comme il fit de tant d'autres... J'étais un enfant spirituellement abandonné. Mais je ne l'intéressais pas... Le lendemain, je reçus le coup de grâce, cette fois dans un sens tout opposé. Sangnier nous lut un drame de sa façon intitulé *Par la mort*. Tout mon esprit critique s'était éveillé. Je jugeais *Par la mort* comme un garçon qui venait cette année-là de découvrir le *Tête d'or* de Claudel et mes camarades qui se pâmaient d'admiration m'irritaient.
> " Quoi, vous avez le front de trouver cela beau ? " glissai-je dans l'oreille de l'un d'eux. Et quand enfin Marc, la lecture achevée, arrêta le regard sur moi et me demanda ce que j'en pensais, je cherchai et je trouvai la réponse qui pouvait le plus le confirmer dans le mépris ou dans la méfiance que je lui prêtais à mon égard. Je lui dis donc que " ça manquait de femmes ". Un ange passa sur le vieux salon de palissandre de mon grand-père. Ses disciples, tirés de leur extase, foudroyèrent " l'intellectuel ". Conscient de l'effet que je produisais, j'en fus à la fois désespéré et enchanté... »

Si chaudes qu'aient été les amitiés alors nouées par lui dans ce cadre silloniste — ainsi celle passionnée, mouvementée, mélancolique, qui le lia à Philippe Borrell, futur disciple d'Alain tué en 1915, une manière de petit Péguy catalan à la grosse pèlerine mouillée, « écolier bâti en force avec un

1 De toute évidence Marc Sangnier
2 *Bloc-Notes*, 2, p. 337-338.

visage construit comme celui du jeune Claudel (où) sous le front puissant couvait un admirable regard[1] », et auquel le brillant Mauriac reprochait de s'intéresser aux plus simples de leurs compagnons plus qu'à lui, seul capable à ses yeux de lui donner la réplique, le dernier fils de Claire Mauriac ne fut pas un très patient prosélyte du Sillon.

« Un petit barrèsien de mon espèce déplaisait dans ce milieu " ouvriériste "... aucune de mes qualités n'y avait cours alors que mes défauts d'homme de lettres naissant et de " gosse de riche " y faisaient horreur. » Sur ces points, *l'Enfant chargé de chaînes* est fort éloquent : l'épisode de l'amitié à sens unique entre le petit ouvrier Élie et le dédaigneux Jean-Paul est, dans sa maladresse, déchirant.

François Mauriac ne participe guère aux activités du Sillon plus d'une année (1905-1906). Dès avant son départ pour Paris, il s'était détaché de l'organisation. C'est en 1907 qu'un Limousin de ses amis, Jean Delouis, très lié comme lui à l'abbé Desgranges, l'entraîna dans le « schisme » qui détacha ce prêtre de Sangnier. Il se saisit de l'occasion ainsi offerte plutôt qu'il ne fut arraché à une fidélité.

Quand, en 1907, Pie X fulmina contre le courant moderniste l'encyclique *Pascendi* puis, en 1910 adressa une « lettre à l'épiscopat français » condamnant plus expressément le Sillon, Mauriac se sentit « de tout cœur avec les condamnés ». Rien plus que cet aveuglement répressif ne pouvait le rapprocher de ses amis d'hier. Mais eut-il tant de peine à se soumettre ?

Évoquant cette crise, de longues années plus tard, dans le mémoire souvent cité déjà, son frère Pierre ne croit pas que cette rupture fut pour lui « un coup très dur ». Jugeant sévèrement la société bourgeoise et l'exploitation du travail, se sentait-il vraiment solidaire des exploités ? L'esthétisme aristocratique barrèsien — encore que son maître se fût réclamé de Jaurès dans telle de ses campagnes électorales — et l'ironie qui commençait à percer en lui, comme en témoigne la page de son premier roman que l'on a citée, le détournèrent des pieux jeunes gens à pèlerine, qui se prenaient pour Lacordaire et écrivaient comme les chroniqueurs du *Pèlerin*. Péguy, peut-être, eut été capable de le retenir : mais Mauriac est toujours passé loin de Péguy.

Reste que le Sillon sera planté dans son cœur et que, jusqu'à la fin, il en retiendra la leçon, pour lui essentielle : cette Église fondée par un charpentier juif martyrisé par les notables, les riches et les puissants, il importe avant tout de la libérer de l'appareil d'État, de finances et de guerre qui l'a colonisée depuis près de vingt siècles. S'il est une idée pivot chez lui, en matière « politique », c'est celle-là.

Ni les petits ridicules de Sangnier, ni les trahisons moyennes ou grandes de ses disciples démocrates-chrétiens et MRP, ni sa propre vie très peu « silloniste » de grand bourgeois collaborateur du *Figaro* ne peuvent faire oublier que c'est dans le petit local enfumé du Sillon bordelais, sous le regard exigeant de Philippe Borrell, que François Mauriac prit pleinement

1. *Mémoires intérieurs*, p. 45.

conscience de l'incompatibilité radicale entre l'Évangile et Machiavel, entre Dieu et Mammon. Qu'il y ait plié sa conduite est une autre chose — et il ne cessera, pendant soixante années, de vivre cette contradiction, et de s'en expliquer. Mais sa conviction était faite.

Fuir, là-bas fuir !

François, 18 ans, flotte dans Bordeaux. Reçu à la fin de son année de lycée (1903-1904) au bachot de philosophie, on l'a vu, il prépare une licence de lettres. Décision d'attente, qui n'engage à rien. Mme Mauriac, qui adore déménager, a porté ses pénates de la rue Margaux, vieil hôtel communément appelé « la jésuitière » (là, en effet, dans l'aile symétrique à la leur, gîtent les pères que le petit François imagine terrés nuit et jour dans leur confessionnal, guettant les dévotes qui y défilent sans désemparer — y compris Claire Mauriac) à une maison qu'elle a achetée, 15, rue Rolland. Elle peut ainsi installer sous son toit le ménage de sa fille et le cabinet de consultation de son gendre : Germaine Mauriac a épousé en 1900 Georges Fieux, professeur de gynécologie à la faculté de Bordeaux. Une chaude affection lie aussitôt le jeune médecin à ce groupe si jalousement fermé. Jusqu'à sa mort accidentelle pendant une permission de guerre, en 1917, Georges Fieux sera, pour François et les siens, un frère aîné très admiré.

A la faculté des lettres — où il croise, sans lui prêter alors beaucoup d'attention, Jean de la Ville de Mirmont — François Mauriac suit les cours de professeurs estimables. Fortunat Strowski d'abord, qu'il aime non seulement parce qu'il est un spécialiste de Pascal, mais plus encore parce qu'il a « osé » lire à ses étudiants, pendant le cours, un poème de Francis Jammes, *le Vieux Village :*

> Et maintenant, où est cette famille
> A-t-elle existé ? A-t-elle existé ?

André Le Breton, « très aimé des dames de Bordeaux, bien qu'il fût infirme, et en dépit de ses béquilles [1] », fut aussi de ses professeurs. Il passe son examen de licence en juillet 1906, dissertant sur ce thème : « La pensée de la mort nous trompe, car elle nous fait oublier de vivre. » Il en prend le contre-pied, déversant dans son argumentation tout ce qu'il sait de Pascal — qui n'est pas peu. « Vous aurez 0 ou 20 », lui dit un de ses maîtres. Il eut un 18, mais fut collé à l'oral pour un 0 de grec, et dut repasser en octobre. Le voilà licencié ès lettres. En lui annonçant son succès, son professeur d'histoire qui l'aimait bien ajoutait dans un grand rire : « Dire que vous avez désormais le droit d'enseigner la géographie ! [2] »

1. *Ibid.*, p. 339.
2. *François Mauriac* par Robert Speaight, p. 31.

Déjà il pense à fuir vers Paris, où règne celui qu'il a déjà choisi pour maître, Barrès, prince nonchalant, professeur d'égotisme, ennemi des « barbares », et où s'épanouit enfin la gloire de son poète le plus cher, Francis Jammes. Mais sa mère se fait prier. François est à peine majeur... Alors il faut inventer un sujet de thèse ou plutôt de diplôme de fin d'études de lettres. Albert Dufourcq, un autre de ses maîtres, lui suggère : « Les origines du franciscanisme en France. » Pourquoi pas François d'Assise, et son christianisme de la pauvreté — à l'heure où le jeune licencié découvre le catholicisme ouvriériste du Sillon ?

Temps d'attente indécise, douce-amère. Temps de tête-à-tête avec Bordeaux. C'est alors, c'est là,

> « dans les allées de ce jardin public, sur les trottoirs de la rue Sainte-Catherine, que sans amitié, sans amour, sans direction ni conseils d'aucune sorte, je me suis gauchement constitué. A Bordeaux, nul réfractaire ne saurait survivre ; coûte que coûte, il faut... prendre son rang, accepter d'être une pierre grise du gris édifice »...

Il se voit alors comme un rat tournant dans la ratière, cherchant l'issue. Il se dira, en ce temps « humilié et offensé ». Deviendra-t-il un enragé, un furieux comme tel de « ses amis de la même race » — ou un semi-réprouvé comme André Lacaze ?

Et pourtant il y a la beauté grave de cette ville que le poète qu'il vient de découvrir avec émerveillement et qui deviendra son maître puis son ami, Francis Jammes, évoquera ainsi pour lui dans une lettre de 1912 : « ... le brumeux Bordeaux... tremblait de tous ses mâts autour de l'écolier, et j'y promenais déjà un cœur froissé comme un pétunia ». Il ne sait pas goûter, comme Jean de la Ville de Mirmont, les charmes mouvants, les odeurs grisantes de ce port qui l'a plutôt effrayé ou dégoûté avec ses bruits violents, ses gestes brutaux, ses eaux limoneuses et sombres, ce port « où les hommes sauvages roulent des barriques dans les jambes des promeneurs ». Pourtant, il le sait, c'est là aussi que dans le petit matin « s'embarque le jeune Baudelaire à bord du paquebot des mers du Sud » ; c'est là que, penché « à l'un de ces balcons, auprès d'une bien-aimée, il connut les soirs voilés de vapeurs roses, et la profondeur de l'espace, la puissance du cœur, le parfum du sang »... C'est là encore que « Maurice de Guérin, s'en allant mourir au Cayla, fit halte à l'hôtel de Nantes »...

Il écrira plus tard : « A travers quelques poèmes, je voulus aimer les vaisseaux[1]. » Mais on ne s'improvise pas soudain capitaine du grand large. Il n'est plus temps de découvrir ces amères délices. Trop longtemps il a tourné le dos à ce Bordeaux maritime, au souffle de la mer qui n'est pas ici seulement le vent qui fait gémir les pins, mais ce qui manifeste l'espace, l'aventure, une autre poésie que celle qui sourd des pénombres pieuses et des confessions chuchotées. Dès avant sa fuite à Paris, Mauriac aura fui cette ouverture-là, cette chance d'évasion Il ne se sentira pris dans l'étau de

1 *Commencements d'une vie*, p 79

Bordeaux de *Préséances* que pour autant qu'il n'aura pas su, comme Jean de la Ville de Mirmont, y découvrir les chemins de la mer.

Le voici, ce long jeune homme au long cou qu'en famille on appelle « l'asperge », regard voilé derrière de longs cils, nostalgique d'une gloire insaisissable, le chapeau melon perché sur le front comme le corbeau sur son arbre. La main crispée sur un livre de Jammes ou de Barrès, traversant doucement la cathédrale Saint-André, halte de paix entre la faculté des lettres où il fait l'étudiant, et la rue Rolland où sa famille s'éloigne, immobile, de lui. Le voici errant sur le large trottoir des allées de Tourny, essayant de ne pas croiser le regard de cet oncle qui va lui demander pour la millième fois : « Qu'est-ce que tu deviens ? », hélé par un ancien camarade entré dans la maison de vins de son père et qui l'entraîne au café de Bordeaux, au Chocolat Prévost ou chez le pâtissier Tscharner. Après le dîner, ils iront peut-être tuer la soirée au Lion rouge. Mais n'est-ce pas ce soir qu'a lieu chez les Maxwell, ou chez les Peyrelongue, ou chez les Castéja, ce bal costumé où — relèvera obligeamment l'échotier de *la Vie bordelaise* — « M. Mauriac apparut en Alfred de Musset » ? Le Nancy de Lucien Leuwen n'avait-il pas plus de charme ?

« Sans amitiés, sans amours. » Ceci est écrit un quart de siècle plus tard, dans *la Rencontre avec Barrès,* où il précise : « ... Je me croyais laid et incapable d'être aimé. » Il évoque les notes de son carnet intime de l'époque : « Quel cri monotone, quelle affreuse plainte ! Je serais mort étouffé si, à 20 ans, je n'avais enfin rompu les amarres... » Des amis pourtant, il en a. Ni André Lafon encore, ni Jean de la Ville de Mirmont, ni Jacques Rivière, qu'il croise alors sans presque les voir. Mais André Lacaze, en dépit de quelques froissements au sortir du collège, et Xavier Darbon, Louis et Martial Piéchaud, deux des fils du médecin de sa famille, l'un et l'autre poètes et fins compagnons.

Sans amours ? Il a bien précisé que les mésaventures du héros de *Préséances* n'avaient rien d'autobiographique. *Un adolescent d'autrefois* lui touche de plus près : mais rien ne dit que lorsqu'il va, presque chaque jour, feuilleter les livres chez le libraire des Galeries bordelaises, Mollat (rebaptisé Bard dans le roman) c'est pour les yeux noirs de la vendeuse. Dans une ébauche de « mémoires » qu'il rédigea en 1940 et dont de larges fragments restent inédits, il donne à entendre qu'il fut alors un prétendant éconduit. Une phrase mal déchiffrable de ce brouillon semble étayer une telle hypothèse : « ... un épisode que pour ne blesser personne je ne puis rappeler ici influença ma vision du monde et de la société bourgeoise. Un peu de ce fiel qui mêle à mon œuvre son amertume vient de cette injure que je reçus ». Mais il n'est pas certain que cette allusion vise Bordeaux et sa société. Il est possible qu'elle se rapporte à une phase de sa vie parisienne sur laquelle on dispose d'informations sérieuses [1], et qui devait d'ailleurs être évoquée avec précision dans *la Pharisienne* — écrite parallèlement à cette ébauche de « mémoires » à Malagar, au tout début de l'occupation.

1. Voir p. 100 à 106.

A vrai dire, il a écrit le mot d'« amours » au pluriel, comme pour mieux en écarter l'image. Rien de plus fugitif, et par là de plus suggestif, que les entrebâillements pratiqués par le mémorialiste de *Commencements d'une vie* ou des *Nouveaux Mémoires intérieurs,* au détour d'une phrase, sur les « mystères honteux de la rue », sur les cariatides du café de Bordeaux[1] « inspiratrices de mauvaises pensées[2] » ou sur cette personne qu'il entrevoyait chaque matin à une fenêtre de la rue Ségalier par où passait l'omnibus du collège. (« Ses bras étaient d'une personne ordinaire, mais sa figure paraissait barbouillée de farine et de confiture de groseille. Derrière, de l'acajou luisait dans la demi-ténèbre... ») Il y a aussi ces lueurs rapides qu'il jette sur telle représentation de « tableaux vivants », au théâtre de la Gaieté, qu'il fallait fuir en hâte, aussi sur la foire des Quinconces et ses mystères, le musée Dupuytren dont l'accès lui était interdit, la baraque de la « tentation de saint Antoine », celles qui portaient simplement des noms de femmes et le cirque Plège où une écuyère qui se faisait « adorer par son cheval [...] occupait l'esprit des plus farouches » : elle s'appelait, précisera plus tard l'auteur des *Nouveaux Mémoires intérieurs,* Jeanne Fabri (« Dire que je me rappelle ce nom ! » glousse le vieil écrivain, un peu inquiet tout de même...). Alors les adolescents se passaient des « photos de femmes » — ceux que les chastes comme François appelaient « les sales types » et qui exhibaient « des faces consumées ».

C'est à une époque plus tardive que se rapporte évidemment ce croquis à la Lautrec du quartier de Mériadek[3] :

> « A quelques pas de l'Intendance, la rue de Galles nous offre l'étrange aspect de sa faune : vieilles petites filles, poupées incassables, bébés Jumeau mal peints, bêtes roses dont on jurerait qu'elles ont sécrété leur coquille de pierre, à peine assez vaste pour contenir le lit et l'édredon rouge[4]. »

On voit reparaître de temps à autre, dans ces jaillissements de mémoire contrôlée mais capricieuse, des allusions à la rue Lambert (qui était alors le centre de la prostitution bordelaise[5]) ces brocards qu'on se lançait au collège : « Tu habites rue Lambert ? Tu es né rue Lambert ? » Lieux inaccessibles et d'autant plus fabuleux.

Quel étrange, quel instable, quel douloureux garçon que le François de 20 ans, cherchant en vain au Sillon des compensations à son isolement sentimental, et à la rupture qui s'accentue avec sa famille, s'exaspère avec son milieu. Les carnets qu'il emplit alors de notations fiévreuses, contradictoires, parfois désespérées, caricaturent évidemment ce désarroi. Mais on y trouve en négatif, en creux, le Mauriac adolescent, entremêlant déjà sarcasmes et prières, lieux communs et analyses pénétrantes.

1. Détruit en 1978.
2. *D'autres et moi,* p. 21.
3. Aujourd'hui rasé et remplacé par un quartier « administratif »
4 *Commencements d'une vie,* p 83.
5. Et le resta en devenant la rue de Galles Aujourd'hui, rue de Foix d apparence bourgeoise

A la fin de décembre 1906, tentant d'établir un bilan de lui-même, il se définit comme un jeune homme de 21 ans dont jamais la sensualité ne fut satisfaite, qui n'a jamais aimé amoureusement ceux ou celles qui lui ont déjà plu, mais que dévore l'impatience de s'organiser pour la conquête, qui veut axer sa vie sur deux besoins : celui d'agir et celui d'aimer.

Aimer ? Il évoque avec une sorte de rage les affections passionnées que fait éclore la fraternité militante du Sillon — non sans moquer durement ses camarades, « ces jeunes prophètes qui méprisent ceux que l'on voit en quête des doux yeux et de la souple taille d'une fille » et qu'il définit comme des gens « qui ne peuvent éternuer sans dire qu'ils se sacrifient à leur devoir social ». Notant que « c'est l'instinct sexuel qui fait du tort à Dieu dans l'esprit des jeunes gens », il évoque discrètement deux rencontres féminines, celle d'une certaine A.T. croisée à Luchon, « jolis yeux, corps harmonieux pauvre petite qui eût pu être ma femme » (4 août 1906) et « la petite âme de R. à qui je crois avoir fait du mal ». Mais toute sa vie se résume alors, dit-il, en un long combat contre la solitude.

Un cri de joie, pourtant, dans ce mémorial de la mélancolie. C'est après son premier séjour à Paris que, le 6 avril 1908, il note : « Je suis heureux, je suis heureux ! Avoir dans l'oreille ce mot répété d'une jeune fille : “ Vraiment, il s'est fait homme ! ” Il me reste à être aimé par d'autres que des amis, d'avoir une amie, et alors je serai roi ! » Mais quinze jours plus tard, on retrouve à nouveau un spleen tout peuplé de Laforgue : « Fatigue, fatigue… Donner à mon mal son seul vrai nom : l'ennui… »

Flâneries, notes versifiées jetées sur un carnet, découverte amusée d'Anatole France (il savoure l'*Histoire contemporaine* et *l'Anneau d'améthiste*, qui lui fournit les arguments anticléricaux dont il scandalise goulu ment les siens) lecture de Bourget mais aussi de Rimbaud, de Claudel, enchantements à retrouver dans le vieux Bordeaux les traces de Francis Jammes cherchant derrière les carreaux verts « un profil sérieux d'amour et de tristesse » ou herborisant aux allées de Boutaut, séances studieuses à la bibliothèque municipale de la rue Mably, en quête de quelques fragments de souvenirs franciscains. Rares soirées chez Gabriel Frizeau où il découvre Gauguin mais s'ennuie un peu, irrité qu'il est de voir son cadet Jacques Rivière lui trouver si peu d'intérêt, entretiens avec un adolescent charentais qui deviendra Jacques Chardonne, rencontre d'un jeune homme venu des Antilles qui s'appelle Alexis Léger, parle d'or, pose sur lui un profond regard noir. Il en tracera quinze ans plus tard ce joli croquis :

> « A 17 ans, il débarqua à Bordeaux, venant des Antilles. C'était un soir d'octobre. Les baraques foraines encombraient la place des Quinconces ; cet enfant venu des îles se vit d'abord entouré de parades et de ces musiques dont la nostalgie hante des compositeurs de l'école nouvelle. Je me rappelle sa joie, comme il déjeunait un jour chez moi, de ce qu'il y avait des bananes au dessert ; il les appelait des figues. Sa conversation était aussi belle que ces poèmes de Jammes où des cousines créoles, pareilles à de grands calices blancs, pleurent d'amour dans le nuage des moustiquaires. Il ressemblait à Rimbaud adolescent. J'appris de lui à ne plus aimer Albert Samain : il

> professait que rien n'existe hors la Bible, Eschyle, Rimbaud, Baudelaire et Claudel. Cependant nous nous unissions dans le culte de Jammes. Il n'habitait pas depuis quinze jours à Bordeaux qu'il avait déjà découvert le seul habitant de cette ville qui possédât un Gauguin[1] ! Il daigna donner à une revue des poèmes si mystérieux qu'aucun lecteur ne s'aperçut des soixante coquilles qu'on y laissa ; cette collaboration des typographes le détourna longtemps de ne plus rien publier. »

Ainsi ce Bordeaux de 1905 lui dévoile-t-il d'autres charmes que ceux de la vertu bourgeoise. Et il y a ceux-ci encore, qu'il goûte en gourmet de grand style :

> « Messes de minuit à Notre-Dame ! Jusqu'à 11 heures les domestiques veillent sur les chaises réservées. Toutes les bonnes familles sont là : dos d'astrakan des vieilles dames, carrures des maris qu'élargissent démesurément les pelisses, gosses faits en série, modèles réduits de leurs parents (cette petite fille aura le derrière placé trop bas, comme sa mère). C'est l'Épiphanie de la bourgeoisie. Les bergers sont revenus à leurs moutons. Les Rois ? Il n'y en a plus. Rien ne reste au Dieu de la crèche que cette sainte classe moyenne, soucieuse de ne négliger aucun secours, de ne dédaigner aucune promesse, de ne courir aucun risque inutile, fut-il d'ordre métaphysique ; race prudente, circonspecte, sage, dont toutes les polices d'assurances sont en règle pour le temps et pour l'éternité... Rappelle-toi ces messes cossues, recueillies, cette atmosphère de dévotion riche et pourtant sincère tandis que la maîtrise chantait : " Une étable est son logement, un peu de paille est sa couchette ", et si près de la Sainte Table et du festin mystique, les truffes dont toute la paroisse était embaumée[2]. »

Fuir ! Sous quel prétexte ? Ses poèmes, Jammes ne les écrit-il pas dans une province plus reculée encore que celle-ci ? Et Barrès, son maître entre tous, ne proscrit-il pas le déracinement ? Mais Bordeaux avec ses pompes, ses œuvres, ses rites, n'est plus supportable. Le voilà exempté du service militaire — officiellement libre. Il a 21 ans. N'y a-t-il pas, faute d'une École normale supérieure trop exigeante pour ce dilettante, une institution exclusivement parisienne qui l'arracherait à cette pluie familière, à ces pavés gluants, à ces soirées où il croit voir, dans le regard des demoiselles, le compte exact de ses hectares de pins et de ses plants de vigne ?

Ses ambitions avouées ne sont pas folles. C'est vers cette époque qu'il écrit à son ami André Lacaze :

> « Avec mon diplôme et un doctorat ès lettres, j'ai quelque chance de décrocher une position paisible dans une solitaire et bien chauffée bibliothèque de province. . Il me faut une occupation bien réglée chaque jour, en dehors de laquelle j'ai tant d'heures pour vivre librement avec moi-même. »

C'était dessiner déjà le type d'études sinon le métier qu'il cherchait. Peu importe qui lui souffla l'idée de préparer l'école des Chartes : bien qu'il ait

1 Gabriel Frizeau.
2 *Commencements d'une vie*, p 166-167

déclaré trente ans plus tard[1] que « les travaux d'érudition [lui] convenaient comme le métier de coiffeur à une écrevisse », il avait ainsi découvert le prétexte à s'évader vers Paris.

Lors de ses entretiens radiophoniques avec Jean Amrouche, en 1952, François Mauriac donna aux circonstances de son départ de Bordeaux un caractère presque pathétique. Une résistance obstinée lui aurait été opposée : comment était-il concevable de vivre, à Paris surtout, de sa plume ? Car personne n'était dupe, et chacun, sa mère comme les autres, savait bien qu'il ne partait pas conquérir un diplôme de déchiffreur de textes ou de conservateur de bibliothèque, et qu'il n'avait d'ambition que littéraire... Il confondait là sa prudente aventure avec celles de son ami Édouard Adet qui rompit avec son opulente famille bordelaise pour aller mener ses recherches de sculpteur dans une semi-misère à Londres, puis à Paris ; sans parler de celle de Jacques Rivière. Pierre Mauriac met fermement les choses au point : « La séparation se fit sans orage. François sut dire les paroles qu'il fallait pour vaincre une résistance maternelle dont, mieux qu'un autre, il savait les points faibles... »

La seule exigence de Claire Mauriac avait porté sur les formes de son installation à Paris. Bien qu'il allât sur ses 22 ans, François était traité comme ne le sont plus aujourd'hui les garçons de 17 ans. On ne le « lâchait » pas dans Paris. Il allait retrouver, sous l'aile des bons pères, dans une pension pour étudiants catholiques — de préférence formés chez les marianistes — la discipline et les principes de Grand-Lebrun, « l'odeur de soutane et de réfectoire ».

Il est peu de dire pourtant qu'il ne partit pas dans un climat d'espérance et d'exaltation. Le 2 septembre 1907, il écrit dans son journal :

> « Dans moins de quinze jours, j'aurai quitté ma ville et ma maison, mon isolement qui est immense sera infini dans le calme de Paris [...] Je sens avec vertige une marée de tristesse me submerger. Comme au temps de mon adolescence, je suis bien triste à pleurer. Las de cette vie sans but et sans amour, je veux m'asseoir dans la nuit froide et attendre. Je ne sais rien, je ne suis rien, je ne peux rien. »

Adieu, Bordeaux... Me voici, pense-t-il, libéré de « cette ville de vins et de morue enlisée dans la boue d'un port sans navire » (Toulet). Mais non : le voici habité d'elle à jamais, d'autant plus présente en lui, obsédante, proliférante, fructifiante enfin, qu'il aura voulu plus passionnément s'en détacher.

De ce départ du 15 septembre 1907, le François Mauriac de la maturité ne gardera nul souvenir : ni des circonstances, ni des réflexions qu'il fit durant le voyage, d'Angoulême à Poitiers et à Tours — l'itinéraire des héros balzaciens. Il s'éloignait, et c'était tout Ce n'est que la quarantaine venue qu'il saura écrire :

1. *Candide*, 6 septembre 1934

« Si nous fûmes, mes amis et moi, si pressés de fuir notre ville, c'est que nous l'emportions avec nous. Chacun a le droit de ne pas s'épargner. Nous aimons notre ville comme nous-mêmes, nous la haïssons comme nous-mêmes... Le reniement dont il semble que nous nous rendions coupables, il n'y faut voir que le signe de cette lassitude que tout homme éprouve à être soi, et non un autre[1]. »

1 *Commencements d'une vie*, p. 169-170.

II

Les déracinés

4. La tour noire et le cavalier blanc

> Comme tu sentais les provinces
> Avant que dans ce boqueteau
> Avec le Tout-Paris tu vinsses
> Boire cocktail et voir Cocteau
>
> Inutile d'offrir la liste
> De ces breuvages à François
> Mauriac, spiritualiste
> Une eau pure a fixé son choix
>
> Albert Thibaudet [inédit].

Le François Mauriac qui débarque à Paris le 15 septembre 1907 n'est pas de ceux auxquels les grands hommes chuchotent les confidences encore inédites de leur journal « intime ». Lisant par-dessus leur épaule les notations consignées ces jours-là dans leurs cahiers respectifs par André Gide et par Jules Renard, l'un à propos du *Mariage* de Léon Blum qui vient de paraître, l'autre à propos de poésie, l'adolescent provincial n'aurait pas laissé d'être surpris, sinon déçu.

Gide, quelques lignes avant le célèbre retour sur soi (« Je ne suis qu'un petit garçon qui s'amuse, doublé d'un pasteur protestant qui l'ennuie ») note que l'argumentation de son ami Blum aboutit à nier « la valeur de la contrainte » et à suggérer, « ce qui est monstrueux, que l'arbre ne produit jamais tant de fruits, et de plus beaux, que *naturellement* ». Fallait-il quitter Bordeaux, Claire Mauriac et l'abbé Péquignot pour recueillir, à Paris, ce type de leçons ? Et Renard : « Poète : comme la cigale, une seule note indéfiniment répétée. » Devait-il délaisser les Landes pour entendre que l'on n'est rien si l'on ne reste monotonement fidèle à soi et à son chant originel ?

Le Paris de 1907 n'est pourtant pas une communauté janséniste, ni un cénacle voué au dénuement poétique. Tous les vents s'y bousculent en tourbillon — politiques, esthétiques, philosophiques. Deux ans après la séparation de l'Église et de l'État et la publication de *Notre Patrie* de Péguy, un an après la réhabilitation de Dreyfus, un an avant le transfert des cendres de Zola au Panthéon, Barrès est reçu à l'Académie française — y prodiguant au parti antidreyfusard vaincu, mais régnant en ces lieux, les courbettes les moins dignes de lui. Claudel publie *Connaissance de l'Est,* Bergson *l'Évolution créatrice* et Gide *le Retour de l'enfant prodigue* — à propos duquel éclatera plus tard son premier débat avec le jeune Mauriac.

Rostand et *l'Aiglon* règnent sur le théâtre, Picasso achève et montre à

Kanhweiler, saisi, *les Demoiselles d'Avignon,* Debussy écrit la version orchestrale d'*Iberia,* Renard fait taire ses coquetteries pour entrer à l'académie Goncourt, et Huysmans meurt en état de sainteté hystérique. Quelque part dans Paris, un groupe d'écrivains prépare la sortie d'une revue totalement vouée à la littérature : André Gide et Jacques Copeau, Jean Schlumberger et Henri Ghéon, Michel Arnauld[1] et André Ruyters, après avoir tenté de faire vivre ou revivre *l'Ermitage* et *Antée,* viennent de décider d'appeler cette ambitieuse publication *la Nouvelle Revue française.*

Où donner de la tête ? Le jeune provincial qui débarque un soir du train de Bordeaux, comment saurait-il s'orienter dans ce Paris crépitant d'idées, de formes, de sons, de polémiques, ce Paris émergeant vigoureux et multiple de la guerre dreyfusienne et de la bataille religieuse de 1903-1905 ? Où se situer ? Faut-il saisir l'occasion du déracinement matériel pour oser une remise en question radicale de soi et des autres ? Ou, en vrai disciple de Barrès, rester fidèle aux siens et se protéger des maléfices du déracinement par une soudure étroite aux institutions, aux valeurs, aux disciplines qui font un certain Paris presque familier au petit Bordelais en exil ?

Le second parti, on ne dira pas qu'il le choisit : d'abord parce que le mot « choisir », dit-il, n'existe pas alors pour lui, ce qui fait de son comportement de ce temps-là une alternance perpétuelle de conformisme mondain et de non-conformisme politique. Ensuite parce qu'il est aussi attentif à plaire aux douairières dans les salons que soucieux de déplaire aux jeunes gens bien-pensants de son entourage. Ce qu'il y a de casanier en son tempérament, de timide en son comportement, d'aristocratique en sa nature (saisirait-il la première occasion de « jeter sa gourme » ?) contrebat en lui le sillonniste impénitent, le Gascon insolent...

Le premier Mauriac parisien souhaite rompre les « chaînes » qui chargeaient l'enfant girondin, mais il va se laisser aller à les raffermir — privé qu'il est de la corrosive présence à ses côtés d'André Lacaze, son maître en non-conformisme. En fin de compte, le timide rebelle de Bordeaux se retrouve, à quelques foucades près, dans le rôle de l'exemplaire « bon jeune homme » de province à Paris.

Le « 104 »

Le 104, rue de Vaugirard (au croisement de ce qui est aujourd'hui la rue Littré) où l'a installé sa mère, conseillée par les maîtres de Grand-Lebrun et son frère Jean qui prépare son ordination au séminaire d'Issy, est une sorte de pension de famille pour provinciaux formés dans les collèges tenus par les pères. On l'appelle la « réunion des étudiants ».

Règne sur ce monde adolescent l'abbé Plazenet, « prêtre auvergnat dénué

[1] Le professeur de philosophie de François Mauriac au lycée de Bordeaux.

de culture mais irréfragable dans sa foi, et dont Mauriac et moi avons prononcé le nom, pendant un demi-siècle, avec crainte et tremblement [1]. Il ressemblait à la tour noire du jeu d'échecs : Mauriac, au cavalier blanc. Je laisse le lecteur deviner leur jeu [2]... »

Hautes verrières, larges escaliers, boiseries austères, linoléum, bibliothèque majestueuse et soigneusement épurée, odeur vague de vieux cuir, de lustrine et de sacristie, pieuse moiteur, rien ici n'est de nature à déconcerter le collégien de Grand-Lebrun, l'évadé de la rue Rolland, l'étudiant en lettres du cours Pasteur, le « silloniste » de Notre-Dame. Comment les pères du « 104 » étaient-ils parvenus à réinventer en plein Paris, dans ce triangle délimité par la gare Montparnasse, l'Institut catholique et le ministère des Colonies, cet îlot provincial paisible, catholique et fermé, si douillet et conforme aux horizons récemment délaissés ?

Le « 104 » n'aurait pas été patronné par les pères marianistes s'il n'avait été qu'un dortoir-réfectoire flanqué d'une chapelle. « Réunion » et non résidence : le séjour s'y doublait d'activités culturelles et religieuses. L'échange d'idées et d'informations, les travaux, conférences, lectures en commun et publications collectives y étaient vivement encouragés. Aussi bien la sourde ironie que suscite chez le nouveau pensionnaire bordelais tant de protections, d'encadrements et de prudences, se nuance-t-elle d'un vif intérêt pour cette activité intellectuelle.

C'est avec une verve assez cruelle qu'il décrit le « 104 » à sa mère, dès le lendemain de son installation :

> « Je n'ai pris encore qu'un repas ici et ma première lettre t'a dit combien il fut horrifique... avec une demi-douzaine de petits jeunes gens insignifiants. Hier soir, on discutait avec acharnement sur le Sillon et Sangnier. C'est une obsession ! Somme toute je suis content. Le jardin est agréable. Ma chambre y donne et on a pour travailler toute tranquillité... »

Quelques jours plus tard :

> « L'abbé Plazenet est arrivé hier soir et m'a fait un grand discours pour me prouver qu'il n'était pas marchand de soupe. " Ici nous faisons une œuvre. La maison de famille n'est que l'accessoire... " Ces bonnes oeuvres ressemblent furieusement à de bonnes affaires. Mais j'ai affiché la plus grande admiration pour son apostolat à dix pour cent, et accepté de faire une conférence sur Bazin... Je mange beaucoup parce que j'ai toujours peur de ne pas en avoir pour mon argent ! »

Deux ou trois semaines plus tard, c'est un soupir de solitaire

> « ... Toi et mes amis me semblent bien loin et il me semble que je vous ai dit adieu pour toujours. Ne crois pas que je regrette ma décision. Il fallait que je m'arrache à cette vie de famille somnolente et médiocre . Il fallait

1 On verra que le « tremblement » de Mauriac n'allait pas sans ironie

2 Jean Guitton, *Le Chrétien Mauriac*, p. 154.

que je m'habitue à ne trouver de ressources qu'en moi-même. Les heures de tristesse et d'abandon ne seront pas perdues pour moi… »

Plus mélancolique encore, cette notation de son journal, le 2 octobre 1907 :

« Dans cet ancien couvent que tapissent des dessins modern-style, je végète. Mais tout ce que j'ai voulu dans les heures courageuses de ma vie […] toute cette loi du devoir à quoi ma volonté décida de se plier, et cet amour attendu, d'avance aimé, cela a sombré définitivement […] Mon âme ne souffre plus de son incohérence et de sa misère… Comme vous me laissez seul, mon Dieu ! Et qui me pleurera quand ma mère sera morte… Quelle pauvre petite âme insignifiante, inutile et pitoyable vous avez jetée sur la terre, il y a vingt-deux ans… Il n'y a plus qu'à tendre vers vous les bras, mon Seigneur et mon Dieu. »

De ses nouveaux camarades, deux seulement l'intéressent, un Jean Gaubert « qui veut arriver » et qui, dit-il, avant de s'installer à Paris, a relu *le Père Goriot* pour étudier le type de Rastignac… et René de Kirwan :

« L'ancien élève d'Arcueil[1] musqué, mondain, obséquieux et délicieusement distingué mais injuriant les garçons de café et les ouvreuses à la façon d'un marquis de Molière, parlant de tout d'un air détaché et protecteur — nul et charmant »…

Et puis, le 13 novembre 1907, cette lettre essentielle :

« Depuis que je suis ici, je connais ma richesse qui est d'avoir une ville où je suis né, une famille qui y est " bien posée " c'est-à-dire solidement assise, reliée aux autres hommes par ses parents, ses amis, ses relations… richesse dont j'ai conscience depuis que je suis un déraciné vivant au milieu des déracinés. […]
[…] « Toi-même, ma chère maman… tu te laisses leurrer par le mirage de Paris… Quel sera le résultat de mon travail ? L'école des Chartes, et alors de deux choses l'une : ou je veux en faire ma carrière, et ce sera une place de 3 000 francs[2] à Carpentras, à Luçon ou à Aix… Ou bien je fais l'école pour m'occuper, comme couronnement à mes études. Mais je me rends compte que ma licence est un couronnement suffisant, qui suffit à me donner ici un brevet d'esprit (!) Tu dis encore : à Paris, on se crée des relations. Des relations mondaines ? Un petit jeune homme de province, on n'a aucun intérêt à l'attirer et à le retenir dans une maison. Moi à plus forte raison qui ne connais personne, qui suis sans attache ici…
Quant aux relations " intellectuelles ", elles servent si l'on veut faire son chemin dans les lettres. Or je ne le veux pas car je n'ai pas de génie et encore moins de talent… Je ne me trouve pas plus bête qu'un autre et je me reconnais volontiers l'esprit de finesse. Mais justement je m'y connais assez, je suis assez compétent en littérature pour savoir que je n'ai pas du tout ce qu'il faut pour y réussir.
J'ai en mains bien des éléments de bonheur. Je suis un Bordelais jeune, riche, pas bête et délicieusement apparenté. Mais ces éléments de bonheur,

1 Collège religieux
2. Par an.

je les néglige si je reste à Paris. Tel est le fruit de mes réflexions. Je reconnais que de plus en plus l'esprit pratique que tu m'a légué se développe en moi. Résultat : je n'abandonnerai pas l'école des Chartes parce que je ne veux pas rester inoccupé, mais quand je serai plus vieux, si je trouve une jeune fille qui me plaît — riche, et dont le papa pourrait m'occuper — je marcherai à l'autel sans arrière-pensée... »

La dernière formule est la plus savoureuse d'une lettre passablement instructive. Dans la vie de quel Flaubert, de quel Gide ne trouve-t-on pas de tels instants d'abandon ? C'est à ce moment qu'il propose à son frère Raymond de le rejoindre à Bordeaux pour fonder la maison Mauriac frères...

A la même époque pourtant, c'est un autre tableau qu'il fait à son frère Pierre de son nouvel environnement et de sa nouvelle vie :

« ... Un triste dimanche d'automne plane sur la ville. Aucun bruit ne monte de la rue déserte... Vois-tu, quand tu traverses Paris, c'est pour vivre sur les boulevards, dans les musées, dans les théâtres, et tu ne songes pas que le reste de la ville est formé de rues aussi étroites, aussi sales, aussi plates que les plus plates et les plus sales de Bordeaux, et que les milliers de destinées qui s'y coudoient ne font rien de plus que celles de Bordeaux : les étudiants travaillent, les ouvrières cousent, les grues raccrochent ; c'est tout pareil. Oui, il y a la vie « littéraire », les cénacles chevelus dont quelques-uns me parlent ici... Il y a les belles relations que le premier goujat venu peut se créer s'il a les reins souples. Je n'écris pas cela à maman qui possède à ce sujet des opinions qu'il faut bien qualifier de provinciales.
Je lui dis que je me trouve bien chez l'abbé P. C'est vrai. Mais les petits jeunes gens bien-pensants sont à la longue bien crispants. Ils ont une façon de défendre la famille, la religion et la propriété qui donnerait au pape lui-même l'envie de saper cette auguste trinité. Tous ces anciens élèves d'Arcueil ou des jésuites sont des petites âmes bien propres, soignées et nulles, avec des opinions toutes faites, des préjugés bien étiquetés qu'ils sortent méthodiquement au cours des discussions. Ils me trouvent bizarre et compliqué...
... Au fond toutes les âmes sont précieuses et je m'attache à ces jeunes gens doux et bons. D'ailleurs je n'ai jamais été aussi peu intelligent, jamais je n'ai si peu réfléchi, jamais ne fut plus grande mon indifférence à l'égard des idées.
Ces camarades autour de moi, ces conversations, ces rires me font oublier ma solitude intérieure qui est infinie... »

La conférence sur *le Blé qui lève* de René Bazin, qu'il avait promise à l'abbé Plazenet, provoqua ce commentaire encore bienveillant de l'un de ses condisciples, dans *la Revue Montalembert* (janvier 1908) : « M. Mauriac est de Bordeaux. Il en a l'esprit fin, pénétrant, joyeux. Sa voix est faible, timide ; son verbe incisif et mordant. Il faut prêter l'oreille pour l'entendre mais on prête si volontiers l'oreille à ses malices ! Il ne résiste pas au plaisir de lancer quelques traits à ses amis les meilleurs, et on serait tenté de le lui reprocher un peu, s'il n'y mettait tant de bonne grâce. »

Cette bienveillance se nuancera au fil des discussions qui se multipliaient à la table du « 104 », autour de Mauriac. Les conférences hebdomadaires étaient présidées par le doux Georges Goyau, espèce de franciscain au regard de ciel, mais taraudé par l'ambition académique. Gendre de Félix Faure que François Mauriac enfant avait si gentiment salué à Bordeaux, homme lige du Vatican, il passe alors pour le plus libéral des ultramontains, rappelant aux modernistes que Pie X n'est jamais que le successeur de Léon XIII et aux intégristes que Léon XIII est enfin corrigé par Pie X...

Il dira vingt-cinq ans plus tard, avec une humilité calculée, que grâce à Mauriac, le « 104 » est entré dans la littérature française. En attendant, c'est lui qui y règne, benoîtement. Il n'a pas trop d'onction pour apaiser les orages que fait lever ce Girondin à l'œil de biche doublement grisé par ce climat de préparation aux destinées ambitieuses (tel propos de Mgr Baudrillart sur une élection académique suscite en lui un « enthousiasme glacé ») et par les fièvres que son personnage, son talent, ses idées et sa verve provoquent dans ce cénacle parisien, « moi, observe-t-il, dont il est peu de dire qu'à Bordeaux je n'avais émerveillé personne[1] ! »

Deux courants s'affrontent avec une pieuse aigreur, celui qui politiquement se réclame de *l'Action française* et religieusement du thomisme ; et celui qui s'inspire du Sillon et sur le plan doctrinal, de l'immanence. François Mauriac va très vite prendre la tête du second avec une fougue gasconne décuplée par l'agacement que provoquent en lui ces cohortes d'Éliacins conformistes (qui ne connaissent même pas, relève-t-il dans une autre lettre à son frère Pierre, le nom de Francis Jammes...).

François Mauriac prend parti et tranche avec une telle vigueur qu'il va se rendre bientôt insupportable à la majorité conservatrice de la « réunion ». Un de ses jeunes condisciples d'alors, A.-L. Jeune, a raconté dans les *Cahiers François Mauriac*[2] qu'accueilli un an après lui au « 104 », il entendit très vite parler de l'étudiant bordelais venu préparer l'école des Chartes, mais qui n'avait plus de chambre à la « réunion des étudiants ». Pourquoi ? En raison d' « incidents », lui répondit-on : Mauriac défendait avec tant de vivacité, pendant les repas, ses convictions sillonistes et rivait si durement leur clou aux maurrassiens, qu'à la fin de l'année universitaire 1908, huit étudiants d'*A.F.* étaient allés trouver l'abbé Plazenet pour lui signifier que si le « chartiste » revenait à la rentrée, aucun d'eux ne réintégrerait le « 104 ». Un esprit de tolérance que François Mauriac aura d'autres occasions d'apprécier ! M. Plazenet s'inclina : huit contre un...

Dans *la Rencontre avec Barrès,* Mauriac indique simplement qu' « on ne [l]'avait supporté qu'un an chez le père Plazenet », non sans ajouter que, s'il ne fut plus accueilli sous ce toit en octobre 1908, il y fut élu président de la « réunion » 1908-1909. Il devait rester président honoraire jusqu'en 1910. La veille de l'élection, il avait écrit à sa mère : « Si je suis élu président, mon rôle sera bien délicat : songe que les passions sont si exaltées qu'on a solennellement *déchiré* et *piétiné l'Éveil démocratique* et *le Petit démocrate*[3]. Il se peut d'ailleurs que ce scandale assure mon élection. »

1 *Le Figaro littéraire*, 2 mars 1940
2 Nº 1, Grasset, 1974
3 Journaux sillonistes.

Étrange situation, qui fait de cet exclu le mentor intellectuel du groupe — chargé au surplus, le dimanche, à la chapelle, de prononcer pour tous à voix haute, la « prière pour la persévérance des jeunes gens ». La diplomatie ecclésiastique réussit de ces coups-là, et l'on croit entendre l'abbé Plazenet (qui, en bon éducateur catholique, a flairé tout ce que ce jeune homme promet) chuchoter au naissant génie qui dérange le confort de ses clients mais honore l'institution : « Ne nous quittez que pour mieux nous rester. Je me charge de la formule... »

Mauriac accepta ce tour de passe-passe (qu'il présentait ainsi, dans un article du *Figaro littéraire* de mars 1940 : « Choisi par le suffrage universel, je n'eus pas à subir le veto du cher père Plazenet... »), d'abord parce qu'au-delà de son cas personnel, c'est « la victoire de la tendance moderniste sur les tenants de l'Action française » ; ensuite parce qu'il goûte ce rôle de semeur de trouble que naguère Lacaze jouait auprès de lui ; enfin parce qu'avec ses quelques paroissiens ridicules et son odeur de sacristie, la « réunion » présentait quelques avantages : et d'abord celui d'avoir pour organe une revue où un talent comme celui de ce « chartiste » avait loisir de s'exercer.

Cette *Revue Montalembert,* mensuel à l'austère couverture vert épinard, publia six textes signés François Mauriac, dont plusieurs sont ceux des conférences prononcées devant les étudiants de la « réunion », de la première, consacrée au *Blé qui lève* de René Bazin (publiée en janvier 1908) à celle qu'il rédigea pour ses « adieux », en juillet 1910, et qui ne manque pas de benoîte saveur. « L'œuvre que nous accomplissons ici est bénie », proclamait-il avant de prétendre que « les sirènes, les faunes, les centaures désertent l'art contemporain [...] [ô Debussy, ô Nijinsky, ô Roussel !] Les artistes cherchent aujourd'hui le bon pasteur, les bonnes routes, les blés qui vont germer »... Il arriva au jeune Mauriac de s'évader un peu mieux des sentiers battus par ses maîtres, ne serait-ce que pour vanter, dans une note sur le *Dominique* de Fromentin, ce « pur chef-d'œuvre qu'est *la Porte étroite* d'André Gide ».

Le jeune leader de la tendance « silloniste » avait déjà manifesté son audace. A la date de 1908, par exemple, on trouve le texte d'une conférence prononcée par « M. François Mauriac, licencié ès lettres », sur le thème « l'idée de patrie ». Face à la majorité d'Action française de la « réunion », il osait d'abord y dénoncer les thèmes maurrassiens :

> « Certains théoriciens nationalistes font de l'idée de patrie un absolu qu'ils placent au-dessus de l'idée de Dieu, au-dessus de l'idée de justice. La raison d'État devient la règle suprême de la morale et contre eux demeurera cette parole du père Lacordaire : “ Celui qui emploie des moyens misérables, même pour sauver son pays, celui-là demeure toujours un misérable. ” »

Puis il allait jusqu'à prôner une manière de pacifisme :

> « Il est des hommes qui aiment la France mais d'une autre manière. La patrie n'est pas pour eux une “ fin en soi ” parce que malgré tout il y a

quelque chose qui la domine ; au-dessus de la patrie, il y a Dieu et la justice : " Nous aimons la France disent-ils parce que nous entendons nous servir de la France pour travailler à faire régner dans le monde plus de justice et plus d'amour. " Ils veulent rendre la France de plus en plus consciente, libre et forte afin qu'elle soit digne de guider les autres peuples et afin que se réalise la grande parole d'espoir de Michelet que le peintre Carrière à mis comme devise au bas d'un de ses tableaux : " Au XXe siècle, la France déclarera la paix au monde. " »

Et le jeune homme de Bordeaux va oser prononcer dans cette pieuse maison le nom le plus honni de la bourgeoisie française, cléricale ou non.

« Il est un homme qui dans une seule phrase, mais splendide, a fait tenir l'essence même de l'idée de patrie et — quelle ironie ! — cet homme s'appelle Jean Jaurès. Écoutez ce qu'un jour il disait aux ouvriers : " Vous êtes attachés à ce sol par vos souvenirs et par vos espérances, par vos morts et par vos enfants par l'immobilité des tombes et par le tremblement des berceaux... " »

« Ironie » ou non, l'audace n'est pas mince.

Et tout donne à penser que sa conclusion, si bien-pensante qu'elle fût, ne suffit pas à la lui faire pardonner :

« Aujourd'hui le patriotisme est attaqué, comme le sont tous les sentiments désintéressés. Mais je le crois indéracinable comme tous les sentiments qui sont en nous en quelque sorte malgré nous. Car il y a en nous infiniment plus que nous-mêmes et les théoriciens qui prêchent la haine de la patrie trouvent au fond de nos âmes des milliers de contradicteurs : c'est la foule immense des morts qu'ils ne convaincront jamais ! »

Intéressant aussi ce commentaire de François Mauriac de retour de sa ville natale où, en 1909, il est allé suivre les travaux de la « Semaine sociale de Bordeaux ». Répondant aux « récentes accusations dont les semaines sociales ont été l'objet de la part de certains ecclésiastiques [1], Mauriac écarte l'idée

« qu'on veuille attaquer les catholiques sociaux sur le terrain économique où ils se sont placés. On s'inquiète plutôt, assure-t-il, de rattacher leur mouvement à des thèses suspectes ou condamnées. Or il paraît évident qu'ils ne peuvent en effet s'en tenir à l'expérience et que leur attitude postule sans doute une philosophie. La question est donc de savoir si ces principes premiers méritent les attaques de leurs adversaires ecclésiastiques. »

Et le jeune homme de se référer à un certain Lamy pour conclure

« Les catholiques seuls ont une doctrine. Cette doctrine n'a pas attendu pour se former que les pauvres eussent pris le pouvoir, elle a songé à leurs souffrances avant que s'élevât leur plainte, elle a eu pitié des prolétaires

1. « Le modernisme sociologique », *La Foi catholique*, août 1909.

> quand le prolétariat n'avait pas encore de nom. C'est sur la vérité chrétienne que se base leur action — *sur la vérité révélée.* Mais ne peuvent-ils ensuite par l'observation des faits remonter jusqu'à cette vérité ? Les catholiques sociaux veulent, par une étude minutieuse des conditions du travail humain, prendre conscience de ce que postule le christianisme au point de vue social. Et puisque ce christianisme se dissimule plus ou moins au fond de toutes les théories en cours, puisque dans sa vie de citoyen l'homme manifeste les effets de sa nature déchue et cependant rachetée, il s'agit, pour les catholiques sociaux, d'y reconnaître Jésus-Christ et de le révéler au monde. »

Pour un homme qui a quitté le Sillon, voilà bien de la fidélité à l'enseignement de Sangnier — peu de mois avant que Pie X ne prétende rejeter hors de l'Église ces dévots militants de l'Évangile. Gide, Jaurès, Sangnier : qui s'étonnerait que le Bordelais à la verve caustique n'ait pas que des amis au « 104 » ?

On imagine les ricanements que déchaîna donc « l'incident Bazin », qu'il raconte avec une ironie encore blessée dans *la Rencontre avec Barrès.* Une nouvelle conférence étant consacrée à René Bazin[1] en présence de l'auteur béni en ces lieux, il revenait au « président Mauriac » de saluer sa venue au « 104 ». Ayant harangué quelques semaines plus tôt Mgr Amette, archevêque de Paris, il se croyait doué pour l'éloquence. Mais ce soir-là, il avait bu pendant le dîner plus de champagne qu'il ne convient à un Bordelais : arrivant sans notes, il se leva, face au maître assis au premier rang et… resta coi, ce qui s'appelle coi.

> « Après 30 ans, je grince encore des dents à évoquer cette sensation horrible, cette nuit où je me trouvai plongé et où seule m'était perceptible la rumeur d'angoisse qui montait de l'auditoire. Je me rassis, la face ruisselante… exposé à tous les regards, dans un état inexprimable d'humiliation et de honte… Tel est l'orgueil imbécile de cet âge que j'aurais peut-être été capable de me tuer si je n'avais été chrétien… »

Le pire fut peut-être la réflexion que lui fit ensuite l'illustre M. Bazin dont il ne faisait, en son for intérieur, pas très grand cas : « Jeune homme, je reconnais néanmoins l'excellence de vos intentions… » Après une nuit de larmes, faute de se tuer, François Mauriac s'enfuit en Belgique afin, dit-il, de « mettre une frontière entre mon déshonneur et moi ! ».

Cette fuite à Bruxelles ne fera que diluer sa honte : errant dans cette ville inconnue, il entre par hasard dans un music-hall où Colette, oui Colette, déjà auteur de *Claudine* et de *la Retraite sentimentale,* s'exhibe dans une pantomime peu vêtue, au milieu de la fumée qui monte des pipes, des rires gras des buveurs de bière. « J'aurais voulu lui crier : Moi je vous connais, je sais qui vous êtes !, jeter mon manteau sur ses épaules et l'entraîner dans les ténèbres[2]… » Lui qui est resté si discret sur les sentiments qui l'agitaient lors

1. Sujet, déjà, de la première conférence de Mauriac en novembre 1907. L'orateur, cette fois, était Pierre Audiat.
2 *La Rencontre avec Barrès,* in *Œuvres complètes,* tome IV, p 188

de son « hégire » de Bordeaux à Paris de septembre 1907, décrit avec une sorte d'emportement l'orage psychologique qui le secoua dans le train qui le ramenait de Bruxelles.

Heures apparemment décisives : torturé aussi bien par le désastre de sa conférence que par cette vision d'un grand écrivain livré en pâture à des voyeurs, il se répète le mot de Barrès : « Souffrant jusqu'à serrer les poings du désir de dominer la vie... » Il mesure « son horreur de l'échec, sa lâcheté devant les coups durs ». Il se devine « trop débile pour se payer le luxe d'être battu » (le ton de De Gaulle à Londres en 1940...). Il a l'orgueil lucide. « Ma force fut toujours de mesurer ma faiblesse. » Fort de « ce regard perforant, ce regard catholique » qu'il a reçu en partage, il dresse l'inventaire de ses ressources. L'ayant fait, il se jure, quoi qu'il arrive, de « ne pas lâcher la main de Dieu ».

Ces heures brûlantes de fuite, d'errance et de retour, ce « chemin de Bruxelles » qui est pour lui une sorte de sur-révélation, on n'en trouvera pas trace avant longtemps dans l'œuvre du jeune homme, qui balancera longtemps encore entre courtes audaces et douces résignations. Dans les *Cahiers de François Mauriac*, son ancien condisciple A.-L. Jeune raconte que retrouvant Mauriac bien des années plus tard, il lui avait rappelé la conférence qu'il avait alors prononcée sur « Anatole France et la pensée chrétienne », scandalisant un père mariste. « Que se serait-il passé, fit Mauriac, si j'avais intitulé ma conférence, comme j'y avais songé, " Anatole France père de l'Église " ? »

La conférence qu'il prononce pour la fête de Noël 1909 et dont son frère Pierre a retrouvé les notes (finies les improvisations !), n'est pourtant qu'une aimable dissertation en trois points sur les raisons qu'a tout chrétien d'aimer la Nativité, sur les causes historiques de cet attachement, et sur l'universalité de cette fête chrétienne, chère même aux incroyants : le tout entrecoupé de lectures choisies avec un éclectisme rassurant : Jules Lemaitre, nationaliste virulent, y alterne avec Théophile Gautier, et Pierre l'Ermite, porte-parole des bien-pensants les plus obtus, avec Francis Jammes (*le Salut des bêtes*). Voilà bien de la docilité, un souci manifeste d'être conforme aux us et coutumes du temps comme aux lois du genre.

Mais l'école des Chartes, qu'en est-il ? Qu'y fait-il ? Ayant préparé honnêtement le concours d'entrée au cours de l'hiver 1907-1908 et obtenu son admission, il n'y fera qu'une très brève carrière. Il a vite mesuré la vanité de la comédie qu'il joue là aux siens et à soi-même. Et depuis qu'au mutisme observé chez lui sur tout ce qui touche à l'argent ont fait place les informations dont sa mère émaille leur correspondance, il sait aussi que les revenus de la fortune terrienne des Mauriac lui permettent de « vivre de sa plume », sans avoir besoin de s'assurer des mensualités d'un bibliothécaire.

Un jour de mars 1909, sur la table de marbre d'un bar des Champs-Élysées, il rédige une lettre de démission à l'adresse du directeur de l'école des Chartes. Puis il écrit à sa mère (« qui ne le prit pas mal », précise-t-il) qu'il avait « décidé de se consacrer à la littérature ». La flegme dont fit preuve alors Claire Mauriac ne laisse pas de surprendre. Que cette femme autoritaire et si imbue de disciplines, de respectabilité et de solidarité familiale se soit aisément résignée à voir le dernier et le plus fragile de ses fils lancé dans les « criminelles délices du monde » à la fois parisien et « artiste », perméable à tous les vices, fauteur de tous les troubles — voilà qui surprend.

Les souvenirs de Pierre, le sage frère-mentor, ne portent pourtant pas trace d'une indignation personnelle ni collective. Chacun savait, depuis la « fuite » de septembre 1907, que François serait écrivain, et à Paris. Et il semble qu'on lui sût plutôt gré, rue Rolland, de n'avoir pas joué la comédie des Chartes plus longtemps. Au surplus, l'entrée dans les ordres de Jean, le second de ses fils, et sa présence à Paris aux côtés de François, permirent sans doute à Mme Mauriac de mieux accepter les risques que prenait ainsi, touchant au salut de son âme, le cadet.

Jean était d'ailleurs intervenu dans le débat avec beaucoup de fermeté. Le jour de Pâques 1909, il écrit à son jeune frère :

« ... Tu ne dois à personne de rester aux Chartes si ta destinée n'est pas là, et tu n'as pas pris que je sache l'engagement de gâcher les trois plus belles années de ta vie en les consacrant à une tâche qui va contre tous tes goûts et tes aptitudes. Mais ce que tu dois aux autres et surtout à toi-même, c'est de résister aux séductions trompeuses d'une vie facile et molle... Non, tu ne peux être un artiste en voyage et te contenter de traîner d'hôtel en hôtel, de musée en musée, de casino en casino... (mais) de grâce, n'aie pas le respect humain de ton talent et ne te laisse pas intimider par le bon sens familial : respecte-le mais... n'en tiens pas compte. Ne néglige rien pour le *succès* de tes productions (propositions des différentes revues, candidatures aux prix académiques, etc.). Enfin... ne fais pas croire au monde que tu te tiens pour quelque chose en manifestant une fierté excessive qui t'empêcherait de te faire des relations utiles et influentes... » François dut alors se prendre pour un personnage de roman du XVIIIe siècle lisant la lettre de l'abbé de X. à son jeune frère qui s'apprête à aborder la carrière des lettres...

Privé de l'asile du « 104 », en rupture des « Chartes », le jeune homme entame, au printemps de 1909, une vie réellement indépendante : après avoir passé quelques mois à l'hôtel de l'Espérance (en face de l'Institut catholique) d'où le fait fuir un répugnant personnage, le fils du patron, « effrayante blatte à tête écrasée » qui s'arroge aussi bien le droit de présider la table des étudiants que de trôner dans les lits des diverses petites bonnes, il emménage dans un appartement de quatre pièces au cinquième étage du 45, rue Vaneau, à moins d'une minute de marche — le sait-il ? — de cette maison de « la petite dame » dont Gide fera son Ferney.

Nanti d'un formidable lit de fonte et d'un mobilier expédiés par sa mère comme pour maintenir les liens qui le rattachent à la Gironde et aux siens, François organise une vie de célibataire douillet, partagé entre ses livres, son feu de boulets et ses amis. Le voilà qui fréquente les bars dits « à la mode », notamment le Palace, sur les Champs-Élysées : « Les divans y étaient profonds. Au bar s'abreuvaient de ces cocottes empanachées comme on n'en voit plus, avec leurs protubérances offertes et balancées, et cet œil commercial qui, par bonheur pour ma vertu, me glaçait le sang[1]... » Il n'en gardait pas moins « un souvenir enchanté » de ce bar où l'avait attiré la plaisante lecture de Jean de Tinan — et c'est là qu'il rédigea sa lettre de démission de l'école des Chartes. C'est là aussi qu'il contracta le goût immodéré de ses héros pour le « Kummel glacé ».

Le tout n'est pas de rompre : encore faut-il à un aussi timide rebelle, à ce barrèsien d'ordre, un rattachement nouveau.

La littérature ? Mais comment être publié ? Voici qu'un certain jour de 1909 sa route croise, sur les boulevards, celle d'un garçon nommé Charles Caillard[2] (il ajoutera un peu plus tard Francis à son premier prénom), dont il avait fait la connaissance quelques années plus tôt en vacances à Saint-Palais, près de Royan, pendant l'une des rares infidélités faites à Saint-Symphorien. Ils s'étaient lu leurs vers. Maintenant, Caillard dirigeait une modeste publication, *la Revue du temps présent.* Il lui proposa d'y publier quelques-uns de ses poèmes, lui faisant miroiter l'espoir de les réunir en volume quand ses projets d'édition auraient abouti.

Fondée en 1906 par Pierre Chaine, cette *Revue du temps présent* était pieusement conformiste. La liste de ses collaborateurs est éloquente : Jean de Pierrefeu, Charles de Pomairols, Jules de Bersancourt. Il est vrai qu'on y retrouve aussi un poème signé Vaillant-Couturier — dont il est difficile de savoir si quelque parenté le rattache au fondateur du Parti communiste français... En y entrant, François Mauriac allait y animer une aile marchante (« piaffante », glisse en souriant son frère Pierre). C'est sous l'invocation de Francis Jammes que le jeune homme va y tenir, trois années durant, la rubrique de poésie — ce qui lui donne une sorte d'importance mondaine. En louant discrètement les vers des dames du Faubourg auxquelles la comtesse de Noailles a communiqué la fièvre poétique, il devient un personnage : voilà le petit-bourgeois bordelais invité chez la duchesse de Rohan.

Cette dame il est vrai recevait tant de monde, et si divers, dans son hôtel (aujourd'hui démoli) qui faisait face à Saint-François-Xavier, que Robert de Montesquiou disait de son salon : « C'est une rue avec un toit dessus... » Mais le jeune Mauriac, d'abord cantonné dans les « thés poétiques » offerts par la duchesse, se trouva bien aise d'être invité à dîner « en cure-dents », dût-il y vivre des minutes blessantes qu'il a plus tard rapportées. Le premier récit, dans *Du côté de chez Proust,* le montre croisant Barrès, gêné d'être vu là et prétendant n'être venu que pour rencontrer la « petite princesse Bibesco ».

Bien longtemps plus tard, dans *Maltaverne,* Mauriac reprendra l'anecdote pour la développer. L'écrivain rencontré chez les Rohan n'est plus cité nommément. Mais il est plus bavard — et le met en garde contre la fréquentation de « milieux d'où aucun écrivain n'est sorti vivant », précisant que « la réputation d'un jeune homme ne saurait échapper indéfiniment à la salissure de tels contacts »...

1 *La Rencontre avec Barrès,* in *Œuvres complètes,* tome IV p 190-191
2 Mort bénédictin en 1914

« — Que dit-on de moi ? demandai-je avec angoisse.
— Rassurez-vous, rien n'est perdu encore… Une de mes amies me disait de vous : " Ce petit Gajac, je crois que c'est un couci-couça, mais plutôt couça que couci "…
A cette seconde, je fus frappé d'un coup de couteau au milieu de cette foule brillante et terrible…
— Vous êtes pâle, sortons d'ici… »

Le ton d'*Armance*…

C'est dans la suave revue de Caillard (et non dans le beaucoup plus prestigieux *Mercure de France,* comme l'indique le héros autobiographique du *Mystère Frontenac*) que parurent les premiers poèmes publiés par François Mauriac : tel *l'Écolier,* évocation de l'enfance bordelaise à Grand-Lebrun :

Soirs de mois de Marie, étouffants de parfums,
Samedi d'autrefois… Pour aller à confesse
Les petits écoliers viennent l'un après l'un
Dans la chapelle douce et dans le jour qui baisse…

Mais il y a aussi, un peu baudelairien :

Mon âme est une trouble et profonde lagune
où je jette la sonde et cherche les bas-fonds.

L'Étudiant évoque le déracinement de 1907 :

Je m'en vais simplement. Ne tournez pas la tête
Pas même un souvenir dans mon cœur sans lumière
Pas même un nom pleuré le soir dans ma prière
Seuls des lambeaux de vers, laissés par un poète…

Poésie plus proche à vrai dire de Sully-Prudhomme, alors très admiré, que de Francis Jammes. Caillard, qui goûtait apparemment ces vapeurs indécises, proposa à l'auteur de les réunir en recueil et d'en faire l'ouvrage inaugural de sa carrière d'éditeur : il n'en coûterait au jeune poète que 500 francs. François accepta le marché : quelques hectares de pins à couper — ou quelques barriques du vin de Malagar à vendre… Ainsi parurent en novembre 1909, « à compte d'auteur » et sous une modeste bannière, *les Mains jointes,* première œuvre de l'auteur du *Sagouin.*

« J'entrai dans la littérature, chérubin de sacristie, en jouant de mon petit orgue… » Harmonium aurait suffi. En tout cas, il y avait apparemment peu à attendre de cette publication, noyée dans le flot poétique que les imitateurs de Rostand, de Jammes ou d'Anna de Noailles faisaient alors ruisseler dans Paris. Mais Caillard se démena, battit le rappel ; *la Revue des deux mondes* fut bienveillante. Dès avant que le célèbre article de Barrès, cinq mois plus tard, fit du jeune poète une manière de grand homme, *les Mains jointes* et leur auteur, critique de poésie à *la Revue du temps présent,* étaient sortis de l'ombre.

Vingt ans plus tard, dans une préface à la première réédition des *Mains jointes,* François Mauriac dénoncera avec une sorte de fureur « ces vers sans vertèbres, ces poèmes flasques », et désavouera « cette adolescence lâche, apeurée, repliée sur soi ». Pour l'heure, il se satisfait des louanges qui montent alentour, de ce pittoresque encouragement que son frère Jean lui adresse en janvier 1910 :

Je te fais une réclame discrète et efficace. Que n'ai-je encore le droit de confesser : on peut faire passer tant de choses par le guichet d'un confessional...

Quelques jours plus tard, le judicieux abbé relève un trait qui aurait pu fournir au jeune romancier une scène savoureuse :

« Mon cher François, l'Auvergnat, dans le père Plazenet, est parfois énorme. Écoute plutôt. Monsieur Lorrain (le père de Robert) se figure que le R.L. [1] auquel est dédié *les Mains jointes* n'est autre que son fils. « Je me suis bien gardé de le détromper, m'a dit le bon père. François n'aura qu'à recevoir les remerciements sans révéler l'erreur. Il aura fait ainsi plaisir à deux familles... »

C'est à cette époque qu'il écrit à son frère Pierre : « Ce qu'il y a de meilleur en nous, c'est l'inquiétude. » Mais c'est à propos de cette époque aussi que furent écrites ces réflexions de *la Rencontre avec Barrès :*

> « ... Nonchalance, inconscient calcul, entraînement aux plaisirs faciles, manque de rigueur intellectuelle : à l'abri de quelques formules qu'il accepte sans contrôle de Barrès et de Maurras, un garçon bourgeois qui a de l'argent de poche muse à travers Paris, mène de front plusieurs vies, passe d'un milieu à l'autre avec une aisance dont il se loue, utilise la complaisance de tous ceux et de toutes celles à qui sa jeunesse agrée... »

Temps qui eut été « bassement perdu », observe-t-il, s'il n'avait alors consacré tant d'heures à la lecture, ne quittant certains jours son lit que pour les livres et les livres que pour la table, et encore les livres : Dostoïevski, Balzac, l'*Histoire de Port-Royal,* Bergson, Blondel, la *Correspondance* de Flaubert : quelle boulimie !

Mais on s'intéresse à lui : *les Mains jointes,* ses articles, l'éclat frôleur de sa conversation, sa verve gasconne, pour certains l'évidence de sa foi — et aussi, disons-le en passant, les charmes de son hospitalité rue Vaneau où, grâce aux envois de sa famille, la chère est fort bonne et le vin délicieux —, voilà quelques titres à faire de lui autre chose qu'une copie du Lucien de Rubempré d'avant la rencontre avec l'abbé Herrera.

De celui qu'il était à 25 ans, au lendemain de la publication des *Mains jointes,* et au moment où il entreprend la rédaction de son premier roman — ce sera *l'Enfant chargé de chaînes* —, il traçait alors un portrait où il s'est plus tard reconnu sans ambage, le trouvant même « flatteur », et qui nous semble assez équitable dans sa lucidité : celui du José des *Beaux Esprits de ce temps,*

1 Raymond Laurens, le cousin des Mauriac, mort tuberculeux quelques mois plus tôt

dialogue rédigé à la veille de la guerre et qui, tombé dans un oubli par ailleurs justifié, contient ce savoureux croquis :

> « ... Ce garçon, s'il a l'esprit de finesse, n'est guère doué d'esprit géométrique. Il sent plus qu'il ne comprend. Il imagine mieux qu'il ne raisonne... Le sentiment toujours le guide car son incapacité à vouloir est singulière. Le mot *choisir* pour lui n'existe pas. Je ne lui connais aucune certitude dans aucun ordre... Il ne trouve rien à reprocher à sa jeune sensualité qui usurpe l'ambition infinie de sa pensée. Il n'est rien comme l'assouvissement pour exciter son goût de la pureté, ni comme cette allégresse après l'absolution pour l'incliner à la débauche... La pauvre foi que voilà, soumise aux moindres souffles...
> Je l'ai vu inquiet *d'arriver,* faire d'inutiles, d'humiliantes démarches. Pauvre âme vagabonde, errante au hasard de sensation, d'images... Cette sensibilité éparpillée le rend peu propre aux grandes passions. Dans cet ordre, rien de splendide ni de funeste ne l'a jamais dévasté. Seulement il excelle à entretenir de jolis sentiments : c'est un virtuose de l'amitié. Son culte des femmes dont il eut le plus à souffrir, sa fidélité à ses amis, même à ceux que la mort lui prit depuis des lustres, c'est cela qui l'honore... Il ne se lasse pas de rappeler son enfance dont les plus menus souvenirs lui demeurent sans prix. C'est vrai que merveilleusement il en extrait la poésie secrète...
> « ... Type assez usé, en somme... Il mêle en lui le vieux romantisme de René à celui plus aéré, plus intellectuel de l'enfant de *Sous l'œil des barbares.* Mais il y a loin du jeune Barrès, de ce lutteur aux intentions précises et qui est assuré que le goût d'exister ne lui fera jamais défaut, à cet être brillant mais veule, amolli, dont le désintéressement n'est que paresse dont la douceur n'est que lâcheté, dont la religion n'est que *terreur qu'il y ait autre chose* et qui est sincère parce que c'est l'attitude qui veut le moindre effort. »

Portrait flatté ? On n'a pas choisi le plus cruel... Caricature, bien sûr, genre plus facile que le portrait vrai, mais qui ne demande pas moins de pénétration. Ici, elle est chatoyante, éclairante, et déjà s'annonce dans ce pastiche de La Bruyère le polémiste du *Bloc-Notes* aussi bien que le romancier de *la Pharisienne*.

Document inestimable sur ce jeune homme de 25 ans qui va d'un coup entrer dans la notoriété — incertain et sensuel, charmeur et fidèle, frivole et mélancolique, assoiffé de culture, ambitieux, hédoniste, cachant mal son angoisse — hanté enfin par son enfance et qui a choisi pour maître de style et de pensée, d'attitude et d'expression l'écrivain le plus éclatant et ambigu de ce début de siècle, Maurice Barrès — l'homme qui, d'un coup de sa baguette d'enchanteur nonchalant, va le désigner pour la gloire.

5. L'adoubement

« Soyez un heureux enfant ! »

Le 8 février 1910, recevant de sa gouvernante, au réveil, son courrier d'écrivain débutant avec l'eau chaude de sa toilette et son petit déjeuner — ainsi vivait-il quiètement — François Mauriac y trouve une petite enveloppe bordée de noir, à en-tête de la Chambre des députés. Tiens ? Il la décachette d'un doigt hâtif et lit ceci, écrit à l'encre violette — à ce point stupéfait qu'il croit à une farce de son ami Jean de la Ville de Mirmont :

« Monsieur, vous êtes un grand poète que j'admire, un poète vrai, mesuré, tendre et profond, qui n'essaie pas de forcer sa voix faite pour nous attendrir sur notre enfance. Je voudrais le dire au public. Voilà comment j'ai tardé à vous envoyer mon merci de ce précieux petit livre, lu, relu depuis quinze jours. Je suis profondément heureux que nous ayons un poète.

Maurice Barrès. »

Quel écrivain naissant reçut jamais tel adoubement ? Vauvenargues de Voltaire ? Musset de Chateaubriand ? Schiller de Goethe ? Pour mesurer le saisissement incrédule qu'éprouva ce matin-là Mauriac, il faut savoir à quel point il vivait alors en état d' « intoxication barrèsienne », faisant de son journal intime un pastiche permanent du *Culte du moi* (« Vis au sommet d'une tour d'indifférence. Qu'elle domine la plaine immense où campent les barbares... Fortifie-toi pour légitimer, chaque jour, tes dégoûts et tes mépris... »). Aussi bien n'avait-il pas osé lui envoyer *les Mains jointes,* tant ce petit recueil lui paraissait indigne d'un tel maître, et par crainte d'un silence dédaigneux dont il ne se fut pas remis.

Dans *la Rencontre avec Barrès,* Mauriac tente de traduire sa stupeur éblouie : « ... Par miracle, ce Barrès à qui je n'avais même pas osé faire hommage de mon livre, me découvrait entre mille et m'adressait du haut de sa gloire où je le situais à des milliers de lieues de ma chétive existence un message d'admiration et d'amitié[1] ! » François Mauriac n'a pas gardé souvenir de la réponse qu'il lui fit. Mais peu de jours plus tard, il recevait ce nouveau message, plus explicite et chaleureux encore :

« Mon cher poète, quand j'avais votre âge, j'avoue que j'aurais été bien

1. *Œuvres complètes,* tome IV, p. 183.

inquiet dans l'attente de voir mon premier livre signalé. Alors je veux vous dire que j'ai dit un mot des *Mains jointes* dans un article que j'ai remis à *l'Écho de Paris*... Je ferai un article entier sur votre cher petit livre. Et il ne faut pas me remercier. C'est moi qui vous remercie de m'avoir donné des vers à aimer. Je vous serre la main. Barrès. »

Pleurs de joie... Deux jours plus tard paraît dans *l'Écho de Paris,* qui est alors le journal type de la bourgeoisie régnante, une chronique intitulée « l'Esprit contre la Bête » où, poursuivant sa campagne en faveur des églises de France, Barrès relevait, parmi les « signes favorables dans la récente production littéraire [...], *le Mystère de la charité de Jeanne d'Arc,* de Charles Péguy (et) *les Mains jointes* de François Mauriac, précieux poème tendre et dévot... Modeste, voilé et pareil à quelque vieille fontaine des fées »...

François n'y tient plus. Il lui faut voir le grand homme qui se croise pour lui. La presse annonce que Barrès doit prononcer une conférence deux jours plus tard à l'université des Annales. Cravaté de frais, tiré à quatre épingles, le cœur battant, il y court. Le dernier mot prononcé par le romancier « aux tempes de femme » qui parle si bien d'un introuvable Orient de sa voix de faubourg, il grimpe sur l'estrade : « Je suis François Mauriac... — Tiens, vous n'êtes pas un petit séminariste ! Il est vrai que quelques-uns de vos poèmes sont bien brûlants... »

Barrès lui demande de l'accompagner à la Chambre, et aux questions qu'en rafale lui pose le jeune homme, répond avec une franchise le plus souvent blessante. Dans les notes griffonnées le soir-même, Mauriac retrouve ceci :

> « Il fera un article sur *les Mains jointes* dans quinze jours. Il me parle de ses œuvres : il aime *Sous l'œil des barbares* et renie *Du sang*[1]. Ses auteurs préférés sont la comtesse de Noailles et Moréas. C'est chez Bourget qu'il a vu mon livre. Il veut faire pour moi ce que Bourget à fait pour lui[2]. »

Pour chacun des dieux de son Olympe que le jeune homme lui cite en tremblant, Barrès a un mot de mépris : « Jammes ? Oui... (il prononçait : ouais). Moutons à faveur bleue... J'ai toujours envie de lui crier : relève-toi, bêta ! Claudel ? Je l'ai vu, ouais, ouais... C'est un type de fonctionnaire, avec une casquette ! » Ils passent devant la vitrine d'un grand marchand de tableaux, place de la Madeleine. Mauriac convie le maître à admirer un Van Gogh (ou un Cézanne). Et l'autre de jeter : « J'ai peur d'être dupe... »

Anna de Noailles et Moréas au paradis, Claudel, Jammes et Van Gogh en enfer... ! Et peu de jours plus tard, il apprend par un charitable intermédiaire que Barrès, l'ayant invité à déjeuner chez lui à Neuilly, a soupiré « Quel ennui ! Il va falloir donner à ce petit Mauriac une idée de moi conforme à son tempérament[3] ! »

Ce premier déjeuner chez Barrès, le jeune écrivain en a donné un curieux

1. *Du sang, de la volupté, de la mort.*
2. En 1888, Bourget avait loué le premier livre de Barrès
3 *Œuvres complètes,* tome IV, p. 185

récit dans une lettre à son ami Robert Vallery-Radot. Elle révèle les décalages esthétiques et psychologiques qui séparaient dès l'origine le maître et le disciple :

> « Mon cher Robert, je sors de chez " l'amateur d'âmes ". Il ne m'opposa pas une " surface glissante[1] " il fut simple et presque confiant. Je me retrouve dans mon bureau silencieux. Rien ne subsiste en moi de ces heures trop rapides, qu'une sensation d'inquiétude et de vide... que le petit souci de n'avoir pas su lui plaire... Quand j'arrivai vers midi, on m'avertit que M. Barrès était avec le docteur. Je demeurai seul dans le petit salon banal, un peu poussiéreux... Barrès vint — et son sourire très doux m'avertit dès l'abord que je ne retrouverai pas aujourd'hui l'amertume qui dans notre première entrevue m'avait un peu déconcerté [...] Son cabinet a d'abord un air d'atelier " artiste " que je n'aime guère. Tout est pesant, massif. Au-dessus de la cheminée, le fin visage de Bonaparte, et le long des murs, " toutes les violences de Michel-Ange ", comme vous dites. Immédiatement, il fut pratique : " Puisque la première édition des *Mains jointes* est épuisée, publiez une seconde avec mon article, si vous voulez. Mais ne vous engagez pas avec votre éditeur... " Là, des conseils de vieux roublard dont je vous fais grâce. Puis on parle de Rostand... Il trouve que *Chantecler* est supérieur à *Cyrano.*

Barrès raccompagne son hôte, sur les Champs-Élysées alors pavoisés à l'intention de quelque roi en visite : « C'est en l'honneur des *Mains jointes !* » fait-il en montrant à Mauriac les oriflammes. « Il s'amusait à créer autour de moi une atmosphère féerique », racontera longtemps plus tard le vieil écrivain[2].

Mais il y a surtout l'article, le fameux article annoncé, espéré, qui paraît très vite, le 21 mars 1910, et comble l'attente du jeune Mauriac. Il en faut citer de larges extraits, parce que c'est un beau texte, si pénétrant qu'il fait mal comprendre comment le même Barrès pouvait préférer Moréas à Claudel, et surtout parce qu'il est niché au plus profond de l'histoire de la conscience de Mauriac. Il y reviendra si souvent, avec une sorte de délectation naïve ! Écoutons Barrès :

« ... Depuis vingt jours, je me donne la musique charmante de cet inconnu... qui chante à mi-voix ses souvenirs d'enfance, un ami mort jeune, ses amies voilées, ses premières détresses, toute une vie facile, préservée, scrupuleuse, rêveuse d'enfant catholique... Beaucoup de mesure, nul mensonge, la plus douce et la plus vraie musique de chambre, rassemblant toutes ses émotions autour d'une pensée centrale catholique. C'est la poésie de l'enfant des familles heureuses, le poème du petit garçon sage, délicat, bien élevé dont rien n'a terni la lumière, trop sensible, avec une note folle de volupté. Je donne à ce nouveau venu pour père et pour grand-père un Verlaine qui n'a pas de remords, un Sainte-Beuve moins tourné vers la

1. Formule de *Sous l'œil des barbares.*
2. Préface de l'exposition Mauriac à la bibliothèque Doucet (1968).

physiologie... Je reconnais ici la volupté d'Amaury, mais avant qu'elle soit pervertie...

Hésitation à quitter le rivage, regret vague d'une enfance si douce, d'une quiétude si tendre, si tiède, infinie sensibilité qui s'amasse et ne veut pas courir encore aux gaspillages de la jeunesse non plus qu'aux songeries austères du couchant, voilà ce poème des *Mains jointes*. Tout y est tendre, indécis, rêveur, et garde la chaleur du nid. Moment rapide, crépusculaire ! Cette cantilène qui s'élève semble une réplique d'un jeune clerc à l'audacieuse chanson de Chérubin, l'une et l'autre mêlées de larmes sans causes... Mais il faudra sortir de cet attendrissement, cet avril trouble, et devenir un homme ; il faudra prendre sa course, adopter une pente et cesser de stagner. Qu'adviendra-t-il de la charmante source ? [...]

Ce n'est pas bien malin d'être une merveille à 20 ans. Le difficile est de se prêter au perfectionnement de la vie et de s'enrichir d'elle à mesure qu'elle nous arrache ses premiers dons. Le jeune François Mauriac, dans ce volume où je ne vois pas (grand prodige pour un poète !) une seule bêtise, se définit d'un mot excellent : il nous parle de son passé " d'enfant raisonnable et mystique ". Je confirme son diagnostic : il a de la raison et même du bon sens. C'est son salut assuré, qu'il s'attache à cette part de bon sens pour que son génie poétique, dont je suis heureux de saluer l'avril, nous donne ses quatre saisons de fleurs et de fruits.

Maurice Barrès, de l'Académie française. »

Tout préparé qu'il fût à cet hommage, François crut défaillir. Un demi-siècle plus tard, il écrira encore dans un de ses blocs-notes : « Rien dans toute ma longue vie ne m'a donné une émotion comparable — et les plus grands honneurs et le prix Nobel m'ont apporté infiniment moins de joie et d'orgueil... »

Ses amis — à commencer par Jean de la Ville de Mirmont, parrain de son recueil — et les siens s'arrachent les exemplaires de *l'Écho de Paris,* le félicitant, savourant cet instant de gloire. Son frère Jean lui écrit : « On me demande partout si je suis le frère de ce François Mauriac dont parle Barrès... Et parbleu si je le suis ! L'article en lui-même est du meilleur Barrès... »

Le jeune poète, quant à lui, adresse au grand homme des « remerciements passionnés », et reçoit encore de lui cette lettre délicieuse et pénétrante :

« Mon cher Mauriac [...], on a peur de vous nuire en vous admirant de trop près et l'on craint de prendre sur vous aucune influence ou même de vous en rendre conscient. Il faut que vous produisiez sans effort de volonté. Tous les soins d'un bon ouvrier, certes, mais que la source même de votre pensée jaillisse naturellement. Écartez tout système, écoutez votre vie profonde, vos secrets. Soyez paisible, soyez sûr que votre avenir est tout aisé, ouvert, assuré, glorieux, soyez un heureux enfant.

Je causerai bien volontiers à votre retour avec vous et si vous me faites des questions, je m'appliquerai cette fois à prendre le point de vue de la vingtième année qui sait trouver partout l'occasion d'admirer.

Barrès »

Même ce dernier paragraphe d'excuse pour la brutalité de ses récents propos sur Jammes ou Claudel ! On ne saurait être plus tendrement, discrètement paternel. François est bouleversé, et pour longtemps. Un demi-siècle plus tard, dans une préface donnée à une exposition sur son œuvre, il écrira. « J'ai cru, je crois encore que toute ma réussite temporelle a sa source dans ce " soyez un heureux enfant ! " »

Et c'est encore comme une sorte de témoignage de la sollicitude de Barrès qu'il recevra d'Anna de Noailles — dont la liaison avec le grand homme est encore récente — une lettre où, de sa grande écriture en ailes de mouettes, la poétesse lui dit : « ... Je viens de relire *les Mains jointes.* Je ne pensais pas qu'un livre qu'on a beaucoup aimé pût surprendre une fois encore si profondément... C'est un beau livre pour toujours... »

Mais d'où peut donc venir tant de bienveillance, d'amicale sollicitude, de la part de ce Barrès altier, volontiers dédaigneux, assuré de sa gloire et dont le cœur connaissait de cruelles intermittences — on le vit assez lors de l'affaire Dreyfus et quand il assuma sans honte le rôle de « rossignol du carnage[1] » à partir de 1914 ? Le François Mauriac de 25 ans débordait certes de charme et de promesses. Mais la tendresse du romancier lorrain pour ce Méridional déraciné ne peut s'expliquer que par un glissement psychique, un transfert opéré d'un être cher sur ce jeune passant.

L'être cher, c'était Charles Demange, un neveu de 20 ans qu'aimait profondément Barrès et qui s'était suicidé, le 21 août 1909, dans une chambre d'hôtel d'Épinal, quatre mois avant la publication des *Mains jointes,* « victime d'une tragédie cruelle dont Barrès n'était pas absent[2] ». De toute évidence, et Mauriac le relève lui-même avec une courageuse loyauté,

> « le drame d'Épinal est à la source de ce frémissement... à travers l'auteur des *Mains jointes,* Barrès ne cessait de voir son enfant que l'amour avait tué... Jamais une niaiserie, écrit-il de lui en octobre 1909. Or il me donne dans les mêmes termes[3], la même louange en mars 1910 ».

Barrès est alors en pleine crise : la mort de Charles est survenue alors qu'il menait campagne contre l'enseignement public, à propos du suicide d'un lycéen en pleine classe. C'est pendant qu'il écrivait à un sénateur au sujet de ce drame qu'il apprit la mort de son neveu. « Charles, mon petit Charles, qu'as-tu fait !... La vie m'épouvante. C'est une prison qui me terrifie... Ariel, mon petit oiseau, retourne aux éléments, sois libre... ! » Mais ce drame est aussi pour Barrès l'occasion d'un retour au christianisme : « Ce qu'on apprend de la vie, de ses horreurs et de ses fatigues, c'est la volupté d'être seul avec Dieu[4]. »

Alors quand il ouvre le recueil de cet autre jeune homme, si sage lui, et si

1 La formule est de Romain Rolland.
2. *Œuvres complètes,* tome IV, p. 208. Voir, sur cette affaire, p. 151-152
3 « Pas une seule bêtise. »
4. *Cahiers*, 19 octobre 1909

équilibré, compte tenu des langueurs et des fièvres que diffuse une affectivité mystique, il est envoûté, attendri — au point d'évoquer le cher petit Charles dans l'article consacré aux *Mains Jointes :* « Dans les rêveries admirables où Charles Demange vivait... on trouve cette douce obsession de l'enfance : " Ô mon enfance, c'est vous toujours que je retrouve ! " » En Mauriac, c'est Charles qu'il croit revoir sous une forme adoucie, contrôlée, apaisée. Ce vivant très sensible prolonge en lui l'enfant tué par la passion.

S'il avait oublié le drame d'Épinal, d'autres étaient là pour le lui rappeler férocement. Un soir de cette époque-là, Mauriac était l'hôte de Mme Alphonse Daudet aux côtés de Barrès qui esquissa, devant Jules Lemaitre, un parallèle entre l'auteur des *Mains jointes* et Jean de Tinan, mort depuis peu. Alors Lemaitre, de sa voix coupante : « Jean de Tinan ? Encore une de vos victimes, Barrès. » Mauriac crut voir vaciller son maître. C'est lui qui signale le lien entre cette scène odieuse et les notes douloureuses des *Carnets :* « Aujourd'hui j'ai reconnu, senti, combien j'étais déchu de toute société humaine que ce fût, je veux dire de toute amitié particulière... Fatigué, sec pour toutes les relations que je puis établir entre moi et quelques autres que ce soit... »

On a beaucoup écrit — et François Mauriac lui-même — que l'épisode des *Mains jointes,* si bénéfique qu'il fût au jeune écrivain, resta isolé et n'ouvrit la voie à aucune amitié durable entre le maître et le disciple désigné. C'est trop dire, ou trop peu. N'oublions pas tout ce qui séparait l'un et l'autre, compte tenu de la séduction réciproque opérée par l'œuvre de l'un, par les balbutiements de l'autre, et par une ombre trop pesante entre eux — que Mauriac ranimera pour en tirer l'émouvant dénouement de son roman le plus manqué, *la Chair et le Sang.*

N'oublions pas qu'au plus vif de ses divertissements parisiens, de ses divagations dans le boulevard Saint-Germain des duchesses versificatrices et des barons académiques, survivait en Mauriac le « silloniste » dreyfusard de ses 20 ans. Était-il consciemment ou non blessé que le personnage insolemment réactionnaire du président de la Ligue des patriotes, du catholique apparemment agnostique qui se battait pour les églises de France, temples de l' « ordre chrétien » et national, sans se préoccuper de savoir quels prêtres y enseignaient quelles leçons — fussent-elles celles de l'antisémitisme ? Confronté à cette contradiction, et goûtant à vrai dire beaucoup moins le romancier patriote que l'auteur du *Culte du moi,* il s'inventait un Barrès jouant à être Barrès, un « dieu déguisé » faisant don à la Patrie de sa personne et de son œuvre sacrifiée à des intérêts supérieurs.

L'auteur de *la Colline inspirée* n'était-il pas au fond celui qui avait dit à Maurras : « Je suis avec Saint-Simon contre Louis XIV » ?, ce qui était peut-être sa façon à lui d'être avec les messieurs de Port-Royal et Pascal contre Versailles et les jésuites ? Barrès, quant à lui, constatait que la « charmante source » se détournait des voies qu'il lui avait ouvertes, pour aller vers d'autres fleuves, Jammes et Claudel, Gide, Proust et la *NRF.* Il vit bien que l'enfant sage goûtait de moins en moins son Panthéon peuplé de Noailles et de Moréas. Esthétique et politique également les divisaient. Mais on ne saurait dire pour autant que cette amitié d'avril ne vécut pas quatre saisons.

Il est vrai que les *Cahiers* de Barrès sont fort peu encombrés de Mauriac : quatre références en dix ans… Il est vrai encore qu'à travers leur échange de lettres, la tendresse fraternelle des premiers temps fera vite place à une simple cordialité de bon aloi, quand d'autres correspondances de Mauriac montrent le cheminement inverse, de la courtoisie à l'affection — telles les lettres à Rivière, Proust ou Gide.

Mais compte tenu du tempérament de Maurice Barrès, du style altier et sarcastique dont il avait cuirassé son personnage, les quelques lettres inédites qui jalonnent leurs relations de 1910 à 1920, suggèrent que si, comme le croit Mauriac, le grand homme fut déçu de n'être pas mieux compris lors de la crise de 1909, et blessé de n'avoir trouvé auprès de lui, saignant, « qu'un enfant vaniteux et léger », il lui gardait quelque amitié. Témoin ces brefs messages.

En septembre 1910, lors d'un de ses nombreux séjours à Charmes, chez lui, Barrès répond à une lettre de Mauriac évoquant les découvertes picturales qu'il fait à Venise, par une carte postale ornée d'un calvaire vosgien :

« Mon cher Mauriac, c'est vrai qu'il y a sur cette croix une noblesse touchante et forte, opposée au grand luxe des seigneurs commerçants de Venise, et je sais bien ce que vous cherchez, loin des opéras de Tiepolo, chez Carpaccio qui semble d'abord avoir de l'humilité. Ah ! ce sommeil de saint Ursule… Jouissez de votre beau voyage. Barrès. »

En juin 1911 :

« … Je me disais, je me dis encore : “ J'aimerais causer avec Mauriac ”, et c'est pour trouver le jour que j'ai tardé à vous répondre. Croyez-moi bien affectueusement votre Barrès. »

Le 12 août 1912 :

« Craignez d'avoir une formule ou une maxime… Je regarde devant vous […] et je vous signale les dangers de la mer, parce que j'aime votre langue et votre destinée charmante. Amitiés. Barrès. »

Et le 24 mars 1918 après un article fidèlement admiratif consacré par Mauriac aux premiers livres de l'auteur de *l'Ennemi des lois,* ce mot encore, si chaleureux :

« Mon cher Mauriac,

Très touché de ce regard que vous jetez sur cette personne qui s'éloigne sans que je la regrette autrement (c'est de ma jeunesse que je parle). Votre article est charmant. Faites-en davantage. Soyez arbuste et acceptez les fleurs, les feuilles, les perfections, les imperfections, toute la libre végétation. La prodigalité n'affaiblit pas. Meilleure amitié. Barrès. »

Alors on peut juger un peu trop négatifs les soupirs nostalgiques poussés par François Mauriac, d'abord dans *la Rencontre avec Barrès :* « Il avait épuisé sur *les Mains jointes* toute l'attention dont il avait été susceptible a mon égard[1] » puis dans le *Dernier Bloc-Notes,* six mois avant sa mort : « Aucune amitié personnelle n'est née, ni s'est développée à partir de là. Je demeurai pour lui comme si je n'avais rien eu en commun avec le livre qu'il avait tellement aimé. » Et quand en 1927, Mauriac reniera violemment le ton « lâche » et « flasque » de son premier recueil poétique, dans un texte substitué à celui de l'article de Barrès qui lui avait servi de postface dans la précédente édition, c'est un peu de son maître encore qu'il répudiera.

Le décalage, à partir de 1914, s'est aggravé. Ici et là, dans son *Journal d'un homme de trente ans,* Mauriac relève sans bienveillance que Barrès « rate sa note » — ou signale le « dessèchement, [l']hypertrophie du moi » qui affectent l'idole de ses années d'apprentissage.

Il n'est pas indifférent que Mauriac ait revu pour la dernière fois Barrès à l'enterrement de Marcel Proust. Comme l'amateur d'âmes, homme des sites, avait mal compris le sourcier de passions qu'était Proust, homme du temps… « Enfin, ouais… c'était notre jeune homme », fit-il simplement à l'adresse de Mauriac. Il n'y avait plus désormais grand-chose entre eux. C'est la fin d'un cycle. La rencontre avec Barrès a porté ses fruits — que Mauriac n'oubliera jamais. La découverte de Proust et de ses découvertes ne fait que commencer.

« Les dindons blêmes »

Mais le barrèsisme, ce qu'il porte en lui de *Génie du christianisme* teinté d'espagnolisme, ne se réduit pas au seul personnage de *l'Ennemi des lois.* Au moment même où Mauriac reçoit du grand homme l'hommage définitif, un groupe de jeunes gens l'accueille pour une manière de croisade dans le ton de la campagne sur « la grande pitié des Églises de France », qui a donné à Barrès l'occasion de citer une première fois le jeune poète. C'est sous le signe de Barrès que va se dérouler la première aventure collective vécue par l'auteur des *Mains jointes* depuis son éloignement du Sillon.

Au printemps de 1910, ils étaient quatre qui voulaient se battre pour une renaissance de la foi et son expression littéraire. Le père prêcheur de cette croisade était Robert Vallery-Radot ; l'entouraient Eusèbe de Brémond d'Ars, André Lafon et François Mauriac. Le premier avait déjà publié deux romans *l'Homme de désir* et *la Clef du destin.* Il collaborait à la très royaliste *Plume politique et littéraire.* Ardent doctrinaire, maurrassien à peine refoulé, éloquent comme un apôtre, il aurait bousculé les montagnes, ne reculant d'ailleurs devant aucun argument pour entraîner ses compagnons. De l'un d'eux, il disait : « Je vois en vous un Sainte-Beuve catholique… » Et de s'exclamer : « Nous remplirons Notre-Dame et sur la foule s'éploiera la

1. *Œuvres complètes,* tome IV p. 217.

bannière de notre corporation peinte par Maurice Denis ! » Bigre ! Mauriac en rajoutait, écrivant à Brémond d'Ars, appelé au service militaire : « Puisque vous êtes sous les ordres d'officiers de coup d'État, vous devez avoir le temps d'être sublime : soyez-le ! »

François Mauriac a évoqué ce premier déjeuner du groupe chez Robert Vallery-Radot, en février 1909 — avant donc la parution du fameux article de *l'Écho de Paris*. Il est alors l'homme à la mode — au moins dans les cercles de jeunes. Fleur à la boutonnière, fringant d'élégance, pétaradant d'esprit, coupant ses éclats de brusques langueurs, il éblouit — non sans marquer, trente ans plus tard[1], les ridicules du personnage « déguisé par (son) tailleur » qu'il compose ainsi. Séduit-il plus qu'il n'inquiète Robert Vallery-Radot, dont la vive jeune femme, Paule, qu'il appelle Ismène, le charme peut-être un peu plus qu'il ne voudrait l'admettre ? Tant de brio mondain ne se déploie-t-il pas en vain, quand la tâche qu'on s'assigne est de rendre à la littérature française une spiritualité perdue ? Pour Vallery-Radot d'ailleurs, il s'agit moins de littérature que de foi vécue. Certes, le jeune Bordelais se comporte en ami docile, se laissant entraîner par ce croisé dans toutes sortes d'exercices et manifestations spiritualistes. Mais son chef de file le querellera souvent pour la « redoutable facilité » qu'il a « à vivre sur plusieurs plans » — ce dont il convient lui-même. Mauriac veut bien suivre Vallery-Radot chez les pauvres et à l'église, il ne s'affirme pas moins en état d'indifférence religieuse, se déclare « exilé de l'amour humain », et refuse fermement de rompre les relations qu'il a récemment nouées avec Jean Cocteau. Un pervers, un cabotin, un perfide ? Certes. Mais si charmant. Mauriac veut bien prendre ses distances avec Lucien Daudet, dont la réputation n'est pas fameuse non plus — mais non avec l'auteur de *la Lampe d'Aladin*.

C'est la réédition du grand malentendu entre Mauriac et le Sillon… Avec vous, oui ! mais aussi à côté de vous, ou sans vous…

Le groupe dit « spiritualiste » — dont Léon Daudet, fertile en trouvailles, qualifie les membres de « dindons blêmes » — s'ordonna d'abord autour d'un inspirateur lointain, Georges Duménil, professeur de philosophie à Grenoble, penseur monarchiste, ami de Francis Jammes, directeur d'une assez poussiéreuse revue trimestrielle, *l'Amitié de France*. Ayant jeté son dévolu sur cette publication, Vallery-Radot en devint le rédacteur en chef, faisant de Brémond d'Ars le secrétaire général et de Mauriac l'administrateur-gérant (!) et en changea le titre et la périodicité : *les Cahiers de l'amitié de France* seront un mensuel.

François se passionne pour l'entreprise. Il écrit à son frère Pierre :

> « Tu m'imagines organisant une société par actions ? Cela est pourtant, et tout le monde s'étonne de mon sens pratique et de mon esprit organisateur. Je fais imprimer des carnets d'abonnement, je tape les gens, je me multiplie… J'ai passé une journée avec Claudel, pour en causer. Nous avons la collaboration de d'Indy, Maurice Denis, Jammes, Claudel… »

1. Dans *La Rencontre avec Barrès*, in *Œuvres complètes*, tome IV, p. 197.

Oui. Mais il y avait le fond des choses : Mauriac s'apercevra vite qu'il y a beaucoup de maisons dans la maison du Seigneur... Georges Duménil s'était chargé du premier éditorial des *Cahiers*. De quel cœur François dut-il lire ceci : « Nous accueillons comme un geste de délivrance l'encyclique de Pie X sur le modernisme [1] ; nous voulons défendre ou restaurer la patrie, la famille, la province, les corporations... en un mot tout le contraire de ce que souhaitait le triste Rousseau... »

Pour « encaisser » ce prône, il ne faut pas moins à Mauriac que son aptitude à vivre et penser sur plusieurs plans, lui qui dans *la Revue Montalembert* vient de rendre compte avec sympathie des *Semaines sociales de Bordeaux* et d'y citer Jaurès et Gide, et qui persiste, d'autre part, à fréquenter Cocteau et ses amis. Très vite, il va se cantonner dans les sujets esthétiques et littéraires, ne restant attaché au groupe que par fidélité personnelle à Robert Vallery-Radot, peut-être aussi parce qu'il y a entraîné son frère Pierre qui y tient la rubrique médicale et scientifique — enfin parce qu'il peut y défendre la littérature et surtout les écrivains qu'il aime : et avant tous André Lafon, l'ami d'élection, dont le premier roman, *l'Élève Gilles*, allait recevoir le grand prix de l'Académie française — hommage éclatant reçu en commun par tout le groupe. Si légère que pût être encore son influence, Mauriac pouvait se targuer d'avoir contribué à cette victoire, s'y dévouant plus ardemment qu'au succès d'aucun de ses propres livres.

Intéressant, le travail critique du François Mauriac de 1912. Il ne se contente pas de soutenir de la voix ces valeurs déjà sûres que sont Péguy et Jammes. Il salue avec une ardeur peu soucieuse des ricanements voisins le Claudel de *l'Annonce faite à Marie*, décrivant une générale au cours de laquelle « un vent du large soufflait sur ces âmes empoisonnées qui s'abreuvent aux sources des boulevards. Violaine accomplissait un miracle : et je m'étonnais le lendemain en lisant *l'Écho de Paris* que M. François de Nion lui-même avait essayé de comprendre ». Vif coup de patte donné à un puissant journal — auquel il doit quelque reconnaissance... Coup de patte encore contre un grand notable en conclusion de son compte rendu de *la Femme seule :* « La langue de M. Brieux ne ressemble à aucun idiome connu [2]. »

Les Cahiers de l'amitié de France, qui devaient disparaître en 1914, victimes de la guerre, ne s'appelèrent plus bientôt que *les Cahiers*, comme pour mieux expulser l'encombrant Duménil. Ils n'avaient pas dû seulement s'affranchir de la tutelle de ce philosophe de bénitier : ils avaient longtemps subi le parrainage d'un couple grotesquement émouvant venu du Rouergue, lui si décati, elle si sèchement autoritaire que, les voyant entrer dans un salon, Cocteau avait murmuré : « Le bûcheron et la mort ». De Charles de Pomairols, l'épouse implacable avait décidé de faire un académicien, bien

1. Qui en est une condamnation.
2. Moyennant quoi Mauriac, élu vingt ans plus tard au fauteuil de ce dramaturge, aura pour tâche de faire son éloge.

qu'à cette seule pensée, le vieil homme cherchât refuge derrière les plantes vertes de son salon. Ne lui devait-on pas ce vers qu'avait loué Paul Bourget : « C'est un très grand honneur de posséder un champ » ?

En attendant, le gentilhomme du Rouergue était promu chef de l'école « spiritualiste ». Laquelle s'abîma dans une tragi-comédie dont Francis Jammes fut l'innocent responsable. Dans le propre salon des Pomairols, Robert Vallery-Radot, connétable de la croisade spiritualiste, ne s'avisa-t-il pas de réciter un soir, aux lieu et place des vers du maître de maison, un poème des *Géorgiques chrétiennes,* de ce Jammes que les Pomairols tenaient pour un pornographe : il avait comparé ses pensées à des petites filles « que le vent touche et découvre un peu » !

Cet éclat ébranla le groupe des « dindons blêmes » avant que la guerre n'achevât leur revue — qui n'avait guère réussi à intéresser Claudel (il ne leur confia que quatre petits textes en trois ans) ni d'Indy, ni Maurice Denis. Au surplus, Mauriac ne se sentait pas indissolublement lié à ce groupe. L'amitié profonde qu'il portait à Vallery-Radot, cette « âme de feu », à sa rieuse épouse et à Eusèbe de Brémond d'Ars devait, lui semblait-il, résister à cette séparation. Quant à André Lafon, les liens si profonds qui s'étaient noués entre eux ne pouvaient plus dépendre d'une commune entreprise. Et tant de choses à Paris l'attirent, tant de gens, tant d'amis ! Son charme fait des ravages. Il est alors celui dont son amie bordelaise Jeanne Alleman, qui a pris pour nom de plume Jean Balde, écrit qu'il « avance en tête de sa génération, inquiet, nerveux, le visage brusquement creusé par l'ennui, usant avec une rapidité désespérante les hommes et les choses, semblable à un grand lévrier frémissant, las de piétiner et destiné aux bonds magnifiques ».

Les charmes indiscrets du parisianisme

« Influencé par Balzac, je croyais naïvement aux " salons " comme seul un provincial peut y croire. » Nous avons déjà vu le jeune François errer dans le salon surpeuplé de la duchesse de Rohan, y croisant Barrès, lui-même sur les traces de la princesse Bibesco. Nous l'avons vu chez les spiritualistes, coincé entre une intouchable assiette de petits fours et les poèmes d'un honorable possesseur de champs. Mais tous les salons de Paris ne sont pas aussi encombrés, ni ennuyeux.

Est-ce Barrès qui l'entraîne le premier chez Mme Alphonse Daudet ? Autour de la veuve du *Petit Chose,* il ne rencontre pas seulement quelques-unes des gloires du temps, mais aussi le second fils de la maison, Lucien, qui est déjà l'ami de Marcel Proust et connaît seul son génie — mais qui le dérobe alors à la plupart de ses relations, glissant plutôt au jeune Bordelais : « Je vais faire pour vous une chose très importante : je vais vous présenter à la marquise d'Ayragues. » Mais Lucien Daudet a fait moins de manières pour présenter le jeune provincial à Jean Cocteau — avec qui il se lia très vite d'une amitié plusieurs fois assombrie, soit par les foucades du poète, soit par les indignations vertueuses du romancier.

Sur ces premiers temps de cette amitié, Jean Cocteau a laissé, en quelques lignes, une de ces pochades auxquelles il ne cessa jamais d'exceller. Voilà « son » Mauriac de 1912 :

« Je me rappelle un dîner à La Roche chez Lucien Daudet. Mauriac et moi étions des inséparables, ce qui effrayait le " groupe spiritualiste " pour qui j'étais le diable *(sic)*. Mauriac venait de publier *les Mains jointes,* Barrès lui avait consacré un article. Jammes lui prêtait des cousines et des chapeaux de paille. Il portait sur la tempe un œil de jeune poulain. Naïf, gai, pétulant, sournois, adorable Mauriac ! Il me regardait me gaspiller avec un peu de crainte et pas mal de confiance gentille. En face de mes lumières factices, il se croyait dans l'ombre. " Eh bien, s'écria-t-il, je vais écrire des romans, et je les lancerai comme le chocolat Poulain ! " »

On retrouve dans les carnets de François Mauriac un bien cruel portrait de Cocteau à 20 ans, quelques mois après leur première rencontre :

> « J'allais visiter Cocteau, ce Satan adolescent... Des parfums fument. De bizarres et monstrueux poissons dans une eau lumineuse... Une tête de cire vous fixe. Cette inquiétante idole qu'est Jean Cocteau s'est créé sans effort ce temple de soie et d'or, le mystérieux palais d'Ecbatane où il peut se livrer à ses incantations... Le petit monstre surgit, parle de lui, lit ses vers et les relit et quand il a usé votre patience au point que vous avez perdu à ses yeux votre valeur de public, il va chez son coiffeur... »

Les sarcasmes ne seront pas, entre eux, à sens unique. Mauriac ayant égratigné l'auteur de *la Lampe d'Aladin* dans *les Cahiers de l'amitié de France,* le « petit monstre » réagit drôlement : « Cette attitude cavalière et papale commande le sourire. C'est pourquoi je vous serre la main comme un enfant de cœur à un enfant de chœur. »

Autre rencontre singulière relevée dans les carnets du jeune homme de Bordeaux :

> « Curieuse soirée chez un jeune orientaliste ami de Claudel et récemment converti : Louis Massignon... Il s'élève aux plus hauts degrés de la mystique et comme beaucoup de saints, ne parle que de lui et s'offre en perpétuel exemple... Il m'a revêtu d'étoffes persanes, s'est habillé lui-même en étudiant égyptien. Il parle de sa trouble vie quand il frôlait Dieu dans les bouges du Caire et de Bagdad [1]... »

Trouble vie ? Les notations en tout cas se multiplient dans les carnets de François contre « les sodomites » — et de toute sa galerie de portraits de l'époque, aucun n'est plus féroce que celui de Maurice Rostand — auquel, présenté par Lucien Daudet, il lance, désinvolte : « J'ai beaucoup entendu parler de votre père ! »

1. Mauriac retrouvera Massignon, dans un climat d'admiration, à *France-Maghreb,* en 1953.

François-le-pétulant ne se contente pas d'épigrammes. A la fin de 1910, il a déjà presque achevé son premier roman. Au mois d'octobre, il fait une lecture en gondole, entre le Lido et Venise, à son ami François Le Grix — du livre qu'il intitule encore *Jean-Paul* avant de trouver *l'Enfant chargé de chaînes* (antithèse, complice peut-être, à *l'Homme libre* de Barrès). On en a des échos dans une correspondance à son frère Pierre, qui reflète bien la griserie où le jette le « grand monde » que ne lui entrouvrent plus seulement des duchesses férues d'alexandrins, mais les « lions » du Paris de ce temps que sont Lucien Daudet, Jean Cocteau ou François Le Grix.

Ainsi cette lettre mi-naïve, mi-sceptique datée d'une villa florentine où l'a entraîné Le Grix au cours d'un voyage commun en Italie.

Villa dell'Ombrellino, Firenze, 1er novembre 1910 :

> « J'ignorais avant de venir ici comment, avec de l'argent et des loisirs, on peut organiser sa vie. L'aimable excellence dont je suis l'hôte, et qui est russe, ne daigne jamais descendre jusqu'à Florence. Elle passe sa vie dans le plus somptueux « home » entouré d'une société bizarre de grands cosmopolites : Nisard (notre ambassadeur au Vatican) un tas de Ladies spirites et richissimes, un monde inouï... Le jeune Serge Fleury, qui est l'ami de Le Grix, a beaucoup de style et me fait des confidences romanesques. Les dîners sont bizarres et raffinés et un équipage nous mène sans fatigue aux musées et autres merveilles. Nous faisons l'après-midi des visites dans la meilleure société florentine où je m'applique à jeter les bases de ma réputation à l'étranger ! !
> *PS.* Mon *Jean-Paul* est décidément terminé. Je le lis ici devant une société choisie. Jean-Louis Vaudoyer et Le Grix l'admirent beaucoup. Mais il doute un peu que Laudet[1] le prenne. Si Laudet n'en veut pas, il paraîtra sans doute en janvier. Je rapporte d'Italie un sujet de roman. »

Important, pour un jeune homme dont la sensibilité esthétique et la sensualité sont en pleine maturation, ce voyage en Italie en compagnie de Le Grix. Ouvert, en octobre 1910, par une visite à Amphion chez la comtesse de Noailles, scandé (on l'a vu) par une correspondance avec Barrès il fut encore marqué par une seconde et brève rencontre avec la poétesse du *Cœur innombrable,* à Venise. Pendant ce voyage, le jeune François tint un journal[2] où se dévoile éloquemment une sensibilité frémissante :

Venise, 27 septembre :

> « Enfant blasé qui vit des heures trop molles sur la lagune de Venise, tu ne peux t'enorgueillir de ta tristesse. Elle est née de l'assouvissement. C'est la seule tristesse qui ne nous absolve pas. Cache-la donc ! »

La peinture vénitienne ne lui inspire qu'une admiration de commande — mis à part Carpaccio, Giovanni Bellini et le dernier Titien.

> « ... Cette Madeleine, les deux mains en croix, qui a l'air d'un adolescent. Je veux que ce soit un adolescent et je lui dis : "... dans ton regard,

1. Directeur de *La Revue hebdomadaire.*
2. Partiellement publié par M. Jean Touzot.

pourquoi cet émerveillement triste que ne cause pas seulement la présence de la Vierge et de l'enfant Jésus ? Je ne sais si ta bouche un peu molle se refusera toujours à la mortelle douceur des baisers humains... "
... Palais Vendramin où habite le fils de la duchesse de Berry. Souvenir attendrissant des Bourbons. Fidélité ancestrale qui s'éveillait...

[Pour le François Mauriac de 1910, retenons que le palais Vendramin est celui où habite un prince inconnu, non celui où est mort Richard Wagner !]

Fuite à Assise après rencontre à Venise de Mme de N. »

12 octobre, Ravenne :

« A San Vitale, mosaïque où l'ont voit l'impératrice Théodora, mince courtisane aux larges yeux dilatés qui me rappelle la comtesse de Noailles, petite impératrice isolée elle aussi dans un monde trop vulgaire où son génie est comme un éclat de rire de folle...
J'ai aujourd'hui 25 ans. Mais comme ces mosaïques des mausolées de Ravenne, je me sens figé dans ma jeunesse pour des siècles. Et la postérité, si elle se souvient de moi, ne me pourra voir que sous les traits d'un adolescent raisonnable et passionné quand même. Un enfant sage qui aime être caressé...»

La postérité ? Bigre... Mais ces coups de projecteurs sur soi-même retiennent l'attention. Devant cette « Mme de N. », cette « fuite », cette « courtisane » et ces « caresses » attendues par l'adolescent « raisonnable » mais « passionné », le biographe tombe en arrêt. Il ne peut évidemment s'agir que d'Anna de Noailles qui vient de rompre avec Barrès et cherche peut-être « quelqu'un qui dévorer ». Elle n'est que de dix ans l'aînée du voyageur bordelais qui a reçu d'elle, après son passage à Amphion une lettre (du 20 septembre 1910) qui en aurait grisé beaucoup d'autres.

« Maintenant que je sais quel dur silence est l'azur et la lumière du monde, je ne suis plus sensible qu'à ce que dit une autre âme. Hier, sur la terrasse de Vevey où j'avais été voir un de mes amis, et devant ce mol et liquide paradis que font les eaux bleues et les cieux, je m'étonnais, en regardant les montagnes, d'avoir autrefois discerné des voix perdues dans ces églises de pierre. J'ai écouté, entendu la nature dans ces temps confiants de la jeunesse où tout l'univers m'était regard, musique, réversibilité. La splendeur, la douceur, la tristesse de Venise me furent une angoisse, un contact aussi foudroyant que la mort. Je voudrais ne plus avoir soif, non par résignation mais par fraîcheur et abondance de l'eau. Cette eau de toute joie, vous seul la goûtez toujours, en torrent inépuisable... Votre part est la meilleure et je m'en réjouis du fond du cœur... »

Trente ans plus tard, François Mauriac écrira avec beaucoup de flegme que la poétesse au cœur innombrable ne l'avait pas trouvé assez : « Levez-vous, orages désirés ! » Il ne manqua jamais, avec une affectueuse fidélité, de défendre — face à Gide, par exemple — son art d'effervescences mal peignées. Mais il évoque son personnage avec une verve sans indulgence D'abord, la rencontre d'Amphion : « Il ne m'est resté de cette visite que la vague image d'une petite odalisque toute en front, une sorte de têtard sublime, mal réveillé au cœur de l'après-midi… » Puis cette silhouette dans le salon de Mme Mühlfeld :

> « … On entendait sa voix de l'antichambre. Elle entrait, minuscule dans ses fourrures, les cheveux relevés en hâte sous des panaches comme de quelqu'un qui sort du lit, le buste appuyé sur les reins, le ventre en avant. Elle essayait un peu au hasard ses premières fusées qui, trop souvent, faisaient long feu parce que Valéry était là. Au-dessus de ce port oriental où se déversait tout le bric-à-brac romantique, au-dessus de ce royaume du sublime, du coq-à-l'âne et de l'à-peu-près montait l'astre glacé de *la Jeune Parque.* Après des années de domination, la pauvre Anna sentait son public se détourner d'elle et le dépit altérait ce don comique qu'elle possédait à un degré inégalable… Anna de Noailles ne laissait pas d'être inquiète devant la nouvelle idole du salon Mühlfeld et ne dissimulait pas toujours sa rage. Un soir qu'elle était enrhumée… elle glissa entre haut et bas à Mme Mühlfeld : " Je rentre pour me soigner : il importe de conserver à la France le dernier poète intelligible qu'il lui reste ! "[1] »

Retour d'Italie, et mieux initié ainsi aux plaisirs « délicieux et criminels du monde », François Mauriac va se jeter avec plus de fougue encore dans le Paris des lettres, des revues, des salons. Au début de 1911, on le retrouve à la fois à *la Revue du temps présent,* nanti de la rubrique de poésie ; aux *Cahiers de l'amitié de France,* homme orchestre ; à *la Revue hebdomadaire,* dont François Le Grix vient d'être nommé secrétaire de rédaction — et à laquelle il donne une nouvelle, *le Cousin de Paris,* ébauche de son second roman ; et enfin au Mercure de France, qui publie les poèmes réunis quelques mois plus tard en volume sous le titre d'*Adieu à l'adolescence.*

Mais en cette année 1911, le jeune homme aux mains jointes a bien d'autres choses en tête ou dans le cœur que la littérature, « spiritualiste » ou non.

Secrète demoiselle

Il l'avait rencontrée à la fin de 1910 chez les Vallery-Radot, auxquels elle était apparentée. Au surplus, Vincent d'Indy, dont l'équipe de *l'Amitié de France* voulait à tout prix s'assurer la collaboration, était très lié à la famille d'Ernest Chausson, le grand musicien du *Poème* et des *Chants de l'amour et de la mer,* mort avant d'avoir accompli une œuvre qui s'annonçait comparable à celles de Fauré ou de Franck.

Marianne, sa troisième fille, venait d'avoir 18 ans. C'était une longue et

1 Fragments de *Mémoires* inédits

mince adolescente, que François décrit à sa mère comme « très jolie, surtout le soir : dans la journée, elle porte des chapeaux si extravagants qu'il faut se mettre à quatre pattes pour voir son visage »... Il la dit « mystérieuse », ce dont témoigne le refus qu'elle lui opposa toujours de se laisser photographier... Un rapide dessin griffonné par François à la fin d'une lettre à sa mère nous montre un profil aquilin à la Virginia Woolf, un visage très « distingué » d'héroïne symboliste. De l'abondante et passionnante correspondance échangée entre la mère inquiète et le fils impatient à propos de ce romanesque personnage, il faut citer quelques lettres où s'expriment admirablement leurs relations anxieuses et tendres aussi bien que les mœurs de la bourgeoisie du temps, et d'où ressort l'attachante figure de cette Marianne.

Très tôt, il l'a dit, François Mauriac avait « rôdé autour du mariage ». Après l'avoir écrit dans les *Mémoires* esquissés en 1940 et très vite interrompus, il reprend la formule dans *la Pharisienne,* rédigée quelques semaines plus tard, et dont l'un des derniers chapitres, consacré aux fiançailles manquées du narrateur, est de toute évidence autobiographique. Il le date même de 1911...

C'est dans les premiers jours de janvier 1911, en effet, que le jeune homme parle pour la première fois à Claire Mauriac d'une demoiselle Chausson avec laquelle il veut aller

> « *piano, sano...* Il se pourrait que je ne lui plaise pas... Cette jeune fille me paraît bien originale. Elle porte les cheveux sur les oreilles et ses robes sont trop serrées... Elle ne quitte guère ses livres et son piano — et je ne pense pas sans frémir au monde qui fréquente chez sa mère (Georgette Leblanc... et même Colette Willy [1] !)... Mais elle est assez pieuse et souhaite un mari " aussi religieux que Robert [2] "... »

Il en faudrait moins pour mettre une mère sur ses gardes : « Ce que tu me dis des C. me fait frémir... Ma rigidité et mes scrupules de femme veuve comprennent mal ces esprits qui ne connaissent ou ne mettent pas de borne aux concessions qu'ils font à tout ce qui frise le mal... Que cette enfant qui peut devenir mienne un jour ne se fane pas à ces contacts ! Mon François, mon enfant chéri, sois prudent ! Elle veut un mari pieux. Ça prouve en sa faveur. Mais se mettra-t-elle à l'unisson pour bien des choses ? »

Lettre de François par retour du courrier :

> « J'avais un peu exagéré : Mme C. ne voit plus Colette Willy. Elle voit aussi du monde très bien. C'est une femme très bien, un peu Mme Sans-Gêne — beaucoup moins sérieuse que ses filles. Son gendre Jean Lerolle fut président de la jeunesse catholique... Jolie, Marianne ? Je me le demande parfois. Étrange surtout, très journalière, et d'une grâce infinie... Il me semble que si c'est possible et si je veux vivre *selon mes principes* [souligné par F. M.] mon devoir est de penser au mariage car à Paris les tentations

1. Georgette Leblanc, on l'a vu, était une cantatrice fameuse, assez excentrique pour chanter les pieds nus à Bordeaux . Quant à Colette, n'oublions pas l'épisode de Bruxelles
2 Vallery-Radot

sont trop nombreuses et les occasions aussi (même dans le monde) pour qu'un jeune homme se garde longtemps… Je me dis que si Dieu met cette jeune fille sur ma route, il a peut-être ses desseins. Je la sais intellectuelle, musicienne et jolie, j'ignore tout d'elle et cela me terrifie. La sagesse est d'attendre, de causer avec elle — et de beaucoup prier. Ne doutons pas que Dieu sait où il nous mène. »

Réaction pondérée de Mme Mauriac : « … Je ne pense pas aux mariages plus brillants que tu pourrais faire plus tard, celui-là sous le rapport fortune et monde me paraît fort beau, mais y trouverais-tu le bonheur intime ?… Tu as raison, pour un jeune homme ayant tes principes le mariage c'est le salut, c'est le port et je serai bien heureuse quand je t'y saurai à l'abri des occasions et des aventures… mais ne cède pas à un moment d'entraînement… »

Mais qu'a entendu dire cette mère attentive ? Que la phtisie ronge cette famille où compte entrer son fils ? La voici, quelques jours plus tard, qui prend feu : « … cette question santé est capitale… Passer dessus n'est excusable que quand l'inclination domine la raison… Si nous ne prenons pas de renseignements, j'ai de *fortes raisons* [souligné par C. M.] de croire qu'on en prend sur nous… Il est de ton devoir de songer à tes enfants… A l'atmosphère peu saine pour toi-même dans un milieu contaminé… »

Et de mettre au courant son fils Pierre et son gendre Georges Fieux, tous deux médecins.

Riposte émue de François :

« Je comprends très bien tes raisons. Je te demande pourtant d'attendre… Je me sens si peu décidé. Des amis qui me connaissent bien m'affirment que je ferai un très mauvais mari. Jusqu'ici je n'ai pensé qu'à mon bonheur et pas assez à celui de cette enfant. Elle m'apparaît comme très sérieuse, trop pour son âge. Son piano et ses livres tiennent dans sa vie une place excessive. Quel mystère, cette petite âme. Et comme je la sens capable de souffrir… »

« En somme, écrit quelques jours plus tard Mme Mauriac, vous n'êtes pas fiancés ? »

« C'est un peu compliqué à t'expliquer par lettre où nous en sommes, avoue François. La vérité est que j'ai à faire à une petite fille pourrie de littérature. As-tu lu *la Porte étroite* de Gide ? Je crois que oui. Eh bien, Marianne se compare à Alissa et se croit appelée à une perfection plus haute que le mariage. Mais si je parle de me retirer, larmes et sanglots ! En somme, ce mariage se fera si j'ai beaucoup de patience… »

Les « renseignements » médicaux pris par les Mauriac ne contraignent François qu'à un renoncement fugitif. Dans une lettre à sa mère, il relate un entretien fortuit avec le beau-frère de Marianne, Jean Lerolle, puis une visite au médecin de la famille Chausson, qui le mettent l'un et l'autre en garde contre des racontars absurdes. Il en ressort que si la mère et une sœur de la jeune fille ont été atteintes, ce ne fut pas d'un autre mal que l'« anémie ». Alors, écrit François ·

> « N'est-ce pas une folie de laisser passer une jeune fille à qui je plais beaucoup et que j'aime ? Plus je réfléchis, plus je prie, plus je m'interroge, plus il me semble que ma destinée est là. Je dis " ma destinée ", je ne dis pas mon bonheur. Un mariage est toujours un coup de dés formidable... D'ailleurs qu'y faire ? J'ai revu Marianne et dans ce Paris si petit en somme, je la rencontrerai chaque jour — chacun de nos regards et de nos gestes est une promesse... »

Claire Mauriac est touchée, conquise : « Mon avis est que ce médecin ne peut avoir menti... Il lui était facile de se retrancher derrière le secret professionnel... Réfléchis à ce qu'on t'a dit et décide toi-même... Ta destinée est entre tes mains... Si tu fais ce mariage je t'abandonnerai à la bonté de Dieu... Parle-moi de Mlle C. Tout m'intéresse d'elle, sa famille, sa parenté que je m'explique mal... » Quelques jours plus tard : « Qu'elle soit bénie cette chère petite si elle te donne le bonheur... Je crois que cette enfant sera cause pour toi de plus d'énergie dans le bien. Songe mon François que tu vas être pour elle un modèle et quelle déception si tes imperfections ressortaient un peu trop ! Vous allez devenir deux petits saints pour l'amour l'un de l'autre... Et puis tu laisseras ce vilain monde qui me fait peur pour toi... »

En mai, relevant d'une angine, le jeune homme avertit sa mère que, pour se « rétablir », il lui faut « échapper à la cuisine de gargote et à la grande misère de la vie de garçon »... D'où sa décision d'aller s'installer quelques semaines au Trianon Palace de Versailles, où Marianne va chaque jour rendre visite à sa sœur : ainsi « Je serai près de mes affaires et de mes amours. » Approbation de Mme Mauriac, un peu déçue tout de même de devoir retarder les explications directes avec son fils, car, dit-elle, « Je crains en venant te rejoindre à Versailles, de te gêner beaucoup dans tes rapports avec Marianne. J'aurais l'air de venir voir ce qui se passe, ma présence arrêterait tout... Mais je voudrais bien connaître cette petite fille qui déjà se met entre mon fils chéri et moi. Comme je suis disposée à l'aimer, je trouverai tout bien en elle si mon François est heureux. »

Pour tendre et attentionné qu'il soit, le jeune homme n'est pas très pressé de voir arriver sa mère :

> « Si cela peut te faire plaisir... Mais peut-être complications avec les Chausson ? La position est si fausse. Enfin, pour l'instant, nous nous voyons comme des fiancés... Ce sont en somme des fiançailles non déclarées... Mme C. trouve que nous nous voyons trop souvent. Notre fugue de dimanche soir fut peut-être un peu inconsidérée. »

Et trois jours plus tard :

> « Mon séjour à Versailles qui finit aujourd'hui a été enchanteur à cause des promenades au clair des étoiles avec M. Dans ce cadre unique au monde, nous avons filé ce qu'il est convenu d'appeler le " parfait amour " mais à condition de ne pas trop parler mariage... Cette jeune fille, je crois, m'aime un peu, tient à moi et a une peur horrible de l'inconnu que représente pour elle le mariage... »

Cette « peur » finit par irriter le garçon. Quelques jours plus tard, il est question de « la perfide Marianne. Nous passons notre temps à nous dire des méchancetés. Déjà ! C'est effrayant. Mais ce n'est que du dépit amoureux ». Quand sa mère parle du « manque de simplicité » de Marianne, François riposte :

> « Sa simplicité ? Elle est extrême et confine à la sauvagerie... Elle me supplie de la laisser venir à moi sans rien hâter, afin qu'il n'y ait rien d'artificiel dans son choix... Il n'y a dans son cas aucune coquetterie... Elle se scrute, s'examine... Elle pense à moi plus qu'à elle en hésitant... Sauf événement imprévu, j'aurai « le mot » avant mon départ... »

Claire Mauriac, le 9 juin : « Comme tous les amoureux, tu prends la mouche ! Je n'ai pas accusé M. de coquetterie. J'exprimais plutôt la crainte que cette nature scrupuleuse et mystérieuse te réserve des surprises... Si je donne un peu de regret à cette bonne vie d'autrefois qui va cesser pour moi, à la confiance que tu me témoignais, mon François, c'est aussi pour t'en remercier car tu as été un bon fils, et il faut bien le dire aussi tout bas, mon enfant gâté. »

François, le lendemain :

> « Je comprends ton inquiétude... et je la partage. Mon bonheur dépendra beaucoup de moi. Il est certain que M. est " à réformer ", mais c'est justement ce qu'elle attend de moi... Il faudra quelque temps faire crédit à ses robes excessives et à ses entêtements... Si elle me laissait partir sans un mot, j'arrêterais toute correspondance. Si au contraire je suis fiancé, il serait bon que tu m'accompagnes (chez eux) quelques jours : la rencontre sera piquante ! »

Le jeune homme, évoquant les préparatifs des *Cahiers de l'amitié de France* avec Duménil et Vallery-Radot, indique que Marianne « s'enthousiasme beaucoup à ce propos... Elle deviendra, si elle m'épouse, le vrai compagnon de ma pensée »...

La mère : « ... Cette chère petite entêtée ne voit pas qu'elle a pris déjà une année de ta vie ! Ah comme je lui passerai ses robes serrées et ses chapeaux extraordinaires ! Ne laisse pas engourdir ton talent par tes affaires de cœur, mon chéri, il y a un côté de ta vie qui n'appartient à personne. »

Enfin, le 13 juin 1911, François :

> « Marianne, hier soir, m'a dit ce " oui " que nous attendions !... Marianne et sa mère désirent te connaître. Viens donc quelques jours à Paris. Attends seulement que mon livre [1] ait paru (d'un jour à l'autre...). Ce nouvel amour me fait plus vivement sentir mon infinie tendresse pour toi. . Marianne ne veut que t'aimer. Elle aimera en toi ce qu'elle n'a pas trouvé chez sa mère... Lundi, il y a grand dîner chez les Chausson pour nous mettre en rapport

1 L'*Adieu à l'adolescence*.

> avec d'Indy et Maurice Denis. Mercredi 5 à 7 chez eux avec Fauré dans ses œuvres, et du Chausson... »

Alors Claire Mauriac est comme libérée : « Mon cher fils, jouis bien de ta vie, la jeunesse, l'avenir, l'amour, les illusions ! J'ai hâte de voir cette petite Marianne. Quelle impression vais-je lui faire ? »

Et François, exultant :

> « La décision prise a transformé Marianne qui est maintenant joyeuse et paisible et m'écrit des lettres " sublimes ". Je serai très fier de te la présenter... Mme Chausson est plongée dans une profonde tristesse : c'était l'anniversaire de la mort de M. Chausson... »

Et puis soudain, le 15, ce mot qui est comme un cri :

> « C'est quand on croit tenir le bonheur dans ses mains qu'il tombe en poussière : Marianne n'est plus ma fiancée. Le doute d'elle-même a été plus fort que tout. C'est fini. Ne sois pas inquiète à mon sujet. Je suis fort et résisterai à ce coup... Je n'étais pas digne de ce bonheur. Ne la maudis pas non plus. Elle souffre autant que moi. C'est une petite martyre... Il vaut mieux que tu ne viennes pas encore. Je préfère vous revoir tous lorsque la blessure sera moins béante, lorsque je pourrai regarder sans pleurer mes frères mariés... J'avais été trop heureux jusqu'ici. Je ne méritais pas ce bonheur infini. »

« Tu souffres, répond le lendemain sa mère, et je ne suis pas là ! Tu trouveras dans mon cœur tant de tendresse que j'endormirai ta peine. Pas un mot amer ne sortira de ma bouche pour l'enfant qui te rend malheureux... Mon enfant, mon François, mon enfant très cher, que je voudrais calmer ta peine comme je le faisais alors que tu étais mon tout petit enfant... »

François :

> « ... Je suis bien sûr que tout est fini. Mais comment veux-tu qu'aimant quelqu'un, on n'ait pas malgré tout l'espoir de le retrouver un jour ? »

Deux mois plus tard, comme sa mère évoque « ce beau rêve de jeunesse, de ces illusions perdues, et pour qui ! », il regimbe :

> « Je pense à ton : " et pour qui ? ". Il ne faut pas juger trop sévèrement cette petite *scrupuleuse* [souligné par F.M.]. Elle en est maintenant aux romans russes et visite les pauvres ! Il faut avoir pitié de ces petites âmes inquiètes, excessives, et qui cherchent au-delà de la vie un impossible bonheur... »

Et il parle d'un « long séjour au pays », ne serait-ce que pour y revoir « mes chers petits neveux, les seuls enfants sans doute qu'il me sera donné d'aimer » (il a 26 ans).

Les « carnets » du jeune homme signalent, à la fin d'octobre 1911, une dernière rencontre à l'occasion des obsèques d'une parente de la jeune fille :

> « Marianne m'a regardé ! Petite fille que j'ai dû épouser et qui m'avait " lâché " ? J'ai autant pleuré que si je vous avais aimée pour de bon... J'ai cru qu'aucune femme ne pouvait m'aimer et que j'étais destiné à d'étranges amours... »

L'année ne s'achève pas sans que parvienne à Mme Mauriac une lettre désolée où il n'est question que de « la solitude de toute une vie... Mais ne redoute rien pour moi : j'ai horreur de la noce et des femmes qui se prostituent. Si je sens plus douloureusement ma solitude cette année, c'est que j'ai cru un instant en être délivré, c'est que j'ai derrière moi un paradis perdu ».

Qui chercherait ici une autre explication de ces fiançailles rompues que l'allergie au mariage de cette demoiselle singulière, au surplus très jeune, trouverait peut-être le milieu où évoluait alors François — et dont essayait de le détourner Robert Vallery-Radot qui était, nous l'avons vu, le cousin de Marianne et l'inspirateur de la rencontre. Être alors l'ami de Jean Cocteau, de Lucien Daudet et de François Le Grix, c'était jeter l'alarme dans un milieu où l'on trouvait moins « scandaleux » de recevoir Georgette Leblanc que Robert de Montesquiou.

En tout cas, la question « médicale » réglée, jamais aucun autre problème ne fut posé, pas même celui des revenus de la jeune fille — alors que Claire Mauriac, nous l'avons vu, ne négligeait pas ce genre de préoccupations.

François Mauriac parlera plus tard, à propos de ce mélancolique épisode, d'un « amour de tête ». Mais il écrit dans *la Rencontre avec Barrès,* que son « cœur » était, à cette époque, fort occupé... On trouve dans *le Journal d'un homme de trente ans,* cette notation mélancolique : « Les plus pauvres musiques ennoblies parce qu'elles se rattachent à une minute de notre destinée. Printemps de Versailles au Trianon Palace, en 1911 où les tziganes jouaient *Non, tu ne sauras jamais...* »

Il note, trente ans plus tard, que c'est « dans une sorte de désespoir » qu'il se réfugia alors à Malagar, se gavant de Balzac, « antidote redoutable ».

Dans les *Nouveaux Mémoires intérieurs,* il y a aussi cette phrase : « L'année 1912 fut vouée aux désordres et aux tourments d'un cœur qui se croyait rejeté. »

Mais un peu plus loin, l'épisode est réduit à ces quelques mots . « En 1911, j'ai une mésaventure sentimentale ». Ce qui en est peut-être la juste mesure, prise à la lumière de la rencontre décisive qu'allait faire, l'année suivante, le jeune écrivain.

6. Les traces bien-aimées

Est-ce la blessure que lui cause cette rupture ? La déception, avouée ou non, que lui a infligée la rencontre avec Barrès ? Les épisodes ridicules qui entrecoupent les efforts déployés pour créer et lancer *les Cahiers ?* Ou les confidences sur le « grand monde » que lui ont faites ses hôtes de la villa de l'Ombrellino à Florence ? Ou encore ce qu'il y a de lassant dans la virtuosité pyrotechnique de Cocteau ? Toujours est-il que François Mauriac se détourne bientôt des délices du parisianisme.

Autant les années 1909-1910 ont été vouées à la recherche de la « gloire », autant les années qui suivent ramènent le jeune homme à la conscience de ses origines, aux horizons aquitains. D'une époque passée sous le signe éclatant de Barrès, il va glisser à une période éclairée de la lumière diffuse de Jammes. Et ce n'est pas pour rien qu'il songe alors à donner à son second recueil de poèmes (qui deviendra l'*Adieu à l'adolescence*) ce titre emprunté à Maurice de Guérin : *les Traces bien-aimées.*

On aurait tort de le voir dans le rôle d'un déraciné triomphant, grisé par sa « libération ». Aucune jactance, aucune « distance » dans ses lettres aux siens et moins qu'avec tout autre bien sûr avec sa mère. Claire Mauriac entretient surtout son fils de problèmes matériels et familiaux, de la santé des uns et des autres, de coupes de pins, de loyers, de placements. François se montre très sage, très attentif à ne paraître ni distant ni désinvolte, à ne pas abuser non plus de la générosité pointilleuse de Mme Mauriac.

Il la tient très informée de ses travaux, de ses projets, des contacts qu'il prend.

Il est question de journées faites d'un déjeuner chez Barrès, d'un thé chez la comtesse de Noailles, d'un dîner chez les Vallery-Radot ou d'une soirée chez Mme Alphonse Daudet. Il lui parle des *Cahiers,* qu'il présente bizarrement à sa mère comme « le trust de tous les grands artistes catholiques de ce temps », de ses activités aussi :

> « ... Je ne travaille pas à mon roman autant que je le voudrais, à cause qu'il faut que je fasse des articles ennuyeux et non payés pour *la Revue Montalembert* et *le Temps présent.* C'est un stage nécessaire. Mais l'an prochain je ne ferai plus de ces besognes à moins qu'on ne me les paye. Mon désir est de commencer à gagner ma vie... Mme Bartet [1] va dire de mes vers à la Sorbonne. Elle m'a invité à la Comédie-Française dans sa loge Rassure-

1 L'une des grandes tragédiennes de l'époque, célèbre interprète d'*Andromaque.*

> toi, chère maman, c'est une dame très sérieuse — très grave même — qui ne se rajeunit pas et avec qui on ne songe qu'à échanger des idées. »

A quoi Mme Mauriac répond par retour du courrier, avec une fièvre de jeune fille : « Mon cher petit, est-ce qu'il serait impossible aux simples mortelles telles que moi de trouver place dimanche à la Sorbonne ? J'ai une envie folle d'entendre tes vers dits par Bartet. Une petite fugue à Paris de quarante-huit heures, qu'en dirais-tu ?... »

Claire Mauriac ne sait s'il faut s'inquiéter ou se réjouir de cette foudroyante réussite mondaine : « Je ne me monte pas plus la tête que toi sur tes succès... Mon chéri, je trouve que tu débutes bien. Mais ce ne sont pas des Barrès ou autres qui te feront réussir de force... » Après un séjour à Paris en octobre 1910 : « Je t'ai trouvé plus fort, plus armé, plus homme enfin [...] Mon chéri, je remercie le Bon Dieu de m'avoir donné de tels enfants... »

Les lettres de son frère Jean, nommé en 1910 vicaire à Saint-Paul, paroisse bordelaise plutôt modeste, restent celles d'un aîné, paré au surplus des prestiges du prêtre dans une famille catholique. Leur franchise est souvent surprenante, et émouvante. Le 11 octobre 1910, l'abbé Jean écrit à François : « Toute chose est humble, obscure et mortifiante dans ma nouvelle vie. Et cependant que je ne regrette rien, pas même les poèmes, les romans, les productions pour la gloire qu'elle ne me permet plus de tenter... Aime les petits enfants du peuple, attache-toi à quelques-uns d'entre eux, apprends surtout à les connaître... Que ta charité soit un attachement au lieu d'être une corvée pour celui qui la fait, une humiliation pour celui qui la reçoit... »

A la même époque, le vicaire de Saint-Paul évoque pour son frère le mariage à Bordeaux de la fille du Pr Arnozan (lumière de la faculté de médecine) qui n'a « accepté pour tout bijou qu'une alliance en argent et pour trousseau que du linge de toile écrue, réservant toutes ses amabilités aux humbles membres du Sillon féminin. Le Tout-Bordeaux mondain était stupéfait... Je remercie Dieu : il y a quelque chose de changé, l'esprit de l'Évangile se propage et le monde se sent vaincu ».

Quant aux lettres qu'il adresse à Pierre, le jeune médecin qui a épousé en 1909 leur charmante cousine Suzanne Latrille, elles reflètent une très simple tendresse, que ne vient encore nuancer aucun désaccord politique apparent. Non seulement François fait tout son possible pour associer à sa vie littéraire ce frère dont il est fier, en l'intégrant d'abord à l'équipe des *Cahiers de l'amitié de France*, on l'a vu, mais il s'applique constamment à privilégier dans leur échange les valeurs familiales sur toutes les autres. En mai 1910, par exemple, alors qu'il est encore dans toute l'ivresse de gloire que lui a value le coup d'encensoir de Barrès, il écrit à son frère Pierre à l'occasion de la naissance de son premier enfant :

> « ... Jean-Paul doit être reçu parmi nous comme un petit roi... Je me penche en imagination sur ce berceau comme si c'était celui de mon fils... Je suis heureux de ton bonheur. On me dit que Jean-Paul est un beau petit homme. Il me tarde d'aller embrasser dans quelques jours ce petit Mauriac...

> Je vis quant à moi dans la retraite. De précieuses amitiés adoucissent ma vie un peu repliée et triste. J'entre dans une période de travail sans joie, et de succès trop faciles... Laudet tient à publier mon roman [1] après corrections. Ce serait pour juin... Entre-temps, je me ferai publier dans d'obscures revues. La nouvelle édition des *Mains jointes* va paraître avec l'article de Barrès en queue. Voilà de petites nouvelles. J'incline à croire que tout cela semble de peu d'importance à qui possède une charmante femme et un bel enfant ! »

Autant qu'à celui de sa famille, il reste attentif au sort de ses amis bordelais... De son ami André Lacaze, l'abbé Jean lui donne de fréquentes nouvelles, observant qu'il devient « plus équilibré », mais « socialement réactionnaire ». François correspond aussi avec Martial et Louis Piéchaud, charmants poètes fraternels. Le premier est son plus ancien ami : il l'a connu dès 1890, à 5 ans, chez les sœurs de la rue du Mirail...

Mais pour garder au cœur, pour retrouver plutôt Bordeaux et la terre et le climat de ses commencements, et cette adolescence à laquelle il vient d'adresser un adieu qui n'est qu'un soupir nostalgique, il lui suffirait de l'amitié de deux Girondins de son âge, qu'il découvre à Paris après les avoir étrangement ignorés dans la cité de leur commune enfance : Jean de la Ville de Mirmont et André Lafon. (Avec Jacques Rivière, « manqué » lui aussi par François dans le Bordeaux du début du siècle, il ne se liera — à Paris encore — que plus tard.)

Quel paradoxe, pour ce barrèsien (qui signera bientôt quelques articles François Sturel [2]) que la fécondité de ce déracinement ! Voilà quelques jeunes hommes que les clans et les niveaux du vie avaient séparés, divisés dans leur ville natale, et que le creuset parisien rassemble dans leurs recherches convergentes, soudant des amitiés profondes.

Fraternelles chimères

C'est au lycée de Bordeaux que François Mauriac avait rencontré Jean de la Ville de Mirmont dont le père enseignait le latin à l'Université, siégeant « à gauche » au Conseil municipal. D'où un antagonisme de milieux, qu'un peu d'audace aurait pu leur permettre de surmonter. Mais la province était ainsi : parti blanc, parti bleu... Il leur fallut se retrouver en mars 1909 sur un trottoir du boulevard Saint-Michel pour que s'échangent les lectures de poèmes, ouvrant la voie à l'amitié. Quand François s'installe rue Vaneau, son ami — auquel il a proposé en vain de partager son appartement — s'établit tout près, rue du Bac, préparant le concours d'entrée à la préfecture. Dans une lettre écrite à un ami bordelais commun, Jean, se félicitant d'avoir

1. *L'Enfant chargé de chaînes.*
2 Le nom du héros « positif » des *Déracinés.*

redécouvert Mauriac, évoque « nos promenades nocturnes dans Paris jusque vers trois heures du matin, nos causeries auprès de son feu, nos projets insensés et nos enthousiasmes ridicules ». Dans *la Rencontre avec Barrès,* Mauriac assure qu'il « entendra éternellement cette psalmodie, cet étrange nasillement doux de Jean de la Ville, le visage baigné de fumée alors qu'il disait ses poèmes :

La mer des soirs d'été s'effeuille sur le sable... »

C'est la Ville de Mirmont qui trouva le titre des *Mains jointes* (il a fait mieux...) assurant un peu plus tard à son ami que Barrès avait tort de se préoccuper de son avenir et qu'il n'aimerait quant à lui, « jamais rien davantage [...] que ces vers que tu m'as lus pour la première fois dans une chambre d'hôtel ». L'année suivante, François Mauriac l'entraîne pour les vacances de Pâques à Saint-Symphorien

> « où il inventait pour les enfants des jeux merveilleux... Ce grand garçon de 20 ans à la peau sombre, aux yeux brûlants dans une figure ronde et nette... sous des cheveux aile de corbeau, était semblable à un de ces petits dont les Anges voient la face du Père... Ce rêveur ne fuyait pas la vie. Tout lui était enrichissement... »

Leur correspondance reflète bien la claire chaleur de cette amitié adolescente — qui n'est pas sans faire penser à celle qui unit alors Jacques Rivière et Alain-Fournier, brisée par la guerre elle aussi. De Bordeaux, le 13 juillet 1909, François écrit à Jean :

> « Me voici revenu dans cette plate grande ville de marchands. J'ai retrouvé sur les trottoirs de l'Intendance mes petits amis bien habillés. Les journées sont interminables et j'escompte comme une joie la demi-heure passée chez le coiffeur. J'y ai rencontré hier M. Le Breton [1] qui se faisait barbifier. Il a daigné m'adresser quelques mots et comme timidement je lui annonçais *les Mains jointes,* il a eu un sourire si lourd de mépris et d'ironie que je n'ai plus osé quitter des yeux mon journal amusant [...] Je suis revenu dans ma famille. Je parle quelquefois de Jean de la Ville de Mirmont, de façon à contenter le besoin irrésistible que j'ai d'admirer...
> Et puis tu seras à Bordeaux. Je serai heureux de me promener avec toi dans cette ville où nous vécûmes des années si près l'un de l'autre — et si loin. Il me tarde enfin de pouvoir t'évoquer au Jardin public et sur la place Pey-Berland. Adieu mon ami, mon déjà vieil ami, ne m'oublie pas. Reste un peu maboul. Cela te sied. Et pour y atteindre, ne néglige pas les amis que nous avons aimés... »

Et quelques mois plus tard, François tentera vainement d'entraîner Jean de la Ville dans l'aventure des *Cahiers :*

> « Quelle force d'avoir un idéal commun ! Et comme je voudrais que tu te rapproches du nôtre ! Car nos religions [2] sont des sœurs qui peuvent se

1. Son ancien professeur de lettres, cf. plus haut p. 60.
2. La Ville de Mirmont était protestant.

> rechercher en face de cette bête que je résume d'un mot " la laïque ". Il n'y a que le surnaturel qui importe, qui *existe* au sens profond du terme... »

François Mauriac se croyait assez lié à Jean de la Ville de Mirmont pour le sommer, un soir, dans l'appartement du quai d'Orléans, de jeter sa maîtresse par la fenêtre. Et fut bien attrapé que son ami s'exécutât : mais l'auteur de *l'Horizon chimérique* habitait au rez-de-chaussée...

De Venise, lors de son voyage de l'automne de 1910, François décrit à son ami la « somptuosité triste » de la ville, qui contribue à sa propre « inertie physique ». Et il ajoute : « Mais je sais bien que j'emporte avec moi mon âme confuse et inquiète, notre seul univers étant en nous-même... Il m'importe peu d'être au bord du Rhin ou de la Garonne puisque tous les paysages, nous les voyons à travers notre même âme. » A quoi Jean répond par une description des galeries et salons parisiens, et parlant d'« accablement » face aux dernières toiles de Matisse, en propose à son ami des croquis d'une drôlerie aiguë.

Ce n'est pas à ce *confident ironique,* mais en pensant à coup sûr à lui, que François Mauriac proposait à sa mère en décembre 1910, cette définition : « Sais-tu ce que c'est qu'un poète ? C'est un homme qui a conscience que chaque minute nous tue, et qui se regarde mourir. » Laforgue n'est pas loin.

Jean de la Ville de Mirmont fut tué en 1915, au chemin des Dames. Sur sa table de travail abandonnée en partant pour le front, sa mère devait trouver un poème qui commence ainsi :

> Cette fois mon cœur, c'est le grand voyage...

Et puis il a laissé *l'Horizon chimérique,* poèmes rêveurs inspirés à ce vrai poète par un certain Bordeaux maritime et presque sans rivage dont François Mauriac n'a jamais su voir tout à fait l'horizon ni les chimères. Ce poète assassiné adolescent par la guerre a eu le bonheur étrange d'envoûter un vieux musicien, dont le génie a porté ses poèmes indécis à une altitude où l'oubli devient impossible : sans Fauré sur le point de mourir, *l'Horizon chimérique* aurait-il survécu hors de la mémoire de ses amis ? Il survit, pour notre joie.

L'irremplaçable

André Lafon n'a pas trouvé son Fauré. Mais la fraternelle tendresse de Mauriac lui assure une manière d'immortalité. Lui aussi était né à Bordeaux (en 1883). Son père était secrétaire de mairie à Blaye, sous-préfecture et menu port de l'estuaire de la Gironde. Surveillant au collège de sa petite ville, André devint « pion » au lycée de Bordeaux. Il n'avait même pas entrevu le « fils de famille » qu'était le petit Mauriac, son cadet de deux ans. François jouait dans le même jardin public mais la « bonne » devait le tenir à l'écart des « enfants du commun ». Ce n'est qu'en 1910 qu'ils se connurent, à Paris où le proviseur du lycée de Bordeaux, nommé au lycée Carnot, avait entraîné Lafon à sa suite pour favoriser, disait-il, sa carrière littéraire. Le jeune homme pauvre, ayant lu *les Mains jointes,* vint au début de mars 1910 frapper un soir à la porte de Mauriac — au moment où Jean de la Ville de Mirmont y lisait un poème.

Leur amitié fut immédiate, immédiatement totale. Si distrait qu'il fût par les charmes les plus divers du monde, par la bouffée de gloire qui lui soufflait alors au visage, si frivole qu'il pût être encore, François Mauriac se donna à l'amitié de cet homme effacé, au visage un peu mou, au regard profond, à la voix monotone, qui venait de publier ses *Poèmes provinciaux.*

Il commence par l'arracher au triste lycée Carnot pour le diriger vers l'abbé Petit de Julleville qui l'accueillit au séminaire d'Issy-les-Moulineaux. Devenu directeur de Sainte-Croix-de-Neuilly, le collège où Montherlant allait écrire sa *Relève du matin,* Petit de Julleville offrit à André Lafon d'y poursuivre ses austères fonctions de préfet de classe, mais dans un cadre et un milieu plus accueillants. C'est là, sous l'influence du directeur et du futur abbé Jean Mauriac, que le jeune homme, détourné du catholicisme à 18 ans par la lecture de Renan, revint très vite à la religion de sa mère : proie toute désignée dès lors pour Mauriac et ses amis des *Cahiers de l'amitié de France.* Ils le conduisent à Lassagne, la propriété de Gascogne où le directeur de la revue, Georges Duménil, réunit souvent l'équipe autour de son ami Francis Jammes. Mais André Lafon aime mieux encore les Landes et le cap Ferret, à l'embouchure du bassin d'Arcachon que lui a fait découvrir François, et où il écrit des fragments de son premier roman, *l'Élève Gilles,* et de son second recueil de poèmes, *la Maison pauvre.*

Un jour de 1912, un visiteur s'annonce au parloir de Sainte-Croix-de-Neuilly et demande à s'entretenir avec Lafon : c'est Maurice Barrès qui, avec la connivence de Paul Bourget, va de nouveau jouer les divinités bienveillantes en faisant attribuer le grand prix du roman de l'Académie française (décerné pour la première fois cette année-là) à cet humble inconnu, pour ce livre passé inaperçu, *l'Élève Gilles.*

Dans une lettre à son frère Pierre, François Mauriac, qui travaille alors à un *Lacordaire,* ne dissimule pas que les échotiers malveillants attribuent cette surprenante distinction à ses démarches et à ses relations avec les illustres parrains académiques d'André, « dont le succès suscite dans les milieux littéraires une fureur et une haine dont nous sentirons à nos prochains livres les effets ». Mais, ajoute François, André Lafon reste « aussi humble dans la gloire qu'il l'était dans l'obscurité ».

Ce n'est pourtant pas cette distinction éclatante qui bouleverse alors la vie d'André Lafon, mais la rencontre qu'il fait au cours d'un séjour de vacances en Gironde d'une romancière bordelaise, Jeanne Alleman, qui signe « Jean Balde » de jolis récits régionalistes. Fortunat Strowski, l'ancien professeur de Mauriac à la faculté des lettres, a réuni les deux écrivains à l'occasion d'une conférence qu'il a prononcée à l'Athénée municipal de Bordeaux (lugubre salle vouée d'ordinaire aux débats électoraux) sous le titre « Les étoiles qui se lèvent ». Dans un livre de souvenirs, Jean Balde a évoqué cette soirée où se nouèrent pour un temps sa vie et celle d'André : « Je revois sa figure pâle dans l'ombre... »

Pendant plus d'un an, ils vécurent une passion dont François Mauriac, leur ami commun, et la jeune fille qu'il venait de rencontrer[1] furent peut-être les seuls témoins. C'est probablement à la fin de 1912 qu'il reçut d'André cette lettre écrite à La Tresne, où vivait la romancière : « Jeanne et moi avons lu au coin du premier feu votre spirituel article sur France. Les jours passent doucement entre les coteaux bleus et le fleuve... Nous parlons de vous, de votre petite fiancée, de notre douce assemblée de plus tard... J'éprouve cette plénitude que vous dites être en vous-même... et ne souhaite plus rien, pas même écrire... Mais Jeanne ne l'entend pas de cette oreille... Ma Jeanne embrasse la vôtre... André. »

Amours conjointes, mais inégales. Celles de Jeanne Alleman et André Lafon vont se rompre soudain, pour une raison mal éclaircie, même dans les lettres douloureuses qu'écrit alors à son ami l'auteur de *l'Élève Gilles,* pour lui annoncer la rupture. Laquelle entraîna une lettre violente de la jeune fille, lui reprochant de n'avoir pas tenu sa promesse de mariage. Un frère s'en mêla... Triste fin d'amours incertaines dans leur exaltation.

De cette douloureuse rupture, les carnets de François Mauriac donnent un écho très sévère pour son ami. Il parle de sa cruauté : « Il a de la peine à ne pas la haïr, sa pitié est mêlée de rage de n'être pas laissé tranquille : la victime ose crier ! » En fait, il semble que le refus d'André Lafon vient aussi bien de ce qu'il se sentait trop contraint à cette union par Francis Jammes et ses amis de Lassagne, qui insistèrent maladroitement, que d'une absence totale d'attirance physique à l'égard de sa fiancée — sinon des femmes en général. Pour cruelle qu'il la sente, il vit dans cette rupture une sorte de libération.

Dans *la Vie et la Mort d'un poète,* le fervent petit livre que Mauriac consacra dix ans plus tard à son ami disparu en 1915, il n'est pas question de ce drame. François Mauriac l'avait très discrètement évoqué dans une nouvelle publiée en janvier 1921 dans *la Revue des jeunes,* « La paroisse morte », dont l'héroïne, pleurant un André disparu lui aussi pendant la guerre, refuse de se remarier. Écrivant beaucoup plus tard *Galigaï,* il y mettra en scène son ami, sous le nom de Nicolas Plassac. L'intrigue n'a rien à voir avec la triste histoire de 1913 — et moins encore le généreux personnage de Jeanne Alleman avec celui, tortueux, de l'héroïne du roman.

Ce qui reste du passé, dans *Galigaï,* c'est l'émouvante évocation d'un climat d'amitié. Les références au vécu abondent. Et si Lafon est ici appelé Nicolas, Mauriac a voulu lui-même se mettre en scène, cruellement caricaturé comme il le fait toujours s'agissant de lui, sous le nom de Gilles (titre du roman d'André Lafon...).

> « Nicolas était aveugle dès qu'il s'agissait de sa mère. Et de même que ce salon-salle à manger en contrebas, sombre et humide, avec la pendule sous

1 Jeanne Lafon Voir plus loin, p. 121, et ensuite.

globe, les chromos aux cadres couverts de chiures étaient devenus dans les poèmes de Nicolas Plassac la maison pauvre[1] et sacrée où chaque objet palpite sourdement, cette vieille femme s'y dressait transfigurée et comme embrasée d'humilité.

... Gilles, pour Nicolas, incarne la jeunesse du monde, sa beauté, sa faiblesse... Nicolas contemple sans aucune gêne cette merveille éphémère déjà touchée par le temps. Il l'aime. Il n'entend pas ce que dit sa mère ni ce que répond Gilles. Gilles est là, dans sa maison. Il ne faut perdre aucune de ces minutes. Que Dieu soit adoré et béni qui a introduit Gilles dans sa maison, dans sa vie, dans son cœur à jamais. Ils se rencontraient si rarement à Paris ! Ils se voyaient si mal ! Nicolas couchait au lycée où il était surveillant. Gilles, dans la journée, suivait des cours, et puis il appartenait à d'autres, à tant d'autres ! Il valait mieux ne pas trop le voir : il faut apprendre à vivre séparé de ce qu'on chérit le plus au monde. Nicolas professait qu'on ne possède bien ce qu'on aime que dans le retranchement et dans la solitude [...]

Nicolas marchait la tête levée. C'était un nocturne ; une nuit d'été comme celle-là lui révélait la seule face du monde qui lui fût familière : ce sombre ciel embrasé et palpitant au-dessus d'une terre délivrée des hommes et où régnaient les arbres... Gilles parlait, parlait... et les mots qu'il disait servaient à Nicolas pour mesurer le silence vivant de la nuit qui est le silence même de Dieu.

Nicolas pensa aux premiers temps de leur amitié, à ces longues marches dans Paris, à cette nuit où ils s'étaient assis, exténués, sur le banc en face de la Madeleine, au poème que Nicolas récitait sourdement. Gilles avait dit : " Ce serait beau de mourir tous les deux avant l'aube. " »

Tels ils furent à 25 ans.

Dans son dernier roman, *la Maison sur la rive* (qu'il voulait d'abord intituler *la Nouvelle Eugénie,* en triple hommage à Eugénie de Guérin, Eugénie Grandet et Jean-Jacques Rousseau), Lafon raconte une histoire de renoncement à l'amour. Son personnage est, comme dans le roman de Balzac, une femme — ce qui ne laisse pas d'influer sur l'issue de l'aventure amoureuse qu'elle vit. Il ne semble pas qu'André Lafon, lui, ait dû sacrifier sa passion à des impératifs familiaux. « Les dures conditions de son existence, écrit Mauriac, peut-être moins que l'incertitude touchent sa vocation et cette science intime qu'il avait de son destin, le détournèrent d'établir un foyer, la seule chose, m'écrivait-il, qui me paraisse désirable ici-bas[2]. »

Lafon n'était pas seulement ce personnage avide de souffrance, d' « une douceur qu'il faudrait dire inhumaine[3] », qu'a tendrement décrit Mauriac après sa mort. Ses lettres révèlent aussi de l'humour, le sens de la moquerie. En 1912, il écrivait à son ami : « Cher François, que n'épousez-vous le château historique ? Hâtez-vous de choisir parmi les onze mille vierges Il faudrait appeler ensuite les courtisanes. Et si elles allaient vous plaire

1 Titre du second recueil de poèmes d'André Lafon.
2. *La Vie et la Mort d'un poète*, p. 128
3 *Ibid.*, p 158

mieux... J'ai reçu *Burdigala :* voilà qui doit vous guérir de souhaiter la gloire à Bordeaux ! »

Dans le numéro 3 de cette revue, Mauriac venait de publier un poème intitulé « L'air triste de Schumann », aux côtés de textes de Jean Balde et André Lafon. Moyennant quoi un certain Henry Dagrant, rendant compte de l'*Adieu à l'adolescence* où il percevait « un parfum d'aube », écrivait : « Je ne gourmanderai pas notre poète de n'être pas un styliste... »

Au printemps de 1913, le mariage de son ami, qu'il ne pouvait manquer de mettre en parallèle avec son propre échec sentimental, l'aurait moins bouleversé s'il n'avait reçu peu auparavant de François Mauriac une lettre fort critique, ne voyant en lui qu' « une sensibilité » et affirmant qu'il ne le connaissait pas. André Lafon se crut un temps rejeté, et parla du « testament d'une amitié ». On ne dispose pas de la réponse de Mauriac. Elle dut être assez affectueuse pour qu'André, s'il ne put assister au mariage de François, se retrouvât plus proche de lui que jamais à la veille de la guerre.

En 1914 ses amis regardaient « cette âme s'enfoncer dans la perfection... » dans un suprême renoncement « ... brutalisé par la Grâce, arraché[1]... ». André Lafon était affilié au tiers-ordre de Saint-Dominique et avait fait retraite au noviciat du Saulchoir. Il obtint, en dépit de sa faible santé, d'être mobilisé. Il fut envoyé au camp de Souges, dans la lande, y découvrant avec la plus simple et profonde compassion, la misère des prisonniers allemands blessés : « J'ai vu un de ces hommes ne prendre que deux grains d'une grappe de raisin qu'on leur tendait au sortir du train, et la passer au voisin plus malade ; la grappe a fait le tour de la tente où dix malheureux gisaient dans leur sang corrompu... », écrit-il alors à son ami, du ton le moins coutumier qui fût alors !

Il vint à Malagar rendre visite à François Mauriac en août 1914, puis le 21 mars 1915. Cet après-midi-là fut celui de leur dernière rencontre : six semaines plus tard, le 5 mai 1915, André Lafon était emporté par la scarlatine, à l'hôpital militaire de Bordeaux. François écrit à son frère Pierre, alors au front : « Il a eu la mort solitaire et pauvre qui couronne son humble et magnifique vie... Pour moi, c'est l'irréparable perte d'une amitié telle que la vie ne vous en renouvelle pas la faveur... »

Vingt ans plus tard, Mauriac allait plus loin : « Il était le plus inspiré d'entre nous... le plus près de Dieu et sans doute aussi l'être de qui je fus le plus aimé sur la terre, et envers lequel il me semble que je me suis montré moins ingrat qu'à l'égard de tous les autres. » Qu'aurait-il écrit encore, vivant ? « De fervents et brefs poèmes », crut pouvoir écrire Mauriac — qui estimait qu'avec *la Maison sur la rive,* le chrétien scrupuleux avait, en André Lafon, tué le romancier.

Amitié sans égale pour l'abandon, la profondeur, l'engagement. Moins marquante peut-être pour la personnalité intellectuelle de Mauriac que celle de Lacaze — surgi au moment où se formaient la culture et la conscience du jeune homme. Mais la douce amitié d'André n'en agit pas moins sur ce

1. *Ibid.*, p. 125.

François si épars, divisé et multiple de 1910, qui se croit alors riche de sa dispersion même. « Il m'a toujours ramené doucement mais fermement à mon centre[1] », observe sobrement Mauriac. C'est attribuer à son ami le mérite de la préservation d'une fidélité au christianisme qui fut peut-être mise en cause dès ces années 1910-1915 où il a situé lui-même l'époque charnière de sa vie.

Le lièvre et le chevreuil

C'est aux côtés d'André Lafon, en 1911, que François Mauriac fit la seconde rencontre capitale de sa jeunesse, celle du poète qu'entre tous il aimait, admirait, révérait : Francis Jammes. Depuis ce jour de 1903 où, feuilletant à Bordeaux l'anthologie poétique de Van Bever et Léautaud, il y avait découvert ce Jammes dont il ignorait alors jusqu'au nom, avant que Fortunat Strowski lût *le Vieux Village* en chaire d'université et qu'Alexis Léger lui fît goûter *En Dieu,* avait commencé entre le poète béarnais et lui ce que Michel Suffran appelle « le dialogue avec soi-même[2] ».

Admiration vite récompensée : avant même la fameuse lettre de Barrès, Mauriac avait reçu de Jammes un message exprimant, de son énorme écriture de mousquetaire gascon, son goût pour *les Mains jointes :*

« Orthez, 19 décembre 1909,

Monsieur et cher poète, oui ! quand on a dans le cœur, à votre âge, cette qualité de foi et que l'on est capable de donner des poèmes aussi simplement beaux... on est appelé non seulement à charmer bien des âmes mais aussi à leur faire beaucoup de bien. Merci. Jammes. »

(N'oublions jamais que Mauriac fut ce jeune homme de 25 ans qui n'a pas plus tôt publié quelques vers balbutiants qu'il est salué comme un poète par les deux écrivains qu'il admire le mieux !)

Francis Jammes était l'un des premiers « convertis » d'une génération littéraire française qui en compta beaucoup, durables ou non, entre 1890 et 1930 : c'est en 1905 qu'il était parti en pèlerinage à Lourdes avec Claudel. Quand les « spiritualistes » groupés autour de son ami Duménil fondèrent *les Cahiers de l'amitié de France,* en mars 1910, ils songèrent d'abord à s'assurer sa collaboration. C'est naturellement Mauriac qui se chargea de l'épître à l'illustre poète : « Nous songeons aux pauvres pavés d'Orthez, à la maison où dort Bernadette, au gave couleur de vieille vitre et au poète qui chante simplement selon notre cœur. » Quinze mois plus tard, et bien que Jammes n'ait guère comblé la revue des envois promis, Mauriac entraînait André Lafon dans une randonnée dans le Midi, dont l'étape essentielle devait être l'ermitage de Jammes à Orthez.

1. *La Rencontre avec Barrès,* in *Œuvres complètes,* tome IV, p. 197
2. *Cahiers François Mauriac,* n° 4, p. 72

> « Dans l'été de 1911, splendide et terrible, nous voyageâmes, presque toujours à pied, au Pays basque. Nous nous assîmes à la table de Jammes. André eut touché des lèvres le seuil du poète. Nous étions arrivés tard dans la nuit à Orthez. Il avait voulu contempler la maison du " fils de Virgile " endormie sous la lune et pleine de sommeils d'enfants. Le lendemain, Jammes nous lut un chant des *Géorgiques chrétiennes*... »

Effusions lyriques et mystiques qui n'iront pas, chez ces Méridionaux au regard aigu, sans quelques pointes. Jammes gardera, de cette rencontre, le souvenir d'un Mauriac « chevreuil effarouché, vu par Greco ». Le visiteur dira de son hôte : « Converti, il l'était avec ostentation... Jamais je ne vis poète plus affamé d'être entendu, admiré. Et Dieu sait que nous ne songions pas à lui marchander notre attention, notre admiration, notre amitié... »

Sur le chemin du retour, Mauriac n'en écrit pas moins avec élan : « ... Je n'espérais pas qu'une journée suffirait à me donner accès à votre cœur... vos deux enfants sont repartis plus riches qu'ils n'étaient venus... Vous êtes bon comme lorsque l'on a bien souffert... » Un an plus tard, l'article qu'il écrit dans *les Cahiers* sur le poète d'Orthez lui vaut une lettre enthousiaste :

« Orthez, 20 juillet 1912,

Mon cher ami, que ton article m'est doux ! Si l'on m'interrogeait au sujet de tant d'articles je ne manquerais pas de répondre : c'est celui de Mauriac par quoi mon cœur est le plus touché ! »

Et de louer « cette fierté espiègle, cette crânerie devant les hommes arrivés » qui « étaient aussi les miennes », assure Jammes.

Bref, les liens se nouent, au point que le grand poète se juge autorisé à intervenir dans la rédaction et la publication du premier roman de son jeune ami. Mauriac lui a envoyé le manuscrit de son *Jean-Paul,* devenu *l'Enfant chargé de chaînes.* Explosion du solitaire d'Orthez : « ... Il faut que tu effaces de ton livre la phrase sur la grimace de Léon XIII. Pie X a *excommunié* un artiste qui avait fait une charge de son prédécesseur... Tu ne vas pas gâter ce roman si racé et si étonnant. Il ne faut point que *cela* soit maintenu... De tout cœur. Jammes. »

Hum !... Voilà un libérateur qui sent un peu son directeur. Excommunié ? Mauriac n'y songe guère et fait la part de « l'ostentation » du converti récent, et du solitaire. Mais il sera plus ému par d'autres interventions de Jammes qui, non « silloniste » lui-même, entraîné par Claudel vers un courant catholique beaucoup moins ouvert au monde moderne, se fait l'avocat d'un ami bordelais de Marc Sangnier, Jacques Rödel, qui a eu vent des pointes dirigées dans le livre du jeune homme contre le leader du mouvement. « Il faut retirer le livre », plaida Jammes, en précisant, sur un mode très réaliste de paysan béarnais : « Cette publication va te procurer de gros ennuis, empoisonner les premiers temps de ton mariage[1]. Crois-en un vieux lièvre qui t'affectionne. Jammes. »

1 François vient de lui annoncer ses fiançailles avec Jeanne Lafon

François se rangera d'abord à l'avis du « vieux lièvre ». Il lui promet d'interdire la parution en librairie de *l'Enfant chargé de chaînes,* dont une livraison vient de paraître dans le *Mercure de France.* Réaction du poète : « Je te loue d'autant plus de ce beau sacrifice que personne plus que moi ne devine ton âme pleine de feu, d'ironie, de douleur et de piété. Mais ne regrette rien. Ce livre n'eut jamais été qu'un livre de jeunesse Je sais qu'il y a en toi l'étoffe d'un des grands romanciers de l'avenir... »

(Que de fleurs, décidément, que de promesses illustres autour de cette naissante carrière. Que la « charmante source », que cette « âme pleine de feu » n'en ait point été pervertie, que Mauriac ait su, comme il l'a fait en dépit des louanges prématurées de ses deux « patrons » des lettres, travailler, s'acharner, approfondir son art, est peu banal...)

Les deuxième et troisième fragments de *l'Enfant chargé de chaînes* paraissent pourtant en juillet. Puis, après deux refus, du Mercure de France et de Stock — et peut-être fouetté par cet échec — Mauriac confiera son manuscrit à Grasset qui le publiera en mai 1913. Est-ce pour se faire pardonner cet oubli de la promesse faite à l'auteur des *Géorgiques chrétiennes* que Mauriac publie en octobre 1912, dans *les Cahiers de l'amitié de France,* ce gentil portrait du poète :

> « Francis Jammes m'entraîne au jardin et me présente à chaque fleur dont il connaît le nom latin. Il met sa montre à l'heure du cadran solaire. Je m'étonne de ne pas voir sa pipe en bois avec un bout d'ambre. Il y a renoncé comme à beaucoup d'autres fumées. Jammes nous raconte des histoires. Il n'abuse pas du talent qu'il a de peindre les gens avec une vérité qui assomme. Il aime trop les âmes pour cela. Je le vois rôder autour d'elles comme un chien de berger. Il excelle à leur couper la route qui ne les ramène pas au bercail... »

Désormais, les deux vies sont liées, et l'œuvre de Mauriac à jamais éclairée de cette lumière diffuse, un peu molle, de cette flamme de soleil champêtre. Nul mieux que lui ne saura voir les limites intellectuelles du « vieux lièvre », de l'ermite bigot, vaniteux comme un chanoine, vraie « taupe sortie de terre », mais qui aura arraché les écailles de ses yeux éblouis par les « salons » parisiens — et, à l'instar du cher Maurice de Guérin, aura ramené son regard vers les splendeurs de Cybèle. Cette convergence exquise et si fertile entre l'implacable vérité des êtres et le doux chant d'une nature possédée qui est le secret du génie mauriacien, cet accord mystérieux entre le repli des âmes et les extases de la terre, ce baiser de Noémi Péloueyre au chêne noir qui clôt le premier grand roman de Mauriac et ouvre carrière à son génie, peut-être eussent-ils été impossibles sans la révélation ruisselante du *Deuil des primevères.*

Leurs voies — leurs voix — se dissocieront plus profondément que leurs vies. L'histoire de la poésie de Mauriac est celle d'un glissement de Jammes à Valéry Le vieux poète béarnais ne s'y résignera pas, écrivant à son ami : « Je sais quelle place j'occupe dans la poésie française : la première. » Non sans faire une concession de patriarche à Valéry, « cette brindille de givre dans le rameau de Mallarmé[1] ». Mais Mauriac, lui, voit moins en Valéry le fils du poète d'*Hérodiade* que le témoin de celui d'*Andromaque* Et c'est pourquoi il prendra pour maître celui de *la Jeune Parque* — non sans rappeler en toute occasion la dette qu'il a contractée envers Francis Jammes.

Ces témoignages d'indéfectible admiration ne suffiront pas à désarmer Jammes, qui ne pardonnera jamais à Mauriac ce que Duhamel appelait sa « maladie valéryenne ». En 1935 encore, recevant Maurice Martin du Gard (en présence de Julien Benda, charmé de tant de méchanceté chez cet ostentatoire témoin d'une religion de charité) le vieux poète se répandra en propos bêtement venimeux contre Mauriac :

« ... Ce n'est qu'un snob... Je sais bien pourquoi, moi : les " chartrons ", chez les marianistes, ne voulaient pas frayer avec lui. Il recevait des coups, il en donnait, il asticotait tout le monde. C'est un Arabe ! Oui, pour tous ces fils du " bouchon ", Mauriac, ce n'était que le fils d'un fournisseur du collège : ils portaient des uniformes de la maison de confection qui appartenait à sa mère... »

C'est Mauriac pourtant qui organisera avec Claudel, en 1937, un an avant la mort du vieux poète, le « triomphe » de Jammes au théâtre des Champs-Élysées, lisant alors cet hommage passionné : « Ce n'est pas seulement mon vieil ami de 30 ans que je salue ce soir, mais en vous le plus beau don que Dieu ait fait à sa créature : c'est la poésie, notre consolation, c'est le poète éternel. »

La lumière de Jammes n'était-elle pas plus éclairante à distance ? Les deux œuvres de François Mauriac qui en sont le plus immédiatement inspirées, son second recueil de poèmes, l'*Adieu à l'adolescence* et son second roman, *la Robe prétexte,* ne pouvaient que l'inciter à prendre ses distances : tout ce qui est encore flou, ployé, indécis, mollement charmeur, fiévreusement enjôleur dans le personnage et l'imagination de Mauriac en est alors aggravé. Les mignardises champêtres, les « moutons à faveurs bleues », les joliesses de Clara d'Ellébeuse s'y étalent comme une crème tiède sur un gâteau. Mais il faut s'arrêter un peu à cet *Enfant chargé de chaînes* qui, publié en mai 1913, est tout de même le premier roman de l'auteur du *Nœud de vipères.*

Le récit où Jammes a vu tant de promesses ne retient plus que par le portrait aigrement autocritique que Mauriac a fait de lui à 20 ans, à travers le personnage de Jean-Paul Johanet (le prénom de son père, le nom de la propriété de Saint-Symphorien) un petit bourgeois égoïste, suffisant, sec et jouisseur. Caricature un peu chargée. Il retient aussi, on l'a dit, par l'évocation des milieux du Sillon et du personnage de Sangnier, peint avec une précision féroce sous le nom de Jérôme Servet. Dans un projet de préface qu'il renonça finalement à publier[2], François Mauriac se défendait maladroitement d'avoir caricaturé le « magnifique conquérant des âmes » qu'était Sangnier (qu'il ne nomme pas) et ses disciples, « frères charmants du jeune Henri Lacordaire »... Il ajoute, avec une négligence étudiée : « Du

1. Cité par Michel Suffran, *Cahiers François Mauriac,* n° 4, p. 91
2. Mais qui est reproduit dans La Pléiade, vol. 1, p. 1008.

temps que j'étais démocrate, j'en connus plusieurs. Il se peut que je lui aie empruntés quelques traits. » Ces quelques traits, et ceux que Mauriac s'est empruntés à lui-même, font le mince intérêt de ce premier roman — comme le font, du second, *la Robe prétexte,* publié chez Grasset en mai 1914, les descriptions du château Lange, de la grand-mère Coiffard et de Grand-Lebrun.

Fortunat Strowski, qui gardait de l'amitié à son ancien étudiant de la faculté des lettres mais n'était pas un juge complaisant, aimait assez ce second roman pour lui avoir consacré une critique très élogieuse dans *la Liberté du Sud-Ouest,* en juin 1914. Et il faut noter aussi que Mauriac lui-même, présidant à la mise en place de ses *Œuvres complètes,* en 1950, choisit de situer *la Robe prétexte* en tête du premier tome, (non sans indiquer dans la préface qu'il le trouve « assez odieux ») alors qu'il rejetait *l'Enfant chargé de chaînes* et *les Mains jointes* parmi les brouillons de jeunesse, au tome X. Exhumation décevante. Les pages des *Nouveaux Mémoires intérieurs* traitant des mêmes sujets sont tellement plus belles, plus précises et savoureuses !

Cette littérature d'adieu à l'adolescence, pour reprendre le titre du second recueil de poèmes de Mauriac, publié en 1911, mérite-t-elle de survivre ? Le jeune homme observait lui-même que son maître Barrès s'en était vite désintéressé, et qu'il avait dû rapidement croire s'être mépris sur le talent et les dons de l'auteur des *Mains jointes.* Cet écrivain qui à partir de 1922 et du *Baiser au lépreux* s'élèvera d'un coup au premier rang, piétine en effet pendant plus de dix ans ; son second recueil de poèmes est plus mou et languissant que le premier, et le deuxième roman mieux « bouclé » mais peut-être moins significatif que celui de ses débuts.

Aussi bien le jeune homme de 1912 est-il, à partir du mois de juillet, occupé ailleurs. On sait que depuis la rupture de ses fiançailles avec Marianne Chausson, à la fin de juin 1911, il traîne un cœur blessé. Il s'en est ouvert entre autres au paternel Francis Jammes, qui lui écrit : « Si quelque jour passait par là ta jeune fille — je parle de celle de ton roman[1], épouse-la... Si tu n'es pas dupe de ce qu'est le mariage... Existe-t-elle ? Réponds-moi franchement là-dessus : parce que si Dieu faisait passer sur ma route celle qu'il te destine, je lui donnerais ton adresse... »

Jammes et Dieu coalisés firent assez bien les choses pour que le jeune Mauriac rencontrât pendant les grandes vacances, en 1912, chez Jeanne Alleman, la fille du trésorier-payeur général de Bordeaux, régent de la Banque de France. Elle s'appelle Jeanne Lafon, elle a 18 ans. Lui, 27. Elle est jolie, spirituelle, élégante : Robert de Saint-Jean parlera plus tard de son « sourire léonardesque ».

C'est une touchante histoire dans le ton des romans ou des pièces douces-amères de l'époque. Écoutons-la.

1. L'héroïne de *L'Enfant chargé de chaînes,* Marthe, qui épouse le héros

Épithalame...

A la veille des fêtes de Noël de 1911, François écrit à sa mère :

> « Quand je regarde autour de moi je constate que plus un jeune homme tarde, et moins facilement il se marie. Je crois que maintenant je peux y penser. Mon histoire de l'an dernier a certes laissé des traces en moi mais... je crois que je peux fonder un foyer loyalement... M. est une petite morte en moi... Elle aura toujours dans mon cœur un domaine réservé. Mais je peux être un mari très bon, très sérieux, très fidèle... »

C'est probablement ce qu'il dit quelques mois plus tard, en juin, à son amie Jeanne Alleman, dite Jean Balde, la romancière bordelaise qui lui parle de l'une des élèves de son cours de littérature, Jeanne Lafon (simple homonyme d'André, l'homme qu'elle va aimer elle-même) « petite fille très simple et très douce ». Le jeune homme alerte sa mère :

> « Ce que m'en dit Mlle Alleman correspond bien à mon idéal... de maintenant... Il me faudra la voir, tout en évitant l'odieux des rencontres apprêtées. J'irai dès mon arrivée à Bordeaux passer une journée au Casin (chez J. Balde)... La jeune fille s'y trouvera avec sa sœur. Ça n'aura donc pas l'air d'une entrevue... »

Pas formé par les jésuites, ce François, mais un peu renard gascon, et casuiste tout de même...

Claire Mauriac est un bon stratège, discret et expéditif : « Hier, Mlle A. est venue me voir et elle doit aujourd'hui te nommer à Mme L. et lui faire voir ta photographie. Avant toute rencontre, les L. pourront faire sur notre compte ce que nous faisons sur le leur[1], c'est juste et loyal ; et si rien ne vient se mettre en travers, tu iras passer la journée du samedi 4 juillet chez Mlle A., et tu sais le reste. Il te serait donc utile d'arriver jeudi pour avoir un jour à te reposer... »

Le 6 juillet 1912, François Mauriac débarque « à l'improviste » chez Jeanne Alleman, qui a invité dans sa « maison au bord du fleuve » Mme Lafon et ses deux filles, Marie-Thérèse et Jeanne. Dans une lettre écrite un peu plus tard, Jeanne Lafon raconte à une amie qu'elle a eu ce jour-là « le bonheur de faire la connaissance de François Mauriac, ami de Mlle Alleman... C'est un jeune poète qui a publié dernièrement dans *le Mercure* un roman *l'Enfant chargé de chaînes*. Il connaît et aime beaucoup Barrès et nous a parlé de lui de façon très intéressante. On sent que Mauriac est un grand artiste doué de beaucoup d'intelligence, ayant un esprit fin, assez ironique. Il nous a lu des poèmes de Francis Jammes du *Deuil des primevères*[2] et nous a

1 Une enquête, évidemment.
2 Comme par hasard ces deux vers :
Pourrais-je un jour, mon Dieu, comme dans une romance
conduire ma fiancée devant la noce blanche..

parlé de Robert Vallery-Radot et d'André Lafon... Mauriac nous a parlé de Florence, de Venise, d'Assise, d'Isola Bella... Cette journée charmante a passé très vite, mais nous en conservons un bien bon souvenir qui s'embellira peut-être avec le temps. »

Autre version de l'aventure, de François à l'adresse de Francis Jammes.

> « La jeune fille dont vous parliez à la fin de votre lettre, je l'ai, figurez-vous, rencontrée... Et voilà que cette petite fille se met à parler de vous. Il y avait dans la maison *le Deuil des primevères :* je lui lus une partie (la partie convenable)... Cette petite Clara d'Ellébeuse sentait tout cela... et si émue... et si simple... Malheureusement, c'est la fille d'un gros fonctionnaire de Bordeaux qui a un caractère de chien. Comme c'est tout à fait un père du répertoire, j'ai agi avec lui comme dans une comédie de Labiche et je lui ai écrit ce matin pour lui demander sa fille en mariage. La mère, qui est favorable, me dit qu'il faillit en avoir une congestion. La jeune fille ne sait rien encore... »

L'embellie espérée par la « petite Clara d'Ellébeuse » est assez forte pour qu'un mois plus tard, Jeanne Alleman lui écrive : « C'est avec une douce et profonde émotion que j'apprends que vous savez tout. Sachez aussi que personne ne désira jamais plus vivement que je ne le fais le bonheur d'une chère petite amie. Depuis un mois, François Mauriac et moi ne cessons de parler de vous ; et ce m'est une joie précieuse et toujours nouvelle, car vous avez charmé bien profondément ce garçon tendre et délicat. C'est vous, petite fille, qu'attendait sa jeunesse anxieuse... Aujourd'hui, François Mauriac verra votre père... Je pense à cette terrasse de Malagar où mon ami poète porta tous ces temps derniers ce qu'il appelait si bien " un craintif et délicieux espoir... "

Craintif, il avait lieu de l'être, en effet. Ce « père du répertoire » était une vraie « terreur ». Près de trente ans plus tard, c'est en tremblant d'une indignation inapaisée que sa femme contait ses mésaventures conjugales à son petit-fils Claude Mauriac :

« ... Il fallait lui demander de l'argent tous les matins pour les repas... " Vous n'aurez rien... — Très bien, vous ne déjeunerez pas ! " Pour une cure à Châtelguyon, il ne voulut me donner que 5 francs par jour, eaux et pension comprises, ce qui m'obligeait à aller dans cet infâme hôtel où il n'y avait que des domestiques. Si on m'avait rencontrée... Et il ne voulut pas que ta mère et sa sœur (alors fiancées, et qui auraient eu l'occasion de voir leurs futurs maris) m'accompagnent [1]. Lorsque ton père fit sa demande, il lui fit attendre longtemps sa réponse... Puis il le convoqua à la Trésorerie générale (les employés, d'un balcon circulaire qui entourait le hall d'entrée à mi-hauteur, guettaient son arrivée, car ils étaient au courant de tout). La première chose qu'il lui dit : " Eh bien monsieur, c'est non ! " Aucune raison n'est donnée. Puis il ajoute : " Maintenant, causons. " Ton père demande avec stupeur de quoi on pourrait bien parler puisqu'on vient de l'éconduire. Alors mon mari : " Mais de littérature ! " Nous guettions ton père dans l'angoisse. Il finit par

1 Elles y allèrent tout de même

arriver dans un état affreux. Je n'oublierai jamais son visage où l'indignation et la fatigue avaient mis des taches rouges, des plaques blanches... Le soir même, je demande à mon mari ses raisons : " Aucune raison à donner. C'est non parce que c'est non... " Alors je suis entrée dans une colère terrible. Toute tremblante je lui ai dit que s'il s'opposait à ce mariage, je quittais la maison et que je l'abandonnais à tout jamais. Eh bien, il a cédé. La violence eût été peut-être le seul moyen d'en venir à bout[1]... »

C'est remis de ses émotions, près d'un demi-siècle plus tard, que François Mauriac évoque la scène avec une sorte d'indulgence. On en est au : « Parlons littérature... » Le trésorier payeur général interroge :

> « Qu'est-ce que cela, un poète, jeune homme ?
> — Un homme qui écrit, qui publie des livres.
> — Si encore vous étiez de l'Académie...
> — Il y en a quarante par génération, monsieur !
> Cet homme terrible sourit. Je compris que je l'eusse aisément désarmé si j'avais feint de prendre son parti. Mais je m'en moquais bien... »

« Je m'en moquais ? » Voilà qui n'est pas évident, à qui se reporte aux échanges et correspondances de l'époque. Le 5 août, en tout cas, Jeanne Lafon note dans son journal : « Papa refuse ma main à François ! »

Ni la fortune des Mauriac ni le halo de gloire qui nimbe déjà la silhouette du jeune poète, rien ne semble fléchir l'éventuel beau-père. Nouvel échange de lettres entre Mauriac et Jammes. Le Béarnais : « Les pères des filles que l'on veut épouser sont comme des cailloux pointus sous le tapis de ces pitres sincères, les poètes... »

Jeanne Alleman ne s'alarme pas trop de ces foucades. Elle écrit à la jeune fille : « Ce " grain "[2] me rappelle celui qui nous poursuivait il y a un mois dans l'allée glissante. François Mauriac et vous couriez devant, rapides et légers. Que tous ces souvenirs nous seront précieux... J'ai reçu ce matin une lettre de condoléances de Mme Fieux[3] apprenant les événements et me disant : " Que Dieu bénisse la chère jeune fille que nous aurions été si heureux d'aimer "... »

Rien ne semble perdu. Les lettres de Jeanne Alleman restent optimistes. Le 9 août, François voit Jeanne Lafon en partance avec sa famille pour Châtelguyon où le 14, le jeune homme les rejoint. Le 20, nouvelle lettre de Jeanne Alleman qui dévoile pour sa « petite amie » toutes les phases du « complot » de juillet, la nervosité d'un François Mauriac piétinant le gazon dans l'attente de celle qu'il est censé rencontrer par inadvertance.

De Royat François s'apprête, flanqué de sa mère, à gagner Châtelguyon où Jeanne et sa sœur ont suivi leur mère. Il lui écrit le 13 août :

1. Claude Mauriac, *Le Temps immobile*, 2, p 208
2 Un orage, à Bordeaux.
3 La sœur aînée de François

« Je voudrais, Jeanne, vous donner un nom glorieux. A cause de vous je désire la gloire comme je la désirais à 15 ans. Il me semble que je n'ai rien fait encore... »

Le 2 septembre, de Saint-Symphorien à Vémars, propriété familiale des Lafon :

« J'ai commencé à écrire des vers pour vous. Mais ils me semblent informes et j'hésite à les transcrire. Acceptez-les comme ils sont. Ce n'est pas eux, mais l'amour qui les inspire que je souhaite que vous aimiez :

Éveillée et joyeuse et ne comprenant pas
que je mourais d'attendre et de guetter vos pas...
[...] et contemplant mon cœur que nul n'a moissonné
votre amour n'y trouvera rien à pardonner... »

Le 6 septembre :

« ... Pourquoi m'appelez-vous *l'Enfant chargé de chaînes ?* Jean-Paul [1] est [...] caricature de mon cœur [...] Vous savez déjà et vous saurez chaque jour un peu plus qu'il y a en moi une tendresse presque d'enfant... Mais n'est-ce pas vous qui connaissez mon cœur, mon vrai cœur, celui qui s'attache et souffre depuis qu'il est né ? »

Et le lendemain :

« Jeanne, comment pouvez-vous craindre que je me joue de vous ? Hélas ! C'est la juste punition de ma littérature frelatée... J'aime les âmes en collectionneur, mais vous, je vous aime... »

Une photo de l'époque les montre posant à demi pour un photographe amateur, lui tout faraud, redressé comme pour un assaut d'escrime, mèche au vent — elle rieuse sous un étrange bonnet de baigneuse 1900 qui semble lui servir de chapeau. Lettre d'André Lafon : « La providence multiplie pour vous ses dons. »

Du 11 au 24 septembre, François Mauriac est invité chez les Lafon dans leur propriété de la région parisienne, à Vémars, en Seine-et-Oise. Il en revient si ému, enchanté, qu'il fait part à sa mère de sa certitude : Jeanne sera sa femme. Claire Mauriac écrit à la jeune fille :

« Mon fils est revenu (à Saint-Symphorien) ravi de son séjour à Vémars, plus épris que jamais de sa petite Jeanne ; comme son cœur et son esprit sont loin d'ici ! Vous nous l'avez pris, ma chère enfant, et j'en suis bien heureuse. Je vous le donne avec joie ; bien sûr qu'avec vous il deviendra meilleur et que ses charmantes qualités ne feront que s'accroître. Merci ma chère fille pour le bonheur que vous apportez chez nous... »

De François, Jeanne continue de recevoir des lettres enflammées, et sur un rythme où se manifeste sa fièvre : plus de cent vingt en six mois de séparation A Robert Vallery-Radot, il décrit la jeune fille avec un lyrisme

1 Le personnage central de ce livre

fervent, la présentant comme une passionnée de Violaine et assurant que ses lettres sont si belles qu'il en est « ébloui ».

Mais le père Lafon continue de jouer les fâcheux du répertoire. De Soulac, il écrit à sa fille : « Dans les deux livres de M. François Mauriac que je t'ai envoyés, il y a certainement un souffle poétique et aussi de la délicatesse dans l'esprit. Mais assurément c'est là une œuvre de jeunesse... Les parents, vois-tu bien, ma chère petite, ont l'expérience qui ne peut encore que vous manquer. Leur espoir de voir leurs enfants heureux leur crée des devoirs souvent douloureux. Dieu aidant, ils doivent réussir. »

Dieu aidant ? Claire Mauriac semble en implorer un autre quand elle écrit à François, le 26 octobre : « Pour ce qui concerne ton mariage, mettons tout entre les mains de Dieu. Cette rentrée à Bordeaux est vraiment terrible pour ces dames et notre petite Jeanne doit être bien angoissée... »

Le 31 octobre à Paris, Jeanne et François déjeunent chez les Vallery-Radot. A partir du début novembre, à Bordeaux, ils se voient tous les jours, avec la complicité des deux mères. Claire Mauriac apprécie les « dames Lafon » mère et filles, et souhaite vraiment que ce mariage se fasse. Les Lafon ne sont pas bordelais, c'est vrai : ils viennent du Massif central, mais ils ont « bon genre », sont adoptés depuis longtemps par la ville, et cette jeune fille lui plaît.

Le 15 novembre, M. Lafon commence à plier : il autorise François à voir sa fille (naïveté des pères en apparence les moins naïfs, dont les filles sont toujours plus ou moins Rosine...). Quand, le 25, François Mauriac part pour Paris, c'est avec le titre de fiancé : on a, ce jour-là, choisi la bague, une émeraude. Mais les amoureux n'en ont pas fini avec le trésorier-payeur général de la Gironde. Une séparation de quelques mois leur est imposée, lui causant une peine que la brûlante correspondance qu'il adresse à Jeanne ne peut apaiser. En novembre, il fait même part à sa mère de sa décision d'« abandonner définitivement Paris ».

De François à Jeanne, pour marquer le début de 1913 :

« ... Je vous écris au courant de la plume des vers-express sur notre voyage de noces :

> Le lac est indigo comme sur les affiches
> dans le Palace hôtel les tziganes font rage
> Le portier galonné nous salue au passage
> parce que tu es belle et que je parais riche... »

Quelques jours plus tard : « Je suis le monsieur qui attend. Tout travail m'est impossible. » Et après avoir annoncé l'envoi d'un « Nocturne » écrit pour Jeanne, François se ravise « Je n'aime plus mon Nocturne. Parce que si vous m'êtes douce comme une nuit d'été, vous êtes aussi pour moi une aube... »

Le 2 janvier, en tout cas, François est à Bordeaux et sa famille reçoit, rue Rolland, les Lafon. A la fin du mois, c'est chez lui à Paris, rue Vaneau, que le jeune homme organise un thé en vue de présenter Jeanne à ses amis — les Vallery-Radot, André Lafon, les Brémond d'Ars, Jean Cocteau, François Le

Grix, les d'Argenson... Et le 8 février, les fiancés s'en vont à l'Opéra-Comique entendre *Werther*. On ne saurait obéir mieux aux lois de la tribu...

Claire Mauriac écrit à ses « chers enfants » une lettre commune où il est question d'un appartement parisien. Mais que fait, que veut donc M. Lafon ? Le voilà qui continue à faire des manières, à ergoter. « Monsieur L. se montre de plus en plus énigmatique et lointain quand on veut parler mariage, écrit Claire Mauriac à son fils le 7 mars 1913. Quelle guerre va-t-il falloir encore recommencer ? »

Au début d'avril, François s'énerve :

> « M. Lafon ne peut plus reculer. Il a parlé de juin devant nous tous. On le menacerait d'un procès. Il faudra bien qu'il marche. Je suis excédé de tout cela. Il me semble que nous n'y arriverons jamais ! Il faudra faire un sérieux effort pour qu'il nous marie le même jour que les Gay-Lussac [1]. Jeanne devrait tomber malade. Le médecin devrait entrer en scène... »

Pour retrouver sa sérénité, le jeune homme part le 10 mai pour une retraite de trois jours chez les dominicains du Saulchoir — tandis que Jeanne achète des meubles [2]...

Le mariage, enfin, est fixé au 3 juin, six semaines après celui de la sœur de Jeanne. Et les bans sont publiés à l'église de Talence, aimable banlieue bordelaise où résident les Lafon. Francis Jammes se propose pour témoin du marié. Mais comment s'habiller ? « Je ne voudrais pas paraître trop poète à ton beau-père, et sans aspirer à l'élégance d'un de Luze, d'un Balaresque ou d'un Samazeuilh, je tiens à être convenable... » Mais une nouvelle naissance s'annonce chez lui. Il devra renoncer à venir à Talence, adressant à son ami un « épithalame » sous pli cacheté, que Robert Vallery-Radot, chargé de le lire, devra ouvrir la veille « afin de s'exercer a bien prononcer les noms propres bordelais... »

Cet épithalame fut partiellement publié dans *Burdigala* le mois suivant :

> « Ô grosse cloche dans ces vers c'est toi qui sonnes
> de nouveau pour louer un jeune fils d'Ausone
> Il se marie. Va annoncer aux Bordelais...
> que François Mauriac, habile dans ses mots
> les mains jointes avec ferveur sur ses pipeaux
> se tait pour écouter une cigale douce
> enfermée dans son cœur comme dans de la mousse
> annonce que la gloire a touché à ce front
> et que les muses d'or dansent sur les Chartrons
> avec des grappes de Médoc et de Sauternes... »

Le 3 juin 1913, à Talence, le mariage de Jeanne Lafon et François Mauriac est célébré (« pour mon plus grand bonheur et qui aura duré et qui dure

1. Marie-Thérèse Lafon est fiancée à Roger Gay-Lussac.
2. François Mauriac prendra sa revanche en se « payant sur la bête », comme il disait drôlement : il fera de M. Lafon le modèle de deux de ses héros les moins aimables, le fils de *Genitrix* et le Louis du *Nœud de vipères*.

encore », écrira-t-il un demi-siècle plus tard) par le frère du jeune écrivain. L'abbé Jean, rappelant à François « les heures décisives de (leurs) existences » passées ensemble à Paris, évoque « l'image rêveuse » de leur père, « la femme admirable qui, si chrétiennement et si virilement, sut remplir jusqu'au bout l'auguste mission qu'il lui laissa en mourant » et, incitant la jeune femme à assumer pleinement son rôle d'éducatrice, assure de très mauriacienne façon que « l'intime personnalité morale des individus est surtout faite des impressions premières, des chers souvenirs de la petite enfance, de l'atmosphère de tendresse et de pureté amoureusement entretenue autour de leur petite enfance ».

Miracle du mariage : le lendemain de la cérémonie, M. Lafon écrit à sa fille : « Je ne veux pas que se passe le premier jour qui suit ton départ du foyer sans que ton papa te dise sa joie et sa tristesse. La dernière causée par le grand vide qui apparaît. L'autre, seule à retenir, causée par la vue de ton bonheur qui, hier, éclatait radieux. Vivez dans la confiance courageuse et soyez heureux l'un par l'autre, mes chers enfants. Je vous embrasse tous les deux, tendrement. »

Le même jour, la mère de Jeanne lui écrit pour lui dire sa joie de la savoir avec « ce cher François si délicat, si aimant » tandis que Claire Mauriac, toujours diligente jusque dans les effusions, précise que « Le Grix m'a remis la lettre de Bourget en me recommandant de dire à François d'y répondre aussitôt : " Ça ne souffre pas de retard ", dit-il. » Pensez donc ! des félicitations de M. Bourget : il n'y a pas de voyage de noces qui prévale sur cela...

Les mariés, après quelques jours passés à Saint-Symphorien et à Malagar du 3 au 15 juin, sont partis le 18 pour l'Italie et la Suisse : Stresa, Isola Bella, Isola Madre, lac de Côme. Ils passent trois jours à Bellagio, puis une semaine à Saint-Moritz, où François a la joie de découvrir à la devanture d'un libraire *l'Enfant chargé de chaînes,* publié un mois plus tôt chez Grasset. Ils seront de retour à Paris le 10 juillet, où recevant la visite du compagnon le plus cher de sa jeunesse, André Lafon, François pourra lui dire qu'il a désormais non plus un, mais deux amis.

Son bonheur est évident. A son ami Robert Vallery-Radot, il écrit alors que son rêve serait de s'isoler du monde avec sa femme et son Pascal... Et d'ajouter que Jeanne veille sur lui avec une intelligence et une minutie incomparables, est si aimante qu'elle le louerait pour un peu d'avoir les yeux inégaux...

En novembre, Jeanne Mauriac et son mari s'installent dans leur appartement parisien, 89, rue de la Pompe, dont François parle ainsi à sa mère :

> « ... Mon grand cabinet de travail " d'homme arrivé " excite l'admiration de mes amis. Notre salon est d'une couleur charmante, satin bleu usé.. Notre chambre est moderne... Ma petite femme est toujours bien portante passe ses journées à poser des rideaux, à lire, consulte des livres de recettes et me prépare d'exquis repas. Je t'assure que je suis en bonnes mains. Hier, nous avons eu dix-huit personnes à dîner... »

Ils sortent beaucoup, vont entendre *Tristan et Isolde* à l'Opéra, Fragson à l'Alhambra, reçoivent fidèlement tous les amis de François, des Vallery-Radot à Le Grix, des Piéchaud à Édouard Adet, de Lacaze à Jean de la Ville de Mirmont. Et le 25 avril 1914, quelques semaines avant la publication chez Grasset de *la Robe prétexte,* le deuxième roman de François Mauriac, naît leur premier enfant, Claude.

François Mauriac a mentionné, dans une esquisse de « journal de bébé » alors jetée avec attendrissement sur un petit carnet, qu'attendant son premier enfant, sa femme avait « joué beaucoup de Schumann devant la fenêtre ouverte ». Claude est né un matin de printemps, un pruneau. « Je me souviens, ajoute François Mauriac, que lorsqu'il poussa son premier cri, deux merles éveillés par l'aube lui répondirent. »

Une vie nouvelle ? Certes. On ne quitte pas impunément les libertés du célibat, ni les irresponsabilités de l'enfance, fût-elle prolongée et comme embaumée dans un état second, celui du « jeune poète » chéri des romanciers illustres, des poétesses et des spiritualistes, et nanti d'une sorte de fonction de professionnel de l'adolescence.

A cette condition débilitante, François Mauriac est d'abord arraché par son mariage et les responsabilités qu'il entraîne, avant de l'être, un an plus tard, et plus brutalement, par la guerre. Il l'est aussi par la prise de conscience progressive de son échec en tant que créateur. Il a beau collectionner les certificats et les témoignages de bienveillance de Jammes et de Barrès, d'Anna de Noailles et de Jean Cocteau, de quelques « dindons blêmes » et de revues exsangues, il est assez intelligent et ambitieux pour savoir que ce qu'il a écrit jusqu'aux abords de la trentaine n'est rien, face à l'œuvre d'un Claudel qu'il admire depuis dix ans, et d'un Proust dont il a, dès 1908, pressenti le génie, et lors de sa publication, en novembre 1913, passionnément admiré *Du côté de chez Swann.* Écrasante découverte... Il lit assez avidement déjà la *NRF* pour sentir qu'au regard de ceux qui renouvellent la littérature, il est encore inexistant — inaperçu ou rejeté.

En 1912, *la Revue hebdomadaire* qu'anime son ami Le Grix, ouvrant une enquête sur les tendances de la jeunesse, lui confie la responsabilité de résumer les opinions littéraires de ses contemporains. Responsabilité dont il mesure les risques, écrivant à sa mère : « Ce peut être terrible pour moi si je suis inférieur à ma tâche : ce sera passionnément lu en France et partout... » C'est pourtant sur le ton prudemment sentencieux qui est alors le sien sous l'influence des « dindons blêmes », qu'il formule cette réponse « gourmée, sage, officielle et qui n'exprimait rien de mes sentiments profonds », devait-il écrire vingt-cinq ans plus tard[1]. « Jamais on ne vit jeunesse plus férue d'ordre », assure-t-il alors, ajoutant cependant : « Beaucoup d'entre nous n'entendent pas ces raisonnements. » Un coup à droite, contre *l'Action française.* Un coup à gauche, contre une effervescence moderniste que dénoncent ses amis des *Cahiers.* Et s'il salue René Bazin et Henri Bordeaux,

1. *La Rencontre avec Barrès,* in *Œuvres complètes,* tome IV, p. 202.

il jette aussi un coup de patte contre eux, Bourget et même Barrès, et un coup de sonde du côté de la *NRF* « que n'enchaîne pas le souci de prouver ou de prêcher quelque chose ».

Le dernier trait ne lui évitera pas une rude réaction d'Alain-Fournier, beau-frère de Jacques Rivière qui vient d'assumer la charge du secrétariat de la revue à couverture blanche. Dans *Paris-Journal* dont il est le chroniqueur littéraire, l'auteur du *Grand Meaulnes* l'égratigne de ces lignes cruelles : « La poésie de M. François Mauriac est fiévreuse, mais sage. Elle ne " sue pas obéissance ", comme celle du premier Rimbaud ; il semble au contraire que l'obéissance lui soit une vertu naturelle, et qu'elle ait le goût inné de la règle. C'est la poésie d'un enfant riche et fort intelligent qui ne se salit jamais en jouant, qui a la croix chaque samedi et qui va à la messe tous les dimanches... Les jeunes gens d'aujourd'hui ne lisent pas seulement les bons auteurs que cite François Mauriac... Leur adolescence s'est passée dans une inquiétude douloureuse et souvent misérable, parce que tous ne sont pas des jeunes gens riches et croyants. " L'artiste, dit M. Mauriac, au long de son adolescence, doit amasser dans l'ombre un trésor de souvenirs ineffables. " Que répondra M. Mauriac aux jeunes gens qui diront : " Nos souvenirs ne sont pas ineffables ? " »

Algarade qui aurait paru plus cruelle encore à François s'il avait pu lire alors la lettre que ce Jacques Rivière qu'il avait négligé à Bordeaux mais admirait pour sa collaboration à la *NRF*, écrivait alors à son beau-frère : « Je trouve très bien ta note sur Mauriac, lequel nous embête avec son ordre et sa discipline. » Mais qui fut plus sévère que François lui-même, quinze ans plus tard, pour cette poésie d' « enfant riche et qui va à la messe » ?

Fêté par ceux dont il commence à se détacher, rejeté par ceux dont l'avis compte seul pour lui, les solitaires de ce Port-Royal littéraire dont André Gide est le Grand Arnauld, (« Je lisais chaque mois la *NRF* jusqu'aux annonces. Littérairement, c'était mon évangile — Or, je n'existais pas pour les amis de Gide. ») Mauriac cite Rivarol : « En vain les trompettes de la renommée ont proclamé telle prose ou tels vers, il y a toujours dans cette capitale trente ou quarante têtes incorruptibles qui se taisent : ce silence des gens de goût sert de conscience aux mauvais écrivains et les tourmente le reste de leur vie... » Mauvais écrivain ? Il est trop tôt pour le dire. Tourments ? A coup sûr, et amplement justifiés par la faiblesse des textes qu'il publie alors, sinon celui de *la Robe prétexte* dont on a relevé l'intérêt anecdotique, mais ceux des *Nuits de Paris*, essais ou récits dont on ne retiendra guère plus que les esquisses qu'ils proposent d'œuvres plus intéressantes du début des années vingt, *Préséance* et *le Mal*, et le portrait de Cocteau caché sous la défroque d'un certain « chevalier de Z ».

Il se multiplie pourtant en ces années où le bonheur privé ne peut effacer en lui l'angoisse d'une œuvre insaisissable, d'un art bégayant. Il projette de devenir éditeur en association avec Stock et Boutelleau, puis y renonce pour ne pas contribuer à la diffusion d' « horreurs avec un protestant et un juif » (lettre à sa mère). Il participe à la fondation de *la Revue des jeunes*, lui donnant ses *Nuits de Paris* (publiées en 1913).

Pendant les mois qui précèdent la guerre, François Mauriac commence d'écrire *les Beaux Esprits de ce temps,* dialogues plus ou moins romanesques à propos des écrivains les plus notoires de l'époque. Il y est fait grand cas de Bourget, encore que son style « confine à la négligence » ; et Abel Hermant y est traité de « Saint-Simon bourgeois », ce qui n'est pas faire beaucoup plus d'honneur à la bourgeoisie qu'à l'auteur des *Mémoires.* Quant à Barrès, les porte-parole de l'auteur des *Mains jointes* s'entendent pour opiner que « sa vie semble son meilleur ouvrage ». Ce qui n'enchante peu-être pas le député de Nancy...

C'est à un petit journal de banlieue que François Mauriac va donner alors quelques-uns de ses textes les plus curieux — fort imparfaits encore mais annonciateurs à leur manière du polémiste des années cinquante. A la fin de 1913, le groupe de « l'amitié de France » fut sollicité de contribuer à la rédaction du *Journal de Clichy* dont l'abbé Daniel Fontaine, son directeur, dernier confesseur de Huysmans, devenu celui de Claudel, avait fait un brûlot contre les anticléricaux et radicaux et francs-maçons du *Réveil municipal,* l'instituteur Moitet et le pharmacien Marquez qui signait « le vieux Pirouge » des articles fort hostiles au curé de Clichy et au catholicisme en général.

Mauriac, d'abord attiré à Clichy par le contact avec le peuple de cette paroisse où la misère prenait les formes les plus dénonciatrices d'un certain ordre social, se saisit volontiers de la plume militante que lui tendait l'abbé Fontaine, par le truchement de Louis Massignon — lequel avait fait auparavant appel à son ami Claudel.

La collaboration de l'auteur du *Partage de Midi* au *Journal de Clichy* dura plus de deux ans (1912-1914). Celle de Mauriac, interrompue par la guerre, se limite à douze articles étalés sur quatre mois. Si le premier est signé Francis (*sic*) Mauriac, les autres le sont du nom du plus barrésien des héros des *Déracinés,* François Sturel.

Georges Moitet, instituteur à Asnières, avocat de la « laïque », éditorialiste du *Réveil municipal,* candidat aux élections législatives du printemps 1914 (en vue desquelles il avait rédigé une profession de foi ainsi conclue : « Je me contente de donner à la cause populaire un cerveau qui peut s'adapter à toutes les assimilations nécessaires »), était une bonne cible pour le jeune Mauriac qui s'acharna sur lui comme sur « le vieux Pirouge », avec une férocité plus catholique que chrétienne :

> « Quel est, dans Clichy, cet homme plein d'humilité qui s'injurie lui-même en se traitant de vieux Pirouge ? Chaque semaine, il relève les faits qui, dans le monde entier, lui paraissent propres à faire douter de l'existence de Dieu et de la vérité du catholicisme. Pauvre Pirouge ! De cette chasse, il revient si souvent bredouille que sa déconvenue même rend témoignage à la vérité... Vieux Pirouge, vous êtes en dépit de vous-même un confesseur de la foi et dans votre présence à Clichy, je discerne aisément le doigt de Dieu.. Mais

ce que vous ne pourrez jamais dire à vos lecteurs, vieux Pirouge, sous cette rubrique « *Le doigt de Dieu* », c'est toutes les âmes consolées par la messe du matin, tout ce que l'amour du Christ suscite dans l'humanité d'immolations… Vous qui reprochez à Dieu des raz de marée, je crains que vous ne connaissiez pas le rôle auguste de la souffrance dans le monde — que vous ne sachiez pas que l'un des grands bienfaits du christianisme est d'avoir donné un sens à la douleur humaine — mais cela je vous l'expliquerai un jour, vieux Pirouge, parce que vous m'êtes sympathique. Je ne discerne pas en vous cette suffisance d'un Moitet, qu'aucune métaphysique n'inquiète et qui ne voit pas plus loin que le bout de sa férule. Je préfère votre haine à sa feinte modération. »

On est loin encore du *Bloc-Notes*. Peut-on seulement pressentir là un peu de cette vibration acide et de ce maniement du fouet qui feront gémir quarante ans plus tard quelques-uns de ses contemporains ?

Mais ce qui compte ici n'est pas l'affirmation d'un tempérament d'autant plus combatif que le personnage est plus frêle et tendrement replié, l'explosion du bretteur chez le poète, c'est surtout l'idéologie qui fonde ces luttes de Clichy. En Mauriac, on trouve alors soudées les deux idées maîtresses de son adolescence, qui ne varieront que dans les proportions qu'elles prendront en lui. La première est que l'Église de France, arrachée par sa défaite du début du siècle à la mortelle alliance avec le parti conservateur, n'a d'autre vocation que le service des pauvres. La seconde, c'est que le laïcisme, l'anticléricalisme, le radicalisme ne sont, sous de médiocres déguisements, que les alibis du conservatisme social. Tout Mauriac n'est pas là. Mais presque.

Georges Moitet fut battu — comme le candidat soutenu par les amis de Mauriac, qui entre deux de ces visites aux pauvres qui l'avaient attiré vers Clichy en compagnie de Robert Vallery-Radot et d'André Lafon, notait alors sur son carnet : « Nous faisons la charité comme Frédégonde qui, après ses crimes, désarmait le ciel par d'immenses libéralités[1]. » Crimes ? Voilà un bien grand mot pour le tendre écrivain qui, ses visites faites dans les taudis de Clichy, retrouve sa femme et le tout petit Claude dans l'appartement de la rue de la Pompe.

Mais l'histoire les guette, qui va frapper plus cruellement que Frédégonde.

1 *Le journal d'un homme de trente ans*, p. 17.

7. « Une vendange affreuse... »

François Mauriac n'a pas participé au combat de 1914 à 1918, trop fragile pour cette épreuve. Mais ce temps de guerre l'aura profondément marqué, en tant que citoyen, en tant que chrétien, en tant qu'artiste. Le supplice infligé à la nation cabre en lui l'homme d'ordre, le barrésien qui par bouffées croit se découvrir maurrassien ; mais les souffrances de la multitude font se rejoindre en lui compassion chrétienne et pacifisme fondamental.

Son admirable sensibilité, son extraordinaire « flair » politique lui font bien voir que le dilemme vrai est moins entre victoire et défaite qu'entre guerre courte et guerre longue, et que le vrai désastre, c'est l'hécatombe commune. Son intelligence reste fascinée par l'argumentation des positivistes de *l'Action française* qui ont beau jeu de dénoncer les erreurs commises par la République, avant, pendant, après la guerre. Mais son cœur est ailleurs, tout tendu vers la paix. Au lendemain de la déclaration de guerre, il écrit à son ami Robert Vallery-Radot, le monarchiste, que des deux adversaires désormais confrontés, c'est la France républicaine et laïque qui, en la personne de son chef de gouvernement Viviani[1], proposant un retrait réciproque des troupes, s'est conduite en nation chrétienne.

Et tandis que le bourgeois d'ordre et l'homme de charité continuent de s'affronter en lui, l'artiste mûrit. Le carnet qu'il tient en ces années-là — et dont il tirera un quart de siècle plus tard son *Journal d'un homme de trente ans* — est la première œuvre où Mauriac s'arrache à ses tâtonnements pour accoucher en lui le véritable écrivain.

En juillet 1914, François Mauriac s'était installé, avec sa femme et leur fils, à Malagar, écrivant le premier roman qu'il eût situé dans ce cadre, *la Chair et le Sang*. Les menaces de guerre s'accumulaient. Il croyait que le refus que lui avait opposé neuf ans plus tôt le conseil de révision serait maintenu, et écrivait à son frère Pierre : « Toi qui vois beaucoup de gens, pourrais-tu me renseigner sur ce que je pourrais faire si la guerre éclate ? »

Dès le lendemain de l'ouverture des hostilités, il est de nouveau examiné. Sa pleurésie de 1903 a laissé des traces. Il a peu de chances d'être « récupéré ». Mais le conseil de révision est retardé. Le 13 août, il s'enrôle dans les brancardiers du grand séminaire. En attendant que ce service soit organisé, il se met à la disposition d'Albert de Mun, d'abord replié avec

1. Ancien socialiste devenu « indépendant ».

l'ensemble du monde politique à Bordeaux, puis installé à Biarritz, et qui, à la veille de mourir, écrit chaque jour son article pour *l'Écho de Paris*. Secrétaire improvisé, bénévole et quelque peu fantaisiste : chargé par le vieux monsieur de prendre contact avec un évêque méridional, il laisse passer quelques jours. Reçu par cet ecclésiastique, il lui dit : « Je viens de la part d'Albert de Mun. » Et l'autre de répliquer : « Mais il est mort, monsieur ! »

Brancardier en attente, secrétaire orphelin de son maître, Mauriac trouve le temps d'observer, à la lumière flamboyante de la guerre, le monde qu'il connaît le mieux : celui des gens de lettres — qui a certes ses victimes immédiates, Péguy, Fournier, Jean de la Ville de Mirmont — mais poursuit, sur un ton plus strident et emphatique, son ouvrage. Il note dans son *Journal :*

> « Tous les littérateurs d'un certain âge ont choisi le rôle facile de Tyrtée. Monstrueuse bêtise des journalistes pendant la guerre. Barrès, arrivé à l'endroit essentiel de son rôle, rate sa note à chaque instant. La manière de C.[1] pour faire la guerre : il fréquente Barrès, la princesse B.[2], fonde... un journal de caricature, monte au ciel avec Roland Garros, n'a jamais été plus drôle. »

Peut-on attendre autre chose de Claudel ? Au moins quelques informations. Les unes fantaisistes (« La guerre sera terminée en novembre »), les autres plus réalistes (« Quand les gens de l'ambassade russe nous entendent parler de leur armée avec enthousiasme, ils se tordent de rire... »). Quelques mois plus tard, le poète des *Cinq Grandes Odes* écrira, d'Italie, des vers belliqueusement lyriques qui vaudront à Mauriac une lettre courroucée de Martial Piéchaud : « Votre Claudel est infect. »

Son unité brancardière n'étant toujours pas organisée en octobre, François Mauriac écrit à son frère Pierre, emporté avec la 33e division de la Sambre à la Marne dans les plus dures batailles de la guerre :

> « ... Cette vie d'attente et d'inaction déprime, use le courage et nous enlève toute force d'espérer la fin. Le pire de cette horrible guerre est qu'on n'en voit pas l'issue... Notre conseil de révision ne sera pas avant fin décembre. Sais-tu que, si nous sommes pris, ce sera comme élèves officiers ? Pour la curiosité du fait, je le souhaite presque. Ah ! comme je saurais bien électriser mes hommes ! »

Fugitive bouffée d'enthousiasme guerrier.

En attendant, on repense à la Croix-Rouge : Étienne de Beaumont organise un groupe d'ambulances. François doit y trouver sa voie. Sa mère lui écrit le 6 octobre en apprenant qu'il a de moins en moins de chances d'être versé dans une unité combattante : « C'est pour moi un gros souci de moins... Il fallait bien se taire[3] puisque tu pensais que c'était bien...

1. Jean Cocteau.
2. Bibesco, probablement.
3. Sur les raisons d'exemption qu'a François

Espérons que la Croix-Rouge vous protégera. » Son fils aîné Raymond est affecté à l'hôpital Fénelon de La Rochelle, et l'abbé Jean reste lui aussi dans l'attente du conseil de révision. Pierre et son beau-frère Georges Fieux sont médecins dans des unités certes très exposées : mais la bonne dame de Saint-Symphorien rend grâces au Seigneur pour sa famille : « Comment aurions-nous le droit de nous plaindre ? »

Le 2 novembre 1914, François reçoit de Pierre une lettre relatant la célébration au front de la fête des morts : « Personne n'est oublié... sauf les Allemands... Ce matin, dans le petit cimetière du village, avec quelques camarades, nous avons déposé une gerbe sur le vaste emplacement où gisent vingt Teutons. C'était si triste, cette haine survivant après le tombeau ! Notre geste fut d'ailleurs diversement jugé et, quelques instants plus tard, nos fleurs avaient disparu... »

François Mauriac envisage à nouveau d'entrer dans le combat :

> « Jean et moi attendons notre conseil, écrit-il quelques jours plus tard à Pierre. Si nous sommes pris (et nous le risquons fort), c'est le camp de Souges deux jours après, et le Front au bout de six semaines. Je serai courageux dans l'épreuve, si Dieu veuille que je la subisse. Mais j'ai peur de mes forces physiques. Enfin abandonnons-nous à cette volonté toute-puissante qui nous broie pour notre salut. Et puis, qui sait l'avenir ? Les Russes font des progrès sérieux, notre Front supporte les assauts les plus furieux... Oui, Dieu est avec nous...

[Ah ! la moins mauriacienne des formules !]

> Les journées sont longues. Je travaille à mon œuvre posthume qui s'appelle *les Beaux Esprits de ce temps*. Je prie et communie souvent, ce qui m'unit à toi profondément. Ah ! que tu nous manques, mon cher Pierre, et que nous aurions tous besoin de ton courage et de ta sérénité ! Tu as plus souffert que moi dans la vie. Tu récoltes aujourd'hui le prix de tes épreuves, tandis que les voluptueux et les lâches sont misérables dans une pareille tempête. »

En décembre, François Mauriac est, comme son frère Jean, définitivement exempté. Nouvelle lettre à Pierre :

> « Il faudra payer d'une manière ou d'une autre, et quelquefois je suis terrifié à la pensée que j'échappe à l'expiation universelle... J'ignore ce que je vais faire. J'essaierai de rejoindre Le Grix qui est à Furnes dans une équipe de Croix-Rouge attachée à la reine des Belges... Jean de la Ville de Mirmont est tué... Eusèbe de Brémond d'Ars blessé... »

La guerre va le frapper en effet et de la façon détournée mais cruelle qu'il appréhendait : après Jean de la Ville de Mirmont tué d'un éclat d'obus, c'est le cher André Lafon qui est emporté par une maladie à l'hôpital militaire de Bordeaux, quelques semaines après l'avoir revu à Malagar, où leur amitié s'était confirmée dans toute sa plénitude. François court à Blaye pour les obsèques de son ami et reçoit Jeanne Alleman [1] quelques jours plus tard sur

1. Qui consacrera quelques mois plus tard à Lafon un recueil de poèmes intitulé *Mausolées*.

la colline où leur ami commun avait connu ses dernières heures de joie.

Sa vie, il la décrit alors à son frère Pierre, celle d'

> « un être inutile dans une ville où il ne se passe rien... Je vais de ma chambre à mon hôpital bordelais, rue du Palais-Galien, où je donne des lavements, torche des derrières, aide aux pansements et aux opérations — oui ! — nettoie des toiles cirées, vases, crachoirs, flambe des cuvettes, masse, etc. Tu dois savoir que les Anglais débarquent en masse... Pour moi, qui fus plutôt pessimiste jusqu'à ce jour, nous sommes sauvés... Mais que ce sera long ! »

Et un peu plus tard, adressé au même, ce curieux pronostic :

> « Je crois que tout cela va finir dès que nous aurons un gage : Constantinople et toute la Turquie. On nous donnera l'Alsace, à l'Allemagne le Luxembourg ou n'importe quelle compensation en Turquie pour calmer l'opinion allemande. Tu verras ! »

A la fin de juin 1915, François Mauriac réussit enfin à s'intégrer à une unité médicale : l'ambulance organisée par Étienne de Beaumont où il sollicitait depuis plusieurs mois, on l'a vu, d'être admis. Il la rejoint à Châlons d'où il écrit à sa femme : « ... Ironie funèbre de cette tuerie sur place. Quel abîme d'horreur de se sentir inutile ! On m'assure que... je connaîtrai les délices du front. »

Il faut désormais utiliser pour sa correspondance des cartes ainsi libellées .

Nom : Mauriac.
Grade : convoyeur de la Croix-Rouge.
Régiment : détaché au 162e.
Secteur postal : 4e armée.

Des Champs catalauniques hantés par Attila, il écrit à sa femme : « Nous sommes attachés à une ambulance chirurgicale... Sang et pus... Je vis entre une morgue qui ne désemplit pas et un four crématoire qui ne cesse de fumer... Je pétris le linge comme une vendange affreuse dans ma cuve.. »

Tueur de poux

Il note dans son carnet : « Malgré le désir qu'on en a, sentiment d'être indigne d'atteindre enfin le Front. Accepter l'humble, l'inutile besogne et, pour le reste, vivre dans la retraite, souffrir. » De cette époque, pourtant, on a gardé une photographie où on le voit entre deux vieux briscards, casque en tête, pipe à la bouche, se prenant un instant pour un poilu

A sa belle-sœur, femme de Pierre, il écrit

> « Ma bien chère Suzanne, une lettre de maman m'apprend que Pierre a été cité à l'ordre du jour et décoré de la croix de guerre. J'en éprouve une joie et un orgueil extrêmes… Ces distinctions ne vont pas d'ordinaire aux fiers et aux silencieux comme lui. Ici, le vent est plus que jamais à l'espoir. En admettant que l'offensive que l'on prépare échoue, il suffit de voir les défenses, les tranchées bétonnées, l'artillerie formidable pour être assuré que l'ennemi ne passera pas… Ici, on nous a conseillé de commander des tentes de campagne. Tu me vois d'ici cet hiver ! Moi j'en suis ravi et le goût de l'aventure me vient ! »

Et à Louis Mauriac, son oncle et tuteur, en septembre :

> « … Je suis devenu blanchisseur et tueur de poux dans les cantonnements où les poilus se reposent. J'ai deux voitures de lavage et séchage à diriger. J'entends gronder le canon, et ma vie est enfin mêlée à celle des combattants… Troupes d'élites concentrées ici pour un coup de chien qui n'est pas un secret… Les bruits de paix prochaine circulent aussi — mais qui croire ? Les soldats sont admirables, pourtant la lassitude est visible… »

Pour Pierre, enfin, ce bref tour d'horizon :

> « … Ici, la vie m'intéresse assez. D'abord ce m'est déjà une distraction de me regarder faire de la radioscopie. Le plus curieux est que je m'en tire. L'habileté manœuvrière de Georges [1] est aussi une chose admirable. Tu sais que nous avons ici le fameux chirurgien Barnsby. Ce n'est pas facile d'être son médecin-chef… Georges s'en tire au mieux… Moi, je regarde couper une jambe sans broncher […].
> Mais je t'avoue que je suis pessimiste, en ce sens que nous résisterons toujours mais que nous ne prendrons *l'ascendant* [c'est lui qui souligne] jamais. Mon opinion est basée sur des faits, sur des impressions certes discutables. J'estime que nous arrivons à ce point d'épuisement où les vrais patriotes, ceux qui voient et qui songent à l'après-guerre, doivent souhaiter ardemment la paix… »

Ici, on est au centre de la pensée de François Mauriac au cours de la guerre. N'oublions pas qu'il écrit cela à un homme, son frère, qu'il respecte entre tous, qu'il sait fougueusement patriote, et dont il n'est plus très loin de partager l'admiration pour Maurras en tant qu'analyste politique de la démocratie. S'il écrit ceci, c'est parce qu'il ne peut se retenir de le crier. C'est parce que sa conviction, ici, est faite — profonde, irréductible. Il faut lire la suite de cette lettre capitale. Après avoir évoqué la mort des meilleurs écrivains montés en ligne — Péguy, Fournier, Émile Clermont —, il insiste :

> « Ainsi je suis pour la paix. Rien, pas même l'Alsace, ne ressuscitera ce pays si nous attendons qu'il soit exsangue. La classe 88 ! Aucun belligérant n'en est là. L'Allemagne appelle ses commis voyageurs ; elle dispense la Bavière trop éprouvée de nouvelles levées. Il n'y a que nous qui nous saignions à blanc comme si cette guerre était la fin du monde ! »

1. Leur beau-frère Fieux, à l'ambulance duquel François a eu la chance d'être affecté.

Qui alors, en 1915, hormis les pacifistes professionnels du type Romain Rolland, sait faire preuve de tant de lucidité ?

Sur un mode plus amer, plus négatif, il écrit à sa femme :

> « ... Même de songer à la paix, de parler de paix devient criminel. On se sent entre les mains d'une puissance aveugle et sourde. Il ne faut plus sentir. Il ne faut plus s'attendrir. Il faut mépriser tout ce qui donnait quelque prix à notre destinée. Il faut admirer tout ce qu'autrefois nous haïssions, et être hypocrite... »

Et, sur ce thème, il découvre un allié prestigieux, Goethe, dont il cite ce propos de *la Campagne de France :*

> « " Ce qui rend la guerre si pernicieuse pour le caractère : on joue tantôt l'audacieux et le destructeur, tantôt le modéré, le bienfaisant ; on s'accoutume aux phrases, à réveiller et soutenir l'espérance dans la situation la plus désespérée. Il en résulte une sorte d'hypocrisie... " Moi-même je me suis surpris m'excusant de travailler pour les prisonniers [...] assurant que je le faisais pour que l'ennemi en fasse autant pour les nôtres ! Ainsi j'avais honte de la charité, " *inter arma caritas* ". Je rougissais de cette devise de la Croix-Rouge ! Quelle misère ! »

N'y voyons pas seulement un instinctif dégoût de la violence, une incapacité à surmonter l'épreuve, une forme sournoise de l'esprit d'abandon. Cette lucidité n'est pas seulement tactique. Elle imprègne sa pensée à propos des relations avec l'ennemi, et plus précisément l'Allemagne. En un temps où prévaut la furieuse dénonciation des « boches », il note sur son carnet :

> « ... La philosophie allemande se confond avec la philosophie européenne ; notre Bergson dépend d'Emmanuel Kant et Nietzsche lui-même a brassé dans ses fortes mains la jeunesse française intellectuelle qui meurt si courageusement aujourd'hui... Injustice de ne retenir de Wagner que le goût de l'anéantissement. Pour Isolde, la mort est la vie... »

Si l'on ouvrait les carnets intimes de la plupart des grands artistes français de l'époque, de Debussy à Gide et de Monet à Valéry, où trouverait-on pareille sérénité ?

Et, bientôt, il ira plus loin dans sa détestation du grand massacre. Ouvrons à nouveau ce *Journal d'un homme de trente ans,* qui n'est pas précisément écrit pour être publié (mais qui dira mieux que lui, une vingtaine d'années plus tard, à propos de Gide, que nul homme de lettres n'écrit rien sans cette arrière-pensée ?) :

> « Personne au monde aujourd'hui [c'est daté du ravin de Placy, en juillet 1916] n'oserait dire la vérité sur la guerre. Évoquer d'abord ceux dont on m'assure que les faire-part aux familles appellent les morts sans honneur, les milliers (saura-t-on jamais leur nombre ?) qui ont été fusillés par leurs camarades parce qu'ils étaient restés cachés pendant une attaque... des êtres bons qui avaient dans leur passé peut-être des années d'humble

> héroïsme quotidien, fusillés par leurs camarades, leurs amis, condamnés à cette mort atroce par leurs chefs qui ensuite ont repris la vie sans remords. Et ce martyre, je sais par des récits de témoins qu'on le leur fait savourer en détail : trajet en voiture jusqu'au poteau, etc. »

Il dira plus tard (lettre à J.-E. Blanche du 4 novembre 1917) que c'est parce qu'il ne souffre pas assez pour la France qu'il « se venge... en la dénigrant », lui « débile, malade, " monstrueux "... ».

Ces clameurs d'humanité vraie, qui ne vont pas sans offusquer un peu le très classique patriote qu'est son frère Pierre (qui avait su pourtant lui-même fleurir les tombes de soldats allemands), sont curieusement suivies, dans *le Journal d'un homme de trente ans,* de réflexions favorables à l'homme du monde le moins capable de partager cet irénisme critique — Maurras. Étrange balancement de la pensée, qui pousse Mauriac au moment même où il découvre en Lorraine « le côté ennuyeux de Barrès », à louer Maurras de sa haine de « l'égalité consulaire », de sa volonté de sauver « l'individu du nivellement », aussi de ses « complaisances pour un Proudhon, pour un Stendhal » — non sans opposer à cet athée les raisons du Sillon condamné par Rome.

De Châlons, de Toul, garnisons non loin desquelles opère son ambulance où il se sent « le plus inutilisable des êtres » et où il vit un été « corrompu et souillé par la lèpre militaire, la lèpre du Front qui déshonore les prés et les taillis », Mauriac trouve le moyen de gagner parfois Paris : il emmène Jeanne aux Ballets russes qui donnent quelques représentations à Paris à la fin de 1915 (*Schéhérazade, l'Oiseau de feu...*) ou à la Comédie-Française (janvier 1916) : de Max y joue *Britannicus.* Quelques semaines plus tard, c'est le début de la bataille de Verdun. L'étau se resserre même sur ceux que le combat paraît épargner.

Touchante lettre de sa mère : « Mon François chéri, ne crois-tu pas que tu devrais donner ta démission ? Ce ne serait pas mal à propos. Si la guerre continue, les auxiliaires partiraient, et ce sont les réformés qui les remplaceraient. Où t'enverrait-on ? Je ne voudrais pourtant pas peser sur ta décision, mais... » Forte naïveté des mères. Le « mais » final ne sera pas entendu.

Bref Orient

A la fin de l'été 1916, François Mauriac, alors campé à Rampont, près de Verdun, où il écrit une nouvelle restée inédite, *Pigeon,* et lit avec enivrement Dostoïevski, se voit proposer de prendre place dans une ambulance envoyée en Orient, sur le front serbe ou roumain. Il accepte « avec joie », indique-t-il à son frère Pierre, notant néanmoins dans son journal : « Vais-je passer les mers perfides, pleines de sous-marins ennemis, pour être en Serbie ou en Roumanie loin de tous mes bien-aimés ? »

Le 17 octobre, il reçoit confirmation de son affectation : Salonique, où s'est installé l'état-major du général Sarraillh. Les Mauriac trouvent le temps, en novembre, d'aller voir le *Partage de midi* joué par l'interprète préférée de Claudel, Ève Francis ; puis, à la veille de l'embarquement de François, d'entendre *les Huguenots* à Toulon... Décidée par un adolescent patriote et aventureux, cette expédition volontaire n'aurait que le mérite du péril accepté. De la part de cet homme de trente ans, si attaché à sa femme, à son fils, si démuni contre le péril, la souffrance, l'effort physique, il y a là un trait de touchante abnégation[1].

Le 1er décembre 1916, le jeune homme, qui croira toujours, comme Pascal, que tous les malheurs des hommes viennent de ce qu'ils ne savent pas rester en paix dans leur chambre, vogue vers l'Orient. Note du *Journal :*

> « A bord de la *Bretagne*, 3 décembre. Sur la mer violette, sur le noir azur, le sillage du bateau trace une voie lactée. En dépit des sous-marins et des mines flottantes, je regarde d'un cœur plein de désir les îles posées sur les flots comme des boucliers, et toute la douceur de vivre reflue en moi... Un vertige monte de cette mer... »

Ils font des exercices en cas de torpillage, mais le capitaine les a prévenus : « De toute manière, ce vieux rafiot coulera en deux minutes ! »

Le 9 décembre, au son d'un rigodon de musique italienne, il découvre Salonique, bourdonnante d'une foule joyeuse d'Anglais, de Français, de Russes, de Serbes, d'Italiens, d'Albanais, et « dans la ville haute, près des remparts ruinés, de vieux Turcs, des Juifs majestueux, des femmes voilées [qui] glissent silencieusement hors du temps, au-dessus de l'agitation occidentale : ils ressemblent ici... à une protestation de l'éternité ». (Pas mal vu, pour un écrivain qui a si souvent proclamé que, d'un tour du monde, il ne tirerait pas dix lignes. En voilà toujours cinq...)

On l'affecte à l'hôpital de la Croix-Rouge, Villa Alatini où, dans « une petite chambre tiède tendue d'étoffes », il se sent heureux au milieu d'êtres « de bonne compagnie », dont un vieux gentilhomme gascon et une sœur de Saint-Vincent-de-Paul qui a vite fait de « flairer en lui le chrétien ». A son frère Jean, l'abbé, il écrit : « Cette vie de lézard est fort reposante par le temps qui court et l'Orient entrevu ici, même dans d'aussi tristes conjonctures, m'enchante et m'éblouit. Les mosquées où le schisme a remplacé le croissant ne sont pas un refuge pour le chrétien. Les cérémonies sont des nasillements informes... » (Il changera d'avis plus tard, sous l'influence de Louis Massignon.)

1 Il a choisi de partir contre l'avis le plus catégorique du corps médical : « J'ai vu M. François Mauriac avant son départ pour Salonique. Au point de vue médical, je me suis absolument opposé à ce départ. M. Mauriac a passé outre. J'ai constaté au sommet pulmonaire droit une zone d'infection assez étendue... L'état général de M. Mauriac a été affecté par des lésions aux deux sommets. — A Paris, 1er mars 1917, Dr Critzmann, 28, rue Greuze, 16e »

A Pierre, il précise en mars que son envoi dans le « bled » est imminent, qu'il n'y craint pas la chaleur, et que seule le torture sa séparation d'avec les siens. Il assure à son frère que sa santé est excellente, bien que le médecin de l'hôpital ne lui « trouve pas de fameux poumons... Mais c'était pendant ma fièvre... ». François Mauriac est, en effet, depuis le début de son séjour à Salonique, atteint du paludisme. En janvier 1917, il avoue à sa femme avoir « un peu de fièvre... Les moustiques piquent comme en été et je leur dois sans doute mon paludisme de première invasion... ». Il faudra bientôt le rapatrier.

Il ne quittera pourtant pas la Grèce sans y achever un curieux petit essai, *le Renoncement aux idoles : méditation à Salonique.* C'est une évocation de son cher Maurice de Guérin, ce « farouche Endymion, chassant l'infini à la suite de la nature » qui donne élan à sa réflexion sur le christianisme, revu dans la lumière d'un Orient qu'il exprime, décanté de sa lie quotidienne :

> « Souvent, au long de mes promenades solitaires dans Salonique, un petit Juif faiseur de tentes et détenteur de la doctrine me répète de ne pas sacrifier aux idoles... Paul de Tarse, qui vint de Thessalonique..., marche auprès de moi dans ces quartiers sordides mais que le soleil s'applique à rendre aussi beaux que les illustrations des Mille et une nuits... Salonique, ville de songe et de silence... Le Turc endormi au bas des remparts fauves continue de somnoler sans que rien de notre vacarme occidental puisse éveiller ce songeur éternel. Il ne daigne pas lever les yeux lorsqu'un avion bourdonne autour des minarets. Il sait que le Roumi s'entend à la mécanique et ne pense pas qu'il y ait là de quoi se récrier. Je rentre de ces promenades avec de la fièvre. Nuits d'hôpital où la quinine emplit les oreilles d'un orchestre monotone, quel champ vous ouvrez au fiévreux habile à peupler son insomnie de méditation et de rêve... »

Le 18 mars, morne dimanche. Il s'abandonne à une sorte de délectation morose, à laquelle contribuent aussi bien les files de soldats faisant queue devant les maisons closes que le « sermon poussiéreux et mortel » à l'église, la foule qui s'abrutit autour d'une musique militaire, et surtout « l'immense lassitude, la lassitude mortelle de ce corps qui est le mien ».

Et le 23 mars, une semaine après que la première révolution russe a chassé le tsar, il se rembarque sur l'*André Lebon,* fiévreux, amaigri, ravagé. Il vient d'apprendre que Jeanne attend un second enfant pour l'été. Le voyage de retour est long : la guerre sous-marine s'est intensifiée et impose de constantes précautions. C'est le 6 avril qu'il débarque à Toulon, où sa femme le trouve plus malade encore qu'elle le craignait. On l'installe aussitôt à Bordeaux, puis à Arcachon, puis à Malagar — d'où il doit regagner Bordeaux pour une nouvelle séance du conseil de révision, le 1er mai. Il a comme un sursaut, un recul :

« Ce François Mauriac paludéen, épuisé par la fièvre, dépourvu de muscles, d'adresse, sera-t-il jeté brusquement dans une caserne... dans la fournaise militaire ? » L'hypothèse paraît se confirmer qui le fait paraître « assez fort pour mourir (car dans l'état de faiblesse où la fièvre me met, le camp d'instruction me tuera) », et il soupire douloureusement : « Dépouillé, nu, ridicule, sans que rien révèle ce qu'il peut y avoir en moi de délicatesse et de dons, j'appartiens à ce bétail de rebut sur lequel, tous les héros étant morts, il faut bien se rabattre. Je ne suis plus qu'un jeune roi détrôné et avili... Je sens mourir autour de moi les choses de ma vie, comme écrivait André Lafon. » Ecce Homo. Peut-être le moment le plus humilié, sinon le point le plus bas de la courbe de cette vie éclatante.

Le séjour à Arcachon lui fait du bien. Il visite Lourdes, revoit Francis Jammes à Orthez, rentre à Paris où il déjeune chez Barrès (« optimisme officiel : Alsace-Lorraine, victoire certaine dans deux ans. [Il] se résigne à ce que notre race se mâtine d'Anglo-Saxon, à une transfusion de sang américain et anglais. Rien de plus ignoble dans le monde que notre vieux radicalisme .. Le grand danger, c'est l'or allemand en France... ») et chez Jean Cocteau (« il croit qu'il est l'enfant Rimbaud et que personne au monde ne s'en doute... »). En juillet, il fait un séjour à Offranville chez Jacques-Émile Blanche, qu'il a rencontré six mois plus tôt chez leur amie commune Madeleine Le Chevrel. Il échangera désormais une correspondance suivie avec ce peintre célèbre qui deviendra vite l'un de ses amis les plus chers et l'un des hommes, dira-t-il, « de qui j'ai le plus reçu ».

Blanche fait son portrait (« j'ai mon costume kaki avec une chemise bleue (neuve), d'un bleu qui a ravi Blanche »). C'est la première des trois toiles faites de lui par le portraitiste de Marcel Proust. François Mauriac lui écrit . « Vous y avez mis le meilleur de mon être secret... Je vois ma jeune femme aimer tellement ce portrait... Un dernier rayon de ma jeunesse brille pour toujours sur (cette) toile. »

L'amitié nouée avec Blanche va les pousser tous deux, au cours d'un séjour ultérieur de Mauriac à Offranville en automne, à écrire de compagnie une comédie intitulée *Montefigue,* au sujet de laquelle Mauriac écrivait à sa femme :

> « Blanche est le collaborateur le plus agréable... Il approfondit la psychologie de mes personnages... Notre comédie devient plus grave, moins grossière. Elle passera très bien et ne me donne plus d'inquiétude du point de vue moral... Nous la reverrons dans un mois. Peut-être la lirons-nous à Jeanne Granier[1] que connaît Blanche. »

On racontait aussi que Lucien Guitry s'y intéressait. Plus tard, Réjane souhaitera la lire.

Dans une correspondance très suivie au cours des derniers mois de 1917, les deux amis multiplièrent les échanges et critiques à propos de cette pièce mort-née. Mais quand Blanche lui écrivit que c'était Gide qui lui en avait fait à haute voix la lecture, Mauriac réagit avec une sorte de fureur . « Je ne saurais vous dire combien je suis contrarié et humilié que Gide, qui n'a jamais lu de moi une seule ligne, ne me connaisse que par cette pantalonnade ! » Le plaisir pris à cette collaboration n'en conduisit pas moins le peintre et le romancier à écrire en novembre et décembre une seconde pièce

1 L'une des deux ou trois comédiennes les plus fameuses de l'époque. comme Réjane

« vraie comédie de mœurs », d'abord intitulée *Fait-Divers*, et que Mauriac souhaitera appeler *les Trigames*[1]. Ils n'autorisèrent la représentation ni de l'une ni de l'autre. On ne sait si c'est à cause du « point de vue moral » ou du jugement d'André Gide...

Détective de l'injustice...

Et surtout la guerre est toujours là, de plus en plus cruelle, pesant d'un poids terrible en cette fin d'année 1917 où le très patriote Pierre Mauriac écrit à son frère que, dans son secteur du front, on ne parle que de cours martiales, d'exécutions, de découragement « et par endroits de mutineries, avant l'appel sauveur au général Pétain ». François lui répond, sur un ton imité de Maurras, que « c'est un fait éblouissant que le parti du gouvernement est aussi le parti de trahison... (mais) qu'il faut en finir vite... Il n'y a plus rien à attendre de cette partie. Le boche a gagné la première manche... » Il parle dans son carnet d'un « épuisement physique tel qu'il n'y a aucune honte à n'être plus au front », relève ensuite que « les lèvres serrées pour ne pas crier, ramassée sur elle-même, la France tient. Mais... saignée aux quatre veines.. ne porte-t-elle pas en elle des germes de mort[2] ? »

Une fiévreuse vie littéraire et mondaine se poursuit, tandis que les « gothas » survolent et parfois bombardent Paris, hanté par des sirènes d'épouvante. Mauriac relate une soirée au Casino de Paris où se produit Gaby Deslys, « le comique terrible de cette foule se levant devant les drapeaux alliés dessinés par des derrières de petites femmes en rang d'oignons. Sensation de l'écroulement d'un monde. La maison en face du Casino, traversée par une bombe de gotha... ». Un autre soir, c'est un dîner où il rencontre la femme du ministre des Finances, Klotz[3], et la célèbre Missia Edwards[4] à laquelle il trouve un « air repu et inassouvi. Avec quelle fureur d'admiration elle parlait de ce Mandel, israélite de trente-deux ans qui mène la France sans qu'aucun Français connaisse son nom ; chef de cabinet de Clemenceau, il est la cheville ouvrière du gouvernement[5]... ». Tournant ses yeux vers la Russie, il la voit, trois mois après la révolution d'Octobre, comme un « ilote ivre », imaginant que « le bolchevikisme (*sic*), troisième larron tragique, se prépare à dévorer les belligérants. Les frères ennemis se réconcilieront-ils devant cette lave ? ».

Son journal, comme des lettres à son frère Pierre, le montre alors très imbu des idées, voire imprégné des formules maurrassiennes. Recherche de

1. *Cahiers François Mauriac*, nº 3, p 14
2. *Journal*, p. 71.
3. Auteur du mot fameux « le boche paiera ! »
4 Ancienne femme de Tadhée Natanson, le fondateur de *La Revue blanche*
5. *Journal*, p. 75

l'homme fort, allusions antisémitiques, dénonciation de la « démocratie (qui), en cent ans, a détruit toute élite », hommage à une « vérité politique » (celle de *l'Action française*) dont la guerre serait « la pierre de touche », éloge de Maurras « qui a mille fois raison... », souhait à peine dissimulé que la France redevienne « la grande force conservatrice et réactionnaire du monde[1] ». L'angoisse nationale, l'esprit de classe avivé par la montée révolutionnaire à l'Est, les déboires qui marquent la conduite de la guerre avant l'avènement de Clemenceau, tout le conduit à ce reniement provisoire de ce qui est le plus profond en lui. Mais il ne cessera jamais de se reprendre.

A son ami Eusèbe de Brémond d'Ars, il écrit en juin 1918 :

> « Les nationalistes parlent de la France éternelle sans y croire, mais nous parlons de l'Église éternelle en y croyant. D'ailleurs, qu'ils sont peu sages, ces sages sans Dieu ! Maurras dépense sa logique à nous dépeindre la nécessité de la défaite démocratique et du triomphe des monarchies. Et jamais il ne voulut entendre parler d'une paix de conciliation ! »

Ces balancements, ces flottements politiques ne le font pas moins lucide, moins apte à « flairer » les pistes entrouvertes. Témoin cette fulgurante réponse à une lettre de Jacques-Émile Blanche qui demandait si cette invasion des « Transatlantiques » n'était pas un « retour de l'Allemagne », ajoutant : « Barrès veille à l'Est. Il devrait s'établir douanier sur la côte de l'Océan ! »

> « L'Amérique ? écrit Mauriac, cette invasion d'outre-mer [qui] éveille la cupidité des gens de lettres (on compte sur des entreprises... fondées avec des capitaux d'Amérique...) est peut-être aussi importante dans l'histoire que la prise de Constantinople... Peut-être qu'au lieu du socialisme, ce qui attend notre peuple de gobe-mouches, c'est la formidable féodalité d'argent et de trust d'Amérique... » (27 juillet 1917).

Voilà qui situe François Mauriac dans une lignée de futurologues amateurs qui va de Custine et Tocqueville à Valéry...

Apte à prévoir, il sait aussi voir. L'article qu'il écrit alors à Bordeaux pour *la Revue hebdomadaire*, « Les Américains dans ma ville », est un savoureux reportage entremêlant avec une paisible virtuosité l'ancien monde et le nouveau :

> « Les marins américains, pareils avec leurs serre-tête blancs et leurs pantalons évasés, à des personnages de comédie italienne et d'embarquement pour Cythère, traînent après eux tous ces cœurs faciles et les chassent de la main comme des mouches... A l'entrée de certains quartiers, des policemen veillent, armés de [...] matraques retenues au poignet par un cordon de cuir [...] Annamites, Marocains, Chinois, toute la main-d'œuvre multicolore des quais envahissent les rues étranges où des créatures vêtues de safran, de rose, d'indigo montrent sur leur drôle de corps de bébés incassables, des figures peintes d'idoles. Mais la douceur de leur commerce

1 *Ibid*. p. 75

est heureusement interdite à nos beaux alliés. Ils se consolent en jouant à la balle au milieu du trottoir, de leur main gantée [avec] des mouvements de rein, des gestes de pelotari, sûrs de leur adresse — et nous aussi qui circulons avec quiétude dans leur tir de barrage...
Ma ville, tu demeurais immobile naguère dans la bouche du fleuve. Nonchalante, tu attendais que les vaisseaux viennent jusqu'à toi... Mais des jeunes hommes sont arrivés de l'Ouest. Ils t'ont réveillée, princesse endormie... Tu ne laisses plus les vaisseaux venir... Tu vas au-devant des vaisseaux. Tu allonges passionnément tes quais vers l'estuaire. Tu tends le bras à l'océan[1]... »

Cette année 1917, qui a apporté à François Mauriac une joie très vive après sa peine — la naissance de sa fille Claire, en août — inflige en revanche un coup brutal à cette famille jusqu'alors épargnée plus que d'autres par la guerre : le Pr Georges Fieux, devenu depuis son mariage avec Germaine Mauriac, dix-sept ans plus tôt, le frère aîné, le mentor et l'ami, s'est tué pendant une escalade dans les Alpes, au cours d'une permission. Perte terrible pour tous les siens : la sœur aînée de François doit, comme sa mère, élever seule cinq enfants.

Mais dès avant que la guerre s'achève, la vie littéraire l'accapare à nouveau. Comme *les Cahiers de l'amitié de France* cinq ans plus tôt, *la Revue des jeunes* le passionne, que dirige le père Sertillanges, prêtre conquérant au faciès de gladiateur, qui a jeté son dévolu sur lui avec plus de voracité encore que naguère l'abbé Fontaine à Clichy. Du coup François entraîne dans l'aventure de *la Revue des jeunes* son frère Pierre :

« J'y suis tout à fait chez moi, lui écrit-il en septembre 1918. Pour le tirage, elle devance *la Revue de Paris* et *le Mercure*. Après la guerre, elle est appelée à une grande diffusion. J'aimerais que tu y tiennes le “ sceptre des sciences ” comme on disait autrefois. Le travail dont tu m'as entretenu y paraîtra quand tu voudras... »

C'était une façon de parler : Pierre Mauriac eut souvent l'occasion de regimber contre les retards et négligences de ces littérateurs moins diligents que les chercheurs de son laboratoire.

François écrit, écrit, écrit... Des articles pour *la Revue des jeunes* — qui l'inspire peu dans l'ensemble — un poème (*le Disparu*) publié par *le Mercure*, et plusieurs nouvelles, dont *le Retour en Gascogne*. Il s'est remis à son *Lacordaire*, trois fois abandonné, trois fois repris, et dont il dit à sa femme, à la fin de 1917 : « Il m'a étonné, c'est vraiment très bien. » Il rédige ensemble la fin des *Beaux Esprits de ce temps*, une première version du *Mal*, une ébauche de *Préséances*, et retravaille enfin à *la Chair et le Sang*, entamé au début de la guerre, et qu'il n'arrachera jamais, sauf en de rares fragments, à son balbutiement.

Plus que ces œuvres inabouties et qui le laisseront profondément déçu sitôt

1 *La Revue hebdomadaire* septembre 1918.

après leur publication, cette époque de fin de guerre est marquée pour lui par la rencontre des trois écrivains qui, hormis Claudel, Jammes et Barrès, comptent le plus pour lui et dont il entrevoit qu'ils compteront plus encore : Gide, Valéry et Proust.

Avec le premier, il a déjà amorcé, dès 1912, une correspondance à propos de la réponse qu'il a donnée à *la Revue hebdomadaire* sur les « jeunes » et la littérature. On a vu qu'il s'était irrité de savoir qu'avant même de le connaître, l'auteur de *l'Immoraliste* avait fait lecture à haute voix à Offranville, de la pochade écrite en commun avec Jacques-Émile Blanche. Est-ce pour apaiser le jeune homme ? Le peintre l'invite à déjeuner avec Gide ; de cette première entrevue, Mauriac ne trouve guère à écrire. On n'en trouve pas d'autre trace ni dans le journal de sa femme ni dans ses propres carnets. C'est après une nouvelle rencontre au début de février chez Mme Mühlfeld, dite « la sorcière », qu'il écrira de Gide : « Prêtre inquiet qui aime mieux se confesser que confesser. » Nous les retrouverons. D'entrée de jeu, Valéry l'éblouit. Mais d'abord comme un sorcier froid ; plus tard seulement il trouvera en lui un maître et un ami.

C'est Proust surtout qu'il a souhaité rencontrer, depuis ce jour de 1913 où il a découvert, dans un enchantement stupéfait, *Du côté de chez Swann.* C'est le 4 février 1918, au cours d'une soirée chez Mme Alphonse Daudet en l'honneur de Francis Jammes où Anna de Noailles a fait scandale en arrivant plus en retard encore qu'à l'ordinaire, où Léon Daudet s'est montré « tout bouffi de graisse jaune : un foie angoissé », où Mme Edwards a paru, « les bras non pas nus, mais déshabillés, très fille Élisa [...] farouche... l'air d'être peinte par Manet », qu'il rencontre enfin celui que Lucien Daudet lui cache depuis si longtemps. La très brillante page de son journal qui relève l'événement n'a pas d'autre mot pour qualifier ou évoquer Proust, l'écrivain vivant qu'il rêvait, entre tous, de connaître.

La guerre n'en finit pas de finir. En juin, les Allemands, reprenant brutalement l'offensive, sont à Château-Thierry — dans peu de jours peut-être à Paris, chaque nuit bombardé. Jeanne et François Mauriac partent avec leurs deux enfants pour Bordeaux. Le 14 juillet ils apprennent que Claude est atteint d'un mal alors terrible : la grippe espagnole, dont il ne guérira qu'après deux rechutes, en août et en septembre, avant que sa sœur, la petite Claire, soit atteinte du même mal. L'été à Malagar est chargé d'angoisse.

Au seuil de sa trente-troisième année, François Mauriac se sent accablé — par sa propre vacuité aussi bien que par ses inquiétudes de père et le danger commun. Il se dit, dans une lettre à Jacques-Émile Blanche, « dans un état indescriptible de dépression et de misère physique... Phase terrible de ma vie »... Pourtant, signale-t-il dans son journal au début de septembre, il reçoit du front la lettre d'un « inconnu nommé Henry de Montherlant » qui lui écrit : « Vous êtes embarqué dans l'arche afin qu'il soit assuré que certaines façons de sentir subsisteront sur la terre nouvelle. Vous serez épargné comme fut épargné Paris, parce que les dieux avaient mis la main sur ses épaules. Croyez monsieur que personne plus que moi ne souhaite votre fortune et ne croit en votre pouvoir de perfectionner ceux qui valent la peine de l'être [1]. » Montherlant poursuivra l'échange, entremêlant visites, demandes de conseils et suggestions désinvoltes. Et puis, le 22 février 1918 il lance en quelques phrases à Mauriac : « Je vous verrai vers Pâques, puis sans doute jamais plus. Je pars comme volontaire dans un régiment de l'infanterie de première ligne. Encore trois petits tours, et il en sera de moi comme si je n'avais jamais existé... »

Après Barrès, après Jammes : décidément, un grand écrivain, c'est peut-être celui qui sait d'emblée déceler dans les brouillons des autres ce que ne savent y voir ni les critiques du temps ni même plus tard, les biographes... Surprenant, que cette littérature inchoative et maniérée qui va des *Mains jointes* au *Disparu* ait pu seulement intéresser, et même inspirer le jeune homme qui écrit *la Relève du matin* dans un orage de feu !

Octobre. La fin approche. François est repris de violents accès de fièvre et apprend la mort de son ami Édouard Adet, ce sculpteur bordelais qui a laissé de lui un buste vigoureux, et dont il avait envié le courage quand à 20 ans, il avait vraiment rompu, lui, avec leur milieu commun. Jeanne et François l'avaient beaucoup vu au cours des deux dernières années : il a été terrassé par la fièvre espagnole qui vient de menacer leurs deux enfants.

Le 11 novembre, les Mauriac sont dans le train qui les ramène à Paris au moment où le pays fête l'Armistice. (« Nous manquons ainsi la joie générale », note Jeanne Mauriac.) Les réflexions que consigne François Mauriac le surlendemain dans son propre journal le montrent peu enclin à verser dans l'euphorie collective :

> « La guerre finit sur une image d'Épinal où l'on voit les Français rentrer dans Metz et Strasbourg et le méchant kaiser chassé d'Allemagne. La réalisation à la lettre des bourrages de crâne les plus énormes. Mais nous reste-t-il de quoi survivre ?... Sur cette foule ivre de joie et de vin planait l'oppressante, l'écrasante armée invisible de nos quinze cent mille morts [2]... »

Admirable sang-froid au cœur de cette fête décapitée...

Son frère Pierre, dont la guerre a renforcé les convictions nationalistes, notera plus tard que « François a vécu le drame dans l'horreur des horreurs de la guerre », non pas « farouchement tendu vers la victoire » mais seulement occupé dans la tourmente par « les malchanceux, les opprimés... » se faisant « le détective de l'injustice, de la cruauté... Sans souci de l'heure ni du doute qu'il peut semer ». Détective de l'injustice ? La formule peut rester : elle resservira.

Il se fera d'abord détective de ses propres faiblesses. La guerre lui a fait toucher des abîmes. Dans les semaines de 1914-1915 où il cherchait à n'être pas « le plus inutilisable des êtres », puis au contact d'une incessante souffrance, puis au retour de Salonique, malade et menacé d'être « récu-

1. *Journal*, p. 93
2. *Ibid.*, p. 94.

péré », et encore dans la conscience, éprouvée surtout en Orient, de la médiocrité de sa foi, il s'est retrouvé le petit François transi de solitude et de froid dans le préau d'école de la rue du Mirail, le jeune homme esseulé, infertile, négligé, de 1908-1909, rue Vaneau. Fausse guerre pour lui, vraie épreuve de lui-même. L'énorme tragédie ne lui inspire que des récits plaintifs, sentimentaux, emphatiques, comme *le Retour de Gascogne :* que le héros revienne de la guerre amputé ne suffit pas à donner beaucoup d'émotion vraie à ce « journal de Claude », écrit « de la main gauche » par un ancien combattant qui se dit « impropre aux grands sujets ».

Aussi bien les notations en quoi François Mauriac résume son bilan de guerre, le 1er janvier 1919, rendent un son navré :

> « Santé chancelante. Aussi peu que j'ai essayé de faire la guerre, elle m'a touché... Sentiment de n'avoir rien fait qui vaille à 33 ans. Je ne suis rien encore ? Ferai-je jamais quelque chose ? Fatigue, fatigue, et cet insatiable cœur dans une vie pourtant ouatée de tendresse. »

Et quelques jours plus tard, cet additif savoureux : « Je ne plais pas au monde et je déplais aux saints... » Si encore il se plaisait à lui-même...

Un écrivain ?

Du point de vue politique, la guerre a transposé le débat intime qui agite inlassablement Mauriac depuis le début du siècle entre son « sillonisme » de cœur, la volonté passionnée d'arracher l'Église aux riches et aux puissants et le goût d'ordre et d'aristocratie intellectuelle qui domine son intelligence, en un dialogue sans merci entre son pacifisme viscéral et la tentation qui l'habite de donner « raison » à Maurras. Mais de *l'Action française,* il ne retient alors que la furieuse dénonciation du système démocratique et parlementaire, de l'égalitarisme, de la loi du nombre — de tout ce qu'il déteste. « Au lendemain de la guerre, écrira-t-il dans les *Nouveaux Mémoires intérieurs,* je lisais l'histoire avec les lunettes de Jacques Bainville. » Mais dans une lettre du 27 mai 1918, il écrira aussi : « Il y avait des Maurras à Babylone et à Ninive : le nationalisme est une doctrine courte[1] ! »

Sur le plan littéraire, il tâtonne toujours. Après *la Paroisse morte* écrite en 1918, édifiant récit évoquant vaguement les amours d'André Lafon et Jeanne Alleman, il va s'arracher aux sucreries mystiques, aux frôlements pieux. Mais c'est d'un pas incertain encore qu'il marche vers sa vérité. Son art reste flou. Ici et là, pourtant une page du *Journal d'un homme de trente ans* dévoile l'auteur des *Bloc-Notes*. Sur le croquis de Barrès adolescent par Jacques-Émile Blanche :

1 Lettre à Jacques-Émile Blanche, p. 73.

> « L'ennemi des lois, de face, se dilate. Un grand col cassé l'engonce. L'arête du nez est large et les paupières lourdes pèsent sur l'œil calme, volontaire dans son inexpression, débarrassé de tout ce qui défendrait de voir le but à atteindre... Les beaux cheveux de Bonaparte, longs et un peu en désordre, montrent un enfant étranger aux plus petites disciplines mondaines comme aux plus grandes... Les méplats de ce visage creusé par la volonté, cette bouche voluptueuse, ce menton. Volupté dans la bouche, ascétisme sur tout le reste du visage : le haut pour satisfaire le bas. »

Un morceau déjà digne des *Cahiers* du modèle [1].

Le chrétien ? Les carnets de cet homme de 30 ans, quelque soin qu'il ait mis à les expurger, sont hantés par le péché rôdeur autant que par une sorte d'asthénie de la foi. L'épreuve qu'il traverse, s'agissant de sa foi, faut-il la rapporter à l'immensité de la tragédie guerrière et à ce qu'elle implique de résurgence du problème du mal ? S'il y a un Dieu, peut-il avoir voulu cela ? S'il l'a voulu, quel rapport y a-t-il entre cet holocauste et les dérisoires fautes des hommes ? Ou encore : s'il y a un Dieu, il ne peut être que juste. Mais d'un si solennel châtiment collectif, pourquoi n'a-t-il pas reçu sa part ? D'être exempté des plus cruelles souffrances subies autour de lui le fait se sentir d'autant plus « coupable ».

Et puis il y a ceci : depuis plusieurs années, la hantise du péché, en lui, était combattue ou compensée d'abord par un heureux mariage, ensuite par son adhésion au groupe des pieux lévites de l'*Amitié de France* animé par Robert Vallery-Radot, sous le patronage de Jammes et de Duménil, enfin par la coopération avec l'abbé Fontaine. Forteresse de foi, d'amour et d'œuvres où il s'était barricadé contre les multiples tentations du monde.

La guerre n'a certes pas brisé son ménage : les deux filles de Jeanne et François naissent à cette époque, et les épreuves de la séparation ne remettent pas en cause un bonheur acquis, définitif. Ses lettres à Jeanne témoignent d'une lucide fidélité dans la passion. Mais les murailles de la forteresse se seront tout de même lézardées, de Châlons à Salonique ; la mort d'André Lafon après celle de Jean de la Ville, l'éloignement de Vallery-Radot, le tohu-bohu du trouble Paris des « embusqués », tout contribue à décomposer ou ébranler bon nombre de certitudes acquises de 1910 à 1915, « ces années pour moi capitales ».

Ouvrons *le Journal d'un homme de trente ans :* « Le problème du mal ? Terrifiant... Destruction organisée, entre-dévorement. Tout se passe comme si aucune volonté particulière de Dieu ne se manifestait dans la matière aveugle et sourde. Mais s'il y a la vie éternelle... » (« si » : une question posée, simplement ?) « Mon fils Claude pour me garder pur. » — « Que d'être seul donne des forces en nous aux puissances de volupté ! » — « Me dépêtrer des Saints si je ne puis que les scandaliser. » — « ... Sur ce désert au-dedans de moi, rien n'a crû que l'ivraie... Plus aucune vie que cette végétation. » — « Les maladies, la guerre, tout le malheur immédiat

1. Ce portrait est accroché dans le bureau de Malagar

masquait la misère essentielle et sa permanente horreur. » — « Religion... Couteau qui pas une seconde ne s'éloigne de la gorge. » Et faut-il voir un simple hasard que ce petit livre, histoire spontanée de dix années d'un cœur déchiré, s'achève par cette notation laconique : « J'achève *le Désert de l'amour* » ?

C'est de l'époque de son séjour à Salonique que datent ces notations, dans sa correspondance avec sa femme à propos du *Feu* de Barbusse, qu'il lit avec terreur : « Il y a des moments où la foi chancelle, où l'on demande au ciel muet un signe de miséricorde... N'y aura-t-il pas au dernier moment un geste de Dieu pour arrêter la tuerie toute proche... »

Voilà beaucoup de cris, à la limite du désespoir, pour un croyant.

8. Dans le « cagibi »

Cet homme de 35 ans qui émerge des franges d'écume de la guerre, émacié, fiévreux, avide d'exister plus encore que de vivre, avec trois enfants déjà, une femme qui affirme sa tendre et originale présence, une œuvre en gésine incertaine, c'est alors que presque tout va se jouer pour lui qui, jusqu'en 1920, n'a presque rien publié de fort, ni même de vraiment bon en tant qu'artiste[1]. Alors il va s'enfermer comme un forçat — aux évasions multiples — dans le petit « cagibi » qu'il s'est aménagé au-dessus de son atelier. Et il va tenter là, avec le frémissant acharnement des fragiles, pour peu qu'ils soient impatients de revanche, de faire son métier d'écrivain — romancier, poète, essayiste, chroniqueur. En tête un principe, consigné dans son journal en 1918 : « Ne plus rien donner d'insignifiant. »

Comme pour mettre en pratique cette résolution, il publie au début de 1920 ses *Petits Essais de psychologie religieuse : de quelques cœurs inquiets,* qui le montrent en marche vers la maîtrise de son art aussi bien que de sa pensée. Assez romancier aussi pour confondre son âme propre et celle de ses héros : car s'il est vrai que l'inquiétude habita le cœur de Maurice de Guérin ou celui de Charles Baudelaire au point de les mener sur les lisières où se distinguent mal la désespérance et la foi, est-elle le propre d'Henri Beyle, dit Stendhal ? A moins que l'on ne pose en principe que l'inquiétude est le ressort commun de toute grande création esthétique.

Notons à ce sujet une curieuse poussée d'outrecuidance très rare chez Mauriac. A propos de la jeunesse de Stendhal qui, « gavé de religion, la vomit », il esquisse calmement un parallèle entre ce grand homme et lui-même, entre l'irréligion du Grenoblois et la fidélité chrétienne du Bordelais[2]. *L'Enfant chargé de chaînes* face au *Rouge et le Noir...*

Mais l'identification est peut-être le propre de la grande critique : il en donnera la preuve en s'attachant au destin et à l'œuvre de Jean Racine. Ici, c'est surtout à propos de Lacordaire et de Maurice de Guérin que s'opère l'identification créatrice. Les pages qu'il consacre aux deux disciples de Lamennais, et surtout à l'ami de Barbey d'Aurevilly, au frère d'Eugénie, ont une intensité de confession :

> « Maurice demeure le prisonnier des sources, des forêts, des fleuves, des nuages... Il ne dépassait pas la nature, il y demeurait enlisé. Il y était

1. *Le Journal d'un homme de trente ans* est alors inédit.
2. *Le Journal d'un homme de trente ans,* p 26.

enserré par la mouvante apparence de la vie comme l'était dans l'eau des fleuves ce centaure qui lui inspira un poème immortel. D'un effort insensible, elle l'éloignait du Dieu personnel, du Dieu de douceur et de consolation. La vie l'enivrait ainsi qu'une liqueur funeste... »

Lucidité

Mais il sait dépasser aussi les effusions de la fraternelle sollicitude que lui inspirent Henri Lacordaire et Maurice de Guérin, dès longtemps chers à son cœur. En fouillant de son intelligence aiguë le « préau calviniste » d'Amiel ; en tentant de prendre la mesure, fût-ce par rapport à lui, de Baudelaire et de Stendhal, François Mauriac écrit le premier livre qui soit digne de lui, ingénieux, sensible, pénétrant souvent, et suffisamment magistral pour que ce balourd de Francis Jammes, croyant lui faire plaisir (ou dévotement perfide ?), lui dise : « Les médaillons, c'est pour cela que tu es fait... »

Il se croit pourtant, il se sait désormais romancier. Les quelques poèmes qu'il publie alors (*le Disparu*) lui font voir ses limites en ce domaine — qu'il saura pourtant briser, en 1925 avec *Orages,* en 1940 avec *le Sang d'Atys.* Pour malhabiles que soient les romans qui émergent avec lui de la guerre, il y décèle ses vraies promesses, et n'est pas le seul à le faire : tour à tour Gide et Jacques-Émile Blanche l'assureront de leur admiration pour *la Chair et le Sang.* Et mieux encore Max Jacob, que Mauriac connaissait assez peu et qui répondait ainsi à l'envoi de son livre, entre deux descriptions ravissantes de sa vie submonacale à Saint-Benoît-sur-Loire : « Votre livre est à la fois amusant et noble... Il décèle un poète, un goût rare et surtout une intelligence chimique, analytique... J'ai été emballé et j'aurais volontiers manqué l'Opéra si, comme cette princesse qui lisait pour la première fois l'*Héloïse* toute coiffée, j'avais dû m'y rendre... »

Ce premier ouvrage de son après-guerre ne nous intéresse plus guère aujourd'hui que pour d'assez émouvantes correspondances entre le pays de Malagar et les individus qu'il y fait gauchement s'y agiter, pour le personnage de Claude le séminariste, fils des métayers du cru, dont le panthéisme et la sensualité ouvrent des perspectives sur les hauteurs de l'œuvre à venir — la fin du *Baiser au lépreux,* par exemple —, et surtout pour le récit du suicide d'Edward, à peine transposé de celui de Charles Demange, le neveu de Barrès. Évoquant une rencontre avec l'auteur de *la Colline inspirée* quelques mois plus tard, Mauriac nous le montre ignorant de ses derniers livres et notamment de celui-là, qui le touche pourtant de si près.

Comment Barrès ne fut-il pas conduit à lire cette histoire qui était celle du jeune homme qu'il aimait tendrement, et qui s'était tué par amour pour Anna de Noailles, laquelle passait pour être ou avoir été naguère sa maîtresse ? Quand, à la même époque, Jules Lemaitre avait eu la cruelle grossièreté, au cours d'une soirée chez Mme Daudet, de parler des « victimes » de Barrès, chacun savait à quoi il faisait allusion. Mauriac avait-il le droit, lui, de s'approprier un drame aussi cruel, et aussi proche ? Le fait est que ses relations avec l'écrivain qui lui avait ouvert les portes de la gloire ne paraissent pas en avoir été affectées.

La Chair et le Sang ne fut pas goûtée par tous. Dédaignée par Paul Souday, elle fut jugée par Edmond Jaloux, tenu alors pour le plus équitable des critiques, avec une sévérité qui nous paraît aujourd'hui judicieuse :

« Les moyens d'expression dont se sert M. Mauriac ne sont pas à la hauteur de ses conceptions. Il y a dans ses livres quelque chose de hâtif et de bousculé... Son style trop uniforme ne cerne pas d'un trait assez précis ses personnages et ses paysages... le récit a une vie plus factice que réelle [1]. » Quant à Albert Thibaudet, dans la *NRF,* il notait sobrement : « La densité des romans de F. Mauriac croîtra avec celle de son passé intérieur. »

Préséances, que son auteur qualifia d'abord de « nouvelle », fut publié par *les Écrits nouveaux,* en deux parties très distinctes, la première en mars 1919, la seconde en octobre 1920, avant de paraître en volume chez Émile-Paul en juillet 1921. Mauriac l'a rejeté sans plus de façons que ses précédents romans, pour la raison que le « persiflage » qu'il y distillait lui paraissait, trente ans plus tard, un médiocre matériau littéraire.

On peut ne pas partager cette opinion, et juger la raillerie, ici, d'assez bon ton. Elle cingla fort cruellement les modèles, et fut reçue avec humeur en Gironde. « Tu n'auras jamais ta statue à Bordeaux ! » écrivit alors (avec une pointe de regret ?) Claire Mauriac à son fils.

Il ne s'inquiétera pas outre mesure (le notant tout de même dans une lettre à sa femme, le 25 juin 1921) d'apprendre que, se reconnaissant dans l'un des « Fils » de grandes maisons bordelaises qui lui ont servi de cibles, Edmond Segrestaa s'irrite d'être considéré comme le modèle de Percy Larousselle — encore que ce soit le seul de ces fantoches à qui Mauriac ait reconnu quelque culture... S'il s'inquiète, c'est plutôt du démarrage assez lent de ce livre qu'il ne trouve pas assez vite dans les vitrines de libraires : « Je sens que ce livre qui est bon va tomber dans le trou, et je me fais des cheveux... »

Bon, ce livre ? Il le reniera plus tard, non seulement pour le « persiflage » qui l'aurait gâté mais parce qu'il y voyait un échec dans la création artistique. Le personnage du héros, Augustin, lui apparut à la relecture très « fabriqué » — mixte laborieux d'Arthur Rimbaud (ce rebelle est né à Charleville et se réfugie en Afrique) et du Grand Meaulnes qu'Alain-Fournier avait avant lui baptisé Augustin. Dans une lettre à Mauriac, Jacques-Émile Blanche parle de *Préséances* comme d' « un ravissant objet » en dépit « d'un excès de préciosité » et du fait que « les acteurs parlent tous la même langue subtile... et alambiquée, et non du ton réel de la conversation courante... à quoi Proust excelle... [qui] vient de ce souci du joli-dire dont notre Gide a empoisonné les jeunes générations [2] ».

1. *La Revue hebdomadaire,* 14 janvier 1922
2. *Cahiers François Mauriac,* n° 3, p 90-92

Ce récit bizarrement construit, fait de deux histoires — celle d'Augustin-le-farouche, amoureux de Florence, celle de Florence amoureuse du faux Augustin — que leurs publications séparées n'appelaient pas à se joindre, garde tout de même une certaine vertu satirique. Que Mauriac n'ait pas voulu écrire un roman « à clefs » est évident. Il a lui-même fait valoir qu'il avait alors quitté Bordeaux depuis treize ans et n'y connaissait plus que sa famille et ses amis. Mais son histoire n'en a que plus de valeur sociologique. Cette société bordelaise régentée par les « Fils », les héritiers des grandes maisons de vin, corsetée dans ses préjugés, ses hiérarchies dignes du monde bantou, son anglomanie frémissante, son inculture tranquille, son hypocrisie effervescente, est peinte avec verve. Les trouvailles de noms (Harry Maucoudinat, John Martineau, Percy Larousselle) qui marient le « chic » d'importation britannique au côté le plus marchand, le plus bourgeois, le plus folklorique du Bordeaux provincial, ont de la saveur. Une caricature à la Sem mal ficelée sur une intrigue abracadabrante, voilà qui ne fait pas un chef-d'œuvre. Mais c'est là tout de même qu'on voit Mauriac s'évader enfin des sous-produits de Bourget, d'Estaunié ou de Jammes auxquels il s'était jusqu'alors cantonné. Il a craché son venin. Il lui reste à bâtir son univers.

L'auteur de *Préséances* s'est employé avec trop de vigueur à nier que son œuvre revêtît le moindre caractère autobiographique — en dépit des racontars de Francis Jammes publiés quatorze ans plus tard[1] — pour qu'on ne recherche pas s'il subit lui-même les avanies que Florence et son frère essuient de la part des « Fils » du « bouchon » bordelais.

Le franchissement par les Mauriac des barrières invisibles mais évidentes qui, au début du siècle encore, distinguaient cette bourgeoisie terrienne des familles orgueilleuses des « chartrons » qui dominaient la cité, datait du temps où les frères aînés de François avaient fait leurs débuts dans le monde. Raymond, Jean, Pierre avaient été reçus avant lui chez les « Larousselle », chez les « Maucoudinat ». On serait donc tenté de dire que les frustrations bordelaises de François Mauriac vinrent moins d'avanies « sociales » que d'incompatibilités intellectuelles. Lorsqu'il parle avec acidité dans son livre du « parti des Fils », faut-il entendre qu'il en a été exclu, ou rejeté ? S'il n'en a jamais été membre, c'est peut-être qu'il ne l'a pas cherché. Mais quand il parle de dresser contre ce parti-là celui de « l'intelligence », il évoque des souvenirs personnels — et celui d'un échec.

Les « Fils » ne le rejetèrent pas d'abord en tant que Mauriac, mais en tant que François, différent d'eux qui, attachés avant tout à la danse, au tennis et aux régates, ne le « virent » même pas, lui, le mélancolique lecteur de Jammes adossé à la vitre de la baie du salon... *Préséances* ? Il n'y a pas de romanesque sans transposition. Ici, le glissement esthétique transforme en conflit de castes un conflit de cultures. Le fond n'est pas tant la « préséance » mondaine et sociale que la « prévalence » de l'esprit et de l'art sur les prestiges du « monde ».

Il convient pourtant de tenir compte de cette réflexion rageuse du

1. Cf. p. 119.

narrateur : « ... Je ne suis (pas) né fils d'une grande maison. Le vin sacré n'enrichit pas mes aïeux, mais le drap, mais le bois, tout ce qu'ici l'on déteste. Je suis de votre race, M. Jourdain, M. Dimanche... »

Le bois, le drap... Les références autobiographiques sont tout de même assez claires. Cet ascendant qu'exerce sur le narrateur, en dépit de tout, un « Fils » Larousselle, peut-être Mauriac l'a-t-il subi un temps, à Grand-Lebrun où des coteries se formaient dans la cour de récréation, à l'occasion de quelque fête (il y a dans *Préséances* le récit d'un défilé en *mail coach* d'où est exclu le héros, qui fut peut-être un tout petit peu vécu, ou rêvé...), ou bien encore lors d'une de ces soirées dansantes où, dans l'embrasure des fenêtres, se tiennent des propos faits pour être entendus à demi-mot. N'excluons pas de menues avanies mondaines faites au bois par le « bouchon ».

Préséances n'est ni un roman à clefs, ni un récit autobiographique — mais, de loin, un carnet de croquis en forme de règlements de comptes. D'ailleurs, à la veille de mourir, dans les derniers jours d'août 1970, le vieil écrivain glissait à son fils aîné : « Nos ancêtres, nos grands-parents, des marchands, des boutiquiers... Ce n'est pas très brillant... » Ces moments où échappent les vieilles gênes, les petits secrets.

Mais ce fut très rarement le ton de François Mauriac parlant en son nom, à ses proches, à ses amis. Cette amertume n'est pas vraiment de son cru. Pour lui, ces gens qui préfèrent leurs cotillons et leur week-end à la lecture de Baudelaire sont simplement des sots. Il enrage de ne pas pouvoir le leur faire entendre, non d'être « snobé » par eux. Il se voit, il se sent *Sous l'œil des barbares.* L'emprise de Barrès sur lui vient en partie de cette étouffante sensation de différence qui l'habite, plutôt que d'un complexe d'infériorité sociale.

Avec sa famille, d'ailleurs, les drames de la guerre — qui l'a privé de deux êtres très chers, Georges Fieux, son beau-frère, et André Lafon, son ami — n'ont pu que resserrer les liens. Entre sa femme et lui n'ont cessé de s'approfondir des échanges désormais beaucoup plus égalitaires, moins « protecteurs », plus orientés vers l'esthétique. Leur correspondance est émaillée de questions que François pose à Jeanne sur ses œuvres. Qu'en pensez-vous ? N'en rirez-vous pas ? On est loin déjà des relations de 1912 entre la petite pensionnaire de Jeanne Alleman et le « jeune poète » nimbé de gloire.

Ses rapports avec son frère Pierre avaient été longtemps entravés par la réserve de l'aîné, ce que sa tendresse avait de noué, de retenu, de trop pudique. Leurs échanges de guerre, en dépit des divergences qu'ils font apparaître entre le médecin nationaliste et le brancardier pacifiste, brisent entre eux bien des inhibitions. Au printemps 1919, le voyant épuisé, Pierre emmène son frère dans un hôtel d'Argelès, petite station d'altitude pyrénéenne. François est ému de cette sollicitude, de « cette chère présence... Ne jamais l'oublier ».

Après l'avoir entraîné dans l'aventure des *Cahiers de l'amitié de France,* il lui a facilité l'accès au *Mercure* et à *la Revue hebdomadaire.* C'est là qu'en

1922 Pierre Mauriac, agacé par les propos péremptoires tenus contre Pasteur par son cher Léon Daudet, lui réplique vertement. François lui écrit peu après :

> « Comme tu es orgueilleux comme un pou, je tiens à te répéter ce que Bérard, ministre de l'Instruction publique, a dit hier soir à Mme Mühlfeld : " Je suis content que ce Dr Mauriac ait rivé son clou à Léon ! " Soigne tes chroniques : elles sont remarquées ! »

Avec sa mère, les rapports restent tendrement confiants, rythmés d'informations sur les coupes de bois et le cours des vins, la santé des enfants Fieux, les mariages bordelais, les préoccupations de l'abbé Jean (" On meurt beaucoup dans sa paroisse. Quel surcroît de travail ! »), les questions pressantes qu'elle lui adresse sur la santé de Jeanne et de Claude — décidément le préféré des petits-enfants de cette sainte femme, qui reporte sur le petit garçon parisien les faiblesses pour François qu'elle n'avait jamais cachées. Rien que de très classique, compte tenu de la carrière de plus en plus éclatante du fils qu'elle a laissé fuir vers Paris en 1907.

Est-ce en pensant à elle, la vigilante, qu'il tente alors, dans le très curieux *Dialogue d'un soir d'hiver*[1], de définir la condition spirituelle de l'écrivain catholique au seuil des criminelles délices de la gloire — ébauche de ce *Dieu et Mammon* qui sera huit ans plus tard sa réponse à Gide-le-tentateur ?

> « *Michel :* ... N'écris-tu pas des livres ? Ne mènes-tu pas ta partie aussi âprement que si tu doutais de l'Éternité ? Rien n'est si commun qu'un jeune catholique ambitieux, et rien n'est si comique.
> *Octave :* ... Je fais mon métier. Je sers, avec les moyens qui m'ont été donnés, je rends témoignage [...] Je ne redoute pas de peindre les passions, il est vrai, mais toujours dans leurs rapports avec la Grâce.
> *Michel :* ... Peindre les passions, même vaincues par la Grâce, que c'est périlleux ! L'usage délicieux et criminel du monde dont parle Pascal, si tu le dépeins criminel, en paraîtra-t-il moins délicieux ? Justement parce que tu es un bon romancier, les êtres que tu crées, tu ne les diriges pas à ta guise ; la loi du péché qui les régit les mène où tu aurais souhaité ne pas les voir. Et tu es trop artiste pour intervenir brutalement dans leur destinée, au nom de la morale catholique. Il faut pécher contre ton art ou contre Dieu.
> *Octave :* ... Tu oublies qu'il n'est pas de religion qui nous oblige plus impérieusement à nous connaître nous-même que la catholique. Mon rôle de romancier catholique[2] est de jeter des torches dans nos abîmes.
> *Michel :* ... Oui, tu distribues du poison, un poison bienfaisant à quelques-uns et fatal à la plupart. Tu sais comme moi qu'un écrivain de ta foi est acculé à la décision de Jean Racine après *Phèdre.* Mais tu te réserves cette porte de sortie pour quand tu seras épuisé. Il sera temps de renoncer au monde quand le monde aura renoncé à toi. Mais tu pleures, Octave ? Je t'ai blessé... pardonne-moi. »

1. *Les Écrits nouveaux,* mai 1921.
2. Une formule que récusera plus tard Mauriac préférant se dire « catholique et romancier ».

Lucidité qui porte en elle, déjà, le débat de 1928. Tout Mauriac tient dans ces quelques lignes écrites au moment même où, à 36 ans, il va jaillir enfin, où il jaillit déjà des ténèbres de l'adolescence esthétique pour écrire, dans la fièvre de l'enfantement heureux, sa première œuvre de maîtrise. On le dirait comme libéré, émancipé, grandi par cette semi-confession querelleuse et pathétique arrachée à Octave par Michel, à François par Mauriac. Être à soi-même son propre Sainte-Beuve parlant des solitaires de Port-Royal...

Maîtrise

Pourquoi le don soudain devient-il maîtrise ? Comment le balbutiement se fait-il éloquence ? Pourquoi, comment de la « charmante source » qui depuis dix ans déverse ses fragments autobiographiques drapés de romanesque maniéré et propose au public d'aussi confuses marionnettes que Mme Gonzalez et Augustin, surgit soudain *le Baiser au lépreux ?* Le brusque « décollage » de l'œuvre, qui fait passer Racine de *la Thébaïde* à *Andromaque,* Proust de *Jean Santeuil* à *Swann* (non sans une cruelle période d'angoisse), il est difficile d'en retrouver le mécanisme chez Mauriac.

Dans cette même année 1920 où il ébauche l'histoire de Jean Péloueyre, il écrit des choses aussi faibles que *le Visiteur nocturne* ou *la Paroisse morte :* en même temps qu'il laisse s'échapper de lui ces dernières coulées d'art sulpicien, il écrit ce presque chef-d'œuvre où soudain l'écriture comme les personnages, les situations, le récit, tout a pris sa nécessité, sa vigueur, sa simplicité. Mauriac est déjà là tout vif, un peu court de souffle encore, un peu gauche parfois dans le parlé, un peu laborieux. Mais le *ton* y est, avec un personnage obsédant, une musique, et, d'un coup, cet alliage qui est le propre même du génie de Mauriac entre les battements du cœur humain et les frémissements de la forêt.

12 janvier 1920. Dans *le Journal d'un homme de trente ans,* il note : « Travailler à *Dormir plutôt que vivre.* » C'est le titre qu'il a donné d'abord à l'histoire du pauvre Jean, l'avorton au nez pointu marié à la trop belle Noëmi d'Artiailh, mort d'amour, et que sa femme aimera, mué en chêne.

Peu de ses livres ont connu tant de variantes [1]. Ce qui est significatif et donne peut-être ici l'une des clefs de la réussite, c'est que Mauriac, parti d'un projet touffu, pluriel, peuplé de personnages, n'a cessé de biffer, de concentrer, de simplifier pour aboutir à une sorte de nouvelle ordonnée autour d'un personnage, lui-même tout pétri de réminiscences autobiographiques, dérisoire caricature d'un sous-moi moqué et tendrement sauvé. Ce double mouvement de simplification du récit et de concentration sur soi (l'éternelle Madame Bovary) sera presque toujours à l'origine des grandes réussites de Mauriac.

1. Relevées avec un soin scrupuleux par M. Jacques Petit dans son édition de la Pléiade (1978).

Le Baiser au lépreux n'est pas lié à l'auteur seulement par quelques traits d'enfance (l'écolier que sa petite mine et son crâne pelé écartent des récompenses réservées aux enfants bouclés...). Il baigne dans l'univers, les souvenirs, la parentèle landaise de Mauriac : de multiples indications assimilent ses Péloueyre aux Lapeyre, la famille de la « grande lande » d'où est issu l'écrivain et d'où son père tenait la propriété de Saint-Symphorien. Villandraut, sa place où se dresse la vieille maison, la fortune terrienne, la chasse à la palombe, les vacances sous les pins, c'est le monde des Lapeyre aussi bien que des Péloueyre — et par-dessus tout la formule qu'appliquent indifféremment le mémorialiste Mauriac et les personnages du roman aux deux groupes familiaux : « Ce qu'il y a de mieux dans la Lande. »

L'auteur des *Nouveaux Mémoires intérieurs* ne cherche pas à dissimuler son cousinage avec Jean Péloueyre, relevant seulement que le vrai modèle, son cousin Pierre Larrue, était moins laid et dérisoire que son héros (« ce tueur de pies... qu'une femme aurait pu aimer... a été tué durant la guerre ») — et que l'intrigue entière est bien sûr inventée.

Ce qui frappe à propos de cette longue rédaction entamée en janvier 1920, plusieurs fois abandonnée et achevée en septembre 1921 à Saint-Symphorien, c'est à quel point ce premier bonheur esthétique s'inscrit dans une période de désarroi moral, spirituel. Les notes du *Journal d'un homme de trente ans* sont alors scandées des mots « vieillissement », « solitude », « silence intérieur », « cœur misérable », ces leitmotive de 1920-1921. Comme si Mauriac s'était alors vidé de son sang le plus chaud et empli d'angoisses pour nourrir et faire vibrer le pauvre Jean et en faire ce martyr survivant à la mort recherchée.

Faut-il s'étonner de ce que ce livre déjà magistral se soit immédiatement imposé ?

> « Sur le plan littéraire, l'adolescent veule était bien mort en moi dès 1922... En même temps que mon style, j'ai trouvé mes lecteurs... Je me souviens du léger enivrement à mesure que les tirages se succédaient, et du plaisir que me fit un important éreintement de Paul Souday. C'était la sensation de la haute mer enfin atteinte... »

Trente ans plus tard, dans la préface écrite pour ses *Œuvres complètes,* Mauriac revivra ainsi ce moment privilégié de sa vie où il devint enfin l'écrivain qu'il n'était pas encore parvenu à accoucher en lui, sur ce qu'il appellera aussi une « promesse tenue » et un « point de départ ».

Dès la sortie du livre, il note dans son carnet, le 25 janvier 1922 . « *Le Baiser au lépreux* considéré comme chef-d'œuvre par quelques-uns va être lancé en grand par Grasset... » Et il écrit à sa femme : « ... Même Valéry trouve que c'est bien... Félicitations du président de la République... Et télégramme de Francis Jammes : " C'est très beau. Ton vieux Jammes ". » Avec ce petit livre, écrit-il dans *les Nouveaux Mémoires intérieurs,* « je rompis pour la première fois le cercle étroit des 3 000 exemplaires et atteignis le grand public... Premier rayon de la gloire... » 18 000 exemplaires vendus en quatre mois.

Son statut d'écrivain en est-il modifié ? Oui, dans la mesure où Grasset signe avec lui un nouveau contrat, plus avantageux, pour trois livres. Non, si l'on considère que l'accueil surprenant réservé par la classe littéraire à *la Chair et le Sang* et à *Préséances,* son charme, le retentissement de ses notes critiques et de ses premiers articles dans la grande presse, son appartenance à ces académies parallèles que sont les salons de Mme Daudet et de Mme Mühlfeld, l'amitié que lui vouent des hommes aussi influents et différents que Barrès, Cocteau et Jacques-Émile Blanche avaient déjà fait de lui, une dizaine d'années après l'étrange promotion des *Mains jointes,* une sorte d'écrivain-lauréat, un personnage marquant de la république des lettres.

Dès 1920, par exemple, le dispensateur par excellence des réputations littéraires l'a reçu déjà comme un élu :

> « Ce matin chez Paul Bourget. Cabinet très 1880, divan place Clichy, vitraux, et tout de même atmosphère saturée de méditation. Livres, livres... Homme en apparence doux, bienveillant, instruit, très sensible à ma présence. Émotion sincère d'être là devant celui qui fut jadis pour moi l'homme de lettres au zénith. Il m'a cité au départ deux vers des *Mains jointes.* »

Quelques jours plus tard, c'est sans ménagement, comme des concurrents plutôt que comme des modèles, qu'il évoque les « gens de lettres... entassés comme des cancrelats dans le petit appartement de Grasset : les Tharaud, Giraudoux, Jaloux, Halévy, etc. ». Et à propos d'une lettre de Barrès, d'une visite de Gide, d'une soirée avec Anna de Noailles, on le voit de mieux en mieux prendre la mesure du monde des lettres, de sa facticité, de son bluff : « ... J'ai passé l'âge où l'on subit le prestige des maîtres : on est trop près d'eux par le crâne, par la dent, par la sécheresse, par l'ankylose... »

Au lendemain du succès de son *Lépreux,* il ne peut pourtant s'empêcher de noter : « Ce que j'ai souhaité d'irréalisable se réalise. Ma vie : une échelle dont je gravis méthodiquement les échelons. Sentiment très net de ma cote, dans les réunions avec les garçons de mon âge ou plus jeunes. Dans la même semaine, lettres de Barrès et de Gide [1]. »

Comme pour désencombrer son horizon et le libérer de ses inhibitions disparaît alors l'écrivain qui l'éblouit entre tous, non comme un modèle, mais comme un stupéfiant : Marcel Proust meurt en novembre 1922. Mauriac note brièvement, en sortant du « meublé sordide » où l'auteur de *Swann* a « fini de souffrir », qu'un tel environnement témoigne de « l'étrange ascétisme où atteint l'homme de lettres à son paroxysme », du « dépouillement d'un auteur par sa création ».

1. *Le Journal d'un homme de trente ans,* p 114-126

A la recherche de Proust

L'empire exercé sur François Mauriac par Marcel Proust ne remontait pas à leur première rencontre, le 3 février 1918, chez Mme Alphonse Daudet. Dès 1908, le jeune homme couvé par les bons pères de la rue de Vaugirard avait été « frappé de stupeur », en lisant la préface de *Sésame et les Lys* de Ruskin. Cette préface qui lui révélait « un pays inconnu » était signée d' « un certain Proust » dont il ne savait rien alors.

> « Aussitôt, raconte-t-il, j'allais interrogeant avidement ceux qui le connaissaient. Une dame, je m'en souviens, me parla du " petit Proust ". On me conta son étrange vie recluse où je n'espérais pas que je pusse jamais pénétrer. »

Sitôt que paraît *Du côté de chez Swann,* en 1913, Mauriac le lit avidement. Ce qu'il a cherché à faire en vain dans ses deux premiers romans, ce resurgissement de l'univers d'enfance palpitant à travers la mémoire des choses aussi bien que des êtres — voilà qu'un autre y atteint avec une virtuosité vertigineuse. Peu après la découverte de Dostoïevski et de son univers métaphysique, Proust lui impose son monde intensivement matériel, fluide et cohérent. Entre tous les vivants, voici son maître. Et son admiration ne cessera de grandir, à la lecture des *Jeunes filles en fleurs* et des *Guermantes.*

De leur première rencontre, Mauriac devait garder un souvenir mitigé. Proust lui apparut

> « plutôt petit, cambré dans un habit très ajusté, les épais cheveux noirs ombrageant des pupilles dilatées, semblait-il, par des drogues... Il arrêta sur moi son œil de nocturne dont la fixité m'intimidait. Mon trouble s'accrut lorsqu'au lieu du compliment que je croyais voir se former sur ses lèvres, il me décocha cette épigramme : " Francis Jammes vous a dédié une bien jolie nouvelle... " C'était me laisser entendre que je n'avais aucun autre titre à son attention que cette dédicace »...

Le dépit altéra d'autant moins la ferveur de Mauriac que Proust allait bientôt le combler de marques d'intérêt. A la fin de février 1920, il le remerciait ainsi de l'envoi de ses *Petits Essais de psychologie religieuse :* « Merci pour votre livre ravissant qui frappe également par la force et par la liberté du sentiment religieux. Ces communions acquises dès l'enfance et que le converti n'a pas, que peut-on dire de plus sincèrement, de plus tendrement chrétien ? Mais aussi, pour défendre Beyle, que de liberté ! »

Sous la plume de Mauriac, les éloges se précipitent, jusqu'au dithyrambe — sans faire tort pourtant à l'analyse. En février 1921, dans *la Revue hebdomadaire,* à propos du premier *Côté de Guermantes,* l'auteur de *Préséances* soutient avec une pénétration chaleureuse que Proust est en train de « renouveler [...] le roman » non seulement en faisant vivre ses personnages de la vie la plus mouvante, mais aussi en inventant « l'instrument approprié », ce style fait des « méandres de ces phrases gorgées de signification » qu'il ose, à l'exemple de Rivière, et contre la critique officielle, situer dans la tradition classique.

Quelques semaines plus tard, à Marcel Proust qui lui envoie *les Plaisirs et les Jours* « en hommage de profonde admiration et, s'il le permet, de tendre reconnaissance », Mauriac répond qu'il aime ce livre « délicieux parce qu'on vous y voit, non plus jeune qu'aujourd'hui (comment serait-ce possible ?) mais déjà aimé à la fois des fauves et des doux. »

Proust ne s'y trompe pas. Ce qui fait avant tout le prix de ces éloges, c'est qu'ils viennent d'un artiste véritable, déjà presque d'un rival. C'est sur un ton d'abord badin, mais bientôt chaleureux, qu'il écrit à Mauriac : « ... On m'a montré une revue où vous me faites la joie de me comparer à Carpentier [1] et l'honneur de me comparer à Claudel... Je vous écris pour vous dire comme j'aime votre livre [2] noire fusée qui détruit tout autour d'elle... Ne croyez plus que quand je n'aimerai pas vos livres, je me fatiguerai... à vous écrire que je les aime. Et croyez que je vous aime vous aussi [3]. »

A la fin de février 1921, Mauriac était invité à dîner chez Marcel Proust, faveur alors très rare de la part du reclus de la rue Hamelin. La veille, il reçut par téléphone cet avis : « M. Marcel Proust désirerait savoir si, durant le repas, M. François Mauriac serait heureux d'entendre le quatuor Capet, ou s'il préfère dîner avec le comte et la comtesse de X... »

> « Aujourd'hui, écrivait Mauriac vingt-cinq ans plus tard, je n'eusse pas hésité à prendre le cher mystificateur à son piège, et j'aurais exigé le quatuor Capet. Mais dans ma persistante innocence, je me confondis en remerciements et fis répondre que je ne souhaitais aucune autre présence que celle de M. Marcel Proust lui-même. »

Moyennant quoi ils dînèrent, ou plutôt soupèrent — il était 10 heures — en compagnie de François Le Grix — que Proust, cependant, ne pouvait souffrir — et de celui que dans une lettre adressée à Mauriac quelques mois plus tard il appela « mon seul H. » (que son hôte traduit par « mon unique Henri ») et qu'il devait peu après éloigner de lui jusqu'en Amérique.

Mauriac a gardé un souvenir presque tragique de ce souper nocturne, de « cette chambre sinistre [...] cet être noir, ce lit où le pardessus servait de couverture, ce masque cireux à travers lequel on eût dit que notre hôte nous regardait manger et dont les cheveux seuls paraissaient vivants [4] »... Dans *le Journal d'un homme de trente ans,* il avait évoqué déjà cette étrange soirée, sur un ton cruel : « Draps douteux, odeur de meublé, tête de juif avec sa barbe de dix jours, revenu à la saleté ancestrale. Propos qui prolonge ses livres [5]. »

1. Le boxeur.
2. *La Chair et le Sang* (la lettre n'est pas datée).
3. *Œuvres complètes,* tome IV, p. 281.
4. *Ibid.*, p. 285.
5. *Le Journal d'un homme de trente ans.*

La cruauté de ce croquis — la note antisémitique est sinistre : on ne lit pas impunément *l'Action française* — ne se retrouve guère dans la lettre qu'il adressa le lendemain à son hôte :

> « Je découvre que de tous mes aînés, vous êtes le seul que j'admire sans arrière-pensée et sans effort — et le seul aussi de qui je ne sente pas l'aînesse. Il me semblait hier soir, qu'il eût suffi de disposer autour de vous des pages blanches pour recueillir tout ce que vos moindres mots créaient à chaque instant. J'entre dans l'enchantement de vos livres comme, enfant, dans ceux de Jules Verne et de Féval : je veux dire sans critique, sans souci de métier ; vous seul me restituez cette candeur, cet abandon aux prestiges de l'écrivain, cette docilité à voir, à sentir, à souffrir comme lui. Je pense à cette soirée d'hier. Vous reverrai-je quelquefois ? [...] L'admiration rend insociable... On voudrait être sûr de ne pas avoir laissé de soi une image médiocre, non par orgueil mais c'est plutôt de l'ordre du cœur... Cher ami, vous me prouverez votre amitié *en ne répondant pas* à cette lettre puérile qui est elle-même une réponse au don merveilleux que vous m'avez fait hier soir de votre personne, de votre esprit et de votre charmant génie... »

Deux tons, sinon deux regards. Tenons le premier mouvement pour le bon...

Quelques jours plus tard (11 avril 1921), Mauriac suggérera à son hôte une nouvelle visite, assortissant son offre de quelques pointes — contre un « Guermantes » mal discernable sous ce masque, contre Jammes (« susceptible comme une guêpe »), contre un « pauvre Jacques » qui doit être Rivière — et d'une notation musicale qui révèle son intimité, sur ce point, avec le portraitiste de Vinteuil (dont Ernest Chausson passe pour avoir été l'un des modèles). « Hier soir, entendu *Tristan* chanté par des Italiens comme du Leoncavallo, et j'en suis encore bouleversé — coupé de tout travail, perclus comme après une nuit de péché. Ah ! la sale musique ! »

Les dernières lettres de Proust à Mauriac débordent d'une affection dont la sincérité ne sembla pas évidente au destinataire (« Il se servait du langage de l'amitié à laquelle, depuis longtemps, il ne croyait plus »), mais confirment une pénétration singulière. Passons sur les éloges réservés à *Préséances*, « le livre le plus original, le plus remarquable, le plus différent de ce que j'aurais pu imaginer que j'aie lu depuis très très longtemps... Je prise peu d'habitude le côté parlé des livres... (mais) j'entends votre prononciation même... sous vos mots imprimés... cette manière particulière, énergique et charmante que vous avez de dire les mots »...

Mais ce qui rend cette lettre de Proust inoubliable, irremplaçable, c'est la citation de Chateaubriand qu'il y fait à partir du livre de Mauriac, et qui est en quelque sorte le point de suture entre leurs deux génies, l'anneau qui indissolublement les lie, en dépit des arrière-pensées, des refus, des dissonances : « Rompre avec les choses réelles, ce n'est rien. Mais avec les souvenirs... »

Au-delà de ces mots clefs, il importe assez peu que, dans sa dernière lettre, Proust ait tenu à écrire à Mauriac : « Je ne peux pas comprendre que l'admiration que vous me dites trop gentiment avoir pour moi puisse rien modifier puisque vous savez qu'il y a de ma part pour vous admiration égale et réciproque... » Dès 1922 ? C'était faire beaucoup de confiance (Mauriac aura donc vécu dans l'anticipante admiration de ceux qu'il admire...) à l'auteur de *Préséances*.

Et puis c'est ce jour de novembre 1922 où Marcel Proust a fini de souffrir. Mauriac accourt rue Hamelin, retrouve le

> « beau visage endormi, dans ce meublé sordide... Il ne survivait que pour son œuvre. " Quand j'aurai achevé mon œuvre, je me soignerai ", disait-il à Céleste. Il refusait de manger et ne recevait plus personne. Dans la nuit de vendredi à samedi, il a dicté à Céleste des " sensations de mort " en disant : " Ça me servira pour la mort de Bergotte. " Paul Morand me dit : " On ne crée pas tant d'êtres sans leur donner sa vie "[1] ».

A quoi Mauriac ajoutera plus tard cette notation : « Voici l'homme de lettres à son paroxysme : celui qui a fait de son ouvrage une idole et que l'idole a dévoré[2]. »

Amertume qui s'exprimera mieux encore dans un texte plus tardif, qui est comme une inversion de la ferveur du lecteur des quinze années écoulées.

> « Il reste que nous nous découvrons aujourd'hui plus sensibles que nous ne le fûmes dans l'éblouissement de la première lecture à cette contamination de tout un monde romanesque par ce morbide créateur qui l'a porté trop longtemps confondu avec sa propre durée, tout mêlé à sa profonde boue, et qui lui a communiqué les germes dont il se trouvait lui-même infecté[3]. »

Une œuvre corrompue par l'absence de la Grâce ? Étrange grief que celui-là. Où est la Grâce dans Balzac, dans Flaubert ? Comme la vie éternelle, la miséricorde littéraire ne serait donc accordée qu'aux illuminés ? A Dostoïevski, non à Kafka ? A Dickens, pas à Stendhal ? Où puiserait une œuvre, sinon dans le tréfonds culturel, spirituel, sensuel de l'auteur ? Quel serait ce *Temps perdu*, retrouvé par un disciple soudain de Maritain ? Que cette œuvre qu'il a admirée entre toutes lui apparaisse en fin de compte vide d'une interrogation et d'une flamme qui ne sont pas sans grandir encore l'œuvre de Tolstoï ou celle de Bernanos, on le comprend. Mais moins cette malédiction jetée sur une œuvre par essence maudite.

Expliquera-t-on ce rejet violent, frémissant, ce cri de révolté poussé « Sur la tombe de Marcel Proust », quelques mois après l'agonie de la rue Hamelin, par une sorte de sensation de libération, de volonté de désintoxication, par l'effort de soulèvement d'une dalle ? On a déjà marqué la coïncidence entre la disparition de Proust et l'apparition de la première œuvre véritable de Mauriac (en 1922). Ce que Jacques Bersani a résumé dans ce raccourci : « Mort de Marcel Proust et naissance de François Mauriac[4]. »

1. *Le Journal d'un homme de trente ans.*
2. *Œuvres complètes,* tome IV, p. 293.
3. *Ibid.*, p. 286.
4. *Cahiers François Mauriac,* n° 4, p. 104

Ce qui n'implique pourtant pas que celui-ci n'ait pu émerger que de la négation de celui-là.

En fait, c'est beaucoup moins à une substitution (outrecuidante, il le savait mieux que personne) que songe Mauriac qu'à un prolongement : « A ceux qui le suivent, pour lesquels il a frayé une route vers des terres inconnues et, avec une audace désespérée, fait effleurer des continents submergés sous des mers mortes, il reste de réintégrer la Grâce dans ce monde nouveau. » Mauriac mourra conscient de n'être pas parvenu, même dans des œuvres comme *Destins* ou *les Chemins de la mer*, à illuminer Combray des lueurs de la révélation.

Dès *le Romancier et ses personnages,* Mauriac se retrouve imprégné d'admiration pour Proust et son art. Admiration qui culminera de nouveau, moins dévote qu'en 1920-1921, mais plus chaudement lucide, d'un chapitre à l'autre des *Mémoires intérieurs* et des *Nouveaux Mémoires intérieurs.* Pascal mis à part, qui y est plus souvent cité que Proust ? « Les maisons, les routes, les avenues sont fugitives, hélas, comme les années » revient comme un leitmotiv dans ce mémorial passionné d'une vie vouée aux livres.

Et moins d'un an avant sa mort, le 7 octobre 1969, le vieil écrivain rappellera dans son *Bloc-Notes* qu'avec Gide, Proust est « celui qui [lui] manque le plus ». Rompre avec les choses réelles, ce n'est rien. Mais avec les souvenirs...

La bacchanale

Le moment où Proust a fini de s'abîmer dans *le Temps retrouvé* est aussi celui où la vie parisienne, qui fascine et écœure à la fois François Mauriac, prend pour lui une forme nouvelle : aux salons qui l'ont si libéralement accueilli et continueront à lui faire fête, succède pour un temps un lieu magique.

« La première fois que j'ai aperçu François Mauriac, raconte Henri Mondor, il entrait au Bœuf sur le toit à une heure avancée de la nuit, accompagné d'une jeune femme ravissante — la sienne. Avec le haut-de-forme mat, le foulard blanc et le pardessus à revers de soie, sa svelte élégance de noctambule entraîné et un assez grand air de désabusement le désignaient, autant que sa jeune gloire déjà iconographiée, à la curiosité du grand public. »

Parfois seul, parfois avec sa femme ou « en bande » avec Le Grix, les Pourtalès, bientôt les Barbey, Mauriac se mêle à cette « bacchanale » des lendemains de guerre, du début des années vingt affolées par le jazz, la drogue, l'homosexualité en tous genres : « Je ne cédais que peu. Mais ce peu était beaucoup, était trop, parce qu'il engageait pour moi l'infini... »

Au « Bœuf » on ne rencontre pas seulement les rois de la « bacchanale », mais aussi Darius Milhaud, Ossip Zadkine — qui sculptera plus tard le buste de Mauriac —, Raymonde Heudebert, portraitiste de Jeanne et de François, et le futur général Corniglion-Molinier. Mais ce qui le frappe là, c'est le climat de « péché ». Ouvrons encore *le Journal d'un homme de trente ans :* « L'autre soir au Bœuf sur le toit, C. régnant avec, à sa droite, R. [1], Antinoüs hiératique. Et le nègre de jazz s'avança un instant vers le couple auguste et leur versa de tout près, dans l'oreille, sa romance. » Il a parlé ailleurs de ces deux princes jumelés, de Radiguet, cette « merveilleuse chouette dressée, immobile et aveugle, sur son tabouret du Bœuf sur le toit [...] sur le point de mourir », de la royauté de « Jean » sur ce monde « chargé de poisons », où « nous nous sentions nous-mêmes gazés comme nos corps l'avaient été durant la guerre » — ce Cocteau qui malgré tout, en dépit de cette angoisse du « public » qui le tient, de cette « terreur de ne pas réussir », de rester le « génie méconnu » (au point de se prendre pour Rimbaud et de parler des lecteurs que *le Grand Écart* aura dans un siècle !), le charme.

Témoin cette notation dans une lettre à sa femme de juin 1921 : « La chose de Cocteau [2] est un numéro de music-hall qui serait drôle sans les intentions dont le chargent les auteurs : le charivari a été intense et J. C. est venu tout de même sur la scène, maigre et vert sous les sifflets... » Et il évoquera son ami un peu plus tard, après une fugue de Radiguet avec « un vieil Américain », déjeunant chez Jacques-Émile Blanche, « ravagé, grimé, terrible, le cheveu droit, l'œil hagard... condamnant péremptoirement tout ce qui ne vogue pas sur sa galère »...

Autour de Mauriac fasciné, effrayé, et qu'un innocent cocktail fait presque chavirer, tournoient « les possédés », Drieu La Rochelle et Aragon, demi-dieux de cette planète du gai désespoir, et Cendrars et Kessel, géants débonnaires de ce Walhalla, et René Crevel et Jacques Rigaut (le secrétaire de son ami Jacques-Émile Blanche), qui vont bientôt se tuer et dévastent en attendant, autour d'eux, à coups de défoliants surréalistes, le paysage esthétique que s'est forgé Mauriac en trente ans de lectures. C'est le temps du « procès » intenté à Barrès par *Dada*, du furieux anticléricalisme des surréalistes, le temps où Crevel jette à Anna de Noailles effarée : « On ne fait plus de vers aujourd'hui, madame ! »

De cette bacchanale, il s'évadera avec une douloureuse prudence. Mais la désintoxication laissera des traces. Il lui arrivera de jouer en ce temps-là sur les métaphores médico-morales, assurant à Jacques-Émile Blanche : « Je vois le monde à travers mon foie, qui est fatigué... je vomis le monde ! » Il entre alors dans ce qu'il a appelé sa « période la moins chrétienne » — moins d'ailleurs pour la drogue frôlée et les frôlements multiples de ces temps troubles que parce qu'il est happé désormais, et pour cinq ans au moins, par une sorte de fièvre balzacienne du livre à faire, vite, plus vite, pour s'imposer, pour régner dans le siècle, pour être François Mauriac enfin.

Car ce temps de la première partie des années vingt n'est que fugitivement

1. Évidemment Cocteau et Radiguet.
2 *Les Mariés de la tour Eiffel.*

celui de la bacchanale nocturne, des bars, du gin et du charleston. C'est beaucoup plus celui de l'enfermement dans le « cagibi » de la rue de la Pompe. C'est moins le temps du rôdeur de nuit que celui du forçat de lettres, condamné à la page à écrire, aux épreuves à relire. Et d'abord, peu de mois après le triomphe du *Baiser au lépreux*, celles du *Fleuve de feu*.

Du long séjour fait pendant l'été 1919 dans le modeste hôtel d'Argelès où l'avait installé son frère Pierre, il avait rapporté une nouvelle, inspirée par la fugitive rencontre de deux inconnues, puis avait oublié ce manuscrit au fond d'un tiroir. En décembre 1921, il la retrouve et note dans son journal qu'il veut en tirer un roman, auquel il donne d'abord ce titre : *la Pureté perdue*. Il se jette en toute hâte dans la rédaction, qui occupera presque toute l'année 1922, barricadé dans le « cagibi », installé sur la Côte d'Azur, à Beaulieu, ou terré près de Malagar, à Bommes, dont son frère Jean est devenu le curé. Plusieurs versions se succéderont, assurant de retouche en retouche plus de sobriété, une plus grande économie d'images et d'interventions du romancier — au moins dans les cinquante premières pages, celles où se forme l'ardent trio : Daniel Trasis le « ravageur », Gisèle de Plailly, la jeune fille à l'enfant au rire de crécelle, et Lucile de Villeron, la protectrice dévorante.

En substituant au titre primitif ce *Fleuve de feu* emprunté à la fois à saint Jean et à Pascal, Mauriac s'est privé des richesses de l'ambiguïté. Il est vrai que le second titre unit lui aussi dans le « fleuve » de la concupiscence les deux personnages principaux, et peut-être aussi le troisième, Lucile, qui l'entrevoit avec une avidité refoulée. Mais *la Pureté perdue* disait mieux ce qu'il y a de profond dans le système d'attirance-répulsion qui soude le trio, et met mieux l'accent sur ce qui envoûte Daniel chez Gisèle — lui, ou ce qu'il fut — et ce qui justifie l'attachement passionné de Lucile à la petite fille née des amours de son amie.

Sur l'élaboration de cette œuvre, on dispose d'une éclairante confidence de François Mauriac à sa femme, en date du 9 février 1922 :

> « ... Je travaille beaucoup à mon roman. Tu ne peux imaginer ce que sont maintenant Daniel Trasis et Mme de Villeron. C'est enivrant de voir naître et croître des êtres sortis de vous. Je les enrichis le plus possible. Et ce livre que je voulais a-religieux sera, malgré moi, chrétien. Il m'est impossible de ne pas rendre *témoignage*. Sois assurée, quoi qu'en disent certains, que ce témoignage en vaut un autre. Je peins des êtres au fond de l'abîme ; mais au fond de l'abîme, ils voient le ciel. »

Combien le témoignage serait plus fort si le romancier ne se laissait pas à ce point terrasser par sa propre foi qu'il installe au ciel ces êtres jetés au fond de l'abîme, ne se refusant pas même une conclusion sulpicienne à quoi ne manquent ni l'harmonium, ni les enfants de Marie, ni le rayon de soleil nimbant la chevelure d'une Gisèle en Assomption. Un Murillo tiède.

Trente ans plus tard, préfaçant le volume de ses *Œuvres complètes* où figure *le Fleuve de feu,* Mauriac écrira rudement que les cinquante premières pages de ce roman court sont « les seules qui vaillent à mes yeux ».. Fallait-il que Rivière et Gide fussent éblouis par elles — certes magistrales — pour demander à Mauriac de le publier dans la *NRF*, passant sur cette édifiante péroraison ? Ils ne se retinrent pas pour autant, en jansénistes de l'écriture, de formuler leurs réserves. A son frère Pierre, François Mauriac écrit : « Rivière est enthousiaste, sauf du dénouement qu'il trouve mauvais. » Le rédacteur en chef de la *NRF* critiquait sévèrement les « changements à vue » qui, sans beaucoup de vraisemblance, modifient soudain les personnages, Daniel Trasis, prédateur foudroyé, et Gisèle de Plailly.

N'est-ce pas d'ailleurs pour mieux prévenir ou détourner les flèches de Gide promises à ce dénouement que Mauriac lui écrivait, le 12 décembre 1922, dix jours après la publication du premier chapitre du roman dans la *NRF* : « Sans doute n'en aimerez-vous pas la fin... » Gide ne répondit pas... Mais pour faible que soit la dernière partie du *Fleuve de feu,* elle n'aurait pu paraître sous la prestigieuse couverture blanche si l'auteur de *la Porte étroite* (un titre en forme de devise) s'y était refusé.

En tout état de cause, cette entrée à la *NRF* est un instant privilégié de la vie de Mauriac. Il écrit à Gide : « Je suis heureux d'écrire à la *NRF*... après quinze ans[1]... » Et dans *la Rencontre avec Barrès,* il précisera que cette publication se fit « ... pour ma plus grande joie. C'était la *NRF* qui comptait pour moi ! ». On reviendra bien entendu sur la convergence entre ce janséniste obsédé par le péché de la chair et ce Port-Royal des lettres qu'était la revue de Gide, Rivière, Martin du Gard et Schlumberger. Mais Grasset tout de même, et non Gallimard (l'éditeur de la *NRF*), publie en mai 1923 le livre. « *Le Fleuve de feu,* écrit sobrement l'auteur, fait couler beaucoup d'encre » (en fait, le succès n'est pas comparable à celui du *Baiser au lépreux,* mais la réputation de Mauriac continue de croître).

D'où la munificence de Bernard Grasset, qui offre à cet écrivain de 37 ans un contrat alors tenu pour somptueux : 10 000 francs d'avance pour les premiers tirages de ses trois prochains livres.

> « *C'est éblouissant,* écrit François à sa femme en vacances à Chamonix avec les enfants, mais 1. cela peut avoir une influence fâcheuse sur la qualité de mes livres, 2. Grasset est riche pour l'instant, mais où en sera-t-il dans deux ou trois ans ? D'un autre côté, quel agrément de n'en être plus à " regarder " à mille francs près... Réfléchis. Conseille-moi. »

Le conseil dut être positif, car un an plus tard, de Nice, François Mauriac écrit à son épouse cette lettre extraordinaire, aussi rassurante sur l'état de ses finances que révélatrice de son exigence et de ses états d'âme d'écrivain :

> « J'ai trouvé [...] à Roquebrune [...] la villa rêvée [...]. Une vue sublime, 3 000 m² de terrain [...] et ne l'achète pas. Au moment de réaliser le rêve, je sens, avec cet instinct profond que j'ai dans les circonstances graves et qui me mènera loin et haut si Dieu me prête vie, je sens que possédant ce paradis j'y passerais ma vie. Or pour deux ans, pour trois, peut-être plus peut-être moins, je suis sûr que Paris m'est encore indispensable, que

1 C'est-à-dire quinze ans après ses débuts littéraires

> surtout *maintenant* où ma réputation se fait, à cet instant de mue entre le gigolo de lettres et le romancier, ce serait une gaffe irréparable. Ce pays délicieux, ce ciel, cette mer, c'est la récompense que je n'ai pas encore méritée... »

Chaque mot ici, chaque formule, chaque sentiment est un trait de feu. « Méritée » ? « Gigolo de lettres », un an après *le Baiser au lépreux,* l'année du *Fleuve de feu,* au plus fort de la rédaction de *Genitrix ?* Bref, il restera prisonnier du « cagibi », et parisien — pour autant qu'on puisse l'être, possédé à ce point par la Guyenne, la lande, les sites et les êtres de Gironde.

Oui, parisien. Et pas seulement par le « cagibi », par le salon de Jeanne Mülhfeld, les soirées au Bœuf sur le toit, les apparitions dans sa vie de Jean Cocteau et les cocktails chez Grasset, mais aussi par une fiévreuse présence au théâtre. Trois, quatre fois par semaine, et pendant bien des années, on verra Jeanne et François Mauriac dans les premiers rangs des fauteuils du Gymnase ou du Vieux-Colombier. Dès 1921, il a été chargé par François Le Grix de suivre l'actualité théâtrale pour *la Revue hebdomadaire* — comme il l'avait fait avant-guerre pour les *Cahiers.* Il s'acquitte de cette tâche avec passion.

Que ne voient-ils pas, les Mauriac, dans ces années-là ! De *la Puissance des ténèbres* de Tolstoï chez Pitoëff (22 février 1921) aux *Amants puérils* de Crommelynck, de l'*Oncle Vania* au *Passé* de Porto-Riche avec Mme Simone, de *l'Annonce faite à Marie* à *Mademoiselle Julie* de Strindberg, de *la Grâce* de Gabriel Marcel au *Louis XI* de Paul Fort, de *l'Heure du berger* de Bourdet à *Ubu roi* monté à l'Œuvre (17 février 1922), du spectacle de Grock au *Saül* d'André Gide (16 juin 1922)... On ne retient là que quelques titres, quelques dates. Et en 1923, c'est *Pygmalion* chez Dullin, les *Six Personnages* mis en scène par Pitoëff, un Feydeau avec Max Dearly au Palais-Royal, *Là-haut* de Maurice Yvain avec Maurice Chevalier...

Éclectisme, assiduité et persévérance qui ne seront pas tout à fait payés de retour. S'il y a un aspect mineur dans la création de Mauriac, c'est le théâtre. Et s'il y a un point faible dans son activité journalistique, c'est la critique dramatique — encore qu'y brillent ici ou là des traits d'une belle acidité.

Témoin ce coup de poignard à la dépouille de Rostand qui vient de mourir :

> « Un charmant et précieux poète de ruelle... qu'auraient adoré Cathos et Madelon... un acrobate auquel il ne manque que le respect de la langue française pour mériter que nous l'appelions un frère de Banville... Dans ce tissu de calembredaines, de calembours et de coq-à-l'âne, reniflons-nous une seule odeur de forêt ou de plaine ? Pour Chantecler, un liseron est un récepteur de téléphone[1]. »

1 *La Revue des jeunes,* 25 janvier 1919.

Journaliste à droite

Mais, dès ces années-là, le journalisme prend pour Mauriac des formes beaucoup plus classiques. Du *Gaulois* à *l'Écho de Paris* et au *Figaro* — parfois même au *Journal* — il fait ses classes et fourbit ses armes avant d'affirmer sa maîtrise, une maîtrise qui, à partir des années quarante, fera de lui le plus grand des journalistes de langue française. On notera bien sûr que tous ces journaux sont situés à droite, car il faudra attendre le milieu des années trente pour voir le vieux « silloniste » qu'est resté Mauriac, cet ambigu, accueilli dans son vrai milieu intellectuel, celui des publications dominicaines — *Sept* et *Temps présent.*

Le 8 mars 1919, il note dans son journal : « Corpechot nommé directeur du *Gaulois* me fait demander par Le Grix ma collaboration. » Il accepte. Comment résister à l'invite de pénétrer dans l'état-major d'académiciens et de vedettes littéraires rassemblé par le précédent directeur, Arthur Meyer : Bourget, Barrès, Anna de Noailles, Cocteau, René Bazin... mais il va bientôt en apprécier les procédés : « 5 avril : Corpechot finit d'office mon dernier article du *Gaulois* sur une phrase qu'il invente et qui est une faute de français[1]. »

Dès son coup d'essai, il est clair que Mauriac se refuse à suivre le conseil que lui donne alors un confrère : un écrivain digne de ce nom ne donne aux journaux que « ses scories ». Précepte insane, contre lequel il s'est sur-le-champ rebiffé : ses articles en font foi. Le premier est un nouvel hommage à Barrès « qui, pas plus que Dante, n'a rougi de ses haines » ; le second, un hommage à Talleyrand, « héros » bien mal assorti à ce pascalien, mais dont il trace un portrait d'une pénétrante désinvolture ; et puis vient une évocation des procès des « défaitistes » amis de Caillaux (Charles Humbert, Lenoir) ; un portrait du leader radical lui-même, qu'il met en parallèle (avant Anatole de Monzie) avec Catilina. Puis viennent un plaidoyer pour la reprise des relations entre Paris et le Vatican, une méditation sur le rôle du président Wilson : autant de tableaux, de traits, de retours historiques savoureux, suggestifs, où déjà se profile l'admirable chroniqueur des années cinquante.

Sur un autre ton, dans d'autres perspectives ? Bien sûr. Le Mauriac de ce temps-là est, sinon *de droite,* au moins *à droite.* A ce « d'où parles-tu ? » que lancent si volontiers les psychosociologues d'aujourd'hui, le chroniqueur du *Gaulois* n'aurait pu répondre qu'en citant les titres de ses journaux... L'ombre de Barrès s'est si fort étendue sur lui, et puis celles de Jammes et de Claudel, de Maurras et de Bainville, sinon de Bourget, qu'il a été happé par ce milieu, ce langage, ce système de pensée et d'alliances dont le bouleversement ultérieur de l'Europe pourra seul l'arracher. Comme pour se faire pardonner de n'avoir pas suffisamment souffert de la guerre dans sa chair,

1. « Nous n'avons prétendu qu'à pénétrer dans la formation du diplomate. Nous ne le suivrons pas sur son terrain propre. »

Mauriac s'efforce à l'agitation cocardière, persiflant la Société des Nations, fulminant contre la démocratie cartelliste, anathématisant le bolchevisme. Littérature bleu horizon.

Pourtant, d'une chronique à l'autre, on sent poindre l'esprit libre, la sensation originale, l'interrogation de l'intellectuel. Le 6 mars 1920, par exemple, on lira de lui ceci, qui dut faire tomber quelques monocles dans la bibliothèque du Jockey Club :

> « ... Ces bolchevistes sont des êtres vivants, pensants, avec qui on aimerait causer, discuter... Existe-t-il entre ces mystérieux prophètes et un jeune bourgeois curieux un terrain commun ? [...] L'idéal de l'Internationale [...] d'ailleurs depuis des siècles les hommes [l']ont caressé : alors ils ne disaient pas " internationale " mais chrétienté. »

Et puis il y a le ravissant article intitulé « Les muses du Quai d'Orsay », du 20 mars 1920, d'où est tiré le portrait du jeune Alexis Léger débarquant au début du siècle à Bordeaux, qu'on a cité plus haut. Cet autre, si tendrement moqueur, qui évoque une enfance républicaine en dépit de la question religieuse :

> « ...L'un de mes plus lointains souvenirs, c'est, à l'époque des décrets [1], la venue dans notre chef-lieu d'un ministre (qui était je crois l'honorable M. Ribot) [2]. On lâcha à cette occasion dans la rue un âne au cou duquel on avait attaché un portefeuille. L'argument était faible ; il fit sur moi un effet prodigieux... »

Mais, poursuit-il,

> « j'affirme à M. Combes (lit-il *le Gaulois ?*) que pendant les dix années que je fus au collège, il ne me souvient pas d'avoir entendu un seul mot contre la République... pas même ce triste soir où M. le Supérieur vint à l'étude nous annoncer l'élection d'Émile Loubet [3], et bien que nous fussions tous avertis de ce qu'elle signifiait ».

Ce qui étonne, en tout cela, ce ne sont pas les libertés que prend parfois ce jeune ambitieux par rapport aux opinions de la clientèle bien-pensante et cocardière du *Gaulois*, c'est surtout l'aisance avec laquelle il passe d'un sujet à l'autre, l'audace qui lui fait s'attaquer aussi bien à la musique qu'au syndicalisme, à la justice qu'au ballet, à la poésie, à l'histoire. Tant d'éclectisme devait irriter les caciques — et plus encore le succès fait à ce pétulant jeune homme dont la signature s'étalait de plus en plus souvent en première page : encore n'avait-il pas choisi d'y publier sa « Gloire de Georges Carpentier » (2 juillet 1921) écrit pour *la Revue hebdomadaire*, modèle de « distanciation » chaleureuse, d'ironique sympathie.

Ainsi se préparait, sans ménagement excessif du public dont il attendait,

1. Contre les congrégations religieuses.
2. Politicien modéré, chef d'un gouvernement pendant la guerre, en 1917
3. Partisan déclaré de Dreyfus et de la séparation de l'Église et de l'État

romancier, le soutien, le publiciste qui donnerait, vingt ans plus tard, les chefs-d'œuvre du journalisme moderne.

Appelez-moi maître…

Le 4 décembre 1923, peu avant minuit, Maurice Barrès s'éteint chez lui, à Neuilly. Chose surprenante, François Mauriac qui y a commenté avec émotion, un an plus tôt, la mort de Proust, ne mentionne pas même l'événement dans son journal et n'en fait guère état que dans une lettre à son frère Pierre.

On ne peut évidemment imputer ce silence à quelque rancune. Mais un éloignement, entre eux, est perceptible. Dû à quoi ? Du côté de Barrès, à une sorte de détachement de tout, qui imprègne les *Cahiers,* une fois la « revanche » obtenue, une fois démontrée la terrible médiocrité de ses camarades de lutte dans une Chambre où, faute de Jaurès, il n'a plus guère d'admiration que pour les hommes de culture comme Léon Blum. Il s'ennuie. La littérature n'est plus rien pour lui. Il ne pense plus qu'au Rhin, thème dont il sent bien qu'il ne compte plus guère aux yeux de la jeunesse française. Mauriac le voit s'éloigner, dépris de tout. Dessèchement ? Mauriac le note : mais Barrès est avide de retrouvailles ! A l'occasion d'un article du *Gaulois,* Mauriac reçoit, dit-il à Jacques-Émile Blanche, « une lettre touchante et *tendre* de Barrès. Comme on l'aime au fond, malgré tout ! ».

Quelques mois plus tard, le vieux maître le hèle, d'un taxi, en face du Palais-Bourbon : « " Que faites-vous ? " (Aucune idée d'aucun de mes livres !) Je le somme de lire *Péloueyre* qui n'aura que cent vingt pages… » Il ne sait rien de ce qu'a produit la « charmante source ». Comment Mauriac n'aurait-il pas été exaspéré par cette indifférence, s'agissant surtout du livre qui, après douze ans, donnait enfin raison au « sourcier » ?

Proust est mort. Barrès est mort. François Mauriac achève *Genitrix,* dont il dit à son frère le médecin :

> « Pourras-tu en quelques mots me dire les phases par lesquelles peut passer une femme mourant d'infection… et les raisons que pourrait donner le médecin à la famille pour expliquer qu'elle est morte en quelques heures… J'ai travaillé comme un fou à cette petite œuvre (genre *Baiser au lépreux*) brûlante et brève. »

Et à sa femme au début d'août : « J'écris peu, mais je réfléchis beaucoup sur mon fameux chapitre… » A la fin du mois : « J'ai à peu près mis sur pied le fameux chapitre qui, purgé de politique, me paraît à peu près potable. Vous en jugerez en tapant. Il me semble qu'il y a de menues qualités dans ce *Genitrix.* » (C'est elle, qu'il institue ainsi juge de son art, en même temps que déchiffreuse de manuscrits souvent peu lisibles, qui a fait retirer à cet élève des pères l'accent sur l'*e* de *Genitrix* — ô disciple de l'abbé Péquignot !) Comme c'est elle qui lui a fourni, en la personne de son terrible père (disparu en 1919), le modèle, très librement traité, de Fernand, le fils adoré, possédé, et en fin de compte assassiné d'amour après sa femme, par la *Genitrix* monstrueuse qu'est Félicité Cazenave, la bonne dame de Langon.

Cette Félicité était déjà un personnage, épisodique mais saisissant, du *Baiser au lépreux,* une Péloueyre, la tante abusive de Jean. Et tout *Genitrix* est déjà en puissance dans le précédent roman : « Si Fernand se marie, lui fait dire Mauriac, ma bru mourra. » Son modèle, Mauriac n'avait pas eu à le chercher très loin : un des plus beaux chapitres des *Nouveaux Mémoires intérieurs* décrit ce « matriarcat » qui était chez lui la « loi de la tribu », et le sort étrange de ces « vieux garçons [...] autour de moi [...] demeurés entre les mains d'une Genitrix toute-puissante ».

Encore faut-il distinguer ici famille immédiate et lointaine. Pour si autoritaire, scrupuleuse et peu portée à transiger que fût Claire Mauriac, les extraits de correspondance que nous avons cités, et notamment ceux qui ont trait aux fiançailles rompues, puis au mariage de François, interdisent de donner au roman le moindre caractère autobiographique. Un trait, ici ou là, peut être rapporté à Mme Mauriac, mais non le portrait.

Au surplus, l'auteur de *Genitrix* n'a pas dédaigné de s'abreuver à d'autres sources que celles qui le touchent de près. Dans l'article du *Gaulois* consacré au procès des « défaitistes » de guerre [1], le 19 avril 1919, il évoque le rôle de la mère de l'un des accusés, le jeune Lenoir [2] : « Croyez-vous qu'il existe dans aucune littérature une œuvre qui éclaire d'un jour aussi cru certains aspects de l'amour maternel ? [...] Le vrai roman de la mère reste encore à écrire. »

Mais le personnage central de *Genitrix* n'est-il pas la maison, autant que la famille qui s'y est nichée ? Et cette maison, c'est bien la « sinistre » bâtisse secouée par les trains que Jacques Mauriac, le grand-père de François, avait fait bâtir à côté de la gare de Langon, et qu'évoque avec un tendre effroi le mémorialiste de *Commencements d'une vie,* le lieu de son « plus ancien souvenir », celui de sa grand-mère qui, dans le grand vestibule, menace de sa canne en riant le petit François de 3 ans qui lui a dérobé une pastille ? Aucun des livres de Mauriac n'est moins autobiographique. Aucun d'eux n'est plus hanté, investi par sa mémoire.

Ce qui est peut-être le secret de la réussite, beaucoup plus que la dimension freudienne de ce portrait de « mère castratrice » contre laquelle vit et aime Fernand — avant de s'identifier à elle, morte —, c'est cet alliage entre un climat envoûtant et des êtres envoûtés, liés, possédés, qui situe *Genitrix* plus haut encore que *le Baiser au lépreux.* Le début surtout, cette veille criminelle de la mère et du fils au chevet de la jeune femme qui, à demi lucide, va mourir hors de la vue de ses bourreaux, est une ouverture que

1 Voir plus haut, p. 168.
2 Qui fut condamné à mort

Jacques Rivière qualifiait de « vertigineuse ». Plus puissamment ramassé et dessiné que le *Baiser,* et non gâté par le finale en forme de bénitier du *Fleuve de feu, Genitrix* marque un nouveau mûrissement de l'art de Mauriac.

« Avec *Genitrix,* je connais la célébrité. Les jeunes gens viennent me voir et m'appellent : maître. Les éditeurs, les revues, les journaux se disputent ma copie : l'argent arrive. J'ai eu quelques semaines de griserie », écrit-il dans *le Journal d'un homme de trente ans,* non sans ajouter aussitôt : « La maladie de Claude refoule toute cette pauvreté et la ramène à rien. Ce qui compte seul depuis huit jours : la vie menacée de mon petit garçon[1] [...] Cet artiste en moi que tout enrichit, ce monstre qui de toute douleur s'engraisse ! »

Pourquoi le livre ne parut-il pas d'abord à la *NRF,* comme *le Fleuve de feu* qu'il surpassait — et bien qu'il ait « vivement alléché » André Gide, signalait Rivière à Mauriac ? Tout porte à croire que Bernard Grasset commençait à s'inquiéter de voir « son » auteur glisser ainsi, par revue interposée, vers les eaux de Gaston Gallimard. Aussi publia-t-il *Genitrix* dans ses « Cahiers verts », prestigieuse collection dirigée par Daniel Halévy (6000 exemplaires souscrits), avant qu'il paraisse, dans les derniers jours de 1923, en édition courante.

A son frère Pierre accouru quelques semaines plus tôt au chevet de Claude, alors que sa propre fille Catherine est, à 18 mois, menacée d'une grippe infectieuse (« Chère âme fraternelle, impuissante à rien livrer de sa douceur, et pourtant si douce[2] »), il écrit :

> « *Genitrix* est décidément un succès. La vente est régulière et la presse excellente... Article de Thérive dans *l'Opinion,* qui représente assez bien l'opinion de la jeunesse. D'autre part je soulève de secrètes fureurs, au point qu'Halévy m'écrit ce matin pour me conseiller le silence pendant deux ans. Comme je travaille à un livre qui me passionne, je me garderai bien de suivre son conseil... »

Ce livre qui le « passionne », c'est *le Désert de l'amour.* Le 13 juin 1924, il écrit à Jacques-Émile Blanche : « J'écris un étrange livre dont je ne sais que penser, où je m'aventure vers des régions claires... »

Claires ? Étrange adjectif, pour cette *Phèdre,* cette histoire de Maria Cross, la jeune femme entretenue qui se débat entre la passion gloutonne de l'adolescent Raymond Courrèges et l'adoration balbutiante de son père, le Dr Courrèges, quinquagénaire aux gestes dérisoires ? Étrange adjectif pour ce livre envahi pour la première fois dans son œuvre par le Paris des bars, des demi-mondaines et de la chasse aux adolescents. Mais le climat d'une œuvre, l'auteur en prend seul peut-être une vue exacte.

Pourquoi Mauriac s'est-il senti projeté là vers des « régions claires » ? Peut-être parce que apparaît enfin au cœur d'une de ses œuvres un

1. Atteint d'une pleurésie, alors que Jeanne Mauriac vient d'apprendre qu'elle attend un quatrième enfant.
2. *Le Journal d'un homme de trente ans*

personnage fondamentalement bon, le Dr Courrèges, que sa faiblesse, ses faiblesses font plus humain encore. Et d'autant plus aimable, pour utiliser le vocabulaire racinien qui s'impose, qu'on le disait inspiré à Mauriac, au moins pour tout ce qui relève de ses activités de chercheur et de son comportement médical, par le maître le plus admiré de la faculté bordelaise, Xavier Arnozan, qui a laissé le double souvenir d'un vrai « médecin des pauvres » et d'un savant clinicien.

> « De tous mes romans, écrit Mauriac dans la préface rédigée pour ses *Œuvres complètes* vingt-cinq ans plus tard, *le Désert de l'amour* est celui qu'il m'est le plus difficile de juger comme s'il s'agissait du livre d'un autre, car je l'aime pour plusieurs raisons qui n'ont rien à voir avec la littérature. Ce n'est certes pas le grand prix du roman que l'Académie française lui décerna qui le revêt à mes yeux de prestige. Je note pourtant qu'à partir de ce prix, certains membres de ma famille commencèrent de croire que j'allais peut-être faire une belle carrière... »

Plus gravement, Mauriac allègue, pour fonder sa prédilection, l'avis des deux critiques qu'il a le plus respectés, Charles Du Bos qui, dans la *NRF*, louait le *tempo* du romancier, et Jacques Rivière qui, à la veille de mourir, lui lançait, comme un adieu et un appel à la fois : « Cette fois, vous y êtes tout à fait... C'est un roman, un vrai... L'œuvre... se détache complètement de vous, et vit d'une vie personnelle... L'action est bien partout le propre des personnages. Vous avez eu la patience de les laisser sécréter chacun bien complètement leurs actes, leurs pensées... Je ne sais pas comment vous êtes arrivé à cela, mais c'est une réussite remarquable. »

Le livre fut écrit de février à septembre 1924 à Paris, puis à Vémars et à Saint-Symphorien, où François veillait sur la convalescence de Claude, tandis qu'à Paris naissait, le 15 août 1924, son dernier enfant, Jean. (« Un petit garçon ! Tout noir comme les autres... Pourquoi suis-je si heureux de cette naissance ? Mystère... Jeanne va bien », écrit-il à Jacques-Émile Blanche.) Est-ce la renaissance du premier, la naissance du second de ses fils qui lui font situer ce dernier livre dans les « régions claires » ? C'est pourtant un chant de solitude, d'incommunicabilité — de silence, dirait-on —, un chant brisé, avec ce titre terrible, ce titre magnifique qui pourrait être celui de toute l'œuvre romanesque de François Mauriac...

Le Désert de l'amour, d'abord publié par *la Revue de Paris* à partir du 15 novembre, parut chez Grasset en février 1925 — au moment même de la mort de celui qui l'avait si profondément analysé et aimé, Jacques Rivière. Perte irréparable pour Mauriac que celle de cet ami d'autant plus émouvant et éclairant que tardif. On reviendra sur cette autre amitié bordelaise à demi manquée qui aurait dû être la plus enrichissante, après celle d'André Lacaze, de Jean de la Ville et d'André Lafon.

Et c'est aussi le moment où paraît le petit livre que François Mauriac publie à la mémoire d'André, *Vie et Mort d'un poète,* dont il a dit qu'il n'en est « aucun que j'aie écrit avec plus d'amour » A propos du tendre poète de

Blaye, on s'est déjà inspiré de ce petit ouvrage que commentait ainsi l'auteur dans une lettre à Jacques-Émile Blanche :

> « Rendez-moi cette justice que mes livres se dépouillent de plus en plus de toute intention religieuse... Je propose justement (ici) l'exemple d'une âme renoncée (« La sainteté, c'est presque toujours le silence ») et je montre qu'André L. n'était déjà plus un littérateur. »

Un littérateur, il l'est encore, lui, qui vient de faire, à la veille de la publication du *Désert de l'amour,* ce qu'il s'était bien promis de refuser dès cette année 1922 où avait paru « le premier livre dont il ne rougit pas » : publier des choses « insignifiantes ». On lit dans la lettre à son frère Pierre où il lui annonce l'achèvement prochain du *Désert :* « J'ai donné à la *NRF* [...] contre un gros chèque, un rossignol qui ne paraîtra pas en librairie... » Dans la préface écrite en 1951 pour *le Mal* (le « rossignol » en question), il indique que ce texte avait été écrit « sur commande » (en 1917-1918), pour la revue *Demain.*

Mécontent de ce texte « bâclé » (ou « trop longuement travaillé », comme le suggère Jacques Petit dans son édition critique de la Pléiade, puisqu'il en existe quatre états, le premier intitulé *l'Homme qui craignait Dieu, ou l'évasion,* le second *l'Emmuré*), il en refuse la publication en librairie. Quatorze exemplaires n'en furent pas moins tirés sur épreuves. Il en garda deux — dont les quatre premiers chapitres furent ensuite retravaillés, et publiés à tirage restreint sous le titre de *Fabien.* Infaillible critique de soi-même, l'auteur, pour aboutir à cette nouvelle en forme de tragédie où s'opposent sans merci le jeune homme, sa mère et sa maîtresse (Fanny, intéressant brouillon de Maria Cross et de l'Élisabeth Gornac de *Destins*), avait su éliminer les clichés malhabiles de la « bacchanale » parisienne, les personnages lourdauds de Larsen l'imprésario et du danseur maléfique, Cyrus Bargues. Car Mauriac, si foudroyant « croquiste » des grotesques réels et des méchants qui ont croisé sa route, est inexplicablement malhabile à brosser des caricatures romanesques. Charlus, Chigalev, Clappique — voilà le type de créations qui semblent inaccessibles à son poignard d'écrivain.

Le Mal n'en avait pas moins paru en avril 1924, non dans la *NRF,* où l'on aimait peu les « rossignols », mais dans *Demain* (avant d'être repris dans les *Œuvres complètes,* où Mauriac a accepté de faire figurer comme documents d'époque des ouvrages dès longtemps reniés, tels ses romans d'avant-guerre et de l'immédiate après-guerre auxquels ressemble fort *le Mal*). L'accueil fait à ce texte mal aimé, lors de la première publication, surprit d'ailleurs Mauriac : il écrit à son frère Pierre : « Moi qui croyais que *le Mal* passerait inaperçu dans cette revue !... On trouve ce roman meilleur généralement que je ne le disais. C'est surtout le sujet qui m'horripile. *C'est ce que je ne veux plus faire* » (c'est lui qui souligne).

Ce faux pas ne lui aliène apparemment aucune fidélité. Depuis février 1924 – selon son journal — il travaille, à la demande de la librairie Hachette, au

Jeune Homme, essai qui sera publié en 1926. Éloge du pluralisme, de l'ouverture, de l'« indétermination » — Gide aurait dit de la « disponibilité ». Pour cet écrivain qui fut si longtemps adolescent — en fait, jusqu'à son mariage, à 27 ans —, le jeune homme est celui qui « ne renonce à rien encore. Toutes les routes l'appellent... Ce qui s'appelle un homme fait s'obtient au prix de quelles mutilations ! ». Ce dernier mot est saisissant.

De l'accueil réservé à ce livre qui s'achève sur une exhortation aux hommes qui détiennent « quelque prestige » à se retirer du milieu des jeunes gens s'ils ont « les mains vides ou pleines de poison », et où l'on peut voir quelque chose comme les *Nourritures* de Mauriac, l'auteur écrivait à son frère : « Ce *Jeune Homme* me donne le sentiment que si je voulais, je pourrais aujourd'hui jouer au " maître " de la jeunesse. Mais je hais toutes ces attitudes ! »

Il ne se méfie pas moins alors de la « politique », de tout engagement public, si tenté qu'il soit pourtant par les séductions de la droite. La France vient de traverser une période de crise violente. A la veille de la mort de Barrès, Philippe Daudet, le fils de Léon, s'est donné la mort. Les adversaires du leader d'*Action française* assurent que, rallié à l'extrême gauche et drogué, il se préparait à tuer son père. Drame qui soulève de formidables remous : Mauriac, sortant de la chambre mortuaire de Barrès, écrit à son frère qu'il a « croisé dans l'escalier, jaune, gras, terrible, le malheureux Léon Daudet... Oui, le plus infortuné des mortels ! ».

Quelques mois plus tard, l'assassinat de Marius Plateau, chef des camelots du roi (milices de *l'Action française*), par une certaine Germaine Berton, met à nouveau le feu aux poudres dans les milieux de droite : et voilà que le prudent François Mauriac confie à son frère le monarchiste qu'il a « défilé au pas » devant la dépouille de ce martyr du nationalisme intégral. La victoire électorale du Cartel des gauches — alliance des radicaux d'Herriot et des socialistes de Blum —, en 1924, le fait encore sortir de ses gonds : il annonce à son ami Blanche qu'il s'est remis à lire *l'Action française.* Et l'excommunication de Maurras et de ses amis, arrachée à Rome par l'archevêque de Bordeaux, Mgr Andrieux, émeut tout particulièrement les monarchistes de Gironde — dont François Mauriac se sent du coup presque aussi proche que du Sillon condamné de 1907...

Mais toutes ces velléités ne font pas une politique, ni un engagement. Le Mauriac de la première partie des années vingt est de plus en plus fasciné par *l'Action française,* sous la triple influence de Jacques Bainville, qui lui paraît proposer la meilleure « lecture » possible de l'histoire des lendemains de la guerre ; de son frère Pierre, fidèle maurrassien, et de son ami Jacques-Émile Blanche, lecteur minutieux de *l'Action française,* typique réactionnaire au regard froid. Mais il ne se laisse pas gagner. Écoutons-le plaider pour sa liberté auprès de Pierre :

> « Je t'approuve d'être d'un parti, mais... même dans l'intérêt de *l'Action française,* je trouve dangereuse cette abdication de l'intelligence et du sens critique chez ceux de ses membres qui pourraient agir sur sa direction. Pour

> moi, tout en étant d'accord avec elle sur bien des points, je crois que ses échecs répétés viennent d'une certaine injustice initiale, d'une certaine violence mauvaise dont elle périra. Toute ma vie me porte d'ailleurs vers une action plus intérieure et individuelle... »

On le trouve de plus en plus en défiance vis-à-vis des utopies séduisantes et de l'éloquence esthétique. A une enquête ouverte par la revue *les Marges,* qui demande aux écrivains de se prononcer sur *le Stupide XIXe siècle* de Léon Daudet, François Mauriac fait cette curieuse réponse :

> « ... Depuis le 1er août 1914, [nous ne sommes] plus aussi certains que nous l'étions à 20 ans qu'il existe de nobles et généreuses erreurs, qu'on peut se tromper avec magnificence. Aujourd'hui, on est en droit d'exiger qu'un écrivain ait raison ; d'abord parce que l'erreur coûte cher. Ensuite parce que l'œuvre d'art se ressent toujours des bassesses du cœur et plus encore des vices de la pensée. Il suffit d'ouvrir un recueil de Victor Hugo, un roman d'Émile Zola. Rappelons-nous ce mot de Stendhal : le beau, idéal de la raison. »

Nous voilà encore loin du superbe, de l'imprudent bretteur des années cinquante. A exiger qu'un écrivain, faiseur d'opinion, responsable des âmes, ait toujours raison, on le condamne à se taire — pour le cas où Dreyfus serait coupable, où Mohammed V serait répudié par son peuple, où de Gaulle serait condamné par le sien...

III

A travers feu

9. Du milieu de la vie

François Mauriac a 40 ans. Rien en apparence, ni note, ni lettre à un intime, ni fête familiale, n'a marqué chez lui le passage de cette ligne à laquelle beaucoup d'hommes attachent une importance symbolique — notamment dans ces milieux bourgeois de province où l'on fête volontiers les anniversaires. Le 11 octobre 1925, le carnet de Jeanne Mauriac signale simplement que sa seconde fille, Luce, s'est blessée à la tête en tombant de bicyclette.

Cette date, pourtant, Mauriac la ressent comme capitale. S'il ne le clame pas sur-le-champ, il l'écrira beaucoup plus tard dans les *Mémoires intérieurs :* à partir de cette heure-là, « tout va bientôt finir, tout est déjà fini »... Cette fin de la jeunesse, c'est déjà « une vieillesse anticipée ». Et il rapportera volontiers à cette date supposée fatidique l'origine de la crise qui va bientôt le bouleverser.

Le Journal d'un homme de trente ans s'est interrompu un an plus tôt. Celui d'un homme de 40 ans ne paraîtra pas. Pour imaginer les notations qu'aurait pu inspirer cet anniversaire, il faut se reporter à une page du journal interrompu où, le 11 mars 1921, il note :

> « J'ai aujourd'hui 36 ans. Si je vis jusqu'à 72 ans, c'est le milieu du chemin de ma vie. Mais que la descente est donc plus rapide [...] Ce qui me reste à vivre m'apparaît comme un raccourci vers la mort [...] J'existe un peu. Et Péloueyre [1], cette année, m'attirera des louanges. Dire que cela n'est rien. mensonge. Cela aide à vivre. C'est beaucoup qu'à la surface, tout me sourie... »

Mélange d'angoisse et de simple goût de vivre, de pessimisme et de lucidité ironique. Langage d'homme. Quatre ans plus tard, il n'aurait pu que souligner chacun de ces traits — surtout ceux qui se rapportent à la réussite : *Genitrix, le Désert de l'amour,* l'entrée à la *NRF,* l'amitié de Gide, ces jeunes gens qui accourent, l'appelant « maître » — et aussi la naissance de ce dernier enfant, Jean, le 15 août 1925.

40 ans donc. Il travaille comme un forcené, comme un obsédé. Romans. chroniques, critiques, articles, sans préjudice de la correspondance multiple et soignée qu'il entretient avec plusieurs amis. Sa santé s'est améliorée depuis l'alerte de 1917. Il reste fragile, mais fouette l'animal. Une photo avec Jean, gros poupard de 7 mois, le montre comme amplifié, consolidé. Le front est

1 *Le Baiser au lépreux.*

dégarni, déjà, mais sous le bel arc du sourcil brun, l'œil brille vif ; la moustache, fournie, est très noire, le menton semble s'être carré. Le voilà moins « asperge » à coup sûr qu'à 20 ans. Équilibré ?

Une photo d'Henri Manuel, à la même époque, montre un peu d'argent sur la tempe, et cet air circonspect, un peu effarouché, qu'il ne perdra que dans les épanchements du cœur et de l'esprit — et, plus tard, sous les lauriers d'une gloire insistante. Ce quadragénaire qui peut se prévaloir d'une véritable maîtrise esthétique et, au moins en apparence, de l'équilibre de sa vie personnelle, comme il fait penser encore au jeune homme de l'*Adieu à l'adolescence !*

L'équilibre de sa vie, tout semble en témoigner. Sa femme participe au premier rang à toutes les manifestations de son personnage — qu'elle oriente ses jugements, au théâtre, par quelque réflexion aiguë, qu'elle se substitue à lui dans un échange de correspondance, qu'elle lise pour lui tel journal ou tape ses manuscrits illisibles. A l'occasion, elle le laisse partir seul, s'isoler, sillonner la Côte d'Azur, s'enfermer à Malagar, à Saint-Symphorien, à Vémars ou dans quelque hôtel confortable pour y abattre le travail de forçat des romanciers sommés par les stipulations de leurs contrats, ou encore faire le bel esprit à Pontigny. Mais on la voit presque partout à ses côtés, et la plupart de ses amis des années vingt, Blanche, Bourdet, Pourtalès, Le Grix, sont « leurs » amis. Denise Bourdet, qui n'était pas toujours bienveillante, la disait « mince et gracieuse comme une petite chèvre noire ».

En novembre 1926, à une invitation du maréchal Lyautey qui souhaite le remercier d'un article écrit sur Barrès, il répond qu'il viendra accompagné de sa femme, « un être que Dieu a choisi exprès pour moi, qui me comprend, qui me connaît, qui n'exige pas que je sois un autre que moi-même »...

Ses enfants, telle est faite sa vie qu'il s'en occupe peu. Mais *le Journal d'un homme de trente ans* fait souvent référence à Claude, « mon salut, mon doux juge »... Mauriac compare à ce « clair visage » son « visage vieilli », évoquant son fils « pour [se] garder pur ». Et au moment où le succès de *Genitrix* va le faire sombrer dans une sorte de griserie, une pneumonie de Claude le jette dans l'angoisse : « L'enfant paie-t-il pour moi ?... »

Pour évasif et lointain qu'il puisse parfois lui paraître, le groupe familial lui apporte beaucoup.

> « Je suis assuré que je n'eusse rien fait de bon si j'avais construit ma vie à l'image de celle que Flaubert menait à Croisset et si, grâce à ma femme et à mes quatre enfants, je n'avais poussé de profondes racines dans la vie simple et normale[1]. »

Grâce aussi à Malagar, aux comptes de fin d'année, aux saisons, à la grêle, aux coupes de bois, au cours du vin...

1 *D'autres et moi* p. 38

Orages

Douleurs, fautes? Que cette vie ait été secouée alors de fièvres qui n'étaient pas toutes spirituelles, le titre même qu'il donne au recueil de poèmes alors publié, *Orages,* le dit assez. Et bien plus encore, les textes où frémit quelque chose de brûlant, d'incontrôlable, de réprimé. Pourtant ces 28 poèmes, qui paraissent aux éditions A la Sphère, dont l'un des deux directeurs, un tout jeune homme, s'appelle André Malraux, ont été écrits avant 1923. Mais c'est à cette date qu'il prend le risque de les rendre publics.

Orages, c'est un hymne exaspéré à l'inaccomplissement amoureux, à l'exaspération par l'inaccomplissement.

> Plus sournois qu'un regard, mon silence t'outrage
> L'odeur te fait mourir de mon désir tapi
> Ton corps cet isolé dans mon cœur, sans répit...
>
> Te souviens-tu, mon endormie
> De ces caresses retenues?
> Si jamais tu ne fus moins nue
> J'étais plus sage qu'une amie
>
> Jusqu'à l'extrême bord nous fûmes
> De la volupté défendue
> Mais nos mains, mouettes perdues
> Ne rasaient pas l'amère écume
>
> Nuit que je voulais éternelle
> Où, sans sommeil et sans parole,
> Nous fûmes, tête contre épaule,
> Deux fleuves de sang parallèles.
>
> ... La fuite des regards, l'étouffement des pas,
> Le mensonge charnel que nous enseigne l'âge
> J'en commence d'avoir l'humiliant usage
> Et rôde autour de corps qui ne le savent pas...

D'être « tapi », le désir n'est-il pas plus fort? D'être « retenues », les caresses ne sont-elles pas plus brûlantes? Et ce rôdeur n'est-il pas le foyer des passions les plus folles? La rétention sensuelle : Mauriac donne là l'une des clefs de son œuvre, on dirait « l'essentielle » s'il n'était hanté par l'idée de « l'injustice adorable de Dieu » (formulée à propos de Gide et qui le libère et le torture à la fois : car il ne lui suffit pas de savoir Dieu « adorable » pour le croire moins « injuste »)

Réticentes amours sans cesse retirées...
Le corps... Je le côtoie
Comme une eau endormie

Côtoiement, mieux que refoulement. Le péché, écrivait Gide à Mauriac, est ce que nous ne pouvons pas ne pas faire. Le plus brûlant, ici, est pourtant celui que l'on n'a pas « commis », le péché suspendu, contenu, celui « que j'eusse aimé commettre » — dit-il dans le poème intitulé, précisément, « Délectation ».

D'autres amours sont là, qu'on peut croire accomplies :

Caresse maintenant les océans calmés
Mouette au sage cœur qui ne t'es pas enfuie
D'une chair triste en proie aux péchés bien-aimés
... Accueille-moi, cœur d'ombre où tout péché s'efface
l'oublierai les prénoms que tu ne peux entendre.

L'homme qui écrit ceci est celui qui vient d'achever *le Baiser au lépreux,* qui écrit *le Fleuve de feu,* qui travaille déjà au *Désert de l'amour :* le pauvre Jean, Raymond et Daniel, les avides, et le Dr Courrèges sont là — et aussi les personnages qui vont bientôt peupler les œuvres les plus calcinées de passion amoureuse qu'ait écrites François Mauriac : *Coups de couteau* et *Insomnie.*

Voilà que commence la traversée du feu.

Peut-être parce qu'il trouvait trop criant l'aveu qu'ils comportaient, Mauriac a choisi de ne pas unir ces deux textes dans ses *Trois Récits.* A *Coups de couteau,* il a choisi d'associer des œuvres plus « distanciées ». D'abord *Un homme de lettres,* évocation d'un écrivain qui abandonne une maîtresse trop complaisante pour une épouse vouée aux molles effusions familiales, puis choisit de se retirer dans le désert de la création artistique. Le modèle avoué de ce portrait sarcastique est Jacques Chardonne (auquel le lie, depuis leur rencontre à Bordeaux, en 1906, une amicale complicité d'artisans et d'Aquitains). Mais Mauriac admettra plus tard qu'il a posé lui aussi pour ce portrait charge, lui, « ce monstre qui de toute douleur s'engraisse ».

Il qualifie de « terrible » (dans une lettre à Jacques-Émile Blanche) le récit suivant, *Coups de couteau :* face à face, au fond du gouffre de la nuit, deux époux s'affrontent, lui déchirant sa femme du récit d'un amour douloureux avec une autre, elle ripostant en évoquant l'idylle amorcée avec un de leurs amis communs. Plus « terrible » encore est *Insomnie,* où le héros, cette fois, se déchire lui-même avec une virtuosité proustienne, une précision clinique. La jalousie au sommet tremblant d'elle-même.

Quelle que soit la part d'autobiographie que comportent ces récits, peut-être aussi forte que celle qui fait la matière du *Démon de la connaissance,* évocation de son amitié avec André Lacaze, ce qui compte, c'est le trouble qui agite alors cette vie. En novembre 1924, François écrit à Jacques-Émile Blanche, à propos de Gide : « Triste humanité obsédée... Ce que je leur reproche, ce que je *me* reproche, c'est notre vie à tous, c'est l'obsession sexuelle... » Et un peu plus tard, cette notation adressée au même, cette amorce de plaidoyer : « Mais le trait dominant de ma nature (par ailleurs si basse) aura été la bonne foi... »

C'est l'époque où Mauriac écrit *le Jeune Homme,* livre secrètement gidien, et d'autant plus qu'il se voudrait, ou se dit, antigidiste. Cette « disponibilité », cette « indétermination » par quoi se définit, pour Mauriac, le jeune homme, n'est-ce pas un reflet des *Nourritures ?* Mais l'auteur du *Désert de l'amour* ne croit pas à une durable disponibilité.

C'est encore l'époque où il griffonne au verso d'un feuillet du premier manuscrit du *Désert de l'amour*[1], cette notation bien étrange de la part d'un « spécialiste du cœur féminin », en tout cas fort révélatrice de l'état d'esprit qui est alors le sien, au plus fort de la traversée des « orages » :

> « La femme ne peut nous atteindre et nous ne pouvons aller jusqu'à elle que par les sens, que par la sexualité. Si celui qu'elle aime échappe à son attraction sexuelle, son amour la contient comme une prison, comme un désert. Tant que la conjonction sexuelle ne s'est pas réalisée, nous avons le sentiment, l'illusion d'un échange possible avec la femme. Si cette conjonction rate, s'il n'y a pas d'accord physique, notre intimité même spirituelle est détruite. Même tournée à Dieu, c'est charnellement qu'elle l'aimera. Elle peut contempler et aimer charnellement l'objet inaccessible : Dieu ou un homme qui la dédaigne. Prisonnière de son sexe irrémédiablement... »

Vie à tous vents. Vie dévorée par le monde, par les mille divertissements d'un Paris auquel il n'est question de se refuser que pour de brefs exils de scribe emmuré, à Malagar ou dans les Landes. Vie que seul le « divertissement » détourne du feu de la passion. Ce Mauriac de 40 ans, on ne saurait l'évoquer sans feuilleter quelques pages de son agenda, celles par exemple qui ont trait au mois de janvier 1925 :

1er dîner Mühlfeld avec Capiello
2 souper Blanche
3 déjeuner Boni de Castellane
4 musique Murat ; dîner D. Guérin ; Athénée
5 5 heures : Malraux[2]
6 souper Germain
7 musique Polignac
8 (*Jeune homme*)[3] ; dîner Maurois
9 interview pour *Province*[4] ; conclusion *Jeune Homme*

1. Conservé à la bibliothèque Doucet.
2. Qui fait un assez bref séjour à Paris entre son procès de Saigon et son retour en Indochine comme journaliste.
3. L'essai qu'il écrit alors
4. Un autre essai en cours

10 6 heures : Lady Colfax à l'hôtel France et Choiseul.
11 6 heures : Marthe de Fels ; Gaigneron, Le Grix
12 aux « Deux Magots », Malraux
13 Martin-Chauffier ; 5 heures : Lady Colfax
14 Valéry 11 h 15 ; princesse Bibesco déjeuner
15 goûter Fouquet's ; dîner Bourdet
16 déjeuner M. de Fels
17 dîner La Rochefoucauld
18 Mme Henri Lerolle [1]
19 princesse Bibesco
20 Beaumont. 9 heures : Massis
21 Soudzo
22 musique Boni de Castellane
23 déjeuner Martin du Gard ; dîner Bourdet
24 Fouquet's ; dîner Mühlfeld
25 midi Jaloux. Mme de Trévise
26 Bibesco ; dîner J. Truelle
27 déjeuner Castellane, La Rochefoucauld
28 dîner Bourdet
29 déjeuner Blanche
30 dîner Gay-Lussac
31 *Le Trouhadec saisi par la débauche*

Ce « côté de Mauriac » n'est pas sans éloquence.

Politiquement, il vit l'une de ses périodes les plus réactionnaires. Ce que l'on aurait tort d'expliquer par la seule référence à son carnet de rendez-vous : dans les années cinquante, quand on le retrouvera à gauche, son environnement ne sera guère plus prolétarien. Il subit certes quelques influences émanant de ce milieu, comme celle qu'exerce sur lui Jacques-Émile Blanche, ou celle qui s'incarne en son frère Pierre. Mais son antiparlementarisme spontané, son aristocratisme, son goût de l'ordre trouvent de multiples prétextes à s'exacerber dans la contemplation des péripéties où s'enlise la IIIe République sur le déclin, l'observation d'un système d'alliances européennes corrodé par les arrière-pensées nationalistes et commerciales.

En 1924, la victoire du Cartel des gauches (alliance entre les radicaux et les socialistes) lui a inspiré des commentaires agressivement pessimistes :

> « Le péril de guerre fait tomber la plume de mes mains… Et à l'intérieur ! Dans quatre ans, l'immense clientèle socialiste, déçue, ira au communisme, je le crains. Je crois voir les Marie Murat, les Jean de Gaigneron se frotter

1 La sœur de Marianne Chausson, qui entre-temps a épousé un physicien

les mains (en disant) : " C'est bien fait pour l'*A.F.* " La vérité est que l'*A.F.* reprend toute sa raison d'être. Sous Poincaré, je ne la lisais plus et de nouveau elle me retient[1]. »

Le quotidien de l'extrême droite monarchiste fait d'ailleurs tout pour cela, le traitant avec une courtoisie qui tranche sur la véhémence sectaire dont elle use avec tous ceux qui ne sont pas inféodés au clan maurrassien. Courtoisie qui, chez Léon Daudet, prend la forme d'une sorte de sympathie, due beaucoup plus à la passion que ce pamphlétaire ventru porte à la littérature qu'à leurs relations mondaines.

Mais à son frère Pierre, qui, apprenant sa participation à telle manifestation monarchiste (lors de l'enterrement de Marius Plateau par exemple), voudrait le voir s'engager davantage dans cette voie, il riposte en dénonçant (on l'a vu) l'« injustice initiale » de ce mouvement et la « violence mauvaise dont [il] il périra ».

C'est à cette époque qu'il entre pour la première fois dans la bataille des manifestes politiques : par le côté droit de la barricade. Henri Barbusse ayant mobilisé un certain nombre d'écrivains « de gauche » en faveur du soulèvement d'Abd el Krim contre la colonisation française au Maroc, *le Figaro* bat le rappel sur l'autre rive, avec la bénédiction de Lyautey. Il s'agit de proclamer la solidarité des « intellectuels autour de la patrie » avec les troupes françaises qui se battent au Maroc, « en dehors et au-dessus de toute considération politique » (bien entendu...). Parmi les signataires, on trouve Paul Bourget et Édouard Branly, Léon-Paul Fargue et André Maurois, Paul Valéry et François Mauriac : le centre droit plutôt que l'extrême droite.

Quelques mois plus tard, Mauriac (toujours « en dehors et au-dessus de toute considération politique »...) répond à une enquête de *la Revue hebdomadaire* en proclamant qu'il y a incompatibilité profonde entre l'homme de lettres et l'activité politique, laquelle tend à une « atroce simplification », au contraire de la littérature. Ce qui ne l'empêche pas de déclarer qu'il reste un citoyen vigilant et un électeur consciencieux : il a voté contre le Cartel des gauches, tient-il à préciser. Voter à droite, ce n'est jamais faire de la politique !

Et d'ajouter : « Tous mes goûts vont à un gouvernement qui soit un gouvernement. (Ne dirait-on pas du de Gaulle, déjà, pour le fond comme pour la forme ?) Je suis profondément antiparlementaire. » Homme d'ordre, sinon d'autorité, il le restera longtemps. Les pesanteurs sociologiques rejoignent ici de très profonds réflexes pour faire de lui ce qu'il appelle un « bourgeois de droite ». Nous sommes, rappelons-le, en 1925, sous le règne d'Édouard Herriot (soutenu par Léon Blum) et du Cartel des gauches.

Mais sur les rapports entre l'homme de lettres et la politique, il n'est peut-être pas si assuré dans le refus que cette interview le donne à penser. Témoin ces quelques notes prises au cours d'un voyage en Tunisie (1928) à propos de *la Trahison des clercs* de Julien Benda

1 Lettre à Jacques-Émile Blanche

> « Un écrivain qui ne se mêle pas de politique, ce n'est pas toujours parce qu'il la méprise... M. Benda ne m'a nullement persuadé que je suis un clerc voué à l'éternel et que je ne saurais sans trahir user de ma plume pour la défense d'un parti... Un Maurras ou un Barrès se fussent trahis en résistant à cette passion pour la chose publique... »

Allons, pour l'homme de bien, il y a toujours une « bonne » politique !

Ainsi vogue-t-il en ces années troubles, indécis et comblé, brûlé de mille feux et frémissant d'impatience, non plus vers la maîtrise qu'a affirmée *Genitrix,* ni vers la notoriété qui lui est acquise, mais vers les grands accomplissements et les crises extrêmes qu'il pressent. Il vient de publier *le Désert de l'amour,* qui lui a valu le grand prix du roman de l'Académie française et le situe parmi les cinq ou six meilleurs romanciers de sa génération. Il est le critique dramatique de la *NRF.* Ses chroniques sont publiées dans plusieurs grands quotidiens. Ses pouvoirs sont déjà multiples et son art assuré. Il n'est pas jusqu'à son bonheur familial qu'il n'ait su préserver, pour l'essentiel, des « orages » dont frémit la vie intime d'un être qui se dit « incapable d'autre chose que d'aimer ».

François Mauriac a 40 ans. Il griffonne les premiers brouillons de *Thérèse Desqueyroux.*

La loi et les prophètes

L'infaillibilité, il ne peut la trouver sur le terrain politique. A Rome ? Le bûcher allumé pour Maurras ne lui dit rien qui vaille. Reste la littérature, *Swann,* les *Cinq Grandes Odes, Amyntas, la Jeune Parque* — la *NRF.*

Pour ce pascalien amoureux de Racine, rien n'atteint à la perfection, à la grandeur de Port-Royal. Quelques années plus tôt, il disait à son ami Robert Vallery-Radot que « sauf l'hérésie, Port-Royal doit nous servir de modèle. Une cité de travail, de pensée, de prière... Les Petites-Écoles... »

Qu'est-ce donc qui évoque mieux Port-Royal et ses nobles refus, son exigence passionnée, son intraitable pureté, que ce poêle à philosophes où quelques incorruptibles de l'esthétique se sont retranchés non sans quelque superbe autour de Gide et de Rivière, et font flotter sur le paysage littéraire européen la bannière d'une revue symboliquement lavée de tout appât de couleurs et d'images ? Que les mœurs de quelques-uns d'entre eux évoquent Athènes plus que Port-Royal importe peu : c'est dans un autre domaine que se manifestent cette vertu, cette rigueur spirituelle d'origine calviniste qui n'est pas sans évoquer, par certains traits, le comportement des disciples de l'abbé de Saint-Cyran.

L'histoire des rapports entre François Mauriac et la *NRF* s'inscrit formellement dans le cadre plus large des relations entre les deux grands éditeurs français de la première partie du xxe siècle, Bernard Grasset et Gaston Gallimard (qui songèrent, un temps, à s'associer : André Malraux, qui fut l'auteur de l'un et de l'autre et put servir de truchement, nous en fit un jour la confidence). Mais c'est sur le plan intellectuel, et même spirituel, qu'il faut envisager ces échanges à demi avortés, et pourtant très riches. A demi avortés ? Pourquoi Mauriac, si longtemps exilé de ce cénacle désiré, n'y fut-il enfin accueilli qu'en collaborateur amical, mais latéral ou occasionnel — hormis la période où il tint la rubrique dramatique, en 1925-1926 ? En dépit de l'amitié qui le lie à Rivière à partir de 1922, de la très cordiale estime de Gide, de l'affection qui l'unira après 1925 à Charles Du Bos, des relations d'étroite camaraderie qu'il entretient avec Ramon Fernandez et enfin de la sympathie chaleureuse de Paulhan, pourquoi Mauriac ne fera-t-il jamais partie de la « famille » ?

Entre le fils de Claire Mauriac, qu'aura si lourdement hanté une vision pascalienne du christianisme — tantôt pour s'y associer, tantôt pour s'en défendre —, et les « messieurs » de la *NRF*, la barrière dressée est peut-être moins celle qui sépare un catholicisme très explicite d'un calvinisme implicite, que celle qui divise clergé séculier et clergé régulier — celui qui vit dans le siècle et celui qui s'enferme dans une clôture monastique.

Pour les ermites du Port-Royal de la rue de Grenelle, Mauriac est celui qui a toute sa vie dîné en ville et fréquenté les « gens du monde ». N'oublions pas que si Gide refuse la publication de *Du côté de chez Swann* par la *NRF*, en 1912, c'est parce que « c'est plein de duchesses »... Mauriac, vu par ces « solitaires » (à éclipses), c'est, avec tout son talent et son charme, un écrivain lauréat de la bourgeoisie, en attendant l'Académie.

Et pourtant François Mauriac n'avait pas plus tôt fait ses premiers pas dans le monde des lettres qu'il subissait la fascination de l'école esthétique liée à la maison qui publie Gide et Claudel. Dans *la Rencontre avec Barrès,* il a évoqué ce temps où, sous ces airs triomphants d'adolescent prodige lancé par un grand homme, il était torturé de doutes sur lui-même parce qu'il n'avait pas obtenu « le suffrage des maîtres et des aînés qui comptaient » pour lui.

> « C'était l'époque où paraissaient les premiers fascicules de *la Nouvelle Revue française.* Je la lisais chaque mois jusqu'aux annonces. Littérairement, c'était mon évangile. Les jeunes écrivains d'aujourd'hui auront peine à s'imaginer [...] le prestige de ce petit groupe autour d'une revue d'apparence modeste, et comme nous passionnait son scrupule devant l'œuvre d'art ; cette révision des valeurs qui s'accomplissait là, cette rigoureuse mise en place de chacun me paraissait sans appel. Or je n'existais pas pour les amis de Gide... C'était la *NRF* qui comptait pour moi, c'était l'approbation de Jacques Rivière, de Ramon Fernandez, d'André Gide surtout... C'était peu d'en être exclu, mais je m'en croyais méprisé. »

Et, dans ses entretiens avec Jean Amrouche, en 1952, il dira ; avec une égale ferveur . la *NRF*, « c'était la loi et les prophètes ».

Le jeune Mauriac a bien tenté de secouer le joug, de persifler un peu ces puritains des lettres, de dauber sur telle critique dédaigneuse des *Sept Femmes de Barbe-Bleue* d'Anatole France : « Les jeunes gens d'aujourd'hui trouvent que ces vieillards manquent de sérieux [1]. » Le cœur n'y est pas. Il est fasciné. Et précisément par ce qui fait alors l'originalité véritable du cénacle de la rue de Grenelle : il admire ces hommes « que n'enchaîne pas le désir de prouver ou de prêcher quelque chose [2] », alors qu'il subit encore l'ascendant de Barrès et de Bourget.

Tentera-t-il de pénétrer au cœur de la citadelle sacrée en jouant de ses vieilles relations avec le beau-frère de Gide, son ancien professeur Marcel Drouin, qui signe Michel Arnauld (ce pseudonyme, est-ce un hasard ?) avant de devenir avec Gide, Copeau, Schlumberger, Ghéon et Ruyters, l'un des « pères fondateurs » de la *NRF*. On n'a gardé aucune trace d'une démarche de ce genre.

Si Mauriac tenta de s'introduire dans ce cloître, ce fut plutôt en se prévalant de sa concitoyenneté avec le benjamin déjà prestigieux de la communauté, Jacques Rivière, bordelais comme lui. En février 1911, il lui envoya un exemplaire de ses *Mains jointes* accompagné d'une lettre déférente — sans recevoir mieux qu'une réponse polie. Et quelques mois plus tard, l'*Adieu à l'adolescence* sera simplement cité dans la *NRF* parmi les « livres reçus ». En avril 1912 pourtant, le texte de Mauriac consacré aux idées et goûts littéraires de la jeunesse, publié dans *la Revue hebdomadaire*, lui valut de nouer enfin le dialogue avec deux des « messieurs » de la *NRF*, Rivière et Gide.

Avec Rivière, le rapport est d'abord négatif. On a cité l'article cinglant écrit dans *Paris-Journal* par son beau-frère Alain-Fournier, qui raillait cette poésie d'« enfant sage et riche ». Quelques mois plus tard, Mauriac écrira à Rivière que ce qui l'a particulièrement blessé dans cet article, c'est que lui, Rivière, passait pour en être au moins en partie l'auteur. On a vu que c'était faux, mais que dans une lettre publiée quinze ans plus tard, le jeune animateur de la *NRF* félicitait son beau-frère d'avoir ainsi fustigé le goût de Mauriac pour l'« ordre et [la] discipline ».

Les liens ne vont se tisser que très lentement entre les deux écrivains bordelais — pour ne prendre qu'au lendemain de la guerre les formes de l'échange critique, de l'amitié et enfin d'une affection brisée par la mort.

Deux façons d'être bordelais

Ils étaient nés à quelques mois et à quelques mètres de distance, et issus de milieux très voisins, quoique différents. Bourgeoisie terrienne et commerçante pour l'un, professions libérales pour l'autre. Le père de François avait

1 *La Revue du temps présent*, 1910
2. *Ibid*

fait commerce du bois. Celui de Jacques était professeur à la faculté de médecine. Obstétricien prestigieux, il avait peut-être accouché Mme Mauriac. En tout cas, il avait dû être le maître de Georges Fieux et de Pierre Mauriac.

Jacques, l'aîné de ses quatre enfants, né neuf mois après Mauriac, élevé au lycée — bien que la famille fût très attachée au catholicisme —, n'avait pas connu l'écolier François. C'est à 17 ans, lui, qu'il avait gagné Paris, pour préparer le concours de l'École normale supérieure au lycée Lakanal, où il s'était lié avec Henri (dit Alain) Fournier. Son échec l'avait ramené en 1905 à Bordeaux — au temps où Mauriac, adhérant du Sillon, préparait sa licence de lettres.

Entre l'automne 1905, qui vit le retour de Rivière, et celui de 1907, qui vit le départ de Mauriac pour Paris, il n'est pas imaginable qu'ils ne se soient point croisés, au foyer du Grand-Théâtre lors d'un entracte de *Tannhäuser* ou dans les pas-perdus de la salle Franklin, à la sortie d'un concert de Jacques Thibaud. Mais le moins que l'on puisse dire est que ces jeunes bourgeois bordelais ne se lièrent pas d'amitié — eux qui partageaient celle d'un troisième adolescent, André Lacaze.

C'est en préparant à Bordeaux sa licence de philosophie avant d'entrer au séminaire que l'ami de collège de Mauriac se lia, en 1905, avec Rivière, « âme secrète et repliée » qu'il voyait toute vouée à la pensée, avant que Gide l'eût convié à « sentir ». Le surprenaient pourtant chez ce reclus de brusques élans d'enthousiasme (« c'est formidable ! c'est fou ! »), une sorte de gourmandise intellectuelle, et aussi un dogmatisme alors rigoureux. Impossible de faire devant lui la critique de Claudel ou de Debussy... Lacaze et Rivière se retrouvèrent à Paris en 1905, l'un préparant le concours d'admission à l'École normale à Lakanal, l'autre une licence de philosophie au lycée Henri IV. L'amitié entre eux, à 20 ans — aussi soudaine que celle qui avait uni André et François dix ans plus tôt — se développa au détriment de la première.

En Rivière, Lacaze découvrait une parenté intellectuelle plus profonde, plus intense : les mêmes problèmes philosophiques les absorbaient, qui décontenançaient Mauriac, homme de sensations plutôt que de concepts. Dans la singulière « incommunication » Mauriac-Rivière de ces années bordelaises, on a voulu voir le rôle négatif, presque maléfique de Lacaze (François affirmera qu'il s'était « ingénié à brouiller les cartes »). Ne pourrait-on y voir plutôt et plus simplement l'effet d'un « dépit amical », très proche on le sait, chez les jeunes gens, du dépit amoureux, et qui dut dresser le jeune poète contre ce « philosophe » qui prenait le pas sur lui dans l'amitié de Lacaze ?

Tout porte à croire que le futur chanoine ne fit pas grand-chose pour faciliter les choses entre son condisciple de Grand-Lebrun et son camarade de la faculté des lettres — qu'il dépeignait à Mauriac comme une manière de puritain implacable, revêche, exigeant, rétif aux douceurs de la vie, aux complaisances du confort et du goût : « A 20 ans, il était remarquablement partial et péremptoire. Chaque fois qu'il parlait de Claudel, c'était avec application, lenteur et volupté.. Il me faisait l'effet d'un bourreau de l'inquisition... François Mauriac [...] prit peur et refusa de se laisser présenter à cet apôtre sans pitié[1]. »

Lacaze jouait-il le rôle d'écran, de diviseur pour mieux régner sur deux âmes antithétiques ? Si Mauriac avait voulu crever cet écran, participer de plain-pied aux échanges de tous ordres auxquels présidait, rue Régis, Gabriel Frizeau, y associant de loin Claudel, Jammes et Gide, rien ne l'en empêchait — que son orgueilleuse timidité. De cette espèce de clan, il se sentait tacitement exclu.

L'art qui se dévoilait et s'imposait là — Gauguin, Redon, Debussy —, il lui faudra des années encore pour en faire son univers : et parce qu'il se sent, en ces domaines, malhabile et balbutiant, il reste sur la réserve, non sans tenir peut-être ce jeune archange exterminateur de Rivière pour responsable de son exil, de cette « mise au piquet » hors du domaine enchanté de la beauté.

Si Mauriac fit quelques apparitions rue Régis, elles furent épisodiques. Frizeau, évoquant plus tard le cénacle rassemblé chez lui vers ce temps-là, cite Jacques Rivière et André Lafon, Martial Piéchaud et Alexis Léger, André Lhote et Olivier Hourcade, mais non François Mauriac. Relevons pourtant que, lorsque l'auteur des *Mains jointes* cherchera l'adresse de Rivière à Paris pour lui envoyer son livre, en 1911, c'est à Frizeau qu'il s'adressera. Et qu'évoquant la personnalité de Rivière dans une lettre à Gide en 1922, il parlera de l'adolescent autrefois « entrevu » — ce surprenant Jacques Rivière que Gabriel Frizeau avait rencontré pour la première fois chez un libraire, « coiffé d'un képi » et si absorbé par un livre qu'il semblait en prière, avant de l'agréger à l'étrange groupe assemblé chez lui « par l'amour des belles choses, chose incroyable presque en une telle ville[2]... ».

Tel est alors François, dédaigneux du Bordeaux du monde et du snobisme, et par soi-même exclu de ce minuscule îlot bordelais de la recherche et de l'exigence esthétique. Rivière aux « Maucoudinat » et « Maucoudinat » aux Rivière ! La pire façon d'être bordelais ? Il aurait pu trouver chez Montaigne l'exemple de telles flottaisons.

Cette distance Mauriac-Rivière, surtout fondée sur l'esthétique, va s'élargir bientôt en discordance sociale, ou économique. Tandis que François part pour Paris nanti de toutes les herbes de la Saint-Jean familiale, Jacques s'éloigne résolument des siens pour vivre à Paris une vie de pénurie, avant d'épouser en 1909, bravant l'interdiction de son père, la fille d'un instituteur de Sologne : Isabelle Fournier, sœur de son ami Henri.

Aux contradictions intellectuelles de naguère s'ajoutent ainsi, entre Mauriac et Rivière, l'écart des genres et des niveaux de vie : la mansarde de Rivière, rue de Tournon, et les amis qu'il y reçoit n'ont rien à voir avec l'aimable appartement où s'est installé le poète des *Mains jointes,* et les réceptions qu'il y donne. Comment imaginer que l'exigeant, l'intransigeant Rivière n'ait pas envers Mauriac cuirassé ses préjugés bordelais de la sévérité

1. *NRF,* avril 1925.
2. *NRF,* avril 1925. De Frizeau, André Lhote devait dire « Il était le seul juste de Sodome »

des pauvres volontaires à l'endroit du voluptueux installé dans le confort ? Le puritain et le « papiste ».

Ne faisons pas semblant de croire que la pauvreté de Rivière, alors, est une mise en scène provisoire d'esthète. François Mauriac, qui y fut une fois admis, a parlé du délabrement de ce logis. Quand Alain-Fournier jette à la face de Mauriac, en 1912, que les jeunes gens de ce temps ne peuvent tous se faire des souvenirs « ineffables » car la vie leur en a fait de plus rudes, Rivière approuve son beau-frère avec emportement. C'est le temps où Jacques « ne goûte pas le bonheur », comme il lui arrivera de le dire — aussi bien parce qu'il ne « l'aime pas » que parce que la vie lui en donne peu le loisir. Son mariage l'a exclu d'une famille qu'il aime. Son entrée à la *NRF*, à la même époque (1910), lui permet tout juste de survivre.

Les discordances tiennent donc aussi bien au genre de vie et aux milieux fréquentés qu'à l'esthétique. En Mauriac, c'est le « jeune bourgeois poseur, mondain » (comme l'a écrit François lui-même) qui est tenu à l'écart de la *NRF,* aussi bien que le barrésien attentif à l'avis de Bourget et de France. Au surplus, Mauriac paraissait plus ou moins lié au groupe d'*Agathon* (pseudonyme dissimulant mal Henri Massis et de Tarde) — nationalistes, catholiques et conservateurs en art, le parti de l' « ordre ». Ceux que Gide appelle les « crustacés ». Aux yeux de Rivière, le texte de Mauriac publié en 1912 dans *la Revue hebdomadaire* manifeste son alliance avec les « crustacés ».

Entre Mauriac et lui, quelques tentatives de convergence pourtant sont esquissées. Le 24 juin 1912, c'est Rivière qui invite son compatriote à entendre une lecture, par Jacques Copeau, de *l'Échange*. Mais c'est Mauriac qui, après une autre représentation claudélienne, celle de *l'Annonce faite à Marie,* tente d'approfondir leurs relations. Le 22 décembre 1912, Mauriac écrit :

> « ... Je lis vos articles avec une admiration extrême... Mais devant ce merveilleux dernier acte de *l'Annonce faite à Marie,* il me semble que vous avez dû comprendre ce qu'est la foi et que sans doute rien n'en est plus éloigné que cette complaisance de soi où vous vous attardez... A lire votre œuvre, comme on sent que deux hommes vous ont pris et se disputent en vous. L'un est le Gide des *Nourritures terrestres,* l'autre Claudel. Vous avez écouté ces deux voix, mais vous savez que Violaine a raison... »

Et, faisant allusion au cruel article d'Alain-Fournier et à la part qu'y aurait prise Rivière, l'auteur des *Mains jointes* précisait :

> « ... Il se peut que j'aie en moi plus de facilités que d'autres, mais chaque destinée comporte sa part de douleurs qui échappent aux regards. »

Surprenantes maladresses de la part d'un aussi subtil Gascon. Comment Rivière aurait-il pu agréer ce petit prône, cette mise en garde contre sa « complaisance », lui qui était alors lancé à corps perdu dans une ardente lutte avec l'Ange — un ange qui avait pris les traits rudes et les formes abondantes de Paul Claudel, et le terrassa à la fin de 1912. Comment aurait-il pu admettre de se voir attribuer ce double patronage, cette paternité à deux têtes, lui qui se proclamait si ardemment « autonome » et qui passa sa vie à « tuer le père » ?

Les maladresses, dans ses rapports avec le jeune homme de la *NRF*, Mauriac les accumulait d'ailleurs comme à plaisir, mêlant aux involontaires quelques « gaffes » très conscientes. Visitant, quelques mois auparavant, une galerie de peinture avec Jacques Rivière, il ne se contente pas de dénigrer les toiles qu'admirait son compagnon.

> « Comme [Rivière] parlait de *Pelléas*, sachant que je me coulais à jamais à ses yeux, mon démon me poussa à faire l'éloge de *Werther*. Dès lors, je ne le revis plus. Comment eût-il deviné, lui l'étudiant pauvre et dévoré de besognes, l'admiration, la tendre envie qu'il inspirait au jeune salonnard spiritualiste dont il devait tant aimer les livres plus tard[1] ? »

Tendre envie qui, s'agissant de Mauriac, ne pouvait manquer de se nuancer parfois d'ironie pour une si intransigeante gravité. Mais ce n'est qu'après la guerre qu'il lui décochera quelques flèches publiques. Le 22 juin 1919, dans *le Gaulois*, il écrit :

> « Avant la guerre, il n'était pas de jeune revue où l'on traitât moins de politique que *la Nouvelle Revue française*, qui reparaît ce mois-ci. Son directeur nous avertit assez drôlement, et non sans quelque superbe, qu'elle savait se rendre sensible comme un microphone aux moindres bruissements de la beauté. Le microphone de ces artistes aujourd'hui se perfectionne. Jacques Rivière nous annonce une critique et une interprétation de l'histoire contemporaine à travers laquelle s'entreverra une couleur politique ; ils auront seulement le sage souci de n'y point mêler la littérature. »

Sarcasmes un peu courts. Si Rivière — poussé ou soutenu par Gide — annonce que la *NRF* ne se tiendra plus à l'écart de débats politiques, c'est que, face à l'extrême gauche réunie autour de Barbusse et de la revue *Clartés*, vient de se dresser, avec une outrecuidance étudiée, le « parti de l'intelligence » dont le manifeste, publié dans *le Figaro littéraire*, dit assez qu'il est une manière de reflet de *l'Action française*. Dès lors qu'extrême droite et extrême gauche s'affrontent ainsi, s'arrogeant l'une le monopole du progrès, l'autre celui de l' « intelligence », était-il si absurde de prétendre briser ces hégémonies symétriques ? Rivière le fait d'ailleurs au nom de certaines valeurs chrétiennes qu'il opposera à la doctrine maurrassienne, en novembre 1919. Article admirable, intitulé « Catholicisme et nationalisme », qui pourrait servir de préface à toute l'œuvre politique de Mauriac — lequel se croit alors lié au parti « de l'intelligence »...

La vraie rencontre, depuis vingt ans différée, eut lieu néanmoins, source d'une amitié brisée seulement par la mort. On ne sait exactement par quelles voies le manuscrit du *Fleuve de feu* fut transmis à Jacques Rivière. Le fait est que, le 17 octobre 1922, François Mauriac recevait de Rivière une lettre qui

1 *La Rencontre avec Barrès*, p. 201

lui causa, n'en doutons pas, une joie presque comparable à celle que lui avait faite le message de Barrès en 1910 : son roman, « lu avec un profond intérêt », allait être publié par la *NRF*. « Il me fallut donc douze ans pour rejoindre enfin le groupe littéraire avec lequel je me sentais le mieux accordé... », observera plus tard Mauriac. Quelle joie, en tout cas, lui font les messieurs de la rue de Grenelle. Quelques semaines plus tard, le 11 décembre 1922, il écrit à Gide : « Je suis heureux d'écrire à la *NRF*. Après quinze ans, je retrouve un Rivière pareil à l'adolescent entrevu. C'est un diamant que la vie n'a pas rayé. »

Dès lors commencera entre les deux écrivains bordelais un échange de correspondance très nourri, cordial, et qui va passer de l'amical à l'affectueux, du « Mon cher Mauriac » (1922) à « Cher Ami » (1923-1924) et à « Mon cher François » (1925). On a déjà fait allusion aux réserves exprimées par Rivière à propos du *Fleuve de feu*, puis retirées dès lors qu'il comprend que le débat est moins d'ordre psychologique que religieux. A quoi Mauriac répond, le 28 janvier 1923, en s'interrogeant sur le point de savoir si « un homme résolu de n'appliquer plus aux choses de l'amour que les règles de la raison et de se dépouiller de toute métaphysique n'aboutirait pas par ce chemin à une conception chrétienne de l'amour ». Compte tenu de la « singularité de la chair », poursuit Mauriac, « l'attitude chrétienne devant l'amour n'apparaît plus si déraisonnable »...

Ainsi aiguillé, le dialogue entre les deux écrivains va déboucher sur un débat de type religieux. C'est par une lettre d'un accent proprement chrétien que répond Rivière, le 16 février 1922, retirant d'un coup les réserves exprimées à l'encontre des derniers chapitres du *Fleuve de feu*, qui « avaient évidemment leur origine dans cette volonté de ne pas croire à la Grâce. Elles tombent maintenant que l'évidence me force à voir ce que vous avez voulu faire, ce que vous avez fait ». Et c'est alors cet appel, cet élan vers Mauriac, d'une spontanéité déroutante : « Mon cher Mauriac, il est possible que vous apparaissiez à certains catholiques comme un être pervers et un mauvais génie. A moi pour le moment, vous servez de bon conseiller, vous me rappelez l'existence de ma meilleure conscience... Le livre que j'ai en tête en ce moment, où il n'y aura pas une ligne indécente ou blasphématoire, est plus terrible que tous les *Immoralistes* du monde... Si j'arrive à ne pas l'écrire, ce que je souhaite à certains égards profondément, c'est à vous que je le devrai, à votre exemple [...] d'une conception chrétienne du monde et de la vie. »

Et il y a encore cet étrange post-scriptum : « Je connais une Gisèle de Plailly [1] — sans la Grâce — mais bien émouvante aussi. C'est pourquoi votre livre m'a touché si fort tout de suite. Tout de même, ce que les femmes sont intéressantes. Votre défense de Gide [2] était admirable. Mais entre nous, il est bien difficile de défendre comme écrivain, comme romancier, quelqu'un qui n'aime pas les femmes. Gide ne sera jamais grand faute de cet amour... »

Mauriac s'effraie de cet élan vers lui, de cet appel exigeant :

1. L'héroïne du *Fleuve de feu*.
2. Contre une attaque de Massis dans *la Revue universelle*.

« … Je suis désespéré que ce soit de moi que vous attendiez la lumière. Je suis si pauvre, si vous saviez ! Ma foi n'est peut-être faite que d'une défense éperdue contre moi-même. Je prie Dieu qu'il vous épargne ce désir désolé et d'une incalculable puissance et capable de tout rompre. Mais si vous êtes mon frère, la conversion risque d'être pour vous, dès ici-bas, une question de vie ou de mort. Ne voyez-vous pas autour de vous que le péché tue et qu'il est mortel, à la lettre ? »

Sur l'étonnante question posée par Rivière à propos de Gide, Mauriac répond de façon plus étonnante encore :

« Vous connaissez Gide mieux que moi. Je crois que sa secrète faiblesse est moins manque d'amour pour les femmes que manque de curiosité car étant femme lui-même (peut-être !), il pourrait les mieux connaître qu'un homme normal. »

Et d'ajouter à cette cocasse hypothèse le singulier commentaire suivant :

« L'impuissance créatrice des homosexuels doit avoir une source plus profonde et quasi physiologique. Car par transposition ils peuvent contrôler en eux-mêmes les réactions des deux sexes. Mais ils sont justement incapables de se fixer sur l'objet de leur mépris et de leur dégoût. »

Écrit par un lecteur passionné de *Guermantes,* à l'exégète par excellence de Proust…

Six semaines plus tard, à une lettre de Rivière lui demandant pour la *NRF* un article sur Bourget, Mauriac répond, de Nice, avec le plus apparent cynisme :

« … Le subtil Du Bos parlerait mieux que moi de ce maître vénéré. Je vais tout vous dire. Il me semble que je serais capable d'écrire sur lui une bonne étude dans le genre féroce. Mais mon devoir et mon intérêt s'accordent pour une fois à m'en détourner. Je retiens d'avance, si vous voulez bien, son article nécrologique… »

Et tout le reste de la lettre est un superbe croquis autocritique :

« Cher Ami, je vous écris ces choses afin que vous me méprisiez : il y a en moi en effet de ces calculs — et pourtant (comment expliquer cela ?) joints à une indifférence secrète et désolée, à un détachement total… Ici, dans la situation de Daniel Trasis (avant l'arrivée de Gisèle ! mais Gisèle peut toujours survenir…) Seul […] j'erre entouré des fantômes encore flottants de mon prochain livre… Soleil adorable, musiques faciles. Vie de retraite pourtant, de méditation, de silence. Savez-vous ce qu'est la gloire ? J'ai fait ici la connaissance de Suzanne Lenglen (championne de tennis). Elle me dit : " Quand j'entre dans le hall de l'hôtel, tous les Anglais se lèvent. " Je réponds : " C'est un grand peuple… un peuple de… " Mais la fin de la phrase, je la dis à voix basse. Adieu. C'est une grande complication pour un chrétien d'être à Nice pendant les jours saints. Une complication apparente : il y a ici assez de Maxim's, de vieilles cocottes et d'automobiles pour vous donner le goût de l'éternité. »

Passionnante elle aussi, et si contradictoire avec la précédente, avec l'être qu'il avait été adolescent, si néo-gidienne, antimauriacienne enfin, la réponse de Rivière : « ... J'ai quelque regret de la façon dramatique dont je vous ai parlé de mon prochain livre[1]. Au fond, c'était un peu ridicule... Le seul scandale qu'il faudrait s'attendre à y trouver [serait celui] qui peut naître d'une réflexion parfaitement tranquille et objective de soi-même... Je commence à trouver que le plaisir et le bonheur, si l'on peut s'arranger pour les atteindre, sont ce qu'il y a de plus intéressant au monde. J'ai presque honte de tout le temps que j'ai passé à me dire que le bonheur était impossible. C'était une lâcheté. Voilà, mon cher ami, dans quel sens je deviens impie ; et voilà la seule pente dans laquelle je pensais à vous pour me retenir. Mais sur quelle pente intérieure un homme s'est-il jamais retenu, même avec le secours des amis les plus chers ? »

On ne connaît pas la réponse que fit Mauriac à ce manifeste d'hédonisme, pour lui bouleversant, et qu'il ne put manquer de juger quelque peu artificiel, si tôt après l'adjuration pathétique de février 1922... Le fait est que la suite de la correspondance entre les deux écrivains (dont manquent à coup sûr plusieurs pièces entre 1923 et 1924) exclut brusquement les débats religieux ou métaphysiques. Il n'y est plus question que de littérature, sur un ton de plus en plus fraternel.

L'admiration de Rivière pour *Genitrix* s'y affirme, comme son intérêt pour les poèmes annoncés par Mauriac[2], leurs différences d'appréciation sur Anna de Noailles, l'impatience du directeur de la *NRF* de lire le prochain livre de Mauriac[3]. En effet, écrit Rivière, « votre développement de romancier est celui qui m'intéresse le plus aujourd'hui : c'est le plus dramatique que je connaisse ». Aussi bien, précise-t-il, « la *NRF* se porte violemment candidate à l'honneur de publier votre dernier roman ».

Et c'est, quelques semaines plus tard, la dernière lettre de Rivière, interrompue par sa mort — document bouleversant d'amicale lucidité : « ... Les vies des personnages [il s'agit du *Désert de l'amour*] évoluent d'une façon à la fois parfaitement distincte et parfaitement combinée. Il y a cette répercussion réciproque des unes sur les autres qui est indispensable pour qu'il y ait roman et pourtant l'on voit chacune se développer dans son désert propre. Je ne sais comment vous êtes arrivé à cela, mais c'est une réussite remarquable. » Ici s'est arrêtée la main de Jacques Rivière. « Il m'avait remis cette lettre que la fatigue l'avait empêché d'achever, précise Mauriac. Une simple fatigue, et c'était l'approche de la mort[4]. »

Deux semaines plus tard, Rivière entrait en agonie. L'un de ses témoins, Jacques Copeau, écrit[5] qu'elle fut « atroce ». Accouru à son chevet à la demande de leur ami commun Jean Paulhan, qui devait succéder à Rivière à

1. Le livre « plus terrible que tous les *Immoralistes*... ».
2. *Orages*, publié quelques mois plus tard.
3. *Le Désert de l'amour*.
4. *Du côté de chez Proust*, in *Œuvres complètes*, tome IV, p. 311
5. *NRF*, avril 1925

la tête de la *NRF*, Copeau rapporte ces souffrances d'« assassiné », laissant échapper des mots mal discernables, « poussière, salacité », et puis : « Oh ! la fin de ma vie, ma vie, ma vie... », avant de murmurer après le passage du prêtre et « dans un demi-délire », précise Copeau : « Maintenant, je suis sauvé miraculeusement... » Et un peu plus tard : « Je suis comme Dostoïevski.... » En conclusion de son témoignage, Copeau écrivait ceci : « On dirait que Jacques a fermé les yeux sous l'éclat insoutenable d'une grande lumière[1]. »

Les dernières paroles de Jacques Rivière (comme celles de Gide) ont donné lieu aux rapports, versions et interprétations les plus divers, les plus contradictoires, même chez ses intimes. Le propos que Jouhandeau lui attribue : « Voilà que les portes sont ouvertes. Je vais retrouver la lumière divine ! », devient chez Paulhan : « Je suis sauvé ! Je tiens la découverte. » Si Benjamin Crémieux se contente de rappeler que, quelques semaines avant sa mort, Rivière lui disait : « Je n'estime rien au-dessus de vivre, et ce dont je ne veux rien laisser échapper, c'est de vivre... », Ramon Fernandez, lui aussi agnostique, rapporte que Rivière lui confiait alors qu'il n'avait pas renoncé à Dieu.

Nul bien sûr n'entra avec plus d'ardeur que Mauriac dans ce débat. De ce « sauvé miraculeusement », de cette « lumière », Mauriac (comme Isabelle Rivière) tira aussitôt la conclusion que l'auteur d'*Aimée* était mort touché par la Grâce. Affirmation qui suscita les protestations de ceux que Mauriac appelle les amis « humanistes » de Jacques — Gide, Schlumberger, Martin du Gard, dressés contre cette « interprétation mystique » abusive, le « sauvé miraculeusement » n'ayant eu trait, selon eux, qu'à une rémission médicale. François Mauriac, rengainant les arguments pascaliens des *Provinciales,* devait prendre au sérieux l'objection, fondée notamment sur des propos libertins, voire cyniques, tenus devant des amis par Jacques Rivière au cours des derniers mois de sa vie — et à lui-même aussi, on l'a vu, à propos du plaisir et du bonheur. Mais l'auteur du *Désert de l'amour* tenait pour faux ce débat : car un « converti », assurait-il, n'est pas un être figé dans sa fidélité : il reste soumis, pour parler comme l'*Imitation,* aux « divers mouvements de la nature et de la grâce ».

A quoi Isabelle Rivière (qui ne débordait pas de sympathie pour Mauriac, qu'elle a fort négligé dans ses écrits ultérieurs) répondait avec élan : « Je suis émue par votre belle page sur Jacques... Je voudrais seulement que vous ne disiez pas qu'il " s'interdisait l'approche de Dieu ". Il était si près de Dieu qu'il n'avait pas besoin de le chercher... Si près que c'est pour cela peut-être que, depuis des années, il ne le voyait même plus... Nul ne peut se représenter l'étendue de sa charité, qui n'a pas vécu au cœur de son cœur. Il avait ce don angélique qui fit toute la beauté de sa vie et toute sa souffrance en ce monde : *il ne croyait pas au mal.* »

Après la publication du numéro spécial de la *NRF* (avril 1925) consacré à

1 *Ibia*

Jacques Rivière, où était publié un portrait du disparu, jeune homme, par André Lacaze, Mauriac écrivit à son ami :

> « Que dis-tu de cette lutte triste autour de Rivière ? C'est toujours le même drame : chacun veut tirer à soi ce pauvre mort. Ainsi Barbey d'Aurevilly se brouille avec Eugénie de Guérin qui ne voulait pas que Maurice eût adoré Cybèle, ni fait l'amour avec des mortelles... »

A cette lettre et à l'article de Mauriac sur Rivière, l'abbé Lacaze répondit par ce manifeste de vie totale :

« Mon cher François,

Je viens de lire ton petit article de *la Revue hebdomadaire* sur Jacques Rivière. Il me plaît beaucoup. Il est bien pensé, pénétrant, aigu comme tout ce que tu écris. Mais, que veux-tu, je trouve que l'on se presse trop de déclarer que tel ou tel ont quitté Dieu, qu'ils l'ont abandonné, qu'ils ont été repris par le monde. C'est l'éternel conflit hellénico-chrétien. Faut-il vivre tourné vers soi ? Faut-il discuter (?) tous nos efforts en vue du salut individuel comme s'il n'y avait en vérité qu'une chose importante au monde : l'âme de l'individu. Et que l'unique nécessaire fût le salut de cette âme ? Cette doctrine taille à la personne humaine dans l'univers un premier rôle. C'est bien ambitieux.

Faut-il s'oublier soi-même, se retourner vers l'univers, essayer de nous dilater à sa mesure par la connaissance ? Car selon saint Thomas, par la connaissance, nous sommes aptes à devenir toutes choses. La connaissance nous accorde à tous les diapasons, nous fait végéter avec les plantes, etc.

Dans cette perspective, [être] nous-même, c'est devenir tout ce que nous pouvons devenir, c'est-à-dire nous égaler par la connaissance à l'univers. Cet univers vaut moins que nous, atteste un certain christianisme (Pascal). Mais saint François d'Assise ou saint Bonaventure, après Plotin, ont pensé tout autrement. Cet univers n'est point matière, mais intelligence, tendresse, amour. Dieu le travaille et l'anime comme nous-mêmes.

Dans l'âme de Rivière, tel fut, je crois, le véritable conflit. Après sa captivité, il ne s'était point détaché de Dieu, mais d'une certaine conception étroite, égoïste, mesquine du salut. Qu'il fût moins chrétien parce qu'il s'intéressait de nouveau à toutes choses pour les connaître, pour se grandir à la mesure du monde ? Peut-être mais c'est toujours Dieu qu'il cherchait, Dieu qui est vérité, qui est la pensée totale, et non pas un homme fait tel que nous essayons de ne plus être. Bien affectueusement à toi. A. L.

PS. Tu penses peut-être : " Le grand Pan est mort. " Peut-être. Et ce serait dommage. Mais non, il n'est jamais mort qu'en apparence. »

Texte remarquable à bien des égards, et qui fit à coup sûr une profonde et durable impression sur son destinataire — l'effrayant plus qu'il ne le libéra. Est-ce à partir de ces quelques lignes qu'il choisit de centrer le portrait de Lacaze auquel il songeait sur *le Démon de la connaissance* ? Et qu'il résolut de mêler alors si étroitement aux références à saint Thomas le retour du grand Pan, qui tient en sa puissance le héros du récit ? A cette vision totalisante du christianisme, François Mauriac se ralliera-t-il jamais ? Chez lui, le mot panique retrouve son sens le plus traditionnel… Mais sa vision du « salut » ne cessera pas de s'élargir.

C'est un Rivière chrétien, en tout cas, qui habite désormais la mémoire et la pensée de Mauriac, rejoignant dans son cœur André Lafon enterré non loin de lui, au bord du même fleuve. Un an après la mort de son ami, Mauriac publie[1] *le Tourment de Jacques Rivière* (dont deux des chapitres, « Anima naturaliter christiana » et « A la trace de Dieu », seront vingt ans plus tard intégrés à *Du côté de chez Proust*) où est proclamée la victoire, chez Rivière, de la grâce sur la nature, à la fin d'une vie qui fut une lutte avec l'Ange au long de l'une de ces nuits de juin « où le jour demeure au bas du ciel ».

Faut-il admettre, avec Alain Rivière[2] que, si la mort de son père n'était pas survenue avant qu'il ait pu s'attacher à l'étude de l'œuvre de l'auteur de *Genitrix* comme il l'avait fait de celles de Claudel, de Proust et de Gide, « Mauriac aurait certainement pris le relais dans la série de ses admirations » ? Peut-être est-ce trop dire : Claudel, Proust… Mais les textes cités ici ont éclairé les développements d'une amicale admiration substituée, par les seules valeurs de l'œuvre et de la présence, aux longues préventions nées d'adolescences contrastées.

Une « amitié armée »

Par-delà Rivière qui est en lui, qui est un autre lui-même, le regard de Mauriac n'a cessé de se porter sur les trois grands écrivains qui définissent l'horizon du jeune directeur de la *NRF* mieux encore que le sien — Proust, Claudel et Gide. Proust dont, « à certains signes », il voyait Rivière se déprendre, comme lui-même s'en libérait ; Claudel qui avait été sa lumière mais contre lequel, à la fin de sa courte vie, Rivière se révolta, rejetant sa lourde férule ; Gide enfin, qui fut le plus constant et le plus contradictoire de leurs maîtres à tous deux.

Lorsque fut livrée au public la correspondance Gide-Claudel, en 1949, vingt-quatre ans après la mort de son ami bordelais, c'est sous forme d'une « Lettre ouverte à Jacques Rivière » que Mauriac, indigné par une formule de Claudel sur « le pauvre Rivière », réagit dans *la Table ronde* à cette profanation, révélatrice selon lui de la nature de cet « animal étrange », l'homme de lettres si dérisoirement attaché à ce « néant » qu'est la survie

1. Aux Éditions de la Nuée bleue, à Strasbourg, 1926.
2. « Mauriac et Rivière », *Cahiers François Mauriac*, nº 4, p. 149

littéraire et que l'auteur de *l'Otage*, et non un autre, avait associé, en un raccourci fameux, à « l'assassin » et à « la fille de bordel ». De l'un des deux au moins Mauriac rêve le « salut ». Il conclut sa lettre à Rivière par cet appel en faveur de Gide : « Il existe des sentiers de chèvres pour aller à Dieu. Guidez-le, cher Jacques, vers un de ces sentiers dérobés[1]... »

Le « salut » de Gide... Dans un article attendri et sulfureux écrit au lendemain de la mort de son ami-ennemi, Mauriac a évoqué cette stratégie de la conversion autour de *l'Immoraliste*, ces pieuses manigances de convertis de la *NRF* qui s'appelaient Ghéon, Copeau ou Du Bos, cette chasse au gibier d'élite qu'était Gide — chasse dont Mauriac fut un acteur intermittent, tantôt le suppliant de retrouver tout seul « le Christ que vous aimez », tantôt s'excusant auprès de son ami d'être de ceux qui l'ont « assommé » avec le catholicisme, tantôt parlant sans gêne du « chrétien Gide ».

On verra pourtant que, paradoxalement, c'est moins Mauriac que Gide qui fut le « directeur » de l'autre — en ce sens que la pensée, l'argumentation, les interrogations de l'aîné ont avivé l'inquiétude essentielle du cadet plus que les adjurations de Mauriac n'entamaient — en apparence — la sérénité intraitable de l'homme à la cape. Dans un long corps à corps, et cœur à cœur, le christianisme de Mauriac adossé à Dieu paraît plus souvent en détresse que la fervente incrédulité du père prieur de l'ordre de la *NRF* — lié aux seules règles d'une esthétique janséniste et d'une éthique hédoniste.

La découverte de Gide par Mauriac se situe entre celles qu'il fit de Barrès, de Jammes et de Claudel, à la fin de la période bordelaise. 1904 ? 1905 ? L'« adolescent d'autrefois » feuillette *l'Immoraliste* dès 1902. Peu importe la date exacte de cette découverte. Au cours des deux ou trois dernières années de sa vie à Bordeaux, François tient *les Nourritures terrestres* pour l'un des instruments de sa libération, l'une des œuvres qui — avec *le Culte du moi* — lui auront permis « de ne pas perdre cœur » durant les amères années de l'adolescence étouffée, lui proposant un monde à sa portée, « sans autre loi que celle du désir ».

A Paris, c'est de loin pourtant qu'il admire l'épanouissement de l'œuvre de Gide, jusqu'au jour où, à la fin de 1911, il rédige pour *la Revue hebdomadaire* l'article sur la jeunesse et la littérature qui déplut si fort à Fournier et à Rivière : l'essentiel en est pourtant un hommage à Gide, certes ambigu, réticent et comme échappé à sa volonté, mais d'autant plus éloquent : même la conclusion, dans laquelle le jeune homme assure que « ce magnifique artiste s'éloigne de nous » comme de tous ceux qui refusent de se prêter au « jeu sacrilège que nous propose Gide lorsque, recomposant la parabole de l'enfant prodigue, il la dépouille de son sens divin ».

Surprise : Gide réagit à ces quelques mots d'un auteur à peu près inconnu. De Florence où il voyage alors, il écrit à François Mauriac pour protester contre ce mot de « sacrilège », assurant avoir écrit ces pages « avec piété et respect ». Mauriac, à coup sûr ébloui d'avoir éveillé l'attention « très cordiale » du grand homme, ne trouve guère à répondre que ceci : « A votre

1 *La Table ronde*, décembre 1949.

propos, ma bouche démentait mon cœur à tout moment. » Et protestant de son « admiration », il ajoute : « Si vous m'avez troublé, je n'ai reçu de vous que du bien, si c'est un bien qu'aimer la vie plus que je ne l'aimais avant de vous connaître » [1].

Connaître Gide ? Ce rêve, Mauriac le réalise enfin. C'est entre le 4 et le 12 juillet 1917, à Offranville, chez Jacques-Émile Blanche pour lequel il pose — et non, comme on l'a dit souvent, dans le salon de Mme Mühlfeld —, que François Mauriac rencontre Gide venu déjeuner en voisin. Il n'en est apparemment pas ébloui, écrivant à sa femme que le visiteur est « très comme Jammes l'imite ». Venant du « vieux lièvre », cette imitation ne devait pas être très charitable...

Le 10 juillet, le cadet n'en écrit pas moins à l'aîné :

> « Dès mon adolescence, monsieur, vous fûtes pour moi le maître secret de qui j'essayais de ne point trop subir le prestige parce qu'une autre discipline me tenait. J'ai été celui à qui vous disiez " Nathanaël, à présent jette ce livre... quitte-moi ". Ainsi, en différant de vous, je savais accomplir votre cœur. Infidèle à votre lettre, je me sentais fidèle à votre esprit... »

Fallait-il que « le maître qui lui avait donné la plus forte ivresse » restât celui qu'il ne connaissait pas ? Non certes. Aussi le jeune écrivain se loue-t-il en conclusion de « l'heureuse fortune que j'eus de vous rencontrer enfin »...

De ce lien enfin noué, Mauriac n'abusera pas — saisissant simplement toute occasion de scruter de près ou de loin ce maître singulier et subissant son influence de maître d'inquiétude et de maître du style. Au point que Jacques-Émile Blanche trouvera *Préseances* empoisonné par le « joli dire » dont Gide serait le responsable.

Alors que le *Journal* de Gide est, dans les années vingt, muet sur Mauriac, *le Journal d'un homme de trente ans* est truffé de références à Gide, soit qu'en 1917 il rappelle que l'« immoraliste » fut l'un des premiers à aimer Jammes et « toute sa vie restera le jeune homme qui paya l'édition d'*Un jour* » ; soit qu'il évoque, en février 1918, un « long aparté avec André Gide, prêtre inquiet qui aime mieux se confesser que confesser », qui « n'a écrit encore que des livres ironiques » mais « se prépare à des ouvrages d'affirmation » ; soit qu'il signale, le 25 février 1921, qu'après une « étrange conversation entre Gide et Valéry où Gide se montra un défenseur passionné du Christ et de l'Évangile, il me prit à part pour me dire qu'il avait admiré *la Chair et le Sang*. Éloge que depuis des années, passionnément je désirais ».

Est-ce cet éloge « passionnément désiré » qui l'a ému ? ou le plaidoyer pour le Christ, face à Valéry ? Le fait est que, pour ce maître d'inquiétude, Mauriac va rompre des lances et se compromettre. Henri Massis, porte-parole notoire de ceux qui affirmaient former le « parti de l'intelligence », avait écrit dans *la Revue universelle*, à propos de la publication des *Morceaux choisis* de Gide (qui, en 1921, arrachèrent l'auteur de *Paludes* aux cénacles de

1 « Correspondance Gide-Mauriac », *Cahiers André Gide*, n° 2, p 62

l'avant-garde pour lui ouvrir l'accès à un vaste public), un violent article dénonçant son « influence démoniaque ».

Le 25 décembre 1921, *l'Université de Paris,* publication pour laquelle Mauriac n'avait pas accoutumé d'écrire (Marcel Arland animait depuis peu cette revue d'étudiants, y conviant Malraux aussi bien que Max Jacob), publia « A propos d'André Gide : réponse à M. Massis », qui est un beau morceau de polémique miséricordieuse. Genre peu commun... Leçon d'humilité et de charité chrétiennes d'abord (a-t-on le droit de qualifier un « chrétien — fût-il Gide — de démoniaque » ?) ; invocation des précédents de Stendhal et de Mérimée, qui ont aimé et peint eux aussi des « natures félines », des êtres « primitifs et sauvages » ; argumentation d'autodéfense aussi (« Quel écrivain se vanterait de ne troubler personne ? ») le plaidoyer de Mauriac s'élève et s'enhardit ainsi :

> « Tout homme qui nous éclaire sur nous-même prépare en nous les voies de la Grâce. La mission de Gide est de jeter des torches dans nos abîmes[1], de collaborer à notre examen de conscience... Gide démoniaque ? Ah ! moins sans doute que tel écrivain bien-pensant qui exploite avec méthode l'immense troupeau de lecteurs et surtout de lectrices " dirigées " — et pas plus que Socrate accusé de corrompre la jeunesse parce qu'elle apprenait de lui à se connaître. Il me souvient d'avoir entendu Gide défendre le Christ contre Valéry avec une étrange passion : attendons le jugement de Dieu[2]. »

Ce ton d'un jeune écrivain encore en devenir, à l'adresse d'un des chefs de file de l'époque ! Certes, il y a là, en marge de la défense d'un maître très admiré, un plaidoyer *pro domo,* on l'a suggéré. Mais l'engagement est audacieux, et Mauriac sait qu'il se coupe ainsi, pour longtemps, de cette droite académique et salonnarde qui a tant fait pour sa naissante réputation et dont peut dépendre son avenir. Gide ne se trompe ni sur les risques pris, ni sur la chaleur de l'hommage. Et jamais il n'oubliera l'entrée en lice du jeune confrère à ses côtés. La lettre qu'il lui adresse aussitôt respire la reconnaissance. Voilà un « démon » bien tendre de cœur, et spontané :

« Mon cher Mauriac, je ne puis vous dire, et vous ne pouvez savoir combien votre article me touche... Vous êtes le premier, le seul qui osiez prendre un peu ma défense (je dis : oser car il y faut du courage vraiment... Quel repos, quel répit de lire une appréciation qui ne soit point dictée par la haine !) et je suis heureux que cet article soit écrit précisément par vous, pour qui depuis longtemps je sens mon affection grandissante — et qui peut-être deviendrait une amitié véritable si nous nous connaissions un peu mieux... Vos dernières lignes [...] sont celles où je me sens le mieux compris[3]. »

Note dans *le Journal d'un homme de trente ans :* Une tendre lettre de Gide parce que je l'ai défendu publiquement, et qui à 20 ans m'aurait comblé de joie. » Quelques jours plus tard :

1. La formule que Mauriac s'appliquait à lui-même dans *Dialogue d'un soir d'hiver.*
2. Un autre cadet, André Malraux, publiera deux mois plus tard dans *Action* son propre plaidoyer pour Gide.
3. *Cahiers André Gide,* nº 2, p 64-65.

« Hier soir, je travaillais au salon lorsqu'on m'annonce André Gide. Il venait me lire très simplement un carnet intime datant d'une période mystique de sa vie [1]. Grande et secrète tendresse pour le Christ. Mais quand elle est passée, il n'incline jamais l'automate... Je lui ai appliqué, en le retournant, un mot de Pascal : " Il blasphème ce qu'il connaît. " J'ai ajouté (et il m'a approuvé) que si, à cette minute de ferveur, il avait eu les sacrements... Mais quel mensonge ! Ne suis-je pas la preuve du contraire ? Le péché, me disait Gide hier soir, c'est ce que nous ne pouvons pas ne pas faire... Visite qui il y a deux ans m'eût bouleversé de joie... »

Ne cherchons pas à perdre ce courant d'amitié dans l'océan de l'intérêt. Que la « croissante affection » de Gide y ait contribué, ce n'est pas niable : mais la publication d'un premier texte de Mauriac, *le Fleuve de feu,* dans la *NRF* à la fin de cette année-là, ne fut qu'une des conséquences de cet échange dont les finesses de la stratégie littéraire semblent avoir été un aspect très mineur. Et les réserves mêmes que fait Mauriac sur son roman dans une lettre adressée à cette occasion à Gide à propos des réactions qu'il attend de son ami sonnent juste. Et justes encore, et sans complaisance, les commentaires qu'il lui adresse à propos de *Corydon :*

« S'il n'existait que des homosexuels désespérés et voués au suicide, je vois bien la nécessité de leur montrer qu'il n'y a rien dans la nature qui ne soit naturel et qu'il peut être bon de les accoutumer à contempler leur corps et leur cœur sans dégoût. Mais il existe tous les autres... qui ne s'embarrassent pas de ce qu'ils sont. Et puis j'entends mal votre distinction entre homosexuels et invertis... Quand je songe à tous ceux que je connais, je ne vois que des malheureux, des diminués, des êtres déchus, dans la mesure où ils ne luttent pas. Mais c'est vrai qu'il y a là un grand mystère et que l'hypocrisie du monde a trop vite fait de ne pas méditer... Ce qui importe n'est pas ce que nous désirons — mais le renoncement à ce que nous désirons. L'objet de notre tentation, il ne dépend pas de nous que ce soit celui-ci ou celle-là mais ce qui dépend de nous, c'est le refus... Ne savoir qu'aimer et donner la mort spirituelle : comment échapper à ce dilemme ? Je parle pour moi. En ce qui vous concerne, je m'empare avec joie du commandement " Ne jugez pas " et je vous serre les mains avec une respectueuse affection. »

Sérénité. A quoi fait pendant, quelques semaines après, une note quelque peu vipérine du *Journal d'un homme de trente ans.* « Hier, dans le promenoir de l'Empire, rencontre d'André Gide... [qui] me parle de *Corydon* et se compare à Hervé, martyr de l'antimilitarisme [2]. » Et bientôt, dans *le Jeune Homme* (son texte le plus gidien, qui lui vaut à ce titre une cruelle algarade dans *la Croix* et des *Lettres* où un certain René Johannet l'accuse (mai 1926) d'avoir emprunté à Gide, « observateur nul, imaginatif malade et besogneux... une lamentable théorie de la " mutilation " qu'impliquerait tout

1. *Numquid et tu.*
2. Lequel était pourtant, depuis août 1914 rentré, lui, dans l'ordre. Dans une lettre à Jacques-Émile Blanche, Mauriac est, sur le même sujet, plus éloquent, parlant d'un Gide « joyeux, terrible, et se voyant un martyr de l'*idée* »

choix héroïque... »), Mauriac jettera une poignée de cendre à la figure du maître scandaleux : « Même ceux dont ce fut la passion de ne pas choisir, de rester " disponibles ", leur chair a vite fait de les circonscrire. Un vice les simplifie atrocement[1]. »

Se tiendra-t-il pour autant à l'écart de l'hommage à André Gide que préparent (1927) les Éditions du Capitole, y conviant Martin du Gard, Montherlant et Thibaudet ? Non, bien sûr. Son article, « L'évangile selon André Gide », est ambigu. Mais c'est un beau texte, dicté par une compréhension où les censeurs de Mauriac auront beau jeu de voir la pire complicité :

> « ... Nous ne le voyons jamais séparé de Dieu... Il a tout rejeté de son enfance chrétienne, sauf l'essentiel. En vain voyage-t-il (et dans quels déserts !). Quelqu'un le suit et il ne Le renie pas. Gide a pris le parti de ne rougir ni du Christ, ni de lui-même... »

Mais à cette fin, observe Mauriac, pour ne rompre ni avec le Christ, ni avec lui-même, ce « docteur trop subtil » se voit contraint de « tirer à lui » les Écritures, jusqu'à suggérer que la « croix » que le disciple doit prendre pour suivre le Seigneur pourrait être « tel penchant imposé à notre chair dès le sein maternel ». Et comment juger cette interprétation du christianisme selon Gide, qui consiste à « jouer à qui perd gagne », à atteindre « l'extrémité de sa détresse pour trouver Dieu », comme le pensait Dostoïevski ? Ce qui se dévoile là, c'est toute une doctrine de la Grâce par antithèse, de « l'injustice adorable de Dieu ».

Pour un peu, Mauriac verrait en Gide un vrai janséniste (beaucoup plus authentique que lui-même en tout cas), si éloignés que puissent être de ceux de M. Singlin les enseignements de l'immoraliste... Séduit, envoûté par cette vision vertigineuse des rapports avec Dieu, Mauriac ne se défend que par le refus passionné qu'il oppose aux interprétations, aux « manipulations » des textes auxquelles procède Gide. Encore s'empresse-t-il alors de s'interroger douloureusement sur sa propre foi : « Est-elle plus ou mieux qu'une espérance ou qu'une terreur ? »

Cette compréhension va si loin, Gide la sent si profonde qu'il réagit d'abord par un cri d'adhésion : « Si l'Église n'avait formé que des chrétiens comme vous, je serais depuis longtemps catholique ! » Et puis, le « docteur subtil » s'avise de la gravité des réserves de Mauriac à propos de ses « manipulations ». Il n'a pas trop de mal, semble-t-il, à montrer qu'avoir retraduit le « Quiconque ne se charge pas de sa croix *et ne me suit pas* n'est pas digne de moi » par « *et me suit* », confère à la formule une signification plus forte et plus profonde. Et d'autant plus que, dans cette lettre, Gide précise très clairement que cette interprétation lui a été suggérée par la conversion sans profonde repentance de celui qui avait été « si longtemps

1. Citant ce texte capital, dans le tome II de son édition de la Pléiade, Jacques Petit lance cette suggestion : « Je ne suis pas sûr que Mauriac ne songe qu'à Gide et que le pluriel constitue une sorte d'atténuation. »

[son] plus intime ami », Henri Ghéon. Que signifie cette adhésion sans rupture ni désaveu ?

Parvenu jusqu'à ce point de clarification, Gide en vient à cette éblouissante mise au point : « ... Je tiens que l'abandon *de soi* au sens chrétien du mot, et l'abandon *à soi* sont deux inconciliables... Il m'arrive de m'écarter du Christ, de douter non certes jamais de la vérité de ses paroles ni du secret du bonheur surhumain qu'elles enferment, mais bien de l'obligation de les écouter et de le suivre. Mais lorsque je me détourne de lui et cesse de le suivre, je n'ai pas cette impie prétention de me faire suivre par lui. »

Ainsi, entre eux, les choses sont claires — et si dramatiquement nouées à la fois... Car, pour Gide — et Mauriac l'entrevoit déjà très bien — l'abandon *à soi,* ce n'est pas *seulement* l'acceptation, l'exaltation d'une certaine sexualité — et déjà ce sujet avait de quoi l'émouvoir et le troubler au plus profond —, c'est aussi l'autre part essentielle de sa vie, la création esthétique, l'art. C'est la littérature, c'est la part du Diable. Inconciliable avec l'abandon *de soi.* Et tout cela, devant quoi Mauriac hésite, épouvanté, renonçant à répondre à Gide, va être dit bientôt, lors de la polémique fameuse à propos de *la Vie de Racine* (1928), cet échange entre Gide et Mauriac qui aura pour fruit *Dieu et Mammon,* le *Numquid et tu* du cadet.

Nous les retrouverons bientôt face à face.

Ainsi n'en a-t-il pas fini avec ce Port-Royal-des-Prés qu'est la *NRF,* avec ces incorruptibles corrupteurs qui ont bien fini par l'accueillir sur le parvis de leur temple austère d'abord comme romancier, puis en 1925 comme critique dramatique, enfin — faveur suprême — comme participant aux décades de Pontigny où, dans une abbaye qui leur est un cadre naturel, Paul Desjardins réunit autour d'André Gide, de Paul Valéry, de Martin du Gard, de Schlumberger, de Charles Du Bos, ceux qui tentent de déchiffrer le monde moderne à travers les grilles d'une littérature exigeante et d'une morale ouverte.

A Pontigny, Mauriac approfondira son amitié pour Gide, ses échanges miroitants avec Valéry (réconcilié avec lui après avoir manifesté son mécontentement d'avoir été présenté, à propos de la conversation sur le Christ avec Gide, comme un adversaire du message évangélique), son affection naissante pour Charles Du Bos, qui jouera bientôt un rôle décisif dans sa vie, sa défiante estime pour l'intraitable matérialiste qu'est Martin du Gard. Il y retrouvera aussi un jeune homme qu'il a déjà reçu chez lui, « petit rapace hérissé au regard magnifique », mais qu'il découvre vraiment là : ce « quelqu'un d'étonnant, presque génial et tragique [1] », c'est Malraux.

François Mauriac fera briller à Pontigny son génie de l'échange, sa verve batailleuse, ce charme souverain auquel sont sensibles les adversaires les plus chers, comme Gide, aussi bien que les amis les plus rétifs, comme

1. Lettre inédite à Mme Mauriac, sans date

Schlumberger — y lisant certains de ses textes encore inédits : ainsi *Coups de couteau* (30 août 1925). Fasciné par les autres, et charmé de plaire si fort, il y reviendra.

D'avoir été critique dramatique de la *NRF* n'enrichit guère l'œuvre de Mauriac. Prenons les chroniques des années 1925-1926. Le choix, d'abord, déconcerte. On peut juger plaisant de voir cet écrivain si longtemps tenu hors du cénacle pour l'abus qu'il fait de l'usage du monde s'adresser d'entrée de jeu aux lecteurs de Charles Du Bos — qui sont aussi les spectateurs de Copeau — en leur parlant de Bernstein, de Guitry et d'Achard. Insolences calculées ? A propos de *la Galerie des glaces* du premier, il glisse comme en se jouant que « la sagesse, au théâtre, consiste à viser un peu bas ». (Écrit dans la revue fondée, entre autres, par le directeur du Vieux-Colombier !) S'agissant de Sacha Guitry, il se contente d'observer que ce qu'il y a d'admirable en lui, c'est qu'« il ne se prend pas pour Poquelin ». Quant à Marcel Achard, le chroniqueur-romancier qui s'est déjà essayé avec son ami Blanche à l'art dramatique lui reproche d'avoir voulu faire à bon compte, avec *Marlborough s'en va-t'en-guerre,* une pièce antimilitariste « de gauche ». Ce qui est prêter beaucoup d'ambition à l'auteur de *Jean de la Lune.*

De plus de saveur sont d'autres chroniques — celles, par exemple, qu'il consacre à *Chacun sa vérité.* Surprenante, tout de même, devant ce déroutant chef-d'œuvre, la méfiance de Mauriac qui se voit ici « violé par la philosophie » et pose cette question un peu naïve : « D'où nous vient ce plaisir trop subtil, aigu, amer, à voir un Latin traîner sur les planches l'intelligence et la raison de l'homme ? Pirandello les couvre d'un manteau dérisoire. Il leur crève les yeux. »

Autre note intéressante, mais drôlement « piquée », et d'un catholicisme bien sourcilleux, celle qu'il consacre à la *Sainte Jeanne* de Shaw. Incapable de supporter la naturalisation « protestante » de Jeanne par le dramaturge irlandais, Mauriac bougonne qu'il trouve vain de réduire Jeanne à n'être qu'« une fille de la campagne qui a des bourdonnements d'oreilles ». Étrange réduction du regard. Le polémiste en lui est plus heureux quand lui tombe sous la patte une pièce de Maurice Rostand, *la Nuit des amants.* Quel carnage ! Mais la cible est médiocre.

On est loin ici de la magnifique intelligence critique du Mauriac lecteur de Proust et de Gide. Pour racinien que soit l'art de Mauriac, aisément transposable dans les structures de la tragédie classique, et vives sa passion et son assiduité de spectateur, les rapports qu'il entretiendra avec le théâtre seront toujours un peu gauches, frustrants ou frustrés. Étonnante inadéquation, bien difficile à expliquer, et que l'on se bornera, ici et plus loin, à constater

10. Thérèse et moi

Est-ce bien lui qui l'épie, lui fait la chasse, la démasque ? Ou elle qui s'attache à ses pas, le hante et le dévore ? « A mes antipodes sur plus d'un point, écrit-il, mais faite pourtant de tout ce qu'en moi-même j'ai dû surmonter, ou contourner, ou ignorer. »

Ignorer ? Thérèse Desqueyroux est faite de ces ombres qu'il ne cesse d'explorer, de fouiller pour en extraire ses créatures, surgie des abîmes où il jette ses torches — et où mieux qu'en lui ? « Thérèse existe, voilà le fait. Elle en a hanté d'autres que moi... » Ceci, François Mauriac l'écrit en juillet 1950, sexagénaire, vingt-trois ans après la publication de *Thérèse Desqueyroux*. Et quinze ans plus tard encore, dans les *Nouveaux Mémoires intérieurs*, il reviendra sur la réprouvée, vieil homme au comble de la lucidité dévoilant une source encore inconnue : « J'ai vu de mes yeux vu, à 15 ans, Thérèse Desqueyroux souffrir et mourir. »

Dès sa préface de 1927, il la reconnaissait :

> « Adolescent, je me souviens d'avoir aperçu, dans une salle étouffante d'assises, livrée aux avocats moins féroces que les dames empanachées, ta petite figure blanche et sans lèvres. Plus tard, dans un salon de campagne, tu m'apparus sous les traits d'une jeune femme hagarde qu'irritaient les soins de ses vieilles parentes et d'un époux naïf... »

Voilà deux « clefs » au moins pour ce personnage obsédant. Mais qu'importe : il a pu la voir « à travers les barreaux vivants d'une famille... tourner en rond à pas de louve ; et de son œil méchant et triste, (le) dévisager », c'est au fond de lui-même qu'elle est tapie. Et s'il n'arrive pas à la sauver, à en faire la « sainte Locuste [1] » qu'il a osé rêver, c'est bien parce que cette grâce serait la sienne — qu'il ne s'accorde pas, en ces années 1926-1927, celles de ses tourments les plus désespérés. Cette empoisonneuse, s'il la fait vivre et souffrir, c'est de ses propres poisons.

Thérèse est son double mourant, le *Doppelgänger* des romantiques allemands, à la fois Nemesis et Mimesis, sa nuit et son rejet, sa plaie et sa lucidité. Elle ne le lâche pas. Le livre écrit, ce livre qu'il prit peut-être pour

1. Narcisse à Néron :

> Le poison est tout prêt. La fameuse Locuste
> A redoublé pour moi ses soins officieux..
>
> *Britannicus*, acte IV, scène IV

un exorcisme, elle sera là toujours, revenant inlassable, sournoise, insolente, surgissant au détour d'un roman, se faisant sujet de nouvelles, et s'imposant encore en héroïne d'un second récit, dix ans plus tard. Il se trouvera un grand écrivain pour dénoncer en l'auteur de *la Fin de la nuit* un thaumaturge disposant arbitrairement du sort de ses personnages. Étrange grief : Thérèse résiste jusqu'au bout et mène jusqu'aux portes de la mort sa guérilla de rebelle solitaire et solidaire. Inlassable, mal supportée, inquiétante d'autonomie. Son Démon gardien.

Surgit-elle dans sa vie, se détache-t-elle du mur de la caverne avec les premières lectures de *Phèdre* et les belles leçons raciniennes de l'abbé Péquignot ? Est-ce de là que date l'obsession de ce visage livide et calciné ? (« Nous retrouvons à chaque tournant de notre route, écrit-il dans sa *Vie de Racine,* sa figure morte, ses lèvres sèches, ses yeux brûlés qui demandent grâce... ») C'est l'époque des 15 ans de François, celle où lui apparaît à Saint-Symphorien une Thérèse en train de « souffrir et mourir ». Cette agonisante, est-ce une *Phèdre* transposée sous les pins de ses vacances ? N'est-ce pas plutôt tout ce qui, en lui, déjà se rebelle, se refuse ou se déteste ?

La cristallisation du personnage qui attend de naître de son angoisse et de vivre de sa solitude, c'est vers sa vingtième année qu'elle se produit, avec l'apparition d'« une dame empoisonneuse entrevue sur le banc des assises de la Gironde ». Mais qu'est-il allé y faire aux assises, ce François de 20 ans ? Un tribunal, ce n'est pas le lieu de promenade favori d'un adolescent bordelais préparant une licence de lettres. S'il s'est glissé dans ce public, en secret sans doute, c'est qu'une fascination s'exerce déjà sur lui, qu'une hantise est née en lui. Significative incursion dans un monde du crime où le jeune homme gorgé de littérature croit peut-être frôler Julien Sorel ou Raskolnikov ? Plongée dans un gouffre à la recherche de ses démons familiers ? Tu ne me chercherais pas si tu ne m'avais déjà trouvée...

Autour du visage tragique de l'accusée joue son imagination, hantée aussi par celle qui deviendra Maria Cross [1], cette « J. S. » qu'entretenait l'oncle de l'un de ses camarades de collège et dont Claire Mauriac disait, mystérieusement : « Ces femmes-là, tout de même... » Quelque chose de rebelle, quelque chose de solitaire et pourchassé, quelque chose de « coupable », et qu'il sent lié à ce qui bouge en lui de poésie et de créativité. Cette « part du démon » liée, selon Gide, à l'œuvre d'art.

Le 28 novembre 1925, François Mauriac, qui a reçu quelques semaines plus tôt le grand prix du roman de l'Académie française pour *le Désert de l'amour,* écrit à son frère Pierre pour le remercier de lui avoir envoyé des documents sur une affaire d'empoisonnement qui avait soulevé les passions vingt ans plus tôt à Bordeaux : « Merci pour l'affaire Canaby. J'en ferai peut-être quelque chose... » Le 31 janvier 1926, nouvelle lettre : « .. Je ne crois

1. Qui, dans le premier manuscrit du *Désert de l'amour,* s'appelle déjà Thérèse

pas qu'il faille confondre les notions bien-mal avec les notions normal-anormal [propos que l'on ne peut manquer de rapprocher de cette apostrophe de Jacques Rivière à Henri Massis : « Il est impossible à un romancier qui est arrivé au bout de sa croissance [...] d'éprouver une préférence de principe pour le *bien* ou pour le *mal.* »]. Tout cela est très complexe et j'en suis si obsédé qu'un livre en sortira peut-être : celui pour lequel je t'ai demandé les renseignements C. » Et deux mois plus tard, ce mot encore à propos du même travail : « Que tu es gentil de m'avoir envoyé cette conférence [1] : elle m'évitera bien des gaffes pour mon prochain livre que je voudrais aussi solide que possible. »

« L'affaire Canaby » ? Pour les Bordelais arrivés à l'âge d'homme au début du siècle, ce nom suffisait à évoquer un drame fameux. Quel romancier hanté par les problèmes du mal (ou du péché) oserait le premier s'en saisir, comme Flaubert de l'affaire L. pour faire du personnage d'Emma son double, son bourreau et sa victime ?

Ce procès d'une empoisonneuse, la presse régionale de l'époque l'avait, en simplifiant un peu, qualifié d'« affaire des Chartrons ». C'était dire qu'il mettait en cause la société la plus établie et orgueilleuse de la ville. Aussi bien le Bordeaux des années 1905-1906 parla-t-il du « scandale Canaby », avant de l'ensevelir dans un oubli de bonne compagnie.

Le 16 juin 1905, le parquet de Bordeaux est informé que Mme C., épouse d'un courtier en vins domicilié 45, quai des Chartrons, a fait l'acquisition à la fin d'avril et au début de mai de quantités assez fortes de produits toxiques (aconitine et digitaline plus chloroforme), en présentant des ordonnances qui ont été reconnues pour des faux. Or il se trouve que M. C., tombé malade le 3 avril — on a parlé de grippe infectieuse —, a vu son mal empirer brusquement en mai : l'état du malade est jugé si désespéré le 13 qu'un groupe de médecins décident de l'enlever à son milieu familial, estimé « insalubre », et de l'envoyer dans une maison de santé où très vite son état s'améliore.

Chargé de l'expertise médico-légale, le Dr Paul-Louis Lande (sommité de la faculté et ancien maire de Bordeaux) a relevé chez M. C. des symptômes digestifs et neurologiques (vomissements, température, paralysies) compliqués de troubles de sensibilité graves. L'enquête continue, révélant que, pendant la maladie de son époux, Mme C. s'est procuré, « pour son usage personnel », dit-elle, non seulement les poisons déjà repérés, mais trois flacons de liqueur de Fowler (soit 40 grammes d'arséniate de potassium). Preuve décisive ? Non : le malade déclare qu'il suit depuis des années un traitement par liqueur de Fowler. Ainsi les enquêteurs en viennent-ils non seulement à constater que M. Canaby était souffrant dès avant que son épouse eût introduit chez lui les toxiques qui les ont alertés, mais que la

1. De toute évidence, il s'agit d'un exposé du Pr Mauriac sur les produits toxiques. Ces informations n'éviteront pas au romancier de se voir accuser de « fantaisie » à propos des doses d'aconitine que manipulera son héroïne.

teneur en arsenic trouvée dans la chevelure du négociant peut être attribuée au traitement qu'il a suivi, aussi bien qu'à des manœuvres criminelles.

Mme Canaby bénéficierait peut-être du doute si ses déclarations, au cours de l'instruction, n'avaient paru bien étranges. Les ordonnances qu'elle a produites pour acheter les produits incriminés proviennent d'un médecin landais ami de la famille ; mais ce n'est pas le praticien, c'est un jeune homme qui en prend livraison à sa place, afin de les lui remettre : manège qui s'est reproduit quatre fois. Les enquêteurs ont soumis les ordonnances à une expertise en écriture : non seulement ce sont des faux, mais ils sont attribués par certains experts (comme certaines lettres anonymes écrites pour la disculper) à l'épouse du malade.

Le dossier de Mme Canaby s'alourdit d'une autre charge : un homme partage ouvertement la vie du couple Canaby, un certain Pierre Rabot. Personne ne peut apporter la preuve que cet ancien soupirant est l'amant de la présumée empoisonneuse, mais il en faut moins à des policiers pour voir là un indice accablant. D'autant que l'enquête a fait apparaître l'évident ascendant qu'exerce sur son entourage cette femme brillante, autoritaire, mondaine, un peu hystérique — qui « écrase » un mari médiocre, jusqu'à lui imposer la présence incessante de Pierre Rabot, ou les voyages qu'elle fait avec lui dans les Pyrénées ou en Suisse.

L'affaire vient devant les assises de la Gironde le 25 mai 1906.

Il faut lire les longs comptes rendus publiés dans *la Petite Gironde*[1] pour mesurer l'impact produit alors par ces débats, à l'intérieur comme hors de l'enceinte de la cour d'assises. Le quotidien bordelais décrit les curieux qui se pressent « par centaines », les dames très élégantes, parlant fort pendant les suspensions d'audience, agitant leurs éventails dans une atmosphère suffocante... L'accusée, « femme d'allure distinguée, svelte, élancée, élégamment vêtue de noir [...], pleure en prenant place au banc des accusés » derrière son défenseur (le célèbre Me Peyrecave à la voix de bronze qui, disait-on à Bordeaux, ne s'arrêtait de plaider que quand il voyait sangloter les gendarmes). Le lendemain, relève le reporter de *la Petite Gironde,* Mme Canaby « paraît très fatiguée [...] après le long calvaire qu'elle a eu à gravir. Elle a l'air de se soutenir à peine ; son visage est pâle, tiré, ses yeux sont caves »...

Quand, lors de la quatrième audience, le défenseur de Mme Canaby lance soudain dans le débat cette conclusion d'un médecin légiste : « Tirer de ces expertises une présomption de crime serait faire œuvre criminelle », l'accusée « pousse un grand cri, puis tombe raide sur son banc... Toute la salle est en émoi. Partisans et adversaires de l'accusée mènent grand bruit. Les voix de femmes dominent dans ce brouhaha, de part et d'autre absolument acharnées. C'est un tumulte indescriptible : jamais, aux jours des plus passionnants procès d'assises, nous n'assistâmes à pareille effervescence »..

Le 28 mai, la cour acquitte du crime d'empoisonnement Henriette-Blanche

1 Du 26 au 29 mai 1906.

Canaby, mais la condamne à quinze mois de prison pour faux et usage de faux. Alors « la condamnée fait un geste pour interdire aux gendarmes de porter la main sur elle. Puis, ayant jeté un regard hautain sur la salle, elle rentre d'un pas ferme au fort du Hâ ».

Dans ce public surexcité, fébrile, un jeune homme de 20 ans nommé François Mauriac. Engagé alors au plus profond dans son procès personnel avec Bordeaux, on imagine à quel point il fut bouleversé par ce climat de chasse à courre, et surtout par « la petite figure blanche et sans lèvres » livrée à l'appareil judiciaire.

Il note dans son journal, le 26 mai 1906 :

> « Pauvre femme que je vis hier au banc de la cour d'assises, droite et pâle devant les hommes qui vous jugeaient, n'avez-vous pas senti monter vers vous, si pitoyable, si vaincue, un peu de mon humaine pitié ? [...] L'idée germe en vous un soir de tuer votre mari... N'était-ce pas là une conséquence irréductible, inévitable, de causes profondes qui ne dépendaient pas de vous ? La Société a le droit de se défendre, mais non pas de punir, le mari de Mme Canaby n'étant pas mort. Il croyait sa femme innocente. La Société n'avait donc pas été lésée [1]. »

Analyse étrangement moderne, si exempte du concept de péché...

Surgie informe de ses propres abîmes, Thérèse a pris là corps et visage. L'affaire Canaby lui a fourni une face et une silhouette. Il y découvrira plus tard nombre d'intéressants éléments de la trame de son roman : produits toxiques, procédure d'utilisation, usage de faux et jusqu'à l'intervention d'un mystérieux commissionnaire. L'originalité de Mauriac n'en est pas moins profonde, et d'abord en raison du cadre où il a transposé et recréé son histoire.

Il s'agit bien ici et là de bourgeoisie, et donc de « scandale », éclatant dans le Bordeaux de 1905, étouffé dans le roman de 1927. Mais les deux milieux sont fort dissemblables, et les deux héroïnes. Si le ménage Canaby n'appartient pas exactement au monde des Chartrons en dépit de l'adresse de sa résidence, il participe à une activité à la fois commerciale, mondaine, très intégrée à la vie de la cité (le procureur général reconnaît, dans son réquisitoire, les « succès littéraires » de Mme Canaby) alors que l'univers des Desqueyroux est spécifiquement rural, celui des Landais de la grande lande — à la fois retranchés et puissants, prétendant exercer sur leurs terres, tous « républicains » qu'ils puissent être, une manière de justice réservée. Avec Mme Canaby, brillant personnage de la « société » bordelaise, la farouche Thérèse n'a en commun que l'ostracisme qui les frappe enfin l'une et l'autre, ces « différentes » qui ont poussé leur différence jusqu'au meurtre.

D'autres « clefs pour Thérèse » ? L'épouse d'un avocat bordelais qui fut

1. Tome I, 4, p. 68-69.

très liée avec les Mauriac, et que nul drame d'ailleurs ne sépara d'un mari avec lequel il semble qu'elle s'entendait fort bien, aurait fourni à Mauriac quelques traits de Thérèse, et d'abord cette indépendance intellectuelle, cet agnosticisme, ce refus de l'univers et des valeurs bourgeois, aussi ce charme sans beauté, indéfinissable et sec, qui contribuent à donner à la séquestrée d'Argelouse sa puissance d'envoûtement. Mais pour inventer cette solitude au plus épais du tissu des hommes, ces sursauts de dégoût, ce pessimisme janséniste (fût-il ici d'une agnostique), François Mauriac n'avait qu'à jeter la sonde en des profondeurs qu'il connaissait bien.

Durant les mois du printemps et de l'été 1926, François Mauriac travaille comme un possédé — qu'il est... Tout en nomadisant de Vémars à Saint-Symphorien, d'Arcachon à Malagar, il participe à deux décades à la Robertsau (près de Strasbourg) et à Pontigny, prononce une conférence sur la « défense du roman » à Genève, écrit et publie presque simultanément une étude sur Bordeaux, *Un homme de lettres* et *Coups de couteau, le Tourment de Jacques Rivière* et *la Rencontre avec Pascal,* travaille à son *Racine* et même à un projet de pièce avec son ami Édouard Bourdet, qui l'accueille près de Toulon, aux Tamaris.

Mais c'est une autre œuvre, bien sûr, qui le mobilise et l'enfièvre, le roman pour lequel il a demandé informations et conseils à son frère Pierre, lui en faisant lire de longs extraits. Et le 20 octobre 1926, il écrit à sa femme, de chez leur ami Guy de Pourtalès : « Veuillez téléphoner à *la Revue de Paris* que le titre de mon roman est *Thérèse Desqueyroux* et qu'il est fini. » Et à Pierre, une semaine plus tard : « J'ai beaucoup travaillé à *Thérèse Desqueyroux.* La fin, que tu ne connais pas, l'humanise beaucoup. Deux camarades à qui je l'ai lu, et qui m'ont fait par ailleurs des remarques sévères, la trouvent moins monstrueuse qu'il ne t'a paru... »

Tout intime qu'elle lui fût, liée à lui, occupant sa pensée, harcelant sa sensibilité, *Thérèse Desqueyroux* ne s'imposa pas d'évidence au romancier Mauriac sous la forme que nous lui connaissons. C'est un personnage assez différent, déjà en quête de la grâce, qu'il avait d'abord ébauché, une presque pénitente qui entreprend de rédiger par écrit, pour un prêtre, la confession de son crime. Ce récit affligé d'un bien mauvais titre, *Conscience, instinct divin*[1], fut présenté en 1950 par Mauriac comme « le premier jet de *Thérèse Desqueyroux,* conçue d'abord comme chrétienne »... Ce texte de quelque 20 pages, d'abord tiré à quelques exemplaires seulement, « pour l'auteur et quelques amis », prit place ensuite dans la collection « Les introuvables ». Puis, le 1er mars 1927, *la Revue nouvelle* le publia — plusieurs semaines après le roman, dont le triomphe immédiat rejeta *Conscience, instinct divin* dans une ombre définitive.

Le texte, où l'on retrouve des fragments entiers du roman, est tout de

1. Emprunté à Rousseau

même assez révélateur des débats qui agitent alors Mauriac, le romancier et le chrétien. Cette première Thérèse garde son intérêt, d'abord parce qu'elle témoigne de l'intention qu'avait d'emblée réalisée l'auteur : faire de l'empoisonneuse une « sainte Locuste ». La Thérèse de ce « premier jet » est née catholique, a été élevée chez les sœurs, et la figure qu'elle offre au monde est telle qu'un prêtre, parlant d'elle, cite Polyeucte décrivant Pauline : « Elle a trop de vertus pour n'être pas chrétienne. »

A ce personnage d'abord presque édifiant — le seul extrait publié s'arrête au bord de l'aveu — fait face un mari plus ouvert et disponible que le Bernard du roman. Modestie, finesse : le prénom que lui donne l'auteur, Pierre, n'est pas la seule raison que l'on trouve pour que surgisse à la mémoire le Bezoukhov de *Guerre et Paix.*

Dans cette ébauche de *Thérèse,* le mobile unique du crime, objet de la confession, c'est le dégoût physique, le refus érotique. Tels sont les deux personnages qu'ils ne peuvent se nier que par là. Tout ce qui sera nuancé ou enrichi d'ambiguïté dans *Thérèse* est ici posé comme un postulat d'évidence : pour cette femme qui se confesse, celui qu'il lui faut supprimer est le monstre nocturne qui, des « criminelles délices » de la chair, a fait pour elle des « crimes sans délices », cet « assassin » qui n'a pitié de sa victime qu'au cours des journées trop courtes et qui « le soir, de nouveau, la saisit ». Et du voyage de noces en Italie, cette première rédaction donne une version beaucoup plus tragique, une vision d'épouvante, que la seconde — où affleure tout de même ce que la jeune femme appelle un « plaisir amer ».

On devine le travail accompli au cours de l'année 1926 par François Mauriac sur le sujet et le personnage qui le hantaient entre tous, les retouches apportées à une première version centrée sur le sursaut de dégoût charnel d'une demoiselle catholique et frigide violentée par un mari maladroit. Rarement deux « états » d'une œuvre ont fait plus clairement éclater la vertu autocritique et créatrice d'un artiste, et sa fertilité. De la nouvelle laborieuse et vaguement édifiante dans ce qu'on appelait alors son « audace » qu'était *Conscience, instinct divin,* Mauriac a fait en quelques mois son roman le plus fort et le plus accusateur.

Comme presque tous les manuscrits de François Mauriac, celui-ci prend la forme d'un cahier d'écolier. Sur la première page on lit : Thérèse Desqueyroux, et plus bas : Sainte Locuste. Puis cette phrase de Thomas Mann : « Certains êtres s'égarent nécessairement parce qu'il n'y a pas pour eux de vrais chemins. » Et puis encore ce titre : « L'esprit de famille. » Et enfin ce texte :

> « Aujourd'hui le 13 avril 1926, je prends conscience de ce que doit être ce livre en même temps que j'en découvre le titre [1]. L'anecdote de la femme qui empoisonne son mari ne sert qu'à illustrer ce sacrifice perpétuel dans une famille bourgeoise française à l'honneur du nom, à la Famille : tout recouvrir, tout cacher. Immoler tous les bonheurs individuels : que ça ne se sache pas. Le titre secret est « le plat de cendre » (les chats recouvrent leurs

1. Alors *l'Esprit de famille.*

ordures). C'est la grand-mère de Thérèse qui a fui avec un amant. Et sa mère s'est entendu dire toute sa vie par son mari : " Expiez ! "... »

Dans le tome II de l'édition de la Pléiade, M. Jacques Petit suggère que le titre devait être alors « L'esprit de famille ». Le ton sur lequel l'auteur annonçait six mois plus tard qu'il avait choisi « Thérèse Desqueyroux » semble bien indiquer en effet que c'est alors seulement que le titre fut arrêté.

Tout ce jeu des titres et sous-titres, de « Sainte Locuste » au « Plat de cendre » en passant par « L'esprit de famille » et la citation de Thomas Mann, révèle la complexité des ambitions de Mauriac et la richesse de significations du livre — dont il veut faire tour à tour un manifeste dostoïevskien de la connexité entre le crime et le salut, le roman du secret et de la prééminence de la famille sur l'individu, sinon une thèse sur la prédestination.

Si, au moment où il se met à la rédaction de la version définitive, en avril 1926, c'est le thème de la « famille-moloch », du « plat de cendre », du secret, de cette autre « raison d'État » qu'est la raison familiale qui est dans son esprit le thème dominant (alors que, dans *Conscience, instinct divin,* c'était la répulsion sexuelle), on verra, au cours de la rédaction, le Personnage l'emporter sur le groupe — et la séquestration, déjà substituée au refus érotique comme thème central, n'être plus que le cadre du développement de la personnalité de Thérèse. Tous les projets de titres s'effacent alors, et Mauriac, triomphant avec Thérèse, ne laisse plus apparaître au fronton de son livre que le nom de son héroïne-complice : comme lui vingt ans plus tôt, elle a su aborder aux rives de Paris, libre.

Thérèse Larroque, en épousant Bernard Desqueyroux, a obéi aux lois de la tribu — qu'elle porte en elle, sauvage dont la sauvagerie est faite aussi de rapacité : ce mariage unit en un empire deux grands domaines de pins. Partager la vie d'une médiocre sentinelle des valeurs familiales dont l'avidité charnelle, au surplus, lui répugne, ne peut qu'aviver en elle la conscience intransigeante de sa différence. Quand se présentera l'occasion d'éliminer, en transformant un traitement par l'arsenic en empoisonnement, celui qui exerce auprès d'elle les fonctions du geôlier, elle la saisira. Évasion manquée. Plutôt que le châtiment légal, les siens lui imposent une séquestration par quoi la famille manifeste jusqu'à la caricature sa vocation répressive.

Thérèse Desqueyroux, dans la version publiée chez Bernard Grasset, est placée sous l'invocation de Charles Baudelaire, auquel Mauriac a emprunté l'épigraphe : « Seigneur, ayez pitié, ayez pitié des fous et des folles, O Créateur ! Peut-il exister des monstres aux yeux de Celui-là seul qui sait pourquoi ils existent, comment *ils se sont faits,* et comment ils auraient pu ne pas se faire... »

Déconcertante référence. Non pour ce qui est de l'auteur, mais pour ce qu'il dit. On ne serait pas loin de penser que le portrait de *Thérèse,* le récit de son crime et la description de son châtiment sont tout entiers braqués contre le thème antifataliste suggéré par le « ils se sont faits » du poète des *Paradis artificiels.* Pourquoi n'avoir pas gardé la citation de Mann ? Aussi janséniste que *Phèdre,* aussi fixé, immobile que la tragédie racinienne, le roman de Mauriac est le portrait clinique d'un être prisonnier d'une fatalité. C'est une exclue, une retranchée de la Grâce aussi bien que du milieu où elle a surgi, étrangère, ennemie, révoltée (« La famille... cette cage aux barreaux innombrables et vivants, cette cage tapissée d'oreilles et d'yeux » — et à ces barreaux s'en ajouteront d'autres : « Comme si ce n'eût pas été assez des pins innombrables, la pluie ininterrompue multipliait autour de la sombre maison des milliers de barreaux mouvants ») issue d'une aïeule, Julie Bellade, si scandaleuse que son image même a été retirée de la vue des siens. « C'est si peu nous qui faisons notre vie » : ce vers d'André Lafon, que Mauriac a souvent cité, à qui mieux qu'à *Thérèse* l'appliquer ? Son destin seul la conduit, qu'il prenne les traits d'une famille irréductible ou d'un incendie qui engloutit son geste criminel dans une fureur globale. Où est la part de la liberté, de la volonté ?

« Pas une goutte de sang n'a été versée pour elle », écrira quelques mois plus tard Mauriac de *Phèdre.* Quelques mois plus tard ? Nous ne savons pas au juste si la rédaction du *Racine* n'accompagne pas quelque temps celle de *Thérèse,* et si, certains jours, romancier et biographe (et autobiographe) n'ont pas confondu dans une même et tendre horreur les faces livides de la Crétoise et de la Landaise.

Dans la préface pénétrante qu'il écrivit deux ans plus tard pour *Dieu et Mammon,* Ramon Fernandez décrit ainsi les rapports entre Mauriac et Thérèse :

« Thérèse est vivante [...] quand Mauriac la créait, elle lui apparaissait sans doute dans un ensemble complexe et vivant, où il y avait des sentiments, des pensées, des mimiques, mais où il entrait aussi des paysages, des climats, des heures. Ces heures, ces paysages, ces climats, au même titre que le physique et le moral de Thérèse, étaient évidemment composés d'impressions de Mauriac. Mais la façon dont ces éléments s'associaient ensemble n'était pas la façon dont ils se fussent associés pour Mauriac lui-même ou pour un autre personnage : une *nature* se formait [...]

Si Mauriac dessine Thérèse avec tant de justesse, ce n'est pas seulement parce que son sens et son goût de l'humanité lui font comprendre et aimer la pauvre femme : c'est aussi parce qu'au fond de lui-même s'agitent les instincts, les sentiments de la famille de Thérèse, parce que le jugement porté sur elle dans Argelouse n'est pas étranger à sa formation première. La sympathie pour Thérèse se complique ici de complicité — la complicité de quelqu'un qui vient de l'autre côté de la barricade — en même temps que son caractère apparaît d'autant plus réel qu'il n'a été ni souhaité, ni prévu, mais *senti* et qu'il est comme cerné par le refus [.] Mauriac ne la fait pas vivre, il la laisse vivre : et dans la mesure où il la retient, d'un geste attendri.. il la comprend[1]... »

C'est avant tout parce qu'il met l'accent sur la différence et la claustration que le roman de sa maturité est l'autoportrait de Mauriac, du Mauriac des abîmes. Mais chez lui, la conscience d'une différence, marquée avec tant de soin dans *Commencements d'une vie* (avant les *Nouveaux Mémoires intérieurs*), n'est en rien liée à l'hérédité, ou expliquée par de tels traits : elle est culturelle. Elle s'exprime notamment par les propos plus ou moins provocants tenus par Thérèse face aux discours racistes de Bernard : la vraie corruptrice de l'espèce humaine, selon elle, n'est-ce pas la race blanche ? François n'oublie pas son adolescence, le temps où sa mère le traitait de « diseur de riens » — le temps où Yves Frontenac exaspère les siens en remettant en cause quelques-unes des « valeurs » familiales et bourgeoises les mieux établies. Cette « différence » de Thérèse et de François avec leur milieu, on la retrouve dans des phrases comme celle-ci : « Avaient-ils seulement un vocabulaire commun ? Ils donnaient aux mots essentiels un sens différent... »

Quant à la claustration dont son adolescence est hantée, ce sentiment où il vit dans le Bordeaux de 1905 d'étouffer, d'éclater, de ne pouvoir courir vers aucune issue, il préfigure l'enfermement et l'« évasion » de Thérèse — un peu comme les mésaventures politico-journalistiques de Malraux à Saigon portent en germe les violences révolutionnaires des *Conquérants.*

En écrivant à son frère le médecin qu'il fallait éviter de confondre l'antagonisme bien-mal avec la relation normal-anormal, au moment même où il entreprenait la rédaction de son livre, François Mauriac semblait vouloir s'évader de l'univers moral et chrétien dans lequel s'inscrivait jusqu'alors son œuvre, pour déboucher sur un monde de la fatalité biologique. C'est un monde où lui-même se découvre, sinon plongé, au moins menacé de l'être. En un sens, ce plaidoyer pour une dissociation du « normal-anormal » du jugement moral entre le bien et le mal, pour une « reconnaissance » de la fatalité biologique, de l'empire des « tendances », est un plaidoyer *pro domo.* Le ressent-il seulement ? Le sait-il ?

Thérèse n'est pas seulement fille de *Phèdre,* victime de la haine des dieux, elle est parente aussi des héroïnes « programmées » de Zola. Frigide et ne trouvant son « plaisir amer » que dans la simulation des gestes amoureux, mais moins ennemie des échanges érotiques que l'héroïne de *Conscience, instinct divin,* elle entrevoit, à travers les caresses mal aimées de Bernard, un « bonheur possible » (et Mauriac écrit d'elle ceci, qui est une porte ouverte . « Comme devant un paysage enseveli sous la pluie, nous nous représentons ce qu'il eût été dans le soleil, ainsi Thérèse découvrait la volupté »). Elle est aussi masochiste — s'infligeant, séquestrée, la griffure d'un vent glacial, au point que « la douleur devenait [...] son occupation et — qui sait ? — sa

1 Préface à *Dieu et Mammon,* p. 43-50

raison d'être au monde ». Quelque peu sorcière aussi : cette intellectuelle, cette lectrice de Sainte-Beuve ne va-t-elle pas jusqu'à percer d'une épingle la photographie de l'homme qu'aime son amie ? Hantée enfin par le feu, par le poison (« Les fougères contiennent-elles de l'acide prussique ? »), suicidaire : une « malade » ? une prédéterminée ? En tout cas — et pour utiliser un vocable plus mauriacien — une « prédestinée ».

De quelles fièvres, de quelles troubles interrogations était alors agité Mauriac, pour qu'à ce refus de toute action de la Grâce, et même de tout prolongement métaphysique accordé à son personnage, il ait ajouté ce qui est à coup sûr le tour de force du romancier, mais le renoncement suprême à l'idéal de l'intellectuel chrétien d'Occident : l'explication du crime. Que Thérèse, ni l'auteur, ni le lecteur ne puisse trouver de fondement à cet acte amorcé dans l'irrésolution, poursuivi dans l'inconscience et achevé dans l'incertitude, il y a là une vertu romanesque qui fait penser à Dostoïevski.

Mais le François Mauriac formé par les pères, et depuis l'âge de raison exercé par eux et ses directeurs à braquer sur toutes choses, sur lui-même et ses créatures « ce regard perforant, le regard catholique », à quelle abdication consentait-il ainsi ? Cette Thérèse qui a jailli du plus profond de lui, qu'il la contrôle mal ! Elle-même impuissante à « rendre ce drame intelligible », elle est conduite par une force indicible et singulière vers l'acte de mort (« Je cédais à un affreux devoir. Oui, c'était comme un devoir... »), et lui se laisse entraîner par elle, ne parvenant ni à la « sauver », ni à la retenir, ni même à l'expliquer. Elle lui échappe, voilà le vrai. Autonomie de la création qui va bien au-delà de ce que lui ont infligé Félicité Cazenave ou Raymond Courrèges. A l'inverse de ce qu'avait subi André Lafon, en qui le chrétien avait, selon Mauriac, tué le romancier, voilà qu'en Mauriac, « bouche d'ombre », le créateur et sa créature sont en train de violenter et de déposséder le chrétien.

C'est bien le grief que lui fit la critique catholique, représentée entre mille par Henriette Charasson : « Regrettons que M. Mauriac ne soit pas plus maître des héros qu'il veut créer... » Et c'est précisément sur ce thème que l'implacable Paul Souday, le dernier des « grands » critiques à résister encore à son charme, va l'attaquer : « M. Mauriac, catholique et romancier (si ces deux dogmatismes[1] peuvent encore s'accorder), a pour modèles et patrons Dostoïevski [...] Baudelaire, Gide... Même mélange d'immoralité fétide et de christianisme malsain qui se complaît dans le péché et le crime pour mieux savourer ensuite les frissons masochistes du repentir... Je me demande comment M. Mauriac finira... » Moyennant quoi le critique du *Temps* reconnaissait pour la première fois le talent de l'auteur de *Genitrix :* « C'est très habilement fait et des plus empoignant [...] avec une espèce de génie. » Note finale qui rend mal explicable l'attitude de Mauriac, refusant quelques jours plus tard, dans le salon de Mme Mühlfeld, de serrer la main de Souday : il fallut que Valéry s'en mêlât, faisant valoir auprès du romancier

1. « Dogmatisme » à propos du métier de romancier : ah ! M. Souday, quel maître vous étiez !

susceptible que Souday l'avait comparé à Dostoïevski et à Baudelaire. Mauriac voulut bien s'en déclarer consolé...

Hormis Robert Kemp qui écrivait piètrement, dans *le xxe Siècle :* « Voilà un roman qui fera les délices des lecteurs des " causes célèbres " et des amateurs de criminologie » (!), ce ne fut qu'une acclamation. Dans *les Nouvelles littéraires,* Edmond Jaloux écrivait : « Quel tempérament de grand romancier ! *Thérèse Desqueyroux,* c'est la *Phèdre* de M. Mauriac... Je ne pense pas qu'il ait jamais écrit de plus belles pages [...] que celles où il nous montre Thérèse enfermée... Je crois que dans l'ensemble *Thérèse Desqueyroux* est une œuvre moins parfaite que *le Désert de l'amour* [...] mais *Thérèse* n'en est pas moins une œuvre supérieure à ses livres précédents. »

Pour André Thérive, critique de *l'Opinion,* Thérèse est l'héroïne, l'incarnation de l'« individualisme ». *La Revue de France* clamait : « Avez-vous lu Baruch ? Je veux dire François Mauriac ? » *Le Mercure de France,* mettant l'auteur en parallèle avec Pascal et Baudelaire, s'extasiait : « Son meilleur ouvrage [...] Proprement admirable ! » Mais c'est comme toujours Albert Thibaudet qui suggérait le plus finement : « Mauriac est hanté par *Phèdre*... Le roman est né au Moyen Age dans la chambre des dames. Il n'a pas perdu en devenant le roman de la famille... Une féminité toute physique règne (ici), un entêtant parfum sexuel que charrie toute l'œuvre de François Mauriac... Techniquement, c'est un chef-d'œuvre. On ne saurait pratiquer avec plus de maîtrise l'art des sacrifices, (avec) une sobriété nerveuse et fine, juste et pure... Ici la mésentente familiale est prise dans sa racine érotique, sexuelle... »

La publication de *Thérèse Desqueyroux* — à partir de novembre 1926, dans *la Revue de Paris,* puis chez Grasset, en février 1927 — marque à la fois l'accession de François Mauriac à la maîtrise totale de son art, cinq ans seulement après que *le Baiser au lépreux* avait signalé en lui le vrai romancier. Elle marque aussi la limite, au moins provisoire, de son éloignement du christianisme. Aucun de ses livres n'est aussi froidement déserté par la foi, aussi lourd de l'absence de Dieu — quand bien même, avec Gradère, avec Landin, il lui arrivera de créer des êtres beaucoup plus criminels que Thérèse.

Avec celle-là, il n'a pas fini de se colleter, de poursuivre le débat. S'il a cru, avec ce maître livre, en finir avec elle et tout ce qu'elle signifie pour lui de hantises et d'auto-accusation, il devra très vite déchanter. On lui assigne de toutes parts — au moins dans son entourage catholique — une sorte de mission : il faudra racheter, convertir Thérèse, sinon faire d'elle cette « sainte Locuste » qu'il avait rêvé de peindre. A son frère Pierre qui, le félicitant de cette superbe réussite esthétique, l'incitait à appliquer son génie à des êtres moins pervers, il répondait, le 25 novembre 1927 : « Un jour serai-je digne de peindre une belle âme ? Ce sera justement peut-être celle de Thérèse, purifiée, sanctifiée. »

L'obsession où le maintient son personnage, on en trouve une trace significative au début de 1928. Il a été invité à faire quelques conférences en Tunisie. Dans le train entre Sfax et Gabès, le 4 mars, que fait-il, ce voyageur ? Peu attiré, on le sait, par le pittoresque extérieur, il écrit, bien sûr. Mais quoi ? un projet de « Fin de Thérèse ». Quelques feuillets presque illisibles de ce brouillon ont surnagé [1]. Voici ce qu'on y lit :

> « Quelle folie, mon amour, que d'espérer disparaître sans laisser de traces... Je t'ai souvent rassuré quand tu me voyais à bout de souffle. Il n'est rien de si facile et de si honteux que de (persécuter ?) ceux que l'on aime avec une menace de suicide. Pour ne pas troubler ta vie, j'ai même exagéré la terreur qui me rend la mort inaccessible. Jusqu'au jour où j'ai pensé qu'on peut s'abîmer dans la vie comme dans le néant... Si je manque à la parole que je m'étais donnée, si je t'écris, ne crois pas que la souffrance ait eu raison de moi. Cela aurait pu être, et je connais mes limites au-delà desquelles je n'en peux plus. Mais tel est le confort du dépaysement : je ne souffre plus ou plutôt je ne me sens plus souffrir. Non que je t'aime moins, mais ce voyage solitaire me détache de moi-même. C'est une autre Thérèse, une Thérèse diminuée, réduite à quelques sensations... »

Le brouillon s'arrête ici, sur cette simple notation : « Ici Gabès... »

Ainsi, jusqu'en voyage et si peu qu'il en convienne, empoigné par cet univers si neuf, dérangeant, pathétique, du Maghreb — il est Thérèse encore. C'est d'emblée qu'il prend la forme du récit à la première personne. Ce voyageur solitaire n'est pas un diable, comme le voudrait Montherlant. Mais son « démon gardien » l'accompagne.

En janvier 1927, quelques semaines avant la sortie de son livre, François Mauriac était devenu, après accord avec sa mère, sa sœur et ses frères, le propriétaire de Malagar (dont l'*e* final a disparu entre-temps). Sa vie n'en sera guère changée — il y venait assez souvent travailler. Mais désormais l'angoisse du propriétaire, de l'exploitant, le tenaillera tous les ans à la veille des vendanges. Si la grêle, si la sécheresse, si la pluie excessive... Une charge de plus. Une joie aussi, un enracinement nouveau.

De cela, Thérèse la terrienne l'aurait approuvé — sans cesser de le tourmenter, et de le conduire au bord du désespoir. Cet arrachement provisoire aux pins de Saint-Symphorien, cette réorientation vers le monde plus ouvert et lumineux des vignes du Langonnais ne le libéreront pas de son fantôme intérieur — et pas même le retour aux pratiques du catholicisme le plus strict, qu'il opère dix-huit mois après la publication de *Thérèse,* à la fin de 1928. Dans son premier roman proprement chrétien et pour lequel il revendiquera la qualification de « romancier catholique », *Ce qui était perdu,* la séquestrée d'Argelouse déportée à Paris fera intrusion, comme si elle avait quelque droit sur les œuvres de Mauriac, comme si elle pouvait y pénétrer et s'y mouvoir à sa guise, seule juge de sa participation.

Alain Forcas, le frère trop chéri de cette Tota Revaux qui se débat à Paris au milieu d'intrigues dérisoires et déchirantes, fait une étrange rencontre nocturne dans les bosquets des Champs-Élysées :

> « C'était bien une plainte qui s'élevait de derrière ces arbustes... Sur une chaise de fer appuyée à un réverbère, une femme était assise, le buste droit,

1 Conservés au Fonds Doucet

> la tête rejetée, la gorge blanche comme offerte au couteau... C'était la créature aux abois quand aucun regard étranger ne l'oblige à sauver la face [...] la créature sans retouche enfin, et telle que la douleur la façonne... Elle tourna vers lui un visage dont le feutre enfoncé ne laissait voir qu'une bouche sans lèvres marquée de deux rides aux commissures. Le nez trop court lui donnait l'aspect d'une face rongée... »

Ils échangent quelques mots, l'adolescent naïf et la femme au cœur trop lourd. Elle lui dit qu'elle souffre « de quelqu'un », et ajoute : « C'est le mal le plus physique... », et encore : « Je ne sais pourquoi je me livre ainsi. Ce n'est pas dans ma nature... » Elle lui donne son nom, Thérèse Desqueyroux, son adresse :

> « " Vous oublierez ? — Oh non, c'est un nom de chez nous " [...] Dans le taxi qui le ramenait, [Alain] revoyait la figure de la femme sans lèvres, au nez court, figure usée, rongée, polie comme un caillou : toujours leur folie, la même folie, toujours la poursuite épuisante, toujours ces êtres qui se pourchassent [1]... »

En faisant se croiser ainsi les routes de Thérèse et d'Alain Forcas, Mauriac convoque ses personnages les plus intimes, côté ombre et côté lumière, ceux qu'il aura fait vivre avec le plus de constance, et qui chargent le plus violemment son univers romanesque, les deux seuls héros de « cycles » dominés par un personnage, celui que peuple la Grâce et celui où elle ne se manifestera que très tard, et non sans gaucherie, ni effort, ni dommage esthétique.

Cette scène de *Ce qui était perdu* pourrait être tenue pour point focal de l'œuvre de Mauriac, carrefour privilégié où l'héroïne misérable rencontre celui qui est « appelé du milieu de ce monde perdu » — au moment où la vie intellectuelle et spirituelle de Mauriac vient de basculer vers la fidélité à son Église (« L'époque de ma vie où j'étais le plus occupé de religion », écrira-t-il vingt ans plus tard). Cette scène ne décide pas de la vocation d'Alain (elle en précède de peu la manifestation), pas plus qu'elle n'oriente la destinée de Thérèse : du plus profond de son désarroi, la solitaire a croisé le regard de cet adolescent limpide, mais n'en a pas été marquée si profondément qu'elle se détourne de ses démons familiers.

Cette réapparition de Thérèse au détour d'une page de *Ce qui était perdu* le laisse insatisfait. Il lui faut la retrouver vraiment, plus pleinement. Il faut donner une suite au roman de 1927, au destin de cette compagne de route obsédante. En 1931, il entreprend un récit dont elle sera l'héroïne, mais les choses vont mal. Le 24 janvier 1932, cette note irritée à sa femme : « Je tire sur *Thérèse D.* comme sur une vieille vache qui ne voudrait pas avancer. Alors je l'ai laissée en plan et me suis mis à ma conférence [2]... » Si familière, cette Thérèse, qu'il en vient à l'injurier...

1. *Ce qui était perdu*, in *Œuvres complètes*, tome III, p. 56
2. Sur « le romancier et ses personnages ».

La hantise de Thérèse. Écoutons-le parler alors à Jean Cayrol, qui n'est encore qu'un écrivain bordelais débutant — et deviendra son ami, et l'auteur de très beaux romans : « ...Au fond je n'aime aucun de mes livres [sauf] *Thérèse Desqueyroux...* Je l'ai quittée au bord d'un trottoir, un soir ; il pleuvait et depuis je la sens vivre à côté de moi... » Pour la faire resurgir, lui faut-il une incitation nouvelle, une invite plus pressante, un rappel plus dramatique ? Le voilà, en 1931, témoin d'un procès d'assises intenté à une femme, meurtrière de son amant, Mme Favre-Bulle. Ce n'était pas une empoisonneuse, et son acte fut le plus typique, on dirait le plus « banal », des crimes passionnels. Mais il est frappant qu'au moment de réunir ses œuvres complètes, Mauriac ait voulu intégrer au volume consacré au « cycle » Thérèse ce beau récit d'un procès d'assises, faisant figurer auprès de la réprouvée d'Argelouse une autre femme en proie au système dominant, celui des hommes, à leurs règles de la bienséance affective, du comportement matrimonial, de la chasse amoureuse. Autre femme retranchée, solitaire, que le système judiciaire malmène, brise et condamne, au point d'arracher au romancier « spécialiste du cœur féminin » et mué en témoin cet élan de solidarité :

> « La cour !
> L'accusée se tient debout, vacille... Le président Bacquart rentre en scène, léger, rapide, olympien ; elle n'ose regarder en face cette nuée écarlate qui accourt, chargée de foudre.
> " Vingt ans de travaux forcés ! "
> Le pauvre corps s'effondre. Une petite main gantée s'agite au-dessus de l'abîme. C'était prévu. Le médecin attendait derrière le portant... [...] " Oui oui, elle peut entendre... " Le reste de l'arrêt est lu vite, mais d'une voix qui ne tremble pas. Les gardes enlèvent le cadavre [...]
> Ce qu'il y a de plus horrible au monde, c'est la justice séparée de la charité[1]. »

L'affaire Favre-Bulle ? Certes, il y avait là de quoi faire s'agiter en lui le fantôme de Thérèse. Mais la recluse va se rappeler à lui plus violemment encore. L'actualité fait surgir un personnage plus forcené, et capable de ranimer ses angoisses familières — une Thérèse plus déchue, et monstrueuse, et indéchiffrable que l'autre, et cruellement vraie celle-là — Violette Nozière l'empoisonneuse, non de son mari, mais de ses parents. La presse de la fin de 1932 résonne de son forfait. On ne voit que son pâle visage, on ne parle que de son ambiguïté terrifiante. Comment François Mauriac se tairait-il devant cette meurtrière incapable de retrouver les « raisons » de son acte, et que seule semble avoir poussée la soif irrépressible de s'arracher aux barreaux de la prison familiale ?

> « Elle marchait dans la colonne noire de son crime, elle ne voyait pas son acte Dans sa prison seulement, l'Ennemi a écarté un peu les mains pour que la malheureuse reçût en plein visage les insultes des autres détenues.

1 *L'Affaire Favre-Bulle*, 1931, in *Œuvres complètes* tome II p 536

> Un mot d'elle, vraiment stupéfiant, témoigne avec quelle puissance l'esprit immonde l'avait rendue aveugle : " Quel sera mon avenir ? " Le matin, aux dernières nouvelles, je m'arrête sur ces quelques lignes : " V. N. semble aujourd'hui moins déprimée et demande toujours à voir l'aumônier... " Voilà le mystère des mystères : Dieu n'a pas nos dégoûts. Dieu n'a pas de dégoûts. Non seulement cette parricide sera pardonnée et aimée, si elle le veut (et elle l'est peut-être déjà à l'heure où j'écris) mais encore préférée, à cause de sa misère sans égale [1]... »

« Quel sera mon avenir ? » Voilà qui est de nature à fouetter l'imagination du romancier habité par un personnage proliférant en lui. Mais surtout il y a cette empoisonneuse « pardonnée, aimée » sinon « préférée » qui est peut-être déjà cette « sainte Locuste » qu'il a entrevue sept ou huit ans plus tôt. Que de prétextes à reprendre la main de la femme aux lèvres minces, au nez trop court, au pâle visage, son amie-ennemie... Encore un peu de route ensemble, vers cette sanctification voulue et toujours dérobée ?

C'est l'époque où François Mauriac s'interroge sur les structures et les dimensions de son œuvre. Quelques mois après avoir écrit à sa femme qu'il tirait sur Thérèse « comme sur une vieille vache », le voilà qui se demande si, par le biais de cette permanence et de ces réapparitions de la meurtrière d'Argelouse, il n'est pas en train de créer un ouvrage inattendu :

> « Il a fallu beaucoup de temps, écrit-il le 17 décembre 1932 dans *l'Écho de Paris,* pour que Balzac s'aperçût qu'il écrivait *la Comédie humaine.* Cet illustre exemple est bien consolant pour les auteurs méprisés de romans courts : rien ne les empêchera de consacrer leur vieillesse à retrouver les liens qui unissent entre eux tous les fils et toutes les filles de leur esprit ; et sans recourir à aucun artifice : car ce qui naît de nous forme un nombreux parentage. »

Et il faudra près de vingt ans encore pour qu'il suggère, dans la préface de ses *Œuvres complètes,* « avoir écrit, sans l'avoir voulu, un roman-fleuve ».

Aucun de ses personnages n'y aura, mieux que Thérèse Desqueyroux, contribué. Cet acharnement à revivre, à s'agiter en lui, c'est en 1933 qu'on en trouvera témoignage avec les deux nouvelles, *Thérèse chez le docteur* et *Thérèse à l'hôtel,* qui font resurgir l'empoisonneuse, face aux deux pulsions élémentaires qui dominent les comportements de Thérèse : l'instinct de détruire et la soif de séduire.

C'est un bien étrange récit que celui de la visite de la « louve » pâle au Dr Schwartz. Étrange par la construction et l'éclairage de l'œuvre, qui maintient l'héroïne dans l'ombre, n'en faisant qu'une voix, suspendant son apparition physique jusqu'aux dernières pages, comme pour fouetter l'attente et alourdir le menaçant mystère qui enveloppe ses gestes et ses intentions. Étrange aussi par la cruauté du regard que porte alors le romancier sur sa créature, jetée au bord de la folie au moment de devenir une tueuse à gages. Étrange enfin parce que l'évocation de cette lamentable

1 *Journal*, 1932-1939, p. 82-87

péripétie, peu digne en apparence de cette *Phèdre* de la forêt égarée sur le pavé parisien, semble le moyen trouvé par Mauriac pour régler ses comptes à la psychanalyse, si rudement et de telle façon qu'on le trouve ici aux limites de l'antisémitisme. Le Dr Schwartz est décrit comme un demi-juif plus qu'à demi charlatan. Ce n'est pas de cette nouvelle (publiée d'ailleurs par *Gringoire*, feuille d'extrême droite) que date l'antipathie qu'inspire à l'auteur de *Genitrix* l' « immonde clef » freudienne. Mais elle s'exprime ici sans fard — et le sarcasme va loin : car, au-delà de son échec à suivre Thérèse, le Dr Schwartz se voit en fin de compte rejeté par sa propre femme. Quoi de plus ridicule que le sorcier abattu par ses propres tours...

C'est tout de même Thérèse qui compte, à peine entrevue, surgie en pleine nuit avec son « front trop vaste », ses « cheveux coupés, pauvres et rares, déjà grisonnants », ses « joues creuses » et ses « lèvres ravalées ». Et aussi le chapeau de feutre posé bas sur le front, le col de chinchilla... Comment se fait-il que ce fantôme, que cette demi-morte soit tellement plus vraie que tous ceux qui l'entourent — sinon parce qu'elle vit de la vie même de l'écrivain, souffle mêlé à son souffle, chair découpée dans sa chair ?

Moins saisissante tout de même, moins originale, on va la retrouver très vite « à l'hôtel » — sans que cette localisation la voue à de nouvelles déchéances. Phili (personnage du *Nœud de vipères*), l'amant qui tentait, dans le récit précédent, de lui faire commettre le crime qu'il est trop lâche pour perpétrer lui-même, s'est suicidé. Et c'est pour chercher quelque apaisement que Thérèse s'est réfugiée dans un hôtel du Cap-Ferrat. Elle est là avec cette angoisse double et délicieuse de « sentir [son] démon errant, inoccupé mais en quête d'une autre créature ». Un adolescent dont le regard croise le sien, et c'est la flambée d'un désir informe, ironique d'abord, puis moins contrôlé. Et si un être si jeune pouvait encore lui donner ce « quart d'heure de tendresse désintéressée » pour quoi elle aurait offert sa vie ? Mais il lui parle de Dieu. Il établit entre eux le rapport qu'elle exècre, cette Thérèse en marge de la loi, faiseuse d'angoisse, créatrice d'agonie. Et elle lui échappe, comme elle échappe toujours à François Mauriac en qui le chrétien a repris apparemment assurance et autorité.

Cette rebelle giflée par la vie que le Dr Schwartz n'a pu que laisser plus démunie encore qu'il ne l'avait reçue, et que le prêche malhabile d'un enfant réduit au désespoir, la voilà gisante — irrécupérable ? Le Mauriac qui vient de surmonter une violente crise religieuse et de survivre à la plus terrible des maladies, puis d'entrer à l'Académie, le grand notable recouvrant en lui le poète, ne peut-il donc rien pour Thérèse-à-la-face-rongée, au nez trop court, au front trop vaste, pour Thérèse son double et son contraire qui continue de le défier ? Alors il écrit *la Fin de la nuit*.

> « Je ne regrette pas d'avoir rêvé à propos d'elle dans *la Fin de la nuit*, mais elle préexiste à *la Fin de la nuit* qui n'ajoute rien à ce qu'elle est : cette créature qu'aux dernières pages de *Thérèse Desqueyroux* j'ai lâchée sur un trottoir de Paris... »

Surprenant aveu, écrit quelque dix-sept ans après la publication du récit qui devait être le couronnement de cette « sainte Locuste » entrevue dès 1925. Ainsi ce rayon de grâce que François Mauriac fait luire dans les ténèbres où se débat la possédée d'Argelouse, cette fin de nuit « n'ajoute rien à ce qu'elle est, cette créature [...] lâchée sur un trottoir... ». Ce qu'elle *est,* dans l'absolu du temps et du lieu, immobile et fixée, sans devenir ? Thérèse décidément plus forte que la volonté, que la foi du romancier ?

C'est ce qu'écrivait Mauriac en 1952[1]. Mais en 1935, au moment de la publication du livre, il avait choisi, lors d'un séjour à Rome, de lui donner une préface qu'il devait regretter amèrement, et qui était une sorte de certificat de bonne mort accordée à son héroïne :

> « Depuis dix ans que, fatiguée de vivre en moi, elle demandait à mourir, je désirais que cette mort fût chrétienne ; aussi avais-je appelé ce livre, qui n'existait pas encore, *la Fin de la nuit,* sans savoir comment cette nuit finirait : l'œuvre achevée déçoit en partie l'espérance contenue dans le titre... Mon héroïne appartient à une époque de ma vie déjà ancienne. Elle est le témoin d'une inquiétude dépassée... »

Mais

> « pourquoi interrompre cette histoire un peu avant que Thérèse soit pardonnée ? Je ne *voyais* pas le prêtre qui devait recevoir la confession de Thérèse. A Rome, j'ai découvert ce prêtre et je sais aujourd'hui [...] comment Thérèse est entrée dans la mort ».

De la « maladresse » de ce propos de circonstance (peur de scandaliser, souci d'édification avivé par un impérieux confesseur ?) Mauriac devait plus tard convenir, retirant ce texte naïvement apologétique (tout de même publié, avec honnêteté, en appendice du tome II des *Œuvres complètes*), et observant : « Si Thérèse, dans le premier ouvrage qui porte son nom, s'est imposée à moi, c'est moi qui m'impose à elle dans *la Fin de la nuit.* » Au vrai, il apparaît que cette conclusion de la saga de Thérèse, Mauriac se l'est en quelque sorte arrachée, comme pour se faire pardonner la trop longue et complaisante route faite avec cette femme de mauvaise vie. « Converti », guéri, entré à l'Académie, il lui fallait accomplir quelque bonne action éclatante. Et comme, pour diluer les poisons du *Nœud de vipères,* il avait voulu faire du *Mystère Frontenac* un tendre hommage à la famille, ainsi la grâce accordée à Thérèse était-elle en quelque sorte le *mea culpa* du romancier — exorcisé de ce démon trop familier, dès lors qu'il le confiait à Dieu.

Œuvre de commande, de soi à soi ? Il est clair que ces tentatives de conversion de Thérèse, à partir de 1930, il ne les accomplit pas dans l'allégresse On a déjà cité la lettre où il parle à sa femme de bête rétive En

1 Préface du tome II des *Œuvres complètes*

1934, Claude Mauriac note dans son journal, le 12 décembre : « Papa écrit assez péniblement, *la Fin de Thérèse Desqueyroux.* Il a peur que ce soit raté. Il est dans une impasse... »

Il y a notamment ce portrait de jeune homme, si difficile à réussir, avoue le romancier — hanté alors par une passion qu'il s'efforce de transposer. Cette Thérèse vieillie, elle n'a jamais été si proche de lui, elle n'a jamais été à ce point lui-même.

Ratée, cette quatrième et ultime étape de l'histoire de Thérèse qui, avant de mourir, écarte d'elle l'adolescent qui la désire et qu'aime sa fille ? Peut-être. Autant la première histoire de Thérèse était unie, tendue, implacable et musicalement cohérente, autant ce nouveau récit sent l'effort, qui ne nuit d'ailleurs pas au pathétique. Dans la contestable préface écrite en 1935 et plus tard retirée, Mauriac écrivait que le sujet de son livre, c'était :

> « le pouvoir départi aux créatures les plus chargées de fatalité — ce pouvoir de dire non à la loi qui les écrase. Lorsque Thérèse, d'une main hésitante, écarte ses cheveux sur son front ravagé afin que le garçon qu'elle charme la prenne en horreur et s'éloigne d'elle, ce geste donne son sens à tout le livre ».

La Thérèse de 1927 n'eût pas écarté la mèche de son front, subissant son propre pouvoir de corrompre et de séduire. Celle de 1935 choisit de le faire. La fatalité du mal est vaincue : mais n'est-ce pas parce que entre-temps le romancier est rentré dans l'ordre chrétien, parce qu'il *doit* désormais infliger la liberté à ses créatures ?

La liberté ? C'est alors que surgit pugnace et fourbissant ses armes, un jeune écrivain du plus grand talent — que toute la philosophie du monde ne retient pas de porter à la création romanesque une attention qui va faire de lui l'auteur de deux des maîtres livres de l'époque : *la Nausée* et *le Mur.* Il y a, en ce philosophe de la liberté, une vocation de chef d'école et de faiseur de lois. En quête d'un manifeste, il va se saisir de la dernière œuvre de cet aîné prestigieux entre tous, de cet écrivain lauréat du monde bourgeois et qui ajoute à sa gloire officielle on ne sait quelle odeur de soufre de nature à lui attirer aussi les suffrages de la jeunesse, pour proclamer, *a contrario,* la nouvelle esthétique romanesque : c'est l'article publié en février 1939 dans la *NRF,* sous le titre « M. François Mauriac et la liberté [1] ».

Superbe réquisitoire. Sa charge fulminante, Jean-Paul Sartre la conduit au nom d'un principe : celui de la liberté des créatures romanesques, et d'une technique : celle du point de vue. Ainsi pose-t-il, sans les distinguer tout à fait, la question de la toute-puissance du romancier, et celle de son omniscience. Lesquelles ne se confondent pas. Raskolnikov peut être libre d'agir, mais Dostoïevski sait tout de lui et de Porphyre.

Sartre pose deux règles. D'une part, que les personnages ne vivent que s'ils sont libres, que si leurs actes sont imprévisibles (à quoi sont particulièrement

1 Repris dans *Situations I.*

prédisposés, affirme-t-il, un romancier chrétien et ses personnages, « centres d'indétermination [qui] ont des caractères, [mais] pour y échapper ». Deuxième règle : « Ces êtres romanesques ont leurs lois dont voici la plus rigoureuse : le romancier peut être leur témoin ou leur complice, mais jamais les deux à la fois. Dehors ou dedans. »

Et de démonter avec une verve diabolique les mécanismes, les « trucs », les glissements par lesquels Mauriac transforme constamment son point de vue sur l'héroïne, de Thérèse-sujet à Thérèse-objet. Quand tout le début du récit est écrit à partir de la conscience de Thérèse, voici qu'on lit : « Il était trop tôt pour avaler le cachet qui lui assurerait quelques heures de sommeil ; non que ce fût dans les habitudes de cette désespérée prudente... » Qui la juge ainsi ? fait Sartre. Ce ne peut être elle. « C'est M. Mauriac, c'est moi-même : nous avons le dossier Desqueyroux entre les mains et nous rendons notre arrêt... M. Mauriac a écrit un jour que le romancier était pour ses créatures comme Dieu pour les siennes... Ce qu'il dit sur ses personnages est parole d'évangile... Si on lui demandait : " D'où savez-vous que Thérèse est une désespérée prudente ? " il serait sans doute fort étonné, il répondrait : " Ne l'ai-je point faite ? " »

Plus cruelle encore que cette mise en question de la technique de l'auteur de *la Fin de la nuit,* est, de la part de Sartre, la disqualification de cette « liberté » (de refuser son destin maléfique) dont Mauriac voulait faire le « sens » de son livre. « Avant d'écrire il forge l'essence [de ses personnages], il décrète qu'ils seront ceci ou cela... bête puante, désespérée prudente, etc. M. Mauriac, usant de toute son autorité de créateur, transforme [ses créatures] en choses... Seules les choses *sont...* Les consciences ne sont pas : elles *se font...* M. Mauriac, en ciselant sa Thérèse *sub speciae aeternitatis,* en fait d'abord une chose. Après quoi il rajoute, par en dessous, toute une épaisseur de conscience... »

Et Sartre de frapper à coups redoublés avec une férocité de tortionnaire : « Jusqu'ici Thérèse était pour nous une *chose...* une *fatalité.* Or voici qu'on nous la présente comme libre, cette sorcière, cette possédée... Mais pour M. Mauriac, la liberté [n'est qu'] un pouvoir d'échapper à soi. Elle ne saurait construire... Le libre arbitre n'est qu'une puissance discontinue qui permet de brèves évasions... Thérèse est prévisible jusque dans sa liberté... Ses ascensions et ses chutes ne m'émeuvent pas beaucoup plus que celles d'un cafard qui s'obstine stupidement à grimper au mur. »

Il ne suffit pas à Sartre de dénier à Mauriac l'honnêteté technique et le sens de la liberté créatrice, il lui faut encore l'accuser de ne pas aimer le temps, cette nécessité, cette matière même du roman, incapable qu'il est de créer autre chose que de longues nouvelles, multipliant les raccourcis qui ne sont que « pannes » ou « lésineries »... Quoi encore ? Eh oui, l'auteur du *Mur* va encore porter un autre coup : « Ses créatures parlent comme au théâtre. » Et pour être plus venimeux encore, il soutient que ses personnages s'expriment comme ceux « des auteurs comiques du XVIIIe siècle », époque, genre, registre que Mauriac déteste entre tous. Si encore il lui avait concédé Racine ou Musset..

Le procureur Sartre n'en a pas fini. Il lui faut encore affirmer que, lisant ce livre, « plus qu'à Thérèse Desqueyroux, je songeais à M. Mauriac, fin, sensible, étroit, avec sa discrétion impudique, sa bonne volonté intermittente, son pathétique qui vient des nerfs, sa poésie aigre et tâtonnante, son style crispé, sa soudaine vulgarité. Pourquoi n'ai-je pu l'oublier ni m'oublier ? »

Est-ce assez ? Non. Aux yeux de Sartre, *la Fin de la nuit* n'est pas un roman. « Appellerez-vous " roman " cet ouvrage anguleux et glacé, avec des parties de théâtre, des morceaux d'analyse, des méditations poétiques ? Ces démarrages heurtés, ces coups de frein violents, ces reprises pénibles, ces pannes, pouvez-vous les confondre avec le cours majestueux de la durée romanesque ? S'il est vrai qu'on fait un roman avec des consciences libres et de la durée, comme on peint un tableau avec des couleurs et de l'huile, *la Fin de la nuit* n'est pas un roman — tout au plus une somme de signes et d'intentions. M. Mauriac n'est pas un romancier. »

Et c'est la célèbre conclusion, qui tombe comme un couperet :

« Pourquoi cet auteur sérieux et appliqué n'a-t-il pas atteint son but ? C'est péché d'orgueil, je crois. Il a voulu ignorer [...] que la théorie de la relativité s'applique intégralement à l'univers romanesque (comme) dans le monde d'Einstein... M. Mauriac s'est préféré. Il a choisi la toute-connaissance et la toute-puissance divines. Mais un roman est écrit par un homme pour des hommes. Au regard de Dieu, qui perce les apparences sans s'y arrêter, il n'est point de roman, il n'est point d'art, puisque l'art vit d'apparences. Dieu n'est pas un artiste ; M. Mauriac non plus. »

François Mauriac ne cessa pas pour autant de lire *la Nouvelle Revue française*, et se garda de riposter à Sartre. Mais le coup porté manqua de peu l'accabler. Claude Mauriac nous a dit à quel point son père ressentit jusqu'aux excès, aux provocations du réquisitoire qui faisait ainsi table rase de lui — et qu'il fut même tenté de cesser d'écrire des romans. Ainsi Thérèse, son héroïne entre toutes, et de toutes celles qui avait le plus hardiment accédé à l'autonomie, à sa libre existence romanesque, fût-ce *contre* lui, aurait été l'instrument de son supplice d'abord, puis de son naufrage ?

Il fallut l'occupation, ses angoisses, la volonté de trouver à tout prix un « divertissement », pour le conduire deux ans plus tard à écrire *la Pharisienne.* Le fait est que, s'y adonnant, il prit soin de « serrer sa garde » de romancier, et de répondre avec un soin accru à la question du « point de vue » : *la Pharisienne* est écrit à la première personne, par un acteur-témoin dépouillé de l'omniscience tant décriée.

Sartre, son coup porté — qui dut enchanter ses amis, son groupe (« Qu'est-ce qu'il lui a passé, au romancier académique ! ») —, devait revenir à plus de sérénité. Vingt ans plus tard, dans une interview[1], il admettait qu'il « serait plus souple aujourd'hui, en pensant que la qualité essentielle du roman doit être de passionner, d'intéresser... Je serais moins vétilleux sur les méthodes... Je me suis aperçu que toutes les méthodes sont

1 Avec Madeleine Chapsal, de *L'Express*

des trucages »... Peut-être avait-il aussi relu ses propres livres — où, passé le temps de la rigueur théorique, celui de *la Nausée* et du *Mur*, il arrive aux héros des *Chemins de la liberté* de suivre docilement les directives d'un créateur qui, pour ne pas admettre le point de vue du Créateur, se conduit au moins avec eux comme un grand mandarin.

Quant à Mauriac, il était trop fin pour n'avoir pas trouvé, dans l'agression éclatante de Sartre, l'occasion d'une autocritique. En 1950, dans la préface du tome II des *Œuvres complètes* où est réuni l'ensemble du « cycle » Thérèse, il écrivait que, « si Thérèse, dans le premier ouvrage qui porte son nom, s'est imposée à moi, c'est moi qui m'impose à elle dans *la Fin de la nuit;* et ce n'est pas un hasard si Jean-Paul Sartre, pour mieux m'accabler, a choisi précisément ce livre »... S'agissant de la « liberté » de l'héroïne, le *mea culpa* de Mauriac est à coup sûr fondé. Pour ce qui est de l'omniscience de l'auteur, le réquisitoire de Sartre reste plus spécieux. Au fond, le « point de vue » si passionnément recherché, on peut le trouver dans une conscience qu'ont les personnages de Mauriac — Thérèse plus que tous — de leur exclusion, de leur « différence ». Le « d'où ils regardent », c'est l'ailleurs, l'exil psychologique et social. Écoutons-le faire cette confidence à son fils Claude, en 1962 : « En un sens, Thérèse Desqueyroux, c'est moi. J'y ai mis toute mon exaspération à l'égard d'une famille que je ne supportais plus [1]... »

Exil par rapport à un groupe, à une « norme », peut-être, à un système d'interdits auquel il est lié, mais qui lui paraît intolérable dans la mesure où il s'érige en tribunal. Cette passion qui le submerge et contre laquelle il se bat avec fureur, quitte à la transposer dans *la Fin de la nuit,* plus précisément encore que dans *Thérèse,* il ne prétend pas la justifier, la muer en bien comme le fait Gide. Mais pour lui-même, le torturé, comme pour la coupable Thérèse, il en appelle à la compréhension que justifie la formule empruntée à Thomas Mann qu'il avait d'abord inscrite en tête de son récit : « Certains êtres s'égarent nécessairement parce qu'il n'y a pas pour eux de vrais chemins [2]... »

Quoi qu'il en soit, Thérèse est vaincue en lui. Domestiquée ? Convertie ? Elle ne resurgira plus que par brèves bouffées, ou échappées. Elle a été le poison latent qu'une rupture trop prudente, trop timide avec le type de catholicisme répressif qui avait asphyxié sa jeunesse, a laissé pénétrer. Elle est sa conscience coupable, et son exutoire.

A partir de 1935, l'histoire et les choix politiques, moraux, sociaux qu'elle lui impose, balaieront cette sorcière enfouie, cette incarnation querelleuse de la libération à parfaire. Thérèse est vivante en lui de ce qu'il n'a pas su, pas osé. Avec Bernard, elle a tenté de tuer ce qui reste en François Mauriac d'asservi. Elle, elle a échoué. C'est lui-même, et le monde vivant, et sa liaison au monde, qui feront advenir la fin de Thérèse, et la fin de la nuit.

1. Claude Mauriac, *Le Temps immobile*, 1, p. 234.
2. Ce « pays sans chemin », il l'avait d'abord choisi pour titre du *Feu sur la terre*

11. « Je fus comme fou... »

« Nous riions beaucoup vers 1928, raconte Julien Green[1], mais il nous arrivait, au cours d'interminables promenades, de passer avec un sombre empressement du plaisant au sévère et, tôt ou tard, l'un de nous murmurait le nom de Pascal, suivi de la phrase aux inoubliables cadences qui sonnait le glas de toute joie physique, et que je me disais parfois dans mes heures de révolte contre moi-même : " Ceux qui croient que le bien de l'homme est en la chair et le mal en ce qui le détourne du plaisir des sens, qu'ils s'en soûlent et qu'ils y meurent. "

Cet anathème contre les passions du monde, Mauriac me le récitait dans le silence des rues vides, ménageant des pauses saisissantes, pendant lesquelles je me figurais voir le sonneur tirer sur la corde pour amener le battant à frapper la cloche de deux coups fulgurants : " Qu'ils s'en soûlent... et qu'ils y meurent... " Quel homme était Mauriac en ce temps-là ? [...] Il traversait une crise dont je ne soupçonnais rien. Selon lui, cette époque de sa vie fut la pire [...] Loin du Christ, pensait-il. »

Dans *Ce que je crois,* Mauriac a lui-même insisté sur la violence du tremblement qui alors l'agita :

> « Pendant deux ou trois ans, je fus comme fou [...] Les raisons épisodiques de cette folie en recouvraient de plus obscures, nées à l'intersection de la chair et de l'âme, en ce milieu du chemin de la vie qu'est la quarantaine sonnée [...] J'errais à travers Paris comme un chien perdu, comme un chien sans collier. Un jour, exténué, je franchis le seuil d'une chapelle inconnue, dans un quartier qui n'était pas le mien. J'y pénétrais pour la première fois et m'assis au dernier rang des chaises. Et je me souviens que je vous fis cette prière : " Faites qu'un prêtre, qu'un religieux me voie, devine ma souffrance, me mette la main sur l'épaule. " Je demandais, j'exigeais ce signe. Il ne vint personne et je repris ma course de bête errante... »

La crise religieuse qui le bouleversa vers la fin des années vingt, François Mauriac semble avoir voulu l'exorciser à force de confidences — quitte à garder une discrétion totale sur l'orage affectif qui en fut selon toute vraisemblance, sinon la cause, du moins l'occasion.

Cette crise, il la situera plus tard « entre 1925 et 1930 ». On peut tenter d'être plus précis et en découvrir l'origine vers le milieu de 1926, l'apaise-

1. Discours de réception à l'Académie française, 16 novembre 1972.

ment dans les premiers mois de 1929 — si tant est que de tels conflits comportent une origine et un dénouement repérables. L'été 1926, c'est le moment où Mauriac écrit non seulement *Thérèse* mais aussi *Coups de couteau,* témoignage haletant sur une passion si violente qu'il n'osa pas en faire le thème d'un roman, étant alors « trop contemporain du drame, trop directement brûlé par lui[1] », écrira-t-il, un quart de siècle plus tard. Et le début de 1929, c'est l'époque où il publie ce texte d' « apaisement » qu'est *Bonheur du chrétien.*

Le bourreau de soi-même

Pendant les deux ou trois ans où il fut « comme fou », assure Mauriac, « rien n'apparaissait au-dehors... »[2]. Des signes, pourtant, sont perceptibles d'un trouble profond, avant même la longue plainte de *Souffrances du chrétien.* Homme de lettres et chrétien, totalement homme de lettres et éloquemment chrétien, Mauriac « se trahit » en publiant non seulement des récits incendiés de passion amoureuse dont le ton autobiographique n'est pas même masqué (à *Coups de couteau* fera écho *la Nuit du bourreau de soi-même,* qui devint plus tard *Insomnie*), mais aussi son roman le plus désespéré, *Destins,* dont le personnage le plus ostensiblement chrétien est chargé de haine au point de paraître à Gide « inquiétant », d'épouvanter Du Bos, de faire écrire à Maritain qu'entré dans cette nuit, Mauriac fait face à un tel danger qu'il est « obligé à une héroïque espérance ». C'est l'époque aussi où Mauriac choisit d'écrire la biographie de Racine qui, dans une perspective clairement autobiographique, pose tous les problèmes liés au rapport entre la création artistique et la religion catholique, et où il dénonce soudain, avec un âpre dégoût, la pratique religieuse de son enfance.

Ses proches ne s'y trompèrent pas. C'est ce dernier éclat, entre beaucoup d'autres, qu'ils retinrent comme le signe d'une alarme profonde. Et il est vraie que la préface écrite aux premiers jours de 1927 en vue d'une réédition des *Mains jointes* par un François Mauriac « aveuglé par la souffrance », précisera-t-il plus tard, avait de quoi alerter ce petit monde pieux :

> « ... Rien n'use plus sûrement Dieu dans une âme que de s'être servi de lui au temps des années troubles... Adolescent, j'ai fait de Dieu le complice de ma lâcheté : qui sait si ce n'est pas là le péché contre l'Esprit ? En tout cas, l'Esprit terriblement se venge, à l'heure où la vie soudain attaque l'homme né tard, de l'adolescent veule. Quel secours trouvera-t-il dans cette religion qui ne lui fut jamais qu'une source de faibles délices ? *Les Mains jointes* gâchent d'avance cette ressource infinie dont l'enfant aura besoin lorsqu'il sera devenu un homme ; elles dilapident un capital immense ; tout se perd

1. Préface au tome VI des *Œuvres complètes,* p. 11.
2. *Ce que je crois,* p. 162.

en fumée d'encens. Malheur au garçon dont les clous, l'éponge, le fiel, la couronne d'épines furent les premiers jouets. »

A ce cri d'effroi et de colère, à ces propos de naufragé abandonné par les sauveteurs, Pierre Mauriac répondit, le 17 avril 1927, par une admonestation où l'on entend comme l'écho d'un conseil de famille :

« Mon cher François, tu désavoues ton adolescence... Ton reniement est pénible à lire... Les doutes, les crises, les heures où la vie est lourde à l'homme, tout cela est dans l'ordre de notre nature... Je veux croire encore qu'à côté de la veulerie, de la lâcheté, de la couardise de notre adolescence que tu piétines, il y avait autre chose. Il ne t'appartient pas de décréter que ton génie, ton talent, ton intelligence, ton cœur, furent étouffés dès l'enfance... Nous dilapidons tous un capital immense. Mais ne cherchons pas une vaine excuse dans la dévotion jouisseuse de notre enfance. Il est bien d'autres raisons, et de plus immédiates, et de plus certaines, d'user Dieu dans notre âme. »

Loin de regimber, c'est sur un ton d'une surprenante humilité que François répond à son frère :

« Je ne renie pas la *religion,* loin de là ; mais au contraire, je m'accuse de l'abus que j'en ai fait... Je ne préconise pas la *débauche,* mais un certain esprit d'indépendance, de risque, de courage, de désintéressement qui peut aller de front avec la dévotion la plus sévère... Je sais tout ce que je dois à mon éducation, à mes barrières, à mes œillères. Je sais aussi tout ce qu'elles m'ont coûté... D'ailleurs, on ne sait ce qu'on aurait été sans notre éducation... Il faut me discipliner, apprendre le silence. Je prends des résolutions. Mais ne crois surtout pas que je m'éloigne de Dieu. »

Éloigné de Dieu ? Il n'est pas évident que l'homme qui vient de publier l'histoire de la séquestrée d'Argelouse, qui expose en Racine un cas extrême d'incompatibilité entre l'art et la grâce, qui propose dans *Destins* le portrait du chrétien le plus dénué de charité qui pût être, Pierre Gornac, se sente aussi fermement catholique que naguère.

Et s'il se persuade que ce récit sulfureux qu'est *Destins* est d'autant plus chrétien qu'empli par le péché, il ne peut manquer de méditer cette lettre de Roger Martin du Gard, dont le jugement lui a toujours importé : « ... Laissez-moi — une fois seulement, une seule fois — vous dire ceci : je rigole, mon cher Mauriac, je *rigole* quand on fait de vous un écrivain du catholicisme ! Il n'y a pas une œuvre d'incrédule ou d'athée où le péché soit plus exalté... Ce sont des livres à damner les saints !... Il crève les yeux que vos tableaux sont peints avec une frénésie, une complaisance, une évidente et charnelle tendresse... Et dès qu'il s'agit de juger sévèrement ces égarements d'une délicieuse concupiscence, qui vous est chère, vous ne trouvez plus que des accents compassés, contraints, dénués de toute chaleur [1]... »

Ce temps-là est celui où François Mauriac vit dans la souffrance, et le refus

1 28 avril 1928

qui arracha jadis à Claudel — au jeune Claudel du *Partage de midi* — ce cri étouffé plus tard par le vieux Claudel revêtu de pourpre :

Au-dessus de l'amour
Il n'y a rien, et pas Vous-Même !

Et c'est l'époque où il écrit à un ami que c'est une effroyable folie de concentrer toutes les délices, le simple goût de respirer, sur un pauvre visage, toujours en fuite, toujours absent...

Peu importe les détails de l'épreuve affective qu'il vient d'affronter. Ce qui est clair, c'est qu'au plus fort de ce désarroi il n'a trouvé dans la religion de sa jeunesse qu'un système d'observances et d'interdits.

> « Ce que j'ai vécu enfant, c'était le pharisaïsme éternel... Étrange religion qui ne paraissait tenir qu'à des interdits... La liberté du chrétien ! Il me semble que la liberté tenait en ceci que nous étions libres à chaque instant d'être perdus, puisqu'il suffisait d'une seule pensée — ce que nous appelions une mauvaise pensée — pour perdre la grâce et être suspendus au-dessus d'un abîme. Connaissions-nous la parole " Dieu est amour " ? Peut-être, mais je n'en jurerais pas. [1] »

Religion propre à exacerber jusqu'à la folie un irrépressible penchant au scrupule et offrant fort peu d'armes pour lutter, une fois à terre — observances oubliées, interdits bafoués. De ce déséquilibre entre l'exténuante obligation et les risques du désespoir au temps de la défaite, comment ne tirerait-il pas des conclusions plus audacieuses que celles qu'implique une simple révolte contre la règle ?

« La difficulté d'avoir été élevé dans cette religion, écrit Kierkegaard dans son *Journal*, c'est qu'on a eu une impression constante de la douceur, qu'on a presque frayé avec elle comme avec une mythologie. Et ce n'est que dans un âge avancé qu'on en découvre la rigueur. »

On ne saurait assimiler ce débat, chez Mauriac, à celui auquel Paul Bourget a attaché le vocable de « démon de midi ». Bien qu'assailli de « tentations » au moins aussi pressantes, l'auteur de *Destins* élargit le débat au-delà du domaine moral. La crise de l'homme chrétien de 40 ans, « aussi attiré que les autres par le monde... et les passions », prend chez lui un caractère et une violence d'autant plus tragiques qu'il n'y trouve pas d'issue, pas même dans la fuite, l'évasion, le bris de clôture.

Pour ce type d'hommes qu'assaille une crise, « leur jeunesse finie [...] rien ne se passera jamais qu'à l'intérieur de cette religion qu'ils n'ont pas choisie et à laquelle ils n'appartiennent que parce qu'ils y sont nés ». Étrange aveu. Chrétien comme on est blond, comme on est garçon ? Singulière profession de « foi ». Affirmation, en tout cas, de quelque chose d'irrémédiable, donc de tragique. Cet homme en crise est un homme ligoté, qui ne s'évadera pas Il ne peut être sauvé que par un retour à la source, par une involution. S'il s'agit à l'origine d'une « folie épisodique », évidemment affective ou d'ordre charnel, le vrai débat, nous dit bien Mauriac, se situe « à l'intersection de la

1 *Le Chrétien Mauriac*, p. 134-135

chair et de l'âme ». De midi ou pas, ce démon-là le défie aussi sur le terrain métaphysique.

Portrait dans un miroir

Reste que c'est la repoussante rigueur d'un certain christianisme qui agit d'abord comme révélateur de la crise. Mauriac en offre la caricature dans le personnage desséché, désertique, de Pierre Gornac. Mais c'est pour dénoncer bientôt sa révolte contre ce type d'exigence. Le parti qu'il a paru prendre dans *Destins* contre le christianisme répressif, il le nuance très vite dans son *Racine* — qui est d'abord une longue admonestation contre la révolte du poète « effréné » de 1677. Dans le débat entre le jeune Racine et Port-Royal, Mauriac prend d'abord parti pour les solitaires.

Au réquisitoire fameux du plus éminent d'entre les « Messieurs », Nicole — « Un poète de théâtre est un empoisonneur public, non des corps mais des âmes des fidèles, qui se doit regarder comme coupable d'une infinité d'homicides spirituels ou qu'il a causés en effet ou qu'il a pu causer par ses écrits pernicieux » —, Racine a riposté par ce trait — où Mauriac reconnaît le ton de Voltaire mieux que celui de Pascal : « Eh ! Monsieur, contentez-vous de donner des rangs dans l'autre monde : ne réglez point les récompenses de celui-ci ! » Racine ne va-t-il pas, déplore Mauriac, « jusqu'à railler la mère Angélique pour une histoire de capucins, la plus divertissante qui soit » ? Et ce n'est pas sans une sorte d'épouvante qu'il cite une seconde lettre où Racine s'enhardissait à prétendre qu'aux yeux de ces Messieurs un auteur était innocent ou coupable selon qu'il servait ou non leur cause. Port-Royal ne tolère-t-il pas qu'on rie « ne serait-ce que d'un jésuite » ?

Et Mauriac de s'interposer :

> « Aujourd'hui que nous ne cessons d'être en butte aux mêmes attaques dont il s'exaspérait [1], nous aimerions à évoquer son témoignage ; mais ses railleries ne servent à rien qu'à nous confirmer ce qui est hors de cause : que M. Racine avait bien de l'esprit, et du plus méchant. »

Et pourtant, objecte Mauriac, peut-on mieux servir la religion catholique qu'en faisant mieux connaître l'homme ? Qu'a tenté Pascal que « de prouver la vérité de la religion en portant à la lumière la conformité de ses mystères avec ceux de notre cœur » ? (De ses mystères, peut-être. Mais de ses prescriptions ?)

De ce qu'il prend ici parti contre Racine, il ne faut pas inférer que Mauriac se distancie de son modèle. C'est prendre parti contre lui-même, ses propres faillites, et ses propres griffes — qui lui poussaient si vite et qu'il ne rentrait,

1. Sur les critiques de la presse bien-pensante contre Mauriac, voir p. 253 s.

navré, que l'écorchure faite. Et quand il s'assure, à propos de son modèle, qu' « il n'existe pas d'être créé pour l'amour, doué pour l'amour, qui n'ait passé sa vie à aimer », à qui pense-t-il donc ? Il prend soin de rappeler que les deux noms de comédiennes que l'on cite à propos de Racine, du Parc et Champmeslé, ne sauraient résumer sa vie amoureuse, longuement, passionnément masquée.

On ne saurait attacher trop d'importance, regardant Mauriac, à cette biographie que Gide proclamait « admirable » et qui l'est, bien sûr, et d'autant plus qu'elle reflète à la fois le peintre et le modèle. Aussi bien le biographe écrivait-il dans son introduction : « Un auteur ne se décide à écrire une biographie entre mille autres que parce que avec le maître choisi il se sent accordé. Pour tenter l'approche d'un homme disparu depuis des siècles, la route la meilleure passe par nous-mêmes. »

Au surplus, s'il fallait une preuve plus précise, plus irréfutable du caractère autobiographique, ou plutôt autocritique de cette *Vie de Racine,* on la trouverait dans la dédicace que rédigea l'auteur sur la page de garde de son livre à l'adresse du prêtre qui allait devenir bientôt son « directeur spirituel » dans le sens le plus rigoureusement pascalien du mot, et serait l'artisan principal de son retour à la pratique religieuse : « A Monsieur l'Abbé J.-P. Altermann, j'offre cette vie de F. Mauriac, qu'il déchiffrera entre les lignes. » Comment aller plus loin dans l'identification ?

On a tant comparé *Thérèse* à *Phèdre,* éloges et attaques suscités par les deux écrivains sont si convergents, les matrices d'où l'une et l'autre sont sorties sont à ce point voisines, les tentations à surmonter tellement comparables, que l'analyse faite par François Mauriac de la crise de 1677, à l'issue de laquelle Jean Racine rompit avec le théâtre, prend irrésistiblement l'allure d'un examen de conscience. C'est dans cet esprit que de pénétrants contemporains, à commencer par Gide, lurent le livre. Et il ne nous est pas interdit d'y voir le journal d'une crise. « Il me faut apprendre le silence », écrivait quelques mois plus tôt François à son frère Pierre...

Que le trouble extrême d'une vie ait conduit l'un au mutisme et l'autre à une exacerbation de sa fécondité, Mauriac l'exprime avec une sorte d'étonnement, poussant le parallèle avec une audace peu banale :

> « Les angoisses cachées de sa vie, ses frayeurs, ses remords, bien loin d'amoindrir dans un artiste sa puissance pour créer, devraient au contraire l'exciter et la nourrir. Racine s'interrompt d'écrire en pleine crise, à l'heure où d'autres souhaitent le plus vivement de se délivrer par une œuvre... L'instinct créateur nous pousse à mettre en lumière, à fixer le plus obscur, le plus trouble de nous-même. »

A ce point de son argumentation, Mauriac paraît presque avoir oublié Racine, ne pensant plus qu'à lui. Mais alors, pourquoi le silence de l'autre ? Mauriac y voit moins un mobile chrétien qu'esthétique. L'auteur de *Phèdre* ne se tait pas seulement pour obéir à son confesseur, mais aussi parce que en lui le poète préfère désormais le silence .

> « [C'est] la perfection de son art qui oblige Racine au silence... Non seulement le Racine troublé de 1677 n'a pu songer à son art comme à une aide ou un soulagement, mais il a peut-être craint que cet état de trouble intérieur nuise à son ouvrage [...] à sa transparence... »

Mais le subtil, le vibrant Mauriac voit bien qu'il est allé trop loin sur le terrain « professionnel ». Que le silence de Racine, comme celui de Rimbaud, a d'autres dimensions. Il retourne son regard vers Port-Royal : « Dès lors que la double concupiscence [de créer et d'aimer] s'affaiblit en lui, la Grâce de nouveau y pénètre. »

Jeu étrange de miroirs et d'antithèses. Qu'il poursuit ainsi : « A certaines heures de notre vie, tout en nous, *et même le meilleur,* se ligue contre Dieu. A d'autres moments, au contraire, Il se sert de notre misère pour nous attirer dans ses voies... » Et plus loin :

> « Même lorsque nous croyons nous haïr, nous ne cessons de nous aimer. Racine est admirable en ce qu'il ne tourne jamais la tête vers ce qu'il a quitté... Point trace de ce désespoir, de cette nostalgie morne qui asservit un grand nombre d'entre nous à leur passé le plus trouble et qui crée une horrible race de vieux adolescents inconsolables... »

Un vieil adolescent inconsolable, seulement ? Mais non. Mauriac se redresse soudain. L'écrivain qu'il a d'abord situé au centre du débat racinien, voilà qu'il l'exalte en lui-même, en un retournement d'une vivacité gasconne, plus proche à vrai dire des pères pris pour cibles dans les *Provinciales* que de Pascal lui-même.

> « Nous ne souffrons pas, nous jouissons d'être des âmes troublées ; mais il y a là beaucoup plus qu'une jouissance : *le respect d'une complexe richesse à utiliser,* soit pour vivre avec intensité, soit pour créer des œuvres vivantes. Qu'elle a de puissance sur nous, cette voix qui déplore nos renoncements, ou qui les tourne en dérision ! »

Ainsi, lui ne se taira pas. Lui ne tuera pas le poète « empoisonneur des âmes ». Lui créera « des œuvres vivantes », au risque de ne pas connaître la paix qu'a trouvée Jean Racine après 1677. Surprenant plaidoyer pour le contraire de ce qu'il fait... « Beaucoup plus qu'une jouissance : le respect d'une complexe richesse à utiliser... » Quel homme de lettres a lancé jamais un mot d'ordre plus « professionnel » ? Nous voilà loin du renoncement de Jean Racine et du retrait des Messieurs de Port-Royal. Et s'il est vrai, comme le proclame Bossuet, que « rien n'est plus opposé que de vivre selon la nature et selon la grâce », voici que Mauriac, contre Racine qui a choisi la grâce, prend le risque d'accompagner la nature — sa nature d'artiste, de créateur, d'observateur de l'homme —, glissant au passage que l'on ne saurait mieux « servir la religion catholique qu'en faisant mieux connaître l'homme ». On ne dira pas « l'habile homme », car il est là dans un défilé de montagnes où l'habileté n'est plus le vrai recours. Parlons plutôt d'homme divisé contre lui-même, et que se disputent non seulement passion et raison mais raisons antagonistes et passions ennemies.

Du trouble qui l'habite alors et qui lui fera écrire, quelques mois plus tard, que s'il avait dû « renoncer à la foi chrétienne, l'heure en était venue », il donne alors un nouveau témoignage, ce *Démon de la connaissance* publié dans la *NRF* en juillet 1928, où il trace un portrait sans indulgence de son ami André Lacaze, le camarade de classe de Grand-Lebrun. Curieux portrait ou simple aveu ? En tentant de camper le personnage de cet adolescent en proie au démon de la connaissance, et qu'il a si bien montré ailleurs dans un état d' « ébriété métaphysique », Mauriac opère un glissement de l'angoisse intellectuelle à l'obsession charnelle, et de ce jeune philosophe en quête de l'inconnu fait un être affolé de frustration sexuelle.

Est-ce pour se l'approprier ? Est-ce pour transformer ce portrait en autoportrait, comme il a incliné la biographie de Jean Racine vers l'autobiographie ? Ce serait simplifier les choses. Mais quel écrivain n'écrit selon sa pente ? Quel peintre ne regarde son propre regard ? Les angoisses qu'il épouse alors ne sont pas d'ordre métaphysique. C'est le trouble qui met en cause sa propre vie qu'il prête à son héros.

C'est encore dans une dédicace à l'abbé Jean-Pierre Altermann que nous trouverons la preuve de cette assimilation autocritique : « ... pour qu'il lise sans indulgence ce livre que je n'aurais eu le droit d'écrire qu'en état de grâce. » Et c'est sous cet angle qu'il va aborder la phase la plus aiguë de cette crise qui fait de lui « comme un fou » — un angle qui est décidément celui de ses passions, alors que la lettre fameuse que Gide lui a adressée en avril 1928 à propos de *Racine*, et qui dénonce en lui le compromis accepté entre Dieu et Mammon, aurait dû l'engager sur une autre voie.

Non, décidément, ce n'est pas sur *Dieu et Mammon* qu'il lui faut d'abord s'expliquer, c'est sur Dieu et Éros.

Cet enfant qui voulait vider l'océan

Au mois d'avril 1928, André Billy, écrivain et critique alors notoire, directeur d'une collection intitulée « Suppléments à quelques œuvres célèbres » visant à faire commenter des chefs-d'œuvre classiques par des écrivains contemporains, avait demandé à François Mauriac de présenter à ses lecteurs les *Sermons* et le *Traité de la concupiscence* de Bossuet. Ce qui, de prime abord, paraissait un exercice peu redoutable : Bossuet était « à la mode » depuis que Gide l'avait exalté dans son *Voyage au Congo*. Mais justement, s'il avait paru si admirable à l' « immoraliste », n'était-ce pas parce qu'il exige tant du chrétien que toute vie à l'intérieur du christianisme devient, pour l' « honnête homme », intolérable ?

Le texte de Mauriac parut à la fois sous le titre de *Supplément au Traité de la concupiscence* aux Éditions Trianon et, intitulé *Souffrances du chrétien*, dans la *NRF*.

Mauriac avait accepté cette « besogne » sans plaisir, comme, dit-il, un de ces « devoirs imposés par les éditeurs aux dociles écrivains ». Or cet ouvrage entrepris à contrecœur, loin de se détacher de lui, « demeura en suspens : question solennelle posée dans le milieu de la vie ». Et il précise, avec une sorte d'emportement : « Autour d'un travail fait sur commande, tout un destin cristallisait. » Opération accomplie, sur le thème fondamental que Mauriac résumait un jour en signalant la simultanéité entre la mort du Christ et l'éveil du printemps.

Un hurlement de révolté : tel est l'exorde de *Souffrances du chrétien*, aussi violent que ceux, opposés, dont Bossuet souffletait ses auditeurs de Versailles :

« Le christianisme ne fait pas de part à la chair ; il la supprime. » Et pour que sa protestation d'esclave mal enchaîné éclate plus crûment, Mauriac clame, d'entrée de jeu, avec une précision d'obstétricien ou de confesseur :

> « Il est vrai que le mariage est un sacrement. Mais le mariage chrétien, en condamnant la femme à la fécondité perpétuelle, condamne l'homme à la perpétuelle chasteté. " La plus basse des conditions du christianisme, écrit Pascal du mariage, vile et préjudiciable selon Dieu. " Et Bossuet est plus terrible encore : " Souillés dès notre naissance et conçus dans l'iniquité, écrit-il à Mme Cornuau, conçus parmi les ardeurs d'une concupiscence brutale, dans la révolte des sens et dans l'extinction de la raison, nous devons combattre jusqu'à la mort le mal que nous avons contracté en naissant. " »

Quels textes plus révoltants Mauriac pouvait-il choisir pour manifester, bramer sa révolte ? De quel souterrain cathare avaient jailli ces blasphèmes contre la vie, dont il s'emparait pour dénoncer l'inhumanité d'un certain catholicisme ? Mais, ayant pris Bossuet en flagrant délit de férocité, le voilà qui le découvre inconséquent, et du coup sublime, dénonçant « la concupiscence qui lie l'âme au corps, par des liens si tendres et si violents ». Ce mal que nous avons contracté en naissant, ne serait-il pas indissociable de ce que le cruel Pascal appelle « la grandeur de l'âme humaine » ? Mais, intervient Mauriac,

> « on ne peut pas servir deux maîtres ; on ne peut pas non plus chérir deux êtres : il faut oser regarder en face l'exigence chrétienne... Le Dieu des chrétiens ne veut pas être aimé, il veut être seul aimé... Tout autre amour étant une idolâtrie [qui] occupe la place de Dieu : le ciel de sa présence ; l'enfer de son absence »...

La conclusion, la touche finale de ce tableau désolé, où la colère initiale se mue peu à peu chez Mauriac en brûlante résignation ? « Les docteurs chrétiens [sont] au bord de la concupiscence, comme cet enfant qu'a vu en songe saint Augustin, et qui voulait vider l'océan... Comment guérir la concupiscence ? C'est un cancer généralisé : l'infection est partout... »

Observant qu' « il n'existe pas de plus grand miracle que la conversion », Mauriac ne peut conclure qu'en évoquant l'exemple du père de Foucauld, « obèse débauché » devenu « cet être vêtu de blanc, désincarné, et que l'amour consume lorsqu'il consacre une hostie dans le désert ».

Dans le désert... Voilà où renvoie, où se renvoie cet Alceste du christianisme, autre *Désert de l'amour* inconcevable. Un peuple chrétien voué tout entier à l'érémitisme le plus rigoureux ? En situer si haut l'exigence revient à rejeter la loi. Mauriac pourra écrire quarante ans plus tard que cette angoisse était celle d'une âme « inguérissablement chrétienne ». Le fait est que son texte, tel qu'il fut publié au début d'octobre 1928, ne put manquer de paraître à beaucoup de lecteurs comme la première forme d'une révolte.

Un demi-siècle plus tard, Mgr Pézeril, devenu évêque auxiliaire de Paris, évoquera « ces jours d'octobre 1928 où un garçon sur le point d'avoir 17 ans était tombé comme par hasard sur l'article de François Mauriac qui devait fournir l'amère et déchirante ouverture du livre ultérieur. Je me revois encore, interrogatif et songeur, traînant partout avec moi au quartier Latin la livraison toute fraîche de la *NRF*, où figurait en outre — c'était un des signes de l'époque — *la Fin de l'éternel* de Julien Benda... Pleins d'ignorance mais sans hypocrisie, les adolescents que nous étions étaient saisis d'admiration pour cet aîné, le plus proche de nos aînés, capable d'un tel débat public. Nous avions la conviction qu'il jouait pour une part notre sort avec le sien : " Mauriac ergote encore. Mais demain il dira vrai. Il sera sauvé et il nous sauvera. Par sa lucidité exceptionnelle envers lui-même et son courage chrétien " ».

Aux questions innombrables que fait lever son texte, François Mauriac répondra, quelques semaines plus tard, à son ami Jacques-Émile Blanche, agnostique assidu aux messes de 11 heures, et que surprend sa révolte :

> « ... Ce sont les pages d'un pauvre homme, indigne de la vérité qu'il possède malgré lui et qui veut se persuader qu'elle est impraticable pour qu'il ne la pratique pas... Bien des âmes en ont été troublées. Et moi-même... »

Mais, se reprenant vite, Mauriac ajoute, plus contradictoire encore que Bossuet :

> « ... J'ai menti en écrivant que le chrétien hait la chair, puisqu'il la sanctifie, en fait le tabernacle de Dieu et lui promet la résurrection. J'ai menti en disant qu'il condamne l'amour humain — parce que Jésus-Christ est la preuve, le centre mystérieux où ceux qui s'ouvrent se rejoignent, se retrouvent sans souillure, sans honte... »

Cette lettre est du 20 novembre 1928. Entre-temps s'est manifestée une intervention décisive, celle de Charles Du Bos. Revenu depuis un an au catholicisme de sa jeunesse, cet ami de Gide, familier du groupe de la *NRF*, où il a publié une note admirable de profondeur et de compréhension sur *le Désert de l'amour*, suit avec une attention passionnée les manifestations de la crise où se débat Mauriac qu'il admire, non sans rejeter « son équation à deux termes seulement : Dieu ou la vie des sens ».

Mieux que personne, ce très récent converti qui jugeait « poignante » la situation de l'auteur de *Destins,* a entendu ce « cri d'une âme à demi asphyxiée », et compris que ce texte « déchirant » était moins une prière adressée à Dieu que — ce sont les termes de Mauriac — « un appel au secours jeté à mes frères ». Et « Charlie », ce personnage souffreteux au « pauvre corps torturé » et « condamné au dénuement », se porte au secours du romancier célèbre et menacé. Et il va trouver — pour un temps au moins — le point de convergence entre l'attente effrénée qu'a Mauriac d'une justification de la chair et sa propre conception de l'amour humain, capable de transcender la sensation.

Sans « Charlie », François Mauriac aurait-il retrouvé, au-delà des murailles et des interdits féroces du *Traité de la concupiscence,* ce sens de l'incarnation qui lui rendra possible de retrouver un bonheur catholique ? De l'épouvante cathare qu'exprime le texte d'octobre 1928 à la redécouverte d'un mystère de la chair que tous les juges, gendarmes de confessionnaux et docteurs ne peuvent obscurcir tout à fait — si le Christ fait homme est bien le centre du christianisme et si « Dieu est amour » —, il y a eu les quelques semaines de la fin de 1928, à partir de la publication de *Souffrances,* qui conduiront Mauriac à écrire en janvier et publier en avril 1929, toujours dans la *NRF, Bonheur du chrétien.*

> « Charles Du Bos... comprit qu'il ne fallait pas perdre un jour... Il était dans tout le feu du retour à Dieu... C'était Polyeucte au retour du temple où il s'apprête à renverser la statue de Gide... En revanche, j'avais atteint mon étiage et, spirituellement, je ne pouvais plus baisser sans mourir[1]... »

Curieusement, cette conversion prit d'abord, comme un contrat d'éditeur ou une bonne affaire, la forme d'un repas au restaurant. Le 6 novembre 1928, un peu plus d'un mois après la publication de *Souffrances du chrétien,* Charles Du Bos et François Mauriac prirent rendez-vous au Petit Durand, avenue Victor-Hugo, pour un entretien qu'ils estimèrent d'emblée décisif. Du Bos a raconté dans son Journal[2] avec quelle minutie il s'y prépara, assistant à la messe avant l'aube, lisant des textes de Maritain — ami commun des deux hommes —, qu'il jugeait le plus apte à « filtrer » ses intentions — et relisant avec soin l'article de Mauriac. « Six semaines après la publication de *Souffrances du chrétien*[3], la conversion de Mauriac était un fait accompli », écrira quelques années plus tard Du Bos. Mais cette « conversion » (François Mauriac récusera toujours le mot, n'ayant, estime-t-il, jamais perdu la foi[4]) n'aurait probablement pas été possible, ni durable, si

1. *Nouveaux Mémoires intérieurs,* p. 227.
2. Puis dans *Mauriac et le Problème du romancier catholique.*
3. Donc au moment de la lettre à Jacques-Émile Blanche, citée plus haut.
4. Mais, jeune homme, à Bordeaux, il lui arrivait d'user de ce mot, parlant dans ses lettres à ses amis de « l'époque entre ma deuxième et ma troisième conversion... ». Pour faire l'« intéressant », comme on dit à cet âge.

« Charlie » n'avait remis son ami entre les mains de la personnalité puissante qui allait, des années durant, marquer François Mauriac de son empreinte.

Un prêtre de feu

Jean-Pierre Altermann, issu d'une famille de musiciens d'origine juive venue de Russie, poète, peintre, critique d'art, ami de Maurice Denis, avait été à ce point bouleversé par un voyage en Espagne où il avait été envoyé pendant la guerre faire des conférences sur la culture française, qu'il s'y était converti au christianisme dans un monastère de Vieille-Castille, à 27 ans. Lié d'affection avec Jacques et Raïssa Maritain, il avait été ordonné prêtre en 1925, à 33 ans.

Suivant l'exemple d'autres intellectuels comme Jacques Copeau, en quête de convertisseur, Charles Du Bos avait rencontré au couvent des bénédictines de la rue Monsieur ce jeune prêtre, grand, mince, blond, les cheveux taillés en brosse, le regard brun d'une étrange profondeur. C'était à la fin de la messe célébrée pour le second anniversaire de la mort de Jacques Rivière, en février 1927. Déjà Du Bos est « en route ». Mais l'abbé Altermann joue un tel rôle dans sa redécouverte du christianisme et le prend si vigoureusement en charge que, au moment où Du Bos découvre un Mauriac en perdition, c'est au prêtre de la rue Monsieur qu'il l'envoie.

> « Ce prêtre... converti peu d'années plus tôt par le curé d'Ars inconnu que fut l'abbé Lamy, curé de La Courneuve... avait à travers ce saint touché le surnaturel, écrit Mauriac dans les *Nouveaux Mémoires intérieurs*. L'expérience qu'il en avait transparaissait dans la messe qu'il disait lentement, dans une sorte d'intimité avec le Christ... Ce thomiste intraitable, le type même de ce qu'on appelle aujourd'hui intégriste, pharisien et fils de pharisien, comme fut saint Paul, prêtre selon l'ordre de Melchisédech, *sacerdos magnus* à la frontière des deux Testaments, était le prêtre le mieux fait pour secourir une brebis exténuée qui ne se débat plus, qui ne demande plus qu'à être prise sur des épaules robustes et à s'abandonner. A mesure que les forces lui reviendront, elle souffrira plus malaisément d'être portée... »

L'hymne de reconnaissance, chez Mauriac, tourne vite, et tournera plus encore à l'épigramme. A propos de ce « sauveteur... d'un commerce difficilement supportable », on lira de lui des notations d'une cruauté indicible. Évoquant les réunions qui se tenaient le dimanche après la messe célébrée par le père Altermann ou l'abbé Zundel dans la chapelle des bénédictines, il signale la présence de Charles Du Bos, de Gabriel Marcel, de Roland Manuel, d'Isabelle Rivière, et ajoute :

> « … Il y avait aussi quelques jeunes filles, de celles que l'abbé X[1] rabattait vers une abbaye dont il était le pourvoyeur privilégié… Du point de vue du siècle, il était redoutable pour une fille de lui être spirituellement livrée… Sans doute me suis-je dit que ce bon Samaritain avait été aussi un chasseur de chevelures et qu'il trouvait à la chasse une satisfaction humaine. Ses converties ne se comptaient plus, mais lui il les comptait… Je figurais à mon rang sur son carnet de chasse… »

Le ton de Racine envers Nicole, d'une férocité entrelardée de tendresse, mais tout de même atroce. Les mots « pourvoyeur », « rabattait », « carnet de chasse » sont d'un cynisme un peu épais. (Encore faut-il citer à ce sujet l'un des disciples les plus aimés de Jean-Pierre Altermann, le bénédictin Dom Clément Jacob, grand musicien venu lui aussi du judaïsme, qui, mettant l'accent sur « ce qu'il pouvait y avoir peut-être d'excessif dans ce mouvement spontané hérité de ses pères », faisait observer que l'Église applique elle-même cette épithète de chasseur à saint Venant, *venator animarum.*)

Quant au terme d' « intégriste », les proches de l'abbé Altermann — notamment le père de Weeck, son successeur à la tête de la « Maison d'Ananie » (fondée pour l'accueil des convertis) — le contestent fermement. Mauriac atteste que son « directeur » se posait en adversaire véhément du père Laberthonnière, ce qui ne plaide pas en faveur de son libéralisme. « Je bois les injures comme de l'eau fraîche », disait un jour l'abbé Altermann à Julien Green. Comment eût-il reçu celles-là[2] ? Comment jugea-t-il Mauriac de lui avoir emprunté tels des traits du portrait de sa *Pharisienne,* non sans préciser que le terrible Blaise Coûture d'*Asmodée,* cet autre *Tartuffe,* ne doit rien à Jean-Pierre Altermann…

> « Maintenant qu'il est retourné au père, poursuit l'auteur des *Nouveaux Mémoires intérieurs,* je lui rends justice et j'atteste que ce que je lui dois dépasse infiniment les torts qu'il a pu avoir… A ce moment de ma vie où j'étais dans le fossé de la route, perdant le sang, il m'avait pris sur ses épaules, porté jusqu'à l'Auberge… Il était demeuré près de moi, ne me quittant à aucun moment, il m'avait emmené à Solesmes ; puis il me rejoignit à Malagar et fit avec moi le pèlerinage de Lourdes. Je pouvais me croire son seul pénitent… Durant cette période, sa charité avait été sans défaillances, bien qu'il fût scandalisé par mes habitudes de confort… Et il était certes aux premières loges pour connaître la raison que j'avais de me mettre au pain sec et à l'eau ! Mais il sut être doux, en ces heures-là. »

Ce Jean-Pierre Altermann qui a joué un rôle si grand dans sa vie, lui laissant un souvenir si complexe, Mauriac devait l'évoquer une dernière fois quelques semaines avant sa mort (*Bloc-Notes* du 18 juin 1970) : « La Grâce n'avait rien changé à [la] nature […] de cette âme de feu à qui je dois tout… » Constatant qu'il n'avait « pas supporté » la direction de l'abbé Altermann,

1. Altermann, évidemment.
2. L'abbé Altermann est mort en 1959.

en un temps ou « la soumission “ totale et douce ” de Pascal à M. Singlin nous était un modèle », il observe que ce type de rapport est d'autant plus risqué que le directeur « exerce un pouvoir sur des sujets qui ne coïncident pas exactement avec la vie spirituelle ».

C'était faire allusion à la revue *Vigile,* qui fut l'occasion de leur rupture — l'occasion, la vraie raison étant probablement que François Mauriac, dans la force de l'âge, et passé les affres d'une crise spirituelle, était l'homme du monde le plus rétif à tout rapport d'autorité.

Dans une lettre écrite en 1968 à Mme Morton, qui devait publier sa correspondance avec Gide, Mauriac écrivait d'Altermann :

> « Je lui dois tant que je suis sans doute sans excuse de me montrer si critique en ce qui le concerne. Mais mon excuse c'est qu'il avait des traits de caractère difficilement supportables. Et même si je me défie de mon jugement, le journal de mon ami Charles Du Bos montre à quel point il a été malheureux par son directeur. La vérité, c'est que nous avions en ce temps-là — et surtout que l'abbé Altermann avait — de la direction une idée absurde. »

Au surplus, la personnalité d'Altermann, si elle continue de fasciner de nombreux fidèles, n'a pas fait broncher le seul Mauriac. Étienne Gilson lui fit grief de sa véhémence. Et, dans une interview accordée peu après la mort de Mauriac, Gabriel Marcel parlait, plus rudement encore que lui, de la « rigueur intégriste » de l'abbé, et racontait qu'au cours d'une discussion où il avait, lui, Gabriel Marcel, venu du protestantisme, lancé : « Après tout, nous ne savons pas ce que Dieu pense de la Réforme », Altermann avait tranché : « Moi, je le sais. » Sur quoi le visiteur avait rompu l'entretien.

Mais il y avait aussi, en Jean-Pierre Altermann, cette force prophétique qui faisait écrire à Charles Du Bos que « Dieu ne peut pas envoyer à un être humain grâce plus précieuse que de lui faire rencontrer l'abbé Altermann et de le remettre à sa direction » (*Journal,* 28 janvier 1928), et qui avait fait dire à André Gide, entré en contact avec lui à propos d'un jeune moine en quête d'évasion : « Il est très ennuyeux de rencontrer des gens de ce bord-là si parfaitement bien ; on ne peut que remercier éperdument[1]. »

L'art, le diable et M. Gide

Remercier ? C'est ce que François Mauriac avait été tenté de faire, à la fin d'avril 1928, quand il reçut du même Gide la lettre enjôleuse et provocante qui le poussait « au pied du mur... [ou] de la croix ». Après avoir décerné à *la Vie de Racine* l'épithète d' « admirable », l'auteur de *Paludes* formulait son verdict d'incompatibilité entre la vie chrétienne et le métier d'écrivain :

1 *Cahiers de la petite dame,* p. 352

« En somme, ce que vous cherchez, c'est la permission d'être chrétien sans avoir à brûler vos livres... Compromis rassurant qui permette d'aimer Dieu sans perdre de vue Mammon... Tout cela nous vaut cette conscience angoissée qui donne tant d'attrait à votre visage, tant de saveur à vos écrits, et doit tant plaire à ceux qui, en abhorrant le péché, seraient bien désolés de n'avoir plus à s'occuper du péché. Vous savez du reste que c'en serait fait de la littérature, de la vôtre en particulier ; et vous n'êtes pas assez chrétien pour n'être plus littérateur... Votre grand art est de faire de vos lecteurs vos complices [...] J'écrivis un jour, à la grande indignation de certains : c'est avec de beaux sentiments qu'on fait de la mauvaise littérature. La vôtre est excellente, cher Mauriac. Si j'étais plus chrétien, sans doute pourrais-je moins vous y suivre [1]. »

Sous les fleurs, l'aspic. Et lequel ! Au défi que déjà lui jetait le désir, l'aménagement d'une vie charnelle dans le cadre du christianisme, et contre lequel il se débattait en vain, à la fois repoussé et retenu, évadé de l'intérieur, et constatant que le concept de péché n'était pas seulement disciplinaire, mais touchait à l'essentiel parce qu'à force d'épouvante l'amour lui-même risquait d'y périr, Gide, exquisement démoniaque, ajoutait la contradiction antagoniste entre le créateur et le Créateur. Sur « le don redoutable de créer des êtres » départi au romancier, sinon à tout écrivain, Mauriac venait de publier un bref essai, *le Roman :* « Impossible d'exorciser le roman, constatait-il, d'en chasser le diable (à moins de le prendre par les cornes comme l'a fait Bernanos). » Et c'est encore lui qui parlera du romancier « singe de Dieu ». Gide saisissait d'une main preste les verges que lui tendait son ami, pour l'en fustiger.

Mauriac consentit « volontiers », dit-il, à la publication dans la *NRF* (mai 1928) de la lettre de Gide. Pénitence ? Souhait de laisser s'ouvrir tout grand le débat pour en élargir la portée exemplaire — pour que le chrétien en lui, éperonné jusqu'au sang, jusqu'à ses plus secrètes retraites, trouve enfin l'occasion d'un témoignage global, d'une ordalie, d'un immense « quitte ou double » spirituel ? Il sentait en lui la ressource d'une réponse fondamentale. Le désarroi tragique où il était, peut-être lui fallait-il, pour en sortir, de tels défis à relever. Cette solitude de bête traquée qui l'angoissait alors, peut-être lui fallait-il d'abord l'explosion de *Souffrances du chrétien,* puis ce combat, pour s'en évader et se retrouver vivant. Et tandis que le « grain » semé en lui par Gide, loin de mourir, allait germer en un livre contradictoire, le cri de douleur jeté dans la *NRF* d'octobre, après avoir assemblé autour de lui la cohorte des sauveteurs, devait se muer en hymne de victoire.

La profondeur de la crise ouverte par sa propre interrogation et l'interpellation de Gide, trop de témoignages l'attestent. Plus précis encore que les textes de *Souffrances du chrétien* et de *Ce que je crois* cités plus haut, il y a cette lettre à sa mère, du début de février 1929 où, même après l'intervention de Du Bos et d'Altermann, il écrit :

1 « Correspondance Gide-Mauriac », *Cahiers André Gide*, n° 2, p. 75-77

« ... Chacun a ses difficultés. Moi, c'est la foi. J'ai tant joué avec le feu [...] En revanche, j'ai un peu d'amour ; et c'est vraiment étrange que de douter de l'objet de son amour. J'en suis réduit à dire : " Je crois en vous puisque je vous aime... " Laissons les gens parler de ma " crise ". Je vais de l'avant. L'étrange vie que je mène : je communie le matin et dîne le soir chez les Rothschild avec Poincaré ! A la grâce de Dieu... »

Entre cette communion et ce dîner, la vie de Mauriac « converti » n'est pas si sereine et apaisée qu'il voudrait le faire croire à ses proches — à sa mère par exemple. Rencontrant alors (décembre 1928) Robert de Saint-Jean, il lui paraît « triste », parlant des « difficultés » que lui procure son retour à la pratique religieuse, et résigné à n' « avoir plus de talent », voyant là la conséquence fatale de sa « conversion »[1]. Il est pourtant en train d'écrire le texte qui, aux yeux du monde, marquera son retour solennel à cette religion que *Souffrances du chrétien* dénonçait, quelques mois plus tôt, comme « impraticable » dans sa vérité. Ce sera *Bonheur du chrétien,* publié dans la *NRF* en avril 1929, un texte où, écrivait-il à sa mère, « je me réfute moi-même. Cela a été exigé et me coûte beaucoup ». Exigé ? Évidemment par l'abbé Altermann. « Après cela, ajoute François, je n'aurai qu'à travailler tranquille sous le regard de Dieu. D'ailleurs, je continue d'être paisible, calme, et vraiment " visité "... Je veux que tu lises *Bonheur du chrétien :* je n'ai rien écrit avec plus d'amour... » Singulier mélange d'« amour » et de contrainte. (Au vrai, qu'est d'autre la vie monastique ?)

« ... Une douleur peut mentir. Un homme divisé contre lui-même et qui a choisi de vivre dans cette division a besoin d'arguments pour justifier à ses yeux une telle folie. Maurice de Guérin compare sa pensée à un feu du ciel qui brûle à l'horizon entre deux mondes. J'avais inscrit cette image dans les armes invisibles que chacun de nous se compose pour lui seul [...] Il n'existe pas de feu qui brûle à égale distance de Dieu et du monde : ne pas choisir, sur le plan surnaturel, c'est avoir choisi [...] L'abus de la logique humaine dans les choses divines, tel est en gros le jansénisme. Cette rigueur [...] met en pleine lumière, dans la cime catholique, le flanc abrupt. Tous les sentiers tracés par l'amoureuse Grâce, et les refuges sacrés pour la nourriture et le repos des âmes, voilà sur quoi je trouvais mon intérêt à épaissir les ténèbres. *Souffrances du chrétien* témoigne de mon acharnement à dresser l'esprit contre la chair [...] L'homme accusait l'Auteur de la vie de ne pas faire sa part à la chair ; et l'Auteur de la vie se venge en emportant cette âme et ce corps dans son amour, jusqu'à ce qu'il confesse que la loi de l'esprit est la loi même de la chair [...] Corps de l'homme, cathédrale de chair où repose la chair du Seigneur [...] Il existe un état physique de la Grâce. »

Ainsi Mauriac, l'humaniste en proie à la rigueur janséniste, est-il ramené à une manière d'humanisme par le rigoureux abbé Altermann. Le voilà qui jubile : « Nous étions tous destinés à ce qu'on dise de nous : " C'est un homme fini ! " Le chrétien, dès que le pénètre la Grâce, est un homme qui

1 *Journal d'un journaliste, op. cit.* p. 33.

commence... Il découvre cette joie de naître... » Non sans se flageller. « Regarde, pendue à la croix, cette [...] chair nue sur laquelle tu as jeté *Souffrances du chrétien*, comme un manteau de dérision. » Et lui qui avait voulu conclure *Souffrances du chrétien* par une image de l'inaccessible, celle de Charles de Foucauld au désert, clôt cet anti-texte par un trait d'éloquente humilité, se comparant à « ce pauvre qui, dans mon enfance, venait chaque soir, à la maison, chercher les restes »...

Acide commentaire de Roger Martin du Gard dans une lettre à Gide : « Entre " Souffrances " et " Bonheur " du chrétien, il y a eu en Mauriac profonde secousse, perturbation puis redressement et option fanatique. Le Bon Dieu a gagné cette manche-là » (14 mai 1929).

Deux ans plus tard, Mauriac reprendra les deux textes (le premier étant désormais intitulé « Souffrances du pécheur » (substitution bizarre, tout chrétien étant, par définition, un pécheur...) sous le titre global *Souffrances et Bonheur du chrétien*, précédé d'un texte où il spécifie que l'essai douloureux de 1928 reflète une angoisse en lui « dépassée ».

« Il me paraît incontestable qu'aux yeux de Mauriac, l'homme a été créé pour le bonheur », assurait Daniel Pézeril en 1972. « Sous son jansénisme, dit-il, il y a un humanisme qui court, dont on peut trouver la transposition en politique. » Pour Mgr Pézeril, qui a bien connu les deux hommes, Mauriac n'aurait jamais écrit, comme Bernanos : « Le malheur de l'homme est la merveille de l'Univers ». Ni, comme Claudel : « Il n'y a rien pour quoi l'homme soit moins fait que le bonheur », ni, comme Péguy : « Nul homme n'a jamais été heureux. » Il écoute plutôt Lacordaire, celui qui apostrophait ainsi les fidèles de Notre-Dame : « Mes frères, je vous apporte le bonheur ! » Comment d'ailleurs ne pas observer que le premier volet du diptyque auquel s'opposera le « bonheur », n'était pas « malheur » mais « souffrances » du chrétien ?

Autre retour : deux ans plus tard, c'est dans le *Jeudi Saint* (1931) qu'il proposera une manière de conclusion à ce débat très intime et très public, et en citant celui-là même qui l'y avait plongé.

> « Le Dieu dont le psalmiste dit qu'il a posé son tabernacle dans le soleil, voici qu'il s'établit au centre même de la chair et du sang. Union inimaginable et pourtant consommée, non seulement avec les plus saints, mais avec les derniers des pécheurs s'ils sont pardonnés. L'exigence folle du désir humain, la voici d'un coup et tout à la fois purifiée et comblée : " Dans le transport de l'amour humain, écrit Bossuet, qui ne sait qu'on se mange, qu'on se dévore, qu'on voudrait s'incorporer en toute manière et, comme disait ce poète, enlever presque avec les dents ce qu'on aime, pour le posséder, s'en nourrir, pour s'y unir, pour en vivre ? " »

De cette « souffrance » du chrétien — celle que lui impose la concupiscence —, il semble avoir triomphé par la découverte, « au centre même de la chair et du sang », de cette faim panique. Mais il y a l'autre débat encore, où il s'agit moins de « souffrance » que de scandale, celui qui oppose le créateur au Créateur, le « singe de Dieu » à Dieu, celui qui a dérobé le feu à celui qui l'a créé. Non plus chair contre esprit, mais esprit contre esprit. N'est-ce pas là le vrai péché, la révolte des anges — beaucoup plus que celui qui concerne l'agitation des sens ? Il va falloir relever le défi de Gide, expliquer comment on a « la permission d'écrire *Destins* tout en demeurant catholique », comment on peut être à la fois un orfèvre du péché — matière première et à peu près unique du roman — et son ennemi. Un ingénieur d'usine d'armement peut-il être militant du pacifisme ?

En ces derniers mois de 1928 et premiers mois de 1929, Mauriac se bat ainsi sur deux fronts : pour répudier ses « souffrances » de chrétien sensuel, et pour affirmer, face à Gide, le droit de l'écrivain catholique à créer des êtres de chair et de sang, non sans en tirer gloire et profit. Le second effort lui coûte autant que le premier. Il écrit à sa femme, le 20 octobre :

> « Mon travail est *Dieu et Mammon.* Rassurez-vous, rien ne paraîtra en revue et ce ne sera qu'un tirage restreint. Le travail m'oblige à une mise au point de ma position religieuse. J'essaie d'être lucide. Je me trouve bien plus chrétien que je n'imaginais. Ce sera mon salut. »

Et à sa mère trois mois plus tard :

> « Je préfère que l'on commente le moins possible *Dieu et Mammon.* Ce n'est pas respect humain mais il est dur de livrer à tous ce que l'on voudrait tenir secret, sauf pour quelques amis. Encore *Dieu et Mammon* est-il un tirage restreint... »

Quarante ans plus tard, Mauriac écrira que c'est là « d'une clef qu'il s'agit ». Et il insistera :

> « Je n'ai rien écrit sur moi-même qui s'enfonce aussi profond dans mes propres ténèbres que les chapitres II, III et IV de cet opuscule. Je ne me suis nulle part découvert à ce degré. Ainsi un ouvrage épuisé et à peu près inconnu se révèle à nous soudain comme ce que nous avons peut-être écrit de plus important pour ce qui touche à notre propre histoire. »

A vrai dire, cette nouvelle confession ne va pas plus loin, dans l'audace auto-accusatrice, que la première, celle de *Souffrances.* Là encore, Mauriac clame la douleur d'un enfermé, mais si amoureux de sa prison, si attaché à ses chaînes qu'il y entraîne avec lui le cher Rimbaud :

> « Ceux qui, nés chrétiens, se détachent du christianisme et qui vivent en paix avec leur défection, c'est que le fait de la Croix ne leur était jamais apparu. On naît prisonnier de sa croix. Rien ne nous arrachera à ce gibet ; mais ce qui est particulier aux chrétiens de ma race, c'est de se persuader qu'ils en peuvent descendre et en effet ils en descendent... C'est en cela qu'ils demeurent libres. Ils vont, ils vont jusqu'à ce qu'arrêtés par un obstacle, atteints d'une blessure au cœur, ils butent et s'affaissent. Alors aussi loin qu'ils se soient perdus, les liens les ramènent en arrière avec une force surprenante ; et de nouveau les voici miséricordieusement précipités

> contre le bois. D'instinct, ils étendent les bras, ils offrent leurs mains et leurs pieds déjà percés depuis l'enfance. »

Ainsi de Rimbaud :

> « La croix qu'il traîne depuis trente-sept ans, cette croix qu'il a reniée, couverte de crachats, lui tend les bras. Le moribond s'y jette... »

Sortir de la chrétienté ? Il ne suffit pas pour s'évader de « céder à la chair, nourrir son doute, sacrifier aux idoles : ce n'est pas, pour le chrétien, sortir de la chrétienté ». Et d'invoquer le témoignage de Péguy : « Le pécheur et le saint sont... deux pièces également intégrantes du mécanisme de la chrétienté. » Même le reniement, assure Mauriac, ne saurait « arracher cette tunique » collée à la peau du chrétien.

Et voici venu le moment de faire face à Gide :

> « Que nous voilà loin de ce compromis rassurant qui permet d'aimer Dieu sans perdre de vue Mammon ! C'est peu de dire que je ne perds pas de vue Mammon : tout le monde peut me voir au premier rang de la foule qui l'assiège. Mais si on ne saurait servir deux maîtres, il n'empêche que délaisser l'un des deux pour l'autre, ce n'est pas perdre la connaissance du pouvoir que l'Abandonné garde sur nous... De ce maître trahi, nous avons revêtu l'indéchirable livrée... Nous portons partout ses armes mystérieuses. »

Mais en témoignant :

> « Écrire, c'est se livrer... Cette vision qui m'est propre du monde et des êtres, je ne veux pas mourir sans qu'il en demeure après moi l'expression écrite, arrêtée, fixée dans l'esprit de quelques-uns, du plus grand nombre possible. Je veux les atteindre, les toucher. On ne touche pas sans blesser. Un livre est un acte violent, une voie de fait, quelquefois un viol... Chez le lecteur [...] l'écrivain entretient des intelligences, il y a en tout homme, et surtout en toute femme, un complice... Tout son art se dépense à atteindre cette source secrète des plus grands péchés et il l'atteindra d'autant plus sûrement qu'il a plus de génie. Faut-il donc cesser d'écrire ? Même si nous sentons qu'écrire est notre vocation profonde ? Même si la création littéraire nous est aussi naturelle que de respirer et si c'est notre vie même ? »

Trouvera-t-il la réponse chez Maritain, qui enseigne que « la question essentielle n'est pas de savoir si un romancier peut ou non peindre tel aspect du mal (mais) de savoir à quelle hauteur il se tient pour faire cette peinture » et s'il la fait « sans connivence »... Alors ? Alors, c'est tout de même chez Maritain, en le sollicitant un peu, que Mauriac trouvera « sa » réponse : « Le plus humble prêtre me dira, après Maritain : " soyez pur, devenez pur et votre œuvre aussi reflétera le ciel. Purifiez d'abord la source " . »

Échappatoire ?

Ainsi, en réponse au défi gidien, Mauriac aura-t-il d'une traite écrit ces « Souffrances et bonheur de l'écrivain » qui au bout du compte font à

Mammon une part plus belle que naguère le chrétien à Éros. Celui-ci est le diable. A combattre. Celui-là est le diable aussi, mais avec lequel il faut bien vivre, peu ou prou, en connivence. C'est à cette époque que Mauriac écrit à son ami le plus exigeant, et longtemps le plus intime, Robert Vallery-Radot (devenu aussi le confident de Bernanos), que les êtres vertueux ne sont pas romanesques, et que là où il n'y a pas de passion, le diable et le romancier perdent leurs droits...

Son *Dieu et Mammon* à lui, Claudel l'a fait tenir en une phrase, en un cri. Son ami Louis Massignon avait renoncé, au lendemain de sa conversion au christianisme, en Orient, à écrire des poèmes qui étaient, dit-on, très beaux. Il l'interpella : « Voyons, Claudel, sous le regard de Dieu, comment pouvez-vous continuer à écrire des vers ? ». L'auteur de *Violaine,* tout penaud, les bras en l'air, riposta : « Que voulez-vous : je ne peux m'en empêcher ! »

Gide a d'ailleurs conscience que Mauriac a fait quelques pas vers lui. Certain de l'avoir, par quelque biais, circonvenu, entraîné et partiellement démasqué, il déploie pour lui les ressources d'une charité très sélective. Gabriel Marcel ayant écrit à propos de sa lettre d'avril 1928 (la référence à Mammon) qu'elle était « perfide », il exprime aussitôt son « admiration pour le livre de Mauriac [...] dont certaines pages, je crois qu'il n'en a jamais écrites de plus émouvantes et de plus belles. Et je ne puis que me féliciter de les avoir un peu provoquées[1] en poussant Mauriac au pied du mur — ou, si vous préférez, de la croix... Je m'en suis du reste tout affectueusement expliqué avec Mauriac et ose espérer qu'il m'a compris[2]... »

Autour de Mauriac — et de Gide — tout le monde ne croit pas à la « conversion » de l'auteur de *Destins.* Robert de Saint-Jean rapporte une conversation qu'il a alors avec Malraux, où ce dernier, lancé dans un de ses « grands numéros », celui-là sur la morale sexuelle, soutient qu'on ne saurait lui trouver aucun fondement, pas même religieux : et à propos de Mauriac, que son débat est « larvé » et que s'« il se retient de céder à ses penchants » c'est moins du fait d'un « remords » de nature religieuse que « par peur de la réprobation bourgeoise »... Il est arrivé à Malraux de viser plus haut.

Seulement un immense chagrin

Le 7 février 1929, Claire Mauriac écrit à son fils que *Dieu et Mammon* lui a fait « grand effet », et qu'elle en est « heureuse » et « remercie le Bon Dieu ». Le 14 mai, elle lui adresse une nouvelle lettre, pour lui annoncer les fiançailles d'un de ses petits-fils, Louis Fieux, lui signaler tristement qu'à cause de l'excommunication de *l'Action française* Pierre Mauriac a dû, lors d'une récente cérémonie, s'abstenir de recevoir la communion, et lui dire

1. Un peu !
2 *Œuvres complètes*, tome XV p 522

qu'elle attend sa prochaine visite : ce sera sa dernière lettre à son fils.

Quelques jours plus tard, François Mauriac est à Bordeaux, en route pour l'Espagne où l'emmène son ami Ramon Fernandez — le préfacier de *Dieu et Mammon.*

> « ... Elle s'inquiétait de ce voyage en auto. Je la vois encore penchée sur la rampe et me regardant descendre ; et moi je ne songeais pas à m'arrêter sur une marche, à lever la tête une fois encore.
> Ce fut un voyage un peu fou. Dieu sait si nous nous amusâmes dans ce Madrid des derniers mois de la monarchie. »

(Lettre de François à Jeanne Mauriac : « Hier Escurial. Verrai Tolède, Avila, Salamanque. Dimanche, corrida. Hier, c'était la Fête-Dieu. La Castille traversée ne ressemble à rien. R. F. [Ramon Fernandez] est un camarade vivant et toujours gai et intelligent. Mme de Castries, qui est ici, est une charmante amie... »)

> « Au retour, je comptais aller embrasser maman, puisque je traversais Bordeaux. Mais Ramon était pressé de rentrer à Paris. Après tout, ne devais-je pas rejoindre ma mère à Malagar dans quelques semaines ? J'aurais dû pourtant être averti par une honte obscure. Je me répétais : " Nous nous reverrons bientôt à loisir ; à quoi bon ce revoir d'un instant ? " [1] »

Le 24 juin, à Taussat, petite station balnéaire sur la rive du bassin d'Arcachon où l'accueillait souvent sa fille Germaine, Claire Mauriac s'éteignait, peu de jours après le retour de François à Paris. Que n'était-elle pas pour lui qui n'avait pas connu son père, pour lui qui avait toujours su (consciemment, inconsciemment ?) ployer au gré de sa tendresse charmeuse cette héroïne de style castillan !

> « Nous ne doutions pas de faire beaucoup pour elle, quand elle ne fut plus que cette vieille femme lourde, tourmentante et tourmentée, si nous lui donnions un mois de nos vacances. Nous n'aurions pas voulu vivre avec elle, et nous le lui laissions entendre ; et si nous y avions été contraints, ce n'eût pas été sans en gémir. Maintenant, si elle revenait, comme elle revient quelquefois la nuit dans mes songes, je serais de nouveau l'enfant assis sur un tabouret tout contre sa robe, et il me semble que le jour serait trop court, que je n'épuiserais pas le simple bonheur de la regarder... »

Dans mes songes... Il l'a évoquée, surgissant une nuit à Malagar, et ce « songe » reflète sans nul doute, avec une précision hallucinatoire, quelques instants de leurs derniers entretiens.

> « Elle ouvrit la porte sans appuyer sur le loquet, comme c'était de coutume, par une simple poussée de son corps alourdi [2]. Sa voix assourdie d'abord, puis vibrante, s'éleva... nette et péremptoire : " La question n'est pas

1. *Nouveaux Mémoires intérieurs*, p. 257.

2. Même évocation, plus brève et floue, dans *le Mystère Frontenac* in *Œuvres complètes*, tome IV, p. 117 : « Elle était entrée, comme elle faisait à Bourideys, quand elle avait un souci, sans frapper, en appuyant mollement sur le loquet et en poussant la porte de son corps... »

d'avoir ou de ne pas avoir de talent. D'abord, ne pas scandaliser… " Il y avait ce compte à rendre, cette justification de toute une vie, à la merci d'une pensée, d'un regard, et cette possibilité terrifiante, que nous ne fussions pas tous réunis à jamais dans l'éternel Amour — qu'un seul manquât à l'appel, entraîné dans l'abîme par cette meule de moulin attachée à son cou : un " Cahier vert " de chez Grasset. »

L'étrange entretien dévie vers *l'Action Française* condamnée (et l'exclusion des sacrements de Pierre Mauriac, dont parlait la lettre du 15 mai). François objecte :

> « " Mais ils ont obéi à leur conscience, mère… — Il n'y a pas de conscience contre l'Église. — Mais l'Être infini ne se soucie pas du journal que nous lisons ! " Elle arrêta sur moi un regard sévère et triste et dit : " On ne se moque pas de Dieu. " Je protestai que je ne me moquais pas de Dieu et lui rappelai la parole : Dieu est amour. " Pas au sens où tu l'entends, mon enfant, ce serait trop commode " »[1].

Et pourtant, elle avait eu, en mourant, un mot d'humaniste. Regardant les arbres du jardin tremblant dans le soleil, elle avait murmuré : « C'est cela surtout que je regretterai. » François aima la parole ultime échappée à cette âme austère. Il avait aimé aussi que *Dieu et Mammon* et *Bonheur du chrétien* aient pu lui parvenir avant qu'elle disparaisse. La « conversion » était ainsi complétée par une sorte de convergence spirituelle avec sa mère — en dépit des ultimes débats de la nuit… (« Dieu est amour… — Ce serait trop commode… »)

Entre la vieille dame de Bordeaux et le piaffant gentilhomme de lettres exilé en terre infidèle, ce Paris fertile en tentations, crimes et péchés, il y avait eu pourtant une unité de tendresse, un fil conducteur invincible, mystérieux même si l'on tient compte qu'il reliait à l'ami de Gide et de Cocteau une femme aux yeux de qui « Dieu est amour » pouvait recouvrir quelque laxisme.

Claire Mauriac[2] fut une mère et une grand-mère exigeante, impérieuse, engoncée dans un catholicisme étouffant, et capable de discriminations fort arbitraires entre les membres de sa famille. Mais il ne faut pas oublier qu'elle sut ne pas s'opposer au départ de son fils pour Paris ; qu'elle ne fit rien pour le détourner de la troublante aventure littéraire ; qu'elle se conduisit avec sa première fiancée, puis avec sa femme, de la façon la moins possessive, la moins *genitrix* qui soit ; qu'elle fut enfin une lectrice de ses livres plus « ouverte » que la majorité de la bourgeoisie catholique de province. Témoin cette lettre écrite au lendemain de la publication du *Désert de l'amour,* le 16 mars 1925 :

1. *Mémoires intérieurs,* p. 34-37.
2. Dont ma propre grand-mère se croyait en droit de dire . « Pauvre Mme Mauriac, qui ne peut lire les livres écrits par son propre fils ! » — sous-entendu « parce qu'ils ne sont pas de ceux qu'ouvrent les bons catholiques ».

« J'ai reçu samedi *le Désert de l'amour*, mon cher fils, et c'est après l'avoir lu que j'ai voulu t'écrire. De toutes tes œuvres, c'est certainement la plus fouillée, la plus pensée. Et je dis comme tout le monde, " c'est beau ", et je vais relire encore des passages, et ils sont nombreux, qui m'ont impressionnée. Mais mon chéri, que c'est navrant. Rien pour te consoler, pour étayer ce pauvre cœur de vieil homme ; c'est en effet le débat dans ces âmes qui ne savent pas trouver le soutien là où en effet on le trouve. C'est un peu neutre... Mais très bien et vrai, hélas ! [...] Rien de nouveau à la maison et autour, toujours le même train-train, comme dans le *Désert* mais au milieu de caractères plus agréables et conciliants, et sans amour pour tout troubler, au moins je le crois... »

Étonnant dernier paragraphe : « comme dans le *Désert* », « sans amour pour tout troubler », et cette chute : « au moins je le crois ». François aurait-il eu lui-même l'audace de tels rapprochements ? Surprenante proximité entre la vieille dévote provinciale et le Mauriac à la veille de la grande crise de 1926, le Mauriac lourd déjà de *Thérèse* et de *Souffrances du chrétien.* Nous voilà loin de la « mère Rimb » et de *la Pharisienne !*

Claire Mauriac eut certes sa part de responsabilité dans la création du climat de terreur catholique et de bigoterie sulpicienne qui fit du jeune François l'auteur des *Mains jointes*. Et le climat d'autojustification obsessionnelle dans lequel il vécut, au moins jusqu'à la fin des années vingt, lui doit beaucoup. Mais on ne saurait pourtant lier à la disparition de la vieille dame la relative libération qu'il connaît alors. La lettre sur *le Désert de l'amour* et bien des échanges antérieurs montrent que, si l'auteur de *Dieu et Mammon* crut vivre dans un climat de « chasse aux sorcières », ce ne fut pas du fait de Claire Mauriac. La mort de la régente majestueuse de la rue Rolland ne fut pas pour François le bris d'une chaîne trop lourde : seulement un immense chagrin.

Une semaine plus tard, François écrit à Henri Guillemin :

> « Maintenant, je vis avec le souvenir de ma mère dans ce Malagar qu'elle a tant aimé. Sa mort fut si douce, si paisible que je me réjouis de ce qu'elle a passé dans une telle sérénité ce seuil redoutable. Et moi je suis paisible aussi, d'une paix qui est au-delà d'un certain désespoir humain, faite en partie d'un goût âcre du néant de ce que j'ai le plus désiré ici-bas.
> [...] J'ai de durs moments mais toujours Dieu demeure et me soutient. Oui, cette petite Hostie vous " centre " merveilleusement. [...] Il n'y a qu'elle au monde — que Jésus-Christ. Il est la seule réalité. »

« L'abonné de *Vigile* »

Quelques mois avant la mort de sa mère, au début de 1929, François Mauriac lui avait fait part d'un projet qu'il formait : il s'agissait de créer une sorte de « *NRF* catholique » qui rassemblerait tout ce que « le renouveau chrétien » avait apporté à la littérature. (Ce qui était reprendre l'idée des *Cahiers de l'amitié de France* en 1911.) Mme Mauriac est morte trop tôt pour voir l'aboutissement de ce projet. Elle aurait aimé *Vigile,* sa noble ordonnance, son austérité, son orthodoxie rigoureuse : une clôture de couvent cistercien.

Mais *Vigile,* « cahier trimestriel », publié d'abord chez Grasset puis chez Desclée de Brouwer de 1930 à 1933, fut, selon François Mauriac, une « idée funeste » parce qu'il y avait associé étroitement l'abbé Altermann. « Au vrai, précise-t-il dans les *Nouveaux Mémoires intérieurs,* il s'était imposé. Il se considérait responsable devant Dieu et devant les hommes de *Vigile*... » — à la fois au-dessus de Mauriac et de Charles Du Bos comme directeur spirituel, et à leurs côtés comme auteur. La position du romancier de *la Fin de la nuit* selon Sartre : à la fois juge et partie... Aux trois fondateurs se joignirent Jacques et Raïssa Maritain, Paul Claudel, Henri Ghéon, Étienne Gilson, l'abbé Bremond.

Mauriac avait su convaincre Bernard Grasset, dont il était l'un des auteurs à succès, de publier cette « *NRF* catholique ». Un coup porté à Gallimard.. C'est lui, Mauriac, qui en serait le gérant. Le premier cahier parut en 1930, précédé de l'avertissement suivant : « Le catholicisme n'étant à aucun degré un parti, *Vigile* n'a pas de programme — sinon d'offrir à quelques écrivains catholiques, tant étrangers que français, le lieu de rencontre où ils puissent collaborer en parfaite communion de foi, selon le mode d'expression propre à chacun d'eux. »

Mauriac fit loyalement de son mieux pour que vive ce monument d'orthodoxie — que Gide, pour sa part, jugeait un « monument d'ennui ». Il lui donna, pour le numéro d'ouverture, son *Molière-le-Tragique,* un Molière qui « relève le défi de Pascal... sous le signe de l'instinct ». Opposant au « rationalisme » du dramaturge l' « angoisse » de l'auteur des *Pensées,* Mauriac en vient à abaisser celui-là pour mieux exalter celui-ci. De toute son œuvre, ce sont peut-être ces pages-là les plus antihumanistes, les plus frileusement emmaillotées dans le fidéisme et, au fond, les plus imprudentes : qui fut choisi par la sublime injustice de Dieu, du comédien douloureux ou de l'audacieux philosophe ? Comme Jean-Pierre Altermann ripostait à Gabriel Marcel qu'il « savait » ce que le Seigneur pensait de la Réforme, lui, Mauriac « sait » que Pascal est le préféré...

L'empressement de François Mauriac à voler au secours de la foi n'empêchera pas *Vigile* de stagner dans l'indifférence générale. Non que de très bons textes n'y fussent publiés : telle méditation de Claudel, tel texte de Maritain[1], quelques-uns des plus beaux extraits du *Mauriac, romancier chrétien* de Du Bos, la préface de *Souffrances et Bonheur du chrétien* (1931), un ingénieux commentaire de l'abbé Bremond sur la conception chrétienne

1. Notamment un essai intitulé « Todo y nada », au sujet duquel Maritain écrivait à Mauriac : « Pourvu qu'on ne lise pas Toto et Nadia ! »

du mariage au XVIIe siècle, formant une belle matière. Mais si lourde ! En avril 1932, Claudel écrit à Mauriac :

« *Vigile* me semble tourner très mal. Les derniers numéros sont d'une consistance impénétrable, absolument illisibles pour d'autres que des Allemands... Cette bouillie devient un véritable ciment[1]... »

Mauriac explique ainsi l'ankylose et la paralysie de l'entreprise ; l'abbé Altermann épluchait les articles ligne à ligne, sans aucun scrupule d'ordre littéraire,

> « Ce qui faisait horreur à Du Bos aux yeux de qui il n'y avait pas de pires attentats que ceux perpétrés contre les textes. Pour moi, je souffrais surtout de voir souffrir en silence mon ami... J'étais mieux défendu que lui par la réussite littéraire... Il obéissait... J'avais très tôt compris que ce qui mourrait à coup sûr, lentement étouffé par l'abbé [...], c'était *Vigile*... Son éditeur, Bernard Grasset, voyant un jour sur une table, chez Arthur Fontaine, un numéro de la revue, s'était écrié : " Ah ! c'est vous, l'abonné de *Vigile*[2] ! " J'étais sensible à la tragédie de mon ami sans en être directement atteint. Le ratage de *Vigile* était compensé dans ma vie par trop de réussite pour que j'en souffrisse vraiment[3]. »

Le naufrage de *Vigile* (13 numéros parurent, surtout alimentés sur la fin par le *Journal* de Du Bos) fut aussi celui de l'amitié entre Mauriac et Altermann, sinon de l'affection qui unissait « Charlie » à François. Selon les proches de l'abbé Altermann, c'est en 1933, à l'occasion de la mise au point du dernier numéro de *Vigile,* que Du Bos prévint son directeur que Mauriac tenait sur lui d' « abominables propos », ajoutant : « A partir de ce jour, je me désolidarise de Mauriac. » Selon la même source, l'abbé se refusa d'abord à prendre la chose au tragique. « Un mouvement d'humeur... — Non, fit Charles Du Bos : après ce qu'il a dit, il n'osera plus se présenter devant vous. » Bien que Jean-Pierre Altermann ait assisté à la réception de Mauriac à l'Académie (16 novembre 1933) et l'écrivain communié après la guerre des mains de l'abbé, les deux hommes ne se reverront plus.

François Mauriac a donné une version partielle, mais plausible, de la rupture, fondée sur des dissonances dont le caractère autoritaire du prêtre et son propre démon de l'épigramme n'étaient pas seuls responsables, mais aussi la bizarrerie des rapports hiérarchiques entre un grand écrivain en situation à la fois d'obéissance inconditionnelle sur le plan spirituel et de « supériorité » esthétique, et un confesseur aux ambitions littéraires plus vastes que son génie créateur. Comment n'avaient-ils pas senti dès l'abord que l'autorité de l'un excluait celle de l'autre dès lors qu'ils changeraient de registre ?

1. Lettre inédite.
2. Grasset en tira assez vite la conclusion en se déchargeant de la revue, qui fut reprise par Desclée de Brouwer.
3. *Nouveaux Mémoires intérieurs,* p. 229

« Comme chez tant de religieux, j'avais décelé chez lui un homme de lettres refoulé [1]... Je ne sais trop ce que valaient les pages qu'il publiait dans *Vigile.* Comme j'avais cru poli un jour de louer celles qu'il y avait consacrées à saint Augustin, il m'interrompit avec une brusque aigreur et me déclara tout à trac qu'il ne me reconnaissait pas le droit de juger ce qu'il écrivait, fût-ce pour l'approuver [2]. »

Bref, l'auteur de *Destins* décida de prendre le large, fuyant « sans demander d'explication et sans même tenter d'en donner ». Comportement typique d'intellectuel, d'autant plus fâcheux que l'aventure de la revue où il avait entraîné ses deux amis avait tourné au désastre. A quoi rapporter cette fuite ? A l'exaspération, à la maladie, à l'aversion croissante pour un certain cléricalisme... Les rapports de Mauriac avec Charles Du Bos, l'un des hommes de lettres qu'il aura le plus sincèrement aimés, non sans nuancer d'ironie le portrait qu'il traça de lui après sa mort, notamment dans les *Nouveaux Mémoires intérieurs,* en resteront à jamais blessés. Quant à l'abbé Altermann, il faudra les horreurs de l'occupation et les périls où le jetèrent alors, du fait de ses origines juives, les persécutions nazies, pour que Mauriac sentît se ranimer à son endroit le dévouement admiratif de la fin des années vingt. Il lui écrivit alors, lui proposant son aide. La fraternité survivait. L'amitié était morte.

Brid'oison et la grâce

De s'être « croisé » sous la bannière de *Vigile* ne réussit pas à réconcilier Mauriac avec les Brid'oison du catholicisme qui, depuis *l'Enfant chargé de chaînes,* le prenaient pour cible. Il a lui-même moqué son persécuteur le plus constant, l'abbé Bethléem, l'auteur grâce à lui fameux de *Romans à lire et Romans à proscrire,* où l'auteur de *Genitrix* est catalogué dans la rubrique « romans mondains » et présenté en quelques lignes inoubliables :

« Rural sujet aux griseries champêtres et initié aux riens de la vie parisienne, il possède une âme de Girondin catholique qu'il ne défend pas assez contre certaines intrusions. Psychologue chrétien, il a pris à tâche, en peignant les passions, de faire une " apologie indirecte du christianisme ". Malheureusement le style trop évocateur, l'acuité de l'analyse, le pessimisme qui fait le fond de l'œuvre, doivent restreindre le nombre des lecteurs. »

Parti d'un si bon pas, l'abbé Bethléem ne se retient plus : « Signalons ; *l'Enfant chargé de chaînes* (le jeune catholique accablé de désirs ; il a trop lu, il essaie de l'apostolat, puis de la haute noce, et il finit par épouser sa

1. Formule abusive : Altermann avait publié, dès avant sa conversion et sa collaboration a *Vigile,* de nombreux poèmes et essais.
2. *Nouveaux Mémoires intérieurs,* p. 233

cousine : œuvre hybride et choquante) ; *la Robe prétexte* (aimables souvenirs d'enfance qui se terminent par un chapitre sur les fautes de l'adolescence) ; *la Chair et le Sang* (un ancien séminariste mêle à ses passions bouillonnantes l'ardeur de l'apostolat ; bizarre amalgame de romantisme et de christianisme) ; *Préséances* (aventures passionnelles d'une jeune fille à Bordeaux ; livre trouble ; mélange fâcheux de catholicisme et de sensualité) ; *le Baiser au lépreux* (étalage de misères physiologiques ; crudités) ; *le Fleuve de feu* (troublant, malsain) ; *Genitrix* (hypertrophie de l'amour maternel ; bizarre, morbide) ; *le Désert de l'amour* (roman de mauvaises mœurs, très pernicieux) ; *Thérèse Desqueyroux* (la vengeance d'un mari que sa femme a tenté d'empoisonner ; mots crus, bassesse morale) ; *Destins* (passion coupable d'une femme de 40 ans pour un greluchon ; roman fataliste et très malsain) ; *Trois Récits* (mélange de sensualité et de religion ; de la puissance mais des âmes cyniques) ; *Ce qui était perdu* (la foi, mais il ne s'agit pas de vraie foi ; livre très dangereux). »

Fallait-il être un disciple de l'auteur des *Provinciales* et s'appeler François Mauriac pour faire ricocher ses flèches sur un tireur aussi malhabile, affublé au surplus d'un nom si singulier et que son comportement public vouait aux quolibets : cet ecclésiastique de choc ne craignait pas de lacérer publiquement, sur les grands boulevards, des revues ornées d'images de dames peu vêtues.

Cher abbé Bethléem... Il n'est pas de grande carrière littéraire qui ne comporte quelque outrage venu de si bas qu'il réconforte un homme d'esprit. Qui ne souhaiterait avoir, dans ses juges, quelque abbé, quelque commissaire, quelque gendarme de ce tonneau ? Gide eut, à l'échelon supérieur, Henri Massis ; et Malraux, le révérend père Bruckberger. Heureux les hommes dont la vertu peut constamment se vérifier à de tels étalons...

Mais le pascalien qu'était Mauriac se devait d'avoir pour accusateur principal un jésuite : le révérend père Victor Poucel s'appliqua à ne pas décevoir le jugement désobligeant que, depuis le collège et la lecture des *Provinciales*, Mauriac portait sur les pères de l'ordre de saint Ignace. Professant en toute simplicité que la critique catholique consiste à « établir la dépendance de l'art vis-à-vis de la morale », ce jésuite de petit calibre soutenait qu'il était damnable de sonder trop profondément les mystères de l'homme, car le monde spirituel n'est pas objet de science comme l'univers physique.

Troisième personnage de cette trinité d'Érinnyes dévotes, l'abbé Charles, secrétaire adjoint du « Conseil de vigilance » de l'archevêché de Paris, dont les propos prenaient, de ce fait, une résonance de Saint-Office : ils contribuèrent, en 1927-1928, à l'époque de *Thérèse* et de *Destins*, à accréditer l'idée d'une mise à l'index de Mauriac [« ce qui n'est pas pour l'effrayer », commentait en toute charité *la Revue mondiale* (avril 1928)]. Pour Eugène Charles, cette œuvre « abandonnée aux pires instincts » ne repose pas *même* sur l'observation de « la *vérité* de la vie humaine », car Mauriac s'applique à exciter en l'homme « le flair du chien ».

A ces pieux inquisiteurs se joignit très vite une troupe de procureurs laïcs d'une virulence plus dérisoire encore : tel un certain René Johannet, de *la Croix,* qui se démenait contre Mauriac comme un diable dans un bénitier, clamant : « M. Mauriac, vous vous établissez dans une sorte de mauvais lieu, parmi les pantins lubriques, et vous y amenez le catholicisme avec vous ! » *Le Désert de l'amour* met ce censeur dans tous ces états : « Il faudrait descendre jusqu'à Maupassant et à Zola pour trouver un livre qui pue la chair autant que celui-là ! » (qui « pue la chair »...). Pauvre Claire Mauriac, lectrice de *la Croix,* qui aviez poussé la licence jusqu'à trouver beau le livre de votre fils... Il est vrai que ces petits bedeaux de la critique avaient du répondant en haut lieu. N'est-ce pas le secrétaire perpétuel de l'Académie, René Doumic, qui, ayant remis le grand prix de cette compagnie à l'auteur du *Désert de l'amour,* l'accusait de ne peindre que « des malades, des débiles ou des monstres » ?

Mais quoi ? Quand Mauriac écrit *Bonheur du chrétien* ou *Dieu et Mammon,* ne désarme-t-il pas ces chasseurs de scalps ? Le révérend père Poucel n'a pas de ces faiblesses. Pour lui, qui diffère en cela de Maritain, un Mauriac ne peut se contenter de « purifier la source » : face à un tel scandale, cet homme de Dieu ne savait formuler qu'un arrêt : que « la source, une fois purifiée, ne coulât plus[1] ».

Purifiée ou non, elle jaillira encore. En avril 1930 paraît, dans *la Revue de Paris, Ce qui était perdu,* que bon nombre d'exégètes[2] tiennent pour le premier roman proprement chrétien de Mauriac, celui qui témoigne de sa « reconversion » et manifeste l'irruption de la grâce — à l'issue de péripéties impliquant deux couples malheureux et dominées par la passion informulée de Tota Forcas pour son jeune frère Alain, que guette la vocation religieuse.

François Mauriac écrit à son frère Pierre :

> « Je crains qu'il n'y ait dans ce livre qui m'a donné tant de mal " télescopage " de sujet. Celui de l'inceste est trop timidement traité, je le crains (dans une première idée, l'inceste était créé par suggestion dans l'esprit de Tota, que son martyre " dévulgarisait "). En réalité, les événements survenus dans ma vie sont postérieurs à la première idée de ce roman : d'où toutes ces complications. J'espère réaliser maintenant des œuvres plus sereines. »

(Notons que la confidence est rare, chez Mauriac, d'une telle interférence des « événements survenus dans [sa] vie » sur la création romanesque. Le personnage principal de *Ce qui était perdu* serait-il l'abbé Altermann, sous les traits alternés de la vieille Mme de Blénauge, que le pharisaïsme ne détourne pas d'une manière de sainteté, et du jeune Forcas ? Peu importent les clefs. Reste le coup de barre et sa gaucherie.

« Trop timidement traité », l'inceste, dans *Ce qui était perdu ?* Pour le penser, et l'écrire, il faut que Mauriac se croie désormais cuirassé contre la critique dévote — qui, en cette évocation « timide », va voir un cloaque. Le jésuite Poucel dénonce l'étrange prêtre qu'est Alain Forcas, « vraie bûche

1 *Études,* août 1930 (cité par Jean Touzot, « Quand Mauriac était scandaleux » in *Œuvres critiques,* 1977 auquel je dois plusieurs autres citations ci-dessus)
2. Tel Mgr Pézeril.

mystique », et s'indigne d'un « confesseur béatifiant les suicidés ! », tandis que René Johannet soutient que Mauriac fait plus que jamais « gicler la laideur » en campant une « vieille bigote odieuse » qui, pour disgraciée qu'elle paraisse, est précisément, aux yeux de l'auteur, celle par qui est retrouvée la grâce. Pour une fois, Mauriac s'en émeut, écrivant à son frère : « *La Croix* s'est surpassée. L'idée abominable qu'elle donne de mon livre à ses honnêtes lecteurs m'attriste et m'inquiète à divers points de vue... »

Retenons cette marque d'inquiétude. Elle expliquera diverses démarches et réactions dans les mois et les années à venir. Aussi bien son souci de se revêtir de la cuirasse académique contre les Poucel et les Johannet, que l'irritation contre l'*establishment* bien-pensant, origine partielle de son « virage à gauche » du milieu des années trente, et aussi son application à mettre au clair sa situation d'intellectuel chrétien en consacrant bientôt de grandes biographies à Pascal et à Jésus.

A son ami Jacques-Émile Blanche, catholique de l'espèce peu chrétienne, qui lui demande quels lecteurs il espère « édifier » avec ce noir chef-d'œuvre (« François, quel nécro-roman vous faites ! »), Mauriac riposte :

> « Cher ami, je ne prétends rien prouver, ni convertir personne : mon livre reflète, comme les précédents, le Mauriac qui l'a écrit, ses préoccupations, ses espérances... Personne n'a jamais converti personne. On peut, si on se trouve là, aider, diriger, éclairer cette âme, mais on ne crée pas la grâce... si vous aviez la foi, vous auriez aussi l'espérance et la charité... »

Blanche ayant bronché sous ce coup d'éperon, l'auteur de *Ce qui était perdu* lui répond, dans un soupir : « ... Si vous saviez quelle immense indifférence accueille mon livre ! Si vous saviez à quel point je *sens* mon néant et l'inutilité de tout cet imprimé[1] ! »

Quand, au début de 1930, la Librairie Hachette, alléchée par le succès de *la Vie de Racine,* demanda à Mauriac d'écrire à son intention une nouvelle biographie, il accepta. Pour se libérer du débat sur le roman et se distraire du médiocre accueil réservé à *Ce qui était perdu ?* Et c'est tout naturellement à Pascal qu'il songea, écrivant aussitôt à Valéry comme pour s'excuser d'oser aborder un aussi grand sujet. Enfermé à Malagar avec sa documentation, il se mit au travail au début de l'été, et bientôt recula épouvanté : « Devant l'énormité d'une tâche qui me dépasse, écrit-il à sa femme (toute la vie scientifique de Pascal), je songe à écrire *la Vie de Jacqueline Pascal,* ce qui me permettrait de n'atteindre Blaise que sur le plan religieux... »

Dans la préface au tome VIII de ses *Œuvres complètes* où est publié ce texte, il reprend et complète la description de ce cheminement d'intentions :

1. « Correspondance avec Jacques-Émile Blanche », *Cahiers François Mauriac*, n° 4, 19 juin 1930, p. 155-159.

> « Le mathématicien, le géomètre m'échappaient... Ainsi ai-je volontairement rétréci un sujet qui me dépassait. Pourtant, je crois avoir pressenti ce que fut la prière de Pascal : c'est lui qui m'a appris comment le créateur peut s'adresser à l'Être infini avec d'autres mots que ceux qui nous ont été enseignés... »

Dès qu'il a choisi son angle de vue (son angle d'amour, dirait-on), il va comme le vent et bientôt peut écrire à Jeanne :

> « Dès votre retour, il faudra réserver un bon temps de machine. Je travaille, et quoi que j'en aie dit l'autre jour, ce serait avec vous que j'aimerais taper tout ça. Cette collaboration m'est douce et je crois que vous l'aimez un peu. »

Tendre hommage au mariage, institution fort vilipendée par son héros... *Blaise Pascal et sa sœur Jacqueline,* moins célébré que le *Racine* ou que la *Vie de Jésus,* est à coup sûr l'un des plus beaux livres de Mauriac. Si la « méthode présomptueuse » à laquelle il avait eu recours en écrivant la vie de l'auteur de *Phèdre* et « qui était de penser sans cesse à (sa) propre histoire, à (son) drame personnel » était plus opératoire, s'agissant de Racine-le-scintillant que de Pascal-le-méditant, il s'exprime encore beaucoup dans cette biographie du janséniste racheté par l'amour, et jusqu'à retrouver les cheminements mystérieux qui conduisent de Pascal à Montaigne, du furieux « inquisiteur de la foi » confesseur d'une doctrine de damnation quasi universelle, à l'humaniste méridional le plus ouvert aux grâces du monde.

Et Mauriac d'insister, dans cette voie : « Pascal, le seul humaniste digne de ce nom ; le seul qui ne renie rien de l'homme ; et traverse tout l'homme pour atteindre à Dieu. » Il est vrai qu'il choisit, pour nous entraîner sur cette piste, la citation la plus propre à nous enchanter : « Quand on veut montrer à un autre qu'il se trompe, il faut observer par quel côté il envisage la chose, car elle est vraie ordinairement de ce côté-là, et lui avouer la vérité, mais lui découvrir le côté par où elle est fausse... » Ce qui n'est pas précisément le ton des *Provinciales,* plutôt celui des *Essais.*

Mais comme il est présent partout, au long de la route de Pascal, notre Mauriac, à mi-chemin de ce sublime contempteur de la vie et de la sagesse de Montaigne... Qu'il s'agisse du jansénisme (et de « ses ravages en province [où] il a détourné du pain de vie des âmes innombrables ») ou du rôle de directeur dans une vie spirituelle (sur les rapports entre Pascal, Saci et M. Singlin, que de fléchettes adressées à l'impérieux abbé Altermann !) ; qu'il s'agisse encore du terrible don de blesser qu'a le polémiste (« C'est parce que les jésuites ont raison contre lui qu'il lui sera pardonné d'avoir frayé la route à Voltaire... par ses " violences antichrétiennes " ») ou des rapports entre Dieu et Mammon chez un grand créateur (l'inventeur de la « machine arithmétique » se détourne-t-il des gloires de l'invention et de l'ambition de dominer par l'esprit avant les mois de l'ultime renoncement ?), on surprend constamment Mauriac en train de confronter à celui de Pascal son « drame personnel ».

Et plus encore quand il évoque ainsi la fragilité de toute conversion :

> « Un converti n'est jamais solitaire : le grand Pascal est le frère de tous les pécheurs, de tous les convertis, de tous les blessés tremblants dont la blessure peut à chaque instant se rouvrir, que l'amour a poursuivis très loin, et qui ne se fient qu'à cet amour. »

C'est la conclusion du livre, et c'est comme un appel à l'aide, comme l'évocation à un intercesseur, à un répondant plus haut que lui. Mais ce patronage qu'il recherche chez Pascal, il ne le mendie pas par quelque bassesse, par l'un de ces arrangements qui irritaient assez le frère de Jacqueline Pascal pour le faire se dresser contre Arnauld et Nicole résignés à contresigner les « cinq propositions ».

Face à Pascal, Mauriac se tient très droit. Il ne lui concède rien qui ne soit conforme à son intime croyance — et jamais peut-être il n'a marqué si rigoureusement ses distances par rapport au jansénisme, ne cessant de dénoncer l'orgueil, la cruauté, la folie de ces hommes admirables qui étaient aussi les doctrinaires de la « prédestination », ce « poison janséniste ». Tout imprégné qu'il en fût, François Mauriac rompt là publiquement avec un christianisme de l'exclusion — sans s'interroger suffisamment, semble-t-il, sur le fondement augustinien (« saint » Augustin...) de cette doctrine. Mais ce regard perforant qu'il a porté sur le monde, sur l'espèce humaine, sur l'immanence du péché, il n'est pas en son pouvoir de le détourner... Il n'est pas en son pouvoir de cesser d'être celui qui jette des torches dans les abîmes. Et d'autant moins que, grâce à Jean-Pierre Altermann, à Charles Du Bos (et à André Gide), il connaît mieux les siens, désormais... Il ne cessera jamais d'être celui qui, à son confesseur, dit d'abord : « Je m'accuse de n'avoir pas mortifié mon regard[1]... »

Dieu et Mammon l'a fait se découvrir « plus chrétien qu'il ne pensait ». Il se dit souvent « apaisé », « éclairé ». Mais si plein encore de questions, si avide de « manifestations de la vérité », si sensible encore aux « poisons du jansénisme » ! En avril 1931, parlant avec son fils Claude du Mal, de l'Enfer, de Judas, il soupire : « ... C'est vrai que Dieu a ses préférences... »

Et dix ans plus tard, à sa sœur Germaine qui raconte qu'enfant elle avait peur du cri de la chouette, croyant que c'était « les âmes du purgatoire », François réplique : « ... C'est moi qui serais content de voir une âme du purgatoire ! Voir ainsi un signe de l'existence de l'autre monde... et je serais tranquillisé[2]... » Faut-il le taxer d'ingratitude, François Mauriac, lui qui, trente-cinq ans plus tard, rapportera ce signe à lui donné, et qui n'est pas sans évoquer telle nuit pascalienne : il le situe « en 1927 ou 1928... peu de temps après que j'aurai retrouvé la paix ».

1. Claude Mauriac, *Le Temps immobile*, 1, p. 484
2. *Ibid.*, 4, p. 69.

« Je me tenais dans la minuscule chambre de bonne que nous appelions le cagibi, où je travaillais à l'abri de mes enfants. C'était [...] le temps de la Pentecôte. Je ne me souviens pas si je lisais, travaillais ou priais. Tout à coup, je fus précipité à genoux, comme mû par une force inconnue, possédé par une sorte de bonheur déchirant. Je pleurais, sans songer à essuyer mes larmes [...]. Si ce fut mes nerfs et non l'Esprit qui me jetèrent à genoux, comment expliquer que jamais, pas une seule fois pendant les trente-cinq années qui ont suivi, je n'ai rien éprouvé de tel, que plus jamais cette foudre ne m'a atteint ? Quant à ce que fut exactement cette brûlure, je n'en saurais rien rapporter avec assurance. A vrai dire, je ne m'en souviens plus. Et il ne m'est plus rien advenu qui m'en pût rappeler l'idée. Je n'ai pas mérité de faire un pas de plus vers cette joie[1]... »

1 *Ce que je crois*, p 165.

12. L'Académie, dernier sacrement...

Le 25 décembre 1931, jour de Noël, François Mauriac déjeune à Auteuil chez son ami Jacques-Émile Blanche, qui s'inquiète de sa voix « couverte, enrouée », et de sa mauvaise mine : deux mois plus tôt, François avait d'ailleurs écrit à Jeanne, de Paris, qu'il se sentait dans un état de fatigue qui, assurait-il, « ferait de moi un hôte indésirable à Vémars ». Pour se croire « indésirable » dans une maison familiale, ne faut-il pas qu'il se sente bien atteint ?

On décide de consulter un médecin : le Pr Lucien de Gennes, qui est alors l'un des plus célèbres consultants parisiens, ne remarque rien de très particulier et se contente, pour lui rendre ses forces, de prescrire un séjour en montagne, à Combloux. François Mauriac y passe une quinzaine de jours — travaillant à *Thérèse chez le docteur.* Le 24, il écrit à Jeanne : « Je suis pareil du côté de la gorge. » Mais le 1er février, il se dit « très bien » en dépit d'une crise de foie, et même en « état d'euphorie ». Quand il rentre à Paris, le 3 février, sa femme lui trouve « bonne mine », mais s'inquiète de plus en plus de sa gorge. Et lors d'un déjeuner quelques jours plus tard, leur amie Denise Bourdet s'étonne de l'extinction progressive de sa voix.

Mais quoi : François Mauriac a d'autres chats à fouetter... Le 15 janvier, *Candide* vient de commencer la publication du *Nœud de vipères,* que, dans une lettre à Gide, Roger Martin du Gard salue comme « l'un des meilleurs, sinon le meilleur Mauriac ». Presque simultanément paraît dans *les Annales* un « dernier chapitre du *Baiser au lépreux* » où Mauriac oppose au père de Jean Péloueyre une Noémi vieillissante. Il n'a pas le temps d'être malade.

Le coup de poing

Le 2 mars, pourtant, à la veille d'une conférence aux *Annales* que l'état de la voix de François rend problématique, Jeanne Mauriac réussit à envoyer son mari chez un laryngologiste, le Dr Paul Albert Et soudain... Mais ici, il faut laisser la parole au mémorialiste :

> « Je venais de passer à peine la moitié du chemin de la vie. Je me portais comme un charme... Je montais au zénith de la littérature, plus pavoisé

qu'une montgolfière. Tout allait au mieux pour moi sur les deux tableaux de l'éternité et du temps. Ma santé s'était fortifiée aussi : je ne me couchais plus si tard. Je ne buvais plus (non que j'aie jamais été buveur, mais à l'époque du *Bœuf sur le toit,* le moindre cocktail avait agi sur mes nerfs, sur mon foie...) [Le docteur Albert] n'en finit pas d'observer cette gorge. Il déclare enfin qu'il aimerait avoir l'avis d'un de ses maîtres auquel sur-le-champ il téléphone, pour prendre rendez-vous. C'est la porte à côté, et il m'y conduit lui-même, comme s'il s'agissait de minutes.
Cette première rencontre avec le professeur Hautant, j'en frémis encore. Plus tard, lui qui fut pour moi jusqu'à sa mort d'une charité, d'une bonté inlassables, il me confia qu'il m'avait donné ce jour-là le coup de poing que le sauveteur administre au noyé pour l'empêcher de se débattre. Il fallait me persuader d'entrer dès le lendemain à la clinique. J'entendis donc une voix froide me déclarer : " J'ai quatre-vingts chances sur cent de vous tirer de là. Mais c'est à la limite... " On est debout dans la douce lumière du printemps, débordant de force et de vie. La rue fait son bruit familier. Ma femme m'attend à la maison. »

Cancer des cordes vocales [1]. Non pas l'un des plus graves : mais c'est en un temps où la défense contre le mal est à peine amorcée. Il faut opérer tout de suite : le 4 mars — trois jours avant l'élection du patient à la présidence de la Société des gens de lettres —, François Mauriac subit des mains du Dr Hautant l'ablation d'une corde vocale, cette opération qui a fait de sa voix, jusqu'alors belle, chantante, vibrante, de cadet de Gascogne ou de prédicateur, ce murmure insidieux, ce chuchotement complice et délectable à quoi se pendra, et se prendra, séduite ou irritée, une génération de Français, intellectuels ou non — en cet âge de 1930 à 1960 qui est celui de la radio.

Le 18 mars, le public assemblé à l'université des Annales pour entendre une conférence de Mauriac sur le roman apprend que, en raison de l'opération qu'il vient de subir, ce n'est pas lui mais son ami Robert Vallery-Radot qui lira le texte. On s'étonne, on s'émeut. Comme sa crise religieuse trois ans plus tôt, cette menace sur sa vie ameute autour du romancier intérêts, amitiés, supputations, espérances mauvaises. D'autant que *le Nœud de vipères* reçoit un accueil pour lui sans précédent.

L'opération a réussi pour l'essentiel. Mais il y a des « complications ». Jeanne Mauriac s'en inquiète assez pour faire appel à son beau-frère Pierre, qui accourt de Bordeaux, et, aux dépens de son service d'hôpital et de sa propre clientèle, s'installe pour plusieurs jours au chevet de son frère.

1. Un débat d'école s'est instauré, dans les milieux de la cancérologie française, à propos de ce diagnostic. Certains spécialistes mettent en doute aujourd'hui que Mauriac fût atteint d'un cancer. Étudiant les symptômes, ils suggèrent qu'il souffrait plutôt d'une tuberculose laryngée. Mais le gendre du Pr Hautant, le Dr Leroux-Robert, soutient que les preuves existent, à l'Institut du cancer, qu'aucune erreur de diagnostic ne fut commise — et qu'on peut consulter le dossier. Le Pr Maurice Aubry, seul des praticiens mêlés au débat qui fût encore vivant, nous a précisé par lettre (en date du 2 juin 1979) qu'il s'agissait bien d'« une tumeur de l'une des cordes vocales ».

Observons au surplus que le frère de François Mauriac, le Pr Mauriac, qui fut naturellement associé au diagnostic comme au traitement, et qui était un maître de l'anatomie-pathologie, n'a jamais mis en doute, fût-ce dans des échanges privés avec son frère, le diagnostic et le bien-fondé de l'intervention du Pr Hautant.

Comble de malchance : le chirurgien qui l'a opéré et en qui il a confiance, Hautant, a un grave accident de voiture, qui l'écarte pour plusieurs mois de son patient.

Écoutons le mémorialiste :

> « Il n'y a rien dont je sois moins capable que " du bon usage des maladies "... Je le confesse ici avec un étonnement mêlé de honte : cette menace sur ma vie, bien loin de me détacher du monde et de me rapprocher de Dieu, me ramena insensiblement à l'état où je me trouvais quatre années plus tôt [1] sauf que l'angoisse était liée cette fois à la peur animale de souffrir et mourir.
> Toute mon attention fut concentrée sur mon corps... Non, ici je me calomnie. J'ai connu au moment de mon opération et dans les durs mois qui suivirent, des heures de grâce et d'union à Dieu. Mais à mesure que j'entrais en convalescence [...] durant cette période qui se prolongea plus de quinze années [...] je me reprenais à tout ce qui naguère m'avait séduit [2]... »

Cette interprétation toute physique, sensuelle, presque animale de ses réactions à l'épreuve, il faudrait la nuancer plus encore qu'il le fait. Témoin le ton de cette lettre à son frère Pierre, écrite de Vémars où on l'a transporté après son séjour en clinique :

> « 17 mars 1932. Pax.
> Merci, mon cher Pierre, de ta bonne lettre. Quand je l'ai reçue, le calme était déjà rentré en moi ; je me sens fort capable de porter ce souci, d'autant que je connais sa raison d'être dans ma vie. Je m'attachais trop, je m' " attablais [3] " trop confortablement. Il me sera plus facile de posséder comme ne possédant plus. Garder sous une secrète menace l'idée toujours présente que notre âme peut nous être à chaque instant redemandée... »

Ce stoïcisme chrétien, il ne le réserve pas à l'usage d'un frère qu'il admire tendrement. Mais il ne peut se maintenir constamment à ces hauteurs, et il lui échappe des plaintes très humaines. Ainsi, le 31 mars 1932 dans une lettre à Henri Guillemin :

> « On m'a ouvert le larynx en deux, on m'a fait la trachéotomie (sans m'endormir !). Pendant des jours et des jours, j'ai eu de 39° à 40°, et après un mois, ma plaie est encore ouverte. La fièvre commence seulement à céder. Enfin, je remonte la pente, mais dans quel état ! Ne plus avoir la fièvre... Après les martyres qu'étaient les repas, je commence à avoir une faim ! »

Le 22 avril, c'est sur un ton plus enjoué, qui atteste une peu banale fermeté d'âme, qu'il accueille son ami Maurice Martin du Gard, venu l'interviewer pour *les Nouvelles littéraires :* « ... Point de col, une petite cravate de chasse pend à son cou, cache la plaie de la gorge qui ne veut pas se fermer. La voix est faible, voilée, d'autant plus émouvante... " *Le Jeudi Saint* venait de paraître... où je conseillais la douleur aux autres, pour les épurer... Bonne

1. 1928 : l'année de *Souffrances du chrétien.*
2. *Nouveaux Mémoires intérieurs,* p. 238-239.
3. Il reprendra le même mot quelques jours plus tard dans une lettre à Gide.

mise au point ! " Il ne dramatise nullement les choses ni ne songe à les dédaigner par pose.. Un détachement, une hauteur. Prêt pour le plus grand livre. " ... Je voyais tous ces hommes autour de mon lit, dans l'ombre, tout ce qu'il y a de mieux à Paris en fait de médecins, avec des airs ! [...] La fièvre, j'en ai encore un peu en ce moment [...] mes héros se vengent car si mon cas s'est compliqué, c'est que mon foie est fatigué par les personnages de mes livres, tous ces gens qui ont abusé de la fine, des bécasses, dans les Landes. " » A son visiteur, François paraît aussi alerte et plus aigu que jamais. Ils parlent du *Nœud de vipères,* du livre qu'il est en train d'écrire (et qui sera *le Mystère Frontenac*), d'*Épaves* de Julien Green, qu'il admire profondément, de ses ennuis d'argent, de Radiguet. Et le journaliste de noter : « Une supériorité sereine, singulière, pure, l'éclairait : celle d'un homme ressuscité. Il avait découvert la mort, et sur sa rive aperçu la bonté [...] Un Pascal pacifié... Je le lui dis et il reprit son comique de jeune homme[1]. »

Quelques jours plus tard, c'est André Maurois qui lui rend visite, le retrouvant « amaigri sans doute, la voix blessée, un peu pâle, mais si vivant et si jeune ! ». Mauriac lui semble plus détendu qu'avant sa maladie ; peut-être parce qu'il a « pu mesurer pendant les mois terribles où on craignit qu'il ne fût mortellement atteint, la sollicitude anxieuse de ses amis... " Comme on a été gentil avec moi ! " dit-il »... Maurois lui trouve pour le soleil, pour les feuillages, pour la lumière, pour une palombe qui lui rappelle les Landes, « des émois de convalescent ». Et il découvre soudain combien ses yeux ardents de jeunesse et d'espérance rappellent ceux du Lacordaire de Chassériau.

De partout les témoignages de sympathie lui parviennent — de Gide notamment qui, rentrant d'un séjour en Suisse, lui écrit le 17 avril pour lui souhaiter un prompt rétablissement, lui dire son impatience de lire *le Nœud de vipères* et lui annoncer qu'il s'inscrit « enfin » à la Société des gens de lettres. « Évidemment j'attendais, pour en faire partie, que vous en deveniez président, pour le plus grand réconfort de tous les membres. » Coquetteries de la stratégie littéraire ? Certes : mais qui ne laissent pas indifférent le convalescent :

> « Oui, répond-il à Gide, j'ai été rudement secoué. Je remonte la pente maintenant. Mais si vous veniez un jour jusqu'à moi, vous me trouveriez bien changé. Vous nous avez enseigné à trouver partout notre richesse. La souffrance physique, la maladie m'ont beaucoup appris (pas tout à fait selon votre méthode, il s'en faut de beaucoup !)... »

Autre méthode, autre style... Le 3 mai, de Vémars, il écrit à Jeanne :

> « Je ne devrais pas avoir besoin d'être consolé. Mais la fatigue physique me désarme contre les idées noires [...] Ce matin, à 6 heures, j'ai dû ouvrir mes volets et lire, tant je toussais. Évidemment, c'est " organique ", cette

1 *Les Mémorables,* tome III, p. 92-94

trachéite. C'est mon larynx qui n'a plus de réflexe. Mais mon état général reste excellent [...] Impossible de travailler, hélas [...] »

Puis il ajoute cette note déchirante :

« Je vais vous dire quelque chose de très gentil et en même temps d'assez terrible pour vous : je ne puis plus rester seul sans vous. C'est un étrange état d'insécurité, d'angoisse, contre lequel je ne puis rien. Il se peut que lorsque j'aurai repris du poids... »

L'humour des points de suspension cherche à voiler l'angoisse, comme les vocalises dans une aria de Mozart...

La comparaison lui serait volontiers venue : François Mauriac a souvent affirmé que c'est dans cette phase tragique de sa vie que la musique, celle du créateur de *la Flûte enchantée* surtout, avait fait irruption dans sa vie. Lui dont Claire Mauriac répétait qu'il était le seul de ses enfants à ne pas aimer la musique, il s'enfermait alors, des heures durant, avec un quintette de Mozart.

« La musique, qui ne fut jamais pour moi que la voix de ma plus secrète passion, règne sur moi comme elle ne l'avait jamais fait. Elle seule m'apaisait. Au retour de ces séances épuisantes de rayons je n'entrais pas dans une église, mais j'écoutais les disques qu'un ami, Louis Clayeux, mettait pour moi sur son pick-up. La musique de chambre de Mozart m'était alors inconnue. Quelle révélation ![1] »

Et lui qui se disait incapable d'un « bon usage des maladies » ! Aussi bien Mauriac ne s'en tiendra-t-il pas à un caprice de convalescent, à un divertissement passager. Si « barbare » qu'il se crût dans le domaine musical, si peu réceptif qu'il restât à la musique moderne, cette découverte des mois de souffrances de 1932-1933 restera pour lui une permanente source de joie. On le retrouvera plusieurs fois à Salzbourg dans les années suivantes — et le culte où il confond Mozart et Bruno Walter n'est pas seulement fondé sur l'interprétation très pascalienne que le second donne à la scène finale de *Don Giovanni*.

Que la musique y ait ou non joué son rôle, la vie reprenait possession de François Mauriac, peu à peu... et non sans traverser rechutes, déception, inquiétude.

En juillet, on avait craint le pire. Le cou du malade s'était mis à suppurer. « Simple affaire de cartilage », avait fait le médecin. Bien sûr. Mais en un tel péril, il n'est pas de cartilage qui ne compte...

1 *Mémoires intérieurs*, p. 239

« Votre chef-d'œuvre ! »

Le 9 juillet, après un séjour chez les Bourdet à Tamaris, il arrive à Font-Romeu, où l'on soigne les affections de la gorge. Le 11, à Jeanne : « ... Je vais engraisser et travailler... Ma voix, autant que je puisse en juger, pire que jamais... » le 14 : « ... J'écris mes deux grandes pages par jour, en tenant l'ouate de la main gauche... Un héros de l'encrier, quoi ! » Le 16 : « ... C'est un cercle vicieux : je ne parle pas parce que je n'ai pas de voix et je n'ai pas de voix parce que je ne parle pas ! [...] mais quoi, chacun a sa destinée ! La mienne est tout de même belle ! Je crois à ce que je fais. Je m'accroche à ça... »

En août, François est à Malagar, où le rejoint le Dr Hautant, remis de son propre accident, pour un examen décisif. Un regard jeté sur la gorge de son opéré suffit à Hautant : « Cette fois, je vous tiens ! » Et de le déclarer « guéri »[1]. Le ton n'était pas celui par quoi l'on s'efforce d'abuser un malade. « Je le crus, et je ne le crus pas », observera Mauriac, bien des années plus tard. C'est dans un état d'angoisse cyclique qu'il aborde son proche avenir.

Cet avenir, c'est d'abord un présent éclatant. C'est, au moment où il achève la rédaction du *Mystère Frontenac,* le triomphe du *Nœud de vipères,* dont Drieu La Rochelle, vieux compagnon du temps du Bœuf sur le toit qu'il a revu l'été précédent sur les plages du bassin d'Arcachon, lui écrit le 13 avril 1932, avec cette espèce de spontanéité coupante qui donne tant de force à ses avis : « Mauriac, je viens de lire seulement *le Nœud de vipères.* Et il faut que je vous crie mon admiration. Voilà sûrement votre chef-d'œuvre et le chef-d'œuvre des dernières années [...] Jamais on n'avait pu sentir votre cœur battre aussi largement. Jamais on n'avait pu découvrir tout l'amour qui sourd sous la coutumière amertume [...] J'ai toujours aimé, Mauriac, quelque chose au cœur de vous-même, ce sens de la noblesse qui éclate toujours chez vous au moment même du contact avec la pire ignominie. Je vous ai toujours aimé, bien que vous soyez, étant si blessé dans le quotidien, parfois si blessant. »

Et Claudel, le même jour, de son ambassade de Washington : « *Le Nœud de vipères* est votre chef-d'œuvre, et un chef-d'œuvre... Si français que j'en suis un peu gêné ! Après tout, n'y aurait-il pas quelque chose à dire pour l'avarice ? Ce goût de la nécessité et de la mortification, cette préférence du futur au présent... Mettez tout cela au service d'une fin noble et nous avons tous les éléments de l'héroïsme et de la sainteté[2]... »

Chef-d'œuvre de Mauriac, *le Nœud de vipères ?* En tout cas son œuvre la

1. Lettre à Jacques-Émile Blanche, 1er septembre 1932.
2. Lettre inédite.

mieux « bouclée », comme disait Barrès, la mieux composée, la plus accomplie. Celle aussi où il affirme le mieux sa puissance d'analyse en d'autres domaines que celui du désir — si tant est que l'obsession du rapace Louis, le vieil homme acharné à déshériter les siens, ait d'autres racines que la passion de Raymond Courrèges ou celle d'Élisabeth Gornac, et soit d'une nature différente. La possession. Ce que Drieu a bien su voir, en tout cas, c'est l'amour dont déborde ce bréviaire de vengeance, cette attente, cette soif — que viendra, non sans quelque artifice, apaiser l'irruption de la grâce, désormais protagoniste des romans du « dirigé » de l'abbé Altermann.

Reste le tableau cruel, plus cruel que jamais, d'un milieu provincial tout entier possédé par l'avarice, l'avidité — jusqu'à l'idée du crime. « Où sont les titres ? » Voilà le cri que pousse cette famille en guise d'oraison funèbre, conformément aux prévisions de Louis mourant. On crierait à la charge, au pastiche de Grandet — si Mauriac lui-même, pour le rendre plus réel, n'avait obligeamment proposé une clef très précise à son personnage central : moins son grand-oncle Lapeyre, dont on racontait dans la famille qu'il avait failli déshériter les siens, que son beau-père, avec lequel il est peu de dire qu'il eut des rapports tendus, de l'époque des fiançailles de 1912 à celle où, au-delà même de sa disparition, le vieux monsieur lui infligea une peur inoubliable. Trésorier-payeur général de la Gironde, M. Lafon avait laissé, au lendemain de la guerre, des comptes quelque peu désorganisés par le séjour du gouvernement à Bordeaux en 1914. Son gendre se crut responsable [1] et ruiné. Un souvenir qui marque, et contribue à la noirceur du personnage de Louis.

Mais ce qui fait la force et la beauté de ce roman où s'épanouit la maturité de Mauriac, c'est le double mouvement qu'il dessine, entrecroisant ces thèmes comme un tisserand ferait des fils de laine de son écheveau, de l'instinct de possession à l'attente de l'amour. L'un n'impliquait pas l'autre : braqué vers Dieu, Louis pouvait rester le rapace longuement décrit par Mauriac. Ce qui change, en fait, c'est moins le personnage que la perspective qu'en prend l'auteur. C'est cette manière de panoramique autour du héros, vers lui, en lui, qui donne à cet implacable récit son caractère fascinant. « Non histoire de famille, mais histoire d'une remontée », écrit Mauriac de son livre. « D'une destinée boueuse à la source toute pure. » Il s'agit toujours de purifier la source… Le risque de « faire édifiant », le romancier ne l'évite que par la maîtrise, ici vertigineuse.

« Où allez-vous chercher toutes ces horreurs ? » demande alors à Mauriac une lectrice effarouchée. « En moi, madame [2]. » Ses créatures, elles ne sont pas à son image, mais faites de ses rejets, de ses déchets. Il les combat, tentant ainsi de découvrir en elles, comme Pascal, « la grandeur de l'âme humaine ». On lui dit : « Peignez des personnages vertueux ! — Je rate presque toujours mes personnages vertueux. — Tâchez d'élever un peu leur niveau moral… — Mais plus je m'y efforce, et plus mes personnages se refusent à la vertu… » Il est avec ses créatures comme le maître d'école qui

1 Après la mort de M. Lafon, en 1919.
2. *Le Romancier et ses personnages*, p. 101

ne peut se retenir de préférer les rétifs, les rebelles... Non sans une certaine complaisance.

Vient un moment pourtant où le ciel se déchire. Pour François Mauriac, c'est ce moment où il doit faire face à la mort ; où, autour de lui, se multiplient les signes de tendresse et de fidélité ; où se rassemble alentour ces branches familiales qui naguère l'étouffaient et maintenant le portent. Il ne veut pas, s'il vient à mourir, que son dernier livre soit *le Nœud de vipères.* Alors il décide d'écrire le roman de la tendresse fraternelle, et pense d'abord, pour antithèse au *Nœud de vipères,* l'intituler *le Nid de colombes ;* puis *l'Union des branches, l'Emmêlement des branches, les Branches confondues* (toujours les métaphores végétales ou animales). Dans une lettre à sa femme, il parle aussi des *Enfants Frontenac.* Ce fut *le Mystère Frontenac,* par quoi, dit-il, « je faisais amende honorable à ma race ». Retour aux sources, et repli vers le petit univers clos où l'enfant au crâne tondu et à la paupière blessée cherchait refuge dans la chambre maternelle, sous sa lampe, dans ses jupes...

Le livre fut écrit du début de juillet 1932 — à Tamaris et à Font-Romeu, où Claude, reçu à son bachot, était venu rejoindre son père — au milieu d'octobre, à Saint-Symphorien. De Malagar, où il s'était enfermé après l'examen du Dr Hautant, François écrivait à sa femme : « Je travaille sans une minute d'ennui. » Mais, « en panne » pour la dernière partie, il partit chercher l'inspiration dans le vieux chalet familial où se déroule l'essentiel du récit : « Je compte trouver l'inspiration à Johannet. Il me doit bien ça ! »

Dans la préface au tome IV de ses *Œuvres complètes,* Mauriac précise, à propos des personnages de la famille Frontenac, que, si sa mère et « l'oncle Louis » — rebaptisés Blanche et Xavier — sont « pareils à l'image que j'ai gardée d'eux », pour ses frères et sa sœur, il a « brouillé les clichés ». Il est évident, par exemple, que si Jean-Louis le raisonnable évoque pour partie Raymond, le frère aîné qui sacrifia son goût des lettres à la raison familiale, il fait penser aussi à Pierre Mauriac, sans refléter la puissante et originale personnalité du doyen de la faculté de médecine de Bordeaux.

Se reconnaissant mal ou pas du tout dans ce récit, plusieurs des proches de François lui adressèrent des lettres irritées, tenant pour trahison ou mensonge cette infidélité à la lettre de la « saga » Mauriac. Réactions si amères parfois que l'auteur du *Mystère Frontenac,* méditant près de vingt ans plus tard sur cet épisode, en venait à se demander si le thème central de son livre, celui du « groupe éternellement serré de la mère et de ses cinq enfants », ne reposait pas sur une illusion constamment dénoncée dans le reste de son œuvre : « La solitude des êtres demeure sans remède et même l'amour, surtout l'amour, est un désert[1]. »

Saluant l'« art supérieur et presque toujours admirable » déployé une fois de plus par le romancier, Edmond Jaloux, dans un long article qui servit de préface à l'essai de Mauriac sur *le Romancier et ses personnages,* exprime le

1. *Œuvres complètes,* tome IV, p. 11.

regret que le personnage central, Yves Frontenac, l'enfant-poète, n'ait pas plus de consistance et de générosité.

Comme tous les autoportraits de Mauriac, celui-là relève de la caricature. Il n'en est que plus efficace, dès lors que le propos de l'auteur est de dresser comme l'antithèse du « Familles, je vous hais ! » de Gide, et de faire vivre, non une communauté idéale d'êtres humains, mais ce qu'il appelle, d'un mot bien désuet, une « race » — un milieu porteur, créateur, intercesseur. Plus Yves Frontenac est faible et incertain, et plus le « mystère » collectif prend de force transfiguratrice. Le résultat est très beau, et si l'« amende honorable à [sa] race » ne reçut pas, de tous ses destinataires les plus directs, l'accueil qu'en attendait le romancier convalescent, celui que lui font le public et la critique, sensibles à cette éclaircie dans l'orage de son œuvre, le comblent.

En attendant la suite de la « distribution des prix »...

« Nous ne pouvons le laisser partir... »

L'Académie, le soufre et les poisons dont déborde son œuvre ne pouvaient suffire à l'en écarter. Dès l'article de Barrès de mars 1910, il y était voué, d'autant que l'autre dieu lare de ce foyer, Paul Bourget, le couvait lui aussi d'un œil apparemment amical. Barrès est mort, Bourget persiste — peut-être moins bienveillant que ne l'imagine le très subtil mais assez naïf Gascon d'Auteuil : il y a ses « embardées » sociales un peu voyantes de « sillo-niste » nostalgique, il y a son incoercible admiration pour Gide, cent fois réitérée, il y a ces livres tous fumants de péché. Mais le talent n'est pas toujours tenu, dans les parages de l'Institut, pour un vice rédhibitoire. En décernant son grand prix du roman au *Désert de l'amour,* en 1925, l'Académie a suggéré une promesse. La « conversion » manifestée par *Bonheur du chrétien* a beaucoup plu. Et la régularisation de la collaboration de François Mauriac à *l'Écho de Paris,* quotidien bien-pensant s'il en est, au début de 1932, n'a pas laissé de faire bonne impression. Un peu jeune, peut-être : 47 ans...

François Mauriac fait le modeste, le patient. Il n'en pense pas moins. Déjà, le 25 juin 1928, il avait écrit à son frère Pierre (après lui avoir fait part d'un projet de livre qui se serait intitulé *Pygmalion* : « ... Croiras-tu (entre nous) qu'on commence déjà à me pressentir pour l'Académie ? Je ferai le plus longtemps possible la sourde oreille. Tout cela n'est que la surface, l'essentiel se passe au-dedans... » Le plus longtemps possible... N'oublions pas que François Mauriac vient alors de recevoir le défi de Gide à propos de Mammon ! Pour peu que l'occasion se présente, que le climat s'y prête, ses scrupules ne pourraient-ils être apaisés, ou distanciés ?

L'occasion, au début de 1932, c'est la mort de René Bazin, un écrivain auquel Mauriac a consacré, depuis ses tâtonnants débuts de conférencier, en 1907, rue de Vaugirard, beaucoup de mots et de pages — et récemment encore une plaquette au titre éloquent : *Fauteuil XXX : René Bazin.* L'ayant si patiemment loué, pourquoi ne viendrait-il pas s'asseoir sur son siège ? Le 29 juillet 1932, en tout cas, Jacques-Émile Blanche lui écrit : « La voix publique vous désigne, mon cher, pour le fauteuil de René Bazin… »

Trois jours plus tôt, François Mauriac a écrit à sa femme : « Pour la succession Bazin, je temporise et tâte le terrain. L'état de ma santé ne me pousse guère à tenter l'aventure. Je me déciderai selon les événements … » Et le 30 : « Je ne me présenterai pas à l'Académie. Bourget pousse le vieux Lenotre. Gillet me parle de Tharaud. Ne pensons pas à tout ça : j'ai bien le temps de m'abrutir — ou je n'ai pas le temps… Alors qu'importe ? » Belle sérénité. Mais vite la passion du chasseur le reprend : « Mon rêve serait de m'imposer assez pour qu'ils n'osent pas se passer de moi ! »

Un groupe s'est formé pour le pousser en avant, qu'animent Paul Valéry — il doit s'ennuyer depuis six ans quai Conti et brûle d'y attirer un homme d'esprit — et Gabriel Hanotaux, vieil historien, ancien ministre des Affaires étrangères qui proclame *urbi et orbi* son admiration pour Mauriac. Parmi les opposants, au moins provisoires, le vieux René Doumic, secrétaire perpétuel, et son gendre Louis Gillet, patrons de *la Revue des Deux Mondes,* qui font de la collaboration à cette publication vénérable une obligation pour tout candidat à l'Académie :

> « Quel toupet ! lance Mauriac à son fils Claude. [Gillet] avait l'audace d'ajouter que c'était là une coutume bien innocente. Innocent, un véritable esclavage qui a porté à l'Académie toutes les nullités, en en éloignant systématiquement toute une génération !… Quel monde, mon Dieu ! […] Malgré ces basses manœuvres, on désire tout de même [y] entrer… Ah ! il faut s'en méfier. Souvent elle vous attire dans ses filets pour mieux vous noyer après. Elle est d'un sadisme ! Et avec ça rancunière… »

Et de renchérir d'anecdotes, camouflant sa « libido » sous les sarcasmes :

> « … Marcel Boulanger me disait peu de temps avant sa mort : “ Je meurs de ne pouvoir être de l'Académie… Ça vous fait un mal !… L'Académie ne veut pas de moi… Et pourtant je l'aime tant ! ” […] Un jour, on s'aperçut qu'un certain Alfred Poizat avait obtenu une voix. C'était [celle] du duc de La Force… Doumic l'attrape avec véhémence… Le duc : “ Je ne pouvais pas faire autrement. Ce monsieur me fit une visite et lorsque je m'approchai, il me baisa la main ! ” »

François Mauriac, pour réticent qu'il soit à s'engager, se tient alors pour assuré de disposer de très nombreuses voix : et notamment celles des maréchaux Pétain et Lyautey et du général Weygand (le premier alors classé « à gauche » avec son ami Valéry, les deux autres « à droite »), comme de celles du duc de La Force, de Georges Goyau, son ancien mentor du « 104, rue de Vaugirard », d'Henri Bergson (qui lui a manifesté une constante admiration pour ses romans), de l'abbé Bremond, de Camille Jullian… Henry Bordeaux lui est, dit-il, favorable, mais votera d'abord pour Lenotre et a ensuite promis sa voix à Jérôme Tharaud.

« Je ne vais pas broncher », confie-t-il à ses intimes. Mais rien n'est simple. Il y a aussi les amis impatients, qui ont promis de ne pas se présenter contre lui, mais ne semblent pas résignés à prendre derrière lui une file d'attente lente à s'ébranler. Ainsi André Maurois, qui le harcèle : « Qu'attendez-vous ? » Mauriac écrit à l'auteur de *Climats* de ne pas se préoccuper de lui et d'aller de l'avant. Le tout dans ce climat de maladie, d'examens, d'inquiétudes... Et cette gorge qui se refuse à produire aucun son : « En somme, chuchote-t-il à l'adresse de Claude... il ne me manquerait qu'une voix : la mienne ! »

Les intrigues — contre lui, pour lui — se poursuivent. En décembre 1932, Pierre Mauriac reçoit de Paul Valéry une lettre véhémente : « ... Je vous dis toute mon indignation de la vilaine conduite tenue par plusieurs à l'égard de votre frère François. Bazin disparu, il devait entrer à l'Académie sans discussion. Je lui en avais écrit — et je comptais absolument sur cette élection comme sur une affaire faite. A mon retour de " vacances ", j'ai appris avec une surprise extrême — et une colère qui va en croissant — que le jeu était fait, et fait contre lui ! L'intrigue avait été conçue, menée entre compères... Mais le plus beau, c'est que les auteurs et les fauteurs de cette machination sont précisément ceux sur lesquels je croyais que François pouvait nécessairement et naturellement compter. On me dit que Bourget est à l'origine de cette combinaison, et aussi le " noyau de la droite " ! J'ai parlé de ceci à Mgr Baudrillart jeudi — qui m'a paru lui aussi assez étonné. Bertrand, qui est très honnête homme, était aussi monté que moi-même. On a d'ailleurs employé contre François le système classique. On lui a dit : surtout ne vous présentez pas. Vous vous nuiriez, et l'avenir vous serait fermé. Je crois qu'à sa place je me présenterais, même au prix de cet avenir académique... »

A ce moment de sa vie, ou de cette inquiète survie, Mauriac croit-il à la durée de son œuvre ? S'il se laisse attirer dans ce trouble marais de compétitions académiques, est-ce surtout parce qu'il souhaite survivre d'une certaine façon, par l'institution ? A son fils Claude, il confie alors [1] que, si son œuvre durait dans la littérature, ce ne serait pas par ses romans, « genre dépassé », c'est par la partie de son œuvre « apparemment la plus accessoire : *Dieu et Mammon, Souffrances et Bonheur du chrétien,* mon *Racine,* mon *Pascal*[2]... ».

Bref, c'est Georges Lenotre, antique chroniqueur du Paris des temps révolutionnaires, qui fut élu au fauteuil de René Bazin. Faudrait-il attendre que l'émotion ait achevé ce vieil érudit pour se mettre enfin sur les rangs ? Non : Eugène Brieux, dramaturge déjà fort en vogue à la fin du siècle précédent, vient à s'éteindre. Tharaud ne brigue pas la succession. François Mauriac est alors pressé de faire acte de candidature par ce même Henry Bordeaux qui avait été contre lui, avec Paul Bourget, l'âme du « complot » dénoncé par Valéry.

Comme il devait le confier avec une plaisante ingénuité, quelques mois

1. Lettre inédite.
2. Claude Mauriac, *Le Temps immobile,* 1, p. 43.

plus tard, à Mauriac lui-même, le romancier des vertus savoyardes avait trouvé un argument de nature à plaire aux égrotants de la compagnie : « Nous ne pouvons pas le laisser partir avant de l'avoir reçu parmi nous. Il est si malade ! » Un grand malade, un être plus faible, plus disgracié, plus menacé par la mort que nous-mêmes ? Voilà une personne qu'il nous faut accueillir, ne serait-ce que pour avoir la joie de la voir partir avant nous. Et un homme de 48 ans, encore : comme il est touchant, ce jeune Mauriac...

L'auteur du *Mystère Frontenac* ne se faisait d'ailleurs nulle illusion sur le retournement de sentiments ou d'intentions observé en sa faveur. « Plus encore que le succès du *Nœud de vipères,* disait-il à son fils, ma récente maladie me désigne tout particulièrement à l'attention de l'Académie[1]. »

Dans les *Nouveaux Mémoires intérieurs,* il a plus acidement parlé « de l'avance foudroyante en direction de l'Académie que je dus à la menace qui planait sur moi », et suggéré qu'il avait bénéficié alors de son mal, « avec cette obstination que j'aurai eue toute ma vie à tirer parti de tout, et même de la maladie et de la mort »...

Pour favorisé que l'on fût par le sort, par la gloire et par la maladie, il fallait tout de même faire les visites académiques[2]. Entre deux examens du Dr Hautant, Mauriac courut ainsi, de janvier en avril et de Bonnard en Lavedan, de Weygand en Paléologue, de Besnard le peintre en Henri-Robert l'avocat, de Baudrillart le prélat en Cambon le diplomate. Il a tout juste le temps d'écouter le 16 février une conférence de Léon Blum, d'assister le 1er mars à la création de la dernière pièce de Giraudoux, et d'enterrer Anna de Noailles le 5 mai.

Et il lui faut toute son habileté de Gascon élevé par les pères pour ne pas s'empêtrer dans la guerre des maréchaux. Il devait raconter beaucoup plus tard, dans un de ses derniers *Bloc-Notes*[3], que sitôt qu'il apprit sa candidature à l'Académie, et bien qu'il lui fût en principe favorable, le maréchal Lyautey lui écrit une lettre exprimant son étonnement de voir un homme de sa qualité souhaiter entrer « dans une compagnie où siège un Pétain ! ». Le message sitôt lu, notre Mauriac s'empressa de le brûler « de peur, dit-il, qu'il ne tombe dans des mains étrangères »... Rien de tel que ces pacifistes pour vénérer les maréchaux... Mais le lendemain, l'aide de camp du maréchal (le Marocain...) se présente chez Mauriac pour lui demander la restitution de cette lettre compromettante :

> « Quand je lui dis que je l'avais brûlée, je crus comprendre qu'il n'en croyait rien... Comment le convaincre, le rassurer ? Et surtout comment lui épargner l'orage qui sans doute l'attendait à son retour[4] ? »

On dit que, dans ces cas-là, Lyautey piétinait son képi... Et qui sait si, de fureur, il n'allait pas se brouiller avec le candidat, auquel il ne pardonnerait peut-être pas sa propre « gaffe » !

1 *Ibid.*, 1, p. 84.
2. Depuis lors, certains candidats, comme Montherlant, en ont été expressément dispensés.
3. *Bloc-Notes*, 5, p. 219.
4 *Ibid*

Une élection de maréchal

L'Académie doit se réunir en séance le 1er juin 1933 pour élire le successeur d'Eugène Brieux (et de Saint-Amand, de Conrart au silence prudent, de l'abbé Cassagne, du comte de Ségur, de Ludovic Halévy et de 7 autres immortels plus oubliés encore). Quels concurrents vont le défier ? On a parlé de Francis de Croisset, de Sacha Guitry (mais il vient de subir un « four » retentissant au Français), de Francis Carco, d'Edmond Sée. Seul le dernier, dramaturge appliqué, fait expressément acte de candidature, puis se retire. L'auteur de *Frontenac* se présentera donc sans rival — situation très rare pour un écrivain encore jeune, pour un romancier aussi controversé, et qui permet de mesurer alors son prestige plus encore que l'émotion provoquée par sa maladie.

Le jeudi 1er juin 1933, il faisait fort beau à Paris : les plus chenus des Quarante pouvaient sortir de leurs pantoufles. Hormis Henri Bergson et Camille Jullian, qui se déclarèrent malades et devaient être fatigués, et Émile Mâle, l'historien d'art que ses fonctions retenaient à Rome, ils ne furent que quatre à manquer à l'appel, le maréchal Lyautey, l'abbé Bremond — qui devait mourir trois mois plus tard — André Chevrillon et Pierre de La Gorce. 31 étaient présents, y compris un Raymond Poincaré dont beaucoup de Français durent s'apercevoir avec étonnement ce jour-là qu'il était encore de ce monde, le maréchal Pétain, Paul Bourget, Henri de Régnier, Paul Valéry, René Doumic, Abel Hermant (alors « directeur » de la Compagnie) et le gros des troupes.

Il fallait donc 16 voix à Mauriac pour être élu. Dans le vestibule, Valéry jetait aux journalistes : « Bonnard n'est pas sûr, mais ce sera quand même un triomphe ! » Mgr Baudrillart : « 28 voix, tout au plus ! ». Et Marcel Prévost, à la cantonade : « Un seul tour, et l'unanimité. » L'important, pour Mauriac, resté sans concurrent, était de ne pas recueillir trop de bulletins blancs. (Hanotaux, obtenant 15 voix, avait décompté 17 votes blancs — contre 2 voix à Émile Zola...) Les 31 étaient entrés en séance à 2 heures. A 2 heures et quart, Abel Hermant annonçait : 28 voix pour François Mauriac, 3 bulletins blancs. Au-delà des espérances. Mais qui pouvaient être les « blancs » ? Bonnard et de Nolhac, chevau-légers de la droite, et Baudrillart, revêche interprète des amertumes ecclésiastiques contre l'auteur de *Destins ?* Ou l'un des deux maréchaux ennemis ?

Le clan des promoteurs de la candidature Mauriac exultait : « Une élection de maréchal ! » Pétain, qui n'avait pu éviter lui non plus la petite avanie des bulletins blancs, acquiesçait ; et Poincaré, admirateur déclaré de Mauriac, exhibait, sous son petit feutre gris perle, un sourire hilare. « La plus forte majorité depuis Clemenceau », disait-on. Le climat de la journée était résumé trois jours plus tard, dans *les Nouvelles littéraires,* par Maurice Martin du Gard — ami, non dénué de perfidie, du vainqueur : « Le talent de

François Mauriac, sa bourgeoisie, ses grandes et gracieuses flatteries, sa piété, son snobisme, deux salons, la présidence des Gens de lettres et sa mort prochaine avaient enlevé cette élection de maréchal[1] ! »

Son sens de l'ironie, le profond regard critique qu'il sait porter sur lui-même le gardent de sombrer dans la duperie : siéger désormais entre Henri Lavedan et Louis Bertrand, quand on est Mauriac ! Mais il ne peut se défendre d'une certaine jubilation, exprimée plus de vingt ans plus tard dans son *Bloc-Notes* à propos de l'élection de Jean Cocteau : « Je sortais moi aussi d'un enfer de souffrances et j'étais encore dans l'angoisse [...] Que cette atmosphère d'amitié m'était douce alors, et cette rumeur de gloire ! Que les hommes paraissaient bons ! Comme je bénissais la vie... » Et pourtant, corrige-t-il dans les *Nouveaux Mémoires intérieurs,* « c'est au plus noir du défilé que cette élection eut lieu, car à tort ou à raison je crus alors avoir une rechute ».

Il lui faudra subir encore pendant des mois des soins compliqués et douloureux, un pénible traitement de rayons, des examens incessants — tout en paradant, en accordant des interviews, en participant à des dîners, réceptions, cérémonies, en répondant à des hommages qu'organisent un peu partout ses amis — qui d'un coup sont devenus légion. Tel jour c'est à la Société de gens de lettres, dont il vient de quitter la présidence, qu'il lui faut monter sur l'estrade. Le lendemain, c'est chez son amie Madeleine Le Chevrel, où tour à tour Robert Vallery-Radot et Ramon Fernandez lui apportent le salut des deux Églises qui se disputent son amitié : la catholique et la gidienne. Et pour mettre le comble à cette « rumeur de gloire », *la Revue du siècle* organise pour lui un banquet où s'exhibe tout ce que Paris compte de bijoux, fourrures et décorations, et lui consacre un numéro spécial où l'hommage ne le cède qu'en de très rares pages à la mise en question. On y lit notamment un très curieux article de Drieu La Rochelle sur la critique sociale chez l'auteur du *Nœud de vipères.*

Il y a surtout, dans ce numéro de *la Revue du siècle* (juillet-août 1933), ce remarquable pronostic de Daniel Halévy, qui, dans un premier temps, ne lui plut peut-être qu'à moitié, mais qu'il faut citer : « Il n'a pas fini de nous surprendre. Ce que je vois grandir en lui, c'est la vertu militante, le style du combattant. Beaucoup de nos maîtres écrivains ont terminé leur carrière par quelque grand combat. Je souhaite à François Mauriac cette chance, cet honneur, ce danger... » Écrit en 1933, de ce romancier fêté, endolori, encensé par la bourgeoisie...

Au concert de louanges venues de la presse d'argent qui ne doit pas laisser de le troubler — « l'inquiétant auteur de *Destins* » serait-il devenu si rassurant ? — se mêlent tout de même quelques dissonances. *La Croix* (qui, mal informée sur un sujet où elle devrait triompher, le dit « élève des jésuites ») se félicite ostensiblement du succès de ce « romancier catholique ou plus exactement catholique romancier », mais c'est pour dénoncer ses « erreurs et ses égarements » où se décèle « l'influence pernicieuse d'André

1 De l'autre Martin du Gard, alors, ce télégramme « Ça vous fait une belle jambe ! »

Gide » : d'où ce droit qu'il s'arroge « de tout écrire et tout décrire » de « personnages anormaux dont il fouille et met à nu les bas côtés ». Et de conclure, dans un style d'indulgence plénière : « C'est un bon ouvrier des lettres dont l'œuvre est, malgré ses erreurs et ses dangers, capable d'élever certains cœurs... » François Mauriac dut penser que certaines absolutions font regretter les anathèmes.

C'est de gauche que lui vient, symétriquement, une attaque beaucoup plus pénétrante, d'un certain Pierre Auzon, dans un hebdomadaire aujourd'hui oublié, *les Hommes du jour :* « ... Il existe entre M. Mauriac et sa dignité nouvelle une indéniable harmonie préétablie, et il est bien digne d'apparaître comme un type ou un prototype de la comédie sociale et littéraire Bourgeois, c'est un bourgeois intégral (qui) refera *Madame Bovary* à sa manière, celle d'un enfant en blanc et en bleu [...] Que manque-t-il à son œuvre pour porter son créateur au rang d'un maître ? Un certain dynamisme, et aussi de s'orienter vers l'avenir plus que vers le passé. M. François Mauriac est bien l'homme et l'écrivain d'une classe et d'une foi qui se meurent »

Le bonheur vert

Soins, rumeurs de gloire, coup de canifs — et les innombrables démarches qu'implique une réception à l'Académie, aussi ridicules que les « visites », et plus dispendieuses et fatigantes. De Malagar, en juillet, il écrit à sa femme, après avoir énuméré les dépenses croissantes qu'entraîne l'exploitation d'un domaine viticole : « L'Académie est au-dessus de nos moyens ! » (Du coup, il ira à Lourdes « en seconde » !) Mais, ajoute-t-il,

> « il paraît que les journaux bordelais ont publié les noms du comité bordelais pour mon épée, qui est tout ce qu'il y a de reluisant, avec le préfet en tête, Jammes, le président du tribunal de commerce, les Lestapis, Ballande, etc. [...] Une épée en or ! Il aurait mieux valu donner cet argent aux pauvres — dirais-je si j'avais bon cœur »...

(Dans la marge, une précision : « Les 40 francs, c'est Blanche ! » La tradition veut que si le montant des dons n'est pas publié, les noms des donateurs le sont. D'où des indiscrétions ou révélations assez savoureuses, régal de ce monde socio-littéraire...)

Et puis il y a ce discours de réception à l'Académie à écrire : Brieux ! Faire l'éloge de cet Eugène Brieux, dramaturge mité, auteur des *Avariés* dont il écrivait vers 1910, dans l'une des premières revues qui aient publié ses critiques, que ses personnages ne parlaient « aucun idiome connu » ! Ah non, ce n'est pas pour lui un « bon mort », comme on dit dans les cercles académiques. Faute de Barrès, France, Bourget, Bazin, voire Lyautey, passe encore. Mais Brieux !

Lettre à Jeanne Mauriac, de Malagar, à la fin d'août : « Brieux est à mourir d'ennui ! J'ai tout flanqué en l'air et ferai mon discours sans plus en lire une ligne. » Il écrira vingt ans plus tard :

> « Avec ma naïveté naturelle, je croyais qu'il était impossible de louer un auteur sans l'avoir lu. Je me suis aperçu très vite que ce scrupule n'est point très répandu et qu'à l'Académie, si les vivants consentent volontiers à prononcer l'éloge des morts, ils ne poussent pas toujours la complaisance jusqu'à mettre le nez dans leurs livres... »

Il confie à son fils Claude que s'il avait à écrire un « éreintement » de Brieux, ce serait « un chef-d'œuvre ». Il faut louer... Alors, à tout hasard, il demande à sa femme de lui envoyer son Vauvenargues : quelques citations de ce penseur stoïcien qu'aimait Voltaire ne feraient-elles pas bon effet, à propos du vertueux agnostique qu'était Eugène Brieux ?

Au début de septembre, il écrit à son frère Pierre :

> « Il se confirme que je serai reçu le 16 novembre à l'Académie. Avertis la famille, pour que je sache assez tôt qui j'aurai à placer. Il est entendu que si ma voix fléchit, je passerai mon discours à Henry Bordeaux, qui me le rendra pour la péroraison. Donc rien à craindre. Pierre Brisson[1] voudrait savoir sur quoi il peut compter pour mon épée, de la liste bordelaise. Le danger est que Planes[2] réserve une trop grosse part pour les festivités qu'il projette. Tâche délicatement de le persuader que l'épée doit passer avant le reste, avant surtout ce portrait de moi qu'il voulait distribuer aux souscripteurs. Brisson fera faire par un typographe de génie, qui est un véritable maître : Peignot, le petit livre avec le nom des souscripteurs. Il compte mettre les Bordelais en tête.
> Je vais bien. Mon costume est superbe, mais le chapeau est terriblement ridicule... »

Le ridicule de cette agitation de chapeau, d'épée et de quête pour les riches va lui apparaître soudain avec une force renouvelée. Le 9 septembre éclate sur la région de Malagar un orage d'une violence inouïe, d'une sauvagerie telle qu'elle paraît surgir de *Destins* ou de *Ce qui était perdu,* ces livres où rôde la foudre. Claude Mauriac : « Papa, désespéré par la grêle, dit qu'il veut vendre Malagar : ce n'est plus le romancier de l'Académie que nous avons devant nous, mais le paysan, descendant de paysan, le propriétaire, le vigneron ; son désespoir, sa nervosité font peine à voir. Et pourtant Malagar est privilégié si on songe au désastre qu'a causé la grêle dans les environs, où tout est ruiné, déchiqueté, perdu... En tout cas, papa ne vendra jamais son Malagar adoré[3]. »

Crotté, en sabots, il faut se remettre à Brieux, à ces affaires d'épée, de brochures, d'invitations. Paysan de Paris, personnage double, bien sûr, que cette grande colère sur sa terre, après cette grande peur sur son corps, après

1. Bientôt directeur du *Figaro*, dont Mauriac va devenir l'un des collaborateurs vedettes.
2. Journaliste catholique et monarchiste, organisateur de conférences littéraires, ami de la famille Mauriac.
3. Claude Mauriac, *Le Temps immobile*, 4, p 65-66

ce grand orage sur sa foi, met réellement à l'épreuve, une fois encore. Mais comme il rebondit bien chaque fois, tel un arlequin léger, déchiré et rieur, riant parce que déchiré, d'un œil pleurant et de l'autre, sous la paupière blessée, décochant cette lueur qui ne fait grâce à aucun ridicule, et surtout pas aux siens...

L'épée ? Faute de suivre les élans du « bon cœur » de François Mauriac et de distribuer aux pauvres les sommes recueillies à cet effet, ses amis la lui préparent éloquente : son pommeau portera, entrelacés, un nœud de vipères (celle de Valéry est bien armée d'un serpent), des pampres de vigne et une croix... Armes si parlantes, que le patient du Pr Hautant va tenter de les imiter. De lettre en lettre à ses intimes, il signale que sa voix lentement revient. Si peu exaltant que puisse être un éloge de Brieux, le faire, de surcroît, lire par Henry Bordeaux... Il aura droit (pour la première fois en ces lieux ?) à un microphone.

Qu'importe qu'il pleuve sur le quai Conti aussi obstinément qu'à Bordeaux, ce 16 novembre 1933 ? Dès avant midi, quelques dizaines de non-privilégiés piétinent sur le trottoir de l'Institut, espérant une place. Vers 13 h 30, les gradins et tribunes, sous la coupole, commencent à bruire d'une rumeur d'événement. Des dames, des ecclésiastiques, de futurs candidats, la famille proche et lointaine, les abonnés de *l'Écho de Paris* : les habitués, plus Bordeaux, plus l'Église.

(« Mon père, en grande tenue, magnifique dans son uniforme, monte avec moi dans un taxi... Je murmure : " C'est un beau jour pour vous, pour nous tous... " Il soupire : " Certes oui... si tout se passe bien. " L'Institut apparaît dans le brouillard. Mon père descend. Les photographes se précipitent... Je le vois un instant se prêter à leur jeu, devant la petite porte noire par où il va disparaître [1]... »)

Regard professionnel de Maurice Martin du Gard : « C'est le public de Valéry, celui qu'on n'avait pas rencontré sous la coupole depuis l'été de 1927 où le poète de *la Jeune Parque* vint y prendre séance. » Et de Gérard Bauer : « On s'était bousculé aux portes de l'Académie, et... la Garde républicaine avait dû repousser des dames âgées... La troupe des admirateurs de Mauriac comblait cette ancienne chapelle et l'on apercevait au centre les visages de sa grande et charmante famille émue par avance de l'épreuve [2]... »

(« En pénétrant sous la coupole, bondée, murmurante, j'ai l'impression, vite dissipée, d'entrer dans un cirque... A mesure que l'heure approche, mon cœur se serre. Enfin, de la coulisse, un roulement de tambours... Les gardes républicains présentent les armes à François Mauriac. Les tambours nous bouleversent... Je songe au désarroi où doit se trouver notre pauvre papa... »)

1. Claude Mauriac, *Le Temps immobile*.
2. *La Petite Gironde*, 17 novembre 1933.

Les tambours résonnaient encore quand François Mauriac entra, précédé de ses deux parrains, Paul Valéry et Henry Bordeaux. Il était pâle, mais moins fragile dans son habit lauré que ne l'espéraient certains. Il jeta un regard circulaire, un peu inquiet, sur cette assemblée si compacte... « Il tenait ses feuillets à la main sans nulle superbe, timidement, presque comme un élève... », précise Gérard Bauer. Et Martin du Gard : « Les yeux avaient l'éclair et le jais du lièvre surpris dans la saligue... On lui sentait des bouffées de fierté... »

A sa droite, sanglé dans un sombre uniforme au collet monté d'où jaillissait une face rubiconde, congestionnée, de sous-officier de la coloniale, Henry Bordeaux, son éventuel porte-parole ; à sa gauche, œil rieur, moustache d'argent, mèche soyeuse, jouant négligemment du pommeau de son épée, le gilet de l'habit bien apparent, Paul Valéry qui paraît s'amuser et lorgne discrètement les quelques jolies femmes qui ont cru conforme à leur gloire de scintiller dans cette lumière avaricieuse. Les deux « parrains ». Devant eux, Maurice Donnay, dramaturge galant qui porte encore beau, et le vieil Hanotaux.

(« Mon père, grand, mince, élégant dans son habit vert, s'avance entre ses deux parrains [...] jusqu'à sa place que désigne un microphone... La voix sèche d'André Chaumeix : " La séance est ouverte. La parole est à M. François Mauriac pour la lecture de son remerciement. ")

L'unique corde vocale qui lui reste prive la voix de François Mauriac des harmoniques qui la faisaient naguère chanter, de portées un peu appuyées en brisures ravissantes, jouant des diphtongues un peu sonores et des *o* girondins qui font le même bruit dans « rose » et dans « pause » — infirmité qui faisait la hantise de nos éducateurs... Mais l'amplificateur le sauve. Il émeut son public sans l'obliger à le prendre en pitié. Et sitôt qu'il paraît faiblir, Abel Hermant relance une « claque » affectueuse. Aussi va-t-il, dans un murmure glorieux, porté de gerbe de bravos en sourires sonores.

(« Pendant les premières minutes, je n'essaie pas de comprendre le sens de ses paroles, mais seulement de me rendre compte de la force de sa voix malade... Je suis vite rassuré. Lorsque les premiers applaudissements l'interrompent, je me tourne vers maman : " Ça va... " Le visage encore anxieux, elle me répond par une autre question : " Mais je crois, n'est-ce pas ? " La voix de mon père s'élève un peu rauque, mais distincte, belle, émouvante. »)

Brieux ? François Mauriac a tout de même préféré commencer par Barres, comme les grands virtuoses entament leur récital par leur cheval de bataille, leur Scarlatti ou leur Schumann préféré. Et c'est le tribut déjà payé si souvent à l'auteur de l'article de mars 1910 :

> « Si l'on peut dire qu'un homme de lettres vient au monde avec son premier livre, en la personne de Maurice Barrès votre compagnie s'est penchée sur mon berceau : elle m'a donné l'être et la vie. Avant l'extraordinaire fortune qui m'échoit aujourd'hui, mes vingt ans avaient eu déjà le bénéfice d'une élection singulière... Sans ce fils de Pascal, tout ce qui est humain ne me fût pas devenu l'objet d'une curiosité à ce point ardente... »

Brieux, enfin, pour la péroraison. Comment larder de flèches ce fils de menuisier du faubourg Saint-Antoine, si « méritant », désarmant pionnier du « théâtre social », fournisseur d'Antoine, défenseur des « bonnes causes », militant pour la justice, qui avait fini dans la peau d'un philanthrope en créant une fondation pour les aveugles ? Faute de cette proie, François Mauriac se fait les dents, qu'il a pointues, sur l'école unique, contre laquelle sa haine ne désarmera jamais, et le cinéma, qu'il qualifie alors d'instrument d' « abrutissement » — quitte à nuancer plus tard son point de vue. Retour à Brieux : était-il, comme on l'en loua, « un chrétien sans la foi, un saint laïque » ? Mauriac se hasarde à affirmer que, malgré lui, « la grâce pénétrait toutes ses pensées, tous ses actes... Il croyait avoir perdu la foi, mais il savait que le plus achevé des ouvrages de l'esprit ne vaut pas le moindre mouvement de charité. En revanche, beaucoup parmi nous, qui se flattent de croire à la vie éternelle, ont fait de l'art une idole à qui tout est dû »...

Ainsi, faute de pouvoir fouailler la dépouille de « son mort », Mauriac en revient-il à une autocritique qui risque — et pourquoi pas ? — d'atteindre au passage quelques-uns de ces vieillards qui somnolent pieusement autour de lui, derrière leurs binocles, dans les habits brodés alourdis de médailles.

(« Mon père devait nous dire qu'il avait craint de ne pouvoir tenir jusqu'au bout. " Vers les dernières pages, comme le cheval qui sent l'écurie, je partis au galop. Lorsque je fus assis, je compris, aux applaudissements, que mon discours avait porté. J'eus alors un moment d'euphorie extrême, de bonheur. "... Mon cœur aussi déborde de joie, nos yeux se croisèrent et il me sourit de façon charmante. Il a compris mon admiration, ma tendresse. »)

Un nœud de couleuvres

Voici venu le tour d'André Chaumeix, pour le discours de réception. Il a la mine banale, l'œil rusé, la moustache chafouine. Pour saluer Mauriac, pour lui faire un accueil éclairé par une sensibilité parente, on ne pouvait plus mal choisir que cet Auvergnat madré, que ce conservateur laïc, ancien condisciple d'Herriot à l'École normale, épigone moyen de Jules Lemaitre. Bien qu'il n'ait presque rien publié, c'est lui qui « fait » les académiciens. Donc Mauriac. Mais il déteste trop tout ce qu'il y a de subversif dans l'œuvre de celui qu'il accueille pour lui savoir gré de l'appui apporté par le romancier de *Genitrix* à *la Revue hebdomadaire* dont lui, Chaumeix, avait longtemps assumé la direction, flanqué de François Le Grix, vieil ami du nouvel académicien.

Il amorce son offensive en demi-teinte — d'une voix d'ailleurs presque inaudible : « Tandis que je vous écoutais... je voyais se transformer M. Brieux. Son regard clair se voilait de mélancolie, son visage [..]

paraissait soucieux, sa simplicité n'allait plus sans tourment [...] M. Brieux m'a donné l'impression de ressembler à un personnage de François Mauriac [...] prince orageux des inquiétudes infinies... »

Alors vont se succéder, dans l'inimitable style gris souris qui a cours en ces parages, les lieux communs dont la critique, depuis dix ans, fait patiemment écho à l'œuvre du romancier de *Genitrix*. On croirait lire une revue de presse, où se mêlent Souday, Jaloux et Thérive :

« Vous jugez la terre et les hommes en chrétien, pour qui le souci unique est le salut. Vous discernez partout le néant de nos divertissements et de nos joies... Devant le plus bel arbre, vous voyez le tronc mort, l'herbe pourrie ; devant le charmant visage, la chair périssable. Le vin même, gloire de votre région, n'est, pour vous, que le souvenir des étés défunts. La vie en fleurs semble l'entrée des tombeaux. Et dans cet univers, l'homme, qui s'imagine en être le roi superbe, participe de son impureté et de sa fragilité. Toutes les figures de sa destinée sont celles de la faim, du désir et de l'agonie. Comme vous détestez son amour du plaisir, sa légèreté, son oubli du ciel, qui seul importe !

Il y a en vous une puissance de sarcasme, une ardeur satirique qui donne un dur relief à votre œuvre. Vous avez tracé des portraits impitoyables d'oisifs, d'avares, d'ambitieux et de snobs. Vous ne leur pardonnez rien : ni la médiocrité de leurs occupations, ni la satisfaction qu'ils ont de soi-même ; vous dénoncez leurs tares physiques, leur embonpoint, leur teint congestionné, leur sclérose...

Et quand, de l'extérieur de cette humanité peu tentante, vous passez à l'intérieur de son esprit, c'est pire encore. Vous pourchassez les pensées secrètes. Tous tant qu'ils sont, deviennent la proie de la chair, demandent à la vie la satisfaction des sens, sombrent dans le dégoût ou dans le désespoir comme dans un désert de l'amour où les êtres incapables de se communiquer mourraient de leur solitude en commun. Vous êtes le grand maître de l'amertume.

A vous lire, monsieur, j'ai cru que vous alliez troubler l'harmonieuse image que je garde de votre région... J'ai failli prendre la Gironde pour un fleuve de feu, et la Guyenne pour un nœud de vipères... »

Ainsi parlait M. Chaumeix, comme le font les vieux mandarins appelés à présider les jurys de soutenance de thèse dans l'éclairage miteux des amphithéâtres de province. Mauriac n'en parut pas affecté — et ne l'était pas, tout à sa fête de famille...

Il n'est pourtant pas de discours si convenu qui ne puisse receler quelque épice, et prémonitoire. Ainsi André Chaumeix annonça-t-il à François Mauriac qu'il deviendrait un pamphlétaire, un réfractaire, un homme qui attend le jour de se venger d'on ne sait trop quoi qui le déchire. Dans l'esprit de ce conservateur hédoniste, c'étaient là autant de griefs.

« On regarda Mauriac, rapporte Maurice Martin du Gard, et l'on admira qu'il prît si bien cette sortie pour son entrée... Il encaissa son Chaumeix le mieux du monde[1]... » Spectateur attentif, Pierre Mauriac note : « François met dans un bon coin de sa mémoire les petites perfidies de Chaumeix à son adresse... » Le récipiendaire se rappelait-il, et s'apprêtait-il à resservir le mot d'Henri de Régnier malmené dans les mêmes circonstances par un illustre aîné : « Je le rattraperai au Père-Lachaise ! »

Académicien, donc, et heureux de l'être — même crucifié entre Bonnard et Chaumeix... Qu'il se fait peu d'illusions pourtant sur la Compagnie, sur cette sacristie sans amour, sur cette université sans diplôme ! Très vite, il est en situation d'apprécier la vacuité de ces rites — sommé qu'il est par une nouvelle série d'épreuves : « Dès le lendemain de ma réception sous la Coupole et de toutes les solennités qu'elle entraîna, je fus soumis à un traitement épuisant de rayons. Il fallait parader, sourire aux photographes, donner des dîners... »

Le bon point de vue pour juger ce genre de vanités. Mais le romancier, en lui, se pourlèche les babines. Il est trop habile pour prendre bientôt l'Académie pour cible (il faudra pour cela les vilenies, les déshonneurs de la guerre et de la décolonisation). Mais en attendant, l'observation de ces 30 et quelque bonshommes verts (il mettra toujours à part Valéry et Bergson, bien sûr, et quelques autres) est un exercice utile pour ce psychosociologue professionnel : le nœud de couleuvres ?

Il va sur ses 50 ans. Le 23 février 193 , après un long examen, son chirurgien, Hautant, lui donne l'assurance qu'il est désormais hors de danger. Son fils Claude entame ses études de droit, ses autres enfants grandissent sans histoire. Il écrit *la Fin de la nuit,* quitte *l'Écho de Paris* pour *le Figaro.* Il pense au théâtre — dont, plus qu'aucun drame contemporain, le *Don Juan* de Mozart lui fait entrevoir les infinies perspectives. La politique le guette. Il découvre aussi le monde extérieur, se laisse aller à voyager — du Portugal à l'Italie et à l'Autriche. Il renaît.

A mesure que se précise sa convalescence (« une convalescence douteuse, à laquelle je ne croyais qu'à demi »), il se reprend à rêver à tout ce qui jadis lui était objet de désir. Il se sent redevenir, aux approches de la cinquantaine, le jeune homme qu'il avait été :

> « ... L'étonnant est que ce faux printemps, cette floraison d'hiver se soit prolongée si tard, que la vie m'ait repris — ce que les hommes appellent la vie — pour aucune autre raison que d'avoir été au moment de me quitter, et

1. *Les Mémorables, op. cit.*, p. 117

que je l'aie embrassée alors, non d'une fugitive étreinte mais d'un embrassement prolongé, entêté [1]... »

Ce faux printemps, cette « floraison d'hiver », faut-il qualifier ainsi ce qu'il écrit alors — *la Fin de la nuit, les Anges noirs,* qui ne sont pas de ses meilleurs livres ? On a vu qu'il jugeait sans indulgence le premier. Le second ne manque pas de force. Mais quelque chose de strident, de crispé affaiblit cette sombre évocation d'un conflit cette fois purement spirituel — la référence à Bernanos est sensible, et lui sied moins bien que celle, proustienne, du *Mystère Frontenac* — entre l'ange des ténèbres Gradère, happé par la lumière, et l'ange de clarté, l'abbé Forcas, que la réversibilité des mérites semble courber vers l'abîme.

Est-ce la stérilisation académique si souvent observée ? Est-ce la fièvre politique, la participation croissante aux débats du siècle, qui drainent vers elles les forces vives de son inspiration, tarissant la verve romanesque ? Peut-être. Il n'est pas indifférent que ses deux meilleurs livres des années trente, après la floraison du *Nœud de vipères* et du *Mystère Frontenac,* soient son *Journal* de 1934 (sélection de ses articles de *l'Écho de Paris*) et la *Vie de Jésus,* qui, en 1936, ranimera autour de lui un débat constamment avivé ensuite par les conflits politiques et les formidables péripéties de l'histoire.

La *Vie de Jésus,* c'est un hymne fiévreux à l'humanité du Christ. Pour la ligne, la composition, le rendu, cette troisième « biographie » ne vaut ni le saisissant *Racine,* autoportrait ou « interportrait » du modèle par le peintre et du peintre par le modèle, ni peut-être le grave *Pascal,* dépouillé de tout décor, réduit à un dialogue de la nature et de la grâce, dédaigneux de ce qui n'est pas l'essentiel, et où l'auteur s'efface avec une humilité franciscaine. Mais la *Vie de Jésus* l'emporte peut-être sur les deux autres par le pathétique. Portrait-histoire d'un agitateur hérissé d'amour, courant à l'abîme dans un orage de charité. Livre imparfait à coup sûr, provocant de dureté, de violence. Livre qu'il fallait oser faire et qui sent très peu son Académie.

Le révulsif

Regardons-le, en ce temps-là, pris dans ce « costume de lumières » pour toreros retraités qu'est l'habit académique, vert et argent. « Une antilope vue par le Greco », diront tour à tour — dans quel ordre ? — et avec quelques variantes Léon Daudet, Georges Duhamel et Jean Cocteau. Le côté Greco est manifeste, cette maigreur ravinée, l'asymétrie du visage et du regard hanté, d'inquisiteur et de supplicié à la fois, de questionneur moins que de questionné, l'irradiation brûlante de cette face visitée où son ami André Lafon voulait voir l'évidente marque du génie, et André Gide le signe

1 *Nouveaux Mémoires intérieurs,* p. 238-239

d'une inquiétante inquiétude ; l'élongation presque caricaturale de la silhouette, la distorsion du cou gracile qu'il libère volontiers des cols impérieux encore imposés par la vie mondaine. On déteste ou l'on aime ce climat de grâce et de péché qui l'enveloppe, tout ce qu'il y a d'audace fiévreuse et d'humilité rétive dans tout son être. On aime ou l'on déteste que ce stylet qu'il porte à la ceinture, comme les cadets de Gascogne du temps de la guerre des Trois Henri, s'enveloppe d'une si redoutable douceur, et que tant de charme soit armé de pointes si aiguës.

François Mauriac, de l'Académie française, auteur de *Thérèse Desqueyroux,* de *la vie de Racine,* de *Dieu et Mammon,* du *Journal,* chroniqueur du *Figaro,* propriétaire de Malagar, époux de Jeanne Mauriac, père de Claude et de Claire, de Luce et de Jean, se présente au monde en personnage du romancero espagnol évadé de la fresque d'une chapelle de Tolède, habillé par Lanvin et provisoirement embaumé dans les honneurs académiques.

Mais l'histoire est là pour le sauver, pour le tirer vers le sommet de lui-même. Le romancier a donné ses chefs-d'œuvre (sinon son chef-d'œuvre de conteur, le mince, l'insidieux, le déchirant *Sagouin*). Le biographe, l'essayiste, le moraliste ont offert déjà la plupart de leurs maîtres textes. Mais l'ombre d'Hitler qui déjà s'étend sur l'Europe et le monde, et les déchirements qui bouleversent déjà la France, et puis l'Espagne, la justice bafouée, la liberté menacée, puis piétinée, lui préparent la matière d'une œuvre qui l'élèvera bien au-dessus de celle qui déjà lui assure une autre survie que celle que procurent les Quarante...

François Mauriac se déclarait, on l'a vu, incapable de suivre les conseils de Pascal touchant au « bon usage des maladies ». Ce qui était se calomnier. André Maurois et Maurice Martin du Gard ne furent pas les seuls à l'avoir jugé grandi et apaisé par l'épreuve de 1932. Et ne lui aurait-elle arraché que *le Mystère Frontenac,* comme sa crise religieuse lui avait inspiré *Souffrances et Bonheur du chrétien,* cette menace de mort ferait de Mauriac, en ce domaine aussi, un reflet lointain de Pascal — sinon de Proust.

Mais plus difficile que cet « usage »-là, plus rare, est le bon usage de l'Académie, dont on ne connaît guère d'exemple. Une sorte de loi veut qu'entrés dans la Compagnie du quai Conti les écrivains y tombent dans la stérilité, à l'exemple de leurs collègues militaires qui n'y gagnent plus guère de batailles. Règle observée chez les écrivains de très haute stature, comme Claudel, aussi bien que pour les petits maîtres comme Cocteau.

Chez Mauriac, il s'agira moins de stérilisation que de reconversion. Aux yeux de ceux qui croient pouvoir estimer comme il le fit souvent lui-même que le romancier, chez lui, subirait plus cruellement les outrages du temps que le mémorialiste, l'essayiste ou le journaliste — la cérémonie de grand Mamamouchi à l'épée put lui être bénéfique : venant après les épreuves de la foi et de la souffrance, elle lui a donné conscience des limites de son art, et l'a incité à rechercher des sources de renouvellement.

Celle qu'il crut alors trouver dans le théâtre fut à tout prendre fallacieuse — encore que ses deux premiers essais en ce domaine, *Asmodée* et *les Mal*

Aimés, ne soient pas sans beautés. La distance qu'il prit par rapport au roman fut due à la meurtrière dénonciation de Sartre, en février 1939, plus qu'à toute autre cause : sa verve romanesque n'était pas si tarie qu'elle ne lui ait inspiré *la Pharisienne, le Sagouin, Un adolescent d'autrefois.* Mais rien ne peut faire qu'il ne soit désormais l'homme qui se prépare à atteindre à la grandeur par *le Cahier noir,* les *Mémoires intérieurs* et les *Bloc-Notes.*

Ce « bon usage de l'Académie », Mauriac le découvrit dans la contradiction. Ce rebelle, ce rétif, ce sarcastique, c'est dans la fréquentation de ce conservatoire du conservatisme, de ce musée de la bourgeoisie confite en gloire, qu'il puisera une bonne part de son inspiration. Comme *Thérèse* est par bien des points un geste de rupture avec les principes et les règles de son milieu d'origine, un bris de clôture, de même une large part de son œuvre, à partir de 1933, sera une protestation contre le système de valeurs qui sert de corset aux vieux messieurs de l'Académie — compte tenu des clins d'œil complices qu'il y échange et y échangera avec Valéry et Bergson, avec Jean Rostand et Jean Paulhan.

Sans la fréquentation, sous leurs communs bicornes, de Charles Maurras et de René Doumic, d'Abel Bonnard et d'André Bellessort, aurait-il été aussi férocement, aussi bravement l'auteur du *Cahier noir* et du *Bloc-Notes ?* Pour en faire bon usage — et non sans parfois céder aux charmes de quelques rites et aux entraînements de quelques vanités —, il prit la potion académique comme un révulsif, après l'avoir reçue, dans l'esprit des Quarante, comme un dernier sacrement.

IV

Les autres

13. Le sang des pauvres

Les deux hommes qui s'affrontent en lui, le grand bourgeois affamé d'ordre et le chrétien assoiffé de désordre évangélique, ni la crise religieuse et morale de la fin des années vingt, ni la menaçante maladie, ni l'Académie ne savent les rassembler. Faut-il pour autant définir Mauriac d'un trait, avec Benjamin Crémieux, comme « celui qui a horreur de la contrainte et peur de la liberté » ?

Comme la nature et la grâce poursuivent en lui leur orageuse cohabitation, le Mauriac d'ordre et le François de justice continuent leur intime combat, le bourgeois catholique triomphant jusqu'au milieu des années trente, le chrétien rebelle prenant ensuite une revanche constamment combattue. Mais la vie d'un homme, fût-ce sa vie politique [1], ne peut se ramener à un schéma aussi simple, ni être dessinée sur un cadran solaire. Ni jour ni nuit : c'est à l'aube et au crépuscule que se jouent ces parties-là.

L'histoire du citoyen Mauriac n'est pas celle d'une simple conversion, d'un glissement de la droite à la gauche — parcours d'ailleurs peu banal, que n'avaient guère connu avant lui que Victor Hugo, Lamartine et d'une certaine façon Chateaubriand. On ne peut y voir une manière de révolution-révélation, une illumination sur un chemin de Damas situé plutôt du côté de Madrid. Pas de « miracle espagnol ». Un long cheminement entrecoupé, contradictoire, fait de marches et de contre-marches, de sincérités successives, parfois simultanées.

C'est la démarche d'un homme de la fin de XIXe siècle plongé dans les fureurs du XXe, mené par sa sensibilité, sa culture classique, un sens politique étonnamment subtil, très méridional, très « gascon » ; d'un homme né riche, bourgeois, provincial et catholique, puis chargé d'une assez nombreuse famille, et qui, armé d'un incomparable talent de polémiste et doté de diverses tribunes d'expression, vécut deux guerres mondiales, l'avènement du bolchevisme, le surgissement des fascismes, le crépuscule des empires coloniaux et la décadence d'une classe dont il s'affirma solidaire sans cesser d'en dénoncer les mœurs et le comportement.

Mais s'il importe de garder le sens des nuances à propos de cet homme pétri de nuances et de contradictions, on peut suggérer que, du point de vue

1. A la « politique de François Mauriac » a été consacrée une thèse de M. Kherig, sous la direction de M. Jean Dupuy, de l'université de Nice, 1965 ; premier ouvrage sur le sujet, d'une lecture utile.

politique, son personnage est fait, à l'origine, de trois composantes fondamentales. D'abord le goût de l'ordre — nationaliste, bourgeois, religieux, esthétique. Ensuite la passion de la justice, qui l'animera timidement sur le plan social, plus bravement s'agissant de sa patrie, hardiment dans le domaine de la colonisation. Enfin l'horreur de toute forme d'embrigadement. Données essentielles qui se traduisent en quelques principes sociopolitiques d'où pourrait se déduire l'ensemble de ses comportements publics, si l'improvisation, les élans de la sensibilité, les trouvailles du « flair » n'avaient pris souvent le pas sur toute autre donnée.

Chrétien, François Mauriac est un adversaire déterminé de toute forme de politisation de l'Église catholique, de toute inféodation de la hiérarchie à une forme quelconque d'organisation ou d'idéologie politique. C'est d'abord ce qui le jettera dans le combat espagnol, indigné qu'il est de la collusion avouée entre les dignitaires du catholicisme espagnol (et romain) et la « croisade » franquiste. Mais ce laïque spontané n'en est pas moins un adversaire militant du laïcisme institutionnel. Jusqu'au moment où Hitler et Franco prirent leur relais dans son « enfer », l'école unique, le radicalisme et la franc-maçonnerie furent ses cibles favorites. Non seulement parce qu'il est un catholique flamboyant, mais parce qu'il a lucidement perçu que l'anticléricalisme peut être l'alibi du pire conservatisme social.

Retenons enfin un aristocratisme, un élitisme qui fondent son dédain du système parlementaire. Ce n'est pas lui qui, à la manière d'Albert de Mun et de Maurice Barrès, deux de ses maîtres, se serait fait élire pour siéger au Palais-Bourbon entre Déroulède et Jaurès. Le langage, les mœurs, le comportement et les procédures des élus de la Chambre ou du Sénat, sans distinction d'étiquette, le font se hérisser. Pour ce Girondin, pour ce Landais plutôt, tout député est un radical et tout radical est un opportuniste rapace. Quand, en 1933, se déchaînera sur le pays la fièvre antiparlementaire provoquée par l'affaire Stavisky, elle trouvera en Mauriac un foyer d'accueil particulièrement propice — et nul plus que lui ne sera d'abord envoûté par la campagne antidémocratique de Philippe Henriot, député de Bordeaux.

Si François Mauriac évite alors de basculer, comme ses amis Ramon Fernandez et Drieu La Rochelle, dans le camp du fascisme, c'est grâce à son admirable sensibilité que mettent tour à tour en alerte le sectarisme de Maurras, l'inconsistance de La Rocque et la brutalité de Doriot.

Le camp des gendarmes

Aux approches de la cinquantaine, le propriétaire de Malagar — un domaine qui lui procure plus de tracas qu'il n'accroît ses revenus — est, dans la totale acception du mot, un homme de lettres. Un homme qui vit de sa plume, et dont l'existence est liée aux aléas d'une carrière littéraire éclatante mais que ne marquent pas les triomphes alors remportés par André Maurois, Jules Romains ou même le Bernanos de *Sous le soleil de Satan*[1]. On ne peut donc parler de lui comme d'un homme riche.

Les Mauriac vivent avec leurs quatre enfants dans une aisance attentive au moindre écart. Gestion habilement bourgeoise des fruits d'une inlassable activité de romancier-journaliste — qui, à vrai dire, ne se pose guère de problème de subsistance — comme le fait par exemple son ami Charles Du Bos. Il voyage en 1re classe (sauf, parfois, pour aller à Lourdes...), dîne dans les meilleurs restaurants et reçoit volontiers chez lui.

Mais pendant deux ou trois ans, Jeanne Mauriac met les siens, par économie, à la viande congelée et ses enfants sont élevés dans cet inimitable esprit d'économie bourgeoise et provinciale qui fait découvrir à cette catégorie d'adolescents, plus tard qu'à la majorité de leurs condisciples des lycées parisiens, certains des plaisirs de la vie. L'appartement du 38, avenue Théophile Gautier, où les Mauriac sont installés depuis le début de 1931, est spacieux et confortable. De Vémars, belle « campagne » de Seine-et-Oise héritée de la famille de Jeanne Mauriac, aux vignes de Malagar, on n'est pas privé d'espaces verts. Mais tout cela est fonction d'une fécondité littéraire que ni la terrible épreuve de 1932, ni même l'élection à l'Académie n'ont réussi à tarir.

Harcelé par le sévère M. Brun, sergent-major des Éditions Grasset, Mauriac court tous les ans s'enfermer quelques semaines au Trianon-Palace de Versailles ou à Malagar et là, fiévreusement, couvre de sa petite écriture crispée le cahier d'écolier posé sur ses genoux serrés. Ainsi naissent alors *le Mystère Frontenac* et *la Fin de la nuit,* la *Vie de Jésus* et *les Chemins de la mer* — qu'il a intitulé d'abord Mammôna[2]. Il écrit, il écrit...

Pour n'être pas à proprement parler un homme riche — au moins jusqu'au début des années cinquante — le François Mauriac de ce temps-là n'en a pas moins des réflexes de possédant. On ne prétendra pas que s'il écrit à *l'Écho de Paris* puis au *Figaro,* c'est parce qu'il veut protéger ses pins, ses vignes et ses capitaux. Mais qui peut dissocier dans ces réflexes d'amateur d'ordre le souci esthétique ou nationaliste de la prudence de l'épargnant ou de la passion terrienne du propriétaire ? Il ne faut pas toujours beaucoup d'hectares ou de titres pour jeter un homme dans le camp des gendarmes.

A la fin du premier tiers du siècle, au moment où s'amorce en France la montée des forces de gauche qui aboutira à la victoire du Front populaire et où le nazisme dresse soudain ses insignes sur l'Europe, l'ancien silloniste bordelais est devenu — pour reprendre sa propre formule — un « bourgeois de droite ». Il collabore à *l'Écho de Paris,* organe moins conservateur que réactionnaire, dont le directeur, Henri de Kerillis (engagé plus tard dans la résistance contre le nazisme) est le porte-parole alors le plus véhément de l'ordre nationaliste et dénonce en toute occasion le comportement des

1. Tiré à 140 000. *Le Nœud de vipères* le fut à 45 000 en un an.
2. C'est le titre sous lequel il est d'abord publié dans *Candide.*

« politiciens ». Ainsi fait Mauriac. Dans un « fragment de journal » publié en 1932 dans la *NRF*, on lit ceci :

> « La souillure de leur cœur explique la bassesse des professionnels de la politique. Ils sont à vendre parce qu'ils ont des passions à assouvir (c'est, dirait un sceptique, ce qui les rend inoffensifs). »

L'écrivain qui, en 1925, répondait aux enquêteurs de *la Revue hebdomadaire* qu'un homme de lettres ne saurait se mêler de politique et qu'il se sentait pour sa part aussi étranger à ceux qui y intervenaient « qu'à la corporation des hommes-sandwichs ou à celle des croque-morts », semble de plus en plus disposé à descendre dans cette arène souillée. Il y a tant de façons de « ne pas faire une politique »... Ses articles de *l'Écho de Paris* reflètent de plus en plus clairement des partis pris où l'esthétique a peu de part. Quand il évoquera ces textes dans la préface des *Mémoires politiques* écrite trente ans plus tard, il lancera négligemment qu'il devait ne s'avancer qu'avec prudence, ayant affaire « à des directeurs et surtout à un public avec lesquels c'est peu de dire que je n'étais pas accordé ».

Pas accordé ? On relatera plus loin l'incident qui provoqua la rupture entre Mauriac et Kerillis, en 1934. Mais pendant plus de deux ans (1932-1934) ce candidat à l'Académie devenu « immortel » se comporte en parfait porte-parole de sa classe et seul son grand talent le distingue de rivaux tels que Jules Sauerwein ou Léon Bailby. Quoi de plus conformiste, quoi de plus accordé à ce qu'écrivaient alors les éditorialistes du *Jour* ou du *Matin* que « Les bavards et le héros » où, le 2 février 1933, Mauriac oppose à la cohorte nauséabonde des parlementaires le jeune explorateur de Smara, Michel Vieuxchange, qui vient de mourir aux portes de la cité saharienne[1] ? Tous les thèmes de la droite classique sont là rassemblés, du culte du héros solitaire à la dénonciation des élus et des partis. Quel texte pouvait ravir plus totalement ses directeurs et son public que celui-là, ou que la chronique intitulée « L'homme qui ne vient pas » (1er juillet 1933), appel à peine déguisé au leader providentiel ?

François Mauriac est alors, et plus encore que vers le milieu des années vingt, en état de grâce bourgeoise : académicien, « converti », et convertissant le plus féroce de ses héros, le Louis du *Nœud de vipères,* rompant même avec le « familles, je vous hais ! » gidien. Les seuls débats politiques qui l'agitent encore opposent en lui la droite classique et l'extrême droite monarchiste, le conservatisme légal et la tentation du coup d'État. Hésitations qui se résument en deux questions : être ou ne pas être avec l'« Action française », emboîter ou non le pas aux avocats d'un pouvoir plébiscitaire inspiré du système mussolinien ? Nous le verrons s'avancer vers les uns et les autres, hésiter, balancer, flairer la grosse bête fasciste et s'en détourner, dégoûté, avant d'entrer enfin dans le combat contre le nazisme.

Sur les rapports singuliers entre Mauriac et Maurras, nous avons déjà jeté

1 Et dont Claudel préfacera les *Carnets*.

quelques lueurs — citant les lettres qu'il écrivait à son frère Pierre, le monarchiste. Presque toutes reflètent un mélange d'attirance et de répulsion, d'admiration pour le système d'analyse maurrassien et de refus du sectarisme et de la pensée enrégimentée. Nulle n'est plus typique que celle-ci, qui date du 28 juin 1928 :

> « Certes, *l'A.F.* m'est sympathique, et en toute occasion je prends sa défense : mais c'est du dehors. Plus j'avance dans la vie et plus je sens le besoin de liberté, plus je hais les systèmes, les formules. Ce que *l'A.F.* découpe du réel, de l'humain, me paraît si pauvre ! Voir le monde, les hommes, les institutions, les littératures, à travers les lunettes de Maurras — croire tout perdu ou sauvé selon que telle recette sera ou non employée, c'est peu de dire que je ne le comprends pas. Je ne comprends même pas que des hommes réfléchis s'y puissent résigner. En réalité, il s'agit ici bien moins d'intelligence que de passion... »

Et à l'adresse de ce frère qu'il aime et admire, il formule cette suggestion généreuse, et qui va peut-être assez loin dans la vérité — au moins pour ce qui a trait à Pierre Mauriac : « Cette passion politique, patriotique, reflète le goût d'une âme naturellement chrétienne pour souffrir persécution et demeurer fidèle contre vents et marées. »

Cette résistance à la fascination maurrassienne qui reste la note dominante de ses lettres à son frère royaliste, on n'en retrouve plus trace dans sa correspondance avec l'ennemi résolu de *l'Action française* qu'est Henri Guillemin. Sommé par cet antimaurrassien de se déprendre de ce type d'inclination, Mauriac se retrouve, par réaction, étrangement attiré par le « nationalisme intégral ». Ainsi écrit-il à Guillemin en décembre 1927 : « Les étudiants d'Action française m'ont demandé de présider leur réunion, salle Bullier. J'ai refusé, par lâcheté... Ça a dû être rudement beau ! » C'est l'époque où, à propos de *la Vie de Racine,* le journal de Maurras écrit que « la vie de M. Mauriac donne un bel exemple d'ordre ». L'éloge suprême... Fallait-il que Mauriac donne des signes d'envoûtement pour être ainsi prié de s'afficher, salle Bullier, face à un auditoire étudiant !

En novembre 1928, nouveau plaidoyer maurrassien de Mauriac à l'adresse de Guillemin : « S'il est un homme en politique qui me semble profondément convaincu, c'est bien Maurras. Trop convaincu pour être aussi habile que vous le croyez. » Et quand il annoncera sa « conversion » à son jeune ami — c'est l'époque de l'intervention de l'abbé Altermann — Mauriac laisse échapper cette espèce de cri de regret : « Et maintenant, sale gosse, triomphez : je me suis désabonné de *l'A.F.* J'en suis mystiquement, et c'est auprès de Jésus-Christ qu'il faut maintenant la servir... » Mystiquement ? Voilà qui va plus loin peut-être que l'argumentation antérieure. En tout cas, il aura donc fallu la condamnation par Rome du nationalisme intégral, et les remontrances ou sommations de l'exigeant « directeur » spirituel qu'il s'est donné, il aura fallu l'anathème romain et le magistère de l'abbé Altermann pour le détacher de *l'Action française*...

Un an plus tard — est-ce l'influence de l'impitoyable « convertisseur », ou celle de Du Bos ? — le ton change : « Le document[1] signé par *l'A.F.* est une reconnaissance de toutes leurs erreurs. L'Église n'a pas reculé d'un pas... Mais au fond, nous savons qu'ils n'ont pas changé. Tout le monde triche... Et nous, nous sommes attachés à la seule vérité... » Les distances sont prises. Et ce ne sont pas les divers rapprochements opérés alors par Mauriac, avec Maritain dans le cadre de *Vigile,* puis avec les dominicains de *Sept,* anathèmes à Maurras, qui permettront de renouer les liens — non plus que les manœuvres que le romancier de *Frontenac* voit se dérouler autour de lui, à l'Académie, en faveur de l'élection de Maurras et contre celle de Claudel. A partir de l'été de 1933, les chemins de François Mauriac divergent définitivement de ceux de Charles Maurras

La droite reste néanmoins son milieu naturel, celle dont *l'Écho de Paris* est l'organe révéré. Pour le Mauriac du début des années trente, la république est un fait irréversible, un pouvoir à tout prendre légitime. Mais la France ne peut être gouvernée convenablement dans le cadre de la démocratie parlementaire telle que l'a modelée le radicalisme régnant. Ce régime d'assemblée, cette loi du nombre et de l'intrigue de couloirs doivent être corrigés par un exécutif fort : c'est le sens de la réforme qu'Henri de Kerillis préconise dans *l'Écho de Paris,* applaudi par son collaborateur. Le rêve de Mauriac, c'est l'avènement d'une droite musclée, de préférence sans recours à la violence. Ainsi écrit-il à Guillemin, en mai 1930 : « Nous avons enfin, avec Tardieu, un Poincaré de rechange, et qui me paraît même supérieur... » Supérieur en tout cas pour ce qui est du goût de l'autorité, sinon par le respect de la légalité.

La légalité ? La France ne manque certes pas d'hommes qui songent à y « rétablir l'ordre » — légalement ou pas. Le 20 mai 1931, François Mauriac déjeune avec le maréchal Lyautey et Louis Barthou[2]. Du récit qu'il fit de cette rencontre, à la table familiale, son fils Claude tire cette indication publiée dans *le Temps immobile :* « L'aide de camp du maréchal dit à papa que Lyautey veut se refaire une popularité avec son exposition coloniale[3] et qu'il songe avec complaisance à un coup d'État. Rien que ça ! » La note finale donne à penser que la perspective n'enchanta pas d'emblée le destinataire de la confidence.

Mais autour de Mauriac gravitent ou s'agitent des hommes qui, face à une telle éventualité, seraient beaucoup moins réservés. Certes, son ami Ramon Fernandez se situe encore « à gauche » et attendra plusieurs années encore avant de céder au vertige fasciste. Mais Drieu La Rochelle, rencontré à diverses reprises ces années-là, notamment pendant de communes vacances girondines, est d'ores et déjà acquis à un nationalisme « européen » peu timide pour ce qui a trait au choix des moyens d'action. Le thème de « l'appel au soldat » si cher à son maître Barrès flotte toujours dans l'air que respire François Mauriac.

1. De soumission à Rome.
2. Assassiné trois ans plus tard à Marseille aux côtés du roi Alexandre de Yougoslavie
3 Qui vient de s'ouvrir à Vincennes.

En juin 1933, à Henri Guillemin qui, dans une lettre, a fait le procès du chef militaire d'extrême-droite, ouvertement antirépublicain, qu'est le général Weygand, Mauriac riposte, comme outragé : « Votre lettre sur " Monsieur Weygand " éclatait bien mal à propos, alors que de toutes mes visites académiques, le seul grand souvenir est justement l'heure que j'ai passée avec cet homme extraordinaire, ce chrétien à l'âme transparente... Quelle tragique conscience de la situation. Avec quelle angoisse il m'a interrogé sur les tendances de la jeunesse ! » Le dernier trait est significatif. Quelques années plus tard, Mauriac saura lui donner le sens que ne manqua pas de découvrir aussitôt Guillemin.

C'est alors que le romancier du *Nœud de vipères* publie dans *l'Écho de Paris* deux chroniques, datées l'une et l'autre de juillet 1933, qui le montrent effrayé et fasciné à la fois par le fascisme : « L'homme qui ne vient pas » et « L'idée de nation ». Plus effrayé que fasciné ? Peut-être dans le premier de ses articles, où il plaide pour qu'aucun changement de régime « ne nous fasse oublier notre génie. Nous avons tout intérêt à demeurer nous-mêmes. Persée n'a pas eu peur de la Méduse. Il ne s'est pas transformé sous son atroce regard ; et finalement, il lui a tranché la tête ». Ceci est écrit quatre mois après l'installation d'Adolf Hitler à la chancellerie du Reich, et en un temps où certains porte-parole de l'extrême droite tels que François Le Grix, vieil ami de Mauriac, ne se cachent pas d'être fascinés par l'homme venu de Linz Ce que Mauriac dénonce ici, c'est peut-être moins la perversion intrinsèque du totalitarisme nazi, du racisme, de la religion de l'État, que son origine étrangère et sa voracité conquérante. Cette Méduse serait peut-être moins horrible, parlant français...

C'est avec une sorte de sympathie anxieuse, et non sans prendre ses distances par rapport à Déat et à Marquet[1] qui sont en train de tirer du socialisme d'étranges fruits, qu'il va quelques jours plus tard, dans une chronique symétrique, évoquer une certaine « Idée de nation » :

> « L'idée nationale créatrice, en dix ans, de l'Italie mussolinienne est (qu'elle soit bien ou mal utilisée par Hitler) le levain qui travaille l'énorme Allemagne ; cette idée, en France, gît à l'abandon ; nul doute qu'elle doive donner la suprématie au parti qui aura la force et l'intelligence de s'en servir [...].
> Ce serait tout de même un étonnant spectacle que de voir chez nous l'idée de nation revendiquée par les révolutionnaires et les idées pacifistes et internationales laissées pour compte aux bonnes gens venus de la droite, et dont la destinée commune est de ne pouvoir jamais être de gauche[2] quelque gage qu'ils donnent aux partis avancés [...] Il se fait tout un travail d'approche dont M. Léon Blum n'a peut-être pas conscience[3] et qui prépare les voies aux Déat et aux Marquet de demain, aux révolutionnaires qui auront l'audace de reprendre au fascisme ce que le fascisme a appris de nous : le culte de la nation une et indivisible... »

1. Animateurs du courant « néo-socialiste » qui va rompre avec la SFIO de Léon Blum pour donner naissance à un fascisme à la française.
2. On peut être prophète sur tout, sauf sur soi-même..
3 Oh si ! Il s'en déclare même, publiquement, « épouvanté »

On ne saurait pourtant interpréter comme un signe d'inclination vers le fascisme, ou même une simple tentation, le message qu'il adresse au printemps de 1933 à *Rex,* l'organe de Léon Degrelle qui le publie le 23 avril. Le chef du fascisme belge n'a pas encore mis bas le masque. Il n'est encore que le leader d'une organisation catholique imbue d'uniformes et de rassemblements voyants. S'il est un peu gênant de voir le nom de Mauriac s'étaler sur la première page de cette feuille, il est juste de dire que le texte, fort peu « politique », n'est guère qu'un appel du romancier à la fidélité catholique de ses lecteurs.

Un amateur de papillons

Mais voilà que l'événement va ouvrir la voie à ceux qui, en France, rêvent à une renaissance nationaliste et à un renouveau de l'autorité. A la fin de décembre 1933, le scandale Stavisky déchaîne les huées du bon peuple et les ambitions des aspirants au pouvoir musclé. François Mauriac frémit. Sa chronique de *l'Écho de Paris,* le 3 février 1934, intitulée « Le scandale et les passions », le jette au cœur de la mêlée : « Ces jours-ci, la politique haïssable s'impose à l'écrivain au point de lui interdire tout autre sujet... » Le voilà loin du détachement professionnel exprimé dans la réponse à *la Revue hebdomadaire* à propos des rapports entre l'homme de lettres et la chose publique. Et d'apporter sa pierre à la lapidation de la république parlementaire, qui est alors la cible favorite des « honnêtes gens ».

Entré dans le débat un glaive de feu à la main, en justicier plutôt qu'en analyste, il va rester plusieurs mois du côté de ceux qui exigent la déchéance de la république radicale et réclament un homme capable de « nettoyer l'État ». Dès le mois de juillet 1933, dans « L'homme qui ne vient pas », où s'exprimait une sorte de nostalgie de l'autorité, il avait lancé un nom : « Ce serait merveilleux, me disait un de mes amis, François Le Grix [...], Philippe Henriot a tout pour tenir ce rôle : beauté, jeunesse, éloquence, foi. Il ne reste qu'à le rendre populaire... »

Six mois plus tard, « l'affaire » joue le rôle d'une rampe de lancement en faveur du jeune député de Bordeaux à la voix de saxophone. Le voilà propulsé au premier rang et promu justicier. Le Barrès du scandale de Panama, de *Leurs figures ?* Henriot n'est pas un écrivain et sur ce plan, Mauriac ne peut être dupe. C'est même un esprit court et banal. Mais c'est un orateur éclatant. Le chroniqueur de *l'Écho de Paris,* qui est aussi le propriétaire de Malagar, est envoûté.

Il écrit le 30 janvier 1934 à Henri Guillemin, qu'inquiète, il le sait bien, la foudroyante ascension de ce démagogue d'extrême droite :

« Quelle atmosphère étrange. Cette fois-ci, c'est l'opinion qui marche à fond. Henriot est l'homme du jour. Saura-t-il mener son jeu ? Il a contre lui la maçonnerie aux abois et qui va faire front, la Sûreté générale et les gens qui sont prêts à tout pour garder leur place. En tout cas aux Ambassadeurs, l'autre jour, il a soulevé la foule. On s'écrasait aux portes… »

Aux portes de *quoi ?* Guillemin lui exprime son angoisse. Mauriac insiste, le 3 février :

« Je ne suis pas de votre avis sur Philippe Henriot. Son courage a été unanimement admiré. Dans les conférences qu'il fait actuellement aux Ambassadeurs et qui font courir tout Paris, il ne prononce aucun nom propre et ne touche qu'à l'essentiel, qui est le divorce entre le Parlement et le pays. Que voulez-vous, mon pauvre ami, le temps des services rendus [1] va cesser… »

Entre Mauriac et Henriot, deux traits d'union : son frère Pierre et son ami Le Grix. Tous deux sont monarchistes (le premier maurrassien, le second affidé du prétendant Sixte de Bourbon). Henriot ne l'est pas. Mais quand il s'agit d' « étrangler la gueuse » (ainsi appelait-on, dans ces milieux, la démocratie parlementaire), on ne saurait plus s'arrêter comme en 1873, à une question de drapeau. Au mois d'août précédent, à Malagar, François Le Grix qui se donne des airs de Cadoudal à perruque poudrée, a longuement vanté les mérites du député de la Gironde. Puis, à Saint-Symphorien, Pierre Mauriac a organisé un déjeuner entre son frère et Philippe Henriot — et le tribun a surpris l'écrivain en se montrant ce jour-là moins passionné par la politique que par les papillons.

Quand éclate l'orage du 6 février 1934 — l'assaut donné au Parlement par une foule en proie à tous les démagogues, ceux de *l'Action française* comme ceux de *l'Humanité* — tous les regards se tournent vers l'amateur de papillons qui reprend, sur le mode majeur, son réquisitoire tonitruant sans révéler la moindre aptitude à l'action. Le 7 février, alors que Mauriac est retenu à la salle Gaveau par une conférence qui lui a été demandée sur « La mère » (et que lit Jacques Copeau) c'est encore la cohue au théâtre des Ambassadeurs où Henriot vitupère une fois de plus le régime et appelle au grand « coup de torchon » sans susciter autre chose que les applaudissements fiévreux d'une bourgeoisie quelque peu effarée de sa propre audace, face au gouffre qui s'ouvre sous ses pas. Si Henriot avait cru en lui, en sa « mission », se serait-il enfermé dans ce théâtre mondain ?

Claude Mauriac et son ami Claude Guy (le futur aide de camp du général de Gaulle) se sont glissés dans les coulisses où, guidés par l'inévitable François Le Grix, ils retrouvent le procureur de l'antirépublique, et l'entendent leur donner « des détails passionnants sur les événements »,

1. Pour Mauriac, cette formule résume la maçonnerie et le radicalisme au pouvoir. L'étonnant est qu'il semble plaindre ici Guillemin d'être privé d'un système dont le moins qu'on puisse dire est qu'il profita peu

assurer que « Frot et Daladier sont fichus » et prédire que « la foule aura leur peau [1] ». Un peu plus tard, ils retrouveront Jeanne et François Mauriac errant sur la place de la Concorde jonchée de débris, tragique, encore tachée de sang... Dans *la Terrasse de Malagar,* Claude Mauriac évoquera le Philippe Henriot de ce jour-là, « debout dans les coulisses du théâtre des Ambassadeurs, grand, mince, beau, ténébreux, pour quelques minutes hélas, prestigieux. Dont je réentends la voix, admirable ». Et François Mauriac lui-même, dans un *Bloc-Notes* du 25 août 1969, évoquera « ce martyr d'une mauvaise cause [...], cet honnête homme fourvoyé ». Mais, en ce sens-là, qui n'est pas « honnête » ?

Admirable était, en effet, la voix de Philippe Henriot, comme durent l'être celles de Catilina ou de Rienzi. Mais simplement vouée à l'invective contre les libertés, elle allait vite sonner creux, puis faux, puis sinistrement aux oreilles très fines de François Mauriac — que divers incidents, signes et péripéties vont, tout au long de cette année trente-quatre, et surtout l'année suivante, arracher aux troubles enchantements du nationalisme autoritaire, dût-il être le prétexte aux vocalises d'un aventurier mélodieux.

Au surplus, il serait abusif de tout rapporter, chez le Mauriac de ces années-là, à l'influence et aux charmes de ce démagogue girondin. Au temps du 6 février et de l'affaire Prince [2], le romancier fut réellement bouleversé, dressé contre le régime, en rupture morale avec ce système de pouvoir. En témoigne un texte particulièrement polémique, publié par un petit bulletin paroissial, *l'Écho de Massillon,* qui le révèle à la pointe du combat :

> « L'histoire de ce mois de février 1934 qui vient de finir manifeste visiblement la lutte de la mort et de la vie, aux prises dans le monde. L'adversaire ne se cache plus : le masque mal attaché glisse sur son visage beau et terrible. [...] Tout homme attentif voit les lettres de feu éclairer l'assassinat du conseiller Prince. " La Maçonnerie, nous disait, voici trois mois, un confrère qui s'y était agrégé par curiosité, la Maçonnerie ? Eh bien ! oui : c'est le Démon. "
> Voilà deux mois que le pays soulevé exige la lumière : aucun grand coupable n'est encore sous les verrous ; les dossiers se dégonflent, se vident, les pièces essentielles disparaissent. La bravade d'une poignée de misérables s'exaspère, devient une moquerie vraiment surhumaine ; osons dire : angélique.
> L'ennemi ne se gêne plus : pour Stavisky, il s'était donné encore la peine de maquiller l'assassinat en suicide. Certes, personne n'y a jamais cru, ni dans le public, ni au gouvernement ; du moins, les apparences étaient-elles sauves et le président du conseil maçonnique pouvait-il feindre de s'indigner à la tribune contre ceux qui dénonçaient l'assassinat policier.

1. Claude Mauriac, *Le Temps immobile,* 2, p. 70. Frot est le ministre de l'Intérieur du gouvernement que préside Daladier.

2. Magistrat chargé des affaires financières au Parquet, qui avait tardé à poursuivre Stavisky et ses complices. Fut-il assassiné pour avoir enfin déclenché une enquête qui menait très haut ? Ou se suicida-t-il parce que son incurie revêtait un caractère scandaleux ? La gauche, dans son ensemble, adoptait la seconde thèse. La droite soutenait la première. Son corps fut retrouvé le 27 février 1934, déchiqueté par un train sur la voie ferrée Paris-Dijon, au lieu-dit La Combe-aux-Fées

Mais le meurtre du conseiller Prince nous permet de mesurer le chemin parcouru. Ici, tout apparaît dans son jour véritable : autour de ce cadavre broyé, le couteau, la carte de visite, la houppette de poudre témoignent chez les assassins d'une sécurité monstrueuse. Ils sont sûrs de demeurer impunis. Osons dire que, dans cette affaire, toute la France croit que c'est le crime qui, d'abord, a enquêté sur le crime.
Devant un tel déchaînement, il faut que l'effort de ceux qui au péril de ieur vie, se battent pour la justice, se double d'une mobilisation de toutes les âmes en état de grâce ; car les remèdes humains ne suffisent plus. Personne ne peut plus demeurer à l'écart de la bataille. Nous sommes tous engagés, de gré ou de force, dans ce combat qui est, qu'on le veuille ou non, d'ordre spirituel. »

Les « Eugènes » et l'espoir

Si François Mauriac se laisse alors emporter vers les confins de l'extrême droite, ce n'est pas seulement par réflexe « spirituel », indignation patriotique, exigence civique, ou parce que tel tribun fait vibrer en lui la corde barrèsienne : c'est aussi parce qu'une double exaspération est entretenue en lui, qui le dresse contre deux types d'intellectuels « de gauche » : les néo-jansénistes de la *NRF* gidienne, et les catholiques « progressistes » de la revue *Esprit.*

Que la *NRF* du début des années trente pût se faire largement l'écho du ralliement au communisme de Gide qui, pour être très individuel, n'en trouvait pas moins dans le cénacle des répondants tels que Bernard Groethuysen, Pierre Herbart, Aragon — sans parler de Ramon Fernandez et de Malraux, bien sûr — voilà qui met Mauriac hors de lui. A son ami J.-É. Blanche, qu'il sait plus indigné encore par cet état de choses, il écrit qu'il est « curieux de les voir tous, ces grands bourgeois de la *NRF,* pareils aux Mortimer de Cocteau, se précipiter dans la gueule de l'Eugène bolcheviste[1] ! » C'est une page du journal de Gide qui a provoqué la réaction de Mauriac : « J'aimerais vivre assez pour voir le plan de la Russie réussir... Tout mon cœur applaudit à cette gigantesque et tout humaine entreprise », écrivait l'auteur de *Paludes.* « Ainsi, commente Mauriac dans *l'Écho de Paris,* André Gide qui enseignait à notre jeunesse que chacun de nous est le plus irremplaçable de tous les êtres, désire maintenant le triomphe de la termitière bolcheviste, où toute créature sera interchangeable... »

Quelques semaines encore et le ton monte. Gide ayant écrit que son engagement « bousculait un peu d'excellentes âmes », Mauriac (l'humeur envenimée par Jacques-Émile Blanche qui brocarde la *NRF* « dont le dernier numéro serait à éplucher pour quiconque voudrait ausculter le malade pathétique qu'est l'intellectuel français de " gôche " : Monzie[2], Blum, ou

1 Cf. *Le Potomak.*
2 Député de Saint-Céré, longtemps ministre de l'Éducation nationale.

ces messieurs du côté de Gallimard : pareils... »), Mauriac, donc, prend feu[1] :

> « Mon dernier enfant[2] ne pouvait apercevoir un de mes amis indochinois sans se jeter passionnément dans ses bras. C'est que tu l'aimes bien ? lui demandai-je. “ Oh non, me répondit-il, mais c'est qu'il me fait peur ! ” La fascination que subissent quelques-uns de nos beaux esprits n'est peut-être pas d'un ordre très différent [...] Ces grands bourgeois des lettres, vêtus comme de luxueux voyageurs et munis des mirobolantes valises de Barnabooth[3] chiffrées NRF, s'approchent à pas comptés de l'Ogre bolcheviste avec force salamalecs... »

A André Gide qui écrit, dans un autre « fragment de journal », que « la religion et la famille sont les deux ennemis du progrès » et que le pouvoir soviétique est bien avisé de défendre aux prêtres de « malaxer le cerveau des enfants », Mauriac riposte dans un frémissement que c'est là « refuser l'existence aux martyrs de l'orthodoxie russe ». On est sorti de l'échange à fleurets mouchetés auquel se complaisent depuis longtemps les deux partenaires : les coups blessent si fort désormais, que la correspondance « privée » entre les deux écrivains s'interrompt pendant près d'un an.

Passant sur le plan public et portée à l'incandescence, la polémique n'en reste pas moins courtoise et abonde en points de convergence, en appels du pied. Le critique Fernand Vandérem s'étant étonné de ce qu'un riche puisse se déclarer favorable au communisme, Gide n'a pas de mal à lui rétorquer qu' « il est plus surprenant encore qu'un riche puisse se déclarer chrétien ». Et de citer l'Évangile, et d'arguer que « rien n'est plus opposé à la doctrine du Christ que le capitalisme », que « l'Église a partie liée avec les pires forces de ce monde, les plus essentiellement antichrétiennes : capitalisme, nationalisme, impérialisme... ce dont le Christ ne peut être tenu pour responsable » mais qui « laisse au communisme la partie belle ! ».

Mauriac, évidemment touché par ce type d'argumentation, saisit la balle au bond. Il va répondre en deux temps. Dans une lettre du 3 juin, il concède à Gide que le « reproche » de Vandérem est « absurde », mais regrette que Gide l'ait « retourné contre le christianisme ». (Qui ne l'aurait fait, pourtant ?) Et il ajoute : « Ce qui m'a été doux, en tout cas, dans ces pages, c'est votre désir de sauvegarder le Christ, de le tenir en dehors du débat... Ne le reniez jamais : tapez sur nous, qui ne sommes pas Lui ! »

Tapez sur nous : belle formule, de la part de ce polémiste qui, chrétiennement, va prendre les devants, dans une réponse publique publiée par *l'Écho de Paris,* le 14 octobre 1933. Alléguant les « épousailles » de François d'Assise et de Pascal avec la pauvreté, la doctrine sociale de l'Église et le rôle du syndicalisme chrétien que Gide, selon lui, ignore, Mauriac reprend le débat ouvert par *Dieu et Mammon,* prétend établir une relation de cause à effet entre « la vie honorable et les honneurs » et décoche contre Gide cette

1 « Les esthètes fascinés » dans *L'Écho de Paris,* 10 septembre 1932
2. Jean.
3 Le roman de Valery Larbaud

flèche du Parthe : c'est l'humaniste, bien plus qu'aucun dévot, qui risque de jouer les Tartuffe, lui qui « rajuste sans cesse son Dieu, qui est la raison humaine, à l'exigence de sa passion, [au contentement] de telle inclination... »

Pour se remettre de ce coup-là, il faudra bientôt quatre ans à Gide. C'est lui pourtant qui renouera leur correspondance longuement interrompue (1933-1937) en saisissant une perche que lui tendait Mauriac : au lendemain de la première représentation d'*Asmodée,* il fait observer à l'auteur que le personnage de Tartuffe provincial qu'il a créé là sera l'occasion que l'on dise « de combien de catholiques d'aujourd'hui [...], de combien de laïcs ou de prêtres [...] : c'est un Coûture ! » Mais le délicat M. Gide se garde bien, lui, de confondre le personnage et son créateur.

Entre-temps, le débat politique entre Gide et Mauriac aura pris la forme la plus bizarre : celle d'une manière de procès public auquel le néo-communiste de la *NRF* consentit à se soumettre au siège de l'Union pour la Vérité, le 23 janvier 1935, en présence de quelques-uns de ses « pairs » : Maritain, Guéhenno, Massis, Daniel Halévy et François Mauriac entre autres. Celui-ci exprima son étonnement d'entendre Gide affirmer que « depuis qu'il est communiste, il ne peut plus écrire ». N'était-ce pas se renier, se renoncer ?

André Gide fit valoir que toute orthodoxie étant incompatible avec la création artistique, et celle qu'implique le communisme lui paraissant « provisoirement indispensable à l'établissement d'un nouvel ordre social », il choisissait de se taire. « J'ai toujours écrit sans chercher du tout l'approbation du public. Mais si maintenant j'ai besoin pour écrire, de l'approbation d'un parti [...] je préfère ne plus écrire, encore qu'approuvant ce parti. » Ayant ainsi proclamé son choix entre Staline et Mammon, le subtil M. Gide eut le bon goût de ne pas opposer ce choix du silence « orthodoxe » à l'attitude de celui qui avait préféré ne pas suivre l'exemple de Racine et refusait, lui, d'opter tout à fait pour Dieu contre Mammon. Discrétion si habilement charitable qu'elle lui valut en conclusion l'hommage le plus chaleureux de son « ami armé » : ainsi Mauriac salua-t-il l'« être offert » qui, « plus qu'aucun de nos contemporains, permet à chacun de se mieux connaître ». Gide lui en garda une tenace reconnaissance.

Tout est prêt pour la grande réconciliation politique que permet, l'année suivante, la publication du *Retour de l'URSS,* encore que Mauriac ait accueilli d'assez curieuse façon la célèbre autocritique du voyageur désabusé : il devait écrire dans *Temps présent,* le 31 décembre 1937, que ce n'était pas là une « réaction particulièrement gidienne... (mais plutôt) celle de tout homme né chrétien et français ».

Le principe de contradiction qui continue de détourner Mauriac du camp qu'il avait d'abord choisi de rejoindre, adolescent, celui du Sillon bordelais, ce n'est pas seulement le comportement de ses confrères de la *NRF* fascinés par Moscou qui le nourrit, c'est aussi celui de ses anciens amis, groupés les uns autour de Marc Sangnier, les autres autour d'Emmanuel Mounier et qui cherchent dans l'Évangile, comme Gide, mais avec plus de rigueur, de modestie et de cohérence que lui, un manifeste de révolution sociale.

Mieux que Sangnier ou que Mounier, un homme incarne ce courant de pensée aux yeux de Mauriac, ne serait-ce qu'en raison de l'amitié qui les lie depuis 1925 : Henri Guillemin. Ce brillant professeur de lettres à l'université de Bordeaux (bien qu'il soit né au pays de Lamartine, du côté de Milly) avait longtemps été le secrétaire de Sangnier et avait épousé la fille du leader silloniste de Bordeaux, Jacques Rödel, inlassable adversaire électoral de Philippe Henriot. C'est à Pontigny, pendant la décade de 1925, que Mauriac avait fait la connaissance de ce jeune normalien, invité comme scribe du colloque.

Tout de suite, une complicité était née entre eux — notamment le soir où, cédant aux sollicitations du maître de maison, Paul Desjardins, Guillemin avait improvisé un exposé sur le christianisme social, suscitant les sourires condescendants des « humanistes » de la *NRF*, Gide et Martin du Gard en tête. Mauriac en avait été ulcéré, et du coup lié à cet adolescent en qui il retrouvait le frémissement de ses 20 ans. Quelques mois plus tard, incitant le jeune homme à revenir à Pontigny, il lui écrivait : « On sera bien heureux, tous les deux, à Pontigny. Et le Christ, présent en nous depuis le matin, siégera au milieu de ces docteurs de néant ! »

François Mauriac, qui a proposé d'être « avec Marc » (Sangnier) le témoin du mariage de Guillemin, va très vite constater à quel point sa route s'est mise à diverger de celle des fidèles du Sillon. Le 23 novembre 1927, il va même jusqu'à écrire à Guillemin : « Je suis de plus en plus certain que vos idées sont criminelles. La dernière manifestation de Sangnier aux côtés de Vaillant-Couturier[1] m'oblige à vous dire que je vomis vos idées... » Quelques années encore, et c'est un autre et plus cruel coup de griffe : « Vous êtes le disciple, en politique, d'un homme[2] dont la sottise met d'accord nationaux, radicaux, socialistes et maurrassiens... »

Et puis la création d'*Esprit* en septembre 1932, met le comble à la « réaction », de Mauriac, qui mande à Guillemin, d'ailleurs extérieur à l'équipe de Mounier : « Le christianisme et le bolchevisme s'y embrassent sous les mains bénissantes de Maritain. Mounier et les autres y écrivent un patois métaphysique et émettent autour d'eux un brouillard fuligineux... » Et parce que les articles de Guillemin dans *la Vie intellectuelle* rendent un son assez voisin de ceux d'*Esprit*, c'est sur son ami de Pontigny que s'acharne Mauriac :

> « Ce que vous haïssez, c'est l'ordre, c'est la grandeur, c'est la supériorité.. Derrière vos cris de haine, il y a l'éternelle révolte de l'esclave... Ce dont je vous en veux le plus, c'est de la tempête que vous soulevez en moi en mêlant le Christ Jésus à cet obscur soulèvement des passions les plus basses.. »

1 Leader communiste, chef de file des intellectuels du PCF
2 Marc Sangnier, évidemment.

La révolte de l'esclave, une passion basse ? (Dans quel esprit le Mauriac des années soixante aurait-il relu ces lettres-là ?)

Et de renchérir, le 3 février 1933, en lançant à son jeune correspondant cet avertissement furibond :

> « L'épouvantable équivoque qui donne aux traditions les plus vénérables le visage de Moloch et de Mammon, et qui enrôle le Christ dans l'armée de la révolution, n'aura pas d'adversaire plus déterminé que moi. Dès que je serai sorti de cette aventure académique[1], je suis décidé à mettre tout mon talent au service de ce que vous haïssez [...] Si vous croyez que l'amitié peut résister à cette division sur l'essentiel, libre à vous ! Moi, je veux bien... »

Au-delà de Guillemin, ce que Mauriac vise là, c'est évidemment le courant de pensée dont *Esprit* est devenu la principale expression. Le premier numéro, en septembre 1932, publiait pourtant, sous la signature de Nicolas Berdiaeff, une analyse critique, vigoureuse et nuancée, du communisme. Mais c'est une certaine dénonciation de la bourgeoisie, plus encore que la tentative de comprendre les valeurs et les fondements du marxisme qui, chez Mounier et ses amis, exaspère Mauriac : tout se passe comme s'il oubliait qu'il est lui-même l'auteur de *Préséances* et de *Destins*, et comme s'il se jugeait seul autorisé à vilipender les tares de sa classe.

Sous le titre « Les jeunes bourgeois révolutionnaires[2] », il va publier dans *l'Écho de Paris* un curieux article où il oppose au réquisitoire de Mounier et des siens contre la classe au pouvoir cet intéressant plaidoyer : « Le bourgeois est cette espèce d'homme si nécessaire au bonheur des nations qu'un pays qui a perdu sa bourgeoisie a le choix entre le marxisme et la dictature [...] Apprenons à ne pas croire à une pourriture de classe, à une vertu de classe. Existe-t-il une sainteté de classe ? » A quoi Pierre-Henri Simon riposta dans le numéro d'*Esprit* de juin 1934 en dénonçant, chez Mauriac, « une indifférence hautaine à la peine et à l'espoir des jeunes gens ». Un an plus tard encore, Mauriac polémiquera contre *Esprit* en citant avec indignation une formule de Mounier à propos du général de Castelnau qui, ayant perdu trois fils à la guerre, appelait au réarmement : « Général, trois fils, n'est-ce pas assez ? » (On sait par ailleurs que Castelnau dénonçait avec fureur les romans « immoraux » de Mauriac.)

Peine, espoir ? Voici venir le temps, justement, où tout va commencer à basculer, chez Mauriac, le temps où ces mots vont, dans son cœur et son esprit, comme chez beaucoup d'autres, changer de sens. Peine, espoir ? Ce « bourgeois de droite » qui, le 6 février, vibre encore avec Henriot et les ligueurs, qui met ses espoirs en Doumergue, qui morigène brutalement le démocrate-chrétien Guillemin et fulmine contre *Esprit*, qui refuse même de signer un manifeste d'« intellectuels » diffusé par la benoîte *Revue de France*

1 Son élection interviendra quatre mois plus tard.

2. C'est se donner de commodes moyens polémiques que de faire mine de prendre Mounier pour un bourgeois..

parce que ce texte dénonce également les deux totalitarismes de droite et de gauche, va opérer en ces mois qui séparent le début de l'été 1934 de l'automne 1935, le « virage » qui le conduira, à propos de l'affaire d'Éthiopie d'abord, puis au sujet de la crise espagnole, à prendre la tête d'un courant où ses amis verront autant de diabolisme qu'il en découvrait naguère lui-même chez Guillemin et chez Mounier. Un courant qui est celui du dreyfusisme, de l'antimachiavélisme, sinon du Sermon sur la montagne.

Entré dans l'année 1935 encore « bourgeois de droite », encore qu'un peu ébranlé dans ses certitudes, François Mauriac va en sortir, quelques semaines après avoir célébré son cinquantième anniversaire, rallié à la cause de l'antifascisme — qui le mènera très loin, et va faire de lui l'un des hommes les plus haïs de la droite et de la classe dont il est issu.

« Sept » et demi...

Cette révolution d'un homme contre lui-même s'amorce, comme toutes les révolutions, par un tout petit incident. Le 3 juillet 1934, Henri Guillemin reçoit une lettre où Mauriac lui tend ainsi la main :

> « J'ai dû renoncer à ma collaboration à *l'Écho de Paris*. Ils m'ont refusé l'article que vous avez lu dans *la Revue de France*, parce que j'osais y soutenir qu'un chrétien doit aimer ses ennemis, fussent-ils communistes. Alors je leur ai dit bonsoir ! »

Que ce congé n'ait eu d'autre cause que l'incapacité, chez M. de Kerillis, à concevoir qu'un chrétien puisse considérer un communiste comme un être humain, on ne saurait l'affirmer. Lors de la campagne académique de François Mauriac, un homme avait joué un rôle important, mettant toute son influence et ses relations au service de la candidature de l'auteur de *Frontenac* : Pierre Brisson, qui s'apprêtait à prendre la rédaction en chef du *Figaro* pour relancer ce quotidien prestigieux, alors moribond. En agissant ainsi, Brisson se plaçait en position favorable pour « enlever » à *l'Écho de Paris* le nouvel académicien, et en faire l'une des têtes d'affiche de sa campagne publicitaire, scandée par ce slogan : « *Le Figaro* retrouve sa plume ! », et rassemblant quelques-unes des signatures les plus célèbres de l'époque. En somme, l'algarade avec Henri de Kerillis tombait bien : ce qui ne signifie pas qu'elle fût une comédie.

Entrer au *Figaro*, dira-t-on, ce n'est pas s'afficher du côté de la révolution ! Certes. Mais en l'occurrence, c'est d'abord quitter *l'Écho de Paris*, organe par excellence de la droite militante, pour glisser vers le centre libéral qu'incarnait Pierre Brisson. Le « bonsoir ! » de juillet 1934 avait donc une signification politique. Il devait en prendre d'autant plus que Mauriac, parti sur ce chemin, ne limita pas sa première mutation à un passage de l'organe des hobereaux en colère à celui des notables satisfaits. Il accepta presque simultanément de collaborer à *Sept*.

Sept? C'est l'hebdomadaire que viennent de lancer les dominicains de Juvisy, qui ont une « antenne » boulevard de Latour-Maubourg. Ils publient déjà *la Vie intellectuelle* dirigée par le père Maydieu sous l'autorité du père Bernadot et du père Boisselot. Cette revue avait été créée en 1929, au temps de la condamnation de *l'Action française* par Rome. D'inspiration sobrement libérale, elle n'en bénéficiait pas moins du soutien déclaré du pape qui la faisait figurer volontiers sur sa table de travail et l'appellait « ma revue » — ayant en tout cas trouvé en elle un soutien dans sa lutte contre le courant de droite extrémiste qu'il avait dénoncé. Pour prolonger l'influence de *la Vie intellectuelle* hors des cercles restreints qu'elle touchait, les dominicains avaient choisi de créer *Sept*, visant à s'assurer la collaboration de quelques-uns des grands écrivains catholiques de l'époque, de Claudel à Maritain et de Mauriac à Bernanos. Étienne Gilson, Daniel-Rops, Pierre-Henri Simon, Gabriel Marcel furent les premiers à répondre à leur appel.

La collaboration de Mauriac n'allait pas de soi. Ces religieux sentaient un peu le fagot. Un léger parfum de progressisme... On citait à leur propos les noms de Maritain, de Guillemin, de Mounier. Voilà de quoi effaroucher le Mauriac de 1934. Mais le père Maydieu était bordelais, lui aussi, et issu du même milieu social et intellectuel que le romancier : et il avait bien de l'éloquence, et il parlait si bien de la tradition de Lacordaire ! Flanqué du père Avril, il sut convaincre Mauriac de coopérer à cette modeste et audacieuse entreprise. La démarche se situait au moment même — le printemps de 1934 — où l'auteur de *Dieu et Mammon* amorçait sa mue politique, après la poussée de fièvre de février 1934. L'exaltation avivée par l'éloquence d'Henriot est retombée. Il a pu mesurer la vanité, la légèreté, l'hypocrisie ou la faiblesse des animateurs du mouvement. Il lui arrivera encore de saluer la sincérité des masses alors mises en branle. Mais le mythe de l'homme providentiel s'est effondré, au moment même où, de l'autre côté du Rhin, les derniers masques du nazisme sont arrachés.

La collaboration de François Mauriac avec les dominicains « libéraux » de *Sept* ne fut pas pour autant exempte de tensions et de débats internes. Non que l'hebdomadaire fût un « brûlot » gauchiste. A relire aujourd'hui la collection de *Sept*, on est frappé au contraire par la prudence et le souci d'équilibre manifestés par les pères du boulevard de Latour-Maubourg. Jusqu'en novembre 1934, Mauriac n'y publie que des articles qu'il aurait pu donner aussi bien au *Figaro*, notamment sur la signification du 6 février et sur l'antinomie fondamentale entre christianisme et communisme. Gilson y fulmine contre Mounier — dans le style des lettres de Mauriac à Guillemin. Une interview du dictateur espagnol Primo de Rivera y fait écho à un éditorial contre le nazisme. Et quand des hommes de gauche comme Jouhaux ou Déat (il passe encore pour l'être) sont interviewés, après les notables de droite, Taittinger ou Coty[1] c'est sur un ton moins cordial. Bref, cet

1 Le parfumeur, pas le futur président

hebdomadaire qui fit figure, aux yeux de la bourgeoisie catholique française[1], de tract progressiste, apparaît maintenant comme une sorte de bulletin paroissial trempé d'humanisme démocratique.

Si Mauriac s'y juge parfois un peu « aventuré », c'est qu'il est encore tout empêtré de prudences conservatrices. Il est encore l'homme qui écrit à Guillemin (11 novembre 1934) : « Je hais le racisme de Hitler, mais la politique soviétique, c'est la guerre... » ; il est encore l'homme qui, à la demande du très conservateur *Journal*, accompagnera Laval en Italie et dont le reportage reflétera une indubitable admiration pour Mussolini ; il est encore l'homme qui, invité au Portugal pendant l'été 1935 avec quelques-uns de ses collègues, dont Georges Duhamel, enverra au *Temps* une correspondance favorable à Salazar ; et il est encore l'homme qui, le 22 mars 1935, écrit à Guillemin : « C'est Moscou qui nous arme, qui jette de l'huile sur le feu et qui nous amène peu à peu à une alliance d'où la guerre sortira à coup sûr, car rien n'empêchera le règlement de comptes entre Hitler et les Soviets. » Ce qui, avouons-le, n'est pas si mal vu.

Il est « en route », Mauriac, mais lentement. La générosité de cœur et la sensibilité politique, si fines chez lui, sont combattues par les pesanteurs sociologiques et les adhérences du milieu, des amitiés — Jacques-Émile Blanche, François Le Grix, Jacques Chardonne... A *Sept*, il ne donne d'ailleurs que quelques articles. Le premier, dans le numéro 2, est un cri de colère contre son ami Ramon Fernandez qui, dans la *NRF*, avait soutenu que le soulèvement du 6 février avait eu pour moteurs « la passion et l'intérêt ». — « Vous vous moquez de nous ! » clame Mauriac.

Il faudra attendre six mois pour qu'il publie un nouveau texte chez les pères — et ce n'est qu'en novembre 1934 qu'il pratique l' « ouverture à gauche » dans une chronique où, citant Léon Bloy, il dénonce le chômage et l'injustice sociale. Les trois articles suivants, en 1935, sont certes défavorables au fascisme, mais en février 1936, au lendemain de l'agression des camelots du roi contre Léon Blum sur le boulevard Saint-Germain, à l'occasion des obsèques de Jacques Bainville, il signe un billet dénonçant « les bons apôtres » qui exploitent l'affaire, assurant qu'un leader de la droite qui se serait mêlé aux funérailles de Barbusse n'aurait pas manqué d'être « réduit en chair à pâté ». Argument peu digne de lui, et qui ne le situe pas tout à fait encore dans les rangs du « peuple »...

Mais les forces qui travaillent malgré lui à accélérer son évolution politique et morale ne chôment pas. Notamment en Allemagne. L'accession des nazis au pouvoir, l'installation de Hitler à la chancellerie de Berlin ont d'abord éveillé sa méfiance, beaucoup plus que les débordements du fascisme italien Il faudra néanmoins attendre la liquidation des fidèles de Röhm lors de la « nuit des longs couteaux », l'assassinat du chancelier autrichien Dollfuss, les premiers massacres de juifs, les autodafés de livres qui se multiplient pendant

1 Dans ma famille, où une tante, qui y était abonnée, devait se défendre d'être « socialiste »

les années 1934 et 1935 pour le voir se dresser de toute sa hauteur contre ce déferlement de bestialité :

> « Ce que nous connaissons de nos adversaires est redoutable. Ils sont équilibrés à leur manière : ils compensent le massacre de plusieurs centaines d'homosexuels[1] par la décollation de deux tendres jeunes femmes[2]. Des monstres ? Non : des hommes pareils à tous ceux (et ils sont innombrables) pour qui la vie humaine est sans importance. Que leur fait, à ces êtres-là, la vie de millions d'hommes ? »

Non, décidément, il ne peut être du même bord que ce François Le Grix qui vient de rapporter d'Allemagne un petit livre intitulé *Vingt Jours chez Hitler* qui ne dissimule pas l'attirance exercée, sur cet ultraconservateur français, par le sanglant cérémonial nazi. Mais faut-il assimiler Mussolini à son émule allemand ? Tout le jeu de la France menacée par les aventuriers de Berlin ne consiste-t-il pas à détacher d'eux le dictateur latin dont la véhémence répressive ne va pas sans finesse diplomatique ? La droite française ne lui voue-t-elle une si vive, si constante admiration que parce qu'il est l'homme qui a fait assassiner les socialistes Matteotti et Rosselli, jeter en prison le communiste Gramsci ? N'est-il pas resté aussi par quelque biais l'homme qui a contribué à entraîner l'Italie aux côtés de la France, en 1915, dans la guerre contre les Empires centraux, et s'efforce de maintenir, face à Hitler, l'indépendance de l'Autriche ?

Ce sont les questions que se pose, au début de 1935, un François Mauriac en route pour Rome où *le Journal* lui a demandé d'aller suivre l'importante visite du ministre des Affaires étrangères Pierre Laval au Quirinal et au Vatican. Les récits qu'il en fait, tant dans ses lettres à sa femme que dans ses articles du *Journal,* font voir combien il reste sensible aux séductions de l' « ordre » et du « prestige » : le Duce ne laisse pas de l'impressionner et Pierre Laval d'exercer sur lui une singulière séduction.

Lettre à Jeanne Mauriac : « Hier matin, audience de vingt minutes du Saint-Père. J'avais beau m'attendre à être déçu... Hélas ! Il suffirait d'un mot, d'un geste, d'un regard quand on est le pape pour bouleverser un chrétien. Mais ce vieillard glacé, cette espèce de père Plazenet sans le sourire... ! » Mais à l'intention des lecteurs du *Journal,* Mauriac se dit « presque accablé » par le prestige pontifical.

Mais s'il est bien compréhensible qu'il ait tenté, dans ses articles, de disculper Pie XI de l'accusation de germanophilie qui lui est alors faite dans beaucoup de milieux français, il est plus surprenant que le visiteur ait cru discerner « une authentique sainteté », non chez Pie XI mais, sous la

1. Le capitaine Röhm et les cadres des « Sections d'assaut » hitlériennes.

2. Au début de 1934 avaient été arrêtés à Berlin l'espion polonais Jerzy Soznowski et trois jeunes Allemandes de la plus haute noblesse prussienne : Benita von Falkenhayn (fille du ministre de la Défense), Renata von Natzmer et Irène von Iéna, qui coopéraient avec lui par amour, semble-t-il. Les deux premières furent condamnées à mort. La troisième et Soznowski, aux travaux forcés à perpétuité. Benita von Falkenhayn et Renata von Natzmer furent décapitées à la hache. Irène von Iéna vit encore en Allemagne. (Note due à l'obligeance du Pr Georges Mond.)

pourpre dont il est revêtu, dans le secrétaire d'État Pacelli, « très beau, très austère, très doux, d'une vie mystique qui se sent profonde [...] impressionnant. Puisse-t-il être le futur pape ! Si Maurras qui m'attaque savait que j'ai plaidé (ici) la cause de *l'A.F.*[1] ! » Et si François Mauriac savait, lui, que ce « saint » qu'il souhaite pour pape sera Pie XII...

Quant à Mussolini, nous l'en verrons quelque peu coiffé. Ce n'est pas sans un peu d'hypocrisie qu'il note, dans le premier de ses articles, que contrairement à ce que montrent les actualités cinématographiques en France, les Italiens ne passent pas leur temps « à défiler par quatre en levant le bras ». Commode satisfecit accordé au fascisme. Tout au plus décèle-t-il, sur le visage de cette Italie-là, « une légère crispation ».

De la réception offerte par le Duce le 5 janvier au palais de Venise, il tire, dans une lettre à sa femme, une description plus saisissante que celle dont bénéficieront les lecteurs du *Journal :*

> « ... Dans la cohue, un cercle grand, vide qui bouge à mesure que le Duce avance. Je l'ai contemplé à loisir : un drôle de petit homme qui joue de son admirable prunelle. Quand il fixe quelqu'un, il fait converger sur lui seul son regard d'un voltage formidable... et tous comme des chiens autour de lui... Très napoléonien, très bel acteur comme l'était Napoléon [...] A peine a-t-il entendu mon nom qu'il répond, sans hésiter : " Ah ! oui, j'ai fait demander vos articles sur Rome. " »

Une seconde rencontre eut lieu à l'occasion du dîner offert par Laval au chef du gouvernement italien, à l'ambassade de France. Dans les *Nouveaux Mémoires intérieurs,* Mauriac a évoqué ce dîner « dans un palais Farnèse truffé de policiers... Il me semble me rappeler qu'il fut glacial ». Qu'il y eût ou non une troisième entrevue chez la comtesse Pecci-Blunt, il reste que de ce séjour de janvier 1935, Mauriac retira une impression plutôt favorable au dictateur italien — et sa déception n'en fut que plus vive, et son retournement plus radical, quand il vit le Duce piétiner sans vergogne ses engagements internationaux pour se jeter sur l'Éthiopie.

Restent ses articles, qui reprennent les antiennes de la presse de droite à l'époque sur le fascisme bâtisseur : « Mussolini poursuit l'œuvre de la République, de l'Empire et des papes : par lui l'histoire de Rome continue. » Propos qui lui paraîtra assez démodé, deux ans plus tard, pour être supprimé de la sélection d'articles intitulée *Journal.* Mais on y retrouve des développements comme celui-ci :

> « Aux vertus théologales qui, avant lui, avaient régné sur la ville, à la foi, à l'espérance, à la charité, (Mussolini) en a ajouté une quatrième : l'hygiène. Au seul son de sa voix, des quartiers misérables sont anéantis, des maisons ouvrières aussi belles qu'à Paris et à Londres poussent comme des champignons... »

L'humour discret dont il saupoudre ces éloges, Mauriac sait bien que ses lecteurs du *Journal* ne le décèlent guère...

1. Lettre à Mme Mauriac, 5 janvier 1935.

A Rome, pourtant, Mauriac n'a pas fréquenté que les puissants et les illustres. Il écrit le 5 janvier 1935 à son cher Charles Du Bos :

> « ... Je pense à vous dans toutes les églises de Rome. Aucune des impressions que je redoutais ne m'atteint ici : je n'aurais jamais cru qu'on y touchât de la main l'Église primitive comme je le fais chaque jour dans les Catacombes et les basiliques. Ces " graffiti ", ces invocations à Pierre et Paul tracés par les chrétiens du second siècle dans la même forme, avec les mêmes mots dont nous usons : je trouve ce témoignage formidable contre le protestantisme [...] Comme toujours, Dieu m'a fait la grâce (ou plutôt la Vierge qui règne ici avec une mystérieuse évidence) de m'envoyer un prêtre : un ancien ami à moi, perdu de vue depuis des années, André de Bavier[1]. Je l'ai choisi comme confesseur et je ne saurais dire ce que je lui dois... Ah ! les prêtres ! Ce que nous leur devons ! Figurez-vous que celui-là, après avoir entendu ma confession *à genoux,* a tenu à me faire la sienne... Je ne puis vous dire l'extraordinaire émotion que j'en ai éprouvée. André de Bavier est un protestant converti et je ne sais si ce qu'il a fait là n'est pas un peu étrange — mais ici à Rome, ce geste d'humilité et en même temps de tendresse fraternelle m'a bouleversé... »

Enfin voici que surgit dans ses lettres à la fois naïves et pénétrantes le personnage central du voyage :

> « Je rentre du palais Taverna. J'étais à la table présidée par le cardinal Pacelli et Laval. Il (Laval) a fait un grand signe de croix au *benedicite !* Le pape l'a gardé cinquante minutes, ce qui n'arrive jamais... Il (Laval) a dit au cardinal : " Ma mère serait bien contente de savoir que j'ai été reçu par le pape. " A Saint-Pierre, il a fait les génuflexions très convenablement (je n'y étais pas). Il a répondu au pape qui lui parlait de " la fille aînée de l'Église " : la France est le plus vieux pays catholique du monde ! Enfin, vous voyez le succès ! Hier au palais Farnèse [...] après le dîner, Mussolini, Laval et Léger[2] se sont enfermés dans un salon... Aujourd'hui, tout est signé et l'accord, selon Léger (qui m'a dit que j'étais un excellent diplomate *in partibus*) va très loin... »

Si loin même qu'il livre pratiquement l'Éthiopie à Mussolini : Mauriac s'en apercevra six mois plus tard.

Du compagnon de voyage que vient de lui révéler l'Italie, de ce Pierre Laval si bien accordé à la hiérarchie vaticane, il va publier dans *les Nouvelles littéraires* un portrait qu'il lui arrivera probablement de regretter. Il ne se défend pas de le trouver sympathique, cet homme « à la peau sarrasine (sous) son noir plumage » qui présente à ses yeux le triple avantage de n'avoir pas appartenu à l'École normale, de ne pas lire de livres et d'être dénué de toute éloquence... Il l'imagine observant l'ogre Hitler à travers les barreaux de sa cage et rêvant ainsi :

1. Celui dont il dit, dans la préface de *La Fin de la nuit,* que pour « convertir » Thérèse, il lui avait fallu rencontrer un certain prêtre, et que cette rencontre avait eu lieu à Rome
2. Secrétaire général du Quai d'Orsay [aussi Saint-John Perse].

« Quel plat lui servir qui apaiserait sa fringale… Mussolini se tient bien sage désormais devant le rôti abyssin (qui d'ailleurs n'est pas encore cuit). Mais qu'y a-t-il dans le monde qui ne serait pas pour l'Allemagne une bouchée ? Notre ministre des Affaires étrangères agit sagement comme s'il ne pouvait y avoir de réponse à cette question, mais aux yeux de quelques-uns, c'est déjà un crime que de la poser […] Oserons-nous avouer que ce qui lui gagne notre sympathie, c'est que sans rien négliger pour nous mettre en état de défense contre une nation éternellement furieuse, cet homme de notre peuple […] ne donne pas son consentement à l'atroce fatalité ? »

Va-t-il trop loin, ce « diplomate *in partibus* » ? Après tout Laval n'est encore qu'un ministre attentif à explorer toutes les chances d'éviter la guerre. Il fait le modeste, le naïf. Il a su, à Rome, manifester aux prélats un si profond respect ! Il a su aussi s'attirer la sympathie du romancier-journaliste en lui confiant sa fille José pour la visite des églises romaines. « C'est un amour ! » glisse Mauriac à son ami Maurice Martin du Gard, lors d'un déjeuner où ils sont les commensaux du ministre. Et à Jules Romains, surpris, il assure que si le prédécesseur de Laval, Louis Barthou, assassiné un an plus tôt à Marseille, était encore au Quai d'Orsay, « nous serions en bleu horizon[1] ».

Ce pacifisme qu'il affiche au début de 1935 — et qui renouvelle celui dont il avait constamment fait preuve, on l'a vu, pendant le premier conflit mondial, ne le conduit pas pour autant à se rallier à une gauche restée attachée à ce type d'attitudes.

C'est encore à Maurice Martin du Gard qu'il confie, le même jour : « Je verrai le colonel de La Rocque la semaine prochaine. Il agit comme un pauvre homme […] Je lui demanderai : “ Voulez-vous être ministre des PTT ? Alors, pas la peine de faire tout ce remue-ménage[2]… » Pacifisme à l'extérieur, attente d'une autorité à l'intérieur ; qu'il est donc sinueux encore, ce Mauriac de 1935, dégagé de l'emprise de *l'Écho de Paris,* plus à l'aise au *Figaro,* peu à peu gagné par l'influence des dominicains libéraux, mais pris encore dans les glaces d'un milieu impérieusement conservateur.

Le Saint-Office

Contre ses réflexes de classe va se préciser, s'accentuer le martèlement des faits — les uns minimes, mais significatifs, les autres formidables, et mettant en cause l'équilibre du monde et la sauvegarde de cette paix à laquelle il est si passionnément attaché. Tantôt les dérisoires intrigues des notables parisiens, tantôt les énormes complots des dictateurs de Rome ou de Berlin le

1 *Les Mémorables,* tome III, p 170
2 *Ibid.*

conduisent inexorablement à une révision des valeurs sur lesquelles repose son système d'interprétation du monde politique — ou plutôt à la réémergence des valeurs qui sont celles du chrétien qu'il prétend être.

Une élection académique, apparemment, cela n'a pas une très profonde signification, et moins encore de conséquences. Cette fois-ci, pourtant, en mars 1935, il s'agit de Paul Claudel, candidat contre Claude Farrère, officier de marine, romancier des amours navales, admirateur patenté de Salazar et de Mussolini. L'officier est élu, contre le poète. Pour Mauriac, c'est comme une opération de la cataracte :

> «... Cette honte d'avoir préféré Farrère à Claudel, si je la ressentais jusque dans mes entrailles, c'est que j'avais discerné dès ce moment-là que c'était moins le poète qu'ils exécraient dans Claudel [...] que le fonctionnaire de la IIIe République, l'ami de Philippe Berthelot et d'Alexis Léger[1]... Il incarnait à leurs yeux la bête à abattre par tous les moyens — et déjà aux yeux de quelques-uns (sinon de beaucoup) par des moyens qui se forgeaient de l'autre côté du Rhin. »

Maurice Noël a donné de la même intrigue, dans *le Figaro littéraire* du 28 mars 1935, sous le titre : « Le jeudi de mi-carême à l'Académie », une version tout aussi saisissante : « Louis Bertrand entrant dans la salle du dictionnaire, le jeudi 28 mars, aborda quelques-uns de ses confrères par ces mots : " Vive Hitler ! (*Moi,* note Mauriac à propos de ce récit, *je me souviens de " Heil Hitler !* ") A bas les Soviets ! " Là-dessus, on procède à trois élections : Bainville, royaliste, est appelé à succéder à Poincaré ; André Bellessort, maurrassien (et futur collaborateur de *Je suis partout* sous l'occupation) à l'abbé Bremond, prêtre fénelonien et libéral que *l'Action française* poursuivait de sa haine ; et Claude Farrère, marin hors série, triomphe de Paul Claudel, ce qui a pour résultat de précipiter François Mauriac dans l'escalier, les yeux brûlants et fixes, plus pâle qu'un Greco, la bouche terrible appelant la vengeance du ciel. »

« Je pressentais dès ce moment-là, que mon entrée à l'Académie m'introduisait dans une intrigue dont l'essentiel m'échappait..., une conjuration de la droite » — qu'il dénoncera plus tard comme une trahison. L'opération n'eût-elle pas frappé un poète chrétien de génie — qu'il admirait d'ailleurs assez bien pour ne pas juger quelque peu dérisoire son appartenance à l'Académie — peut-être ses yeux fussent-ils restés plus longtemps clignotants. L'échec d'un Giraudoux, d'un Martin du Gard l'eût moins brutalement « averti ».

Une lettre que lui adresse ce furieux de Maurras, le 31 mars 1935, donne bien le ton de la campagne alors menée contre Claudel, et jusqu'après l'échec du poète :

« Monsieur,

[...] C'est par attachement aux lettres et à l'honneur français que je me félicite de l'échec de ce rhéteur barbare, d'un pitoyable diplomate et d'un

1. Tour à tour secrétaire général du Quai d'Orsay, ces deux diplomates « républicains » incarnèrent la continuité d'une diplomatie française entre les deux guerres

mauvais Français qui nous a calomniés fructueusement [...] en qui vous humiliez le nom de poète[1]. »

Le voilà en tout cas sur ses gardes, désormais, face à la droite des vieux messieurs en vert. Sa colère fait d'ailleurs assez de remous pour qu'il écrive alors à sa femme : « J'ai reçu une pétition signée de plusieurs associations catholiques pour me sommer de quitter l'Académie (qui) ne se doute pas de ce qu'elle a attiré sous sa coupole ! » Il lui reste à nourrir sa rancune d'arguments plus positifs.

Le livre qu'il écrit alors l'y aidera. Comment travailler à une *Vie de Jésus*, comment revenir aux sources du christianisme, étudier les rapports sociaux et politiques en Orient au temps d'Auguste, procéder à la relecture attentive des évangiles, sans entrer par quelque biais dans le parti des pauvres, des charpentiers, des pêcheurs de Tibériade, des juifs colonisés, des malades et des déshérités ? Comment n'être pas saisi par les frémissements de la colère du Fils de l'Homme face aux marchands du Temple, aux Pharisiens, aux princes des prêtres, aux procurateurs et prépondérants de tout poil ? On ne dispose guère de témoignage sur l'état d'âme dans lequel François Mauriac rédigea la *Vie de Jésus.* On sait par une lettre à Henri Guillemin qu'il la jugeait fort imparfaite :

> « Je regrette maintenant de ne pas l'avoir gardée un mois de plus. Je vois d'autres chapitres à écrire. La hâte me perd : les éditeurs, le besoin d'argent, voilà les pires ennemis. Je vous admire d'avoir mis sept ans à écrire un volume. Moi, je finirai bien par ne plus mettre que sept jours : mon seul point commun avec Dieu ! »

Mais ce qui n'est pas moins clair, c'est que ce livre hâtif, imparfait, et pourtant si beau, rend un son violemment protestataire. Le Jésus de Mauriac est un maître de révolte qui entre bien d'autres préceptes évangéliques, rappelle volontiers qu'il n'est pas venu porter « la paix, mais la guerre ». Consciemment ou non, Mauriac a écrit enfin ce livre sillonniste que l'étudiant bordelais portait en lui depuis 1905. Aussi bien fut-il menacé des foudres du Saint-Office.

Le 31 mai 1937, le cardinal Sbaretti, secrétaire du Tribunal suprême de l'Église catholique, écrivait au cardinal Verdier, archevêque de Paris, pour l'avertir que « le Saint-Office a été saisi de quelques plaintes au sujet de la *Vie de Jésus* de François Mauriac. Ce que certains reprochent surtout à l'auteur de cette nouvelle vie de Jésus, c'est d'avoir prêté à la figure de notre Sauveur, du côté humain, une attitude souvent contraire à la tradition et à la sainte Écriture, par exemple de l'avoir montré irritable jusqu'à la fureur et sujet à d'autres passions et faiblesses humaines... Cependant, poursuivait le cardinal Sbaretti, ce Tribunal suprême de l'Église, tout en reconnaissant que ces reproches sont en partie fondés, n'a pas voulu condamner ce livre [...] Il sait gré à M Mauriac, grâce à l'autorité dont il jouit jusque dans les milieux

1 Lettre inédite Rappelons qu'il s'agit de Paul Claudel

non chrétiens, d'avoir porté le coup de grâce à la trop fameuse *Vie de Jésus* de Renan… » Le cardinal en profitait pour suggérer, *au nom du Saint-Office*, quelques révisions en cas de nouvelle édition…

Toléré par Rome comme antidote à Renan… Mais il n'y eut peut-être pas que des laïcs pour se dire que l'aimable philosophe levantin du premier était à tout prendre moins inquiétant que l'agitateur passionné du second. L'évangile selon Mauriac resserra en tout cas les liens entre le romancier et ses nouveaux amis du christianisme libéral : un Maritain, un Maydieu, un Guillemin y trouvèrent leur compte — tandis que du côté de Maurras, on fulminait contre ce cri de révolte venu d'Orient. Désordre, confusion mentale, subversion…

En novembre 1934, François Mauriac écrit à Henri Guillemin que « la défaite de l'Italie et de Mussolini (à propos de l'Éthiopie) serait un triomphe maçonnique de conséquence incalculable ». Il est encore pris dans un système manichéen qui oppose le Diable, le Mal : la maçonnerie, à toutes les valeurs chrétiennes, fussent-elles aussi douteuses que celles dont Mussolini se fait une armure. A la maçonnerie il rapporte aussi bien le radicalisme et la laïcité militante à l'intérieur, qu'à l'extérieur la diplomatie de « sécurité collective » (notamment l'alliance avec la Tchécoslovaquie de Benès, réputé maître du Grand Orient), la stratégie de désarmement, un certain type d'alliance anglaise, et naturellement les timides tentatives de rapprochement avec l'URSS du Quai d'Orsay. Et ce n'est point son voyage à Rome en janvier 1935, on l'a vu, qui aura réussi à lui ouvrir les yeux sur les réalités de la diplomatie mussolinienne.

Mais pour l'arracher à ce commode système d'interprétation diplomatique (inspiré, qu'il le veuille ou non, par Maurras et Bainville), il faudra des raisons que la raison ne connaît pas toutes et qui vont de la présence prépondérante de son ami Alexis Léger, héritier des principes diplomatiques de Briand et de Berthelot, au poste clé du Quai d'Orsay, d'où il est à même de lui faire voir le sort de l'Europe et du monde à travers d'autres « lunettes » que celles de *l'Action française,* à l'avanie cruelle infligée par la droite académique à Paul Claudel en tant qu'exécutant de cette même politique extérieure (Claudel, diplomate maçonnique !) et surtout à un choc infligé à sa sensibilité — qui restera toujours le centre moteur de ses choix et de ses attitudes politiques.

Un Noir est-il un homme ?

C'est sa sensibilité d'homme et de chrétien en effet qui lui dicte, le 24 septembre 1935, quelques semaines après le déclenchement de l'invasion de l'Éthiopie par l'Italie fasciste, l'article qui est d'une certaine façon son « J'accuse » — un texte de 50 lignes qui, publié dans *le Figaro* à l'usage du public bourgeois par excellence, l'exile d'un coup de cette droite où il s'est jusqu'alors douillettement emmitouflé, dans le confort intellectuel et le conformisme social. Cet article, il faut le citer largement, non seulement parce qu'il marque une transformation décisive de la « situation » et du regard du citoyen Mauriac, parce qu'il témoigne de son mûrissement d'écrivain politique, mais aussi en raison de ses balancements, de ses nuances, de ses contradictions. Mauriac n'est pas Zola. Son réquisitoire comporte quelques « mais »...

> « Le désert. Au pied d'un cocotier, un écriteau porte cette indication : *Palais Royal*. Dans les palmes, sont perchés deux singes et le Négus d'Abyssinie.
> C'est très drôle et il faudrait rire. Mais par habitude professionnelle, je me mets à la place des gens. Qu'a-t-il pu éveiller, ce dessin, dans l'esprit des Noirs qui l'ont vu — ou qui le verront lorsque le journal de Sennep[1] aura traversé les mers ?
> J'imagine un garçon de couleur, dont le père ou le frère aîné repose depuis vingt ans, quelque part, entre la mer et les Vosges. J'affirme qu'il y a là de quoi susciter dans un cœur simple une haine assez puissante pour remplir sa vie.
> Cela ne touche en rien au fond du conflit italo-abyssin. Les approbateurs de l'attitude italienne ont des arguments qui ne laissent pas d'impressionner. Mais de là à couvrir d'opprobres l'héritier du roi mage de nos crèches d'enfant... Mussolini, qui a de la grandeur, ne nous en demande pas tant. Non ! il n'en demande pas tant aux Français qui ont contracté avec la race noire une dette dont le chiffre est inscrit Dieu sait où.
> Et puis, quels que soient les torts des " sauvages " dans cette histoire, ils n'en sont pas moins à la veille de voir apparaître dans leur ciel les escadrilles des civilisés. Ce ne sera pas plus drôle pour eux que naguère pour nous. Pourquoi rire et se moquer de ceux qui vont mourir ? Il y aura bientôt de pures agonies dans ce pays d'esclaves que la pluie du ciel préserve, pour quelques jours encore, de leurs libérateurs.
> [...]
> Les Abyssins ont la faiblesse de se croire dans leur droit. Ils ne se sentent pas barbares. Nous ne pouvons exiger d'eux qu'ils prennent de leur propre barbarie une conscience aussi nette qu'en ont les Italiens. Qu'est-ce donc qu'un barbare, aujourd'hui ? En tout cas, entre Italiens et Abyssins, l'amour et la foi créent une égalité, puisqu'il n'est pas de plus grand amour que de donner sa vie, et qu'il n'existe pas deux façons de mourir pour sa terre natale, en prononçant le nom de Jésus.
> Dans le prochain dessin de Sennep (la saison des pluies va finir...), l'Éthiopien ne sera plus perché dans un cocotier entre deux singes, mais peut-être étendu sur le sable, les bras un peu écartés, la face vers le ciel. Sennep a mis, dans les pattes du Négus, un journal : *l'Humanité*... Et cela aussi donne à réfléchir. Depuis l'affaire Dreyfus, les puissances de désordre et de destruction savent quelle arme redoutable devient entre leurs mains une cause juste. Et nous, chrétiens, nous devrions nous en souvenir. Mais nous l'avons oublié. »

On voit bien que le procès de Mauriac avec le fascisme italien n'a pas fini d'être plaidé. Mussolini se voit encore reconnaître « de la grandeur ». Ses

1 Le plus célèbre dessinateur politique de l'époque, collaborateur de la presse de droite

partisans ont « des arguments ». Et ce qui est dénoncé ici, ce n'est pas tant une politique dans ses principes que les conséquences qu'elle entraîne et notamment les atouts qu'elle donne « aux puissances de désordre et de destruction ». Condamnerait-il la politique fasciste avec autant d'ardeur si elle ne donnait pas le beau rôle aux communistes ? Ces ambiguïtés, on les retrouvera le 2 octobre suivant dans un article de *Sept,* où Mauriac s'interroge sur « les conséquences... pour l'Église et pour notre pays... de la ruine du fascisme en Italie. S'il en est, poursuit-il, qui envisagent cet événement d'un cœur léger, nous ne sommes pas de ceux-là ».

Mais au cours de ces semaines-là s'affirme sur lui l'emprise de Maritain, du père Maydieu. Il lit avec émotion les articles d'*Esprit,* notamment celui qui, en juillet, condamne « l'indécente piraterie italienne ». Les bombardements des villages éthiopiens par l'aviation de Mussolini le bouleversent. Il évolue très vite. Et c'est lui, Mauriac, qui inspire avec Maritain le texte d'un manifeste sur l'Éthiopie rédigé par deux jeunes collaborateurs de *l'Aube,* Georges Bidault et Maurice Schumann, qui vont le publier d'abord dans leur journal, le 17 octobre 1935, avant qu'il soit repris par *Sept* et *la Vie catholique*.

> « Dans la confusion actuelle des esprits, et devant la situation si grave créée par le conflit italo-éthiopien, il est impossible à ceux qui se refusent tout à la fois à laisser obscurcir les principes de la conscience et à admettre l'hypothèse d'une nouvelle guerre européenne de garder le silence.
> La question ne concerne en rien les sympathies ou antipathies qu'on peut avoir à l'égard du régime intérieur de l'Italie, elle concerne la justice et les valeurs éternelles, dont nul ne peut se désintéresser.
> [...]
> La question n'est pas non plus de savoir si les besoins d'expansion d'un peuple jeune et actif ont été suffisamment respectés jusqu'à présent. Elle est de savoir si ces besoins justifient la guerre. Ni le besoin d'expansion, ni l'œuvre de civilisation à accomplir n'ont jamais donné le droit de s'emparer des territoires d'autrui et d'y porter la mort.
> [...]
> Au moment où l'Europe commençait de prendre mieux conscience de ses responsabilités à l'égard des peuples de couleur, et des conditions de justice et de liberté vers lesquelles doit évoluer le régime de la colonisation, on doit considérer comme un désastre moral que les " bienfaits de la civilisation occidentale " soient manifestés à ces peuples, avec un éclat inégalé, par la supériorité de ses moyens de destruction mis au service de la violence, et qu'on prétende avec cela que les violations du droit dont témoigne une telle guerre deviennent vénielles sous prétexte qu'il s'agit d'une entreprise coloniale. C'est la civilisation occidentale elle-même qui est menacée ici, et plus nous lui sommes attachés plus nous nous sentons tenus de protester contre des mœurs qui lui font abdiquer sa plus haute raison d'être et qui sont propres à la rendre odieuse à l'univers.
>
> Il importe aussi de dénoncer le sophisme de l'inégalité des races. Si l'on veut dire que certaines races ou certaines nations se trouvent dans un état de culture moins avancé que d'autres, on constate simplement un fait évident. Mais on passe de là à l'affirmation implicite d'une inégalité *essentielle* qui députerait certaines races ou certaines nations au service des autres, et qui changerait à leur égard les lois du juste et de l'injuste. C'est là du paganisme pur. Le christianisme nous fait comprendre et réaliser cette

vérité d'ordre naturel que la justice est due aux hommes sans acception de personne, ni de race, ni de nation, et que l'âme et la vie d'un Noir sont aussi sacrées que celle d'un Blanc... »

Ce texte signé non seulement par Maritain et Mauriac mais aussi par Claudel et Jammes, répondait au manifeste dit « des intellectuels pour la défense de l'Occident » qui justifiait « la conquête civilisatrice de l'un des pays des plus arriérés du monde », et portait les signatures de la plupart des écrivains maurrassiens, fascistes et conservateurs, de Thierry Maulnier à Gaxotte, de Brasillach à Drieu, mais aussi de Mgr Baudrillart et de seize autres académiciens. L'appel inspiré par Mauriac souleva d'autant plus d'indignation à droite que *l'Action française* en donna une version soigneusement tronquée, assortie des commentaires qu'on imagine. A tel point que Mauriac jugea bon de s'en justifier auprès de son frère Pierre. S'il concède que la forme, dont il attribue la responsabilité à Maritain, est « déplorablement abstraite », il revendique la responsabilité du fond, « inattaquable sur le plan chrétien ».

Il a franchi une frontière, Mauriac. Il n'a pas seulement rompu avec *l'Action française* et *l'Écho de Paris*. Quelles que soient ses tentations intimes, les pressions familiales ou autres qui s'exercent sur lui, les contre-assurances qu'il prend en équilibrant chaque dénonciation des dictateurs par un réquisitoire anticommuniste, il a désormais pris le risque d'apparaître, aux yeux des siens, comme l'un de ces chrétiens « rouges » qu'il brocardait si cruellement jusqu'au début de l'année 1935.

Ce n'est pas encore — le sera-t-il jamais ? — un homme de gauche. On le verra bien quand, l'année suivante, triomphera le Front populaire. Mais on peut dire qu'à partir de l'automne 1935, Mauriac s'est, dans le champ politique, libéré du carcan social qui depuis près de vingt ans l'emprisonnait. Sa pensée et son comportement politique se forment désormais « dans la méditation nourrie des principes qui sont la règle de *Sept* : disponibilité, dialogue, équité [1] ». Il a cessé de situer spontanément l'ennemi « à gauche ». L'événement éthiopien et les intrigues académiques lui ont mieux appris que ce qu'il doit combattre, c'est le totalitarisme, d'où qu'il vienne. Il prend mieux conscience de jour en jour que la loi de tout comportement politique est celle du moindre mal, et que c'est contre le totalitarisme le plus proche, et par là le plus menaçant, qu'il convient de se dresser.

Cette émeute en lui...

Le Front populaire, on ne saurait dire que François Mauriac accueillit sa constitution, puis sa victoire, avec une joie sans mélange. Le 30 décembre

1 Jean Touzot *Revue des Lettres modernes* « série François Mauriac » nº 3

1935, au moment où se rassemblent les forces de gauche qui l'emporteront quatre mois plus tard, il écrit à Guillemin :

> « L'envoi affectueux d'un livre de Blum par son auteur et les encensoirs poivrés de *Vendredi*[1] ne laissent pas de m'inquiéter un peu. Comme le dit Maritain, nous dansons une drôle de Pyrrhique entre les deux Minotaures qui aspirent à nous digérer — car il y a deux Minotaures. »

Et un mois plus tard : « Cet immense troupeau qui agitait le drapeau tricolore est aux mains de Moscou. Le Front commun[2] est l'œuvre de Moscou. » Et encore un peu plus tard, à propos de la campagne électorale de Bordeaux, où le beau-père de Guillemin, Jacques Rödel, est l'allié du Front populaire contre Philippe Henriot, candidat de la droite : « Votre indignation contre Henriot est stupéfiante ! Je crains que vous ne persuadiez personne en dehors de Mgr Feltin[3] ! »

Comme il reste braqué contre les communistes, imperméable aux ouvertures alors faites à la bourgeoisie française par Thorez et ses camarades ! En avril 1936, dans une brillante chronique du *Figaro,* il se décrit écoutant, dans le vieux salon cossu de Malagar, un discours radiodiffusé du secrétaire général du PCF, « à la voix " tendre et bêlante " [assurant] que le prélèvement sur les fortunes prévu par son parti était emprunté à M. Marin[4] » et que « jusqu'à 50 000 francs de rente, les Français pourront dormir sur les deux oreilles — qui sont longues, mais peut-être moins que ne l'imagine Thorez ».

Le mois suivant, pourtant, le fameux discours du leader communiste dit de « la main tendue aux catholiques », n'inspire pas à Mauriac un commentaire de rejet pur et simple. Avant de mettre l'accent sur les risques qu'il y aurait à contribuer ainsi aux progrès du totalitarisme athée, il examine soigneusement les raisons qui poussent bon nombre de prêtres de paroisses ouvrières à coopérer avec les « rouges », et conclut par une double question :

> « Faut-il repousser les deux doigts tendus par le camarade Thorez ? Faut-il au contraire les serrer en fermant les yeux ? Dans ces sortes de débats, nos passions, nos convoitises, nos rancœurs, trop souvent ont déjà choisi pour nous alors que nous croyons hésiter encore. »

Honorable circonspection, qui dut indigner ses amis Le Grix ou Blanche, son frère Pierre, et ses confrères de l'Académie. Envisager seulement de faire route commune avec Thorez, ne pas repousser avec une immédiate horreur ces « deux doigts tendus » à condition de garder les yeux ouverts, mettre un éventuel rejet sur le compte de ses « convoitises » ou de ses « rancœurs », voilà qui est aller assez loin, aussi loin que dans le refus opposé

1 Hebdomadaire de Guéhenno et Chamson, porte-parole par excellence de l'idéologie du Front populaire.
2. Première appellation du Front populaire, utilisée de préférence par la droite.
3 Alors archevêque de Bordeaux.
4. Vieux leader de la droite modérée

aux conquérants fascistes — d'autant qu'ici, c'est la substance même du pays qui est en question.

Mais comme il reste sur ses gardes ! Au sein d'une presse bourgeoise dressée sur ses ergots contre le pouvoir « rouge », c'est lui qui, gardant son sang-froid, jette le venin le plus insidieux, le 8 mai 1936 — cinq jours après la victoire électorale du Front populaire, alors que se développent les occupations d'usines :

> « Ceux qui descendront dans la rue, désormais y descendront en maîtres [...] Il ne s'agit pas d'une manifestation, mais d'une de ces " journées " dont les dates demeurent inscrites sur le mur de l'histoire pour y marquer les diverses crises de la révolution [...] On ne peut à la fois s'appuyer sur l'émeute et la juguler. Le jour où, après avoir appelé à son secours la masse populaire, le président du Conseil socialiste en serait réduit à lui opposer la forcée armée, il serait balayé et selon une loi inéluctable, d'autres chefs naîtraient de l'émeute qui, ceux-là, ne distingueraient plus Léon Blum de Pierre Laval ou de Louis Marin. Un gouvernement socialiste a tout à craindre de la rue, parce qu'il est désarmé contre elle. »

François Mauriac n'ira jamais jusqu'à l'adhésion critique au Front populaire proposée par Roger Leenhardt dans *Esprit* et par plusieurs de ses amis de la gauche chrétienne. Sauf en telle ou telle circonstance précise, il ne s'enfermera pas non plus dans le refus épouvanté où s'abîme son milieu. Au début de juin 1936, au lendemain de la formation du cabinet Blum, et au plus fort des occupations d'usines, Robert de Saint-Jean note dans son journal : « Chez la comtesse Murat, dîner où les convives parlent tous de l'imminence de la révolution, tous sauf Mauriac, qui s'amuse de voir tant de mines déconfites [1]... »

Mauriac s'amuse ? Hum... ! Un mois plus tard, à son vieil ami Blanche, il écrit de Vichy (concile de foies fatigués par le pouvoir colonial qui n'est pas très propice, il est vrai, à une prise de conscience progressiste) : « On ne peut prendre parti sans pactiser avec l'injustice. La vérité et l'erreur sont partout confondues. Mais le péril qui domine, c'est cette marée montante du bolchevisme [2]... » Le voilà repris lui aussi, pour un temps, par « cette peur, cette horreur du Front populaire » qui, dit-il dans la préface de ses *Mémoires politiques,* « aveuglait la droite », terrifiée par « la Russie soviétique de ces années-là, le Frente Popular de Madrid (et) un parti communiste puissant, ouvertement aux ordres de Moscou ».

D'où une alternance de curiosité un peu dédaigneuse, d'ironie craintive, de bouffées individualistes, de vague sympathie, qui font la trame des articles et des réactions du Mauriac de l'été 1936. Dans son *Journal* du milieu de juin 1936 :

> « Sur la place de la Nation, au milieu des poings levés du Front populaire, se sentir l'homme mal réveillé de son drame intérieur, de son éternelle révolution, de cette émeute en lui. »

1 *Journal d'un journaliste* p 198
2 *Correspondance,* p. 183

Et, dans *le Figaro* du 17 juin, sous le titre tout de même assez révélateur de « Sentiments inavouables » :

> « ... L'étalage de la bonté humaine, en ces jours où la démocratie coule à pleins bords, devrait nous attendrir et nous faire répandre toutes les larmes de Jean-Jacques. J'avoue qu'elle me glace et qu'après avoir entendu, à la TSF, M. Jouhaux célébrer la plus grande époque de l'espèce humaine, je cherche dans ma bibliothèque le tonique de quelque vieil auteur un peu cynique et bien dépouillé... »

Va-t-il s'arracher à son détachement sarcastique, le Mauriac qui flâne cet été-là d'Athènes à Venise, en apprenant à l'automne le suicide de Salengro, le ministre de l'Intérieur du cabinet Blum, qu'a poussé à bout une abjecte campagne de l'extrême droite, condamnée comme « calomnieuse » par le cardinal Liénart ? L'article qu'il publie sur ce sujet, le 22 novembre 1936, dans *le Figaro*, révèle à quel point il est encore ligoté par ses amitiés de droite, lui qui, au lendemain de cet hallali ignoble, ose écrire que « ce qui domine chez Henri Béraud[1], c'est le cœur ». Mais le texte est beau et Léon Blum, ami de Salengro, eut assez de grandeur d'âme pour lui en savoir gré :

> « ... Pascal dit qu'il faudrait une raison bien épurée pour regarder comme un autre homme le Grand Seigneur environné dans son superbe sérail de quarante mille janissaires. Il faudrait à un journaliste de l'opposition une raison encore mieux épurée pour deviner que ce ministre, qui a pour lui à la fois le Parlement et la rue, est en réalité une créature à bout de résistance, un pauvre gibier forcé.
> Quel Français imaginerait que le ministre de l'Intérieur puisse être cet homme qui, au soir d'une journée exténuante, se retrouve seul dans un petit appartement vide, en province, cet abandonné que la femme de ménage n'a même pas attendu et dont la pitance refroidit sur un coin de table entre deux assiettes ? [...]
> Les masses vont s'ébranler aujourd'hui pour honorer la mémoire du désespéré. Mais un désespéré n'a que faire des masses. Ce qu'il aurait fallu à celui-là, ce ne sont pas les suffrages d'un million de partisans ; c'est sur son front, à l'heure où les autres hommes s'éloignent, la main d'un unique ami. Plus notre vie est publique et plus nous avons besoin d'une tendresse cachée...
> [...] Sans doute la plume leur serait tombée des mains, à ces accusateurs impitoyables, s'ils avaient vu se dérouler ce film muet : un ministre de l'Intérieur, le plus abandonné de tous les hommes, dans cette grande ville dont il était deux fois le chef, cherchant au milieu de la nuit, sur le carreau d'une petite cuisine, la place où dix-huit mois plus tôt sa femme s'était couchée pour mourir. Cette scène, ses ennemis ne pouvaient même pas l'imaginer... mais ses amis ? Qu'ils aillent donc voir, dans le camp adverse, de quelle chaleur d'amitié, de quelle adoration est entouré un Maurras... »

(Absurde parallèle. Sans compter que les drames de la solitude n'ont pas manqué du côté de *l'Action française...* On pense à cet article qu'il écrivait au

1 Le plus éloquent des calomniateurs de Salengro.

lendemain du 13 février 1936, où il affirmait que si, au lieu de Blum aventuré au milieu des funérailles de Bainville, un chef de la droite s'était trouvé mêlé à celles de Barbusse, un parti pire encore lui aurait été fait...)

Pourtant, la note finale, fraternelle, indignera bon nombre de lecteurs du *Figaro :*

> « ... durant cette interminable journée, tandis qu'il recevait des solliciteurs, des délégués, qu'il présidait des cérémonies et arbitrait des conflits, il n'a pas cessé de perdre son sang [...] ; à son insu il a déjà accompli près de la moitié du chemin vers ces sombres bords où nos bien-aimés nous attendent et où les flèches des chasseurs ne nous atteignent plus ».

Les flèches de ces mêmes chasseurs qui ont abattu Salengro sifflent désormais autour de lui, engagé depuis le milieu de l'été 1936 dans l'immense débat espagnol. Elles ne cesseront plus. Pour l'Espagne, pour la Résistance, pour la clémence des vainqueurs de 1944, pour le Maghreb, pour de Gaulle. Il est désormais un des hommes à abattre que couchent sur leurs listes les hommes de Maurras aujourd'hui, et demain ceux d'un certain Maroc et d'un certain Alger.

Le 11 octobre 1935, il a eu cinquante ans, au lendemain de la publication dans *Sept* du manifeste des chrétiens sur l'Éthiopie (« ... L'âme et la vie d'un Noir sont aussi sacrées que celles d'un Blanc... »). Quelques jours plus tôt, il a écrit à sa femme :

> « Je suis parti jeudi matin pour Lourdes, afin de passer cet anniversaire de mon demi-siècle dans l'intimité de Dieu (si je puis, car j'en suis à mille lieues) et de la Vierge. Priez pour moi vendredi matin. Vous devriez même avec les filles aller à la messe ce matin-là. Ce serait " gentil " pour mon anniversaire. Je serai seul et plongé dans la Passion... »

Deux jours plus tard, sur un mode un peu différent : « Je reçois une lettre d'Aragon, qui me fait de claires avances. Il paraît que Maurras a écrit une lettre furieuse à Pierre... »

Fureurs de ci, avances de là. En dix ans, depuis son quarantième anniversaire, comme les vents ont tourné ! A l'âge du « démon de midi », c'est un autre débat que ceux qui jusqu'alors avaient bouleversé sa vie — à l'intersection du domaine spirituel et du monde charnel. Lui qui s'est dit si souvent « né du côté des injustes », le voilà entraîné dans l'autre camp. Pour lui, ce tournant de la vie aura été celui de l'irruption de la justice — comme dans une allégorie de peintre moraliste. Midi le juste...

14. Un œillet rouge...

Sa « conversion » avait eu pour artisan, en novembre 1928, un homme saisi par le christianisme sur un chemin de Castille et rudement corseté dans une impérieuse religion espagnole à l'ancienne. Sa plus profonde mue politique devait lui venir de cette terre qu'il avait toute sa vie « respirée comme un œillet », du pays de Thérèse — celle d'Avila —, de « l'endroit du monde, écrit-il, où l'homme a touché Dieu de plus près ». Au moment d'être emporté, retourné, bouleversé dans sa vie publique après l'avoir été dans son intimité, d'où Mauriac pourrait-il attendre le signe décisif sinon d'Espagne ?

En juin 1929, à la veille de la mort de sa mère, le voyage qu'il y avait fait avec son ami Ramon Fernandez avait accentué l'impression recueillie lors de la première visite espagnole, en 1911, de se « retrouver dans son propre pays ». Il avait alors prononcé à Madrid une conférence où il exprimait cette proximité, cette fraternité, au-delà même d'une certaine union mystique, d'un Français

> « né à Bordeaux, originaire du pays landais et qui, [ayant] vécu à vos portes jusqu'à l'âge d'homme, connaît les autres visages de l'Espagne. Le patois qui se parlait autour de nous dans mon enfance est tout chargé, tout enrichi de vocables espagnols. Quand montait un orage [...], nous fermions les yeux, nous ouvrions les narines pour recevoir le vent espagnol sur notre petite figure, ce souffle qui était à la fois un parfum et une brûlure. [...] Et nous nous pressions sur la route poudreuse d'un dimanche d'été autour des victorias qui emportaient vers les arènes, étincelants de broderies, Guerrita et Reverte, Algabeño et Mazzantini [1] »...

Quand, le 18 juillet 1936, quelques semaines après l'installation du gouvernement de Léon Blum, survient le pronunciamiento franquiste, Mauriac est depuis des mois aux écoutes de l'Espagne où se développe, depuis la victoire en mars du Frente Popular et la formation du gouvernement de centre gauche soutenu par les « rouges », une guerre civile larvée. Pour lui, le débat est clair : d'un côté, un cabinet dominé par les francs-maçons, encouragé et défendu par les anarchistes « déterreurs de carmélites », de l'autre une droite plus ou moins musclée qu'inspire le catholique Gil Roblès. Pas d'hésitation : il faut soutenir ce parti-ci, aux prises avec une « terreur rouge » qui ne demande qu'à franchir les Pyrénées, il faut

1 Les plus célèbres toreros de l'époque. *Paroles en Espagne*, p. 13-14.

manifester sa sympathie à l'Église d'Espagne poignardée par le Frente Popular — qu'il ne serait pas loin de traiter, comme le général de Castelnau dans *l'Écho de Paris*, de « Frente Crapular ».

« L'Internationale de la haine »

Le coup de force du 18 juillet ne semble guère l'avoir troublé. Et dans une lettre à Roger Martin du Gard écrite un an plus tard, il ne cache pas avoir souhaité la victoire de Franco, « contre les anarchistes » — ce qui est bien simplifier les choses, quand on considère la nature de l'autorité légale à Madrid et l'orientation politique des « républicains » au pouvoir en juillet 1936 : Azaña, Giral, Casarès Quiroga — tous des modérés.

Ce qui domine en lui d'abord, c'est moins l'espoir de la victoire du parti de « l'ordre » que l'angoisse de voir s'étendre, s'approfondir et s'aggraver le conflit. Ignorant apparemment, dans un premier temps, la part prise par Mussolini dans la préparation et l'armement de l'insurrection, il ne voit là qu'un débat fratricide et en souhaite ardemment la fin rapide — une rapidité qui ne saurait être que celle qu'implique « le savoir-faire expéditif » des militaires (comme le dira plus tard de Gaulle des responsables du pronunciamiento d'Alger).

C'est cet état d'esprit — il s'agit d'un égorgement fratricide, seul Franco peut y mettre un terme prochain — qui explique, sans le justifier, l'article par lequel François Mauriac va faire son entrée fracassante dans le débat espagnol. Le 23 juillet, cinq jours après le début des hostilités, *l'Écho de Paris* informé par un fonctionnaire militaire de l'ambassade d'Espagne, révèle que le gouvernement Blum s'apprête à livrer à celui de Madrid, en application d'une convention passée entre les deux États quelques années plus tôt, des avions et des armes. Kerillis dénonce comme « criminelle et abominable » cette exécution d'un engagement pris. Et Mauriac, et toute la presse de droite de renchérir : Blum jette la France dans le débat espagnol !

C'est le 25 juillet qu'intervient François Mauriac, soignant son foie à Vichy dans un milieu tout acquis au franquisme. Il dicte à la téléphoniste du *Figaro*, en hâte, l'article frémissant qui donne avec le plus d'éclat — et, naturellement, de talent et de force convaincante — le ton de l'opinion bourgeoise, sous ce titre provocant : « L'Internationale de la haine » :

> « ... Il faut que le président du Conseil le sache : nous sommes ici quelques-uns à essayer de remonter le courant de haine qui emporte les Français depuis l'avènement du Front populaire. Nous nous sommes efforcés à la modération. Dans une atmosphère de guerre civile, nous avons voulu " raison garder "
> Mais s'il était prouvé que nos maîtres collaborent activement au massacre dans la Péninsule, alors nous saurions que la France est gouvernée non par des hommes d'État, mais par des chefs de bande, soumis aux ordres de ce

> qu'il faut bien appeler l'Internationale de la haine. Nous saurions que le président du Conseil d'aujourd'hui n'a rien oublié de la rancune séculaire qui tenait aux entrailles le partisan Léon Blum. Un tel geste risquerait de jeter les plus sages dans le parti des violents...
> Nous ne voulons pas qu'une seule goutte de sang espagnol soit versée par la faute de la France. L'Espagne est indivisible dans notre cœur : celle du Cid, de sainte Thérèse, de saint Jean de la Croix, celle de Colomb et de Cervantès, du Greco et de Goya. Et je crois être l'interprète d'une foule immense appartenant à tous les partis, de la Guyenne et de la Gascogne au Béarn et au Pays basque, en criant à M. Léon Blum, qui brûle d'intervenir, qui, peut-être, est déjà intervenu dans ce massacre : " Faites attention, nous ne vous pardonnerions jamais ce crime. " »

Si Mauriac avait pu douter ce jour-là d'avoir frappé juste, il lui suffisait de lire la lettre que lui adressait le lendemain Jacques-Émile Blanche pour savoir qu'il venait de se trahir. Les applaudissements du vieux monsieur d'Offranville sont désormais ce qu'il peut craindre le plus : « Au nom de tous les miens et en mon nom propre, je vous envoie des remerciements bien sentis. Votre courageux article, votre adresse à Léon Blum sont [...] l'expression d'une multitude de Français, indignés et angoissés[1]... »

Mais très vite les choses lui apparaîtront moins simples. Et puis très différentes : on citera plus loin des propos tenus deux ans plus tard devant son fils Claude, qui expriment son « remords » d'avoir pu contribuer ainsi à désarmer le gouvernement légal de l'Espagne républicaine. Dès le 18 août en tout cas, on va voir vaciller sa conviction. Trois jours plus tôt, la colonne franquiste du colonel Yagüe, après s'être emparée d'une petite ville d'Estramadure, Badajoz, a systématiquement massacré ses défenseurs. Plusieurs milliers. L'horreur dicte à Mauriac une réaction d'ailleurs nuancée :

> « ... Les exécutions en masse des vaincus, l'extermination de l'adversaire — qui était la loi avant le Christ — représente le triomphe le plus affreux que la puissance des ténèbres connaisse en ce monde. Les massacres et les sacrilèges de Barcelone[2] dictaient aux vainqueurs de Badajoz leur conduite. [...] [Mais] ils se réclament de " la religion traditionnelle de l'Espagne " [...] Ils n'auraient pas dû, en ce jour de fête [de l'Assomption] verser une goutte de sang de plus que ce qu'exigeait l'atroce loi de la guerre... Victoire souillée ! »

Et Mauriac en vient ainsi à suggérer, plutôt que la « non-intervention [...] qui ressemble à une complicité », un plan d'action « au secours des otages dans les deux camps » pour le « salut des prisonniers dans les deux camps ». Le voilà parvenu à une sorte de neutralité. Il lui faudra aller beaucoup plus loin. Autour de lui, à *Sept* notamment, et bien sûr à *Esprit,* la réflexion est déjà poussée plus avant. Dès le 21 août, l'hebdomadaire des dominicains publie un éditorial qui, non sans circonlocutions, périphrases et réserves,

1. *Correspondance,* p. 182.
2. En Catalogne surtout, des anarchistes avaient procédé à de nombreuses exécutions de prêtres (16000, prétendait l'épiscopat espagnol) et déterré des religieuses.

condamne en fin de compte le pronunciamiento : « Si, théoriquement, (la rébellion) peut être légitime contre un gouvernement dont la tyrannie est telle que chaque citoyen peut se considérer dans un grave danger, on doit dire qu'en pratique, et d'une manière générale, toute sédition proprement dite est illégitime, parce que l'anarchie et le trouble qu'elle engendre habituellement sont d'ordinaire pires que les maux auxquels on veut remédier. »

La doctrine du courant chrétien auquel, depuis l'affaire d'Éthiopie, Mauriac est, qu'il le veuille ou non, lié, va se préciser et s'affiner au cours des mois suivants. Le 6 septembre, dans *l'Aube*, Dom Luigi Sturzo, prophète de la démocratie chrétienne exilé par Mussolini, écrit : « La justice veut que l'on ne donne pas aux insurgés un caractère religieux qu'ils n'ont pas... et dont ils tirent un avantage politique. L'Église est avec celui qui meurt... des deux côtés... même avec ceux qui sont entraînés [...] contre la religion par ignorance, par égarement. » Et, le 3 octobre : « ... Des ouvriers et des paysans espagnols... disent en voyant les avions ennemis : " Voilà les avions du pape ! " en voyant les Maures ils disent : " Voilà les soldats du pape ! " »

Mounier et ses amis espagnols, les chrétiens de gauche Bergamin et Semprun[1] vont beaucoup plus loin et s'engagent résolument du côté de la République. Le directeur d'*Esprit* dénonce cette prétendue « croisade... de mercenaires maures, dont Bergamin a surpris les prisonniers, sur le front de la Sierra, couverts d'objets sacrés pillés dans les églises. Il y a surtout une rébellion de soudards qu'on veut faire passer pour un sursaut populaire, et les éloges à Hitler, qui promettent pour demain, si la victoire tourne en faveur des rebelles, la pire consolidation du désordre établi. Entre une Église abritée à l'ombre de l'épée et une Église souffrante, une poignée de catholiques a choisi. D'autres auraient préféré l'abstention. En Espagne, on ne s'abstient pas : on se donne, ou on meurt[2]. »

Cet engagement se voit conforté le mois suivant par celui du professeur de Semprun, juriste de l'université de Madrid, qui écrit dans la même revue : « Ni les catholiques, ni les gens d'Église, ni les autorités ecclésiastiques en Espagne n'avaient de raisons ni de motifs *suffisants* pour se jeter du côté d'une révolte aussi illégale et aussi épouvantablement meurtrière [...] J'ai choisi le peuple [...] Le peuple d'Espagne ou, mieux encore, les peuples de toutes les Espagnes. Le peuple humilié, oublié, appauvri, abandonné... Le peuple qui a faim de pain et surtout soif de justice, qui a la nostalgie, cachée peut-être sous les furies de ses rages explosives, d'un peu d'amour et de compréhension... »

Qui peut imaginer que François Mauriac ait lu cela sans en être profondément atteint ? Et à supposer même que sa sensibilité ne suffise pas ici à entraîner une adhésion rétive, la causticité critique de son esprit ne pouvait manquer de le dresser contre l'argumentation adverse, ainsi présentée, le 21 octobre 1936, par un éditorialiste de *la Croix*, Pierre l'Ermite, curé

1 Le père de Jorge.
2 *Esprit*, octobre 1936

parisien qui faisait les délices des abonnés les plus chenus : « Les Espagnols avaient tout pour être heureux. Baignés d'azur, sans grands besoins, ils pouvaient rêver sous le soleil, vivre de leur industrie, se nourrir sur leur sol et jouer de la mandoline... Or, un jour, soixante juifs arrivent de Moscou... Et voici cette nation chevaleresque qui se met pieds et poings liés à la domesticité d'une lointaine Russie... »

Croisade ?

Dans le même temps qu'il lit cela, secoué d'un rire déchiré par l'imbécillité abjecte d'un certain clergé, Mauriac apprend, notamment par le rapport que présente devant la SDN, le 30 septembre, Alvarez del Vayo, ministre des Affaires étrangères de Madrid, l'étendue et la violence des interventions italienne et allemande en Espagne. Le 18 janvier, dans *le Figaro,* le commentaire qu'il consacre à l'Espagne en est tout autrement éclairé. Nous voici loin de la « lutte fratricide » de juillet 1936 :

> « A Madrid, durant les derniers jours de la monarchie, je me souviens d'avoir dîné chez un grand d'Espagne, vrai modèle du Greco. De son bel œil sali de bile, il observait le représentant d'une puissance étrangère, qui, le verre d'alcool à la main, parlait trop fort... " Quand je songe, me dit l'Espagnol à mi-voix, que ces gens-là nous considèrent comme des singes ! " L'Espagne n'a jamais beaucoup compté à leurs yeux ; mais la voilà chaque jour plus étrangère à cette bataille des nations qui se livre sur son corps. Elle est foulée aux pieds des Gentils incapables d'entrer dans son mystère. Ces Russes, ces Italiens, ces Allemands viennent vider dans sa maison saccagée une querelle qui ne la concerne pas, et son propre martyre lui demeure une énigme. [...] Quel merveilleux champ de manœuvres ! Quel champ de tir inespéré ! Ils essaient, sur le corps piétiné de l'Espagne, leurs tanks et leurs torpilles. Ils sont bien les descendants de ceux qui se servaient de leurs esclaves pour expérimenter des poisons. »

L'aiguille de la balance continue de bouger. Les Russes sont cités d'abord. Mais qu'il s'agisse de l'aspect « expérimental » du conflit, ou des héritiers des patriciens de Rome empoisonneurs d'esclaves, c'est décidément contre l'Axe que sont dirigés, de plus en plus, les coups de l'escrimeur du *Figaro,* qui dénonçait naguère l'aide timide apportée par le cabinet Blum au gouvernement légal de Madrid comme un complot de « l'Internationale de la haine ».

C'est moins peut-être la transformation de l'Espagne en zone d'expérimentation des techniciens de la guerre moderne qui va progressivement rejeter Mauriac du côté de Mounier, de Bergamin et de Semprun, que la tentative de plus en plus délibérée de la hiérarchie catholique espagnole de présenter le pronunciamiento comme une croisade — avec la complicité de la papauté. Le cardinal Goma Y Tomas, primat d'Espagne, n'était-il pas représentant officieux du Vatican à Burgos, capitale des rebelles ? Ce prélat qui allait déclarer solennellement : « Le Christ et l'Antéchrist se battent sur notre sol... »

Cette « croisade » menée par les bataillons maures porteurs de djellabas frappées du Sacré-Cœur, par les tercios de la Légion étrangère, les régiments fascistes et l'aviation hitlérienne, comment un homme comme Mauriac, dont la pensée politique s'est toujours ordonnée sur cet objectif essentiel : libérer l'Église de toute compromission avec César (et à plus forte raison avec César Borgia...) n'en aurait-il pas eu horreur ? C'est d'abord cela, la honte de ces évêques mitrés paradant devant les canons et les chars de l'Axe et les soudards à la Queipo de Llano et à la Millian Astray, qui a rejeté François Mauriac du côté de ces « rouges » qui l'épouvantaient si fort au printemps et à l'été de 1936. C'est le cardinal-croisé Goma, ce sont ses liens avec Rome, la complaisance dont témoigne à cette croisade ce même clergé pontifical qui a applaudi l'invasion fasciste de l'Éthiopie, c'est l'approbation sourde ou déclarée qu'ils reçoivent en France de la part de princes de l'Église comme le cardinal Baudrillart, qui déterminent Mauriac, comme les horreurs de la répression à Majorque font alors de Georges Bernanos l'auteur des *Grands Cimetières sous la lune*.

La volte-face de Mauriac, pourtant, n'est ni si simple, ni si rapide et foudroyante que celle de Bernanos. Son horreur de la « croisade » sacerdotale sous le signe de Franco ne suffit pas, de longtemps, à faire taire son anticommunisme, son dégoût des fureurs populaires. En février 1937, par exemple, il s'en va écouter Malraux, « coronel » de l'escadrille España, en l'honneur duquel la Mutualité s'est emplie de la foule des sympathisants du Frente Popular. Sous ce titre ambigu, « Le retour du milicien », l'auteur de *la Vie de Racine* entremêle de beaucoup de sarcasmes le portrait de l'homme qui aventure sa vie dans la lutte contre le fascisme — ce fascisme dont il vient, lui, Mauriac, de découvrir la nature sanguinaire. L'étrange portrait, si bien ajusté aux prudences du *Figaro* pour lequel il est écrit !

> « ... M'avait-il aperçu au fond de la salle ? A travers cette forêt de poings tendus, il reprenait un dialogue interrompu depuis des années, du temps que ce petit rapace hérissé, à l'œil magnifique, venait se poser au bord de ma table, sous ma lampe. Alors il m'adressait la même question qu'il me jette ce soir, du haut de cette estrade où l'aviateur, le risque-tout, éclipse de sa trouble gloire le troupeau des écrivains-fonctionnaires [...] " L'Église a eu ce peuple sous sa coupe... Qu'en a-t-elle fait ? " [...] S'il m'avait directement interpellé, je lui eusse répondu : " Je sais ce que les prêtres ont fait de ce peuple, parce que je sais ce que ce peuple a fait de ses prêtres : 16000 ecclésiastiques massacrés, onze évêques assassinés... " Le Frente Popular brûle de zèle pour son Église. Grâce à lui, elle ne manquera jamais de martyrs... »

(Terrible, ce lien de cause à effet établi entre les massacres et le traitement du peuple espagnol par son clergé...)

Est-ce parce qu'il a concédé cela à Malraux, qu'il croit opportun de ridiculiser le réquisitoire du « milicien » contre les méthodes des franquistes ? « ...Lorsqu'il affirma que le général Queipo de Llano avait ordonné par la radio de bombarder les hôpitaux et les ambulances “ pour atteindre le moral de la canaille ”, il n'arracha pas à cette salle pourtant passionnée le rugissement d'horreur attendu : on ne le croyait pas... » Il faudra quelques mois encore, quelques semaines, pour que Mauriac s'épargne ces naïvetés et cesse de croire un Queipo de Llano incapable de provoquer la terreur par ces moyens-là...

Mauriac est encore hésitant. Les franquistes sont-ils bien ce que disent Bernanos, éternel extrémiste, ou cet exalté de Mounier ? Quand, à l'époque du meeting de Malraux à la Mutualité, le 7 février, un appel contre les bombardements de Madrid, attribuant à Franco la responsabilité originelle du massacre, est lancé par quelques catholiques de gauche (Sangnier, Mounier, Martin-Chauffier) et proposé à la signature des autres, Maritain accepte de donner la sienne, non Mauriac. Mais les assassinats de prêtres basques coupables de rester solidaires de leur peuple fidèle à la république, révélés en janvier dans *Esprit,* le troublent profondément. Pour le faire entrer décidément dans le camp républicain, il manque à François Mauriac une sorte de signe. Il en sera bientôt frappé.

Guernica

Le 26 avril 1937, dans l'après-midi, la « légion Condor » nazie bombardait et détruisait en trois heures la petite cité de Guernica, capitale historique et spirituelle du pays basque, massacrant plus de 2000 personnes (le quart des habitants) y compris de nombreuses femmes avec leurs enfants : c'était jour de marché. Bien que la presse de droite tentât d'imputer ce crime aux « rouges » qui auraient fait sauter la ville menacée par l'avance rebelle, les témoignages qui se multiplièrent très vite, tant dans la presse anglo-saxonne que du fait des Basques réfugiés à Paris ou à Londres, firent exploser le scandale : la stratégie de la terreur était expérimentée par Hitler.

Cette stratégie mortelle que Mauriac pressentait en écrivant son article de février, celle qu'il doutait de voir Queipo appliquer (quand c'était Malraux qui la dénonçait) était imposée aux Basques fidèles à une république qui avait reconnu leur autonomie, contre les franquistes qui la leur contestaient. Mauriac ne peut plus s'accrocher à cette espèce de neutralité qui situe sur le même plan un gouvernement légal lié à la majorité des masses populaires, et une junte de militaires rebelles alliés aux bourreaux de Guernica.

Quand paraît, le 9 mai 1937, le manifeste pour la défense du peuple basque qui s'ouvrait par ces mots : « La guerre civile d'Espagne vient de prendre au pays basque un caractère particulièrement atroce... C'est aux catholiques, sans distinction de parti, qu'il appartient d'élever la voix les premiers pour que soit épargné au monde le massacre d'un peuple chrétien. Rien ne justifie, rien n'excuse les bombardements de villes ouvertes, comme celui de Guernica... », cette fois le nom de François Mauriac apparaît aux premiers rangs des signataires, aux côtés de ceux de Maritain, Mounier, Don Sturzo, Merleau-Ponty, Claude Bourdet, Georges Bidault, Charles Du Bos, Stanislas Fumet, Gabriel Marcel, Jacques Madaule... Il était précisé que les signataires avaient eu connaissance du témoignage du chanoine Alberto de Onaindia, qui se trouvait sur les lieux au moment du bombardement et avait pu constater que les assaillants avaient pilonné la ville pendant trois heures et poursuivi à la mitrailleuse ceux qui s'enfuyaient...

Cette signature qui fit tant de bruit, Mauriac ne l'avait pas donnée sans hésitation. Il tint à le dire aussitôt dans un article du *Figaro*.

> « Le crime, en Espagne, est-il d'un seul côté ? J'ai pourtant signé. [...] A un être gisant, accablé de coups, nous devons épargner les *il fallait* et les *pourquoi*... J'ai souffert de sembler apporter de l'eau, ou plutôt du sang... au moulin communiste. Mais un peuple chrétien gît dans le fossé, couvert de plaies. Devant son malheur, ce n'est pas faire le jeu du marxisme que de manifester au monde la profonde unité catholique... »

La controverse sur les responsabilités du massacre n'a pas cessé [1], même après les aveux de Goering et de ses lieutenants. Une déclaration publiée le 3 juin 1937 par le général Mola — quelques jours avant sa mort accidentelle — aurait dû pourtant suffire à la clore. L'adjoint de Franco assurait : « Nous raserons toute la Biscaye pour décourager l'Angleterre de secourir les bolcheviks basques... »

C'est le moment que choisit Paul Claudel pour publier son *Ode aux martyrs espagnols* où il n'était pas question d'autres victimes que celles des « rouges » :

> Seize mille prêtres, seize évêques exterminés, et pas une apostasie !
> Saintes églises exterminées [...]
> Ces peintures vénérables et ce ciboire [...]
> Où le CNT [2] en grognant de délices
> a mêlé sa bave et son groin...
> Ce que la brute immonde autant que Dieu déteste,
> C'est la beauté
> Tue, camarade, détruis et soûle-toi, fais l'amour,
> Car c'est cela, la solidarité humaine !

Sept ayant publié ce texte provocant de mépris — comme les pressions, sur les pères de Latour-Maubourg, avaient dû être fortes ! — Mauriac jugea utile de lui opposer un article du *Figaro*, qui, largement retouché et enrichi, servira de préface un an plus tard au livre de Victor Montserrat *le Drame d'un peuple incompris*. Au « cher et grand Claudel » Mauriac suggérait de

1. Un journal comme l'*ABC* madrilène en rejetait encore la responsabilité sur les « incendiaires rouges », en 1973...
2. La Confédération nationale du travail, centrale syndicale à dominante anarchiste

« compléter » son Ode, lui conseillant d'« honorer par une seule strophe, par un seul vers, les milliers d'âmes chrétiennes que les chefs de " l'Armée Sainte ", que les soldats de la " Sainte Croisade " [avaient] introduites dans l'éternité ». Et de poursuivre en martelant le vieux poète de la « croisade » :

> « Claudel ferait bien d'ajouter à son poème franquiste un verset en l'honneur de Don Martin Lecuona, de Don Gervasio de Albizu, fusillés à Galarreta, près d'Hernani (Don Lecuona fut le fondateur de la JOC en Euzkadi). Il pourrait aussi honorer la mémoire de Don Alejandro Mendicute, de Don Joaquin Arin, de Don Leonardo de Guridi, de Don José Penagaricano, de Don Celestino de Onaindia (qui mourut en récitant le *Te Deum*), de Don José de Adarraga, de Don José de Ariztimuno, du P. Roman de San José, prieur d'Amorabieta. Qu'il ait aussi une pensée dans une nouvelle édition de son poème pour les prêtres et séminaristes déportés après la prise de Bilbao. »

Mauriac est déjà au-delà de ces comptes et de ces équilibres : il est engagé dans le camp des Basques. Dans son carnet, Jeanne Mauriac signale la multiplication des contacts que prend alors François avec les réfugiés, et la part qu'il prend à la rédaction du manifeste qui, au moment de la chute de Bilbao, le 20 juin 1937, est adressé au cardinal Pacelli pour que Rome intervienne auprès de Franco afin que soit apportée « plus de modération dans la conduite des opérations en Biscaye ». Il participe à la constitution de la Ligue internationale des amis des Basques — dont le comité d'honneur groupe le cardinal Verdier, archevêque de Paris, Édouard Herriot, président de la Chambre, Mgr Feltin, archevêque de Bordeaux, Jacques Maritain, Mgr Mathieu, évêque de Dax, Louis Gillet et lui-même, François Mauriac — qui en deviendra plus tard le président.

Alors il va vraiment parler. Oubliant les prudences, la circonspection de son article du mois de mai, il dit ceci, il le clame pour les Basques :

> « On n'assassine pas un vieux peuple chrétien parce qu'il a cru qu'il ne fallait pas se révolter. Le gouvernement légal de l'Espagne a dit aux Basques : " Vous êtes libres ". Cette indépendance dont ils rêvaient depuis des siècles, que les rebelles leur refusaient, comment ne l'auraient-ils pas défendue pied à pied ? [...] S'ils ont commis une faute inexpiable en refusant de livrer à l'Allemagne le minerai de Bilbao, que les Français, du moins, leur soient indulgents. Un jour peut-être nous comprendrons que ce pauvre peuple souffrait et mourait pour nous. Dieu veuille alors que nous ne retrouvions pas leurs morts à l'endroit même où il nous faudra enterrer les nôtres[1] ! »

Le grand Mauriac, soudain lucide, perforant, exact. Celui qui a *vu*[2], et qui dit l'évidence de sa voix sourdement implacable. Le vrai Mauriac de vérité, entré dès lors dans le long cycle de lucidité vibrante qui connaîtra bien peu d'éclipses. C'est en ce jour de juin 1937 que le *voyant* qui se forme patiemment depuis ce jour de 1934 où il n'avait pas pu faire admettre à M. de

1. *Figaro*, le 17 juin 1937
2 Voir n'est pas synonyme d'« aller sur le terrain » En croira-t-on un journaliste ?

Kerillis qu'un communiste était un être humain, depuis ce jour de l'automne de 1935 où un dessin raciste l'avait rejeté dans le camp des défenseurs de l'Éthiopie, depuis ce jour d'août 1936 où il avait compris que l'assassinat collectif de paysans d'Estramadure n'était pas la manifestation de la justice de Dieu, c'est en ce jour de juin 1937 qu'il est devenu François Mauriac, témoin majeur de son temps — comme, quinze ans plus tôt, la publication d'un petit récit de quatre-vingts pages avait signalé d'un coup que le « chérubin de sacristie » dont on lisait les brouillons avec un intérêt impatient était devenu un grand romancier : l'auteur du *Baiser au lépreux*.

Peu d'encouragements pouvaient mieux l'ancrer dans la position qu'il a prise que cette lettre, reçue le 15 octobre 1937 de l'écrivain catholique espagnol José Bergamin :

« Vos paroles sont pour moi la meilleure réponse à celles de Claudel qui m'avaient causé une impression si douloureuse. Au début, j'ai pensé répondre à Claudel [...] Je ne l'ai pas fait, parce que étant espagnol, et espagnol du peuple, cela me semblait presque une impertinence pour les écrivains français [1]. C'est pourquoi votre chronique me touche si profondément et m'inspire un sentiment de véritable gratitude. Je ne puis vous dire tout ce que je voudrais dans cette lettre qui n'est que le témoignage de ma reconnaissance ; mais peut-être un jour pourrai-je le faire de vive voix.

A Madrid, à Valence, se sont déroulées devant mes yeux de terribles scènes de la guerre. A Valence, dans un quartier entièrement détruit par le dernier bombardement, vous auriez pu voir comme moi quelque chose qui vous aurait sans doute profondément ému. Une enfant de dix ou douze ans, au milieu des décombres de sa maison totalement détruite et sous lesquels devaient se trouver ses parents morts, tenait une petite statue de la Vierge, comme on en voit sur la commode dans beaucoup de maisons espagnoles. L'enfant avait trouvé la statue parmi les ruines ; et au lieu de la baiser comme elle l'avait fait si souvent, elle la frappait désespérément contre le sol afin de la détruire [...] Vous ne vous souvenez peut-être pas de notre conversation à Madrid, il y a déjà de nombreuses années. Quant à moi, je m'en souviens. Et aujourd'hui, les paroles de votre chronique sont pour moi une consolation et un soutien amical. Cette chronique sera lue en Espagne par une jeunesse capable de la comprendre et de la sentir véritablement. Comme croyant chrétien, et je crois pouvoir dire encore catholique, comme espagnol et comme écrivain, je vous serre cordialement la main. »

1 « Don Pepe » Bergamin ironise Il a toujours su appeler un chat — français ou non — un chat

Une intrigue romaine

Pour exalter le génie de Mauriac, il ne faut pas seulement une noble cause. Il faut aussi quelque cible, grotesque ou monstrueuse. Sa chance fut de toujours pouvoir associer ceci et cela. Si son immense pitié pour les Basques n'avait pas suffi à l'entraîner dans le combat, certain parti ecclésiastique aurait complété l'œuvre des bombardiers de Guernica.

Sept vivait, et vivait bien, depuis 1934, sous l'égide vigilante des « pères ». On pouvait y lire l'ode « incomplète » de Claudel, mais aussi les premières philippiques de Bernanos contre l' « Armée Sainte » et ses tueurs de Majorque. En novembre 1936 avait paru une longue enquête intitulée « Mirage du marxisme : le communisme jugé par les faits », dont les conclusions étaient : « Que reste-t-il de marxiste en URSS, sinon le matérialisme d'État ? », mais aussi : « Nous tendons nous aussi la main à tous[1], aux communistes comme aux autres. »

Lors du suicide de Salengro, l'éditorial de *Sept* condamnait sans ambage la diffamation et concluait : « Nous pleurons avec ceux qui pleurent. » Mauriac y poursuivait une collaboration à éclipses, mettant l'accent sur le rôle social de l'Église et sur le développement de la JOC (Jeunesse ouvrière chrétienne) qui lui semblait l'héritière du Sillon de sa jeunesse. L'article qu'il lui consacre le 12 février 1937, « Le miracle de la JOC », ouvrait un numéro qui fut tiré à 130 000 exemplaires.

A la fin de 1936, pourtant, certaines rumeurs pessimistes commencèrent à se répandre sur l'avenir de l'hebdomadaire. L'interdiction dont il était frappé en Italie, en Allemagne et en Espagne effrayait bon nombre d'ecclésiastiques français. Les articles de Mauriac ne suscitaient pas encore l'indignation du Saint-Siège, mais ceux de Pierre-Henri Simon déplaisaient fort, surtout celui du 21 mai 1937 où, analysant *Du mariage*, de Léon Blum, il avait qualifié l'auteur de « moraliste ». Il lui avait fallu préciser, dans un numéro suivant, que ce mot était utilisé dans « le sens du XVIIe siècle » !

Mais il y avait eu bien pire, à propos du même Blum. Depuis quelques mois, *Sept* publiait des interviews de personnalités politiques françaises, du colonel de La Rocque à Bergery et à Flandin. Le jeune Maurice Schumann, collaborateur de l'Agence Havas, très dévoué à *Sept* et qui écrivait des commentaires de politique étrangère sous la signature d'André Sidobre[2], eut l'idée, en avril, de demander une interview au chef du gouvernement de Front populaire. Sceptiques, mais non hostiles, les « pères » l'autorisèrent à tenter sa chance. Blum accepta d'emblée de donner à *Sept* la seule interview qu'il ait accordée à un journal français en tant que chef du gouvernement. Sa déclaration n'était pas longue : dix-sept lignes. Mais il répondait clairement à la question de « Maurice Jacques » sur les possibilités de coopération entre les catholiques et le gouvernement :

1 Réponse au discours de Thorez analysé par Mauriac, p. 315.
2. Mais recueillait les interviews sous le pseudonyme de Maurice Jacques.

« Je crois la collaboration entre les catholiques et le gouvernement possible [...] Les deux encycliques que le Saint-Siège a consacrées aux problèmes sociaux sont des formules voisines de celles que le gouvernement de Front populaire s'efforce de transporter dans la légalité républicaine... » Le commentaire dont *Sept* faisait suivre ce propos bienveillant ressemblait fort à l'ouverture d'un dialogue : « S'il y a coïncidence entre certaines initiatives du Front populaire et les réponses demandées par la doctrine sociale de l'Église, nous ne voyons pas de raison pour ne pas leur donner loyalement notre appui. »

Les pères Bernadot, Boisselot et Maydieu venaient de signer, avec ce texte bénin, ce « loyalement » surtout, leur condamnation. La levée de boucliers fut générale, de *l'Action française* (« Dévotion à Blum, Cachin et Thorez ! ») aux charitables jésuites d'*Études* (« Prudence, prudence ! ») et aux francs-maçons de *la Lumière* (« Tu quoque, Léon ! »).

Les pauvres dominicains de Latour-Maubourg se mettaient décidément à sentir le fagot ; tandis que *Sept* se radicalisait en publiant coup sur coup un violent texte de Bernanos contre « La croix au secours de la victoire » en Espagne, Guillemin s'y déchaînait, lui, contre l'antisémitisme dont il n'innocentait pas la hiérarchie catholique ; et la revue qu'ils publiaient parallèlement à *Sept, la Vie intellectuelle,* venait d'accueillir un autre article d'Henri Guillemin, « Par notre faute », qui ébauchait un historique du catholicisme d'une crudité rafraîchissante, mais très peu conforme au style romain.

C'est au sujet de ce second article que Mauriac écrivait à Guillemin qu'il avait « terriblement raison », mais qu'en le publiant à cette date, les pères n'avaient peut-être pas choisi le moment le plus opportun. Et Mauriac d'ajouter :

> « Mais comment ne pas les excuser ! Il semble que tous les rapports soient empoisonnés par cette autorité multiforme et sournoise dont chacun se méfie... L'essentiel est d'être un laïc et de remercier Dieu de vivre dans un temps où Ses prêtres n'ont d'autres pouvoirs que ceux que Lui-même leur a confiés... »

Formule merveilleusement mauriacienne, qui va orienter ses décisions à venir. Car il sait, mieux que d'autres, les menaces qui pèsent sur *Sept.* Il a reçu une lettre de son ami Georges Duhamel, peu mêlé à ce genre de débats, mais qui vient de déjeuner avec le révérend père Gillet, supérieur général des dominicains, venu de Rome où il réside : « ... Nous avons parlé, oh ! par hasard, de l'Italie et de la guerre d'Afrique. J'avoue que le père Gillet m'a fait de la peine. J'avais le sentiment de parler seul pour défendre ce que vous avez défendu tout l'hiver avec tant de libre courage... Je suis sorti de là navré .. »

Ce n'est pas sur ce « révérendissime » supérieur, qui vient de donner une interview complaisante à l'hebdomadaire fascisant *Choc,* que les dominicains de Paris peuvent compter pour les soutenir auprès des censeurs du Vatican

D'autant que, mariant alors José Laval, le révérend père Gillet a, dans son prône, salué son père comme un « courageux homme d'État ». Soutien beaucoup plus compromettant en 1937 que celui accordé par Mauriac à Laval dix-huit mois plus tôt, avant que soit connu le sens des accords sur l'Éthiopie avec Mussolini, et avant que le sénateur du Puy-de-Dôme ait proclamé ses sympathies pour Franco.

Cela, Mauriac ne l'ignore pas, pas plus que le travail de sape que font à Rome, contre *Sept,* le nouveau chef du Saint-Office, Mgr Pizzardo (si épouvanté du triomphe de la « révolution » en France que, passant en train par Paris, en avril 1937, il saluait avec étonnement le courage de quelques prêtres qui étaient venus le saluer à la gare « en soutane » !) et le révérend père Garrigou-Lagrange, théologien thomiste fort prestigieux à Rome, adversaire aussi irréductible du « libéralisme » que son supérieur Gillet. Tout ce groupe, exaspéré par l'article de Guillemin dans *la Vie intellectuelle* et par le réquisitoire publié par Maritain dans la *NRF* contre la « croisade franquiste », en juillet, multiplie les démarches. Le pape, dit-on, soutient les pères de Paris...

... Mais le 25 août, la direction de *Sept* reçoit de Rome un télégramme lui retirant le droit de paraître et lui enjoignant non seulement de se saborder, mais de prévenir ses lecteurs que cette interruption est due à des raisons financières ! Alors que trois semaines plus tôt, dans un éditorial triomphant, les animateurs de *Sept* se flattaient des progrès de la vente du journal...

Les pères vont s'incliner. Le 27 août 1937, paraît le dernier numéro de *Sept,* dont l'éditorial, intitulé « Adieu », fait bien état, pieusement, de « difficultés économiques », mais — moins pieusement — exprime le vœu que d'autres s'expriment « librement dans un journal qui n'engagerait pas la hiérarchie » et — de moins en moins pieusement — suggère que « des campagnes menées au sein de l'Église » révèlent « une corruption méprisable de la vie chrétienne ». Voilà ce qui s'appelle s'agenouiller la tête haute.

Dans une lettre à Henri Guillemin du 31 août 1937, Mauriac laisse éclater sa colère :

> « Une lettre reçue hier du père Maydieu respire cette résignation sublime et exaspérante des moines et ne renseigne sur rien. Mais leur " Adieu ", que vous avez dû lire entre les lignes, ne laisse aucun doute sur les responsables de ce malheur... En tant que puissance temporelle, l'Église est condamnée à équilibrer sans cesse des forces contraires. Sa politique a été et sera toujours un balancement qui me dégoûte autant que vous, mais auquel je suis résigné... Mon avis serait de créer entre laïcs un bulletin des amis de *Sept* (il faut réfléchir à ce bulletin, me dire ce que vous en pensez). »

Dans un long article intitulé « Pourquoi *Sept* a été supprimé », publié quelques jours plus tard dans *le Crapouillot,* Jean Galtier-Boissière dénonçait un « complot » auquel auraient participé, avec le révérend père Gillet et Mgr Pizzardo, le très réactionnaire général de Castelnau, ennemi juré de Mauriac (« cet homme dont les livres ne pénètrent pas dans le foyer où vivent mes enfants »), le duc Pozzo di Borgo, animateur des Croix-de-feu, et les chefs de *l'Action française*. Conclusion de l'enquête de Galtier-Boissière : « Le révérendissime père Gillet, qui brigue le frac épinard [de l'Académie], commence à se demander s'il n'a pas lourdement gaffé en se faisant un ennemi mortel de l'opiniâtre François Mauriac. »

Opiniâtre, François Mauriac ? Oh ! oui, en cette affaire, tout au moins. Cette nauséeuse intrigue vaticane l'a révolté. Le jour même où il écrivait à Guillemin pour suggérer une poursuite de l'œuvre de *Sept*, au moins sous une forme laïque, se tenait une réunion des amis et collaborateurs de l'hebdomadaire assassiné. Mauriac fut le plus ardent à faire valoir que *Sept* devait, sous une forme ou sous une autre, continuer. D'autres parlaient de soumission à l'esprit aussi bien qu'à la lettre du veto venu de Rome. Le plus éloquent d'entre ces derniers fut Daniel-Rops, arguant de l'autorité vaticane, de la nécessaire discipline. « Quand le Saint-Siège s'est prononcé, un catholique s'incline. » Alors on entendit, de sa voix dans ces cas-là pénétrante, Mauriac glisser à son voisin : « On est toujours treize ! »

« Temps présent »

C'est lui entre autres qui arrache la décision de créer, pour succéder à *Sept*, non pas un simple bulletin des amis du journal condamné, mais un grand hebdomadaire *Temps présent*, lequel assurera d'autant mieux la continuité de l'entreprise que c'était là le sous-titre du précédent journal, « hebdomadaire du temps présent ». Le défi est lancé aux censeurs romains et à leurs alliés parisiens. « L'opiniâtre M. Mauriac » écrit encore à Guillemin, le 28 septembre 1937 : « Nous gênons le Vatican, qui a besoin de Mussolini en Allemagne... Avouez que j'ai quelque mérite à entrer dans cette bagarre... Qu'est-ce que je vais prendre ! Mais il le faut, et votre article n'a pas peu contribué à me décider » (le fameux « Par notre faute » de *la Vie intellectuelle*).

Oui, décidément, le père Gillet et Mgr Pizzardo ont eu la main malheureuse. Rancune ou fidélité de Mauriac et des autres ? Le fait est que *Temps présent* n'est pas un simple continuateur de *Sept*. C'est un surgeon formidable, libéré des contraintes ecclésiastiques et doté dès l'origine de fonds versés par les nombreux amis du premier hebdomadaire, indignés de l'autodafé du mois d'août et brusquement éclairés, comme Mauriac, sur les collusions sinistres entre l'Église romaine et l'autre Rome, et ses amis et alliés de Berlin, de Burgos et de Paris.

Sept était un hebdomadaire modeste, simplement défavorable au fascisme et à la guerre. *Temps présent* sera un journal mieux fait, plus riche, plus moderne, activement antifasciste, résolument hostile au franquisme et au nazisme. Une publication où François Mauriac s'engagera beaucoup plus résolument, ne serait-ce qu'en lui donnant[1] l'éditorial hebdomadaire, qui ne fait pas peu pour affermir le prestige du nouveau journal. Le premier, du 5 novembre 1937, sonne comme un défi. Il causa quelque sensation :

> « *Sept* a disparu en pleine vie[2]. *Temps présent* naît, gonflé de la même sève. Si un journal n'était qu'une feuille de papier imprimé, il n'aurait pas de peine à mourir. Mais il y avait dans *Sept* beaucoup plus que *Sept*. Il excitait plus de haine et plus d'amour qu'on n'aurait pu l'attendre d'un hebdomadaire aussi modeste ; et il est remarquable que *Temps présent*, avant même d'avoir paru, a subi de rudes attaques. [...] La vérité est gênante. Elle ne le fut jamais plus qu'aujourd'hui pour certains intérêts puissants. Que de fois m'a-t-on glissé à l'oreille : " Il y a des choses qu'il vaut mieux ne pas dire, même si elles sont vraies. " [...] C'est le jour où *Sept* a été abattu que j'ai mesuré la place qu'il occupait : aux cris de joie qui saluaient sa disparition, plus peut-être qu'à la douleur et au désarroi de tant d'âmes. Oui, ce jour-là, j'ai compris. »

La « profession de foi » qui occupait, avec l'éditorial de Mauriac, la première page rappelait que *Temps présent* n'était pas « *Sept* sous un autre nom, (mais un) journal laïque, dirigé et composé par des laïcs, complètement indépendant de tout ordre religieux ». Et il présentait une liste de collaborateurs impressionnante, à laquelle aucun autre journal français ne pouvait alors prétendre : Karl Barth, Bernanos, Charles Du Bos, Claude Bourdet, Stanislas Fumet, Henri Ghéon, Louis Gillet, Guillemin, Pierre-Henri Simon, Madaule, Malègue, Gabriel Marcel, Maritain, Massignon, Mauriac, Mounier, François Perroux, Pourrat, Boris de Schloezer, Rémi Schwob, Thérive, Maxence Van der Meersch... Seul Claudel avait dit non !

Mais ceux qui furent les « mécaniciens », les opérateurs du nouvel hebdomadaire, ce furent surtout Stanislas Fumet, le rédacteur en chef, Joseph Folliet, vieux démocrate-chrétien venu de Lyon et du militantisme en milieu populaire, et bientôt après Georges Hourdin, qui avait quitté *l'Aube* (en raison de désaccords politiques avec Georges Bidault) et *la Vie catholique* alors déclinante, pour apporter au nouveau journal son énergie industrieuse. Pour ne pas parler d'Ella Sauvageot, qui avait réuni les fonds nécessaires à l'entreprise et fut en fait l'inspiratrice constante de la publication. C'est chez elle, rue de Babylone, que se tenaient les réunions de rédaction, le plus souvent en présence de Mauriac, pétillant, pétulant, audacieux, de Pierre-Henri Simon, infatigable, et de l'ingénieux Maurice Schumann arrivant toujours de l'autre bout du monde.

Temps présent ne se signalera pas seulement à la haine de ceux qui rêvent d'un pouvoir fort à l'image de celui de Rome, des alliés de Franco. Il saura aussi poser, en avance sur son temps, cette question coloniale qui occupera si fort François Mauriac quinze ans plus tard. Dès le premier numéro, un grand article d'Émile Dermenghem signale une « Tempête sur le Maroc ».

En janvier 1938, Mauriac écrit à Guillemin : « *Temps présent* marche de

1. Expression techniquement et financièrement exacte...
2. Écrit à l'adresse des censeurs de Rome.

façon inespérée... » Il fait tout pour cela. Son « billet hebdomadaire » devient très vite un des textes de référence constante de la presse française. Ce n'est pas encore le grand Mauriac du *Bloc-Notes,* celui qu'a déjà révélé l'admirable article du 17 juin sur la cause basque. On le sent là un peu contraint par le souci d'édifier, de moraliser, de faire « peuple ». Il écrit visiblement pour de « bonnes âmes », vicaires de province ou syndicalistes chrétiens. Mais écoutons-le quand même : si bénin qu'il se veuille, la griffe est là. A propos des loisirs enfin accordés aux travailleurs et de l'usage qu'il faudrait en faire à la recherche du « beau », il écrit :

> « Nous savons hélas, jusqu'où de saints prêtres peuvent pousser la passion de la laideur et la recherche de l'horrible. Les lieux de pèlerinage modernes témoignent de ce que l'argent accomplit de hideux entre des mains innocentes. Il vous faut donc chercher le beau, pour le découvrir... »

Et à propos de ce que certains catholiques étrangers pensent et disent de la France sous le Front populaire, il répond, sous le titre « Calomnie », à une correspondante canadienne qui lui avait écrit : « Comme catholique, vous courez en France les plus grands dangers ; venez vous réfugier chez nous ! » :

> « J'ai ri d'abord, et puis, à la réflexion, il m'a paru qu'il n'y avait pas là de quoi rire : nous mesurons ici jusqu'où est allée la campagne de dénigrement contre la France, quel succès elle a obtenu chez nos amis mêmes [...] Quelle imposture ! Le seul pays où chacun peut, en toute liberté, adhérer au parti qu'il préfère, où presque aucune limite n'est assignée à la manifestation de nos idées politiques, où les ennemis du régime, sans courir aucun risque, se livrent dans leurs feuilles à toutes les violences, passe donc, au Canada, pour une terre où un catholique joue sa vie ! On s'étonne que cette bourde soit crue, en dépit de la réception réservée au Légat du Pape [1]. Les millions de visiteurs que l'Exposition [2] a attirés n'ont pu convaincre ma correspondante du Canada. Il serait curieux de connaître ses raisons... Peut-être ne lui ont-elles pas été toutes fournies par la presse étrangère, hélas ! [...] On mène ainsi, en pleine paix, une affreuse guerre des gaz... »

On ne pouvait plus clairement dénoncer la campagne proprement antinationale menée par les porte-parole du « nationalisme intégral » et reprise par les officines de propagande de Rome et de Berlin. Mauriac est là sur son terrain, à son affaire : il mord bien. Et quand, au début de février 1938, Jacques Maritain prononce une conférence intitulée « Les juifs parmi les nations », qui est un long et très solide réquisitoire contre l'antisémitisme, Mauriac vient à sa rescousse, et avec d'autant plus d'ardeur que le président du Conseil municipal de Paris, un certain Le Provost de Launay, a réussi à empêcher le philosophe thomiste de prononcer une seconde fois son exposé comme il était prévu :

1. Le cardinal Pacelli venait de faire une visite solennelle à Paris, à Lourdes et à Lisieux.
2. « L'Expo » de 1937, si décevante qu'elle fût.

« Maritain, sans négliger aucun des arguments habiles dont usent les antisémites et les racistes, passe à travers les murailles dont la haine s'efforce de nous entourer, et d'abord s'établit sur le plan surnaturel où saint Paul avait déjà posé le problème juif : Israël nous apparaît comme un mystère, du même ordre que le mystère du monde et le mystère de l'Église... Il y a une relation supra-humaine d'Israël au monde comme de l'Église au monde... Aux yeux d'un chrétien qui se souvient que les promesses de Dieu sont sans repentance, Israël continue sa mission sacrée, mais dans la nuit du monde, préférée, en quelle inoubliable occasion, à celle de Dieu... »

A dater de ce moment, Mauriac ne se contentera plus de manifester au judaïsme martyrisé sa sympathie verbale : il se joindra aux organisations d'accueil aux réfugiés juifs d'Autriche et d'Allemagne, associé à Jacques et Raïssa Maritain.

En mai 1938, c'est le salut de l'éditorialiste de *Temps présent* à deux compagnons antithétiques, Gide et Bernanos, témoins de la vérité — l'une découverte en URSS, l'autre en Espagne :

« Gide, communiste, a nié que le régime de Staline fût le régime de la justice. Bernanos, catholique, a chassé le crime de cette ombre où il s'était tapi, au pied de la Croix. [...] Le talent est ennemi du mensonge ; ou plutôt, un menteur, un calomniateur, ne saurait être ni un véritable romancier, ni un historien véridique, ni un critique juste. Qu'il ne puisse pas être non plus un poète, cela va sans dire : le poète est l'homme qui voit et qui montre, au-delà des apparences, ce qui est[1]. La vocation d'un écrivain est d'atteindre le vrai. [...] Le menteur en politique est aussi un menteur dans son art. L'indifférence à la souffrance des hommes ne saura jamais peindre les hommes. La devise " par tous les moyens " désigne la catégorie d'individus dépourvus, même sur le plan esthétique, du don essentiel, qui est le don de choisir, à la lumière de cette flamme où le beau et le vrai sont indissociables... »

Et, le 27 mai, cet audacieux exorde à la tragédie, intitulé « La guerre » :

« A quoi servirait de se crever les yeux ? La guerre est désormais dans le droit fil de notre destin. Entre la guerre et nous, il n'y a plus rien que cette supputation de l'homme enfermé à Berchtesgaden, qui interroge ses conseillers militaires, pèse ses chances. Il voudrait être sûr que la France est aussi malade et aussi divisée que la presse française le laisse entendre. [...] Le temps travaille pour lui... Autant que nous armions, il s'armera davantage encore, mais surtout il mettra la main, sans coup férir, en Europe centrale, sur ce qui lui manque encore pour soutenir une guerre longue. [...] C'est ce que M. Eden avait compris. L'Angleterre et la France auraient pu, sans risque, tenir en respect une Allemagne qui ne se sait armée que pour les rapides coups de force. Notre faiblesse va la mettre en passe de détenir assez de pétrole et de blé et de tout ce qui est nécessaire à un grand peuple engagé dans une guerre d'usure — et ce sera alors l'échéance... »

1 Quelques mois plus tôt, pourtant, Claudel.

Impressionnante lucidité. Et courageuse, quand on sait avec quelle violence, quelle outrance les « pacifistes » du temps, de Maurras à Déat et Doriot, dénonçaient, pourchassaient, menaçaient physiquement ceux qui voulaient avoir les yeux ouverts et regarder du côté de Berchtesgaden. Décidément, « l'opiniâtre M. Mauriac », depuis qu'il a été poussé dans ses retranchements par les intrigues conjuguées du fascisme et du Vatican, est devenu la grande voix qui perçait sous la musique du *Baiser au lépreux.*

Face à Maurras

Mais tous ses combats de ces temps-là, François Mauriac ne les livre pas de loin ou, par victimes interposées, sur des terres lointaines. Il a repéré un foyer d'infection où se développe la fièvre la plus nocive, l'Académie. Tout y cède à un grand dessein : abattre la démocratie. Il en avait déjà mesuré l'ampleur lors de l'élection de Farrère contre Claudel. Depuis, il y a eu le Front populaire, la Grande Peur. A la haine se joint la rancune. Mauriac voit se poursuivre la grande manœuvre, menée par l'extrême droite académique, rassemblée autour d'Abel Bonnard et du cardinal Baudrillart, et qui ne vise pas à moins qu'à installer sous la coupole Charles Maurras — pour en faire un signe de la grande revanche contre le Front populaire et de la connivence profonde d'une certaine France des notables avec les dictateurs « défenseurs de l'Occident ».

Là, il est sur son terrain. C'est là aussi, c'est là surtout qu'il faut se battre : car s'il n'a guère de moyens de s'opposer à l'entrée de Hitler à Vienne, de Mussolini à Addis-Abeba ou de Franco à Barcelone, il peut agir contre l'entrée de Maurras à l'Académie. Malraux a choisi d'emblée de combattre en Espagne, les armes à la main. Mauriac, lui, a aussi ses armes, moins bruyantes, moins « héroïques ». Il va les employer.

Le 24 février 1938, François Mauriac et le père Maydieu déjeunent chez Georges Duhamel. On parle de cette candidature Maurras qui se « mijote » avec la connivence du tout-puissant André Chaumeix — celui qui trois ans plus tôt a accueilli Mauriac sous la coupole, un poignard à peine dissimulé derrière le dos — et Georges Goyau, ancien mentor des étudiants du 104, rue de Vaugirard, deux des hommes qu'a le plus insultés *l'Action française*, le premier pour sa fourbe médiocrité, le second pour sa dévotion au Saint-Siège : le journal de Maurras n'appelait le premier que « le cobra », le second que « le petit singe vert »... « Voter contre, bien sûr, dit Mauriac à ses amis. Mais ce ne sera pas assez... Duhamel et moi devrions dire que nous nous opposons à l'entrée de Maurras à l'Académie, que nous ne viendrions plus s'il est élu » L'entrée de Maurras à l'Académie serait un tel triomphe pour l'extrême droite internationale, pour Mussolini et Franco... C'est pour le coup que Louis Bertrand pourrait saluer le Führer !

Le 1er juin, veille de la séance de l'Académie où doit être examinée la candidature Maurras, François Mauriac lit à son fils Claude le brouillon de la communication dont il souffletera le lendemain ses confrères. L'auteur du *Temps immobile*[1] indique qu'il n'en donne qu'une version approximative :

« Bien qu'il ne soit pas d'usage, pour notre compagnie, d'examiner en séance les titres des candidats, je me permettrai de vous poser, à propos d'une élection à laquelle une importance extrême est à juste titre accordée, les deux questions suivantes :

1. Que feraient, en cas d'élection de M. Maurras, ceux de nos confrères dont la famille ou eux-mêmes ont été injuriés pendant de longues années par *l'Action française ?*

2. Notre directeur[2] ayant eu l'occasion de recevoir du Saint-Père son avis sur l'élection possible de M. Maurras, qu'en pense l'Académie et en particulier celui qui, parmi nous, est revêtu de... (Claude Mauriac n'a pas souvenir de la formule exacte : c'était « de rouge », probablement. Ou « de pourpre » ? Il s'agissait évidemment du cardinal Baudrillart.)

Geste d'autant plus insolite, d'autant plus « scandaleux », que Mauriac — après avoir attendu en vain une intervention de l'amiral Lacaze, autre adversaire de Maurras et autrement armé que lui pour se faire écouter de la droite — se lève pour lire son petit manifeste. Debout, un académicien, hors des séances de réception ? Cela ne s'était jamais vu ! L'algarade de Mauriac tourna à sa déconfiture : ni Lacaze, ni Duhamel ne vinrent à sa rescousse. Et les hésitants, feignant de s'indigner de cette « gaffe », joignirent en hâte le camp maurrassien. Seul, observe Mauriac, le maréchal Pétain tint, à la fin de la séance, à serrer la main du « gaffeur »... Henry Bordeaux avait fait valoir que, si le pape lui avait parlé contre l'élection de Maurras, le cardinal Pacelli avait précisé pour sa part que chaque académicien était libre de son vote... Quant à Baudrillart, il n'avait pas caché la sympathie qu'il portait au chef de *l'Action française...*

« Quel magnifique article il y aurait à faire, sur ces pauvres morts à qui l'Église refusa les sacrements de la dernière heure, parce qu'ils étaient des lecteurs de ce Maurras, accueilli aujourd'hui en grande pompe par deux prélats ! », disait ce soir-là François Mauriac aux siens, ajoutant : « Je sors de cette Académie où il entre. Voici mon épée ! Et qu'il fasse ajuster mon costume, qui peut encore servir ! » Mauriac n'écrivit pas cet article — pas tout de suite —, il ne fit pas ce geste. Mais il avait agi autant qu'il avait pu. Et la presse de droite lui fit voir ce qu'il en coûtait de s'en prendre à Maurras !

De la rancune que lui en garda Maurras lui-même, on a un témoignage — une lettre où le directeur de *l'Action française* déploie les ressources fameuses d'une dialectique dont les « trucs » apparaissent ici dans toute leur

1. Tome 2, p. 141.
2. Henri Bordeaux, qui avait entendu Pie XI lui dire que l'élection du chef de *L'Action française* lui causerait un « profond chagrin »

grossièreté. Mauriac s'était plaint, auprès du directeur de l'Académie, d'un redoublement d'injures à son propos de la part de leur nouveau confrère : *l'Action française* signalait-il, reproduisait avec éloge dans sa revue de presse un article dénonçant les « Tartuffes du christianisme monnayable » comme « Maritain et moi-même ». Quelle serait l'attitude de l'Académie ?

Maurras riposta, sur un ton indigné, que *l'Action française,* attaquant en effet « les Tartuffes du christianisme monnayable », avait donné la parole au chanoine Schaeffer parce qu'il sait « flétrir dans son admirable bulletin paroissial *Notre clocher...* des hommes comme M. Maritain, M. Mauriac, M. Bernanos qui [...] ont osé porter contre le général Franco et la croisade qu'il menait des calomnies... »

Et Maurras de poursuivre en demandant comment François Mauriac pourrait se sentir visé : « Qui pourrait l'accuser de trafiquer des choses saintes ? » C'est celui dont il avait, lui, Mauriac, omis de citer le nom dans sa protestation, Bernanos, « fort bien connu pour mettre sa religion au service de sa vénalité... », qui était seul visé. « C'est une citation tronquée qui a fait tout ce mal ! » Qui lirait cela sans dégoût ? La lâcheté retorse vis-à-vis de Mauriac combinée avec la calomnie la plus abjecte à l'encontre de Bernanos : c'était cela, le maître à penser de la moitié de l'intelligentsia française pendant un demi-siècle ! Les intellectuels staliniens n'ont eu qu'à changer la couleur...

La séance a lieu le 9 juin. Les « guérilleros » antimaurrassiens se savent battus d'avance. Ils se comptent : « Valéry, Mauriac, Gillet, Duhamel, Madelin... » Et l'un d'eux ajoute, bizarrement, le nom de Weygand — royaliste, il est vrai, mais défavorable aux « athées » de l' « Action française »... Une séance presque comme les autres : « Henry Bordeaux, rubicond, épanoui... Le maréchal Franchet d'Esperey gambille entre les quatre bras qui le soutiennent... Le général Weygand monte l'escalier en se tenant les reins... Le cardinal Baudrillart, emmailloté de pourpre, l'air d'un petit gnome ventru, gonflé de fatuité... " Dites bien, messieurs, que je voterai blanc[1] ! " »

C'est Georges Claude, physicien monarchiste qui allait devenir deux ans plus tard l'un des chantres officiels de la collaboration — et s'en châtier par une tentative de suicide public — qui, jubilant, annonça le résultat : « Maurras, élu au premier tour, 20 voix, Fernand Gregh, 12, 4 bulletins blancs... » On entendit clamer des « Vive Maurras ! », surtout lorsque passa la voiture où s'accotaient Duhamel et Mauriac, qui s'en furent à Saint-Germain-des-Prés prendre un verre. A Pierre Bost qui passait, Mauriac lança : « Saluez des vaincus ! » Et Duhamel de citer son mot à l'un des électeurs de Maurras : « Vous venez de voter pour un monsieur qui enverra peut-être votre fils à la mort ! Cela vous regarde... » Votre fils, seulement ? Il y avait des académiciens juifs, et d'autres tenus pour « rouges » par le nouvel homme à l'épée..

1 Claude Mauriac, *Le Temps immobile* 2, p 145

15. Encore un instant de bonheur...

Tout emporté qu'il soit dans le typhon politique à partir de 1935, François Mauriac reste avant tout un homme de lettres, un créateur de personnages, un mélodieux conteur d'histoires.

C'est aussi l'époque où François Mauriac se sera le mieux libéré des carcans sociaux, des règles de « ce qui se fait » et « ne se fait pas ». Il se lie alors à un groupe d'artistes, de « copains » de la Cité des artistes du « Moulin de beurre », à Montparnasse, dont l'un des animateurs est son jeune collègue du *Figaro,* Michel (dit Marius) Hamelet, et qui groupe quelques peintres et le sculpteur Baumel. Jeanne Mauriac encourage d'ailleurs Hamelet à « sortir » son mari : « Ça le distrait, c'est bon pour lui... »

Comme au temps du « Bœuf sur le toit », mais dans un style beaucoup plus populaire, François Mauriac, de l'Académie française et du *Figaro,* va donc jouer les noctambules, courir quelques bars de Montparnasse et de Montmartre, boire assez sec pour se retrouver une nuit, rue de la Gaîté, assis avec son « pote » Marius dans une encoignure de porte et jouant (sans perdre tout à fait la tête) *les Vignes du Seigneur :* « Si tu les connaissais, mon vieux Marius, les types de l'Académie, si tu savais comme ils sont emm... » Hamelet lui fait même connaître un authentique dur, un certain Pierre, arrêté pour avoir été mêlé au cambriolage des bijoux de la Begum quelques jours après qu'ils eurent pris ensemble un verre sur le zinc... Charmant, ce Mauriac débridé de ces années 35-36, alors qu'il écrit ce livre terrible qu'il a intitulé d'abord *l'Ange noir.*

Il a en tête un nouveau récit, qu'il veut plus ample et complexe que les précédents, cédant plus ou moins à la mode du roman-fleuve — ce qu'il n'a pu mener à bien avec *Destins :* pendant l'été de 1937, il écrira les premières esquisses de *Mammôna,* en attendant de mettre au point son *Journal.* Et soudain une tentation se présente, à laquelle il rêve depuis longtemps de céder, celle du théâtre : on n'a pas oublié que lors d'un séjour chez Jacques-Émile Blanche à Offranville, en 1917, il avait écrit en collaboration avec son hôte deux farces, *Montefigue,* que Gide avait lue, et *les Trigames.*

Théâtre, jeu d'équipe

Au début de l'été 1936, son ami Édouard Bourdet, qui vient d'être nommé administrateur de la Comédie-Française par Jean Zay, le ministre de l'Éducation nationale du Front populaire, lui propose d'écrire une pièce pour cette scène illustre.

Tout romancier subit la tentation du théâtre assure-t-il : mais lui, rêvant d'y céder, avait tendance à s'exagérer les difficultés techniques à surmonter et les problèmes matériels à résoudre — rareté des scènes disponibles, démarches, attentes vaines, placement du manuscrit. En l'occurrence, tout lui était offert. Il a joliment conté la germination de cette idée :

> « Cette intervention de mon ami Bourdet coïncida avec une circonstance d'un autre ordre qui avait tourné mon attention du côté du théâtre. J'avais assisté, cette année-là, au Festival de Salzbourg et entendu, pour la première fois de ma vie, le *Don Juan* de Mozart. Bruno Walter dirigeait l'orchestre. Un admirable baryton [1] italien, Ezio Pinza, tenait le rôle de don Juan. Il est curieux que ce ne soit pas un drame, mais un opéra — et l'opéra n'est-il pas le plus artificiel, le plus faux de tous les genres ? — qui ait éveillé en moi un désir impatient de voir mes créatures vivre et souffrir sur une scène. Fût-ce l'effet de l'adorable musique de Mozart ? Don Juan... m'impressionne plus que ne firent jamais les créatures les plus illustres du théâtre [2]. »

Bourdet trouvait donc le terrain préparé par cette illumination. Mais, objecte Mauriac, je suis incapable d'imaginer une intrigue de théâtre. Je n'ai que des personnages. « Vous avez des personnages ? fait Bourdet. Alors tout va bien. C'est la seule chose qui importe. Votre pièce est faite ! » Mauriac ne se le fait pas dire deux fois, déjà grisé par cette perspective de renouveau.

Peut-être l'auteur de *Thérèse* trouvait-il moins de difficultés à aborder le théâtre qu'un romancier océanique, du type de Balzac ou de Tolstoï : il se réclame lui-même d'une « école romanesque française [...] issue du théâtre classique et en particulier de la tragédie racinienne ». Faisant l'économie de Racine, c'est bien ce dont Sartre devait lui faire grief... Le fait est qu'il se mit aussitôt au travail, à partir du personnage de Blaise Coûture, l'ancien séminariste avide de pouvoir sur les êtres, de quelque nature qu'ils soient — et qui exerce une manière d'envoûtement sur Madame de Bartas, veuve épanouie, sa fille Emmanuelle, et « Mademoiselle ». Sur ce nœud de vipères grouillant dans une demeure landaise, un regard est soudain jeté, celui d'un jeune Anglais, Harry Fanning, survenu comme Asmodée, le diable boiteux qui découvre les secrets des êtres. Mais l'envoûteur sera plus fort que le voyeur : M. Coûture demeure seul maître de la place.

On a beaucoup glosé sur la part qu'auraient prise, dans la création d'*Asmodée*, les deux hommes de théâtre qu'étaient Édouard Bourdet, son

1 C'était une basse
2 *D'autres et moi*, p 277-278

« inventeur », et Jacques Copeau, chargé de la mise en scène, vieil ami lui aussi de Mauriac. Il est de fait qu'à partir du moment où, en février 1937, Mauriac apporta sa pièce à ses deux amis, jusqu'au moment où elle fut représentée, neuf mois plus tard, une correspondance abondante témoigne des critiques, suggestions, coupures, ajouts, amplifications, que subirent nombre de scènes : véritable travail de remodelage collectif. La première lecture à Jacques Copeau avait d'ailleurs fait Mauriac douter si fort de lui qu'il lui proposa de retirer tout simplement la pièce :

> « Vous me *rendrez* ma pièce, si vous le jugez bon et c'est ce que je vous conseille de faire *dans notre intérêt à tous.* Mais je vous aime trop tous les deux pour vous la reprendre au cas où vous y tiendriez réellement... Le pire c'est que vous tenez, non à ma pièce, mais à des *possibilités* qui sont pour moi des impossibilités ! Vous y tenez pour ce qu'elle pourrait être et qu'elle ne sera jamais... Et je me vois avec terreur condamné à d'éternels retapages sous l'œil sombre et courroucé d'Édouard, sans jamais atteindre à refaire la pièce idéale que vous avez tous deux dans l'esprit... »

A quoi Copeau répondit par une sorte de « cri » — c'est le mot dont il use —, pour dissuader l'auteur de renoncer, et le convaincre du grand intérêt de son ouvrage. Mauriac se rendit à ses raisons. La coopération des deux virtuoses de la scène associés à l'entreprise du romancier n'en fut pas moins importante. Une lettre de Copeau, longue de six pages, fourmille de critiques et suggestions. Déjeunant chez les Mauriac en mai 1939, Gide racontait qu'assis à ses côtés à la première d'*Asmodée,* Copeau ne cachait pas qu'il avait beaucoup contribué à rendre la pièce « viable ». On ne saurait mieux résumer ce que fut ce travail en commun qu'en citant quelques extraits d'une lettre de Bourdet à Mauriac du 6 mars 1937 :

« Cher François, la suggestion de Copeau[1] n'élimine pas forcément la scène entre Mademoiselle et Emmanuelle. Celle-ci pourrait très bien être au début de l'acte, puis les enfants et ensuite Harry surviendraient [...] D'autre part, si l'idée du breakfast ne vous plaît pas, il n'est pas obligatoire et la scène peut très bien se passer à un autre moment, pourvu qu'elle ait lieu le lendemain matin. Pour la scène entre Blaise et Harry, la suggestion de Copeau n'est pas strictement obligatoire, pourvu que cette scène ait pour résultat de décider Harry à partir... »

Bourdet pouvait avoir l'amitié rugueuse. Ce n'est pas la conclusion de sa lettre, d'un ton trop charitable, qui dut la faire paraître moins cruelle à Mauriac : « Je vous demande surtout de vous souvenir que dans le travail auquel nous nous sommes livrés, Copeau et moi, j'ai personnellement eu le souci de nous éviter à tous, mais à *vous* plus encore qu'à personne, l'impression de désappointement (qui serait multipliée par la représentation) que vous avez ressentie vous-même à la lecture devant le comité, à partir du troisième acte[2]. »

1. Dans la lettre dont il est question plus haut.
2. Lettre inédite.

Tout néophyte qu'il fût sur ce terrain, l'illustre romancier dut trouver que les gens de théâtre maniaient le bâton comme Guignol. Le climat de travail fut, certains jours, tendu. Mauriac ne s'en plia pas moins intelligemment aux suggestions (« obligatoires » ou non) de ses amis, assuré qu'une œuvre, c'est d'abord un style et que ce style était bien le sien. Mais au mois d'août 1937, alors que Bourdet vient de lui confier qu'il aime enfin la pièce telle qu'elle a été remaniée, il confie à son fils Claude : « Ce n'est pas du tout ce que je veux faire au théâtre. Il s'agit d'un simple roman de moi dialogué... »

On sait le succès qu'il obtint. Dans cette vie si bourdonnante de gloire, la soirée du 22 novembre 1937 fut l'une de celles où il put croire que l'adolescent bordelais de 1907 avait enfin conquis Paris, rassemblé en son honneur ce soir-là — sept ministres, vingt académiciens, six ambassadeurs —, pour un triomphe plus physique que n'en connut jamais le romancier. Il dut venir saluer aux côtés des comédiens — ce qui ne s'était jamais vu au Français.

Claude Mauriac : « Nous nous déplaçons dans un nuage de gloire heureuse... Notre père est traîné sur scène. Il s'échappe bientôt. (Nous avons vu quelques secondes, dans la rumeur des ovations, sa mince silhouette élégante. Comme il semblait intimidé et heureux !) Tous les propos que je surprends à la sortie sont unanimes : une grande et forte pièce[1]... » Écho typique dans la presse parisienne : « Bientôt les derniers feux de l'Exposition vont s'éteindre. Une telle soirée donne le départ de la grande saison d'hiver que Paris souhaite digne de sa réputation, de sa prospérité. »

Quelques réserves, de Léon Blum entre autres (alors vice-président du Conseil du second cabinet de Front populaire et qui fut pendant vingt ans critique dramatique) : « Nous atteignons avec les dernières scènes aux limites du supportable. M. Coûture est si odieux que nous nous sentons atterrés... » Plus que de ces amicales réserves, Mauriac se dit inquiet de la jubilation d'Henry Bernstein... Mais il sent jaillir en lui « une merveilleuse espérance ». J'ai cru que j'allais renaître, dit-il, et que « je donnerais sur la scène ma vraie mesure... » Une des rares erreurs de Mauriac sur lui-même.

Simple divertissement au plus fort des drames : l'Espagne républicaine est entrée en agonie ; Mussolini a imposé à l'Éthiopie sa loi ; l'Autriche est guettée par l'Anschluss. François Mauriac ne se détourne pas de l'histoire brûlante. Mais avant de rentrer dans la fournaise politique, il veut encore faire deux gestes dictés par la fidélité esthétique et sentimentale : organiser à Paris un solennel hommage à Francis Jammes, auquel il associe Claudel — en dépit de leurs dissensions politiques qui, à propos de l'Espagne, s'envenimaient chaque jour. Et présider à une cérémonie d'hommage à Maurice de Guérin, au Cayla, domaine familial où avait voulu mourir, aux côtés de sa sœur Eugénie, le cher poète du *Centaure*.

1 *Le Temps immobile,* 1 p. 439

« J'ai bien changé ! »

La révision en profondeur de ses idées et de ses positions politiques, entamée on l'a vu depuis 1934, c'est en 1938 quelle s'amplifie et se clarifie. Il n'a pas négligé les leçons reçues, depuis quelques mois, d'Espagne et d'Éthiopie surtout. Mais le voici frappé coup sur coup par quelques traits de lumière : la reconnaissance de Franco par le Saint-Siège, *de facto* le 22 août 1937, *de jure* le 3 mai 1938 (*de jure !* convaincu par le « saint » cardinal Pacelli, Pie XI a ainsi béni la « croisade » des bombardiers nazis...) ; l'annexion au IIIe Reich de l'Autriche qu'il aime, le 11 mars 1938 ; la publication par Georges Bernanos des *Grands Cimetières sous la lune* (avril 1938), dont la prodigieuse éloquence fouette ses ardeurs antifascistes.

Voici venu le temps de la grande mise au point. Elle se fera en trois textes. Le premier a trait à l'Autriche ; le second à l'Espagne ; le troisième à lui-même. C'est au lendemain de l'Anschluss qu'il publie, dans *Temps présent,* ce billet qui résume assez bien sa position à l'égard du nazisme, en France, comme hors de France, et le désespoir de celui qui se voit impuissant à agir pour la plus juste des causes :

> « Je n'ai pas eu le courage d'accepter l'honneur de présider un meeting en faveur des Autrichiens catholiques. Ce n'était pas de nos paroles que nos frères autrichiens avaient besoin. C'est aux Français qu'il faut adresser des discours. Ils ne savent pas encore que le même esprit qui triomphe en Autriche a triomphé déjà en Espagne, en Abyssinie et en Chine. Un grand nombre d'entre eux en sont encore à se réjouir de ce qui se passe ces jours-ci en Espagne. L'effroyable synchronisme de l'entrée de Hitler à Vienne et de la victoire des aviations italo-allemandes sur la frontière catalane ne leur ouvre pas les yeux.
> L'anneau de feu se referme sur nous et samedi, le jour de l'Anschluss, il s'en trouvait, devant l'Arc de Triomphe, qui saluaient à l'hitlérienne le drapeau de Verdun ! »

S'agissant de l'Espagne, les désastres qui accablent la République, d'Aragon en Catalogne et de Castille au Levant, et les insultes et menaces dont les vainqueurs franquistes abreuvent Maritain, Bernanos et lui-même, ne cessent d'affiner sa conscience et d'aiguiser sa lucidité. Témoin l'article publié dans *le Figaro* du 30 juin 1938 sous ce simple titre, « Mise au point ».

Serrano Suñer, beau-frère du général Franco et ministre de l'Intérieur du gouvernement franquiste avait traité Maritain d'« ennemi de l'Espagne » et de « converti juif[1] » pour avoir écrit dans la *NRF* du 1er juillet 1937 : « Si des valeurs sacrées se trouvent engagées [dans cette guerre] elles ne rendent pas saint ni sacré ce complexe profane ; c'est elles qui, au regard du mouvement objectif de l'histoire, sont sécularisées par lui, entraînées dans ses finalités temporelles. La guerre n'en devient pas sainte : elle risque de faire blasphémer ce qui est saint... »

1 C'est sa femme, Raïssa, qui, d'origine juive, s'était convertie au catholicisme.

Pour mieux défendre son ami, Mauriac écrivit cet article qui résume admirablement son évolution à propos de la tragédie espagnole :

> « ... En ce qui me concerne, aux premières nouvelles du soulèvement militaire et des massacres de Barcelone, j'ai d'abord réagi en homme de droite ; et de Vichy où je me trouvais alors, je dictai en hâte, par téléphone, cet article sur « l'Internationale de la haine » dont quelques lecteurs du *Figaro* se souviennent peut-être. La présence des Maures, l'intervention massive des escadrilles et des troupes italiennes et allemandes, les méthodes atroces de la guerre totale appliquées par des chefs militaires à un pauvre peuple qui est leur peuple, les souffrances des Basques coupables du crime de non-rébellion, posèrent aux catholiques français un cas de conscience douloureux. Ils n'ignoraient pas, en effet, que de l'autre côté de la barricade le gouvernement légal était soutenu par les forces conjuguées du marxisme et de l'anarchie.
> Ce qui fixa notre attitude, ce fut la prétention des généraux espagnols de mener une guerre sainte, une croisade, d'être les soldats du Christ. Ici, je voudrais qu'on nous comprît enfin. D'aimables confrères ont écrit plaisamment que je regrettais qu'il n'y ait eu que quinze mille prêtres massacrés et que je trouvais que ce n'était pas assez. Parlons sérieusement : les sacrilèges et les crimes commis par une foule armée et furieuse, au lendemain d'une rébellion militaire réprimée, sont d'une horreur insoutenable. Nous disons seulement que les meurtres commis par des Maures qui ont un Sacré-Cœur épinglé à leur burnous, que les épurations systématiques, les cadavres de femmes et d'enfants laissés derrière eux par des aviateurs allemands et italiens au service d'un chef catholique et qui se dit Soldat du Christ, nous disons que c'est là *une autre sorte d'horreur,* dont vous avez le droit d'être moins frappés que nous ne sommes ; mais il ne dépend d'aucun de nous que les conséquences n'en soient redoutables pour la cause qui devrait nous importer par-dessus toutes les autres, et qui est le règne de Dieu sur la terre. Que le ministre de Salamanque me comprenne : ce n'est pas au moment où l'effort de tant de générations chrétiennes et de dévouements obscurs aboutit enfin, que sur l'humble plan où il nous est donné d'agir nous allons laisser compromettre l'Évangile. Que l'affreuse loi de la guerre vous ait entraînés à ces épurations dont Bernanos nous écrit l'horreur dans un livre impérissable, à ces bombardements de villes ouvertes, qu'elle vous ait obligés de subir cette alliance monstrueuse avec le Racisme ennemi de l'Église, aussi redoutable, aussi virulent que le Communisme, encore une fois nous n'avons pas à vous juger ni à vous condamner sur ce point, parce que vos intentions peuvent être droites. Mais nous nous sentons responsables à l'égard de ce peuple fidèle que nous ne sommes pas libres de tromper. Jacques Maritain, en se dressant avec toute la puissance de sa dialectique et tout le feu de sa charité contre cette prétention des généraux espagnols de mener une guerre sainte, a rendu à l'Église catholique un service dont la fureur qu'il suscite nous aide à mesurer la portée. Nous ne nous croyons pas infaillibles, mais nous ne cesserons pas d'affirmer ce qui nous semble être vrai, à l'heure où la guerre civile touche peut-être à sa fin ; car c'est lorsque tout paraîtra fini que le règne sans partage de la Force commencera. Et la Force qui se sert de l'Église, c'est le plus grand malheur qui puisse ondre sur un peuple chrétien. C'est aussi le plus grand crime, si la parole reste éternellement vraie que répétait au déclin de sa vie le vieil apôtre (celui dont la tête avait reposé sur la poitrine du Seigneur) : " Mes bien-aimés, Dieu est amour. " »

Il ira plus loin, il sera plus tranchant face à Franco Mais déjà, tout ou presque est dit sauf sur ce qu'a de global son engagement d'alors. Il ne se laisse pas enfermer dans la seule polémique contre la croisade franquiste. Il intervient aussi pour des prisonniers des « rouges », à la demande de J.-É. Blanche. Et s'associe à un appel de Gide pour que justice soit rendue au POUM trotskysant que les staliniens assassinent en Catalogne.

Le récit de son cheminement espagnol, Mauriac va l'élargir en une « autocritique » qui l'engage tout entier. C'est d'abord à propos de la vie politique française, puis vis-à-vis de la guerre civile mondiale qui déjà se mue en holocauste, enfin touchant à sa propre vie de chrétien, qu'il écrit le 9 septembre 1938 dans *Temps présent,* à propos d'une interview au *Popolo d'Italia* de Mussolini qui vient d'insulter allègrement la droite française, coupable à ses yeux d'avoir détourné du fascisme « la France de gauche, la seule qui aurait pu (le) comprendre » — propos « qui, je l'avoue, m'a tenu tout un jour dans une joie qui n'était pas spécifiquement chrétienne » commente Mauriac. Et il ajoute :

> « A mon heure, et sur le terrain que j'aurai choisi, je tenterai, un jour, un examen de conscience politique : il faudra remonter très haut, jusqu'à ce jeune père que je n'ai pas connu qui, en 1870, signait ses lettres : Jean-Paul Mauriac, soldat de la République ; jusqu'au stupide collégien antidreyfusard et antisémite que j'étais à douze ans, jusqu'à l'adolescent bourgeois qui rôdait autour du Sillon, jusqu'à l'homme naïf que, hier encore, au moment de l'affaire Prince et du 6 février, une certaine presse faisait " marcher ". »

Cet « examen de conscience » fera la trame, quinze années durant, de son *Bloc-Notes.* Mais en attendant, c'est avec son fils Claude, pendant cet été de 1938 qui précède de peu Munich, qu'il le fait :

« ... Mon père [...] me parle des menaces dont les journaux nationalistes espagnols sont remplis à son endroit. Il a fait un retentissant article dans *Paris-Soir* sur la haine de la France que montrent les défenseurs français de Franco : " Rien ne me paraît plus haïssable que l'éventualité du succès de ces gens-là et de leurs émules en France [...] Je t'assure que j'ai bien changé ! "Nous parlons alors du Front populaire et de notre erreur à tous deux de l'avoir méconnu. Je pense quant à moi avec tristesse à ma responsabilité — oh ! infime... Mais enfin si Léon Blum n'intervint pas en Espagne, s'il échoua à l'intérieur, ce fut à cause de cette opinion publique anti-Front populaire, disons le mot : antifrançaise, dont je faisais, dont mon père faisait partie [...] Je me demande de plus en plus s'il ne fallait pas dès les premiers jours intervenir en Espagne, dans l'exacte mesure où Italiens et Allemands le faisaient. Et mon père de s'écrier : " Bien sûr qu'il fallait intervenir et ce m'est un cuisant remords de penser à cet article que j'ai téléphoné de Vichy dans l'inconscience de mon entraînement [...]. Il a contribué, hélas ! à contaminer l'opinion publique, à empêcher Blum et Daladier d'agir[1]... " »

Claude Mauriac ajoute, citant quelques extraits du courrier que reçoit

1 *Le Temps immobile,* 2, p. 148.

alors son père : « ... La moitié de la France voit en François Mauriac " un propagandiste du Front populaire dont les services ont été récompensés [1] par le juif Zay [...] qui taillera cette Légion d'honneur dans le rouge du drapeau dont il disait vouloir se torcher... En fait de cravate, François Mauriac mérite plutôt celle de chanvre " [...] Il est de plus en plus à gauche, par haine de la droite, mettant à sa foi nouvelle une fougue juvénile, une ardeur passionnée et beaucoup d'injustice dont il a conscience et qui le fait parfois rire de lui-même... »

De plus en plus à gauche ? Certes. Mais la chair est moins prompte que l'esprit. Le bourgeois, en lui, l'homme d'ordre reste vigilant. Comme il réagit rudement aux appels du pied qu'en ces mois-là lui adresse un homme comme André Chamson, qui incarne, à la gauche du radicalisme, ce qui reste de l'esprit du Front populaire. Quand Chamson laisse échapper devant lui un « nous » qui englobe les communistes, le voilà rejeté d'un coup vers son univers de possédant. Et quand, au retour d'un voyage très éclairant en Tchécoslovaquie pendant l'été 1938, son fils Claude écrit un petit essai [2] auto-accusateur — qui met surtout en cause une classe, la leur, un style de vie, un système de privilèges, ceux auxquels ont part François Mauriac et les siens —, le romancier se rebiffe. « ... Si tu publies ce livre, je répondrai ! [...] Tes réactions me stupéfient. Je n'ai jamais eu à ce point honte de ma classe ! J'en connais les défauts. Ma pauvre mère... Mais la lecture d'un livre comme celui-là mobilise un profond attachement pour cette classe bourgeoise que je croyais ne pas aimer [3]... »

N'est-il pas pourtant celui qui a si souvent dit de lui : « Moi qui suis né du côté des injustes... » N'est-il pas aussi celui qu'Adrien Marquet, maire de Bordeaux (passé du socialisme à un « nationalisme » qui le conduira à être le ministre de Philippe Pétain en 1940) accueille en ce temps-là dans sa ville natale où est donnée une représentation d'*Asmodée* par ces mots : « Monsieur Mauriac, n'êtes-vous pas gêné de trahir ainsi votre classe ? »

Trahir ? Il songe plutôt à jouer les médiateurs. Le 30 septembre 1938, il écrit à Guillemin : « Il faut travailler maintenant au-delà des passions irritantes. Je compte cet hiver réunir chez moi toutes les semaines, les Français de nos générations, de Malraux à Thierry Maulnier... Coûte que coûte, sortir de cette guerre civile... » A son fils Claude, il précise que Gide, Chamson, Guéhenno pourraient aussi faire partie de ce groupe de recherche de la paix civile. Mais est-il temps encore ? Sur d'autres terrains, les échéances sont proches.

En avril 1938, il a pris part à un déjeuner « diplomatique » où confrontaient leurs vues, également pessimistes, trois des principaux hommes d'État de l'Europe démocratique, le Roumain Titulesco, le Belge Van Zeeland et le Français Paul Reynaud. Tous trois, fort inquiets de rumeurs de rapprochement entre Berlin et Moscou, sont convenus que, quoi que fassent leurs pays,

1 Il vient d'être fait commandeur de la Légion d'honneur
2 *En deçà de l'honneur*, qui ne fut pas publié.
3 Claude Mauriac, *Le Temps immobile*, 2, p. 158-160

l'entrée du monde dans la guerre ne dépend plus que des décisions d'Adolf Hitler. Or, quelques semaines plus tôt, Mauriac entendait Yvon Delbos, ministre des Affaires étrangères, lui dire : « Je sais que Hitler se décida deux fois déjà pour la guerre ! » Avec l'Espagne pratiquement acquise au camp des dictateurs, dans quel péril n'est pas la France, encerclée ! Là-bas, en Chine, le militarisme japonais, allié de l'Axe, frappe aussi — et l'éditorialiste de *Temps présent* est l'un des très rares observateurs de ce temps-là à savoir donner son importance à cet autre foyer d'infection.

Il écrit *Mammôna,* qui paraît d'abord dans *Candide* au cours des dernières semaines de 1938, et qui sera publié à la fin de janvier chez Grasset sous ce titre si beau : *les Chemins de la mer,* où il a voulu manifester son talent de conteur au pluriel — s'efforçant à faire s'entrecroiser les destinées les plus diverses à l'exemple des Anglo-Saxons et des Russes. Le personnage de Landin, ténébreux clerc de notaire homosexuel qu'il a voulu digne de Vautrin, y étale une noirceur qui renvoie Gradère et Coûture au petit séminaire. Mais une sorte de nouvelle merveilleusement émouvante — Mauriac estimait n'avoir rien écrit de plus achevé que cet épisode — s'insère dans cette sombre et baroque bâtisse comme la danse de Carpeaux sur la façade de l'Opéra : l'histoire des fiançailles brisées de Rose Révolou. (Vieille blessure, qui se rouvre en lui de temps à autre...)

Mais ce par quoi ce roman avorté garde sa forte présence dans l'histoire de l'œuvre de Mauriac, c'est parce qu'y paraissent quelques-uns des poèmes qui formeront quelques mois plus tard le recueil du *Sang d'Atys,* et dont l'un des héros, Pierre Révolou, est censé être l'auteur. Et puis il y a, comme dans *Ce qui était perdu,* dans *les Anges noirs,* l'affleurement d'un amour incestueux.

Dans la préface écrite douze ans plus tard pour ses *Œuvres complètes,* Mauriac s'étonne du retour de ce motif dans son œuvre, alors qu'il n'est, dit-il « aucune passion qui m'ait été plus étrangère que celle-là ». La clef de ce « mystère », il charge « les psychanalistes » de la trouver. En attendant, est-il absurde de suggérer que, sondeur d'abîmes, et surtout des siens, l'auteur des *Chemins de la mer* opère là un transfert inconscient entre passions « coupables », et que reculant devant les audaces de Proust ou de Green, il substitue l'inceste refoulé à l'homosexualité réprimée ?

Le minotaure

Voici, planant sur ces jeux aigres-doux, la grande menace. Voici Munich. La « troisième décision » d'Adolf Hitler ? Cet été-là, tandis que François Mauriac fait visiter les champs de bataille de Verdun à son plus jeune fils, Jean, comme pour s'affermir dans le grand dégoût, dans le grand refus de la guerre, Claude Mauriac, invité en Tchécoslovaquie dans la famille du grand peintre Alfons Mucha dont le fils Georges devient son ami, en revient bouleversé par la tragédie du petit peuple que le nazisme s'apprête à dévorer, lambeau après lambeau.

L'angoisse de l'Europe ne cesse de croître, d'un discours de Hitler à l'autre, d'une diatribe de Mussolini à une nouvelle offensive de Franco et au bombardement d'une nouvelle ville chinoise par l'aviation japonaise. Le 26 septembre, à la veille de la convocation à Munich de la conférence du reniement manigancée par Mussolini à l'intention de son chef de file, Mauriac pousse une sorte de cri :

> « Puisque les dés ne sont pas jetés, nous espérons désespérément... Mais à quoi bon parler maintenant ? Je demande pardon à ceux qui me lisent : si le signal de la tuerie était donné, je ne serais même pas bon à " remonter le moral ". Déjà écrire me paraît criminel... »

Et c'est le sursis accordé, au prix de quoi ? L'éditorialiste du *Figaro* ne peut se retenir de clamer d'abord sa joie :

> « Qu'elle nous touche, la joie délirante de ces pauvres peuples dociles ! La même joie à Paris, à Berlin et à Londres ! La même impuissance à se haïr [...] Je sais bien que nous nous réveillerons de cette joie et qu'au-delà de ce grand mur de Versailles abattu par le poing allemand, une route inconnue s'ouvre pour nous, pleine d'embûches... »

D'embûches, ou de honte ? De Tchécoslovaquie, écrit François Mauriac à sa femme, Claude a reçu des lettres terribles de son ami Georges Mucha, dénonçant la lâcheté des démocraties : « Une lettre affreuse à lire. D'une haine pour la France (et d'un mépris...) qui dépassent tout. Il dit que la Tchécoslovaquie a reçu trois ultimatums de la France, et seulement un de l'Allemagne... » Et le 15 octobre, François écrit encore à Jeanne, de Malagar : « Il faut penser à la guerre que tout le monde croit inévitable... » Moins de quinze jours après le grand soupir de délivrance... Et quelques jours plus tard, dans *Temps présent :*

> « ... Sauverons-nous encore une fois la paix en donnant " quelque chose " au Minotaure — en lui jetant quoi dans la gueule ? Que nous reste-t-il après l'Autriche, après la Tchécoslovaquie ? [...] Le " premier " anglais ou le " premier " français entreprendra, en avril ou en mai, le pèlerinage de Berchtesgaden pour consulter l'oracle. Et nous connaissons d'avance la réponse de l'oracle. Elle sera brève et claire : " Coupez-vous un bras ! " »

Il n'aura été « munichois » que le temps d'un soupir. C'est lui qui préfacera le livre le plus antimunichois de l'époque, *le Germanisme en marche,* d'André Sidobre (son ami Maurice Schumann). Et dès ce moment, les avertissements, les appels ne vont cesser de se multiplier :

> « Pascal nous enseigne que les événements sont des maîtres que Dieu nous donne de sa main [...] Mais nous regardons d'un autre œil ceux que le chancelier Hitler tient présentement dans son poing fermé et qu'il compte lâcher sur le monde avec la première violette ou la dernière primevère. Ces

événements-là sont marqués à l'effigie d'un homme. Ils sont le fruit d'une volonté, d'une réflexion, auxquelles la France doit opposer une réflexion égale, une volonté plus forte. »

Cette marche à la mort s'accompagne partout de désastres, de l'Albanie dévorée par le Duce à l'Espagne républicaine agonisante sous le piétinement franquiste. Cette agonie-là lui arrachera encore quelques-uns de ses plus beaux cris de colère et de fraternité : ainsi, le lendemain de Noël 1938, alors qu'aux appels à la trêve qui s'étaient multipliés à travers le monde, et jusqu'au Vatican, le pieux Franco vient de répondre par le déclenchement d'une « offensive victorieuse » dans la nuit du 24 au 25 décembre, ou, en janvier, après l'annonce par le Caudillo d'un « pardon » à ses adversaires, « sauf à ceux qui ont taché leurs mains du sang de leurs frères ». Alors Mauriac bondit :

« Ô paille et ô poutre ! N'entendez-vous pas un formidable éclat de rire ébranler les assises des cieux ? Car enfin, si nous sommes créés à l'image et à la ressemblance du Père, nous devons croire que le rire humain n'est que l'écho de ce grondement formidable. Non seulement ceux qui ont taché leurs mains, mais aussi ceux qui risquent d'être accusés de l'avoir fait, vont donc se ruer sur la frontière française, poursuivis par les aviateurs aux mains pures. Lisez plutôt cette information qui suit le message de Franco :
" Tout le long de la côte, les raids aériens se succèdent. Les fuyards de Tarragone ont été mitraillés toute la nuit par les escadrilles d'hydravions italiens sur la route côtière. "
Ce n'est évidemment pas le sang de leurs frères que répandent les Italiens, mais un sang étranger, un sang de rouge, un sang de pauvre... »

Du souci très catholique de ne pas entacher, au nom de la Croisade, l'honneur de l'Église, il en est venu à la découverte de la fraternité.

Cette fraternité, il va la mettre en pratique, s'occupant avec diligence de l'accueil en France des réfugiés espagnols, mettant au service de cette cause les relations qu'il a, grand écrivain et grand bourgeois — l'un et l'autre repoussés souvent des cercles, académies et salons où règne la dévotion au franquisme, c'est-à-dire la grande majorité des milieux possédants. En juillet 1939, par exemple, il écrit au jeune écrivain Jean Blanzat qui coopère avec lui à cet effort de solidarité :

« Cher ami, la présente est pour vous avertir que le camarade Rothchild (Robert) s'est enfin décidé d'y aller de ses 15000 balles. Et comme Mme Coty-Cotnaréanu[1] m'a envoyé 15000, la Noailles 5000, Patenôtre également, tout va pour le mieux dans la meilleure des Espagnes possibles. Je passe ici de beaux jours avec l'étonnant Gide. Je vois des Espagnols qui campent pas très loin. Gide est très chic avec eux. Je reçois de sombres nouvelles. Plusieurs milliers de Basques condamnés à mort... Beaucoup s'étaient rendus contre promesse de la vie sauve... »

1 Propriétaire de la majorité des actions du *Figaro*

M. Gide en visite

Encore un instant de bonheur, d'allègre sagesse. Le 8 mai 1939, André Gide, qui vient de se lier d'amitié avec Claude, le fils de ce François qu'il aime, qu'il n'a cessé d'estimer dans les plus amers combats, et auquel il est ardemment reconnaissant de l'avoir soutenu contre Massis en 1921, et contre les accusateurs coalisés lors de son « procès » de 1935 à l'Union pour la vérité, déjeune chez les Mauriac, avenue Théophile-Gautier. « Il a fait la conquête de la famille, rapporte Claude Mauriac, Claire et Luce ne tarissent pas sur son charme et Jean dit que ce fut une soirée historique[1]. » Et voici l'auteur de *Si le grain ne meurt* invité à passer quelques jours d'été à Malagar. Le 27 juin parvient à ses hôtes, sur le qui-vive dans la vieille maison girondine, une lettre éminemment gidienne : « Vous recevrez cette lettre assez tôt pour couper mon élan par dépêche, si quelque catastrophique empêchement... Ce projet me paraît si beau que je n'y croirai tout à fait que lorsque je serai auprès de vous. »

Bref, le voici, de pied en cape. Chapeau bosselé, sourire mandarin. Parlant aussitôt de Maritain (pour), de Claudel (contre) (« Claudel, c'est M. Coûture, moins la lubricité ! »), de la *NRF*. Il visite Langon (où l'intéresse surtout un jeune passant annamite) et la basilique de Verdelais, cite interminablement les poètes (Jammes, notamment), découvre Saint-Symphorien, les pins et le « gros chêne sacré » de l'enfance de François Mauriac ; il s'épanouit. On débat sous les étoiles de la sainteté, de la foi (« Y a-t-il une sainteté en dehors de la foi ? »). Le vieux monsieur herborise, s'émerveille, prend la tangente pour une promenade au bord de la Garonne (« Se baigne-t-on ? ») que son hôte met charitablement au compte de son vieil appétit pour la jeunesse.

Visite d'Henri Guillemin. Mauriac lit la pièce qu'il vient d'achever[2]. Gide laisse échapper des soupirs, des exclamations : « C'est effroyable, d'une force, d'une cruauté, d'un retors ! », tandis que Guillemin est au bord des larmes. Et Gide, encore : « C'est bouleversant, si, si, je suis très ému... » Le lendemain c'est lui qui lira sa dernière pièce, *l'Intérêt général*[3], écrite au temps où il était imbu de l'idéologie communiste et que, par honnêteté, il n'a retouchée que dans les détails. C'est manqué, il le sait. Ses hôtes ne peuvent dissimuler leur gêne. Il renchérit de sévérité, se dit découragé : « ... Je fais semblant de vivre... »

Mauriac, à son fils : « Je l'aime parce qu'il est probe, lucide, courageux... » Et dans une lettre à sa femme, le 4 juillet :

1 *Conversations avec André Gide*, p. 54.
2. *Les Mal-Aimés*, qui ne sera représentée qu'en 1945.
3 Publiée sous le titre *Robert, ou l'intérêt général.*

« Le séjour de Gide est très réussi. Quel mystère que cet homme si décrié, si taré, malgré cela ou plutôt à cause de cela, soit, si humain, si ouvert, si vivant, de plain-pied toujours avec l'essentiel. Nous parlons de Dieu, de sa femme, de sa vie, comme si nous nous étions toujours connus... On dirait que certaine corruption protège une certaine enfance de l'homme ou que le péché le rend perméable à la Grâce... »

Où, quand Mauriac a-t-il poussé si hardiment sa sonde ?

Gide et Mauriac vont de concert visiter un centre d'accueil pour les réfugiés espagnols installé non loin de là. Présents, échange de bonnes paroles. Et puis on lit, à voix alternées, la Bible. Et le bon, le tendre Gide laisse soudain affleurer ce quelque chose de démoniaque que Mauriac et Green ont parfois entrevu chez lui quand David, Absalon, Tamar et Ammon surgissent, bouillonnant d'amours interdites, convoqués par sa voix aux intonations insidieuses. L'auteur de *Saül* lit les premières pages de la Genèse, l'évocation de l'arbre de la connaissance, et soutient que cet éveil de la conscience de l'homme, « Dieu eût préféré ne pas [le] voir ». Mauriac : « Que le monde soit né de Dieu, ou qu'il soit né de rien, le mystère reste le même. A tout prendre, l'hypothèse de la Bible me paraît la plus vraisemblable. »

Le visiteur est visiblement ravi du confort, de la simple cordialité de ses hôtes, de la liberté de leurs entretiens — et bien que Jeanne Mauriac fût absente, de la bonne chère. Il a ce mot : « Si ma femme pouvait savoir que je suis ici avec vous, comme elle serait heureuse ! » L'agace cet art des catholiques pour « attirer », pour « compromettre » : mais il s'abandonne volontiers. Et François Mauriac écrit de nouveau à sa femme, le 6 juillet :

« Ce séjour m'enchante, et me comble, quoique je n'écrive rien (il a pourtant annoncé, le 28 juin, qu'il se mettait à ses *Mémoires*) J'avais besoin de ce repos fécondant. Gide si complexe, si riche, si terrible avec des côtés de vraie grandeur... désespéré. »

Que le monde est loin, ses fureurs, ses angoisses...

Lecture par Mauriac de son poème, *le Sang d'Atys* (dont des fragments sont insérés dans *les Chemins de la mer)*. Gide, chaleureux : « Tout est beau, d'un bout à l'autre ! Que ne publiez-vous intégralement ce poème. Ce serait une surprise, une stupeur... » Mauriac : « Justement... J'ai trop peur de scandaliser. Le paganisme de cette œuvre est si terrible. Je l'ai brûlée pour cela à plusieurs reprises. Mais je retrouvais toujours des bouts de brouillon... Je représente tellement pour tant de jeunes gens, pour tant d'hommes... J'ai une telle responsabilité... Je sais bien que j'occupe une place *imméritée...* »

Un matin, André Gide fait part à François Mauriac d'une idée quelque peu satanique : faire participer Claudel à la souscription en faveur des réfugiés espagnols (supposés « rouges ») en vendant le manuscrit que l'auteur de *Tête d'or* lui a autrefois donné et qui vaut plus de 20000 francs ! Il lui lit le début de l'article qu'il vient d'écrire sur ce thème : « Je me frotte les mains. Je viens de jouer un bon tour à Paul Claudel... » Mauriac est quelque peu effarouché — content, tout de même...

Voilà près de deux semaines, le 11 juillet, que Gide est leur hôte. Délicieux. Il est temps de partir : il emmène François et Claude chez son amie la comtesse de Lestrange, dans la Vienne. En route, ils visitent le domaine de Montaigne, à la Motte-Montravel. Un peu décevant. Et pourtant, Gide chez Montaigne... (« C'est son Lourdes à lui », murmure Mauriac.)

Déjeuner dans un fameux restaurant de Brantôme : foie gras, truffes, cêpes... L'hôtesse reconnaît Mauriac, se confond en courbettes, évoque d'autres visiteurs fameux, de Sarah Bernhardt au maréchal Pétain. Alors Mauriac fait observer qu'elle accueille un hôte beaucoup plus important que lui, « presque aussi glorieux que le maréchal..., André Gide » :

— Monsieur écrit aussi, peut-être ?

— Oui, fait Gide, dans un humble sourire.

— Dans quel journal ?

— A *la Flèche*[1].

La dame cherche. Puis soudain, illuminée :

— Vous dites Gibbs ? J'ai déjà entendu ce nom-là... !

Et Mauriac, pour conclure, paraphrasant le Livre saint : « Malheur à celle qui n'a pas su quand elle était visitée ! »

Cette fois, il se fait tard. Juillet, août 1939. Le 5, son vieil ami Charles Du Bos meurt, épuisé. Du 19 au 21, Mauriac fait un bref séjour à Lourdes — et c'est pour apprendre en rentrant le 22 à Malagar, où les Maurois viennent de débarquer, que Staline et Hitler ont signé un pacte de non-agression « qui signifie la guerre », commente aussitôt François Mauriac à l'adresse des siens. Le 25, Claude Mauriac, qui a 25 ans, retrouve les siens avant de répondre à l'ordre de mobilisation. Le 26 s'accélèrent les appels de jeunes gens. Ils vont à Saint-Symphorien où Jacques, l'un des fils de Pierre Mauriac, reçoit son ordre de rappel.

Le dimanche 27 août, François Mauriac note sur le « livre de raison » de Malagar :

> « Angoisse sur le monde à l'extrême bord de la guerre. Silence, solitude, torpeur. Tous sont à Saint-Symphorien. L'instant d'arrêter enfin son esprit et son cœur sur cet objet auquel nous faisons semblant de croire : ce défi à toute raison et à tout amour : la Croix. Toute notre vie arrangée pour la fuir. Mais elle nous poursuit, nous rattrape, se cloue à nous. La patience humaine construit des cités défendues par des lois. Mais la nature, depuis le commencement, de Caïn à Hitler, c'est le meurtre du plus faible. Toute la vie végétale et animale se ramène à une mutuelle destruction. Le royaume de Jésus n'est pas de ce monde. Il nous l'a dit. Mais nous n'avons pas compris. Il n'y est venu que pour y souffrir et pour y mourir avec nous. Il n'a pas de part à ce qui se prépare. Simplement, il est la porte et il est la route

1 Le journal de Bergery, favorable au Front populaire dont Claude Mauriac est un collaborateur, et qui a publié deux ou trois lettres de Gide.

pour passer de ce monde à son Père. [...] tout ce qui s'installe ici-bas va contre la loi d'amour (et sans doute l'Église elle-même...). Nous n'osons pas proclamer cette croyance scandaleuse. Mais l'infâme massacre, s'il commence, nous y enfoncera plus que jamais, de sorte que notre espérance dernière réside au centre de notre désespoir humain. »

Texte écrit pour lui seul, dans cette angoisse solitaire d'où jaillissent les vérités sans fard. Texte où Mauriac est tout entier — espérance face au désespoir.

Le 28, on apprend que Chamberlain a remis à Hitler la note « de la dernière chance ». Le 29, la réponse du chancelier nazi ne laisse aucun espoir : rien n'empêchera l'invasion de la Pologne. Le 31, c'est la mobilisation générale en Angleterre. Et le 1er septembre, les divisions blindées hitlériennes se jettent sur les Polonais. La mobilisation française est générale : Claude rejoint son unité. Jean Mauriac : « Ce soir-là, pour la seule fois de ma vie, j'ai vu pleurer mon père. »

La « querencia »

Au moment où s'ouvre pour le monde incrédule l'immense holocauste où s'abîmeront les vieux empires, François Mauriac est à Malagar. Quelques semaines plus tard paraît dans la *NRF* un article intitulé « Cinquante ans » — il en a 54... — où s'exprime avec une poignante nostalgie, en une sorte d'adagio schumannien, le passage du temps, la présence du passé, le poids de l'héritage, la montée de l'inexorable vieillesse. Déjà le ton des *Mémoires intérieurs :*

> « J'ai lu dans l'admirable livre d'Ernest Hemingway, *Mort dans l'après-midi,* que les Espagnols appellent *querencia* l'endroit de l'arène choisi par le taureau où il se réfugie. Rien n'est si périlleux que de l'estoquer dans sa *querencia* et, avant la mise à mort, le matador le plus téméraire s'efforce d'abord de l'en éloigner. Malagar est ma *querencia...* Mais ce choix d'un endroit pour s'accoter, pour se colleter avec la mort, c'est un instinct de fauve traqué, non une idée d'homme. A aucun moment de ma vie, si longue soit-elle, je ne croirai que l'heure de la *querencia* a sonné...
> La vérité, c'est que je suis fixé à Malagar parce que j'appartiens à l'innombrable espèce de chèvres qui, non contentes de brouter là où on les attache, s'y obstinent, une fois la corde rompue, et ne s'éloignent plus jamais du piquet qui a fixé une fois pour toutes leur destin. »

Le 3, François Mauriac écrit à Henri Guillemin : « ... Cet océan de douleur... Jusqu'à la fin, je n'y ai pas cru. J'espère encore en une guerre larvée... » Et quelques semaines plus tard, dans *Temps présent,* cette notation forte : « Les cadavres chinois, abyssins, espagnols, nous en parlions, il nous arrivait même de les voir reproduits dans les magazines, au cinéma ; mais combien d'entre nous n'eurent même pas ce raidissement de la bête qui passe devant l'abattoir ! »

Il publie *le Sang d'Atys* dans *la Nouvelle Revue française,* comme Gide l'y incitait si fort l'été précédent, et *les Maisons fugitives,* belle méditation proustienne sur les lieux de son enfance [1]. La tentation du mémorialiste le saisit, à laquelle il cédera quelques mois plus tard.

Après un bref séjour à Paris, en octobre, c'est à Malagar qu'il s'installe. Mais bientôt il reçoit — par l'intermédiaire de son ami André Chamson, officier à l'état-major de la 5e armée, en Alsace, une invitation à visiter le quartier général du général de Lattre de Tassigny — auquel fut affecté, pour un temps, le colonel de Gaulle. Il écrit à sa femme :

> « Je vois des choses passionnantes. Hier, les casemates allemandes de l'autre côté du fleuve... Une de nos casemates en branle-bas de combat, etc. Des types variés, de jeunes officiers et de grands chefs : quelle armée ! Elle ne pose pas de question de temps ni de durée. Elle se prépare avec méthode. C'est beau, terrible aussi. Je pars dans un instant visiter l'un des ouvrages les plus importants de la ligne Maginot [...] Je suis logé comme un prince dans une chambre à salle de bains où ont couché Daladier, Windsor, Paul Boncour... et un jeune héros de 21 ans [...] à qui, pour suprême récompense, on a accordé... une baignoire. »

Rien de tel qu'un vrai pacifiste pour être ébloui par les militaires.

Sa fille Luce lui annonce d'ailleurs sa décision d'épouser le lieutenant Alain Le Ray. Les fiançailles sont célébrées le 20 février. Claude est provisoirement affecté à Saint-Cyr, puis à Chantilly : il vient souvent les voir. Et la vie continue, sous ce régime de « guerre larvée » qu'il avait prévu en septembre. En février, on va voir *le Loup-garou* de Roger Vitrac, et en mars *Phèdre,* monté par Gaston Baty et joué par Marguerite Jamois. En avril, il visite Valéry malade, Bourdet atteint d'une phlébite. On entend un récital du pianiste tchèque Firkusny. Entre-temps, Staline a envahi la Finlande et Hitler achevé la Pologne et occupé le Danemark.

Cédera-t-il lui aussi à l'ardeur guerrière de la plupart de ses confrères qui en un paragraphe, en une phrase, en un mot, jettent Hitler à bas, et rebâtissent le monde ? Le 21 mars, lors de la formation du Cabinet de Paul Reynaud, substitué à celui de Daladier, on lit de lui, dans *le Figaro,* ces viriles paroles :

> « Le jour où la question qui tiendra le monde en suspens ne sera pas « Que complote Hitler avec Staline ? » mais « Quel coup méditent les Alliés ?... Le jour où un homme d'État français (et pourquoi ne serait-ce pas M. Paul Reynaud ?) trouvera dans les circonstances qui nous étreignent, dans la menace d'un ennemi ramassé sur lui-même et prêt à bondir, dans les réflexions attristées ou moqueuses des autres peuples, la hardiesse de résoudre en quelques heures une crise ministérielle, et de présenter bien moins aux Chambres qu'au Pays, une petite équipe d'hommes choisis dans l'élite réelle de la France [...] Le jour où ce chef donnera, non seulement au

1 Version remaniée de l'article « 50 ans », *NRF* décembre 1939

> reste du monde mais à notre peuple lui-même, le sentiment que la ressource subsiste pour nous d'une réforme intellectuelle, morale et sociale, et que cette tentative n'excède pas nos forces :
> Ce jour-là, des Nations guéries tout à coup d'une longue amnésie se rappelleront que nous appartenons à la même famille, que nous avons combattu côte à côte naguère, et elles invoqueront les liens du sang ; et les peuples s'étonneront moins de notre victoire sur l'Allemagne, dont au fond ils ne doutaient guère, que de cette autre victoire remportée sur nous-mêmes et à laquelle, depuis longtemps, ils ne croyaient plus. »

Mais qui alors n'a pas crié plus fort, plus haut, plus vide ?

Le 7 mai, François Mauriac et André Maurois dînent avec Georges Mandel, ministre de l'Intérieur et cheville ouvrière du gouvernement[1], William Bullitt, ambassadeur des États-Unis en France et son collègue à Moscou. L'ambiance est bonne. Les « actions » des démocraties remontent. Mais trois jours plus tard, c'est la ruée des blindés d'Adolf Hitler sur la Belgique, la Hollande et la France. Le 14, certains bruits font penser que le front est crevé : le lendemain au *Figaro,* son ami Pierre Brisson le lui confirme : les Allemands approchent.

Ce soir-là, il écrit à son fils aîné : « L'angoisse m'étreint. Cette formidable poussée vers Longwy... Voilà de nouveau la vieille plaie ouverte... Tout ce sang, oh ! Claude[2]... »

Le 17 mai, François et Jeanne Mauriac et leurs deux filles — Jean est pensionnaire à Lourdes — partent pour Malagar. Ils voyagent toute la journée, bouleversés par la marée des réfugiés en désordre, sur cette route qui n'est qu'un torrent de malheur, déjà. Ils arrivent à Malagar pour entendre le terrible ordre du jour de Gamelin, le généralissime, qui parle déjà de repli général. Le 18, Reynaud prend le ministère de la Défense et appelle à ses côtés le maréchal Pétain. Le lendemain, il substitue Weygand à Gamelin à la tête de l'état-major général : de voir ses confrères de l'Académie investis des responsabilités majeures ne doit guère rassurer Mauriac... Dès le 21, Amiens et Arras tombent aux mains des envahisseurs.

Notes de François Mauriac dans le « livre de raison » de Malagar : « 21 mai : à Malagar depuis le 17, en plein désastre de la Meuse... Ma fille Luce et son mari le lieutenant d'infanterie alpine Alain Le Ray, séparés par la brusque invasion de la Belgique. » Le 23 mai, François écrit à Claude Mauriac : « Cet écroulement ! Nous nous voyons, tout d'un coup, tels que nous étions[3] ! » Le 10 juin, Mussolini déclare la guerre à la France : ce « Duce » de 1935, si envoûtant à sa façon, si fascinant, l'hôte du palais de Venise au regard napoléonien, se mouvant dans un cercle vide, dans un anneau d'humanité servile... Un charognard... « Livre de raison » de Malagar : « 11 juin : L'hallali. L'Italie nous a déclaré la guerre. Aujourd'hui le gouvernement et le corps diplomatique quittent Paris presque encerclé. Malagar dernier refuge. »

1. Dont le chef est alors Paul Reynaud.
2. Lettre inédite.
3. Lettre inédite

A peine installés à Malagar, les Mauriac y ont vu affluer, en effet, parents et amis en perdition : Mme Lafon, les Gay-Lussac. Au début de juin, François Le Grix survient, suivi de seize personnes... La plupart poursuivent leur route le lendemain. D'autres jours, ce sont André Billy, ou Jacques Février, ou André Rousseaux (que, dans son carnet, Jeanne Mauriac qualifie de « très alarmiste... » : le 13 juin 1940 !) Retour au « livre de raison » : « 14 juin : Les Allemands à Paris. Nous attendons à la radio l'annonce probable de l'armistice... *Je ne sens rien.* »

Le 16 juin, ce Paul Reynaud en qui Mauriac — comme de Gaulle — a tenté de croire, ce petit homme redressé à la voix de trompette qui jouait si bien les coqs de Chantecler, tranchant, péremptoire, intelligent tout de même, ce Paul Reynaud de la dernière chance s'efface, brisé, au profit du vieux maréchal de Verdun, celui tout de même qui est venu lui serrer ostensiblement la main à lui, Mauriac, dressé contre la candidature de Maurras à l'Académie. Qu'en penser, de ce personnage-refuge ?

Le 18, Jeanne Mauriac et sa fille Claire vont chercher Jean à Lourdes. Au retour, ils sont victimes d'un léger accident : contusions. Le surcroît d'émotions ainsi causé fait que dans la soirée du 18 juin, à Malagar, on n'écoutera pas la radio avec toute l'attention qu'elle méritait.

« Livre de raison » : « 19 juin : Ordre par radio de ne pas quitter sa maison quoi qu'il arrive. Mais si les avions bombardent ? Aucune cave ici. Nous irions dans les bois, si les ponts n'ont pas sauté ? » Le lendemain, Bordeaux est bombardé. Le 21, les plénipotentiaires français rencontrent ceux de Hitler à Rethondes.

« Livre de raison » : « 22 juin : ... Nous nous sentons malheureux par pudeur, par honte... »

« Livre de raison » : « 24 juin : Arrivée des Allemands par la route de la Benauge. Brouille avec l'Angleterre. Réponse très dure de Pétain à Churchill. L'étoile du général de Gaulle se lève peut-être : le ton de sa déclaration, hier soir à la radio de Londres. Aurons-nous deux gouvernements ? »

Le 26 juin, le maréchal Pétain déclare accepter les conditions de l'Allemagne, « dans l'honneur et la dignité ». Le 28, des unités allemandes sont à Langon et le 30, les villages qui entourent Malagar — Verdelais, Saint-Maixant, Saint-Macaire — sont occupés. Les Mauriac sont pris au piège, dans cet immense piège qu'est devenue, aux hommes libres, la moitié de la France.

16. Écrit à minuit

Le 1er juillet 1940, quelques hommes revêtus d'uniformes vert-de-gris pénètrent dans le verger de Malagar et y installent une antenne : c'est sous le signe de la radio de la Wehrmacht que commence pour les Mauriac l'occupation — qui, le lendemain, s'alourdit pour quelques jours de la présence de quarante cyclistes casqués. Le même jour débarque à l'improviste, évadé d'un camp de prisonniers, le père Maydieu, l'animateur de *Sept* qui va contribuer au cours des prochains mois, à faire mûrir une décision qu'impliquent les combats de l'éditorialiste de *Temps présent,* mais qui aurait peut-être été plus lente sans son intervention. Et déjà, écrit Mauriac à un ami « la radio allemande m'a attaqué... Je dois être très réservé... Nous sommes occupés. Impossible d'écrire à qui je voudrai ».

François Mauriac apprend coup sur coup la mort de son ami l'abbé Rémy Pasteau, la captivité de son gendre Alain Le Ray, de Paul Jammes, fils du poète d'Orthez, de Pierre Brisson. Et que devient Claude ? Il surgit soudain, épargné, épuisé, le 8 août. Une communauté se forme dans le vieux domaine, appelé « l'arche » de Malagar dans les notes autobiographiques que rédige alors François Mauriac. Ses quatre enfants y sont réunis, auxquels se mêlent pour quelques semaines le jeune écrivain Jacques Robichon, qu'il appelle « le scout » et qui lui sert de secrétaire, et parfois, venus de Bordeaux, Henri Guillemin, ou son frère Pierre Mauriac.

Curieuse notation dans le « livre de raison », le 28 août : « Avant-hier 26, après ma sieste, j'enjambe ma fenêtre, suis pris (sans doute) d'un étourdissement. On me retrouve la figure meurtrie, ensanglanté, ayant perdu la mémoire que je ne retrouve que le soir. Hier, il n'y paraissait plus. Me suis-je “ colleté avec le néant ” ? »

A la fin de septembre, apprenant que leur appartement parisien risque d'être occupé, Jeanne et François Mauriac prennent en hâte le train. C'est pour constater qu'il s'agissait d'une fausse alerte, mais que Paris, lugubre, commence à souffrir de la faim. Ils retrouvent leurs amis Duhamel, vont voir une pièce de Stève Passeur, écouter *Pelléas et Mélisande.* Mais décidément, ce Paris-là n'est pas pour eux. Une semaine plus tard, ils sont rentrés en Gironde.

Le Malagar de l'Occupation... On ne saurait en évoquer mieux la poignante mélancolie que Claude Mauriac, qui y travaille à son Balzac et à une thèse de droit public sur « les corporations dans l'État ». Certains jours, on y trouve des occasions d'agir, comme le jour où Luce, dont le mari est prisonnier, aide un jeune officier, Pierre de Montesquiou, à franchir la ligne de démarcation — qui passe, à travers les vignes, à deux kilomètres de leur maison (« Malagar, poste frontière. L'autre frontière est à Narvik et en Russie[1] ! ») Mais le plus souvent, quel étouffant, quel dissolvant climat !

« ... Révélation déchirante que je ne suis pas seul à souffrir ici... Je ne parle pas de Jean, ses seize ans le sauvent... le jardinage, la pêche, les baignades, et la camaraderie... Mais de Luce dont le mari prisonnier ne peut donner de ses nouvelles (ce mari qu'elle a connu cinq jours...). Mais de Claire qui voit sa première jeunesse s'user dans la solitude. Mais de mes parents surtout, qui se déchirent sans le vouloir, sans le savoir, tout en s'aimant... Jamais ménage ne fut plus uni, il n'y eut jamais dans un ménage pareilles attentions, pareils sacrifices de l'un à l'autre, de l'un pour l'autre. Et cependant ils se blessent sans cesse... [...] A la fin de la soirée, alors que Claire, Luce, Jean, Jacques Robichon, avaient été se coucher... ce fut un gémissement qui partit du fond du salon :

— Comme on s'ennuie... Ah ! ces atroces soirées, où l'on est seul, seul...

Et ses soupirs, qui n'avaient rien d'affecté ni de risible, battirent ce silence que ni maman ni moi ne pouvions briser. Et, là encore, le prétexte était futile. Après une journée de travail, mon père eût aimé qu'une lecture à haute voix ou une conversation un peu animée vinssent le distraire, or tout le monde était allé se coucher... Il se sent, il se sait seul, si seul...

Famille unie, si tendrement unie qui a son langage, ses rites de tendresse, famille complice d'un même secret d'amour. Mais sous cette apparente entente quelle incompréhension mutuelle, quelle désagrégation sous l'apparent ciment. Chacun est seul avec son secret de souffrance et parfois (plus rarement) de joie.

[...] A ce désespoir au plus profond duquel Malagar étouffe, il y a des raisons individuelles, personnelles, intimes. Mais aussi ce surcroît de détresse que nous donne l'actualité. La radio nous apporte chaque jour, plusieurs fois par jour, de la France occupée comme de la France dite libre, des flots de boue. Hier soir, à Radio-Paris, les limites du tolérable furent atteintes : une voix française, la voix des Français à la solde du Reich (comment s'était-il trouvé un Français, même affamé, pour accepter cela ?) se moquait des Anglais, de ces malheureux Anglais condamnés à vivre en enfer, les attaques aériennes se succédant sans interruption. Il se riait d'eux — ce misérable vendu à des misérables... »

Mauriac a écrit plusieurs fois que s'il s'était alors « terré » à Malagar, c'était parce qu'il appartenait à « cette espèce de chèvres » qui tournent inlassablement autour du même piquet ; c'est aussi parce que Paris et le monde des lettres lui paraissaient alors « ignobles » et qu'il craint de se laisser attirer à Vichy (comme on le lui suggère) ou à Lyon. Il étouffe, non

1 Claude Mauriac, *Le Temps immobile*, 2, p. 497-498.

sans redécouvrir, dans ce Malagar où son fils Jean s'est fait gentiment cultivateur, une fraternité avec ces travailleurs qu'il emploie depuis de longues années.

« Ne pas se renier... »

Cet îlot girondin fait partie de la France occupée, de cet univers de la bourgeoisie dont Mauriac écrit dans son carnet de 1940 : « le cadavre garde des réflexes de vie », de l'Europe en guerre, du monde en transes. Mauriac, l'un des cinq ou six hommes dont les articles, depuis une dizaine d'années, modèlent l'opinion des Français, ne peut se cantonner dans le silence : passant par Malagar à la fin de juin, James de Coquet, puis André Billy lui ont expressément demandé de ne pas interrompre sa collaboration avec *le Figaro* replié à Lyon. Les premières attaques de la radio allemande, la prise en charge de la presse parisienne par les hommes qui sont, depuis la guerre d'Éthiopie, ses ennemis jurés, l'incitent à la « réserve » — c'est le mot, on l'a vu, qu'il emploie. Mais il ne faudrait pas attribuer à quelque souci de ne pas déplaire les articles qu'il publie de juin à décembre 1940, et qui, lus aujourd'hui, rendent un son quelque peu « vychiste » — moins que telle de ses lettres à Henri Guillemin où il n'exclut pas *a priori* le bien-fondé d'une politique de collaboration[1].

François Mauriac est un écrivain que guide avant tout sa sensibilité. Il a été bouleversé par le cataclysme de mai-juin 1940, par tel ou tel des événements qui s'y enchaînent (Mers el-Kébir, par exemple) et par le surgissement « providentiel » du vieux maréchal-père. Comment ne pas s'en émouvoir, d'abord ? Il ne faut pas oublier que le culte de Pétain prit alors, dans la presque totalité de la population française, des formes délirantes. C'est dans ce double éclairage de sa propre nature et du cours des choses qu'il faut lire ces trois ou quatre articles de l'été 1940, dont les ennemis de Mauriac se sont armés contre lui, sans tenir compte du phénomène collectif qui, à quelques milliers d'exceptions près, emporte le pays dans une bourrasque de contrition collective et de dévotion au vieillard protecteur.

Le 19 juin 1940, en pleine débâcle, et à la veille de l'appel de Londres, *le Figaro*, publie entre autres ces phrases de Mauriac :

> « Le 17 juin, après que le maréchal Pétain eut donné à son pays cette suprême preuve d'amour, les Français entendirent à la radio une voix qui leur assurait que jamais la France n'avait été aussi glorieuse. Eh bien non ! il ne nous reste d'autre chance de salut que de ne plus jamais nous mentir à nous-mêmes.
> Reconnaissons que nous sommes au fond d'un abîme d'humiliation. Ce n'est pas faire injure à nos soldats héroïques ni à leurs chefs que de mesurer cet abîme d'un regard lucide. Nous remercions nos amis étrangers des

1 10 décembre 1940.

louanges qu'ils nous prodiguent. Mais il nous est interdit de nous crever les yeux pour ne pas voir que la plus grande défaite de notre histoire n'est pas née du hasard, ni de la mauvaise fortune. [...]
Il faut que les Français s'entendent d'abord, s'accordent sur les profondes raisons de cet immense naufrage, et alors seulement il restera des chances à nos fils de voir luire l'aube d'une résurrection ; et il nous restera, à nous, leurs pères, l'espoir d'être pardonnés. »

Littérature d'époque. Encore faut-il noter qu'à l'adresse de Pétain, le ton reste mesuré (ah ! ces panégyriques de type stalinien qui fleurissent alors...) et que, pour un spécialiste du péché et de la confession, la coulpe n'est pas battue avec autant d'emportement qu'il fut en ce temps-là de bon ton de le faire. Ceci encore : certains censeurs de Mauriac[1] l'ont accusé d'avoir ainsi, d'emblée, pris parti contre le général de Gaulle. On sait que l'homme de la France libre s'adresse aux Français dans la soirée du 18. Cet article, publié le 19 au matin dans *le Figaro,* n'avait pas pu être écrit plus tard que le milieu de l'après-midi du 18. Les Mauriac, on l'a dit, n'avaient d'ailleurs pas entendu l'appel de Charles de Gaulle. C'est Churchill qui est ici visé : il y est d'ailleurs fait référence aux « amis étrangers » — formule dont l'usage, au lendemain de Dunkerque, est méritoire.

Dix jours plus tard, sous le titre : « Ce reste de fierté », c'est à la dignité que Mauriac rappelle ses concitoyens face à la « horde des envahisseurs », auxquels doit être opposée, non la curiosité, « mais l'absence du regard, avec l'inattention de tout l'être ». Et Mauriac de préciser :

« Que l'occupation de la France s'arrête à la surface, au pavé, au goudron de nos routes !... Qu'elle n'intéresse aucun cœur. Peuple de France qui as tout perdu, sauvegarde au moins cette dignité que le malheur confère à la nation tombée les armes à la main. Imite les princesses de Jean Racine. Comme Andromaque, oppose à ton vainqueur " le reste de fierté qui craint d'être importune ". Oui, une fierté retenue, une humble fierté. »

Le 3 juillet, tout de même, il trébuche. Son hymne à Pétain — inévitable — reste mesuré. Ce par quoi il gêne, c'est qu'il survient après la publication des sinistres clauses de l'armistice :

« Les paroles du maréchal Pétain, le soir du 25 juin, rendaient un son presque intemporel ; ce n'était pas un homme qui nous parlait mais du plus profond de notre histoire nous entendions monter l'appel de la grande nation humiliée [...] Une voix brisée par la douleur et par les années nous apportait le reproche des héros dont le sacrifice, à cause de notre défaite, a été rendu inutile. La voix de Pétain... Et puis ce silence de mort sur la France vaincue, ce silence que les communiqués des vainqueurs ne parviennent même plus à troubler, et qui s'étend jusque dans le ciel. »

A-t-on assez épilogué sur ce « son presque intemporel »... Ce serait, de la part de Mauriac, un propos d'une « obséquiosité délirante », qui ferait du romancier un étrange gaulliste, passé par le vychisme. Mais que signifient les

1 Jacques Laurent, notamment

mots ? Mais de quel poids pèse l'histoire ? Écrire que dans ces journées-là, le vieil homme parle d'une voix qui est celle de l'instinct de conservation intemporel, du permanent réflexe de rassemblement par l'effroi, et de la « contrition imparfaite » qui domine les moments de catastrophe dans une société catholique, qu'y a-t-il là d'obséquieux, d'indigne ? On aurait préféré Mauriac dénonçant les clauses infâmes de l'armistice, celles qui impliquent la livraison des antifascistes à Hitler ? Oui. Là, Mauriac n'est que l' « écho sonore » d'une immense angoisse nationale, d'une angoisse à l'écoute de quelque forme de salut que ce soit. Qui, hormis quelques centaines d'intrépides, réagit avec plus de pertinence, dans ces journées-là ?

Plus contestable peut-être que ce tribut payé aux mythes du temps, il y a le véhément réquisitoire qu'il dresse le 15 juillet contre Churchill après la destruction de la flotte française à Mers-el-Kébir.

> « .. Ce désert qui sépare les êtres, même qui s'aiment, sépare aussi les nations qui se croient unies. Elles ont longtemps cheminé ensemble la main dans la main, elles ont triomphé, elles ont vaincu ensemble. Et tout à coup, la plus faible, à l'heure où elle n'avançait plus qu'à peine, ayant perdu beaucoup de sang, se voit assaillie, prise à la gorge ; et elle ne reconnaît plus cet horrible visage de Gorgone penché sur elle, ce cher visage qu'elle avait aimé. »

Mais qui n'a pas en mémoire le tumulte d'indignation que souleva l'opération britannique — jusque chez ceux qui, comme de Gaulle, avaient alors lié à Londres la fortune de la France, et savaient au surplus, mieux que ce poète, entendre le langage de Machiavel ?

Et voici que, très vite, chez François Mauriac, le sens politique spontané va contribuer à raviver le sens de l'honneur. Dès le 23 juillet, sous le titre très parlant : « Ne pas se renier », il s'élève contre l'excès de prosternations humiliées qui tient lieu de politique aux hommes de Vichy :

> « ... Ne renions pas notre amour de la liberté... Apprenons à redevenir, dans un État souverain, des citoyens entreprenants, responsables et libres [...] Ne soyons pas trop cruels pour certaines de nos erreurs [...] Nous jugerons du régime que l'on nous prépare selon le plus ou moins de forces qu'il nous permettra de recouvrer... »

A la bonne heure ! Re-voilà Mauriac. Son désarroi psycho-politique n'aura duré qu'un mois. Quand on pense à la violence du choc, et quand on compare avec le comportement de l'immense majorité de ceux dont le métier consistait à être brave !

Le voilà donc redressé, et lancé dans un plaidoyer pour cette France des « lumières » et de la modernité dont l'idéologie régnante, de Maurras aux idéologues de service à Vichy ou à Paris, veut imposer aux Français d'avoir honte Et dès le 5 août, c'est, plus vibrant que tout autre, l'hommage à Montaigne, à Pascal et à Racine, à Valéry, à Cézanne et à Debussy. Et ceci

> « Ne croyez pas ceux qui nous accusent d'avoir trop aimé les lettres. L'auteur de *Mon curé chez les riches*[1] dénonce comme responsables de nos malheurs Charles Baudelaire et ses fils spirituels. Laissons-le dire et contemplons avec orgueil, au front de la France, cette couronne qu'aucune défaite ne lui ravira... »

Il n'a osé alléguer ni Proust, ni Gide, que les aboyeurs de la presse parisienne d'alors vouent aux gémonies. Mais les choix qu'il fait là sont très « politiques ». Montaigne, pour ses ascendances juives, est alors plutôt négligé, Baudelaire, Cézanne, Valéry, sinon Debussy, sont rangés parmi les « décadents », les « pourrisseurs » — comme lui, Mauriac, qu'un jésuite de Lyon traite publiquement d' « artisan de la décomposition ». Il sait qu'il se bat pour lui, qu'il est, volontairement ou pas, dans un camp, enfermé par les vainqueurs, un camp où il peut encore user de libertés intellectuelles et physiques, mais dont les portes risquent de se refermer à tout instant sur lui. Il est condamné à être héroïque.

L'appel du 17 août

Et si la haine de ses adversaires n'y avait pas suffi, l'admiration de ses amis l'y aurait voué. Le 17 août 1940, Maurice Schumann, qui fut son compagnon à *Sept* et à *Temps présent* et qui est devenu le porte-parole de la France combattante, l'apostrophe ainsi entre deux appels du général de Gaulle au micro de la radio de Londres :

« Ces ondes auxquelles je n'oserais pas confier un message pour ma mère, je leur demande ce soir, de porter ma voix jusqu'à vous, François Mauriac [...] si grand que vous soyez par l'esprit ou par le cœur [...] nous pensons à vous comme à une image douloureuse de la France lointaine. Vos pieds enfoncés dans notre terre violée, vos yeux noyés par le soleil des vignes envahies, votre cœur né pour vivre les drames qui le dépassent, votre voix chaude et brisée tout ensemble, rien en vous, rien de vous qui n'incarne notre tragédie. De même que certains maîtres italiens nous offrent le spectacle du Christ en raccourci, de même vous êtes pour nous la France en raccourci, la France elle aussi crucifiée.

En traversant le Bordeaux de 1940, ce nœud de vipères dont les langues n'avaient même plus la force de piquer, nous évoquions le cri lancé par Chateaubriand en 1814, lorsque la trahison — déjà ! — venait d'ouvrir à l'ennemi les portes de la capitale : “ Il faut user de son mépris avec économie. Il y a trop de nécessiteux. ”

Lorsque nous sommes partis, il n'y avait place dans nos bagages pour aucun livre. Mais, du moins, une phrase de vous était gravée dans mon cœur : “ La vie de la plupart des hommes est un chemin mort qui ne mène à

1. Clément Vautel, crétin conservateur.

rien ; mais d'autres savent, dès l'enfance, qu'ils vont vers une mer inconnue. Déjà l'amertume du vent les étonne, déjà le goût du sel est sur leurs lèvres, jusqu'à ce que, la dernière dune franchie, cette passion infinie les soufflette de sable et d'écume. Il leur reste de s'y abîmer ou de revenir sur leurs pas. "

De Gaulle et ses compagnons, ce sont ceux qui ont suivi le chemin de la mer. Lorsque la dernière dune fut franchie, celle du déshonneur — la passion infinie de la France les a souffletés d'écume et de sang.

Mais, le drame de la Patrie, nous l'avons vécu et nous le vivrons comme le drame de la créature. Et jamais, François Mauriac, nous ne reviendrons sur nos pas ! »

Grisante, mais redoutable interpellation. Entendre cela dans une maison occupée par l'ennemi, être ainsi désigné à l'attention universelle, et surtout à celle des polices de Vichy et de Berlin... Les compagnons de De Gaulle — dont ce texte reflète la pensée — avaient-ils prévenu, ou sollicité Mauriac ? « Non, nous précisa en mai 1979 Maurice Schumann, non. Nous avions besoin de toutes nos armes. Mauriac était de celles-là... »

Après le péril et l'exaltation, la honte. Le 16 octobre 1940 est promulgué à Vichy le statut des juifs, qui fait de tous les citoyens français d'ascendance israélite des êtres de seconde zone, aux droits limités, à l'avenir précaire, voués au mépris public, conformément aux vœux de tous les Maurras et maurrassiens qui tiennent alors le haut du pavé. Texte aussi infâme que la clause de l'armistice qui livrait à Hitler les réfugiés politiques allemands en France. Le dégoût de François Mauriac s'exprima notamment dans une carte interzone adressée à un ami (d'origine juive) de son fils Claude, Jean Davray :

> « Cher Jean, c'est à vous que je pense, c'est votre visage que je vois lorsque certains événements se passent ; ce sont les réactions de votre cœur, de votre intelligence que j'essaie d'imaginer. Espérez : rien ne sera perdu, pas une larme, pas une goutte de sang. Le courage, dans les jours que nous vivons, est de ne pas désespérer. Et pour vous, c'est de garder intacts votre amour et votre foi pour cette patrie toujours et plus que jamais vivante. Il fallait que vous et les vôtres traversiez cet enfer ; nous le comprendrons un jour. De tout cœur avec vous. F. M. [1] »

« Il fallait... » C'est pousser un peu loin peut-être, à l'adresse d'un non-chrétien, une vision spécifiquement chrétienne des rapports avec le Tout-Puissant. Mais il faut, pour apprécier l'ardente sympathie de ce message, penser qu'il s'agissait d'une carte interzone, moyen de communication contrôlable entre tous, et qui ne pouvait manquer, étant donné la signature, d'être dûment enregistrée.

S'il a pu être tenté de minimiser le poids de la défaite, l'âpreté de la servitude, la honte de l'occupation, le jour de Noël 1940 les lui rappellera durement : à la fin du déjeuner qui réunit les Mauriac autour d'une dinde (Claude doit partir pour Paris trois jours plus tard) un coup de sonnette les

1 Claude Mauriac, *Le Temps immobile*, 2, p. 226.

fait tressaillir. Un officier allemand est là, le commandant Bestmann, qui présente un ordre de réquisition pour lui, son ordonnance et son chauffeur. Il habitera la maison, les soldats les communs. Il choisit de s'installer dans la « chambre rouge ». « Nous apporterons du charbon : c'est notre cadeau de Noël... » Le IIIe Reich est parmi eux, jusque dans leur intimité ; et dès le lendemain, l'officier s'impose à leur table — mais l'atmosphère est si glaciale, et la chère ce jour-là si mauvaise, qu'il se résignera à prendre ses repas à part.

Claude Mauriac : « Papa, qui jusqu'alors avait fait preuve d'un détachement héroïque, avoue ne plus pouvoir supporter la contrainte perpétuelle de ces présences affreuses. Il parle pour toute la famille d'un retour à Paris qui n'était jusqu'à présent décidé que pour moi seul[1]. » Puis, il se ravise. Claude part seul le 30.

Le 15 janvier, Jeanne Mauriac rejoint son fils aîné à Paris, laissant François veiller sur Malagar. Notes du campagnard à l'adresse de la citadine : « Ici rien de nouveau. Le commandant mange de notre cuisine à la cuisine [...] J'ai fait un article[2] que Luce a tapé [...] Telle est l'histoire de Malagar sous le joug étranger » (17 janvier). « Le commandant a déjeuné avec nous (il n'y avait *rien* à manger pour lui). J'ai reçu la collection du *Figaro littéraire* (publié en zone « libre »). Quelle *autre* atmosphère on respire à travers ces pages ! Quel désir j'éprouve tout à coup d'être de l'autre côté ! Mais je redoute de vous laisser, de laisser Malagar. Enfin, ne précipitons rien [...] Je n'ai jamais rien senti si lourdement que ces jours-ci le poids écrasant de la défaite. L'ennui commence à planter son drapeau noir... » (19 janvier).

Le 18 février 1941, François Mauriac part pour Paris, où il commence par rendre visite à son médecin, le professeur Hautant — qui soigne des hommes proches du gouvernement et lui annonce que Laval, récemment chassé par Pétain, va revenir avec des pouvoirs accrus. Il va voir le *Britannicus* monté par Cocteau et joué par Jean Marais aux Bouffes-Parisiens, écrivant à sa femme : « Salle de spectres : Madeleine[3], Colette, Missia[4], Chanel, Cocteau, M. Rostand... Vous voyez ça ! » Il fait un tour à l'Académie : « Tout le monde gentil. J'ai tourné le dos au secrétaire perpétuel[5]. Valéry avait reçu votre agneau [...] Froid de canard. Nous nous chauffons avec Claude au papier : tout y passe : revues, poésie... » Décidément, c'est intenable. Il va s'installer dans un lieu mieux chauffé, l'appartement des Georges Duhamel, rue de Liège : « Je suis gâté comme vous pouvez l'imaginer [...] On a reçu ce matin votre daube [...] Dîner hier soir avec Fernandez[6] et sa dernière femme, et Drieu. Ils ont *peur*, parlant de représailles auxquelles ils s'exposent en cas de défaite, se considérant comme des héros... » (27 février).

1. *Ibid.*, 4, p. 145.
2. « L'honneur des écrivains » (« Un pays a les écrivains qu'il mérite ! », *Figaro littéraire*, 25 janvier 1941).
3. Le Chevrel, vieille amie de François Mauriac.
4. Sert, ex Missia Edwards, qu'il a connue en 1917...
5 André Bellessort, ami de Maurras.
6. Ramon Fernandez, comme Drieu La Rochelle, avait adhéré au parti de Doriot.

A la demande de son éditeur Grasset, qui ne partage pas ses idées sur l'occupation et ses conséquences, il a une entrevue avec le directeur de l'Institut allemand, un nommé Epting, pour savoir comment serait traité le livre qu'il vient d'écrire, *la Pharisienne*[1]. Il dîne un soir avec ses amis Bourdet, un autre avec Madeleine Renaud et Pierre Bertin chez Jean-Louis Vaudoyer qui « hésite à accepter la pétaudière de la Comédie-Française[2] », écoute un concert « admirable » dirigé par Charles Münch — et revient à Malagar le 7 mars. C'est le mois suivant qu'il apprendra l'évasion de son gendre Alain Le Ray — qui, peu après son retour en France, prendra contact avec un réseau de résistance et se prépare à rejoindre, dans les Alpes, le maquis du Vercors dont il sera l'un des chefs.

Le Mauriac de cette époque, déchiré de souffrances mais renaissant déjà à l'espérance, aucun texte ne saurait mieux le dépeindre que cette lettre du 16 mai 1941 adressée à son fils Claude. Tout y est, des peines matérielles à l'indignation politique, des attentions pour les siens au refus de l'humiliation. La voici : on n'en a guère retiré qu'un long et beau développement sur la pensée de Newman :

16 mai

> « Cher Claude,
> Je venais à peine de faire partir ma lettre pour ta mère que le boucher nous a fait dire qu'il n'y avait plus rien à espérer pour la viande et qu'il fallait nous en tenir à nos tickets. Ne comptez donc plus que sur le lapin [...] Ici nos ouvriers manquent du nécessaire [...]
> Non, les crottes de *J. S. P.*[3] ne me troublent en rien ; et les témoignages d'amitié et de fidélité ne me manquent pas. Le seul Grasset écrit des chefs-d'œuvre, mais ce sont ses lettres, et c'est à son insu ! [...] Hier après-midi, Radio-Paris a radiodiffusé le départ des 5 000 juifs étrangers pour les camps de concentration. Le speaker se livrait a des plaisanteries sur ces gens qu'on avait convoqués sans leur dire de quoi il s'agissait ; quand ils ont compris enfin, *on a entendu un sourd gémissement qui faisait rigoler le speaker...* Je suis tombé à genoux et j'ai pleuré. C'était la police française qui opérait. Je doute qu'il se soit rien produit de plus vil à Paris depuis un an, que cette émission ; ce speaker, c'était le bourreau souffletant une tête coupée. Quant à la politique Darlan, je doute qu'on ait pu agir autrement... On dit que les conditions sont inespérées. Mais l'honneur ? ? ?
>
> Ton F. »

Et il ne faut pas oublier ce savoureux post-scriptum, si descriptif des absurdités du temps :

> « *P.-S.* Les Allemands sont bien gentils : nous venons de recevoir un colis expédié à Alain[4] par Claire et qui nous revient avec cette mention " parti sans laisser d'adresse ". C'est incroyable... »

1 Voir plus loin, p 369.
2. Il acceptera d'en devenir administrateur, ce qui lui vaudra quelques ennuis
3 *Je suis partout.*
4. Son gendre Alain Le Ray, qui vient de s'évader (évasion racontée dans son livre *Première a Colditz*, Arthaud, 1977)

Sur cet odieux épisode, Mauriac écrivait le même jour à sa femme . « 5000 juifs arrêtés d'un coup, de 18 à 40 ans... et *la Petite Gironde, l'Œuvre* annoncent la chose d'un ton guilleret : jamais je n'ai senti comme ce matin le déshonneur, la honte à laquelle je participe par mille menues trahisons quotidiennes... »

Extrait du « livre de raison » de Malagar :

> « Hier, 17 mai, il y a eu un an que nous arrivâmes à Malagar en pleine débâcle. Aujourd'hui, toujours à Malagar occupé. Alliés de nos ennemis. Seul avec mon fils Jean. Ma femme et Claire sont à Paris avec Claude, devenu secrétaire de la corporation de la Tonnellerie. Ainsi revient-il aux origines des Mauriac. Luce est auprès de son mari évadé d'Allemagne. Il avait été repris une première fois (après avoir traversé toute l'Allemagne). Enfermé dans une forteresse de Saxe, il a franchi les cinq enceintes et a gagné la Suisse, collé à l'avant d'une locomotive, entre les deux lanternes. Disette terrible dans les villes. Et ici aussi les gens souffrent de la faim. »

Ces épreuves le conduisent à un type de réflexions très nouveau : lettre de François à Claude Mauriac, du 24 octobre 1941 :

> « Le communisme a plus d'avenir qu'on ne croit, si Staline peut se vanter d'avoir abattu Hitler sans s'être « souillé » à notre contact. Et si nous nous battons pour une juste notion de l'homme, nous nous battons aussi pour des abus et des privilèges affreux. En Pologne russe, déjà, les terres sont partagées... Que je suis divisé contre moi-même... ! »

Du « livre de raison » de Malagar : 25 décembre 1941 : « Noël encore ici avec ma femme, Claire et Jean (en vacances, venu de Paris). Malagar n'est plus occupé. L'armée allemande crucifiée à l'hiver, en Russie. Tout de même, le destin tourne... »

J'écris, donc je suis...

Écrivain, quand on l'est au point où Mauriac n'a pas même choisi de l'être, quel cataclysme pourrait vous détacher de la page blanche et du foisonnement des mots ? Il n'est pas plus tôt installé dans la maison au milieu des vignes qu'il court acheter quelques cahiers d'écolier et commence à y jeter sa petite écriture hérissée comme les poils d'un chat en colère. Dans le vieux salon Napoléon III, dans la charmille, sur la terrasse : cet été 40 est si beau...

Par quoi commencer ? Comment faire de l'écriture une arme de salubrité publique ou de salut personnel ? Il y a les articles pour *le Figaro*, bien sûr, puis pour *la Gazette de Lausanne*, puis pour *Temps nouveaux* qui prend d'une certaine façon la succession de *Temps présent* à Lyon. Mais il faut aller plus profond, il faut viser plus haut. Le passé à sauver du reniement ? Un roman pour s'affirmer survivant à tous les désastres, et notamment à tel échec dénoncé par Sartre ? Une pièce, après *les Mal-Aimés* qu'ignore encore le public, mais dont Gide et Guillemin se sont dit si émus ? La seule chose peut-être à laquelle ne songe pas d'abord ce chrétien en quête d'espoir, c'est à une vie de saint. Il faudra que l'idée lui soit fournie par l'éditeur Flammarion, avec lequel il prend contact, irrité par les exigences de Grasset. Ce sera *Sainte Marguerite de Cortone* — qui ne paraîtra qu'en 1945.

Telle est sa boulimie d'écriture, sa volonté de surmonter le désespoir par la création, qu'il entreprend tout à la fois. Il « rêvasse sur un projet de pièce », écrit-il à un ami, ajoutant quelques semaines plus tard : « Je me suis mis à une comédie : mais quand je veux être drôle ! » Sentant qu'il va à l'échec, il se donne l'excuse d'attendre le sort réservé aux *Mal-Aimés* pour pousser plus loin ses expériences théâtrales... Dans le même temps, il griffonne des brouillons de *Mémoires* — que lui réclame instamment Bernard Grasset — entamés à la veille de la débâcle et auxquels il consacre quelques mois, de juin à août 1940. C'est de ces quelques dizaines de feuillets raturés, déchirés, souvent détruits, que sortiront peu à peu, à la fin des années 40, *la Rencontre avec Barrès, Du côté de chez Proust* — ces merveilles.

L'œuvre achevée de ce temps d'épreuves, c'est *la Pharisienne,* rédigée de juillet à novembre 1940. En août, il écrit à un ami : « Je me distrais avec un long roman que je vais laisser traîner et s'étirer sur beaucoup d'années... » En fait, il l'aura écrit en moins de quatre mois — son rythme normal. Ce roman mauriacien entre tous est né des interminables journées campagnardes sur lesquelles, disait-il, « l'ennui plante son drapeau noir », de ces soirées lugubres, mordues par le froid, assombries jusqu'à la fin de 1942 par les nouvelles qu'à l'heure du dîner, la radio de Londres était bien forcée de donner : défaites en Afrique, en Grèce, en Russie, en Asie...

Écrire donc, écrire ! Mais ce romancier lucide s'est depuis longtemps (bien avant le terrible article de la *NRF* de février 1939) posé des questions sur la validité de son art, ou plus précisément sur le genre — le roman psychologique héritier de la tradition racinienne — qu'il a illustré plus que tout autre contemporain. Le réquisitoire de Sartre, ensuite, l'a frappé, pénétré comme un coup de poignard. Pendant des mois, il a cru qu'il avait renoncé à jamais à ce mode d'expression, dont son jeune censeur lui assurait qu'il ne donnait qu'une interprétation bâtarde, issue du théâtre des époques de décadence. Lui que rongeait déjà le doute (dès le début des années trente, il confie plusieurs fois à son fils Claude que tout ce qui dans son œuvre a une chance de survivre, ce sont les essais du type de *Dieu et Mammon*) le voilà pour un temps foudroyé par le jeune guérillero normalien.

Et puis une foudre plus terrible encore a frappé. D'autres forces, d'autres impératifs se font jour. Il faut survivre, s'arracher au néant, personnel et collectif. Dix ans plus tard, il écrira dans une préface de ses *Œuvres complètes :*

> « Je me demande pourquoi, dans les premières semaines de l'occupation, j'ai pu écrire *la Pharisienne* avec une hâte fièvreuse, comme si j'eusse voulu

m'exprimer une fois encore dans un roman, avant d'être recouvert par la vague immonde qui déferlait sur nous. Mais une fois ce livre achevé, durant les sombres années qui suivirent, la tentation de l'œuvre d'art pas un instant ne m'effleura [...] J'aurais pu considérer qu'il n'y avait rien de mieux à faire que de s'évader dans la fiction [...] où j'eusse oublié la réalité sinistre. Mais cela me fut impossible. »

Propos qui appelle quelques commentaires. D'abord au sujet de la dernière phrase. La tentation de l' « œuvre d'art » ? Elle prit la forme, non seulement de la comédie abandonnée, mais d'un récit alors interrompu, et qui devait devenir dix ans plus tard l'admirable *Sagouin,* et encore cette biographie d'une Italienne du XIIIe siècle, pécheresse revenue à Dieu avec emportement, *Sainte Marguerite de Cortone.* (« C'est tout à fait quelqu'un pour vous ! » lui avait dit son éditeur...)

« Était-ce en 41, en 42, en 43 ? Le temps ne paraissait plus divisé : tous ces hivers ne forment plus dans notre pensée qu'un seul bloc glacé et noir. Nous les vivions à Malagar, au sein d'une horreur monotone. Il y avait un Allemand dans chaque chambre. Un accordéon ennemi gémissait... Ces sombres jours d'avant la Résistance au fond d'une campagne inondée de pluie, rongée de soleil et où, au-delà de toute souffrance, je me suis ennuyé plus qu'à aucun autre moment de ma vie, s'incarnent pour moi dans cette petite sainte forcenée [1]. »

Il faut vraiment que ce « bloc noir et glacé » soit bien soudé en lui pour qu'il pose, à propos de la date de composition de cette hagiographie, une telle question. Dans sa correspondance de l'été 1942 il est question de « ma Sainte à laquelle je donne le dernier coup de fion » — et le journal de Claude fait état d'une lecture du manuscrit inachevé le 23 août 1942. C'est donc dans le courant de 1942 que Mauriac écrivit l'essentiel de sa *Marguerite de Cortone* — après avoir rédigé la première version de la « Lettre à un désespéré pour qu'il espère » qui devait devenir *le Cahier noir,* et d'autres fragments de « mémoires ».

« Ce qui s'y exprime, écrivait plus tard Mauriac, ce sont les instants de désespoir que nous traversions alors. *Marguerite de Cortone* m'attirait hors de ce monde abominable. Je suivais cette pauvresse aussi loin qu'il lui plaisait de m'entraîner ; je comprenais son amour, j'entrais dans sa folie. Parfois aussi, je m'en voulais à moi-même d'écrire un livre à ce point inactuel. Le martyre de la Cortonaise me détournait du martyre de mon pays ; il me rendait infidèle à cette terre abreuvée de sang.

Il me semble que les remous de mon cœur et de mes pensées, autour de cette sainte oubliée du XIIIe siècle, donnent à ce livre un accent particulier. Il faut, en le lisant, se souvenir que tel chapitre a été interrompu parce que c'était l'heure des " Français parlent aux Français ", ou parce que de lourdes bottes ébranlaient le plafond, ou parce que les fanfares du grand état-major allemand annonçaient à la radio une victoire du Reich... »

1 *Œuvres complètes,* tome VII, préface, p 337

La Pharisienne, certains la tiennent, avec *le Nœud de vipères,* pour le plus accompli des romans de Mauriac. Ce qui est fascinant, dans cet ouvrage écrit au bord d'un double gouffre ; celui ou s'abîme la collectivité nationale et celui où le romancier Mauriac se croit voué par les dieux de la littérature romanesque, c'est à la fois la fidélité à soi-même (quand écrivit-il un récit plus strictement psychologique, un si minutieux « roman de caractère » ?) et l'effort de renouvellement. Comment répondre à Sartre ? En adoptant le « point de vue » d'un récitant qui centre le récit, l'arrache à la toute-puissance du dieu-écrivain et le rend au plat regard des hommes.

Beau livre. Qu'alourdit un peu ce parti pris, comme si en « laïcisant » et rationalisant son art, en se privant d'un peu de cette magie qui faisait de lui l'éternel Asmodée, Mauriac perdait de son irréductible « légèreté », celle d'un monde irrationnel et transparent où le débat se situe au plan de la grâce, dans l'arbitraire du sacré, de la révélation et du péché. Ce romancier du confessionnal pâtit un peu de se faire celui de la déposition judiciaire ou de l'aveu médical. Par peur de Sartre, retour à Bourget ? Non, parce que Mauriac reste poète jusque dans ses démarches les plus « rationalistes ».

Et quel personnage que celui de Brigitte Pian — accusée numéro un du procès qu'instruit depuis trente ans Mauriac contre la religion de son enfance — religion des formes, de la discipline exhibitionniste, du refus éloquent, d'une orgueilleuse, indicible et sourde terreur. Religion de la négation, du rejet, moins janséniste que pharisienne, religion sans amour. Celle où nul ne pouvait soutenir sans scandale que « Dieu est amour ».

Mais il y aussi une interprétation politique de *la Pharisienne.* Pourquoi ne pas voir que Brigitte Pian, dans l'esprit de Mauriac, conscient ou inconscient, c'est Vichy ? Ce pharisaïsme répressif (Que Dieu est grand d'avoir fait de nous les derniers justes !) qui règne autour de l'hôtel du Parc, les « bons pauvres » dont on s'occupe et les mauvais qu'on livre au bras séculier de la Milice, cet acharnement à confesser les autres plutôt que soi-même, cette effrayante bonne conscience, tous ces traits sont ceux dont le romancier modèle « Madame Brigitte » : ils pourraient être ceux d'un reportage politique sérieux sur l'univers du « maréchalisme [1] ».

Ce n'est pas parce qu'elle suggère cette lecture politique que *la Pharisienne* dut attendre, pour paraître chez Grasset, en mai 1941, le bon vouloir des autorités d'occupation. C'était la règle, pour tous les livres. On a déjà fait allusion à la visite faite par Mauriac à l'Institut allemand, le 27 février 1941, en compagnie de l'attaché de presse de son éditeur, Henri Muller, pour céder aux instances pressantes de Bernard Grasset.

Dès le 26 août 1940, rentrant à Paris, où il fut aussitôt chargé de représenter l'ensemble de l'édition face aux Allemands, Grasset lui avait écrit qu'hormis Montherlant, tous « ses grands auteurs », notamment Giraudoux et lui, Mauriac, étaient « discutés » par les occupants. Puis, le

1. « Ce temps de *la Pharisienne,* fut aussi celui des Pharisiens », dit très bien Jean Bruzel dans un mémoire inédit sur « Mauriac et la bourgeoisie bordelaise ».

5 septembre, Bernard Grasset écrivait à Mauriac qu'il avait obtenu qu' « aucun de (ses) auteurs français ne serait l'objet d'un veto de l'occupant à titre personnel. Notamment pour la question raciste [...] Il est vrai, ajoutait Grasset, qu'à propos de Maurois, les censeurs allemands m'ont dit que la question restait suspendue au *statut des juifs* qui devait être promulgué par Vichy [...] Le ton de ces conversations a toujours été empreint d'une parfaite correction [...] mais aucun ouvrage ne peut être vendu dans la zone occupée qui contienne la moindre [...] appréciation défavorable relative à l'Allemagne et au régime allemand. [En dépit de] ce qui m'avait été dit lors de ma première visite à l'ambassade de tes articles du *Figaro,* il ne sera mis aucun obstacle à la publication de ton œuvre romanesque. Quant à tes *Souvenirs,* veille bien, je t'en prie, à en supprimer tout ce qui pourrait paraître hostile, soit à l'Allemagne, soit au régime national-socialiste [...] à l'URSS[1] ou à l'Italie... » Et quelques jours plus tard, il conseillait à Mauriac d'écrire dans *la Gerbe,* organe de la collaboration, qui « paie très bien ». Bernard Grasset jugea bon de préciser à l'intention de son auteur, le 28 juillet 1941, que « les sommes dues [par l'éditeur] à la remise du manuscrit ne sont plus dues qu'après l'approbation de la censure allemande ». Muflerie qui toucha fort Mauriac...

De l'entrevue du 27 février 1941, on a un récit rédigé par Henri Muller, qui l'adressa à Mauriac à l'époque où, un an après la guerre, un journal assura qu'il s'était humilié devant l'occupant. Le texte fait justice de cette accusation — encore qu'il ne fasse pas mention de cette formule d'un interlocuteur de Mauriac : « Les Espagnols vous détestent plus que les Allemands... »

« Voici ce dont je me souviens de votre unique passage à l'Institut allemand. Bernard Grasset tenait absolument à ce que *la Pharisienne* fût publiée. On lui objecta alors que l'ouvrage risquait d'être saisi si on ne s'assurait d'avance de l'approbation de l'Institut allemand, ce qui signifiait que nous savions en quelle hostilité ils vous tenaient. Grasset téléphona à Epting, directeur de l'Institut. Celui-ci se montra immédiatement hostile et déclara ce que les Allemands avaient l'habitude de dire de votre talent : " C'est un art décadent auquel nous ne comprenons pas que les Français attachent du prix. " Grasset insista et Epting déclara qu'il voulait vous voir... Rendez-vous fut pris... Y assistaient, hors vous et moi, Epting et Bremer...

Le premier avait devant lui vos articles du *Figaro* contre Franco et son régime. Il fut, tout au long de l'entretien, extrêmement hargneux. Je me souviens que sur une de ses attaques, vous lui avez répondu : " Je suis un catholique, et un écrivain catholique. " On était au lendemain d'un attentat contre un général allemand, enterré à la Madeleine en grande pompe. Alors Epting riposta : « Allez à la Madeleine, monsieur, et vous verrez des soldats allemands catholiques et qui prient. » [...] Sur quoi Epting commença une longue plaidoirie pour la politique hitlérienne, que vous avez écoutée en silence. Vous avez d'ailleurs très peu parlé... Pendant le trajet à l'Institut

1 C'est l'époque de la collaboration Hitler-Staline

allemand, vous m'avez dit : “ Ce n'est pas parce que nous sommes provisoirement vaincus que je penserai jamais que mes idées étaient fausses... ” »

Quelques semaines plus tard, Jean Paulhan écrivit à Mauriac : « Les autorités Protectrices disent : “ Nous avons trouvé M. Jean Giraudoux beaucoup plus compréhensif que nous le pensions, mais M. François Mauriac beaucoup moins... ” »

La presse se vit pratiquement interdire, non par les occupants, mais par le pouvoir semi-occulte exercé à Paris par le parti de la collaboration, surtout par les gens de *Je suis partout,* de parler de *la Pharisienne.* L'accueil fait au livre en zone libre, à Lyon et à Marseille, fut plutôt favorable. Mais rien ne compta plus, aux yeux de Mauriac, que ces quelques mots griffonnés sur une carte interzone reçue de Nice, le 6 octobre 1941 : « Avec quel intérêt, avec quels frémissements parfois, j'ai dévoré *la Pharisienne !* Quelle joie de passer avec vous ces quelques heures, et comme je me sentais près de vous ! fût-ce pour m'opposer à vous parfois... mais si peu. André Gide. »

Quelques semaines plus tard, au début de décembre 1941, il recevait, publié par *le Journal de Genève,* un portrait de lui tracé, avec une enthousiaste fidélité, par Henri Guillemin. Il remerciait aussitôt son ami de son « adorable article », de ce qu'il fût publié « maintenant », et ajoutait : « Je voudrais être, pour vous et deux ou trois autres, celui qui comprend tout, à qui l'on dit tout, parce qu'il a tout connu, tout souffert... »

De tels témoignages d'amitié sont d'autant plus sensibles à François Mauriac que la presse parisienne, ce qu'il appelle « les crottes de J.S.P.[1] », le harcèle avec une croissante animosité, encore accrue par sa résurrection littéraire et le succès en zone sud de *la Pharisienne.* Il faut avoir lu ces bordées d'injures, crachées par les journaux qu'animaient ou inspiraient alors Déat, Doriot, Brasillach, Rebatet ou Gaxotte pour savoir jusqu'où peuvent aller la bassesse et la haine. Des morceaux choisis de la polémique antimauriacienne lèvent le cœur. Il faut cependant citer quelques-uns de ces crachats :

Dans *Jeunesse,* de Loustau, on lisait ceci : « Cette tête d'épingle sous le bicorne, ce corps dégingandé de collégien sous l'habit vert, c'est M. François Mauriac, admirateur des déterreurs de carmélites, soutien des Rouges d'Espagne et collaborateur du *Figaro.* » Dans *le Cri du peuple,* on faisait de Mauriac un sacristain polisson qui, après les vêpres, s'en irait trafiquer des cartes postales obscènes. Quant à *Je suis partout,* il s'était fait en quelque sorte une spécialité de la dénonciation des grands écrivains qui refusaient le fascisme et la collaboration : de Bernanos ce « lugubre pochard » à Maritain ce « chien », ce « pollueur de la race » (Raïssa Maritain était d'origine juive) et à François Mauriac, cette « fielleuse hyène ».

Bernanos et Maritain étaient en Amérique. Mauriac, lui, était à portée de la Gestapo, de la Milice, des brutes spontanément fascistes qui sillonnaient alors le pavé de Paris. Mais il écrit à Guillemin : « Je serais plus inquiet si le

1 *Je suis partout*

danger direct venait des occupants. Les menaces de *J.S.P.* ne m'effrayent que peu — quoique j'en tienne compte. Je suis prudent et ne sors guère qu'accompagné » (21 octobre 1941).

Je suis partout le harcela pendant quatre années, le menaçant très précisément le 5 novembre 1943 quand, au cours d'une émission, de Gaulle cita, parmi les écrivains de la Résistance, Mauriac et Aragon « qui n'ont pas encore pris, que nous sachions, l'avion de Londres ». Et le ranger dans « l'Académie de la dissidence » entre Gide et Bernanos, c'est encore le désigner au bras séculier de la répression. De ces attaques, l'attristent surtout celles que dirige contre lui Robert Brasillach. Sous le titre « Le démon de midi », l'auteur des *Quatre Jeudis* le présente comme un « pasticheur adroit », le traite assez drôlement de « vicaire savoyard du quai des Chartrons » et suggère cruellement ceci : « Lui qui a peint tant de fois des héroïnes mûrissantes qui convoitent encore l'amour, le corps désirable des jeunes hommes, les soirs d'été, la folie du sang et du cœur, n'est-il pas devenu la Thérèse Desqueyroux [...] de la politique, emporté sur son fleuve de feu ? Une instabilité aussi inquiétante, un mépris aussi agressif de la mesure, de la vérité même, ne sont-ils pas les signes d'un malaise aussi physiologique que moral ? [...] La conquête de Mauriac, académicien et bien-pensant, par l'antifascisme intellectuel, c'est une victoire du démon de midi. »

Comme toujours, en ces matières, le plus forcené — et d'autant plus horrible qu'il était un écrivain d'une autre vigueur que les Bonnard et Thérive — c'est Lucien Rebatet, l'un des rares intellectuels français qui aient osé s'afficher comme nazis. Il faut entendre ce cri de haine : « ... L'homme à l'habit vert, le bourgeois riche avec sa torve gueule de faux Greco, ses décoctions de Paul Bourget macérées dans le foutre rance et l'eau bénite, ces oscillations entre l'eucharistie et le bordel à pédérastes qui forment l'unique drame de sa prose aussi bien que de sa conscience, est l'un des plus obscènes coquins qui aient poussé dans les fumiers chrétiens de notre époque. Il est étonnant que l'on n'ait pas encore su lui intimer le silence. C'était bien le moindre des châtiments pour un pareil salaud[1]. » Publié au printemps 1942, dans *les Décombres*...

Mais ces choses-là, Mauriac ne les lisait pas. Ce qu'il lisait, c'était la correspondance qu'il recevait, plus lourde d'insultes et de menaces depuis qu'il était faible et menacé. Le 4 juin, de Paris où il vient de trouver, en arrivant, un abondant courrier, il écrit à sa femme revenue à Malagar : « Reçu [...] une lettre du père Doncœur[2] en réponse à mon article " Les écrivains du néant[3] " qui me plonge dans un abîme de tristesse et d'angoisse. Il me rend responsable de toutes les misères d'une génération, me cite au tribunal de Dieu qui saura venger " mes victimes ". Heureusement, Dieu

1. *Les Décombres*, p. 49-50.
2. Jésuite, prédicateur à Notre-Dame.
3. *Journal du temps de l'occupation*, in *Œuvres complètes*, tome XI, p. 316 (sous le titre « L'honneur des écrivains »).

n'est pas jésuite, (mais) c'est atroce pour moi que cette lettre d'un religieux... »

D'autres formes d'agression guettent François Mauriac. *Je suis partout* lui signifie au début de juin 1941 que s'il pénètre dans un des cafés « littéraires » de Saint-Germain-des-Prés, il en sera chassé par la force. Moyennant quoi il écrit à sa femme, le 11 juin 1941 : « Avant dîner, avec Blanzat qui est fort comme un bœuf, nous avons fait une tournée dans les cafés de la rive gauche où *J.S.P.* m'interdit de reparaître. Il ne s'est rien passé... » La veille, il avait signalé qu'en sens inverse, « Jean Marais a cassé la figure à Alain Laubreaux[1], en pleine rue » (Laubreaux dont, précise-t-il, ses protecteurs allemands parlent comme d'une « canaille »).

Quelques mois plus tard, le 17 janvier 1942, il lui faudra affronter, en sortant de chez Lipp, rue du Dragon, un groupe d'individus qui lui barrent la route et lui crient : « Mauriac, ami des juifs, ta place n'est pas à Paris ! Hors d'ici ! » Il est accompagné de son ami Louis Clayeux. Sur la neige épaisse, assaillants et assaillis vacillent maladroitement. Se protégeant le visage du bras, François Mauriac crie aux agresseurs : « Vous ne me faites pas peur ! Et rira bien qui rira le dernier... Salauds ! » Les autres, bizarrement, se contentent de quelques bordées d'injures et tournent les talons.

Plus menaçante encore, il y a la démarche très attendue qui s'accomplit chez lui un matin de juin 1941. Deux messieurs en gabardine se présentent. C'est Jean (17 ans) qui les reçoit. Gestapo... Arrestation ? Non perquisition. Les Allemands veulent examiner la machine à écrire de François Mauriac et vérifier si les caractères ne sont pas ceux que l'on repère sur des tracts récemment découverts qui attaquent l'occupant : il a été dénoncé... L'examen est fait. Ils ne révèlent rien de ce qui était recherché. Les visiteurs s'en vont. « Ils furent courtois, racontait plus tard Mauriac. A quoi sert d'être académicien... » Jean et la femme de ménage, Catherine, n'en préparent pas moins ses affaires pour le cas où...

Il y a aussi l'affaire de « la conférence ». Le samedi 7 juin, François écrit à Jeanne Mauriac : « On peut lire dans les programmes de spectacles et sur tous les murs du métro l'annonce (en petites lettres) d'une conférence aux Ambassadeurs : “ Un agent de la désagrégation : François Mauriac ”. J'ai envie d'y aller. C'est par un nommé François[2] Demeure... On dit que c'est un très pauvre type. » Ses amis, Jean Paulhan et Jean Blanzat notamment, le dissuadent de donner, par sa présence, une importance indue à cette manifestation — qui se déroule le 17 juin. Le lendemain, il écrit à Mme Mauriac : « Cette conférence fut, paraît-il, une rigolade, et un vrai succès pour moi. Les deux tiers de l'assistance, très clairsemée, acclamaient mon nom dès qu'il était prononcé. Le type, interrompu à chaque instant, avait perdu la tête. On lui criait “ Qui t'a acheté ? ” [...] Le père Maydieu, Duthuron, Clayeux n'ont cessé d'apostropher l'orateur... »

1. L'un des animateurs de *Je suis partout* qui s'était signalé en 1939 en souhaitant « une défaite rapide de la France ».

1. Fernand. Personnage dont l'histoire de la littérature française n'a pas gardé la trace

Sur cet épisode héroï-comique qui ridiculise le parti de la haine, on dispose d'un reportage éblouissant, et qui respire la vérité des choses vraiment vues, une lettre de Jean Paulhan à son ami Mauriac :

« Ci-joint un bref compte rendu de la séance d'hier, joyeuse et triste (mais on sentait dans la salle une vraie amitié pour vous). Fernand Demeure se montre à 5 heures et quart... Il a vieilli[1], il est courbé, grisonne, paraît sombre mais montre une certaine ténacité. Il n'a pas plus tôt dit " M. François Mauriac... " que vos amis applaudissent violemment pendant plusieurs minutes. Ils recommenceront chaque fois. Demeure ne peut rien changer à son discours qui est écrit... Il est un peu pompeux et dit par exemple : " ... Comment expliquer cette hantise du sexe chez le romancier qui prétend surérogatoirement être un croyant ? " Il prononce bizarrement *selxe* (ce doit être un complelxe) " C'est un devoir d'élève ! " crie X[2] qu'accompagne le R.P. Maydieu avec Delavignette et un troisième jeune homme[3] tous placés au second rang, bien en face de Demeure. Les organisateurs amènent deux agents qui menacent le P. Maydieu et ses deux amis de les arrêter...

" Oui, ajoute F. D., je dirais qu'il est étrange de voir que M. François Mauriac (ici, de nouveau, de violents applaudissements) précipite dans le stupre et la boue d'innocents personnages. " Ici le P. Maydieu et ses amis se lèvent et s'en vont. F. D. entreprend de raconter année par année toutes les maladies de vos divers personnages. On a fini par l'entendre. Le nombre des rougeoles surprend. La salle prend le parti de rire à chaque nouvelle rougeole. On est très gai. Quand D. a dit : " Ainsi se multiplient dans *le Baiser au lépreux* les corps de boue sans qu'apparaisse jamais une âme ruisselante de santé ", une jeune blonde se lève et crie avec cœur : " Et la femme de Péloueyre, alors, elle n'est pas ruisselante de santé ? "

Cependant D. passe des rougeoles aux calvities. On lui crie : " Vous êtes chauve vous-même ! " (Ce n'est qu'à demi vrai mais il se ressemblerait mieux en l'étant.) Nouvelles rougeoles, nouveaux rires... Nous partons... On se sent un peu triste... Guéhenno, comme moi, a beaucoup ri. On avait fini par gagner tous nos voisins à la bonne cause. Il y avait peut-être 250 personnes dans la salle. Beaucoup de femmes. Pas un Allemand... »

Allons, une certaine dignité reste de mise. Quand, deux jours plus tard, Mauriac est invité par Paul Morand à une réception où il y aura, lui dit-on, des gens de l'Institut allemand et peut-être Brasillach, il écrit à sa femme : « Je n'irai pas, natürlich ! » En quoi il est imité par Valéry. De même rompt-il avec son ami Jean-Louis Vaudoyer, qui, ayant fini par accepter de prendre en charge, après Copeau, « la pétaudière de la Comédie-Française », a invité le même Brasillach à y prononcer une conférence sur Corneille et fait, devant Duhamel et lui, le procès de la presse d'avant la « révolution nationale »

1 L'encyclopédique Paulhan connaissait donc ce personnage.
2 Probablement Duthuron, d'après la lettre de Mauriac à sa femme
3 Probablement Clayeux.

Les hésitations de 1940 sont loin. Rien ne peut mieux l'ancrer dans le parti qu'il a choisi de prendre que l'attitude de ses confrères qui ont rallié le camp de la collaboration. C'est avec horreur qu'il lit, le 6 novembre 1941, dans *la Gerbe*, le compte rendu extasié du voyage à Weimar organisé par la propagande allemande et auquel ont participé des hommes qu'il tenait pour ses amis, comme Jouhandeau, Chardonne et Fraigneau. « Goebbels a fait se grouper autour de lui, en demi-cercle, les visiteurs et leur a dit : " Ceux qui seront contre l'Allemagne seront aplatis comme du papier ! " Et *la Gerbe* d'applaudir... »

Plus encore que cette domestication, pourtant, plus encore que l'agression permanente de l'extrême droite enragée, plus même que l'exécution des otages de Châteaubriant, c'est un certain type de crimes de l'occupant nazi et de ses protégés qui le rejette définitivement vers le parti du refus et de la contre-attaque : la chasse aux juifs.

Ce n'est pas par hasard que ses agresseurs de la rue du Dragon l'ont traité d' « amis des juifs ». On sait qu'il est par-dessus tout horrifié par la politique raciste de Berlin, puis de Vichy. Cette honte, il l'exprime encore dans une lettre de décembre 1941 à son ami Louis Clayeux :

> « ... On est fatigué de vivre dans un charnier, fatigué de ces propagandes, de cette tuerie mécanique, idiote, de cette organisation de l'horreur qui se prolonge en chiourmes éternelles : enfer, sans compter les surplus des " purgatoires ". Quesquecéqueça ? Assez ! Assez ! Et Pétain qui dresse ses listes de proscriptions et entasse les juifs dans des camps de travail parce qu'il y a des attentats la nuit... Assez ! Assez ! Formons une autre Église, canonisons Mozart, Rimbaud ! »

Elle va s'exacerber encore, cette honte. C'est le 20 juillet 1942 (surlendemain de la rafle du Vel' d'hiv) que, conduisant sa mère partant pour Malagar à la gare d'Austerlitz, Claude Mauriac note ceci, qui exprime admirablement un désarroi et une indignation qui furent dès lors ceux de tous les siens : « Un long train de marchandises cerné par des forces policières imposantes, avec de pâles visages d'enfants pressés aux étroites ouvertures des wagons à bestiaux... Maman est bouleversée par ce spectacle... Toute la journée j'ai gardé la hantise de cette vision déshonorante : un convoi de gosses juifs, mené vers quels bagnes ? Et les mères ? Où étaient les mères ? On ne peut imaginer l'étendue des souffrances ainsi engagées... »

Et il y a encore, à la même époque, ce trait qui le frappe comme une flèche, dans une lettre de Jean Paulhan : « J'avais un peu connu [...] un des otages exécutés. Il avait reçu deux œufs de sa crémière, au lieu d'un œuf qui était ce jour-là de règle. La dame d'avant, qui n'était pas encore sortie de la boutique, protesta. La dame d'après protesta elle aussi... Petit scandale. Arrêté, l'on découvrit qu'il était juif ; un peu plus tard, communiste. Il fut fusillé le lendemain sans que la question des deux œufs ait été très bien éclaircie. Vingt et un ans. »

Humainement, ces horreurs le jettent dans une manière de désespoir Pendant l'été 1942, il est partagé entre une grande espérance politique et une sorte de résignation quotidienne. Claude Mauriac le décrit ainsi : « Il lit, travaille, médite, remédite, retravaille, relit : il est incapable de toute autre occupation qu'intellectuelle. C'est dire qu'il a le temps de s'ennuyer, de mesurer la tristesse des temps et celle de son propre destin. L'avance prodigieuse des Allemands dans le Caucase, cette incertitude de la condition qui sera faite à la France dans le monde de demain, la solitude, l'âge : toutes ces préoccupations se succèdent en son esprit. Il semble vivre assez près de Dieu et communier souvent :

— Je vois la fin arriver sans appréhension, Non, la mort ne me fait pas peur. Je ne m'intéresse plus assez à ce monde où il n'y a pas de place pour moi...

Avec cela, nerveux, impulsif, injuste, d'une irrégularité de caractère et de réaction qui étonnerait si on n'avait pas appris à le si bien connaître, prenant en une minute des décisions d'une minute, puis s'abandonnant de nouveau, abandonnant de nouveau les êtres et les choses à eux-mêmes. Malgré cela, adorable, tendre, plein de charme et même de grandeur[1]. »

Ce qui domine pourtant en lui, c'est une ardente impatience. Les articles qu'il adresse de plus en plus souvent, hors de portée de l'occupant, à *la Gazette de Lausanne* (ses filles, tour à tour, passent la ligne de démarcation à travers les vignes, ou parfois en traversant la Garonne à la nage, jusqu'en zone libre, à Saint-Pierre-d'Aurillac — berceau de la famille —, porteuses des plis interdits) se font de moins en moins timides. Ainsi, le 9 octobre 1942, celui qu'il intitule « L'épreuve du silence » et où éclate, à travers les lignes, sa furieuse envie de crier sa conviction profonde :

> « Un jour viendra, nous en sommes assurés, où il sera de nouveau permis à l'écrivain de faire en public son examen de conscience et de présenter une défense, sinon une apologie, des positions qu'il a tenues jusqu'à la veille du conflit européen... »

Et sur ce qui n'est pas « le silence », quel jugement, déjà ! :

> « ... dans ce Paris de 1942, il y a des éclipses, des sommeils, des morts. Telle revue exquise, en qui naguère encore se reflétait la littérature vivante[2], ce n'est pas assez de dire qu'elle ne bat plus que d'une aile ; les manuscrits même n'arrivent plus à ce colombier déserté. En revanche, il semble que le séisme ait révélé partout des sources de poésie. Elles jaillissent surtout en zone non occupée. Je pense à des revues, à *Poésie 42*[3], à *Fontaine*[4] »...

L'attente encore ou l'espoir ? Le 8 novembre 1942, François Mauriac, son épouse et ses fils Claude et Jean dînent chez leur ami Maurice Garçon. La nouvelle du débarquement anglo-américain de Casablanca et d'Alger a éclaté dans la matinée, et illumine cette soirée. En témoignent les notes du

1. *Le Temps immobile,* 4, p. 153.
2 La *NRF*
3 Qui est publiée sous l'impulsion de Seghers, et a donné un poème de Mauriac, *Endymion*
4 Dirigée par Max-Pol Fouchet

journal de Claude où, croyant mettre les siens à l'abri d'une enquête de la police, il rebaptise son père « Charles », lui « Gilles » et « Théodore » leur hôte (dont le portrait est si ressemblant que le plus stupide agent de la Gestapo ne s'y tromperait pas...).

« Dans la pathétique exaltation de la soirée d'hier, Charles disait que c'était le plus beau jour de sa vie, après celui de sa première communion — et de son mariage, ajoutait-il après un regard sur sa femme... Quel coup de théâtre ! Nous vécûmes suspendus à la radio... Dans le métro qui nous ramenait de chez Théodore, Charles murmurait : " Je n'ai jamais été si heureux de ma vie, non, jamais... " Toute la soirée, ils s'étaient tour à tour prêché le calme, avant de convenir de remettre la raison au lendemain. " Il y a trop longtemps que nous étions sevrés d'espoir... " Et Théodore, grand dégingandé, élégant pourtant et beau, malgré son visage de vieille fille où les cheveux plats sont partagés par une sage raie médiane, merveilleusement séduisant [...] ajoutait : " Voici des années que notre seul espoir résidait en un acte de foi qui ne reposait sur aucune justification. Comment n'accueillerons-nous pas avec exaltation ce jour où des raisons précises de confiance nous sont apportées ? Comme nous avons eu raison, Charles, de ne pas désespérer de la France "

Et tous de s'écrier : " S'il y a trois jours on nous avait dit que les troupes américaines occuperaient Alger... Quel pas en avant... " Et d'épiloguer à l'infini sur la riposte qu'Hitler peut tenter, sur la menace mortelle dont l'Italie est désormais menacée, sur Pétain et sa politique réelle, sur la vérité au sujet de la résistance française [1]. »

« Cahier noir »

La Résistance, François Mauriac n'a pas attendu cette bouffée d'espoir pour se lier à elle. Bien sûr, il y a eu le désarroi des premières semaines, la croyance, pendant quelques mois, que Pétain jouait le « double jeu », que Montoire était peut-être inévitable, que la France devait avoir une « politique continentale, même en cas de victoire anglaise » (lettre à Guillemin de décembre 1940). Il y a eu les vieux relents de rancune antimaçonnique, antidémocratique, qui l'ont conduit à désapprouver le geste de son ami Maritain signant, à la fin de 1940, aux États-Unis, un texte d'adhésion à la politique de Roosevelt (mais, au lendemain de Pearl-Harbour, sa réaction sera, bien sûr, de considérer comme un désastre commun le coup porté aux Américains). Il y a eu aussi cette phrase adressée le 26 juin 1941 à Henri Guillemin : « Ça ne va pas fort pour le petit père Staline. Pleurons d'un

1. Claude Mauriac, *Le Temps immobile*, 2, p. 240-242.

œil... » Mais sont-ils si nombreux, ceux qui ne retrouveraient, dans leur correspondance de ces années de ténèbres, de pareils flottements ?

L'historique, on dirait mieux l'itinéraire intellectuel et sentimental de son adhésion au parti de la Résistance, c'est François Mauriac qui, sur le ton sarcastique dont il est coutumier, s'agissant de lui-même, l'a le mieux retracé dans un entretien avec Jacques Debû-Bridel :

> « Il n'y a pas eu vraiment de choix de ma part, parce que j'étais la tête de Turc, et que j'ai été dès le commencement la tête de Turc de la presse " collaborationniste ". Même si j'avais pu me poser la question au début, je me suis trouvé complètement isolé, traité en ennemi. Je leur en suis reconnaissant, parce qu'ils m'ont aidé à prendre conscience de ce que j'étais, car au début, comme pour beaucoup de Français — peut-être comme pour la plupart des Français —, le maréchal Pétain représentait pour moi Verdun, une victoire de la France, enfin un homme indiscutable... Et il se peut que si je n'avais pas été traité comme ça par les adversaires, j'aurais été plus lent à me décider. Mais enfin, il faut dire aussi que ce qui m'a horrifié, [ce fut] cette servilité vis-à-vis des vainqueurs, cet empressement à tout renier, et puis ces mesures bientôt racistes... tout cela fut atroce[1]. »

Dans la préface de ses *Mémoires politiques,* rédigée une vingtaine d'années plus tard, il se donne plus de lucidité peut-être qu'il n'en eut, et moins de mérite aussi, suggérant que son adhésion à la Résistance ne fut que le choix tranquille du parti des vainqueurs.

> « ... Nous autres, et même parmi les Français ceux que la politique et l'Histoire n'occupaient pas habituellement, nous crûmes très vite, nous sûmes très tôt qu'il n'y avait qu'à attendre, que l'Allemagne ne gagnerait pas, qu'en fait, elle était perdue parce que l'excès même de sa victoire condamnait le reste du monde à traquer et à abattre la chienne enragée. Nous en eûmes l'espérance dès que nous comprîmes que la *Royal Air Force* tiendrait le coup contre les avions de Goering ; et lorsque Hitler envahit la Russie, nous en eûmes la certitude... »

Hum !... L'examen attentif de la correspondance, des extraits du journal de son fils reproduits dans *le Temps immobile,* voire de tel ou tel de ses articles, montre qu'il eut à surmonter quelques doutes, et que son « pari » fut plus audacieux, en ce domaine, que celui de Pascal. Plus audacieux et méritoire que celui qu'il décrit là, en tout cas. La finesse de son « flair » politique y contribua. Mais aussi l'amitié et l'exemple de trois hommes, qui l'ont aidé à passer du refus moral de la collaboration à l'adhésion politique déclarée à la Résistance : Jean Paulhan, le père Maydieu et Jean Blanzat. D'autres seront, dans ce péril, ses compagnons, ses amis, ses témoins — de Jacques Debu-Bridel à Jean Guéhenno, de Duhamel à Vercors, de Claude Morgan à Édith Thomas, sans parler bien sûr de l'initiateur, du fondateur : Jacques Decour, fusillé en mai 1942 par les Allemands aux côtés de Jacques Solomon et Georges Politzer, et qu'il n'a pas connu — bien que ce jeune

1 Jacques Debû-Bridel, *La Résistance intellectuelle,* p 97

intellectuel communiste eût rendu hommage à son attitude face au fascisme, dans un article de *Commune* de février 1939. Mais les trois premiers auront été les intercesseurs entre Mauriac et la Résistance, ceux par lesquels s'accomplit la mutation du témoin en acteur.

Paulhan, il le connaît depuis vingt ans — et chose étrange, l'amitié ardente née entre Mauriac et Rivière à la veille de la mort du directeur de la *NRF* s'est transférée sur son successeur. C'est avec autant d'élan que l'eût fait l'auteur d'*A la trace de Dieu* que Paulhan a accueilli *Souffrances,* puis *Bonheur du chrétien.* La correspondance entre les deux écrivains témoigne d'une chaleureuse et constante estime — pour différents, pour antithétiques qu'ils fussent.

Le détaché, le désinvolte mandarin qu'est Paulhan a précédé Mauriac dans le refus actif de l'occupant. Dès l'automne 1940, il a adhéré à la première organisation de résistance, le réseau du musée de l'Homme de Boris Wildé. Arrêté, incarcéré quelques semaines, il a revu Mauriac, lui a parlé d'un jeune militant communiste nommé Jacques Decour[1] dont il avait édité, à la *NRF, le Sage et le Caporal* (1930), *les Pères* (1936) et de nombreuses notes critiques, et qui s'occupe de rassembler écrivains et intellectuels dans un large mouvement de combat contre l'occupant. Decour, après avoir mis en mouvement, dans le cadre du Front national, le Comité national des écrivains et rassemblé les éléments du premier numéro des *Lettres françaises,* sera arrêté en février 1942 et fusillé trois mois plus tard au Mont-Valérien. Mais il a trouvé des successeurs, et avant tous Jean Paulhan, codirecteur des *Lettres françaises.*

Nul n'était plus propre à entraîner Mauriac dans l'entreprise que le subtil auteur du *Guerrier appliqué,* dont les initiatives de résistance culturelle prenaient d'ailleurs les formes les plus diverses. Au début de 1942, Drieu La Rochelle (qui commence à pressentir à quel point il s'est fourvoyé) songe à se débarrasser de la responsabilité de la *NRF,* soit en la sabordant, soit en en remettant la charge à Paulhan et aux « pères de l'Église » : Gide, Valéry et Claudel. Paulhan ne dit pas non. Pourquoi ne pas faire de la *NRF* un souple instrument de maintien de certaines valeurs, dans les limites permises par la situation, en attendant le rejet radical ? Le recours aux grandes signatures ne serait-il pas de nature à impressionner les occupants, à leur faire « avaler » bien des choses, eux auxquels la disparition de la *NRF* paraîtrait la pire défaite de la politique de collaboration — dès lors qu'ils la tiennent pour une des colonnes de la société française ?

Drieu propose donc un comité de direction composé de Gide, Claudel, Fargue et Valéry, flanqué d'un comité de rédaction groupant entre autres Giono, Montherlant, Paulhan et lui-même. Contactés, les « sages » hésitent, sauf Claudel, péremptoire : « ... Que les traces de cet immonde putois de Montherlant soient d'abord désinfectées[2]. »

Alors Paulhan abat ses cartes. Le 26 avril 1942, il écrit à François

1 Pseudonyme de Daniel Decourdemanche
2 Grover et Andreu, *Drieu La Rochelle,* p. 489

Mauriac : « Mon cher ami, voici le projet qui marquerait, je pense, de la façon la plus sensationnelle, le changement d'orientation de la revue. Le numéro du 1er juin porterait sur la couverture l'indication du nouveau conseil de la *NRF.* " Conseil de direction : Paul Claudel, Léon-Paul Fargue, André Gide, François Mauriac, Paul Valéry. " Suivrait le sommaire d'un numéro entièrement composé par les membres du conseil. Paul Valéry accepte. Il nous donne 25 à 30 pages [...] Il est possible que Claudel refuse (à cause de la présence de Gide). Dites-moi, je vous prie, que François Mauriac accepte. Mais de toute façon, gardez *secret* un projet dont il faut que personne ne soit, avant le 1er juin, averti. Fargue nous donne son adhésion sans condition. Gide suivra, m'a-t-il dit, " Eupalinos[1] et Malagar " [...] Ce projet m'enchante... »

Et trois jours plus tard, Mauriac ayant en principe accepté : « Merci, mon cher ami... Je commence à me sentir plein de confiance, si vous êtes là. Il arrive à Valéry d'être faible. Gide est bien loin. Fargue est léger. Mais je compte sur votre rigueur pour nous sauver tous !... Il m'est arrivé de penser que votre gloire devait vous être assez souvent une gêne ou un embarras. Mais je vois bien aujourd'hui la force et la grandeur qu'elle peut vous donner (enfin, j'en suis jaloux : je voudrais bien, moi aussi, être célèbre pour quelques mois...). »

Au seul nom de Mauriac, Drieu a regimbé. Il écrit à Gaston Gallimard le 21 avril : « J'ai déjeuné la semaine dernière avec Jean Paulhan qui m'a proposé un comité de direction (d'où seraient) exclus Henry de Montherlant et Marcel Jouhandeau. Cette double exclusion est pour moi tout à fait inacceptable, car elle revêt un caractère politique, du fait que ces deux hommes seraient les deux seuls " collaborationnistes " du comité et d'autre part, c'est une injustice flagrante [...] Dans le diabolisme chrétien, Marcel Jouhandeau est, d'après notre ligne littéraire à tous, supérieur à François Mauriac. Jusqu'à nouvel ordre, il n'y a rien de fait[2]. »

Rien, en effet. Cette joute aboutit à la reconduction amiable de l'auteur de *l'Homme à cheval.* Mais si le grandiose projet de Paulhan n'a pas pu aboutir, l'affaire a révélé, au sein de la maison, la défaite du parti de la collaboration, le discrédit au moins provisoire qui frappe des hommes comme Montherlant et Jouhandeau. De l'épreuve, Paulhan est sorti vainqueur. Il mènera désormais la *NRF* à sa guise, sous le drapeau déchiré de Drieu — et pourra jouer de cette arme, et mettre les facilités qu'elle lui donne au service de la résistance.

Le père Maydieu, Mauriac travaille à ses côtés depuis des années — depuis la fondation de *Sept* en 1934. On l'a vu débarquer à Malagar à la fin de juin 1940. Il ne cesse depuis lors de faire la navette entre Paris, la Suisse, Lyon et parfois son Bordeaux natal, avec un bref détour par Malagar. Il fait alors figure de « moine combattant » (au dire de Claude Mauriac, que ce personnage « choque »), intraitable, infatigable, crépitant d'informations.

1. *Eupalinos* est le titre de l'un des essais de Valéry
2. Grover et Andreu, *op cit.*

Le fondateur de *la Vie intellectuelle* sait insuffler chez Mauriac un espoir que de moins fermes que lui laissaient souvent s'évanouir au gré des péripéties de la guerre.

Qui était-il ? se demandait Mauriac dans un *Bloc-Notes* écrit au lendemain de la mort du père Maydieu, en 1955.

> « Je l'ai beaucoup aimé et ne l'ai guère connu. Il ressemblait à un oiseau de mer... Entre deux voyages, il s'abattait dans mon bureau comme un albatros épuisé. [Il était] de ceux pour qui la vérité est ce feu dont le Christ a dit : " Le fils de l'Homme est venu jeter le feu sur la terre et que désiré-je, sinon qu'il s'allume ? " [...] Il manifestait dans ses propos cette liberté qui, chez un religieux, est le plus souvent le signe de la foi : d'autant plus libre qu'il était plus assuré de ce qu'il croyait et plus impatient de communion avec ses frères que, sur aucun plan et dans aucun ordre, il ne se résignait à considérer comme " séparés ". Le tourment de l'unité, il en a été possédé jusqu'à en mourir[1]... »

Quant à Blanzat, il fut, dans ces années-là, le plus proche, l'ami sans défaillance, celui dont la robustesse physique et morale lui apportait le plus constant réconfort. Il le connaissait depuis 1938, s'étant lié à lui, on l'a vu, dans un effort commun pour l'accueil des réfugiés d'Espagne. Au moment de la déclaration de guerre, en septembre 1939, Mauriac écrivait à son ami Henri Guillemin : « J'avais cette année un ami au sens le plus profond, un instituteur de 30 ans, fils de facteur, élève de l'École normale primaire, socialiste, Jean Blanzat, qui m'écrit : " Je remercie Dieu de vous avoir connu... " »

L'amitié entre ce fils de paysans limousins de Bellac (la patrie de Giraudoux) et le grand bourgeois bordelais inspire une correspondance vibrante pendant la guerre et s'épanouit en une coopération active sous l'occupation. Pendant ses séjours parisiens, Mauriac ne manquait jamais d'aller dîner chez les Blanzat (bien qu'il fût un peu intimidé par la « sainte laïque » qu'était à ses yeux la femme de son ami, Marguerite, agnostique déterminée). De décembre 1943 à avril 1944, il élut discrètement domicile dans leur appartement de la rue de Navarre, dominant les arènes de Lutèce, d'où l'on pouvait apercevoir le balcon de Jean Paulhan : à tel point que, si quelque danger se manifestait, l'un ou l'autre attachait à sa fenêtre un mouchoir rouge.

C'est Blanzat, l'un des premiers écrivains à adhérer au Front national, qui fut en février 1941 chargé d'aller chercher chez Paulhan et de détruire la ronéo que lui avait confiée Jean Cassou, responsable du réseau de « l'Université libre », la jugeant dangereuse après l'arrestation du dépositaire. « Fort comme un bœuf » selon Mauriac, Blanzat avait réussi à disloquer, transporter et jeter dans la Seine, avec l'aide de sa femme, l'engin compromettant. A l'issue des séances de l'Académie, il allait chercher Mauriac, qui a évoqué plus tard — notamment dans la préface de ses *Mémoires politiques* — leurs promenades dans Paris à partir de la place de la

1 *Bloc-Notes*, 1, p. 174-175.

Concorde, leur douleur commune de voir flotter sur le Palais-Bourbon le drapeau à croix gammée, cette « araignée gorgée de sang », leur ferveur fraternelle à imaginer la libération, citant Hugo :

O libre France enfin surgie
O robe blanche après l'orgie

Un jour de juin 1941, très peu après le début de l'offensive allemande en URSS, regardant des troupes nazies défiler (en marche vers le front de l'Est), ils se disent l'un à l'autre : « Ils sont foutus[1] ! » Leur communion, en toutes ces années, est totale, et l'attribution à Jean Blanzat du grand prix du roman de l'Académie pour *l'Orage du matin,* n'a pu qu'y contribuer. Entré avant Mauriac au Comité national des écrivains aux côtés de son ami Jean Guéhenno qui avait publié son premier récit dans *Europe,* Blanzat n'aura de cesse qu'il ne l'y ait attiré. Ce qui se produisit vraisemblablement au début de 1942. Mauriac fut en tout cas parmi les collaborateurs du 1er numéro des *Lettres Françaises* clandestines préparé en février 1942 par Jacques Decour, et parmi les signataires du manifeste annonçant, en septembre 1942, la création du Front national des écrivains :

« Écrivains français, nous devons jouer notre rôle dans la lutte historique engagée par le Front national. Les lettres françaises sont attaquées. Nous les défendrons. Représentants de toutes les tendances et de toutes les confessions : gaullistes, communistes, démocrates, catholiques, protestants, nous nous sommes unis pour former le Front national des écrivains français... Nous sauverons par nos écrits l'honneur des lettres françaises... *Les Lettres françaises* sera notre instrument de combat et, par sa publication, nous entendons nous intégrer, à notre plan d'écrivains, dans la lutte à mort engagée par la nation française pour se délivrer de ses oppresseurs. »

La première réunion du groupe du Comité national des écrivains, en vue de lancer *les Lettres françaises,* en décembre 1941, qui a lieu chez Blanzat, se déroule en l'absence de Mauriac, alors reparti pour Malagar. Decour est là, et Paulhan, Debû-Bridel, Guéhenno, Vildrac, Jean Vaudal, le père Maydieu, Éluard et Claude Morgan. Édith Thomas et Sartre s'y joindront bientôt, la première avant Mauriac, semble-t-il. Sur le recrutement de Mauriac, il faut citer le témoignage de Claude Morgan (fils de l'académicien Georges Lecomte), dont l'auteur du *Nœud de vipères* dit, dans *la Résistance intellectuelle,* qu' « il n'était peut-être pas un communiste très bon teint, mais un très brave type ».

Ignorant que Blanzat avait de son côté recruté Mauriac, Claude Morgan avait demandé à son ami Georges Duhamel (qui avait succédé à Bellessort[2] comme secrétaire perpétuel de l'Académie française) quelles étaient au juste les intentions de Mauriac. Il s'était entendu répondre qu'il « marcherait ». Morgan s'en fut à Auteuil et trouva le romancier en train de souligner sur une

1. Lettre inédite de Jean Blanzat à François Mauriac.
2. Mort en 1941, au moment où Mauriac s'apprêtait à dénoncer en pleine Académie, son dévouement à la collaboration. Mauriac devait confier à son fils : « A trois jours près, j'étais accusé par *J.S.P.* d'avoir achevé un malheureux vieillard ! »

carte de Russie les points de résistance de l'Armée rouge. (Ce devait être à la veille de Stalingrad.) « Ma démarche, précise Claude Morgan, prenait un sens particulier du fait que j'étais un écrivain communiste, ce que je lui fis savoir : " Vous pouvez compter sur moi, répondit Mauriac ; ça m'est égal de travailler avec les communistes. " L'appartenance des uns et des autres ne [semblait] pas lui importer. Il participa avec passion à l'activité de notre comité dont les réunions, à partir de la fin de 1942, eurent lieu le plus souvent chez Édith Thomas, rue Pierre Nicole, non loin du Panthéon. Nous étions le plus souvent dix ou quinze. Un jour, ayant décidé de confronter l'ensemble des membres du comité, nous nous retrouvâmes vingt-deux[1]... Je ne peux que souligner le sérieux, la sincérité, la gravité avec lesquels Mauriac s'engageait dans cette activité... Il discutait, il exprimait son avis en chaque occasion, et son influence a été grande[2]... »

Mauriac collabora à quatre reprises aux *Lettres françaises* clandestines. Dans le premier numéro, qui devait sortir en 1942 — mais que l'arrestation de Decour fit avorter et faillit compromettre définitivement, car c'était lui qui avait réuni tous les textes — était inscrite au sommaire une note de l'auteur de *la Pharisienne* (qui n'a pas été retrouvée) entre un poème de Limbour, un article de Lescure sur Montherlant, une chronique de Paulhan et un récit de l'exécution des otages de Châteaubriant.

Il faut ensuite attendre plusieurs mois pour trouver dans *les Lettres françaises* un article de Mauriac. Le plus important qu'il ait donné à l'hebdomadaire de Decour et Paulhan a été publié en avril 1944 : il est intitulé « Les faux calculs de Drieu ». Voilà un homme qui lui importe : ils avaient été presque amis une dizaine d'années plus tôt. En janvier 1940, au lendemain de la publication de *Gilles,* l'œuvre la plus ambitieuse de Drieu — qui veut être son *Éducation sentimentale* ou ses *Illusions perdues* — Mauriac lui écrit une lettre ambiguë :

> « ... Je suis sensible à la douleur, qui est l'élément essentiel d'un beau et grand livre comme le vôtre. Je m'aperçois (ce dont vous vous fichez) que je vous aimais bien, que je vous aime bien. L'érotisme, vous l'abordez avec plus de santé que personne de nous. Quel sujet ! Mais il faudrait le traiter en collaboration, à la veille de la fin du monde, lorsque chacun attendrait la chute de la dernière étoile pour dire *tout.* »

A la fin de décembre 1940, de Paris occupé, Drieu, qui a pris la direction de la *NRF,* écrit à Mauriac pour lui demander des textes. Refus. Puis paraissent, dans diverses feuilles clandestines, des attaques contre l'auteur de *Gilles,* avocat du nazisme. Drieu qui a, dans un article de *la Gerbe,* dénoncé le rôle de Mauriac à propos de l'Espagne, lui écrit, le 15 juillet 1941 :

« Je ne réponds moi-même que quand j'y suis absolument forcé aux insultes de vos amis... Il n'y a pas de rencontres involontaires entre les

1. Outre les précédents, Queneau, Lescure, Giron, Rousseaux, Millet, Frénaud, Adam, Leiris, Limbour, Seghers..
2. Lettre à l'auteur, 18 mars 1977

communistes et des catholiques de votre sorte. C'est quelque chose de concerté et d'éprouvé depuis plusieurs années, cela a repris de plus belle ces temps-ci. C'est pourquoi je me suis décidé à prononcer votre nom dans *la Gerbe*… Vous avez rompu le silence, je ne puis le garder. Ce serait trop facile que vous autres vous parliez à mots couverts et que nous nous taisions sous prétexte que vos mots… ne peuvent être découverts… Je suis décidé à défendre la cause du catholicisme à travers la cause plus générale de la spiritualité… Je crois en cela pouvoir m'accorder et en accorder d'autres, tant avec le socialisme européen, dans sa figure principale qui est celle d'Hitler, qu'avec les grandes formes religieuses du monde… »

Et quelques jours plus tard, Mauriac ayant protesté que l'article visé par Drieu — paru dans *Temps nouveaux*[1] — avait une portée essentiellement spirituelle, le directeur de la *NRF* riposte : « … Dans leurs lettres anonymes et brochures clandestines, des gens qui allèguent votre personne me menacent assez souvent d'un autre occupant, anglais, américain ou russe, et me promettent le poteau dès l'arrivée de ce nouvel occupant. Jusqu'ici, il n'y a pas eu beaucoup de poteaux pour ces féroces défenseurs de la liberté. Quant à votre article des *Temps nouveaux*, il opposait le plan spirituel au plan politique d'une façon qui n'a trompé personne. On en parlait assez à Vichy[2] ! Je n'ai pas du tout envie que vous jetiez le catholicisme dans la persécution, que vous le livriez aux bêtes comme vous le faisiez en Espagne… »

Tout les oppose désormais. L'article de Mauriac est cinglant :

> « M. Drieu La Rochelle, qui pourtant est né malin, ne discerne aucune différence appréciable entre l'occupation allemande et celle que, paraît-il, nous avons subie avant la guerre : celle des Américains et des juifs. La plaisanterie est un peu forte. Je ne sais comment elle sera prise par les veuves et par les mères des otages fusillés. Mais lorsque M. Drieu La Rochelle ajoute (dans un article de *la Révolution nationale*) que l' " occupation à semelle de fer " lui paraît moins dure que l' " occupation à semelle de caoutchouc ", il nous pardonnera si nous n'avons pas le courage de sourire. Il oublie que cette semelle de fer a martelé le visage des suppliciés… Mais l'euphorie rend aveugle. Ce Drieu si fier d'être lucide n'a pas vu ce que les paysans de chez nous avaient discerné dès les premiers jours et ce que lui-même, trop tard, a fini par découvrir : que toute force est relative et que c'est l'Allemagne aujourd'hui qui, aux prises avec les Anglo-Saxons et les Slaves, fait figure de pygmée. »

Quelques notes vengeresses contre Brasillach et Rebatet complètent la participation de Mauriac aux *Lettres françaises* clandestines. Celle qui vise son insulteur des *Décombres* est particulièrement bienvenue. Il a su discerner en effet que, dans ce torrent d'injures contre tout ce qui n'est pas le fascisme, circule un filet de haine particulièrement implacable, celle qui s'attache à Maurras, sous la férule de qui Rebatet, dit « François Vinneuil », avait trimé pendant de longues années à *l'Action française*. Cette haine de « nègre »

1. Reflet du *Temps présent* interdit, que Stanislas Fumet publia quelque temps en zone sud.
2 Le journal fut interdit pour un mois à la suite de cet article

libéré par le cataclysme de juin 40 — comme ce prisonnier martiniquais dont le tremblement de terre de la Montagne pelée avait brisé les fers et détruit la geôle, faisant de lui le seul survivant du désastre —, Mauriac la dévoile et l'analyse en maître des abîmes.

Mais l'apport essentiel de François Mauriac à la littérature combattante, c'est ailleurs qu'il faut le chercher.

L'enterré vif de Malagar, on sait qu'il avait plus d'un tour dans son sac et plus d'un fer au feu. Sitôt achevé le portrait de Brigitte Pian, la pharisienne, sitôt donnée (à lui et au monde) cette preuve qu'il survit en tant qu'artiste, aussi bien à la philippique de Sartre qu'au séisme — ainsi, après un accident, se frotte-t-on les membres, s'essaie-t-on à la marche, fait-on jouer les articulations — il lui faut, plutôt que de s'attarder aux *Mémoires* entamés et réclamés par Grasset, s'attacher à dire le présent, sinon le proche avenir. Il ne s'agit pas seulement de se proclamer vivant, survivant : il faut aussi s'affirmer contre le mal, contre la honte, contre la résignation.

Le 23 août 1941, Claude Mauriac note dans son carnet : « Hier soir, lecture par mon père de sa *Lettre à un désespéré pour qu'il espère*, remaniée (le futur *Cahier noir*). Sortes de mémoires d'outre l'actuelle tombe, pour être publiés " plus tard ". Pas un mot qui ne pourrait être sorti de mon cœur... » Plus tard ? Par sa correspondance avec sa femme, nous apprenons que Mauriac avait envisagé de publier une première version de cette *Lettre* (qui, bien moins que des mémoires, est un manifeste) dès le début de 1941, et chez Grasset — ce qui était se faire bien des illusions, ou avoir mal lu les lettres que lui avait adressées peu de semaines auparavant son éditeur, alors si soucieux de ne pas faire de peine, même légère, aux occupants.

Certes, avant de devenir le vibrant, le magnifique *Cahier noir* de Forez, la lettre à un désespéré (« ce désespéré à qui je m'efforçais de rendre confiance, c'était moi-même », écrivait Mauriac en décembre 1944 à Charles Morgan) a été remaniée, rehaussée. L'étude systématique des différents états de l'œuvre faite par Jacques Monférier[1] met notamment en lumière l'étalement de la rédaction de cet ouvrage dans le temps. C'est l'auteur lui-même qui écrit : « Dès les premiers mois de 1940, à Paris, pressentant le désastre, j'avais commencé de réunir ces notes. » Dans le courant du texte, il est fait d'autre part référence à deux autres dates de rédaction : novembre 1941 et août 1943[2].

La version définitive publiée en 1947 aux Éditions de Minuit ajoute au texte clandestin diffusé en 1943 celui d'un article publié en septembre 1944, dans le premier numéro des *Lettres françaises* d'après la Libération, intitulé « La nation française a une âme », et un échange de lettres entre François Mauriac et l'écrivain anglais Charles Morgan qui date de 1944. On peut donc

1 Bulletin du Centre d'études et de recherches sur François Mauriac, Bordeaux, 1977, n° 1
2 Pour la dernière mise au point

voir dans *le Cahier noir* le reflet d'un impitoyable et mouvant dialogue entre Mauriac et la guerre, de 1940 à 1944. Une impression d'unité se dégage pourtant de ce petit pamphlet de peu de pages, où se concentrent une expérience politique, une souffrance collective et une espérance.

Sur la publication du *Cahier noir*, nous disposons du témoignage de celui qui en fut en quelque sorte le révélateur : Jacques Debû-Bridel. Dans *la Résistance intellectuelle*, il a évoqué les contacts d'où devait sortir cet étrange petit ouvrage clandestin. C'est en février 1941, raconte-t-il, que Pierre de Lescure et lui convinrent de créer les Éditions de Minuit. Ils décidèrent de s'adresser à Jean Paulhan pour obtenir les contributions souhaitées : celles de Mauriac, Gide, Valéry, Duhamel, Benda, Aragon, Éluard, Guéhenno, Cassou.

Paulhan (qui venait d'être libéré de Fresnes) accepta d'emblée et obtint les premiers fonds (5 000 francs) du professeur Debré. Ce n'est pourtant pas par lui que vint le premier manuscrit — celui du *Silence de la mer*, qui circula quelques mois sous le manteau, attribué tour à tour à Gide, Schlumberger, Bedel, Arland et Duhamel, avant que l'on sût que l'auteur était le dessinateur Jean Bruller qui, signant « Vercors », donnait l'exemple des pseudonymes empruntés aux régions françaises. Puis parurent, en avril 1943, les *Chroniques interdites*, composées notamment d'un hommage de Paulhan à Jacques Decour, d'un récit de Debû-Bridel, signé « Argonne » et de *l'Honneur des poètes*, collection de poèmes de Résistance.

Un nom manquait encore : celui de François Mauriac. Pressenti par Paulhan, il accepta aussitôt, non sans hésiter sur le texte à fournir. C'est au cours d'une réception mondaine, dans le dos d'un amiral qui se vantait d'avoir fait tirer sur les troupes gaullistes à Dakar, qu'il proposa à Debû-Bridel de venir chez lui prendre connaissance du manuscrit auquel il songeait. Écoutant Mauriac lire la « lettre », le messager des éditions clandestines eut, dit-il, la certitude immédiate que ce seraient là « les plus belles pages des Éditions de Minuit ». Cependant, précise-t-il, « je conseillai à Mauriac quelques modifications de détails sans lesquelles non pas tant les Allemands, mais les écrivains français à leur solde, auraient pu le reconnaître trop facilement. Il fut convenu que le texte, recopié par une de ses amies, me serait remis le lendemain ou le surlendemain. Le surlendemain, je recevais un pneumatique de Mauriac me demandant de venir le voir *d'urgence*. Je le trouvai inquiet.

— J'ai peut-être, me dit-il, commis une terrible imprudence et, dans ce cas, je veux vous avertir tout de suite pour que vous preniez les mesures nécessaires. Voici : hier, une jeune femme élégante et d'allure sympathique est venue me voir et elle m'a remis les deux derniers volumes des Éditions de Minuit, *l'Honneur des poètes* et la seconde édition du *Silence de la mer*. Nous avons conversé et, je dois vous l'avouer, je lui ai parlé de vous, j'ai cité votre nom et je lui ai remis le texte que je vous ai lu l'autre jour. Maintenant je me demande si je ne suis pas tombé dans un piège de la Gestapo car, après tout, je ne la connaissais pas, cette dame. » Rien n'advint de fâcheux à Debû-Bridel : la dame en question devait être « la mystérieuse Renée », qui servit d'agent de liaison entre les Éditions de Minuit et Londres ; une édition anglaise fut d'ailleurs publiée en même temps que celle de Paris, intitulée *The Black Note-Book.*

L'édition originale clandestine parut en août 1943, sous la signature de Forez — nom de province qui ne pouvait en rien faire repérer Mauriac. Elle portait cette mention : « Le présent volume, publié aux dépens de quelques lettrés patriotes, a été achevé d'imprimer sous l'oppression, le 15 août 1943. » Arrêté au moment où il s'apprêtait à rejoindre de nouveau Londres, au début de 1944, Pierre Brossolette en emportait un exemplaire pour le général de Gaulle. Ce n'était pas le premier qu'aient saisi les occupants...

Tel qu'on peut en prendre connaissance aujourd'hui dans la version la plus autorisée, celle qu'a revue Mauriac en 1951 pour le tome XI de ses *Œuvres complètes, le Cahier noir* est privé des notes et ajouts qu'a retrouvés Jacques Monférier et qui ne vont pas sans ajouter quelque saveur et signification à ce beau pamphlet. Une véritable édition critique permettrait de suivre mieux la marche de la pensée de Mauriac au cours de ces trois années cruciales, du passage d'une « lettre à soi-même » à une « adresse à ses compatriotes ».

Les notes de travail du manuscrit relevées par M. Monférier sont très intéressantes, par exemple celles-ci, qui doivent dater de la fin de 1940 : « Tentation de mépriser l'homme : c'est faire le jeu de l'adversaire. Le Fas(cisme) construit sur le mépris de l'homme. Citation de Mussolini. » Ce thème du refus du mépris de l'homme, « fondement de toutes les doctrines de mort », était d'ailleurs celui d'un important article qui fut publié en mai 1943 dans *la Gazette de Lausanne,* et dont la conclusion : « Échapper au règne de Caïn » parut particulièrement éloquente aux lecteurs suisses — et aux autres...

On peut regretter que Mauriac ait rejeté de son texte imprimé ces phrases très fortes : « Ce sera le crime inexpiable de Vichy d'avoir une suprême fois compromis, déshonoré des forces morales dont le nom seul longtemps encore fera ricaner le peuple ou lui fera grincer des dents. Famille, religion, révolution nationale, tout cela restera pour longtemps enseveli sous une sale poussière dans les locaux du *Moniteur du Puy-de-Dôme.* » Ou encore : « Le crime d'un gouvernement de raccroc, tenu à la gorge par un ennemi sans entrailles, ce fut de jouer au gouvernement libre. Un pantin dont tous les fils étaient tirés par un démon... Ils créent des tribunaux d'exception comme s'ils ne connaissaient pas l'histoire : des Girondins à Danton et à Robespierre, tous ont été frappés par ce même glaive qu'ils avaient forgé. »

Et, dans la deuxième partie : « T'es-tu jamais avoué que cette religion de la justice, la France de la Révolution l'avait imposée au monde par le fer et par le feu, que Napoléon a été le Mahomet de la foi démocratique, et que les soldats de l'An II eussent pu écrire sur leurs enseignes “ Crois ou meurs ! ” ? » Et encore ce développement pascalien : « Sinon ta croyance, du moins ton espérance religieuse se trouve engagée dans ce désastre de la personne humaine [...] Il y va plus que de la vie pour toi de ne pas perdre foi en l'homme [...] C'est du fond de cet abîme qu'il faut retrouver le courage de regarder ton peuple et toi-même sans dégoût. »

Ou cette féroce notation, à propos d'une évocation de Renan considérant les Tuileries incendiées par la Commune et murmurant, à demi soulagé : « Tant que les Allemands seront là... » Trait qu'il faisait suivre, dans le manuscrit, de ce rappel en forme de coup de couteau : « Nos salles à manger Henri II et nos chambres nuptiales Louis XIII l'ont entendu murmurer, à soixante ans de distance, et l'ont reconnue, cette rassurante petite phrase ! » Monférier a raison de faire valoir qu'éliminant tout ce qui pouvait ressembler à une confidence, le texte du *Cahier noir* « perd en émotion ce qu'il gagne en portée générale ».

Mais, au-delà de la confidence et d'une cruauté qu'il pouvait juger abusive dans les circonstances de 1943, il faut mettre à part, et citer, deux développements essentiels. L'un à propos de l'esprit cataclysmique de 1940 :

> « J'ai mis du temps à m'avouer à moi-même ce que j'ose aujourd'hui vous déclarer ouvertement [...] Que les idées justes méprisées, oubliées, enfouies, resurgissent de notre défaite [...] et qu'il ne fallait pas un moindre désastre que celui-ci pour qu'elles nous apparaissent de nouveau en pleine lumière [...] Idée centrale : accepter cette guerre comme la cartouche de dynamite qui fera tout sauter. Tout : y compris ce qui, de l'Église, est ossifié. Montrer toutes les raisons de désespérer, et que l'unique espérance est dans cette déflagration qui se prépare [...] Les contemporains de la Brinvilliers furent aussi ceux de Pascal... »

On comprend qu'en 1943, Mauriac n'ait pas voulu publier ces méditations trop marquées par l'esprit de 1940. De même celles-ci qui, tactiquement, étaient par trop irréductibles à l'esprit du Front national :

> « ... le refus que nous, catholiques, opposâmes, en 1938 [1], à la main tendue des communistes, ne rejetait pas sans examen un système communautaire [...] mais bien une certaine morale qui se moque de notre morale, le machiavélisme éternel qui revêt tous les masques, et jusqu'à celui de la vraie religion, à certaines époques. Nous sommes prêts à renoncer à tous nos intérêts humains, mais non à devenir dupes des marxistes qui, ayant renversé l'ordre des valeurs morales, feignent d'adhérer aux nôtres dans la mesure où ils le jugent nécessaire pour l'accomplissement de leurs desseins. »

Compte tenu de ces silences tactiques, de ces remords, de ces adaptations aux situations de guerre, *le Cahier noir* reste un grand texte, qui éclabousse de sa lumière vengeresse le Paris occupé de 1943. Il faut relire ces périodes haletantes, ces interjections syncopées, goûter la salubre colère jaillie de ce « Forez » volcanique :

> « En août 1943, je rouvre " le Cahier noir "... Voici d'abord, en marge des premières homélies du maréchal, des balbutiements de rage : le drame particulier à notre pays, cette fatalité qui lie le triomphe des principes traditionnels au désastre militaire et à la domination de l'ennemi :
> *Vous feignez de croire que le peuple exige la recherche et le châtiment des*

1 1936 Ce refus ne fut pas si clair, on l'a vu, qu'il semble le dire ici.

responsables, pour couvrir l'horrible nécessité de satisfaire la haine du vainqueur.
Et seriez-vous de bonne foi, l'Histoire vous accusera d'avoir servi la vengeance de vos maîtres. D'avoir cherché à les gagner par une hécatombe...
Mais n'espérez pas que les juifs crucifiés par votre police vous dispensent de payer le vainqueur jusqu'à la dernière obole.
Calomniateurs de la France, vous qui n'avez jamais triomphé que grâce à son humiliation et à sa honte ! Médecins qui profitez de ce que le malade est ligoté et matraqué, pour lui ingurgiter vos remèdes !
Les armes ne décident rien dans un débat d'idées. Notre victoire de 1918 ne prouvait pas que les démocraties eussent raison, ni notre défaite de 1940 qu'elles soient coupables. La technique qui les a vaincues assurera un jour leur triomphe.
Et nous aussi, du fond de l'abîme, nous crions que l'événement nous justifie. La séparation de la politique et de la morale que nous dénoncions de toutes nos faibles forces a couvert, et continue de couvrir, le monde entier de sang. Machiavel est le père du crime collectif ; il le prépare et l'organise ; il le légitime, le justifie, le glorifie. Certes cet assassin éternel ne se trouve pas toujours dans le même camp ; nous ne sommes pas si pharisiens que de le prétendre ! Mais nous savons de quel côté il sévit en Europe depuis douze ans, — avec quelle furieuse virulence.
Nous ne rougissions pas d'avoir voulu que cette loi morale qui régit les rapports individuels règne aussi entre les nations. Nous n'étions pas naïfs au point de croire que Machiavel pût jamais être tout à fait vaincu en nous et autour de nous.
Oserions-nous soutenir que la démocratie occidentale a sauvegardé la dignité de l'homme, dont elle se fait aujourd'hui le champion ? Prolétariat : millions d'esclaves dont la Maçonnerie, et le grand Patronat, et chacun de nous, bourgeois, avions crevé les yeux et qui tournaient pour nous la meule, dans les sombres villes... Mais Samson, lui, sous le fouet des Philistins, levait vers le ciel ses yeux aveugles. Le Pernod, le " Vel' d'Hiv' ", le bordel, quelles raisons de vivre ! Là encore, il a fallu toucher le fond de l'abîme pour retrouver l'espérance. Les martyrs rendent témoignage au peuple. Seule la classe ouvrière *dans sa masse* aura été fidèle à la France profanée.
N'entrons pas dans leur jeu. Que notre misère ne nous aveugle jamais sur notre grandeur. Quoi que nous observions de honteux autour de nous et dans notre propre cœur, ne nous décourageons pas de faire crédit à l'homme : il y va de notre raison de vivre — de survivre. »
L'immense espérance dont s'enivraient nos pères en 1789, il est trop vrai que nous en avons bu la dernière goutte. « Le bonheur est une idée neuve en Europe... » proclamait le jeune Saint-Just. Un siècle et demi après que cette parole eut été prononcée, nous savons que le bonheur en Europe est une illusion perdue. Pour accomplir les desseins de Machiavel, les peuples sont brassés et déportés, des races entières sont condamnées à périr. A quel autre moment de l'histoire les bagnes se sont-ils refermés sur plus d'innocents ? A quelle autre époque les enfants furent-ils arrachés à leurs mères, entassés dans des wagons à bestiaux, tels que je les ai vus, par un sombre matin, à la gare d'Austerlitz[1] ? Le bonheur en Europe est devenu un rêve impossible, sauf pour les âmes basses.
Mais nous avons fait notre choix ; nous parions contre Machiavel. Nous sommes de ceux qui croient que l'homme échappe à la loi de l'entre-dévorement, et non seulement qu'il y échappe, mais que toute sa dignité tient dans la Résistance qu'il lui oppose de tout son cœur et de tout son esprit. Non, l'esprit humain ne s'abuse pas sur sa destinée Non, il ne se

1 Peu importe que ce soient sa femme et l'un de ses fils qui les aient vus.

> trompe pas en protestant que la condition des termites et des fourmis ne l'éclaire en rien sur la sienne. N'y aurait-il eu au cours des siècles, en un bref intervalle de temps et d'espace, qu'un seul mouvement de charité, la chaîne sans fin des dévorants et des dévorés en eût été à jamais rompue...
> Mais d'abord s'arracher à l'étreinte du géant, écarter ses mains de notre gorge, son genou de notre poitrine... Il sera temps alors d'apprendre comment un peuple libre peut devenir un peuple fort, — et un peuple fort demeurer un peuple juste.

Hauteur du ton, vibration de la passion, simple chaleur de l'éloquence : hormis un ou deux textes d'Éluard et le poème de Jean Tardieu sur Oradour, la Résistance française n'a guère trouvé de meilleure expression. *Le Cahier noir* est une œuvre irremplaçable, nécessaire, exacte.

Avoir écrit cela reste l'honneur de Mauriac. Et avoir pris le risque de le publier en ce temps-là. On dira que n'étant ni communiste comme Decour, ni juif comme Solomon, appartenant à l'Académie, lié à une Église qui s'efforçait si souvent de ménager l'occupant, et presque sexagénaire, l'auteur du *Cahier noir* courait moins de risques que d'autres.

Au surplus, tout au long de l'occupation, il bénéficia — comme Paulhan — de la très active bienveillance d'un officier de la Propagandastaffel, Gerhardt Heller, antinazi avéré, bon connaisseur de la littérature française contemporaine et fervent admirateur de ses œuvres, qui alla parfois jusqu'à faire les cent pas rue des Arènes, entre la maison de Paulhan et celle où logeait Mauriac (chez les Blanzat) pour éviter que la Gestapo ne surprenne l'un ou l'autre de ces écrivains qu'il aimait. Aussi bien ceux qui ont cru bon de s'indigner que Mauriac ait dédicacé un exemplaire de *la Pharisienne* au lieutenant Heller étaient mal informés, ou de mauvaise foi [1]. Cet officier a souvent témoigné de la parfaite dignité dont fit preuve à son égard François Mauriac — qui connut en outre à Langon, voisin de Malagar, un certain commandant Stuckardt dont Mme Mauriac disait qu'il eût pu servir de modèle au héros du *Silence de la mer.*

Ce type d'officiers n'en était pas moins rare, et leur influence dérisoire. Les gestes accomplis par François Mauriac entre 1942 et 1944 — de sa participation aux réunions du CNE à sa collaboration aux *Lettres françaises* et à la publication du *Cahier noir* — étaient proprement dangereux. Quand on vint l'avertir en novembre 1943 qu'il fallait éviter de rentrer dans l'appartement de l'avenue Théophile-Gautier, puis en 1944 qu'il valait mieux fuir Malagar, puis en août de la même année qu'il devait quitter Vémars, quand il dut chercher asile tour à tour chez les Blanzat à Paris, chez Gaston Duthuron en Gironde, chez Émile Roche en Seine-et-Oise, crut-il chaque fois risquer la mort, la déportation ? Une détention à Fresnes ? Après tout Paulhan avait été arrêté, Louis Martin-Chauffier déporté, son ami Jean Prévost (pris les armes à la main) fusillé, comme Decour, Vaudal, Politzer et bien d'autres...

Le fait est que cet homme fragile, émotif et que n'armait pas cette espèce

1. Des amis résistants proposèrent même à Mauriac d'inviter l'ex-commandant Heller à l'une des manifestations organisées pour fêter ses 80 ans. Il n'osa pas.

de courage spontané qui était le privilège d'un Malraux, prit des risques qu'il est difficile aujourd'hui de mesurer, mais qu'il ressentait lui-même comme importants. Les limites en étaient entre autres sa gloire, son âge et la bienveillance du Vatican. Mais la Gestapo avait une large autonomie d'action et s'embarrassait peu des raisons du Quai Conti, de Rome ou des vieillards. Des poètes plus âgés que Mauriac, comme Max Jacob et Saint-Pol-Roux, furent les victimes de cette sauvagerie.

Noté dans son « journal » en octobre 1943 :

> « ... Je vis au centre d'une menace vague, étouffante. Cette nuée dont on ne sait si jaillira la foudre... Les époques de l'histoire où il ne faut pas coucher dans son lit. »

Mais il ajoute :

> « Je me souviendrai avec délices de ces jours d'angoisse où j'errai dans ces quartiers inconnus de Paris. Patienter dans l'attente de l'heure qui nous débâillonnera... Prendre ce temps de vie cachée comme une retraite préparatoire à la mort la plus nue, la plus inconnue, aussi bien qu'à une vieillesse passionnée, illustre... »

Et le mois suivant :

> « Indifférence à des menaces vagues mais toujours présentes. Inattention à ce grondement de la Bête qui peut-être m'épie. Aucun péril du dehors tant qu'il n'est pas sur moi (comme naguère la maladie) ne prévaut contre le ruminement intérieur [...]. Cette immense plaine nue où je me cache (mais tout le monde me voit) : théâtre pour le dernier acte du drame, plateau tout préparé pour un débarquement shakespearien [1]... »

Le 27 novembre 1954, il écrira dans un de ses *Bloc-Notes,* à propos de Pierre-Henri Teitgen, héros de la Résistance devenu un malencontreux ministre MRP, et qui se plaignait que, sous l'Occupation, Mauriac lui ait marqué du dédain :

> « ... les " terroristes " de votre sorte, je les considérais du même œil qu'un type de l'auxiliaire voit un combattant de première ligne. L'auteur du *Cahier noir* que j'étais, collaborateur à une obscure feuille clandestine, se croyait incapable de résister fût-ce à une seule brûlure de cigarette.
> Que de fois me suis-je rappelé, en ce temps-là, et surtout le matin où la Gestapo m'a surpris au saut du lit et est venue fouiller mes tiroirs, essayer ma machine à écrire, ce que le Seigneur dit à Pascal : " C'est me tenter plus que t'éprouver que de penser si tu ferais bien telle ou telle chose absente. Je la ferai en toi si elle arrive. " Dieu m'eût-il donné assez de force et de courage pour souffrir la moindre des choses que des hommes comme vous ont souffertes ? Je n'aurais pas voulu que mes camarades en courent la chance. »

1 Pages du *Journal du temps de l'occupation*, in *Œuvres complètes,* tome XI, p 355

De toutes les images de François Mauriac que propose une vie si longue et si riche, il en est peu qui le font si touchant, plus humain et proprement aimable que celles qu'évoquait pour nous, un jour du printemps 1979, Marguerite Blanzat, veuve de son ami. Le grand monsieur maigre à l'œil narquois mais alors un peu écarquillé de gêne qui vient sonner chez eux un soir, voûté, une petite valise à la main, les épaules serrées dans un manteau étroit, et chuchote dans la pénombre du palier : « Il paraît qu' " ils " me cherchent. D'autres, en Gironde, m'ont refusé l'asile. Vous, je sais que vous me recevrez, que vous m'avez déjà reçu.. »

On l'installe dans la petite chambre du fils envoyé à la campagne. Il y fait vraiment trop froid : il se recroqueville presque toute la journée près du poêle du salon, que l'on n'allume que deux ou trois heures en fin d'après-midi, frôlant de sa main gauche l'ampoule de la lampe, pour se réchauffer, et de l'autre couvrant un cahier d'écolier de son écriture de guêpe effarouchée. Parfois il se glisse comme un chat chez Paulhan, le ramenant rue de Navarre pour de longues discussions nocturnes — ou bien ils partent en trio, avec Blanzat, pour les réunions du CNE chez Édith Thomas, à quelques minutes de marche.

En marge de ces réunions « officielles » se tenaient des colloques plus spontanés, tel celui qu'a évoqué, non sans ironie de jeune homme considérant les pontifes, Claude Mauriac :

> « Chez mon père, hier après-midi, réunion rituelle des trois Jean (Paulhan, Guéhenno, Blanzat), auxquels s'ajoutait Pierre Brisson, pour la première fois à Paris depuis l'armistice. Avec des airs d'inquisiteurs, ils dressaient " pour le jour de la victoire " des listes de proscription. Jean Paulhan disait (mais avec une certaine ironie), qu'il n'y aurait pas besoin de changer la loi, la référence " flagrant délit de trahison " permettant de juger les prévenus expéditivement et sans enquête. Aussi bien, ne s'agissait-il que des traîtres littérateurs : les Montherlant, que l'un d'eux voulait condamner sans preuves, et au sujet duquel mon père disait : " Il est vrai qu'on ne pourra que lui faire un procès de tendance. Il n'a pas fait le voyage en Allemagne " ; les Chardonne (que mon père voulait acquitter pour " manque de discernement ") ; les X... (" Celui-là, disait mon père, sera condamné à la confiscation de ses biens, car il ne peut rien y avoir de pire dans son cas ") ; les Maurras (" La peine consistera pour lui dans une interdiction définitive de publication. ") »

Au CNE, il y avait une forte proportion de militants communistes, et aussi bon nombre de « compagnons de route » : d'Éluard à Édith Thomas et de Morgan à Vildrac. Le chroniqueur du *Figaro* avait certes fait beaucoup de chemin vers « le peuple » et « les masses » depuis 1935. Mais là, il devait s'associer à tous risques aux décisions et procédures de ceux qu'il dénonçait si récemment encore, dans la première version du *Cahier noir,* comme les promoteurs cyniques d'une « autre morale ». Ni Claude Morgan ni Debû-Bridel ne signalent pourtant la moindre réserve, la moindre prévention de sa part

A Morgan, dès leur première conversation, il a indiqué on l'a vu que l'appartenance des uns et des autres ne l'intéressait pas. Et à Debû-Bridel, il parle avec une chaude sympathie de Pierre Villon, le chef du COMAC (Comité militaire d'action) qui fut l'organe par excellence de la résistance armée, le « bras séculier » du parti communiste dans la lutte contre l'occupant dans la région parisienne. « Pierre Villon ? confie-t-il à Debû-Bridel, c'était " mon " communiste ! » Si l'on avait dit quelques années plus tôt à François Mauriac, l'ami de Jacques-Émile Blanche, qu'il comploterait avec un « terroriste » stalinien occupé à faire dérailler les trains chargés entre autres de paysans catholiques bavarois...

Jacques Debû-Bridel résume ainsi, du point de vue psychologique, l'attitude du Mauriac de ces années-là : « Ce grand observateur de la nature humaine n'était pas fâché, en ces temps bouleversés, de flatter l'encolure du gros lion populaire... » Bon. Mais nous ne sommes pas là dans le domaine de la simple psychologie. Ce Mauriac qui, de l'Académie au « monde » qui lui est familier, voyait s'étaler autour de lui tant de cynisme et de veulerie, découvrait dans une sorte de révélation aveuglante une espèce humaine, celle des « militants », et une classe ouvrière plus fidèle à la nation que les autres, comme de Gaulle, en visite aux États-Unis quelques mois plus tard, dédaigné par l' « establishment » de Washington, acclamé par le petit peuple des immigrés de New York, se découvrira (ainsi que le lui suggérera malicieusement son compagnon de voyage Pierre Mendès France) le chef d'une manière de « front populaire ».

Jamais (en tout cas en temps de guerre) Mauriac ne tenta de se tenir à l'écart des majorités que, dans les diverses instances de la Résistance, les communistes « noyautaient » ou contrôlaient. Jamais il ne tenta de minimiser leur rôle, de faire valoir que sa vraie référence à lui, c'était de Gaulle. Et nul ne sut mieux que lui rendre hommage au rôle proprement fondateur de Jacques Decour. Ainsi dans ce petit texte qu'il signait, aux côtés de ceux de Paulhan, d'Aragon, d'Éluard et de Villon, dans le numéro de juin 1945 des *Lettres françaises :*

> « Du temps de la Résistance, Jacques Decour était sans cesse présent à notre cœur et à notre pensée. Il ne faut pas, maintenant, qu'il s'éloigne. Jamais nous n'avons eu plus besoin de nos martyrs. Puissent-ils demeurer au milieu de nous et nous inspirer de faire ce qu'ils feraient eux-mêmes s'ils étaient encore au monde. »

Et dans ses « classiques » de la Résistance, il devait garder précieusement la dernière lettre de Jacques Decour à ses parents : « Je ne pense pas que ma mort soit une catastrophe. Songez qu'en ce moment des milliers de soldats de tous les pays meurent chaque jour entraînés dans le grand vent qui m'emporte aussi. Vous savez que je m'attendais depuis deux mois à ce qui m'arrive ce matin, aussi ai-je eu le temps de m'y préparer. Mais comme je n'ai pas de religion, je n'ai pas sombré dans la méditation de la mort ; je me considère un peu comme une feuille qui tombe de l'arbre pour faire du terreau La qualité du terreau dépendra de celle des feuilles Je veux parler de la jeunesse française, en qui je mets tout mon espoir. Mes parents chéris, il faut me pardonner de vous faire ce chagrin... »

La vie continue, étrangement, de l'appartement-refuge des Blanzat à celui de l'avenue Théophile-Gautier et de Malagar à Vémars, la maison de Seine-et-Oise. Le 10 septembre 1943 (est-ce en raison de la publication toute récente du *Cahier noir ?*), tandis que Jeanne Mauriac achève de taper *Sainte Marguerite de Cortone,* leur fille aînée Claire débarque en hâte à Malagar pour prévenir son père qu'il doit se cacher. On fait quelques sondages parmi les « amis » de la région. Seul Gaston Duthuron — qui a déjà fait partie du commando des « chahuteurs » de la conférence de juin 1941 — propose de l'abriter, et de cacher ses textes les plus compromettants. Il vaut mieux revenir à Paris.

Autour d'eux, des amis disparaissent. A la fin de 1942, c'est Jacques-Émile Blanche, dont la mort l'a d'autant plus peiné qu'elle avait été précédée d'une rupture politique et morale : ce vieil anglophile avait glissé vers une anglophobie digne de *Je suis partout.* Dans une lettre écrite à Mme Mauriac (François refusait désormais avec lui tout échange) il allait jusqu'à dire que la plus belle mort, pour lui, serait d'être frappé par un projectile anglais.. Le 31 janvier 1944, c'est Jean Giraudoux qui disparaît, jeune encore : « Profonde émotion, note Mauriac dans son " journal ". Nous n'étions guère liés. Mais depuis trente-cinq ans que les hommes d'une même génération se regardent vivre les uns les autres... »

A Alger, le général de Gaulle est en train de s'imposer face à son rival Giraud. Chose curieuse, le journal alors secret de Mauriac ne fait pas mention de ces perspectives radicalement neuves. Il y parle plus volontiers de questions religieuses et morales, d'art et de littérature aussi. De ce point de vue, ces mois-là sont dominés par les représentations du *Soulier de satin* à la Comédie-Française. Réflexion de l'auteur d'*Asmodée :* « Un garçon et une fille de 1944 n'entrevoient même pas l'obstacle qui se dresse entre Prouhèze et Rodrigue. Cette épée de flamme entre eux n'est perceptible qu'au regard de la foi. En revanche quel chrétien, même médiocre, n'achève sa vie avec cette épée brisée dans le cœur ? »

La politique, l'histoire sont là pourtant, qui le harcèlent chaque jour davantage. Auprès du poêle des Blanzat, dans une chambre de Vémars aménagée en bureau, il écrit fiévreusement au début de 1944 deux textes très polémiques ; l'un simplement intitulé « Écrit en janvier 1944 », dirigé surtout contre Drieu La Rochelle, qui prendra place dans les *Mémoires politiques*[1] ; l'autre, « La nation française a une âme », manifeste antimaurrassien destiné aux *Lettres françaises,* sera joint au *Cahier noir* après la Libération Dans le premier il écrit

1 Pages 138-141

> « ... C'est un fait... — que le vainqueur de la petite France déjà chancelle... — un fait que M. Drieu La Rochelle n'avait pas prévu mais qu'il enregistre ouvertement, il faut lui rendre cette justice. C'est de l'Allemagne vaincue désormais que, dans ses articles de *la Révolution nationale,* l'auteur de *Mesure de la France* prend l'exacte mesure. La belle affaire pour un peuple, que de compter quatre-vingts millions d'âmes ! Voilà ce dont il s'avise chaque vendredi avec une candeur qui témoigne que ses maîtres ont mieux à faire aujourd'hui que de corriger sa copie. [...]
> C'est la dernière chance des Français au service de l'Allemagne que la place [de] la France soit réduite à si peu, que leur collaboration avec l'ennemi en perde toute importance. Ils ne veulent plus entendre parler que de grands empires. Ils noient le poisson comme on dit. Là où les nations n'existent plus, le mot trahison n'a plus de sens pour personne : on ne peut pas trahir une morte. Regardez-les, ces faux orphelins qui font semblant de croire qu'ils n'ont plus de mère ! S'ils ont embrassé les genoux du vainqueur, c'est qu'ils n'avaient plus personne à qui se vouer... »

Dans le second texte, il soutient qu'en dépit de la propagande nazie et des maurrassiens de Vichy qui, « en tremblant de joie », essayaient enfin leur système, « nous demeurions fous d'espérance » (formule peut-être un peu forcée, venant de ce « désespéré » de 1940 qui dut s'adresser à lui-même l'admirable adjuration du *Cahier noir...*) et que « l'appel... à toutes les lâchetés » lancé par Philippe Henriot « n'aura pas suffi à nous abattre ». Pour mieux confondre ceux qui tentaient « de nous maintenir dans le désespoir », il a trouvé une référence chez lui inattendue — à Proudhon, l'homme « le moins mystique qui soit au monde » selon lequel « une nation est un être *sui generis,* une personne vivante, une âme consacrée devant Dieu ».

C'est « sans l'avoir voulu » dit-il, que Maurras et ses disciples « se sont réveillés un jour dans le camp de l'ennemi, du même côté que le bourreau allemand et ses valets français ». Aussi bien tout doit être fait pour ne pas renouveler l' « erreur affreuse de Maurras » qui consista à « rejeter de l'héritage national la part dont nous serions tentés de croire que notre parti n'a plus l'usage [...] Communistes, socialistes, gaullistes, souvenons-nous... »

Que signifie ce « nous » ? Il n'est ni communiste, ni socialiste : il est donc gaulliste. Ce qui frappe pourtant dans ses écrits de guerre, c'est moins l'adhésion à l'alliance tactique avec les communistes que la rareté des références explicites à ce général dont il n'a pas entendu l'appel de juin 1940, mais dont il a souvent écouté depuis lors, à l'heure du crépuscule, la voix hautaine aux sonorités de cuivre, à travers le brouillage imposé par l'occupant.

Gaulliste de raison, gaulliste de volonté ? Gaulliste par obligation de s'appuyer sur une réalité, une valeur tangible ? Thomiste du gaullisme, pourrait-on dire ? Dans une lettre adressée en 1941 à Henri Guillemin, il parle du « prétendu gaullisme » que lui imputent ses ennemis. Son patriotisme comme sa volonté d'incarnation le tournent vers Londres. Mais peut-être pas, en ces années-là (et jusqu'en 1958, à vrai dire) cette sensibilité si fine, et frémissante, et créatrice, qui commande ses attitudes politiques et lui crée comme des antennes.

En dépit de la présence aux côtés du général de son ami Maurice Schumann et de l'appel qu'il lui a lancé le 17 août 1940, on le trouve quelque peu flegmatique à l'égard de l'homme de Londres. Pour qu'il entre dans les transes où l'on vit s'exalter tant de gaullistes du début des années quarante, il faut que l'événement l'emporte sur le charisme personnel du général. Ce n'est pas la voix, l'incantation, l'argumentation même de Charles de Gaulle qui l'envoûtent, c'est l'annonce du débarquement d'Alger. Ce n'est pas le personnage, c'est la marche de l'histoire. Nous sommes assez loin ici du gaullisme mystique qui fleurissait alentour.

Mais dans son article du 20 août 1944 intitulé : « Le premier des nôtres » (relevons ce « premier », qui signale un rôle, un service rendu, éminent, plutôt qu'une « grâce », une nature exceptionnelles, l'homme providentiel...), il a rappelé que « durant les soirs de ces hivers féroces, nous demeurions l'oreille collée au poste de radio tandis que les pas de l'officier allemand ébranlaient le plafond au-dessus de nos têtes. Nous l'écoutions, les poings serrés, nous ne retenions pas nos larmes. Nous courions avertir ceux de la famille qui ne se trouvaient pas à l'écoute : " Le général de Gaulle va parler... Il parle ! " » Et quand, pendant un maigre dîner chez les Blanzat en novembre 1943, il s'entendit citer par de Gaulle, comme l'un des hommes dont l'adhésion à la France libre témoignait pour elle, contre Vichy, il resta « la fourchette levée sur les " clopinettes " », abasourdi d'abord, et puis bouleversé. Aurions-nous trop rationalisé son gaullisme de ce temps-là ? Chez Mauriac, si vivement que fonctionne l'intelligence critique, la sensibilité décide.

Fin de la traversée. Le port est en vue. Le 6 juin, voici ce « débarquement shakespearien » qu'il pressentait dans une page de son journal de 1943, qui ouvre la terre de France aux alliés, aux libérateurs. Il a alors quitté Vémars pour s'installer chez le mystérieux « Raoul ». Son journal, aussi bien que le carnet de Jeanne Mauriac, sont assez discrets sur la date capitale du 6 juin, comme sur celle (le 28 juin) où Philippe Henriot fut abattu par un commando de la Résistance. Il y est surtout question des bombardements incessants de l'aviation anglo-américaine sur les localités industrielles de la périphérie parisienne, Creil, Chantilly ou Survilliers — toutes proches de Vémars.

Le 15 juillet, nouvelle alerte pour Mauriac : un voisin le prévient qu'il est recherché. Il part à pied, fait quelques kilomètres, saucissonne dans un fossé, au bord de la route, le feutre rabattu sur son visage gascon de mousquetaire mal nourri. Mais c'était une fausse alerte. Il rentre coucher à Vémars, et le 20 — le jour de l'attentat du colonel von Stauffenberg contre Hitler — fait escale pour quelques heures à Paris. En ces jours-là, il ne se passe pas une heure qu'une ville, à l'Est, ne tombe aux mains de l'Armée rouge, et qu'un village, en Normandie, ne redevienne français.

Le 10 août, quittant Paris pour regagner Vémars, Jeanne Mauriac note sur son carnet : « Je crains de voir Paris pour la dernière fois... » On parle de destructions que la Wehrmacht et les SS auraient reçu l'ordre d'exécuter, d'une politique « de la terre brûlée ». On dit tant de choses... En ces journées d'exaltation angoissée, Vémars est privé d'électricité, de téléphone, de tout moyen de liaison avec Paris.

Le 19 août, un détachement allemand fait irruption dans la maison ; pour se mettre à l'abri seulement. Ces hommes épuisés se couchent à même le sol. Les voilà, sitôt arrivés, endormis dans le salon et dans le bureau de François Mauriac, où sont rangés les papiers les plus compromettants. La nuit, c'est en enjambant leurs corps assoupis que François et Claude vont récupérer et mettre à l'abri ou détruire des tracts et des placards d'épreuves du CNE et des Éditions de Minuit...

Claude est arrivé à bicyclette quelques heures plus tôt de Paris où, le matin, Pierre Brisson l'a appelé au téléphone pour lui demander d'aller d'urgence à Vémars chercher l'article que son père lui a promis pour le premier numéro du *Figaro* « libéré », dont la publication est prévue le lendemain 20 août. Paris, qu'un collaborateur de la *NRF* de Drieu La Rochelle comparait naguère à « une pouffiasse endormie », s'est réveillé et crépite de salves, tandis que reparaissent de minuscules journaux de la liberté.

Le messager a retrouvé un Vémars peuplé de chevaux et de soldats assoupis dans l'herbe. Les ennemis... Il aperçoit son père à travers la fenêtre de son bureau, écrivant l'article à la gloire du général de Gaulle demandé par Brisson, qui doit paraître le jour de la libération de Paris. « J'ai du mal à me mettre dans le ton... à imaginer la délivrance, à faire comme si... », confie-t-il à son fils. Le détachement allemand se retire — aussitôt remplacé par un autre, aussi fourbu, aussi anonyme. Dans la soirée, un voisin vient annoncer qu'aux dires d'un cycliste arrivé de la capitale, le canon tonne à Paris, le drapeau tricolore flotte place de la Concorde. Mais on attend toujours l'arrivée des Américains.

Dans la soirée, devant sa femme, sa fille Luce et ses deux fils (Claire est mobilisée dans une unité sanitaire), François Mauriac lit son article, conclusion et préface à la fois, où l'espoir parvient mal à faire oublier l'angoisse. C'est « Le premier des nôtres », qui n'est pas seulement un hommage à de Gaulle, mais aussi à ceux qui sont morts en criant son nom.

> « C'est vers lui, c'est vers eux que la France débâillonnée jette son premier cri. C'est vers lui, c'est vers eux que, détachée du poteau, elle tend ses pauvres mains [...] Et nous qui, depuis notre adolescence, ne croyions guère plus en elle, nous l'avons reconnue enfin, cette République de nos pères, nous avons eu foi en sa résurrection.
> Ce dépôt que la France, trahie et livrée à ses ennemis, avait confié à de Gaulle, voici qu'il nous le rapporte aujourd'hui — non pas à nous seuls, bourgeois français, mais à tout ce peuple dont chaque partie, chaque classe

> a fourni son contingent d'otages et de martyrs. Sa mission est de maintenir, dans la France restaurée, une profonde communion à l'image de celle qui, dans les fosses communes, creusées par les bourreaux, confond les corps du communiste et du prêtre assassinés. »

Il n'est pas de destin exceptionnel qui le soit à moitié. Paris est libéré le 25 août. François Mauriac ne le sera que le 31. Il faudra six jours de plus à la coalition qui, de Vladivostok à San Francisco, lève ses légions et les jette sur l'Europe, pour arracher le dernier occupant de la vieille maison familiale de Vémars qu'il ne lui en a fallu pour amener l'étendard frappé de l'araignée noire gorgée de sang de la façade du Palais-Bourbon. Tandis que de Gaulle s'installait rue Saint-Dominique dans le bureau d'où il avait dû fuir quatre ans plus tôt, Mauriac cherchait un toit ami pour fuir l'incessante relève dans la maison de Vémars des soldats verts par des combattants à croix gammée.

Le 29, le politicien radical Émile Roche (qui sera dix ans plus tard son adversaire irréductible dans la crise marocaine) l'accueille en voisin. « Nous sommes là pour longtemps », jette à Jeanne Mauriac, le 30 août, un officier nazi. Le lendemain, plus personne. Sur la route de Survilliers passent maintenant des chars d'où surgissent à mi-corps de grands types en kaki, les bras chargés de cigarettes, et qui font de leurs doigts un signe « V » auquel ils ne comprennent rien...

17 Saint François des Assises

Tout lui réussit, et d'abord les épreuves. Comme la tumeur maligne qui semble le mettre aux portes de la mort le conduit d'un trait à l'Académie, la chasse à l'homme dont il vient d'être le gibier le mène à ce « triomphe » du 31 août 1944 : dans Vémars abandonné le matin même par les derniers Allemands, une voiture à cocarde de la présidence du gouvernement où ont pris place ses deux fils vient le chercher et le ramène à Paris : dès le lendemain, il est l'hôte à déjeuner du général de Gaulle — traité en premier des siens, les gens de lettres.

De ce repas du 1er septembre 1944, on ne sait guère. Sinon ce mot du général, adressé le soir même à Claude Mauriac : « Je l'ai trouvé très ardent… » Et cet autre de l'aide de camp, Claude Guy, décrivant Mauriac devant de Gaulle : « Il avait l'air de quelqu'un qui tombe sur le Bon Dieu en chair et en os… » L'auteur du *Cahier noir* a raconté, pour sa part, que ce premier contact n'alla pas sans le décevoir quelque peu. Non pour ce qui était de la personne même du général, mais du fait du sujet de la conversation qu'il avait choisi : alors que lui, Mauriac, tentait de le faire parler de stratégie, de politique, du sort immédiat du pays, le chef des Français libres, moins d'une semaine après son triomphe des Champs-Élysées et alors qu'il tenait dans ses bras une nation pantelante et divisée et que la guerre faisait rage à cent kilomètres de Paris, ne voulut parler que de l'Académie française et des candidats qu'il souhaitait y susciter afin que s'affirmât mieux le rayonnement de la littérature et des institutions françaises. Ainsi le grand sujet du premier tête-à-tête entre de Gaulle et Mauriac ne fut ni les combats de Leclerc, ni la restauration de l'autorité de l'État, ni les visées de Churchill, ni les arrière-pensées de Staline, mais le point de savoir si André Gide accepterait ou non de siéger sous la coupole du Quai Conti…

Euphorie ? Triomphalisme ? Ce Mauriac dont la Résistance vient de faire une manière de héros musicien, ce Racine mué en tambour d'Arcole, on lui fait fête, bien sûr, et surtout ceux qui l'aiment le moins. Tout se ligue pour l'ériger en statue de lui-même. Son ami Maurice Schumann, le porte-parole des Français libres de Londres, est l'un des personnages clefs de la vie politique, flanqué de ces démocrates-chrétiens dont il est, depuis *Sept, Temps présent* et Munich, le compagnon d'armes. Le Front national, qui fait de lui l'un de ses héros, est une colonne du nouveau pouvoir. A l'Académie, Georges Duhamel, compagnon des jours d'épreuve, règne. De son fils Claude, de Gaulle fait, dès la fin d'août, son secrétaire particulier. Son neveu

Robert Victor est aussi, depuis Alger, dans l'entourage du général. Son gendre Alain Le Ray, chef d'un maquis du Vercors, et qui a commandé les opérations de la libération de Grenoble, est promu colonel d'une unité de chasseurs alpins dans laquelle s'engagera bientôt son second fils, Jean. D'où ne ruissellent pas les bienfaits, les hauts faits, les honneurs, le prestige ? Chateaubriand au retour des Bourbons — un retour qui eût été victorieux.. Mais Mauriac, en l'occurrence, c'est plus qu'un personnage, c'est une famille régnante.

Des nuages, pourtant, dans ce ciel de gloire. Son frère Pierre, qu'il aime tant, chef de file des maurrassiens de Gironde dévoués au maréchal Pétain, est menacé d'arrestation. La presse communiste de Bordeaux le harcèle, réclame son incarcération et sa mise en jugement, le rendant responsable, en tant que président du Conseil de l'ordre des médecins, de l'exécution du docteur Nancel-Pénard, militant communiste [1]. Son éditeur Bernard Grasset est en prison, comme son hôte des derniers jours de l'occupation de Vémars, Émile Roche. Et il apprend bientôt que son ami Jean Prévost, maquisard, a été fusillé par les occupants, comme son neveu Jean Barraud ; un autre de ses neveux, Bernard Brousse, sera tué peu après en opérations. La guerre continue.

> « L'étrange est que je n'aie commencé à m'inquiéter, à douter et à trembler qu'à la fin, et lorsque le front allemand craquait de partout. Parce que nous touchions au but, je craignais que Staline lâchât tout à coup et qu'il ne se retournât contre nous. Je m'aperçus que mes camarades communistes du Front national ressentaient la même inquiétude. Et puis nous ne doutions pas qu'il y eût une part de vérité dans la menace dont, à la radio, Herold Paquis [2] nous rebattait les oreilles : qu'Hitler était au moment de posséder l'arme absolue [...] L'étrange aussi est que les premiers mois qui suivirent la Libération ne me laissent que des souvenirs d'amertume et d'angoisse. Il avait été si facile d'espérer pendant les années noires, plus facile d'espérer que de ne pas désespérer, lorsque nous débouchâmes dans les excès de l'épuration [3]. »

Étrange en effet. Mais quoi de plus chrétien, et janséniste, et mauriacien, que cette angoisse au bord, au seuil de la victoire, que cette vision déchirante, soudain, que ce qui est atteint est détruit, que la gloire du monde n'est que pourriture, que la justice n'est pas du côté de la puissance. « Né du côté des injustes », c'est-à-dire de ceux qui possèdent et règnent, Mauriac aura toujours la hantise du règne et de la possession, et s'il s'en accommode fort bien dans le quotidien, il s'en effraie, haïssant la contrainte mais craignant le pouvoir

1 *La Gironde populaire*, 5 mars 1945
2 Porte-parole des collaborateurs en fuite Fusillé en 1945
3 *Mémoires politiques*, préface p 22

« Front national »

La rumeur de gloire, pourtant, est d'abord la plus forte. Le 6 septembre, dans *le Figaro,* il parle avec exaltation de « cet air léger que nous respirons sous ce ciel de Paris, sous cet azur comme lavé où le drapeau français ressemble à l'aile vivante d'un grand archange... ».

Et puis voici venue l'heure des célébrations. Le mardi 12 septembre, au milieu de l'après-midi, c'est, en l'honneur de la Résistance, une sorte de *Te Deum* laïque et républicain, dont le foyer est la salle du palais de Chaillot, édifice symbolique de la IIIe République sur son déclin. Mais sur toutes les places/de Paris, des haut-parleurs retransmettent les échos de cette séance où alternent au micro le chef du gouvernement provisoire (que Washington et Londres continuent officiellement d'ignorer) et le président du Conseil national de la Résistance, Georges Bidault.

« A côté de mon père au palais de Chaillot. Minutes bouleversantes. Entrée du général par une faille ménagée dans le rouge de l'ample tenture tricolore. *La Marseillaise* interrompt d'immenses ovations. Georges Bidault évoque les morts. Sobre discours du général, froid, sans aucune démagogie (sans même ce qui serait le minimum indispensable s'il ne s'agissait de lui) [...] Très proche des larmes, je n'osais observer qu'à la dérobée mon père, dont le visage pâle était tendu par l'émotion... Dans la salle, Jean Paulhan, fasciné, Édith Thomas, Robert Victor[1]... »

Le lendemain, François Mauriac écrit :

> « Cet homme, je suis si occupé à le regarder qu'il m'est d'abord impossible d'attacher ma pensée aux paroles qu'il prononce. Ce qu'il est déborde ce qu'il dit. Pour la première fois, il n'est plus le chef de gouvernement auprès de qui je me suis assis un soir et avec lequel il fallait échanger des propos... Il se dresse dans sa réalité intemporelle[2]. Son aspect physique donne une impression de dépouillement, de nudité. C'est plus rare qu'on ne pourrait croire, un visage nu. Ce général de Gaulle tourne vers la France un visage sans masque... Hier, au palais de Chaillot, il y avait sur des milliers de visages cette pâleur, cette altération que suscite un trop brusque changement d'atmosphère. Nous suffoquions un peu. J'ai vu des mains se joindre sur des visages égarés. Il faut que tous nous apprenions à marcher de nouveau la tête levée. Il faut nous désaccoutumer de la honte. »

Six semaines plus tard, autre rituel « résistancialiste ». François Mauriac a été chargé du texte de présentation de la séance consacrée par la Comédie-Française — qui, de 1940 à 1944, a « vécu » comme disait Siéyès, notamment sous l'égide très peu combative de Jean-Louis Vaudoyer, manquant de peu de passer entre les mains de Laubreaux — aux poètes de la Résistance. De Gaulle a accepté l'invitation du nouvel administrateur, Pierre Dux.

« Là où est le général de Gaulle, là aussi respire la France » : le texte de

1. *Le Temps immobile,* 5, p. 45.
2 Le mot utilisé pour Pétain en juillet 1940...

Mauriac est lu par Jean Martinelli, l'un des interprètes d'*Asmodée.* « Enthousiasme du public lorsque le général pénètre dans sa loge [...] [dont] la glace reflétait obscurément le visage de Paul Valéry rajeuni par les ténèbres. La grandeur du texte de François Mauriac, la beauté des poèmes récités (Aragon, Éluard, Supervielle), la sobriété de la mise en scène [...] étaient poignants. »

François Mauriac est promu poète lauréat, annoncier, héraut du nouveau régime, grand maître des cérémonies du gaullisme triomphant. Mais ce n'est là que la plus transitoire et fragile des armes dont dispose ce vainqueur si richement lauré. Les autres, les vraies, indépendamment de son génie, ce sont *le Figaro,* le « Front national » et l'occupation du pouvoir par la démocratie chrétienne : la bourgeoisie (celle qui a tiré son épingle du jeu), la révolution (celle qui est en voie de s'institutionnaliser) et le catholicisme (celui qui a sauvé son honneur dans l'aventure). Quel autre Français peut alors se prévaloir de tant d'atouts maîtres, si divers, on dirait même si antithétiques ?

Non qu'il l'ait voulu, ou prémédité. Ces cartes qu'il reçoit dans chaque donne, on ne saurait dire que c'est à force d'opportunisme. Si *le Figaro* fait figure aujourd'hui de journal patriote, c'est beaucoup grâce à lui. S'il est membre des instances supérieures du Front national, c'est parce qu'en 1942, au plus fort du péril, il a été jugé un compagnon de route sûr et prestigieux par les chefs de la Résistance armée. S'il est tenu pour un des maîtres à penser du courant catholique qu'ont promus la lutte clandestine et la France libre, c'est que les hommes qui l'animent étaient à ses côtés, ou dans son sillage, à *Sept* et à *Temps présent.*

Le carrefour stratégique incomparable où il est situé, ce n'est pas l'intrigue ou la ruse qui l'y a situé — mais dix ans de vie publique (et, s'agissant du christianisme social, beaucoup plus : le vieux maître du Sillon, Marc Sangnier, n'est-il pas l'inspirateur, le père fondateur de MRP qui s'installe, du fait de ses triomphes électoraux de 1945, au premier plan du débat politique ?).

Le Figaro, il est peu de dire qu'il en fait alors « sa » tribune. Il y règne, il y scintille, il y vocalise, *prima donna* et docteur de la loi. Relus aujourd'hui dans le livre où ils sont rassemblés sous le titre *le Bâillon dénoué,* ces éditoriaux déçoivent un peu les familiers du *Bloc-Notes,* où le génie du publiciste a mûri, s'est aiguisé, affiné, simplifié. Mais quel abattage, quel éclat dans ces morceaux où la confidence, la sommation et l'analyse s'entrecroisent avec une aisance sans égale... Ainsi, du 25 août au 31 décembre 1944, en quelque cent vingt-cinq jours, il donne au quotidien de Pierre Brisson plus de cinquante articles, qui sont, avec les éditoriaux de *Combat* (rédigés anonymement tantôt par Camus, tantôt par Raymond Aron, tantôt par Albert Ollivier) les repères essentiels du grand débat d'idées et d'émotions qui agite la France, dans la période la plus hautement politisée de l'histoire contemporaine.

Il ne va pas de soi, pour un éditorialiste du *Figaro,* organe du conservatisme libéral, de siéger à la direction du Front national organisation suscitée encadrée et dominée par le parti communiste — qui revendique alors, avec une fermeté justifiée par les faits, son qualificatif de « français ». Mauriac, on l'a vu, est entré, pendant la période située entre l'automne 1942 et l'été 1943, dans les deux organismes patronnés par la Résistance communiste que sont le Front national, sous l'égide de Pierre Villon, et le Comité national des écrivains, dont le responsable est alors Claude Morgan. Il n'y est pas le seul non-communiste, loin de là, pas même le seul chrétien : maintenant leur engagement de la période clandestine, Mgr Chevrot, le révérend père Philippe, Louis Martin-Chauffier (encore en déportation) représentent divers courants du catholicisme français au sein des instances supérieures du Front national où le protestant Debû-Bridel côtoie l'agnostique Vildrac.

Pas plus qu'il ne l'avait fait de 1942 à 1944, Mauriac ne s'est interrogé, dans les premiers mois qui suivirent la Libération, sur l'étrangeté de sa situation de grand bourgeois spiritualiste associé à un organisme manipulé par les dirigeants communistes. Son premier article du *Figaro* est un appel à la reconnaissance des communistes comme cofondateurs de la république nouvelle, aux côtés des « nationaux » — langage qui doit d'ailleurs faire froncer les sourcils de Jacques Duclos. Dans l'article suivant, il supplie les mêmes « nationaux » d'accueillir parmi eux communistes et juifs, formule qui dut — à juste titre ! — faire froncer d'autres sourcils… Il est alors, selon sa propre formule, « ruisselant de compréhension ».

Et il se sent assez fort, vis-à-vis de ses alliés communistes, pour écrire le 3 octobre 1944 un article intitulé « L'avenir de la bourgeoisie », où il rappelle les sacrifices consentis par bon nombre de jeunes gens de cette classe, les rangeant dans « le parti des fusillés… qui embrasse tous les autres » : on sait que cette formule était celle que revendiquait le PCF… En tout cas, sa participation aux activités publiques du « Front » fut voyante, constante et particulièrement controversée.

Le 30 septembre 1944, Claude Mauriac note dans son journal :

« Le soir, à une réunion du Front national devant une foule immense, à la Mutualité, mon père siégeait aux côtés de Marcel Cachin. Lorsque je rentrai à 11 heures, il en était revenu depuis peu et je le retrouvai exténué. Plus encore que l'accablante lumière des sunlights, l'avait fatigué — et découragé — cette lourde atmosphère de foule passionnée…

11 h 30 — Démarche auprès de mon père, de la part du Général, mécontent de sa présence hier à la manifestation du Front national[1]… »

Quelques semaines plus tard, le général revient à la charge auprès de son secrétaire particulier, au sujet de la présence de François Mauriac au Comité directeur du Front national : « C'est à lui de juger, mais il doit savoir qu'il fait partie d'un organisme qui travaille contre la France… Ce n'est pas à moi de lui dire ce qu'il doit faire… Mais s'il donnait sa démission, en s'en expliquant dans une lettre ouverte, il me rendrait un grand service… Il y

1 *Le Temps immobile*, 5, p. 65.

aurait du reste moins de courage à faire ce geste qu'à écrire les articles qu'il publie actuellement dans *le Figaro*[1]... »

Ce « courage » de rompre, Mauriac ne l'aura pas avant longtemps. Il croit nécessaire le maintien de cette solidarité, en dépit des différences d'opinion, des contradictions même qui se font jour, tant sur la personne et la politique du général de Gaulle que sur l'épuration. Son leitmotiv à propos du PCF est alors : « Ce qui nous unit est plus fort que ce qui nous oppose. » Il n'est pas seul à préférer cette cohabitation conflictuelle à une rupture.

Au congrès du Front national qui s'ouvre au début de février 1945, un délégué, le pasteur Jézéquel, déclare s'opposer à la présence au comité directeur d'un homme qui, comme Mauriac, mène campagne contre la « justice politique », à laquelle ses alliés se réfèrent constamment[2]. Alors s'élèvent pour le défendre deux voix, celle de Pierre Villon le communiste et celle de Jacques Debû-Bridel, qui, rappelant les états de service de Mauriac dans la Résistance, ajoute : « N'oubliez pas ce que représente dans le monde entier François Mauriac : il est le seul membre de l'Académie française qui, dans la clandestinité, ait apporté son adhésion au Comité national des écrivains et sa collaboration active aux *Lettres françaises*... lui qui était particulièrement reconnaissable et, du fait de sa célébrité, menacé à cause des haines qui l'entouraient. L'exclure de notre conseil parce qu'il demande le pardon pour ses ennemis, ce serait commettre une injustice inqualifiable à l'égard d'un grand artiste qui nous honore... »

On passe au vote : la thèse de Debû-Bridel et Villon est approuvée par 1 809 voix contre 3 à celle du pasteur Jézéquel. C'est un plébiscite pour l'auteur du *Cahier noir*. Prenant place quelques heures plus tard à la tribune du congrès, il y sera acclamé avec une chaleur qui le bouleversera.

Le lendemain, dans *le Figaro* (4 février 1945), il écrit un très curieux article, où, remerciant « ces délégués du Front national qui m'ont accueilli avec tant de générosité », il parle de « malentendu » et dément que son choix pour la clémence soit celui d'un « saint homme assoiffé de miséricorde ».

S'il est difficile, assure-t-il, de pardonner à des amis qui vous ont fait du tort, il est très facile d'oublier « les injures de ceux que nous n'aimons pas ». Et surtout, soutient-il, parce que « d'autres raisons que celles du cœur » guident son choix en faveur d'une justice modérée, et qu'elles ont trait aux « conséquences politiques de l'épuration dans un pays aussi vieux que le nôtre [où] l'opinion est plus nuancée qu'une gorge de pigeon ».

On reviendra sur ce débat fondamental. Retenons en tout cas qu'en ce début de 1945, comme aux premiers jours de la Libération, Mauriac reste attaché à son appartenance au Front national communisant : c'est à partir de l'armistice, en mai 1945, quand la fin de l'état de guerre modifie, sinon les rapports de force, au moins la nature des relations politiques et les exigences du combat, qu'il procédera au réexamen de cette attitude. Et alors, par

1 *Ibid.*, p 86
2 Voir plus loin, p 406 s

petites touches, de mai à octobre 1945, il se détournera de cet esprit de « front » pour entamer puis développer une sévère critique de la politique de l'URSS d'abord, ensuite du parti communiste, et enfin de la stratégie même de coalition entre chrétiens et communistes, dont il est l'un des symboles. Ainsi, écrit-il le 2 septembre 1945 dans *le Figaro*, à propos de la création du MUR (Mouvement unifié de la Résistance) qui accentue la mainmise du PCF sur l'ensemble des courants qui ont participé à la lutte contre l'occupant, un article que Claude Morgan commente dans *les Lettres françaises* de novembre 1945 sous le titre : « Où allez-vous, François Mauriac ? », qui enregistre pratiquement la rupture.

Deux tropismes tirent de plus en plus l'auteur du *Cahier noir* hors de la mouvance communiste : son admiration alors sans réserve pour le général de Gaulle et la familiarité de pensée et de réflexe entre lui et quelques-uns des fondateurs du MRP — qui se présente alors, vis-à-vis du chef du gouvernement, comme « le parti de la fidélité ». On a vu que les pressions que le général exerce sur lui, par l'intermédiaire de Claude Mauriac, n'ont pas suffi, des mois durant, à l'éloigner publiquement des communistes. Mais il est clair que le nouveau conformisme « résistancialiste » lui paraît, sinon « aussi étouffant... que celui de Vichy », comme l'écrit alors son fils [1], en tout cas abusif.

Mais si tranchants ou dogmatiques que puissent lui apparaître en telle circonstance un Bidault ou un Teitgen, il voit dans le MRP les héritiers du vieux Sillon, qu'il brocardait si cruellement dans ses lettres à Henri Guillemin, mais où il a trouvé, il le sait bien, quelque chose de l'inspiration d'où a surgi son refus du fascisme, du franquisme, du nazisme et de Vichy. Si ses relations avec le nouveau *Temps présent* ressuscité ne vont pas sans quelques piques (« depuis la Libération, Bernanos a été cité quatre fois, moi une ! » glisse-t-il à un ami avec un mélange d'ironie et d'aigreur), ses rapports avec l'organisation politique des démocrates-chrétiens se resserrent. Bon nombre de ses articles de l'époque témoignent de cette communauté de sources — en attendant le grand désabusement du milieu des années cinquante.

Saluant le 19 septembre dans *le Figaro* « Les hommes nouveaux » — qui sont en fait, pour la plupart, les chefs de la résistance chrétienne au nazisme — appelant deux mois plus tard « socialistes et chrétiens » à s'unir dans l'effort de redressement du pays, il glissera progressivement, à mesure même qu'il prendra ses distances avec les organismes patronnés par le PCF, vers une véritable connivence avec le parti de Maurice Schumann et Georges Bidault — qu'il qualifie le 30 novembre 1945 de « parti de l'espérance ». Et ce n'est pas la théâtrale sortie de la scène politique opérée le 20 janvier 1946 par le général de Gaulle qui modifiera — bien au contraire — le cap ainsi choisi par Mauriac.

1. *Le Temps immobile* 5, p 133

Le 14 novembre 1944, il dresse dans *le Figaro*, sur un ton optimiste, le « bilan de 80 jours » depuis la Libération. Et il est vrai que la guerre civile ne s'est pas greffée sur la guerre étrangère, que les communistes ont accepté le désarmement de leurs milices, que l'autorité de De Gaulle est généralement admise. Bref, un État se restaure dans un pays qui se recompose. Mais les menaces et les amertumes réapparaissent, qui font peser sur cette fin de l'année 1944 une chape de plomb.

Menaces extérieures surtout, concrétisées par l'offensive déclenchée à la fin de novembre et jusqu'à la fin de l'année dans les Ardennes par von Rundstedt[1] — et qui saisira Mauriac jusqu'à l'angoisse : et si Strasbourg, et si Paris étaient réoccupés par les nazis ? Perspective effrayante... Menace intérieure aussi, et personnelle : à partir du mois d'octobre, il reçoit lettres anonymes et coups de téléphone mystérieux le menaçant de mort s'il ne cesse pas sa collaboration au *Figaro*. Il adresse alors à son ami Jean Blanzat une lettre où perce une anxiété profonde.

« Je vis dans une double angoisse : menace de la contre-offensive allemande et miliciens parachutés dans la région parisienne. Je reçois beaucoup de menaces. Je ne suis pas fait pour cette vie... » (26 décembre 1944).

Le 29, au moment où commence le reflux de la dernière vague nazie, il publie un article (« Le poison ») où s'expriment à la fois une sorte de soulagement physique et d'angoisse morale : « ... ce que nous avons ressenti devant cette ruée inattendue, en pensant aux villages belges réoccupés. Cette horreur n'était pas terreur, ni cette angoisse lâcheté [...] La chose la plus triste, [c'est que] d'autres Français [...] relevaient la tête à l'approche des assassins d'Oradour... »

A ces angoisses se mêle une sorte d'interrogation sur la justification de son action, de ses options. A la fin de 1945, Mauriac est de nouveau un homme en crise. Il se reprendra vite, parce que la nouvelle lutte qu'il entreprend l'absorbe si fort, le requiert si totalement, qu'il retrouve l'ardeur et la ferveur du temps de la résistance intellectuelle. Cette cause, c'est celle de la justice — ou plutôt de la clémence — entrevue dès les premiers jours de la Libération et qui prend brusquement, à partir du début de janvier 1945, une urgence dramatique.

« Un peuple juste »

Les derniers mots du *Cahier noir* résument le Mauriac de la Libération : « apprendre comment un peuple libre peut devenir un peuple fort — et un

1. Cf. le livre de Jacques Nobécourt, *Le Dernier Coup de dés d'Hitler*.

peuple fort demeurer un peuple juste ». Un peuple juste ? D'autres aussi se sont donné cet objectif, qui pensent que la justice, au temps du « salut public », doit être implacable et s'inspirer de la loi du talion. Lui, non. Lui pense — et écrit, ce qui est plus difficile en ces temps d'exaltation idéologique et de fièvre révolutionnaire d'autant plus éloquente que la révolution ne se fait pas — que la justice doit s'inspirer moins de la passion que de la loi, et moins de la loi que des exigences de la concorde entre les citoyens.

Car la « justice » selon Mauriac est aussi politique, on l'a vu dans l'extrait de l'article qu'on a cité après certain débat du Front national. Mais elle s'inspire d'une autre politique, et on peut s'étonner que les communistes aient mis si longtemps — un an — avant de le dénoncer, lui dont l'objectif est une réconciliation progressive dont l'effet ne peut être que de priver la propagande du PCF de ce qui est alors son atout majeur : le droit de faire pression sur l'ensemble des appareils et mécanismes politiques français en se réclamant des sacrifices consentis dans la lutte antinazie, en se parant du titre chèrement acquis de « parti des fusillés ».

Il fallait que le prestige de Mauriac fût alors bien grand pour que Thorez et ses amis aient voulu à tout prix le conserver dans les instances du Front national, alors même que ses articles sapaient le plus efficacement ce principe de contradiction et cette exploitation du plus récent passé qui servaient de fer de lance au PCF. Mais on verra que cette campagne pour la clémence ne se déroula pas sans attirer sur lui quelque chose du coup qu'il détournait de la tête des vaincus.

C'est très tôt qu'il intervient. Plus tôt encore qu'on le croit d'ordinaire, bien avant les grands procès de Béraud, de Maurras et de Brasillach. Trois jours ne se sont pas ecoulés depuis son retour à Paris et son déjeuner avec de Gaulle qu'il adresse au *Figaro* un article, publié le 4 septembre, où, sous le titre « Le sort tomba » et à propos d'un cas médiocre, il pose déjà le problème sous l'une de ses faces, celle de la réalité des responsabilités assumees par les écrivains sous l'Occupation. Il s'agit de l'exclusion de l'Académie du vieil Abel Hermant[1], prononcée la veille par ses confrères et lui-meme. Il parle de « bouc émissaire », assure que le sort est tombé sur « le plus faible », dont les articles « anodins » publiés dans *les Nouveaux Temps*, organe de la collaboration, n'avaient aucune portée, surtout comparés à ceux d'un Maurras et des « énergumènes de *Je suis partout* » et, pratiquant moins ici la clémence que l'art des proportions, rappelle qu' « un certain nationalisme » fut beaucoup plus coupable que l' « Iphigénie octogénaire sacrifiée jeudi dernier sous le portrait du cardinal de Richelieu ».

Quatre jours plus tard, il va plus loin, beaucoup plus loin. Évoquant les « coups de téléphone et les lettres suppliantes » qu'il reçoit, il rappelle ceci,

1 A son propos, et à celui d'Abel Bonnard, Jean Paulhan avait écrit sous l'Occupation, dans une lettre à un ami :

. on se demande enfin,
voyant de tels Abels,
ce que font les Caïns

sur le ton le plus ferme, et qui fit alors d'autant plus scandale qu'il intitulait son article « La vraie justice » :

> « Il ne s'agit pas ici de plaider pour les coupables, mais de rappeler seulement que ces hommes, ces femmes sont des accusés, des prévenus, qu'aucun tribunal ne les a encore convaincus du délit ou du crime dont on les charge. Oh ! je sais bien : la Gestapo, la police de Vichy n'avaient pas de ces délicatesses. Mais justement ! nous aspirons à mieux qu'à un chassé-croisé de bourreaux et de victimes. Il ne faut à aucun prix que la IVe République chausse les bottes de la Gestapo... »

Il faut tenter de se souvenir, ou d'imaginer ce qu'était alors le climat dominant, moins de deux semaines après la libération de Paris, alors que la guerre faisait rage encore et que les « FFI » de la treizième heure tenaient le haut du pavé, pour mesurer ce qu'il fallait de courage pour écrire cela, ces dix derniers mots surtout...

Courage ? Ou faiblesse, ou réflexe de classe ? Tenons-en pour le courage — vertu qui, à l'instar des autres, ne se perd pas toujours dans l'hypocrisie ou l'ambition « comme les fleuves dans la mer », mais se nuance de toutes les facettes de la vanité, des connivences de groupe, de l'esprit de caste, de corporation ou de famille. Sur François Mauriac s'exercent alors plusieurs influences ou se branchent diverses préoccupations. On a fait allusion au cas de son frère le plus aimé, Pierre, qui, en tant que notable d' « Action française », qu'ardent maréchaliste et que président du Conseil de l'ordre des médecins auquel pouvait être imputée une part de responsabilités dans l'exécution d'un confrère communiste, est alors astreint à un régime de résidence forcée, menacé d'un dangereux procès.

« Que des hommes aussi foncièrement honnêtes puissent être inquiétés ou menacés de l'être, c'est le signe d'une faille inadmissible dans le système actuel... », confie à son fils Claude l'auteur du *Cahier noir.* C'est évidemment à propos de son frère qu'il écrit, le 17 octobre, sous le titre « Les égarements de l'honneur » :

> « ... tout se ligue contre un homme noble, en ces heures-là, même le sens qu'il a de l'honneur. J'en connais (et j'en ai observé de bien près) qui, voyant le vieillard qu'ils aimaient à deux doigts de l'abîme, disaient : " Ce n'est pas maintenant que je l'abandonnerai... " [...] Mon cœur penche du côté de l'homme égaré, trompé, dupé par ses vertus... »

De Claude, étroitement associé aux décisions du général qu'il côtoie constamment, François Mauriac ne subit nullement l'influence du type « raison d'État » qu'on pourrait imaginer. Bien au contraire. Pour vivre aux côtés du général qui s'est donné pour mission de restaurer dans sa totalité, et contre tous s'il le faut, l'autorité de l'État français à l'intérieur et à l'extérieur, ce jeune homme n'en réagit pas moins déjà en militant de la non-violence. Dès le 5 septembre, Claude Mauriac note : « Nombreuses arrestations. Déjà est souillée la pureté des premiers jours. Tout cela était prévisible. Tout cela, en un sens, était même nécessaire. Mais je souffre que ma fonction m'empêche de me désolidariser de certains excès. Je n'aurais jamais dû accepter cette place. »

C'est lui encore qui va bientôt entretenir d'images décisives la répulsion de son père pour toute forme de répression. Le 21 septembre, son ami Bernard Duhamel, médecin inspecteur des prisons, lui fait visiter la Conciergerie, où il n'est pas nécessaire d'être aussi féru d'histoire révolutionnaire que lui et amoureux de Lucile Desmoulins et de Manon Roland, pour qu'en surimpression se lèvent de terribles images :

> « Une grappe de femmes se forme autour de chacun de nous : tristes lamentations qui ne sont pas sans fondement. Toutes ces prisonnières seraient-elles coupables que leur détresse me le ferait oublier. Mais combien se trouve-t-il parmi elles d'innocentes, victimes de dénonciations et de jalousies ? Et il y a des femmes enceintes, des malades, une vieille de quatre-vingts ans... Alice Cocéa [1] est là, et Germaine Lubin [2], hier encore fêtées et adulées. Bernard Duhamel les reconnaît et je me félicite de ne pas avoir rencontré leur regard. Il y a aussi Mme Bunau-Varilla (femme du directeur du *Matin*), dont le joli visage émacié se lève vers moi, implorant... [...] Cellules individuelles où sont entassés jusqu'à dix hommes que j'aperçois par le judas : un nègre triste, des jeunes gens accablés, des hommes aux visages fermés. Et les salles remplies d'anciens agents de police prisonniers. Et ceux qui prennent l'air (si l'on peut dire) dans une fosse étroite dont le minuscule orifice ouvre sur un ciel sans vie. Et ces barreaux. Et ces odeurs. Et ces gardes. Et les pauvres sœurs, indifférentes. Et ces hommes qui ont pris, malgré tout, leurs habitudes, et qui jouent nonchalamment au bouchon et aux cartes. »

Ces femmes emprisonnées qu'il applaudissait hier actrices, cantatrices, avec lesquelles il dînait avant-hier, ne troublent pas seules la sensible mémoire de François Mauriac. Il y a ces hommes internés avec elles, qu'il trouve moins coupables que dérisoires, comme Sacha Guitry, ou déséquilibrés, comme Bernard Grasset. Il y a ceux qui fuient ou se cachent, comme Drieu La Rochelle ou Céline ; d'autres que l'épuration guette, comme Chardonne ou Jouhandeau, et tous ceux, moins illustres, beaucoup plus jeunes, qu'il a appelés « les irréductibles » dans un article du 6 septembre... Et il voit, parmi les procureurs qui s'agitent si fort et crient si haut, des hommes qu'il a peu vus quand la Gestapo rôdait entre la rue des Arènes, chez Paulhan, et la rue Pierre-Nicole, chez Édith Thomas. Il voit aussi que certains des Fouquier-Tinville qui le guettent et vont pousser à son exclusion du Front national, visent, par-dessus sa tête, de Gaulle.

Ainsi, ce 28 septembre 1944 où, au « Comité d'épuration » des écrivains, Duhamel déclare maladroitement qu'à propos de Pétain, et jusqu'à nouvel ordre, le général de Gaulle souhaite que se fasse le silence, on entend un ricanement terrible, d'Aragon qui siffle, sardonique : « Ah ! Ah ! Le général tient au silence ! » Et quelques minutes plus tard, l'auteur de *la Diane française* glisse à Mauriac, qui préside, un papier spécifiant que si la moindre

1. Actrice célèbre des années trente.
2 La plus grande cantatrice wagnérienne française

indulgence se manifeste à propos de Pétain et de « ceux qui ont cru en lui », il démissionnera et saisira l'opinion de l'affaire[1].

N'importe, il part en campagne. Un peu plus d'un an après la sortie clandestine du *Cahier noir,* François Mauriac se lance dans le débat qui va lui valoir des insultes et des attaques aussi violentes que celles de *Je suis Partout,* mais cette fois de ses compagnons d'armes de la veille — *les Lettres françaises, l'Humanité, Franc-Tireur* — tandis que *le Canard enchaîné* lui décerne, dans une bouffée de tendre sarcasme, le merveilleux sobriquet de « saint François des Assises ». Dont il disait : « Je n'ai pas été le dernier à sourire d'être ainsi désigné. Pourtant faites attention que les saints se montrent le plus souvent de grands réalistes et que le conseiller et agent du cardinal de Richelieu, le père Joseph, était fort avancé dans les voies mystiques. » Ce qui était retourner à bon droit la plaisanterie en précepte politique.

Au *Canard,* d'ailleurs, on est fort divisé. A un courant communisant ardemment répressif s'oppose celui, anarchisant, dont le porte-parole est Henri Jeanson. Le célèbre dialoguiste de films (ayant fait, aux premiers temps de l'Occupation, un bout de route avec les collaborateurs[2] avant d'être incarcéré par l'occupant) écrit : « Je n'aime pas beaucoup parler d'épuration, parce que j'ai toujours pensé qu'il ne fallait pas mélanger les porte-plume avec les porte-clefs, le journalisme avec la police... » Le rédacteur en chef, Pierre Bénard, penche en ce sens, et Mauriac le dit[3].

Mais la presse du temps sera, tout au long de cette « saison des juges », de septembre 1944 à mai 1945, très sévère pour ce « saint François » prêcheur de clémence. Si les brocards de *Franc-Tireur* ou de *Libération* lui importent assez peu, tel réquisitoire de Camus le bouleversera, et plus encore les rudes critiques de la revue *Esprit* et de Mounier, qui dénoncent chez lui l'« affadissement de la notion de charité ».

Pour mesurer l'émotion que procurent à l'éditorialiste du *Figaro* les admonestations de celui de *Combat,* il faut avoir à l'esprit l'appétit qu'eut toujours Mauriac d'obtenir les suffrages des jeunes gens (préoccupation que Valéry trouvait, chez Gide, si dérisoire) ; le prestige qui entoure alors ce nouveau quotidien, *Combat,* né de la Résistance et qui offre d'emblée à un monde intellectuel balayé par le grand vent de la Libération une sorte de modèle absolu de pureté, d'indépendance, de rigueur ; enfin la gloire, encore un peu suspendue, indécise, et d'autant plus angélique, qui fait cortège à Albert Camus, auteur célébré de *l'Étranger,* contesté du *Malentendu,* admiré des *Lettres à un ami allemand.*

Voilà exactement l'homme et le journal dont Mauriac souhaite le suffrage — un peu comme il attendait, vingt-cinq ans plus tôt, celui de la *NRF* et de Jacques Rivière. Et le parallèle entre Camus et Rivière, si différents que soient les deux hommes, doit être un instant prolongé pour expliquer

1 Voir *Le Temps immobile,* 5, p. 64-65.
2 Écrivant dans le pacifiste *Aujourd'hui.*
3 Voir plus loin son article du 20 janvier 1945

l'irritation, ou l'agacement, que n'a cessé d'éprouver Mauriac face à Camus. Non seulement il le sent réservé, ou critique, ou sévère à son égard, lui, l'illustre écrivain bourgeois, à demi (à demi seulement) racheté par son attitude face au fascisme et à l'occupant ; mais il le sent rétif face à Dieu, ce jeune stoïcien, ce jeune janséniste de l'écriture et du journalisme, auquel il appliquerait volontiers, comme naguère à Rivière, la formule de Tertullien : « Anima naturaliter christiana. » Comme il lui échappe — échappant surtout à Dieu — ce Camus rigoureux et charmant... Alors, entre eux, les deux voix les plus écoutées de cette aube de liberté, qui ont pris au regard de l'épuration des attitudes différentes, le dialogue va tourner au débat, le débat à la dispute. Et jamais ne s'établira entre eux la relation fraternelle qui avait fini par associer Mauriac à Jacques Rivière.

Dans *la Table ronde*, en 1953, Pierre Brisson a raconté comment est née cette joute dans l'esprit de Mauriac :

« Je me souviens, dans les jours qui suivirent la Libération, des premiers numéros de *Combat*. Le ton de l'éditorial quotidien, son élévation morale et surtout sa rigueur d'expression nous avaient frappés vivement l'un et l'autre. " Je tiens mon partenaire ! " s'était écrié Mauriac en brandissant un matin l'article auquel il voulait répondre. Nous ignorions encore le nom de l'auteur... »

Dès le sixième éditorial qu'il écrit dans *le Figaro*, Mauriac salue l'ambition exprimée par son jeune confrère dans *Combat*, de lier « la réforme politique [à] une profonde remise en question du journalisme par les journalistes eux-mêmes ». Et Mauriac a aimé — en dépit de la pointe antichrétienne — le premier article de Camus (30 août 1944) appelant à une justice sévère : « Qui oserait parler de pardon ?... Puisque l'esprit a enfin compris qu'il ne pouvait vaincre l'épée que par l'épée, puisqu'il a pris les armes et atteint la victoire, qui voudrait lui demander d'oublier ? Ce n'est pas la haine qui parlera demain, mais la justice elle-même, fondée sur la mémoire. » Dans les semaines suivantes, pourtant, le ton de l'échange va peu à peu s'aigrir, au fur et à mesure que s'accentue et se précise la campagne de Mauriac en faveur de l'indulgence, de « La vraie justice » (8 septembre) à « La justice et la guerre » (22 octobre).

Contre ce dernier texte, l'éditorialiste de *Combat* regimbe. Il a pourtant, pendant l'Occupation (mai 1944), dans un texte publié par *les Lettres françaises*, « Tout ne s'arrange pas », objecté à l'exécution de Pierre Pucheu, le ministre de l'Intérieur de Vichy — ce qui lui avait valu une riposte attristée d'Éluard et de rudes critiques des communistes. Ces arguments l'ont-ils convaincu ? En tout cas, il sait qu'il parle au nom de l'intelligentsia qui tient alors le haut du pavé. Dans *la Force de l'âge*, où elle n'est pas tendre pour l'auteur de *l'Étranger*, Simone de Beauvoir rapporte qu'entre Mauriac prêchant le pardon et les communistes réclamant la rigueur, Camus, Sartre et elle cherchaient un « juste milieu » : « La vengeance est vaine, mais certains hommes n'avaient pas leur place dans le monde qu'on tentait de bâtir. » Pas leur place : la formule, dans sa simplicité, fait froid dans le dos.

Camus va user avec Mauriac d'un ton de remontrance tout de même un peu haut. On dirait d'un Saint-Just faisant la leçon à quelque Girondin tremblant : « Notre conviction est qu'il y a des temps où il faut savoir parler contre soi-même et renoncer du même coup à la paix du cœur. Notre temps est de ceux-là et sa terrible loi, qu'il est vain de discuter, est de nous contraindre à détruire une part encore vivante de ce pays pour sauver son âme elle-même... »

La réaction de Mauriac est électrique : « Pas un mot ici qui ne me blesse ! » Et passant très vite sur les implications personnelles qui visent la paix de son propre cœur, son confort intellectuel, il va au principe : « Mon jeune confrère est plus spiritualiste que je n'imaginais. Plus que moi-même, en tout cas. Les Inquisiteurs aussi brûlaient les corps pour sauver les âmes [...] il reste des bribes de christianisme mal éliminées chez les jeunes maîtres de *Combat !* » (22 octobre). Le 25 octobre, Camus réplique fortement, au nom des agnostiques : « Un chrétien pourra penser que la justice humaine est toujours suppléée par la justice divine et que, par conséquent, l'indulgence est préférable. Mais que M. Mauriac considère le conflit où se trouvent des hommes qui ignorent la sentence divine et qui gardent, cependant, le goût de l'homme et l'espoir de sa grandeur. Ils ont à se taire pour toujours ou à se convertir à la justice des hommes. Cela ne peut aller sans déchirements. Mais [...] nous avons choisi d'assumer la justice humaine avec ses terribles imperfections, soucieux seulement de la corriger par une honnêteté désespérément maintenue. »

Agacé par une allégation de son contradicteur soutenant que ce qui sépare *Combat* du *Figaro,* c'est une certaine conception de la liberté de la presse, Mauriac hausse le ton, s'affirme pour la « liberté d'opinion » et pour le « retour à la politique d'Henri IV » et, « en ce qui concerne la jeunesse, dans tous les cas, contre la peine de désespoir ».

La polémique va s'aigrir encore. Le 28 octobre, un collaborateur de *Combat* (qui n'est pas Camus) écrit assez sottement de Mauriac que « la résistance commence à [lui] donner sur les nerfs ». Mauriac riposte que, selon le journal de Camus, le peuple français se divise entre les gens de la Résistance et ceux de la « trahison », ce qui lui paraît absurde et dangereux. Alors Camus lui décoche une flèche cruelle : parlant de son ami catholique René Leynaud, fusillé peu avant la Libération par les occupants, il écrit que « la mort d'un tel homme, c'est un prix trop cher pour le droit redonné à d'autres hommes d'oublier dans leurs actes et dans leurs écrits ce qu'ont valu pendant quatre ans le courage et le sacrifice de quelques Français... ».

L'auteur du *Cahier noir* s'est senti visé. C'est avec violence qu'il réagit

> « . Il est au-dessus de mes forces de ne pas protester. [...] Personne, parmi les vivants ni parmi les morts, n'a pu me redonner un droit auquel, pendant ces quatre années, je n'ai jamais renoncé [...] C'est un jeu facile où l'on gagne à tous coups, de se servir [...] d'un jeune mort contre un vieux vivant Il est étrange qu'un écrivain cède à cette facilité, dès ce premier moment qui ne devrait être donné qu'aux larmes »

Camus, honnête homme, a-t-il senti qu'il est allé trop loin ? La polémique va progressivement baisser de ton. Dès le 7 novembre, Mauriac en parle au passé, bien qu'elle ait resurgi au début de 1945. Le 11 janvier, Camus rouvre les hostilités : « En tant qu'homme, j'admirerais peut-être M. Mauriac de savoir aimer les traîtres, mais en tant que citoyen je le déplorerais, parce que cet amour nous amènera justement une nation de traîtres et de médiocres et une société dont nous ne voulons plus [...] Je puis bien dire à M. Mauriac que nous [...] refusons jusqu'au dernier moment une charité qui frustrerait les hommes de leur justice. »

En mars 1945, pourtant, dans un discours prononcé à la Mutualité, Camus en viendra, sinon à se rallier aux thèses de Mauriac, au moins à dénoncer le retournement de la fonction de bourreau, à l'heure où il apparaît que des sévices et des tortures sont maintenant infligés non plus aux résistants, mais à des « collaborateurs », avant d'écrire, le 30 août, dans *Combat*, que « le mot d'épuration était déjà assez pénible en lui-même. La chose est devenue odieuse ». Sur son ton, avec son langage, Camus est maintenant passé du camp de la justice « révolutionnaire » à celui de l'équité, jusqu'à réclamer que l'on transforme « notre appétit de haine en désir de justice... ».

Il lui reste à montrer son honnêteté exemplaire en déclarant, au cours d'une conférence faite chez les dominicains en 1948 : « ... Sur le point précis de notre controverse, M. François Mauriac avait raison contre moi[1]. » Et cinq ans plus tard, les relations des deux adversaires de 1944-1945 sont devenues telles que Camus écrit, en conclusion d'une lettre adressée à Mauriac : « Vous m'avez aidé, sans le savoir, à comprendre des vérités sur lesquelles mon cœur était aveugle. C'est la raison de ma gratitude. » Mais jamais on le verra, ce rapprochement fondé sur l'honnêteté ne conduira à l'amitié.

L'argumentation du Camus de 1945 pouvait d'autant moins ramener Mauriac vers le parti du talion que l'influence des hommes qui avaient été ses plus proches compagnons de Résistance, voire ses inspirateurs, s'exerçait dans le sens de la clémence : celle du père Maydieu, de Jean Blanzat — qui va se démener à ses côtés pour arracher Bernard Grasset à la prison et à la dépossession — et surtout de Jean Paulhan, qui n'en est pas encore à écrire, contre la pratique de l'épuration, sa terrible « Lettre aux directeurs de la Résistance[2] », mais qui lui rappelle alors la formule de Trasybule : « Il sera interdit, sous peine de mort, de reprocher à personne sa conduite passée. »

Le cofondateur des *Lettres françaises* se dresse ardemment contre toute forme de « justice politique ». A propos du procès fait à Lyon au préfet Angéli, il raconte à Mauriac qu'un officier de FFI s'est prévalu auprès de lui d'avoir sauvé du lynchage ce haut fonctionnaire de Vichy, et que le « jugement boiteux » qui s'en est suivi « valait mieux que le massacre ».

1 *Actuelles*, p. 213.
2 Pauvert, Paris, 1968

Paulhan propose ce commentaire : « Angéli a successivement été condamné à mort, puis à dix ans de prison. C'était une iniquité. J'aime mieux — ou plutôt, je déteste moins — un fait divers... »

Si quelque chose pourtant avait pu détourner Mauriac de la campagne pour la clémence dans laquelle il s'était jeté à corps perdu, ce sont les interpellations de quelques anonymes qui le menacent par lettre ou par téléphone, et surtout cet article radiodiffusé d'Allemagne par l'un des furieux de *Je suis partout,* Pierre-Antoine Cousteau (un autre Bordelais), qui au lendemain d'un de ses articles du *Figaro* en faveur de la clémence, raille cette « indignation vertueuse et tardive », évoque avec regret le temps où il était « à notre merci » et jette : « ... Vous vous dites, François Mauriac, que vous pourriez être à votre tour la victime de quelqu'un. Alors vous avez peur ; vous avez froid dans le dos, vous voulez vous arrêter... Trop tard, François Mauriac... Si vos amis vous ratent, nous, je vous le promets, nous ne vous raterons pas ! »

Pendant quatre mois, de septembre à décembre 1944, François Mauriac a plaidé pour le *principe* de la clémence. A partir du début de 1945, c'est à des *cas concrets* qu'il va s'attacher, plaidant constamment pour arracher au bourreau, sinon Maurras, qu'il tient pour le coupable numéro un du dévoiement d'une large fraction de l'intelligentsia et de la bourgeoisie françaises (et qui au surplus n'est pas condamné à mort), mais Henri Béraud et Robert Brasillach, avant de faire valoir les arguments qui font, d'une certaine façon, du procès Pétain, celui de la France.

Les premiers procès, les condamnations à mort du journaliste Georges Suarez aussi bien que du commandant Paul Chack et le type d' « iniquité » dénoncé dans la lettre de Paulhan, contribuent à former, dans les dernières semaines de 1944, ce qu'on pourrait appeler la « doctrine Mauriac » en matière d'épuration, moins fondée sur la charité chrétienne, comme on le dit toujours, que sur une vision très politique. On peut la résumer en ces quelques points :

— On doit tenir pour innocent tout accusé dont la faute n'a pas été démontrée : condamner un « suspect » est un déni de justice.

— On ne peut manquer de tenir compte de ce que, pour odieuse qu'elle ait été, la politique de collaboration fut celle du gouvernement légal de la France, reconnu par les États-Unis et le Vatican aussi bien que par l'URSS jusqu'en juin 1941.

— On ne saurait parler de vraie « justice » quand les jurys sont formés de citoyens choisis, non en fonction de leur impartialité supposée, mais au contraire de leur hostilité déclarée à l'encontre du prévenu.

— On doit assigner pour objectif à une telle justice non la transformation d'un désordre fondé sur la haine en un désordre symétrique fondé sur une haine inverse, mais le retour à l'ordre qui se fonde, tôt ou tard, sur la « concorde entre les citoyens » chère à Hugo

En fait, ce Méridional réagit ici moins en chrétien, comme on l'a cru, qu'en fils de Montesquieu attaché à l'équilibre des pouvoirs et en petits-fils d'Henri-le-Béarnais : c'est la politique de l'Édit de Nantes plutôt que celle de l'Évangile. Dans le débat avec Camus, on l'a entrevu, les adversaires se battaient à fronts renversés. C'est *Combat* qui parlait de purification, sinon de bûchers. C'est Mauriac qui parlait, en vrai laïque, de paix civile et de nécessaire réconciliation pour rebâtir l'État et une société humaine.

Nanti de cette « doctrine », fort de la certitude que la clémence seule est politique, il part donc en campagne, dans un climat « de cauchemar », a-t-il écrit.

> « ... Tant de pauvres gens m'attribuaient un pouvoir que je ne détenais pas et venaient me supplier de sauver un père, un frère ou un ami... Je crois avoir fait ce que je pouvais, bien que jamais je ne me sois senti aussi démuni, aussi désarmé. Il n'empêche que ce n'est pas un moment de ma vie dont je rougisse... »

Démuni, désarmé ? Il est vrai qu'il n'a guère accès auprès de De Gaulle, comme chacun le croit : avant l'entrevue du 3 février 1945 (à propos de Brasillach), il ne l'a vu que deux fois, et en présence d'autres invités. Mais son fils Claude côtoie constamment le grand homme. S'il n'exerce sur lui aucune « influence » — de Gaulle est-il « entamable » ? — il pose des questions, il formule des objections qui sont celles de François Mauriac. Ce désarmé, ce démuni a donc non seulement le rayonnement de ses articles, mais son ambassadeur permanent auprès de l'homme du 18 juin...

Autour d'un verdict

Le hasard de l'histoire avait bien bizarrement choisi le premier « client » de cet avocat des désespérés. Qui de plus différent de l'auteur des *Souffrances du chrétien* que l'épais, le sonore, le tonitruant Henri Béraud, avatar populaire de Léon Daudet, gros appétit et « grande gueule » dont les chefs-d'œuvre étaient *le Martyre de l'obèse,* plaidoyer *pro domo* d'un homme trop gros et peu tourmenté par la métaphysique, et l'odieuse série d'articles de *Gringoire* qui avaient conduit Salengro au suicide, neuf ans plus tôt. Le bourgeois bordelais et le fils de prolétaires lyonnais se connaissaient un peu, pourtant. Béraud a évoqué, dans le livre inspiré par ce tragique épisode, *Quinze jours avec la mort,* une soirée parisienne, vers 1933, au cours de laquelle il avait ébloui le frêle M. Mauriac de sa faconde de reporter boulimique et planétaire :

« Curieux de toutes choses, il m'interrogeait presque avidement sur mes propres expériences, les dessous de la presse et la vie réelle des meneurs de peuples, que mon état de vagabond international m'avait fait approcher

Quand, dans leur solitude inhumaine, je lui montrais Trotski, Mussolini, Kemal, Pilsudski, Primo de Rivera, s'il m'interrompait, c'était pour me questionner encore, et ses questions allaient loin. Si différents que nous fussions, nous nous comprenions parfaitement. Aux derniers flonflons, nous montâmes en voiture, et je pensais le reconduire. Il ne l'entendait pas ainsi. Nous devions achever ensemble " à la manière de Béraud ", disait-il, cette nuit qui, de bars en bistrots nous mena souper dans un *ristorante* assez louche de la rue Germain-Pilon, où, entre deux roulades d'un ténor à mandoline et deux fiasques de frascati, nous parlâmes de la Ville Éternelle et de ses convulsions. »

De 1940 à 1944, Henri Béraud avait donné libre cours à sa vieille haine de l'Angleterre, et ses articles n'avaient pas peu contribué à accréditer une vision très pétainiste du destin de la France. Mais où étaient donc ses « intelligences avec l'ennemi » sur lesquelles les juges de la Libération fondaient leur sévérité ? L'avocat de Béraud, Me Albert Naud, fit appel à Pierre Brisson, directeur du *Figaro,* qui connaissait bien Béraud : l'accusé souhaitait que l'on sollicitât l'intervention de Mauriac.

Le 4 janvier 1945 paraissait l'article de François Mauriac intitulé « Autour d'un verdict[1] », qui mettait hardiment en cause la sentence de mort prononcée le 30 décembre 1944 contre Henri Béraud :

> « ... Nous ne sommes presque jamais punis pour nos véritables fautes. Henri Béraud n'a pas besoin de protester qu'il est innocent du crime d'intelligences avec l'ennemi. Les débats l'ont prouvé avec évidence. Certes son anglophobie, en pleine guerre — et bien qu'elle ne se manifestât qu'en zone libre — constitue une faute très grave. Mais si le fait que l'ennemi a utilisé certains de ses articles suffisait à le charger du crime de trahison, la salle des Assises serait trop petite pour contenir la foule des coupables. Au vrai, tout Paris sait bien que ce jugement est inique et certaines circonstances qui l'entourent, et qui seront connues (et qui sont incroyables), ajoutent encore à cette iniquité...
> Grâce à Dieu et pour notre honneur à tous, Henri Béraud n'a pas trahi... Qu'on déshonore et qu'on exécute comme un traître un écrivain français qui n'a pas trahi, qu'on le dénonce comme ami des Allemands, alors que jamais il n'y eut entre eux le moindre contact, et qu'il les haïssait ouvertement, c'est une injustice contre laquelle aucune puissance au monde ne me défendra de protester... »

Le soir même, François Mauriac recevait, du quartier des condamnés à mort de la prison de Fresnes, ce billet écrit au crayon : « Mon cher Mauriac, un homme qui depuis cinq jours vit sa propre mort a tendu la main vers vous. Cette main, vous l'avez prise, vous avez eu le courage et la générosité de la prendre. C'est en versant mes premières larmes que je viens de lire cet article où mon honneur est sauvé. Vous ne pensez certainement pas, Mauriac, que l'on puisse s'acquitter d'une dette pareille au moyen de remerciements. Je

1 Exclu de la sélection que constitue *Le Bâillon dénoué* (1945), mais publié dans le tome XI des *Œuvres complètes,* p 473

vous dis simplement que, par vous, toutes mes souffrances sont oubliées. Henri Béraud. »

Quelques heures plus tard, c'était de Germaine Béraud, la femme du condamné, qu'il recevait ce message : « Monsieur, c'est une femme éperdue de reconnaissance qui vient du fond du cœur vous remercier de votre article de ce matin. Mon Henri n'a pas trahi, et c'est dans mon immense malheur une consolation très douce de l'entendre dire avec cette force et ce courage par la voix la plus noble et la plus autorisée. Les mots sont impuissants pour vous témoigner mon éternelle gratitude de votre admirable intervention, mais je vous dois, Monsieur, depuis mon atroce et injuste calvaire, les premières larmes qui ne soient pas des larmes de désespoir [1]. »

Dans *Quinze Jours avec la mort,* Henri Béraud devait évoquer les heures où, vêtu de bure, les chaînes aux pieds, attendant le peloton d'exécution, il lut l'article de Mauriac : « ... J'avais reçu quelques lettres, les unes fort belles, d'autres plates ou ridicules. Hors cela, un oubli complet, un inimaginable abandon [...] Tous me laisseraient ainsi partir, dans l'indicible misère du réprouvé, sans même la banale, la pauvre, la dérisoire offrande d'un brin d'immortelles jeté sur ces quatre planches ?... Dans ce désert, un homme s'est levé. Ardent et solitaire, sa voix s'est fait entendre. Il y fallait un grand courage. Le plus grand peut-être : celui de rompre le silence, quand règne en tout lieu la servitude et la peur [...]. Ce soir, dans ma cellule, un lointain souvenir mêle aux rumeurs de Fresnes l'écho mélancolique des valses du Pré Catelan et les cavatines d'un chanteur italien. C'est qu'une ombre vient d'entrer, cher Mauriac, cœur généreux, vous seul m'avez entendu. Voici dans ma main qui tremble *le Figaro* avec votre article : " Autour d'un verdict. " On me l'a remis tout à l'heure — et, n'osant en croire mes yeux, j'ai lu... »

Tard dans la nuit du 6 janvier, le général de Gaulle reçoit les défenseurs d'Henri Béraud. L'entrevue est brève. Le général, dit-on, s'est montré impénétrable. En prenant congé, Me Naud a offert le dossier au chef de l'État qui, refusant du geste, s'est borné à dire : « Inutile ». Propos dont l'extrême brièveté pouvait revêtir une signification sinistre. Quoi qu'il en soit, le général de Gaulle avait promis de ne pas quitter Paris pour la conférence de Téhéran sans avoir arrêté sa décision.

Le lendemain, Béraud était gracié. Le 13 janvier, le général de Gaulle — qui confie à ses intimes le déchirement qu'il a éprouvé en confirmant le verdict frappant Paul Chack, et l'angoisse qu'il éprouve chaque fois à voir paraître à la porte de son bureau M. Patin, le président de la Commission des grâces — demande à son secrétaire, Claude Mauriac : « Qu'est-ce qu'a pensé votre père en apprenant que j'avais gracié Béraud ? » Le jeune homme parlant de sensibilité, de sentiment, de Gaulle lui réplique : « Il ne s'agissait que de justice [2]... »

1. Lettre inédite.
2. C'est à propos surtout de cette intervention de Mauriac que le plus systématiquement hostile de tous ses critiques, Pol Vandromme, biographe de Rebatet, a écrit dans son virulent pamphlet, *La Politique littéraire de François Mauriac*, qu'il a « à peu près seul troué le silence qui s'était abattu sur le temps de la vengeance. »

Le procès de Maurras s'était ouvert le 20 janvier 1945, devant la Cour de Justice de Lyon — où le vieux chef de *l'Action française* avait été appréhendé. Georges Suarez, journaliste et biographe de Briand, a été fusillé le 9 novembre. Paul Chack, officier et historiographe de la Marine, a été lui aussi exécuté, le 9 janvier. Henri Béraud et Robert Brasillach viennent d'être condamnés à mort.

Les haines accumulées sur la personne du leader monarchiste sont innombrables, et terribles. Il ne fait rien pour les atténuer. Interrogé, à l'ouverture des débats, sur les souhaits qu'il pouvait avoir à formuler, il riposte : « La liberté. Des excuses. Et la tête de M. de Menthon[1]. » Quand il s'entend rappeler le principal chef d'accusation, un atroce article du 2 février 1944 où il dénonçait à la police la famille Worms (ces « nomades »), dont l'un des fils, Pierre, paya ces mots de sa vie, il ose rétorquer : « Au début de 1944, les juifs de beaucoup de pays devenaient arrogants ! » Et plus tard, apprenant le verdict, il rugira : « C'est la revanche de l'affaire Dreyfus ! »

François Mauriac lit les comptes rendus de ces échanges avec d'autant plus d'horreur qu'il a jadis été un admirateur anxieux du vieil accusé, dont il aurait pu dire, comme de Gaulle, qu' « à force d'avoir raison, il est devenu fou ». Il voit redoubler, lors de ce procès, les menaces de représailles contre sa famille et lui. Depuis le premier jour, c'est à Maurras, on dirait presque au seul Maurras, à ses yeux coupable central d'un criminel détournement du nationalisme français, qu'il a réservé ses coups. Si un homme doit être châtié, c'est lui. Mais, quelques jours avant l'ouverture du procès, c'est notamment à son propos qu'il a publié l'un de ses articles essentiels : « Les conséquences politiques de l'épuration », où après avoir concédé que « l'épuration est un mal nécessaire [qui] était en germe dans la collaboration » et qu'elle doit être « subie comme la rançon inéluctable de Vichy », il ajoute : « Nous croyons qu'il n'est pas trop tôt pour chercher à découvrir l'issue de ce monotone, de ce sanglant labyrinthe. »

A la veille même des débats, il lance (sous un titre significatif à propos de Maurras : « Le royaume divisé ») ces quelques mots, si antimaurrassiens dans l'esprit et si promaurrassiens dans la forme et surtout dans le débat immédiat, qu'ils pèseront dans la balance du tribunal de Lyon : « Le destin de notre petite France encore chancelante tient dans la force dont elle dispose pour résister à tout ce qui fait d'elle, ... surtout depuis la fin de l'ancien régime, [...] un royaume divisé contre lui-même. » Par son fils Claude, il fait parvenir à de Gaulle une lettre d'universitaires anglais exprimant le vœu que le vieil accusé ne soit pas condamné à mort — et lui fait dire, pour sa part, qu'un tel verdict couperait définitivement du nouveau régime une fraction importante de la nation.

Le samedi 27 janvier, explosion de joie chez les Mauriac : le vieil enragé de Lyon n'est pas condamné à mort. Réclusion perpétuelle... Claude Mauriac a cette réaction : « Si de Gaulle n'a pas à gracier Maurras,

1 Le ministre de la Justice

Brasillach a une chance... La menace qui pesait sur la vie de mon père et qui la hantait depuis des semaines s'écarte. Inutiles, les verrous de sûreté de la porte, et l'ange gardien... Notre voisin du dessous va pouvoir enlever la prudente pancarte épinglée sur sa porte... afin que les assassins ne pussent se tromper ni d'étage ni de victime[1]... »

Il n'a donc pas à arracher au bourreau cet étrange champion du « nationalisme intégral » qui a fait taire sa détestation de l'Allemagne pour mieux assouvir sa haine de la République et des juifs. Il lui faut maintenant essayer de sauver Robert Brasillach.

Signé Robert Chénier

Robert Brasillach, qui a refusé de quitter Paris et de fuir en Allemagne avec bon nombre de ses camarades, s'est constitué prisonnier le 14 septembre, après avoir appris que sa mère et son beau-frère Maurice Bardèche, qui n'a pas eu d'activité politique pendant la guerre, ont été arrêtés — en quelque sorte à sa place. Disciple de Maurras, à 33 ans il est depuis plus de dix ans le symbole de la nouvelle génération de droite, dont l'organe le plus brillant et le plus violent est *Je suis partout.* Auteur d'une thèse sur Corneille, brillant essayiste et critique, aimable romancier des *Sept Couleurs,* historien du cinéma, il a été l'un des avocats les plus écoutés du « fascisme immense et rouge », découvert avec ivresse à Nuremberg.

Un an avant la Libération néanmoins, aussi lucide que Drieu, il a quitté *Je suis partout,* dont les animateurs, ses camarades de la veille, l'ont alors insulté en tenant des meetings sous le titre : « Nous ne sommes pas des dégonflés ! » Il a aidé des juifs à se cacher, détourné des jeunes gens de s'engager dans la Milice ou la Légion antibolchevique. Mais ces distances tardivement prises avec les plus fanatiques ne suffisent pas à l'exonérer des responsabilités assumées par le courant d'avant-garde de la collaboration. On prétend qu'il a, visitant le front russe, revêtu l'uniforme nazi. Il s'affiche en tout cas aux côtés des occupants.

Des années durant, il a fait de Mauriac la cible de ses polémiques de *Je suis partout,* s'en prenant aussi bien, sur le plan esthétique, à ce « pasticheur » de Flaubert que, sur le plan politique, à cet ami des « rouges » d'Éthiopie ou d'Espagne[2]. Il n'est pas de sarcasme qu'il n'ait adressé à l'auteur du *Nœud de vipères,* pas de brocard qu'il lui ait épargné, d'imputation perfide qu'il n'ait retenue à son propos.

Entre le 20 et le 23 octobre 1944, François Mauriac reçoit une lettre d'une certaine Mme Maugis qui écrit : « Comment vous, chrétien, catholique,

1 *Le Temps immobile* 5, p. 125

2 Ayant écrit un livre sur la guerre espagnole, il l'envoya à Mauriac ainsi dédicacé « A François Mauriac, égaré R B »

pouvez-vous en appeler ainsi à la vengeance ? N'y a-t-il pas déjà trop de sang versé, trop de larmes et de désastres ? » Elle lui fait comprendre qu'elle est la mère, remariée, de Brasillach. Trois jours plus tard, cette correspondante, très étonnée, reçoit cette brève réponse, sur une carte postale : « Je ferai mon possible. Respectueux hommage. F. M. »

Le 27, ainsi encouragée, Mme Maugis-Brasillach revient à la charge. Elle précise que le père de l'écrivain, officier d'infanterie coloniale, a été tué trente ans plus tôt au Maroc, et ajoute : « Vous vous demandez peut-être pourquoi je m'adresse à vous. Je ne le sais pas très bien moi-même. C'est une impulsion, quelque chose qui me pousse à vous écrire *à vous* [...]. J'ai eu l'obsédant désir de vous écrire... Je lis vos articles du *Figaro*... Il me semble y sentir beaucoup d'angoisse devant tout ce sang déjà répandu, et devant celui qu'on se prépare à verser encore... »

D'autres démarches cependant sont tentées, sur d'autres terrains, en faveur du jeune écrivain incarcéré. Son avocat, Me Jacques Isorni (qui a noué avant la guerre quelques relations avec le colonel de Gaulle, et pense pouvoir en tirer avantage pour son client) prend contact avec son ami Thierry Maulnier, lui-même assez lié avec Mauriac en dépit de leurs antagonismes politiques. Tous deux, et Henri Poulain, ancien secrétaire de rédaction de *Je suis partout,* conviennent qu'en raison de son prestige, de son attitude pendant la guerre, des relations qu'on lui attribue avec le général de Gaulle, de la tribune dont il dispose au *Figaro,* l'auteur du *Cahier noir* est l'homme qui peut sauver Brasillach. Ainsi, parallèlement à l'autre, se noue l' « intrigue » qui va impliquer Mauriac dans la campagne pour sauver son jeune adversaire.

Le 31 octobre, Claude Mauriac note qu'après la mère du prisonnier, Thierry Maulnier a écrit à François Mauriac pour lui affirmer « que lui seul peut le sauver du poteau. Et le voici bien embarrassé, ne sachant sous quelle forme présenter cette indéfendable défense devant laquelle je sens pourtant qu'il ne se dérobera pas. Il murmure : " Mais comme l'envie me prend quelquefois de fermer les yeux, de tout lâcher, de fuir... Le vertige me saisit à voir mon importance — celle qu'on me suppose — et de quel ton déférent me parlent les ministres... " »

Mais il ne « lâche » pas. Et les voilà tous deux partis en campagne, le père et le fils. Il n'est plus guère de jour où le secrétaire du général de Gaulle, incité ou non par son père, ne tente d'intéresser l'un ou l'autre des membres de « l'entourage », ou quelque puissant personnage au sort de cet homme qu'il ne pouvait voir sans dégoût quelques mois plus tôt, à la terrasse des Deux-Magots, le vouant alors aux pires châtiments. Certains des arguments qu'ils se donnent pour agir sont excellents, et d'abord le caractère inique de ce type de « justice ». D'autres sont bien faibles. Mauriac n'ira-t-il pas jusqu'à écrire que, tué au Maroc, son père « avait tout payé d'avance » ? Suffit-il d'avoir eu un père tué à la guerre pour n'avoir à répondre de rien dans le cours de sa vie ? Et que dire de cet autre : on ne saurait abattre « une tête pensante » ? Serait-il plus juste de guillotiner les analphabètes ?

On ne garde pas de traces de la démarche que tente François Mauriac entre le 10 et le 12 novembre en faveur de Brasillach. Il reçoit en tout cas une lettre de Mme Maugis qui, informée par Me Isorni, le remercie de sa « miraculeuse intervention », lui dit son « éblouissement » et conclut : « Soyez béni pour ce geste si noble et si grand... Je souhaite qu'un jour mon enfant puisse vous dire lui-même ses sentiments... »

Ses sentiments, Brasillach les fait entendre à Mauriac en lui adressant, par le truchement de son avocat, un poème qu'il signe « Robert Chénier », dédié à l'auteur du *Sang d'Atys :*

> ... Ceux que l'on mène au poteau
> dans le petit matin glacé
> au front la pâleur des cachots
> au cœur le dernier chant d'Orphée
> tu leur tends la main sans un mot
> ô mon frère au col dégrafé.

Les *Lettres écrites en prison,* de Robert Brasillach, reflètent les sentiments de reconnaissance qu'inspirent au prisonnier les démarches de son adversaire mué en intercesseur. Le 16 décembre 1944 : « J'ai vu l'article de Mauriac intitulé " Justice ". Il est très beau, c'est sûr. » Le 9 janvier 1945 : « Mauriac s'institue de plus en plus le défenseur des emprisonnés... [Il a] osé citer Rimbaud : " Voici le temps des assassins !... " » Le 20 janvier (Brasillach a été entre-temps condamné à mort) : « ... Ce pauvre Mauriac finit par être démonétisé à force de faire le saint François des Assises... » Et le 26 : écrivant à sa mère : « ... Mauriac a vraiment agi avec une générosité parfaite... »

A la veille du procès, Me Isorni a de nouveau écrit à Mauriac pour lui demander de venir témoigner à la barre. Le romancier a répondu en lui adressant une lettre destinée à être lue à l'audience. Ce que fit l'avocat. Nul doute qu'un jury moins prévenu que celui qu'avait convoqué la « justice » de ce temps en eût été impressionné :

> « ... Par Brasillach, toute une génération exprime ses goûts et ses dégoûts. On lui doit sans doute les meilleures pages qui aient été consacrées au cinéma entre les deux guerres, et au théâtre d'avant-garde. Chaque génération prend conscience d'elle-même en un très petit nombre d'écrivains. Pour les hommes de droite, Brasillach fut l'un d'eux. Si la Cour estime qu'il a été, en politique, un disciple passionné, aveugle ; que très jeune, il a été pris dans un système d'idées, dans une logique implacable, elle attachera peut-être quelque prix à ce témoignage d'un homme, d'un écrivain que Brasillach a toujours traité en ennemi, et qui pense pourtant que ce serait une perte pour les lettres françaises si ce brillant esprit s'éteignait à jamais. »

Robert Brasillach, dont le procès a été retardé par deux fois, comparaît devant la Cour de justice de la Seine, le 17 janvier 1945. Il refuse de fuir ses responsabilités, réclame d'être jugé sur ses idées, produit avec talent les arguments qui font la trame de sa *Lettre à un conscrit de la classe 1960,* écrite en prison et qui est un plaidoyer intelligent pour la politique de collaboration, impressionne les jurés par sa dignité. Il n'en est pas moins condamné à mort le 19 janvier, au titre de l'article 75 du Code pénal, qui a trait aux intelligences avec l'ennemi. Simone de Beauvoir qui a refusé, comme Sartre (et d'abord Camus, rallié ensuite aux « indulgents »), de signer un texte en faveur de la clémence des juges, mais avait voulu honnêtement assister au procès, décrit Brasillach tenant tête « calmement à ses accusateurs et, quand la sentence tomba, ne bronchant pas... » Courage qui, ajoute-t-elle, « n'effaçait rien ».

François et Claude Mauriac, eux, ne vont plus avoir de repos. Le 20 janvier, l'éditorial de l'auteur du *Cahier noir* exhale pour la première fois comme un relent d'opposition : « ... Notre histoire future prend forme et se fixe à jamais à mesure que se développe cette politique intérieure que ma charité bien connue me retient de qualifier... » Et le 24, tendant une main à l'histoire et l'autre aux communistes :

> « N'existe-t-il donc aucune autre peine que la mort ? Les seules exécutions que l'Histoire ne pardonne pas à la Terreur, ce sont celles des philosophes et des poètes. La seule parole dont elle ne l'absoudra jamais, c'est celle de la brute Cofinhal : " La République n'a pas besoin de savants. " Pour un Philippe Barrès [1], dont l'indifférence au talent n'est sans doute pas jouée, je sens bien de l'inquiétude et du trouble dans certaines lignes de Pierre Bénard [2], dans les reproches que m'adresse un grand résistant comme Pascal Copeau.
> Souvent ceux qui ont le plus souffert et qui souffrent encore dans leurs proches sont aussi les plus désireux d'enlever à l'Allemagne cette dernière victoire : une haine inexpiable entre les Français. Des milliers de jeunes intellectuels, et même, je le sais, des étudiants communistes, éprouvent cette sainte impatience : s'unir pour " l'immense effort de l'esprit " que le général de Gaulle saluait à la Sorbonne. "Le relèvement de la France, s'écriait hier à Ivry Maurice Thorez, ce n'est pas la tâche d'un seul parti, non plus que de quelques hommes d'État, c'est la tâche des millions de Français et de Françaises, c'est la tâche de la nation tout entière. " Qu'il sache bien que ces paroles trouvent en nous un écho profond. »

Le 21 janvier, François Mauriac a reçu de Fresnes, deux semaines après celle de Béraud, cette lettre de Brasillach :

« Cher François Mauriac, je vous ai peu rencontré dans la vie, nous avons dû nous écrire deux ou trois fois, et ce que j'ai publié sur vous n'a jamais été fait pour m'attirer votre amitié. C'est malgré cela que vous avez écrit à mon défenseur une lettre qui a été lue à l'audience, et qui, au-delà des éloges excessifs qu'elle contenait, m'est allée au cœur, depuis que je la connais, par sa générosité et son oubli de tout ce qui nous séparait [...] Aujourd'hui, je suis à l'heure de la franchise. Non seulement dans le passé bien des choses m'ont heurté dans votre action, mais au début même de l'époque que nous vivons depuis cinq mois, je me suis senti terriblement blessé de ce que vous disiez. Depuis, la position que vous avez prise et qui vous a valu tant

1 Fils de Maurice, alors rédacteur en chef de *Paris-Presse*.
2. Rédacteur en chef du *Canard enchaîné*.

d'attaques a fait reposer sur vous bien des espérances dont vous pouvez être fier [...]

Je vous dis cela ce soir, sous la lampe à réflecteur perpétuellement allumée. Quinze camarades sont partis tout à l'heure pour la Centrale de Poissy, trouver au milieu des voleurs le silence perpétuel. Le lit où je m'étends était occupé il y a trois semaines par un dépeceur de cadavres. J'ai comme lui une chaîne qui lie mes chevilles, entre deux lourds anneaux, le jour et la nuit. J'ai encore, sur la planchette qui me sert de table, le théâtre de Shakespeare, les œuvres d'André Chénier et l'Évangile. Les détenus de droit commun qui nous apportent la nourriture sont très polis et attentifs avec moi, les gardiens aussi ; il n'y a eu hier qu'un garde républicain pour me regarder à travers le guichet et m'injurier, mais ce fut le seul. [...]

Quand j'avais seize ans et que je lisais pour la première fois vos livres, *le Désert de l'amour* et *le Jeune Homme,* je ne prévoyais pas les singuliers chemins qui nous mèneraient l'un et l'autre à cette rencontre invisible. Ce n'est pas moi qui vous aurais rien demandé : il a fallu l'instinct imprévisible et sûr d'une mère, le dévouement d'amis. Ils ne se sont pas trompés en pensant que votre cœur crèverait tous les barrages que pourrait opposer votre esprit. Les plus grandes chances sont que nous ne nous rencontrions désormais que dans l'invisible : si je voulais en douter, les chaînes que je porte, et dont le bruit m'accompagne quand je vais de ma chaise à mon lit, me le rappelleraient à chaque instant. Mais dans l'invisible, il me semble aujourd'hui que nous nous reconnaîtrons.

C'est pourquoi, cher François Mauriac, je vous renvoie, au-delà des cellules glacées, mon souvenir et mon remerciement. »

Hors de la prison, cependant, beaucoup s'efforcent de le sauver — ses amis Thierry Maulnier, Marcel Aymé et Jean Anouilh, bien sûr, mais aussi, infatigables, François et Claude Mauriac. Le dernier a rédigé une pétition qu'il espère voir signée par de très nombreux intellectuels. Si contestables soient certains des arguments qu'il emploie (notamment celui qui met hors de pair une « tête pensante même si elle pense mal ») —, ce plaidoyer pour le pardon d'un ennemi impressionne d'autant plus que c'est l'auteur du *Nœud de vipères* qui s'emploie lui-même à recueillir les signatures à l'Académie. Ce qui lui vaut cette aigre remarque d'Henry Bordeaux : « En somme, vous vous employez à éteindre les incendies que vous avez vous-même allumés... » — à quoi il riposte : « Il est tout de même désagréable de se faire traiter de pompier par Henry Bordeaux ! » En fin de compte, la grande majorité de ceux qui sont sollicités signent, même Duhamel qui, injustement accusé par Brasillach au cours du procès d'avoir entretenu, sous l'Occupation, des relations avec l'Institut allemand, avait d'abord refusé de s'associer à la démarche.

Beaucoup d'autres firent des objections avant de signer, comme Camus, ou tentèrent de se récuser, comme Colette. Picasso répondit qu'il lui fallait « l'accord du parti », et un critique déclara qu'il ne signerait que si « cela ne se savait pas »

Académiciens, « pompiers » ou autres, soixante-trois écrivains et artistes signèrent la pétition, beaucoup moins politique en fin de compte que celle rédigée par Claude Mauriac. C'est Jacques Isorni qui fit prévaloir cette rédaction exemplairement anodine :

« Les soussignés rappellent que le lieutenant Brasillach, père de Robert Brasillach, est mort pour la patrie le 13 novembre 1914 et demandent au général de Gaulle, chef du gouvernement, de considérer avec faveur le recours en grâce que lui a adressé Robert Brasillach, condamné le 19 janvier 1945. »

Le 28 janvier, François Mauriac reçoit la visite de Marguerite Maugis-Brasillach, qui tente auprès de lui une démarche presque désespérée. Il devait confier plus tard à son entourage à quel point cette entrevue l'avait bouleversé. Dans une lettre adressée à son frère, à Fresnes, Suzanne Bardèche, sœur du prisonnier, raconte la scène : « ... Maman l'a fait pleurer en lui racontant nos malheurs... Il tendait les bras comme pour dire : assez ! assez ! ça suffit !... Et il serrait maman sur son cœur. Et il a évidemment promis de faire tout ce qu'il pourrait, tout ce qu'il pourrait[1]. »

En tout cas, deux jours plus tard, Robert Brasillach écrit à François Mauriac :

« Je sais que vous avez reçu maman, avec tout votre cœur... Vous avez dit à ma mère, me dit-on... que vous m'avez toujours aimé... Cela m'émeut que vous l'ayez dit justement à ma mère, qui est si terriblement sensible à tout ce qui me touche... Voilà le douzième jour, je crois, de ma condamnation, c'est-à-dire que nous approchons de la péripétie finale. Cela m'est un merveilleux réconfort de me souvenir, non pas de quelques peureux et de quelques oublieux, mais de ceux qui m'ont aimé, même si je leur apparaissais comme un ingrat... J'aime la vie terrestre : mais il m'aura toujours été doux, dans cet hiver glacé où je suis enchaîné, de rencontrer un ami inconnu [...] On ne m'aura pas volé vos livres qui, par hasard, se trouvent tous dans la maison de ma mère. J'imagine que lorsque les miens les reliront [...] ils y trouveront comme un reflet de moi-même. Que vous le vouliez ou non, pour beaucoup d'êtres maintenant, nos deux noms vont être liés dans le souvenir. Pour ma part, je n'y vois aujourd'hui que le plus extrême contentement.

Voici ma lettre. Je ne sais pas si elle vous dira grand-chose. Elle ne vise ni à persuader, ni à séduire. Seulement à exprimer bien mal tant de choses confuses. Je suis allé deux fois à pied à Notre-Dame de Chartres. Nous devions y retourner, avec des amis, quand la guerre serait finie. Ceux qui iront ne vous oublieront pas. Cher François Mauriac, je vous embrasse »

N'eût-il pas reçu cette accolade bouleversante, Mauriac se fût tout de même acharné à arracher au peloton d'exécution ce poète de 33 ans. Sans qu'il lui ait précisément demandé audience, le général de Gaulle — qu'il n'a

1 *Cahiers des amis de Robert Brasillach*

vu encore que deux fois depuis la Libération, et jamais en tête à tête — le prie de passer le voir le 3 février, un peu avant 11 heures, rue Saint-Dominique. Cette initiative du chef du gouvernement, qu'il imagine liée au problème de la grâce de l'écrivain, lui donne de l'espoir. Sur le plan humain, la rencontre n'est pas heureuse. C'est à cette occasion que l'auteur de *Thérèse* devait dire à son fils Claude : « J'ai eu l'impression désagréable d'être enfermé pendant une demi-heure avec un cormoran... et qui parlait cormoran... »

S'agissant de Brasillach, on donne d'abord ici la version de Mauriac[1]. Le visiteur — qui recourut notamment à l'argument des « apparences de légitimité » de Vichy et du « mythe Pétain » — recueillit l'impression que de Gaulle était favorablement disposé : « Brasillach, c'est une affaire d'opinion... Je ne crois pas qu'il sera fusillé... » Le général avoua cependant à son interlocuteur qu'il n'avait pas encore vu le dossier... Mais l'impression d'un préjugé favorable dominait.

« J'ai eu l'impression très nette, dit François à Claude Mauriac, que la question *politique* ne se posait pas pour lui lorsqu'il s'agissait de donner ou de refuser la grâce [...] C'est un point qui contredit l'inhumanité apparente du Général. Je dois ajouter qu'il me parla de l'épuration avec beaucoup de tact et de sensibilité. " Je gracie toujours les mineurs..., me dit-il, miliciens ou pas, je les gracie... " »

Le lendemain soir, alors qu'ils sont encore dans le doute, Mauriac est invité à dîner à l'ambassade d'URSS : « C'était la première fois que j'y pénétrais. Dans une chiche lumière, je gravis un escalier où le personnel impressionnait par sa carrure. Je m'étais attendu à un grand dîner d'apparat ; mais nous ne fûmes que trois ou quatre autour de l'ambassadeur — et à la place d'honneur, Georges Bidault, ministre des Affaires étrangères. Je l'interrogeai anxieusement au sujet de Brasillach : sa réponse tomba comme un couperet. Je compris que cette nuit qui commençait serait la dernière nuit de cet écrivain[2]... »

Le 5 février, dans la matinée, on apprenait le rejet du recours en grâce de Robert Brasillach. Dans la soirée, plusieurs amis du condamné, dont Henri Poulain, se précipitaient une fois encore chez Mauriac, visiblement atterré, qui leur dit : « J'ai fait tout ce que j'ai pu... »

Voici le moment de donner la parole à Me Isorni :

« J'avais été convoqué par de Gaulle dans la nuit du 3 au 4. Il se refusa à tout échange. Il n'avait, me dit-il, aucune question à me poser. Il me fit cependant une réflexion. Comme je lui montrais la liste des écrivains signataires de la pétition en faveur de la grâce, sur laquelle figuraient plusieurs noms d'hommes fort peu favorables à la Résistance, il grommela " Et Abel Hermant[3], il n'a pas signé ? " Ce qui n'était pas encourageant.

Quand, le lundi 5, dans la matinée, je fus informé du rejet du recours en

1 *Le Temps immobile*, 5, p 135-137
2. En fait l'avant-dernière.
3 L'exclu de l'Académie pour fait de collaboration

grâce, je téléphonai aussitôt à Mauriac qui ne cacha pas sa stupéfaction. Il a déclaré depuis que de Gaulle ne lui avait fait aucune promesse, et que c'est probablement en étudiant le dossier — dont il n'avait pas connaissance lors de leur entretien de l'avant-veille — qu'il avait trouvé le mobile de sa décision. Mais le 6 février, au soir de l'exécution, Mauriac m'adressait une lettre dans laquelle, après m'avoir prié de transmettre à Mme Maugis un message de sympathie, il ajoutait : " Que s'est-il passé ? Samedi matin, le général [...] m'a dit 'Mais non, on ne fusillera pas Brasillach... !' Il est vrai qu'il n'avait pas encore vu le dossier [...] Je ne puis rien ajouter. Tout cela est au-delà des paroles. J'espère que vous avez compris qu'il n'y avait plus rien à tenter une fois la décision prise par le général. D'ailleurs, le général n'est pas accessible. C'était une chance extraordinaire de l'avoir vu samedi. Profondément et tristement à vous. F.M. " »

Qu'y avait-il donc dans ce dossier ? Louis Vallon, fidèle du général, cité par Me Isorni, assurait que de Gaulle avait été déterminé par la découverte dans le dossier d'une photo de Brasillach revêtu de l'uniforme allemand. Au cours d'un entretien avec Louis Jouvet — rapporté dans les mémoires de Léo Laparra, proche collaborateur du comédien — le général de Gaulle aurait répondu à son interlocuteur qui le pressait de lui expliquer le refus de la grâce de Brasillach, qu'après avoir vu un tel document, il n' « était plus possible d'accorder la grâce à laquelle il était auparavant disposé ». Il aurait ajouté que la faute en incombait à « cet imbécile d'avocat de Brasillach qui avait laissé traîner une telle pièce dans le dossier... ».

Selon Jacques Isorni, dont l'argumentation est corroborée par d'autres personnes mêlées à l'affaire, et moins passionnées que lui, un tel document photographique n'existe pas. En revanche, le dossier contenait une photo de Jacques Doriot en uniforme d'officier de la Waffen SS. Sur le front de l'Est, entouré de Claude Jeantet et Robert Brasillach, tous deux en civil. Comment une telle confusion fut-elle possible ? L'écrivain était de modeste stature, le chef du PPF une sorte de géant. Il est vrai que tous deux avaient le visage brun, rond, portant de grosses lunettes, le front surmonté d'une mèche noire. La méprise n'en reste pas moins mystérieuse.

Pour Me Isorni, la seule explication possible de la décision du général est d'ordre politique, sinon « politicien ». Ni Maurras ni Béraud n'avaient été exécutés. Les communistes exigeaient la tête d'au moins l'un des « grands » de la collaboration. Brasillach tombait à point pour servir de bouc émissaire. C'est pour alléger de terribles pressions exercées sur lui par le PCF que de Gaulle aurait « lâché » Brasillach. Mais il ne faut pas oublier non plus, dans le domaine politique, le rôle qu'ont pu jouer certains dirigeants du MRP. C'est l'un d'eux, François de Menthon — probablement favorable à la grâce — qui était ministre de la Justice : mais il ne faut pas oublier sur quel ton, selon Mauriac, Georges Bidault, principale personnalité du Mouvement, répondait à Mauriac lui demandant, à l'ambassade soviétique, si la grâce interviendrait.

Quelques mois plus tard, à Claude Mauriac qui exprimait discrètement devant lui le regret de l'exécution de l'auteur de *Notre avant-guerre*, le général rétorquait « Il a été fusillé, comme un soldat… — Évidemment, fit l'autre, si vous tenez pour un honneur d'être fusillé… »

François Mauriac, pour sa part, n'a jamais cessé d'affirmer que, lors de l'entrevue du 3 février 1945, de Gaulle ne lui avait nullement *promis* que Brasillach ne serait pas exécuté. Mettant constamment l'accent sur le fait — rappelé dans la lettre à Jacques Isorni — que le chef du gouvernement n'avait pas encore vu le dossier quand il le reçut — ce qui entachait toute promesse de suspicion — il soutient que les propos du général furent vagues : « J'en avais été trop inquiet, malgré ses paroles d'espoir pour ne pas me fier à ma mémoire sur ce point[1]… »

Disons alors que la rédaction de sa lettre à Isorni, le 6 février, fut pour le moins imprudente. L'émotion explique bien des choses. Mais il n'est pas certain que c'est quand elle agit le plus puissamment qu'elle sert le plus mal la mémoire.

Le 6 février 1945, vers 9 h 40, Robert Brasillach était fusillé au pied d'une butte de gazon du fort de Montrouge. Avant de mourir, il remettait à Me Isorni un court texte écrit dans la nuit, *la Mort en face,* un dernier poème, *Lazare,* un testament où il demandait que les passages hostiles à François Mauriac contenus dans des œuvres comme *les Quatre Jeudis*[2] et *Notre avant-guerre* fussent supprimés dans les rééditions futures, et un hommage aux intellectuels français qui s'étaient prononcés en faveur de sa grâce, et notamment ceux pour lesquels il lui était arrivé de se « montrer particulièrement sévère » et de ne « rien faire pour mériter leur appui. C'est chez ceux-là, soulignait le condamné, que j'ai trouvé les défenseurs les plus ardents, et ils m'ont ainsi montré une générosité qui est dans la plus grande et la plus belle tradition des lettres françaises […] Au-delà de toutes les divergences et de toutes les barricades, les intellectuels français ont fait à mon égard le geste qui pouvait le plus m'honorer ».

Le dernier poème de Brasillach, daté du 4 février 1945, est intitulé *Lazare :*

> Compagnon de Dieu, Lazare mon frère
> Viendrez-vous demain, viendrez-vous ce soir
> O vous né deux fois aux joies de la terre
> Patron à jamais des derniers espoirs.

Les coups de feu de cet autre 6 février ne pouvaient clore l'histoire des rapports entre Mauriac et ce jeune mort. Le lendemain, 7 février, ce n'est pas

1 *Bloc-Notes,* 5, p. 18.
2. Note figurant dans les dernières éditions des *Quatre Jeudis* .
« Conformément à la volonté de Robert Brasillach, le chapitre consacré, a cette place, a François Mauriac, a été supprimé. On sait que François Mauriac avait fait une démarche pressante auprès du chef du gouvernement provisoire pour obtenir la grâce de Robert Brasillach que cette grâce lui fut promise et que la promesse ne fut pas tenue. »

le ton de l'émotion frémissante qu'il adopte, mais celui d'une grave méditation sur les verdicts de l'histoire, les rapports entre Richelieu, Dieu et ses ennemis — en fin de compte la raison d'État. Mais ce n'est pas pour absoudre celui qui vient de refuser d'user de son droit de grâce :

> « Les ennemis de Richelieu étaient tous des coupables : la plupart avaient trahi. D'où vient que devant l'histoire ils fassent figure de victimes ? C'est que ce que nous appelons l'Histoire ne reflète pas seulement les ruses et les pensées des hommes politiques, mais aussi les sentiments confus des hommes humains, si j'ose dire, de ceux qui [...] gardent leur foi obstinée en la valeur d'une seule vie et s'attachent follement à une créature éphémère, parce qu'ils savent qu'elle est irremplaçable. »

On ne saurait voir là l'absolution du « cormoran ». Chose curieuse, le passionnant, très émouvant et sincère *Temps immobile* de Claude Mauriac, où surgissaient pourtant depuis des mois des protestations contre les diverses manifestations de la « Raison d'État » auxquelles est associé cet intellectuel aux mains propres, ouvre ici une zone de silence béante. Ni cri de colère individuel, ni évocation d'une déploration commune avec son père, ni geste de rupture. Seul interviendra plus tard le court dialogue sur « l'honneur d'être fusillé » cité plus haut. S'est-il dit que d'un cormoran il ne faut pas attendre ce qu'il ne peut donner ? En tout cas, il ne procède pas à l'examen de ce fameux dossier, non examiné par le général le 3 février et qui, le 5, lui fait envoyer Brasillach à la mort.

A la demande de la mère et des amis de Brasillach, François Mauriac obtint que le corps du supplicié soit ramené de la sépulture de Thiais au cimetière du Père-Lachaise. Le 27 avril, il reçoit cette lettre de Marguerite Maugis :

« ... Me voici revenue de Paris où je suis allée accompagner mon Robert à sa dernière demeure. Grâce à vous, il repose dans un lieu décent, dans ce Paris qu'il a tant aimé... J'ai pu regarder sans mourir ce spectacle déchirant de son exhumation... J'aurais tant voulu le revoir, je ne sais pas pourquoi on m'en a empêchée. Ensuite, j'ai fait dans cette matinée d'avril tout ensoleillée, en passant sur ces bords de Seine où il s'est promené avant d'aller se livrer à la justice de son pays, ma dernière promenade avec mon enfant mort... Au Père-Lachaise, il est près d'une école, il entendra les cris des enfants [...] Maître, je vous remercie encore de tout ce que vous avez fait, je vous remercie de m'avoir aidée à reprendre le corps de mon enfant... Je ne désire et n'attends plus rien. Je vous prie de croire à mes sentiments de reconnaissance et d'affection profondes... »

Et un an plus tard, il recevra encore d'elle une lettre :

« Je ne suis pas toujours d'accord avec vous, mais je vous aime bien. Je me souviens de votre accueil quand je n'étais qu'une épave ravagée jusqu'au fond de l'être. J'ai vu que vous étiez bon... Robert aussi l'a vu... »

Deux ans plus tard, la tragédie Brasillach viendra encore le hanter violemment. Maurice Bardèche, beau-frère et intime ami de l'écrivain exécuté, coauteur de sa brillante *Histoire du cinéma*, bon exégète de

Stendhal, publie un pamphlet contre la France de la Libération. Comment choisit-il de l'intituler ? *Lettre à François Mauriac*. Pourquoi ? Parce que, dit-il dans son exorde, « je me sens tenu à votre égard, vous savez pourquoi, à des ménagements que je n'aurais pas sans doute pour un autre homme d'opinion. J'ai pensé qu'en m'adressant à vous j'arriverais à parler avec plus de mesure... »

Mesure ? Si le mot y est, on cherche ici la chose. Cette « lettre » s'ouvre par l'évocation d'une visite faite à Mauriac par Bardèche en avril 1945, au lendemain du transfert de la dépouille de Brasillach. L'auteur décrit un Mauriac « inquiet », notamment de « l'ascension du communisme », mais aussi, beaucoup plus profondément, à propos du bien-fondé de ses prises de position politiques — inquiétude qui s'exprime, d'après Bardèche, par cette question : « Reconnaissez-vous, maintenant, que vous avez eu tort ? »

Sommation choquante à coup sûr, si elle fut ainsi lancée à un homme qui, peu mêlé à la collaboration active lui-même, avait si cruellement souffert de la répression et n'était plus alors qu'un vaincu et un isolé. Mais à lire le reste de la « lettre », on peut imaginer que ce que le visiteur disait à l'homme qui avait tenté de sauver son beau-frère, était de nature à lui faire perdre son sang-froid...

Fâcheuse ou non, la question de Mauriac, assure Maurice Bardèche, « est au cœur de tout le débat ». Que cette question ait pu être posée, et sur ce ton, voilà qui sonne, dit-il, comme un aveu ; et il en prend avantage pour la retourner contre Mauriac, à qui il adresse cette contre-sommation : « Reconnaissez-vous, maintenant, que vous avez eu tort ? » Lui à qui est révélé le monstrueux bilan de ses alliés de naguère, lui qui n'a rien fait pour sauver, sur l'autre rive, les fusillés et les guillotinés de 1940 à 1944, le voilà qui se pose en justicier... On ne sait quelle fut la réaction de Mauriac, probablement un silence accablé [1]...

Le souvenir de Robert Brasillach reviendra souvent hanter Mauriac. Son nom traverse bon nombre de ses articles. Lorsqu'en novembre 1957, les amis de l'écrivain fusillé font représenter sa pièce *la Reine de Césarée,* soulevant une tempête de protestations dans les milieux de gauche, Mauriac se désolidarise très fermement de ce type d'attitude et écrit dans son *Bloc-Notes :* « Brasillach, Drieu, c'est la race qui donne sa vie... Il y a l'autre qui sait se tapir, attendre... Si Robert Brasillach avait su se faire oublier l'espace d'une demi-année, peut-être aujourd'hui ses amis lui offriraient-ils une belle épée d'académicien... »

1. Que répondre à un homme qui ose écrire : « Vos amis [...], pour ramasser des bulletins de vote, lesquels se transforment finalement en indemnités de 500 000 francs par mois, ont composé [...] un breuvage assez dégoûtant composé de leur *défense de la personne humaine* et des mensonges, des falsifications, des malhonnêtetés intellectuelles les plus ignobles. Je me demande ce que nous répondrons dans 15 ans quand un peuple de 80 millions d'habitants nous demandera raison, documents en main, de notre malhonnêteté et de notre bassesse, quand les historiens allemands nous prouveront [...] que le peuple français était probablement dans toute l'Europe le seul peuple qui n'avait pas le droit de couvrir la voix de tout le monde pour porter certaines accusations. Ils nous diront par exemple que jamais chez nous, même pendant l'été 1944, des soldats allemands n'ont fait ce que certains soldats français ont fait à Stuttgart »

Sur ces débats que sa frémissante équité ni sa finesse politique ne pouvaient prétendre clore, il dit en quelque sorte son dernier mot en deux articles publiés les 10 et 14 juin 1947 (« La cour sans justice » et « Remous autour d'un article »), à propos du procès d'un homme dont tout l'éloigne, beaucoup plus que de Brasillach, car celui-ci est le type même du machiavélien — Jacques Benoist-Méchin. Il est alors libéré du souci de ménager le parti communiste, comme il le faisait lors des débats de 1944-1945, et Camus a quitté *Combat*. Alors il frappe à coups redoublés contre cette espèce de « justice » dite politique :

> « ... la plaidoirie du défenseur de Benoist-Méchin inspire au rédacteur de *l'Humanité* ce commentaire : " D'aussi piètres arguments ne sauraient convaincre les [jurés] patriotes qui l'écoutent et parmi lesquels on reconnaît le grand mutilé Jean Duclos, le FTP Tourné, qui a laissé un bras dans les combats pour la libération, et les rescapés des camps de la mort qui entourent Mathilde Péri... " Tout est dit dans cette terrible phrase. Vous qui passez ce seuil, perdez toute espérance, car vos juges vous ont déjà jugés. Et pourtant, c'était une règle admise dans tous les pays civilisés que les jurés ne doivent avoir aucun motif personnel de haine ni de vengeance contre cet homme dont l'honneur et la vie leur sont livrés [...] Pourquoi un Léon Blum, un Herriot se taisent-ils ? Et ces scrupuleux, ces maniaques de la pureté, Emmanuel Mounier, Claude Bourdet ? Et notre ami André Gide ? Et Roger Martin du Gard ?... Les meilleurs esprits paraissent résignés à cette décadence suprême qui est celle d'un pays sans justice. »

Roger Martin du Gard répondit. Dans une lettre au *Figaro*, il fit valoir que si les Rebatet et Doriot l'avaient emporté, ils en auraient usé plus férocement. Certes, riposte Mauriac,

> « si l'offensive de von Rundstedt lui avait livré Paris, j'aurais eu déjà l'occasion d'entendre, du fond de mon éternité, un éloge nuancé de ma personne et de mon œuvre, prononcé sous la Coupole par... — ayons la charité de n'écrire ici aucun nom.
> Mais enfin, ce sont ceux qui se battaient pour la justice qui l'ont emporté. Tout le sang qui a été répandu l'a été pour que le monde ne soit pas livré au crime. [...] Les nazis et les fascistes, eux, ne se sont jamais piqués de justice au sens où nous l'entendons. Vainqueurs, ils ne se fussent certes pas embarrassés d'un jury pour faire place nette, ni de tout ce vain appareil d'une Cour de justice. Ne les avons-nous donc combattus que pour devenir leurs imitateurs honteux et, Brid'oisons sinistres, n'aurons-nous sauvé de la justice humaine que la forme ? On rapporte que lorsque le tribunal eut prononcé contre Benoist-Méchin la sentence de mort, un juré cria à la foule : " Nous avons des morts à venger ! " Cette seule parole constitue à elle seule un verdict qui juge et condamne notre fausse justice. »

Et de conclure en citant un maître plus proche à coup sûr de son contradicteur que de lui-même :

> « Je livre à vos méditations ces propos qu'Anatole France a mis dans la bouche du menuisier Roupart : " Combattre une injustice, c'est travailler pour nous, les prolétaires, sur qui pèsent toutes les injustices A mon idée,

> tout ce qui est équitable est un commencement de socialisme. " Ainsi parlait votre bon maître du temps de l'affaire Dreyfus. »

Mais le dernier trait à propos de ces débats sur la justice, les écrivains, la collaboration et la position qu'y prit François Mauriac, on voudrait plutôt l'emprunter à un écrivain beaucoup plus éloigné encore de lui que Roger Martin du Gard et qu'Anatole France, que l'éditorialiste de *l'Humanité* et que Robert Brasillach, mais auquel il avait écrit pour l'inciter à retrouver sa place au sein de la communauté nationale dont l'avait exclu sa démence politique — le Docteur Destouches, dit Louis-Ferdinand Céline. L'auteur du *Voyage au bout de la nuit*, que Mauriac, à vrai dire, n'aimait pas beaucoup, répond à celui du *Nœud de vipères :*

« Monsieur, vous venez de si loin pour me tendre la main qu'il faudrait être bien sauvage pour ne pas être ému par votre lettre. Que je vous exprime d'abord toute ma gratitude un peu émerveillée par un tel témoignage de bienveillance et de spirituelle sympathie.

Rien cependant ne nous rapproche. Rien ne peut nous rapprocher. Vous appartenez à une autre espèce, vous voyez d'autres gens, vous entendez d'autres voix. Pour moi, simplet, Dieu c'est un truc pour penser mieux à soi-même et pour ne pas penser aux hommes, pour déserter en somme superbement. Voyez comme je suis argileux et vulgaire ! Je suis écrasé par la vie.

Je veux qu'on le sache avant d'en crever, le reste je m'en fous. Je n'ai que l'ambition d'une mort peu douloureuse mais bien *lucide,* et tout le reste est du yoyo... Destouches-Céline. »

Le vieillard foudroyé

En ces temps-là, l'affaire Pétain domine le débat national. En arrivant à Paris, en 1944, de Gaulle avait espéré pouvoir régler discrètement le cas du vieil homme, en le laissant oublier dans quelque résidence retirée. On assure même qu'il dépêcha en Suisse un émissaire de haut rang[1] pour organiser l'exil du vieux chef. La fuite en Allemagne du maréchal, le climat politique de la Libération, la pression qu'exercent les communistes et la majorité des cadres de la Résistance ne le permettent pas. Au surplus, depuis les procès d'octobre 1944, la plupart des accusés se réfèrent à la légitimité vichyste, reconnue jusqu'en 1941 par les deux plus grandes puissances du monde, les USA et l'URSS, et jusqu'en novembre 1942 par l'évidente majorité des Français. Tout ce qui a été fait publiquement par des citoyens français à partir du 16 juin 1940 l'a été au nom du maréchal, armistice, collaboration,

1 Le général Kœnig ?

répression. Comment exclure du grand examen de conscience le garant et le symbole des quatre années en question ?

Mais comment alors s'en exclure soi-même ? Au moment où s'ouvre le procès de Philippe Pétain, le 26 juillet 1945, Mauriac s'interroge, non sur la culpabilité du responsable de la collaboration qu'« impliquait l'armistice », mais sur les origines de cette politique (Munich ? Les abandons antérieurs des démocraties face au nazisme, au fascisme ?) et l'ampleur des complicités qui ont assuré, des années durant, le faux pouvoir du vieux maréchal. « Ne reculons pas devant cette pensée qu'une part de nous-mêmes fut peut-être complice, à certaines heures, de ce vieillard foudroyé. »

Mauriac n'aura pas consacré moins de cinq articles, pendant les douze jours que durèrent les séances, au procès Pétain. Le 5 août, il pose la question essentielle « pour tout chrétien » (pourquoi pour tout « chrétien » — pour tout citoyen, pour tout homme) : « Le maréchal a-t-il voulu trahir la France ? » Et c'est pour donner aussitôt un début de réponse qui sonne comme un réquisitoire, mais lui permet d'esquiver le fond du problème en en faisant sonner tragiquement les prémisses, en confondant responsabilités et conséquences : « Ces réfugiés étrangers rendus à leurs bourreaux, ces otages livrés, ces ouvriers déportés, cette administration, ces magistrats, ces policiers devenus complices de choses auxquelles un Français n'ose même plus faire allusion sans baisser la tête, faut-il considérer cela comme un moindre mal ? » C'est, par l'accumulation des horreurs, oublier la réponse à la question concernant l'« intention », à laquelle les chrétiens ne sont pas seuls à attacher quelque importance...

L'article s'achève bien sur le mot de « trahison » — imputée d'ailleurs à l'entourage maléfique — mais la suite de l'argumentation revient à disculper, sur ce point, l'accusé, auquel Mauriac prête une défense qui ne fait que nuancer la vieille thèse si souvent formulée sous l'occupation : celle du « bouclier » Pétain complétant « l'épée » de Gaulle :

> « Au cas où Hitler aurait gagné la guerre, totalement ou à demi, l'instinct de conservation du pays exigeait que l'un au moins des chefs de la France se compromît à ses côtés,

fait-il dire au maréchal en une prosopopée suprêmement bienveillante :

> “ Mais celui des deux Français qui jouait la victoire de l'Allemagne a toujours su qu'en cas d'échec il devenait un traître devant ses contemporains et peut-être devant l'Histoire, un criminel coupable d'avoir voulu lier le sort de son pays au destin d'un peuple à la fois vaincu et déshonoré. J'ai assumé ce risque. Lorenzaccio nonagénaire, je me suis déshonoré, j'ai immolé mon honneur afin que, quoi qu'il arrivât, la France fût sauvée. ” »

Claude Mauriac, qui note, le 4 août, cette réflexion de son père à propos du procès : « Je n'ai jamais cru à la justice humaine », s'exprime plus clairement que lui à propos de la « trahison » du maréchal. « Crime délibéré ? Trahison concertée ? En toute franchise, je ne le crois pas. »

Précisant qu' « ils l'ont condamné, non parce qu'il a trahi la France, mais parce qu'il a trahi la République », il conclut très vite (trop vite ?) que l'imputation de « connivence » avec l'ennemi est une « imposture ».

Dans un *Bloc-Notes* écrit peu de mois avant sa mort, François Mauriac revenait sur le « cas Pétain », à propos d'une suggestion de l'un des avocats du condamné, Me Isorni, de « refaire » le procès. « Quelle folie ! », commentait le vieil écrivain, persuadé que le dossier, enrichi de tout ce que l'on avait appris depuis lors, pèserait plus lourd encore au détriment du chef de l' « État français » — dont il lui arrivait aussi de dire qu'il avait « fait semblant de collaborer » — par le truchement d'un ministre qui, lui, ne faisait pas semblant... Simulateur ou pas, il parut à François Mauriac que la demande de transfert des cendres du maréchal à Douaumont ne pourrait être éternellement différée. L'histoire n'est-elle pas faite de moments dissociables, plutôt que d'un bloc ?

Et Laval ? Et cet ancien ministre qui l'avait si vivement séduit jadis, au temps du voyage à Rome de 1935, avant de lui faire horreur à l'époque où il présidait à la mise en application des lois racistes, où il couvrait la livraison des enfants juifs aux nazis, où il déclarait « Je souhaite la victoire de l'Allemagne » ? Lors du procès Pétain, il a vu en lui le traître de mélodrame dont la noirceur même servait à une manière de rédemption de l'homme blanc assis face aux juges.

Une légende infâme[1] voulait qu'à tel proche de Laval venu le solliciter d'intervenir pour sauver la tête de l'ancien chef de gouvernement après la parodie de justice qu'avait été son procès, François Mauriac ait répondu : « Après sa mort, tout ce que vous voudrez... » On ne sait si José Laval, la fille du condamné, trouva l'occasion de démentir publiquement cette calomnie. Mauriac, pour son compte, a rapporté qu'ayant reçu « l'admirable fille » de Laval, il était discrètement intervenu en faveur du condamné, sans produire la preuve de son geste

Au moment où fut lancée contre François Mauriac la campagne la plus abjecte — reproduisant ce trait à propos de Laval — c'est le journal d'extrême droite *Aspects de la France* qui publia la lettre adressée le 12 octobre 1945 par Mauriac au garde des Sceaux Pierre-Henri Teitgen :

> « ... Ce n'est pas à moi de vous apporter, à vous qui êtes un juriste, les raisons d'empêcher son exécution.
> Je vous dis simplement que si j'étais à votre place, je n'hésiterais pas un instant. Vis-à-vis de l'étranger, il faut que ce procès soit jugé dans la clarté, dans la sérénité de la vraie justice. Mais vous n'avez pas besoin qu'on vienne, dans une heure aussi grave, vous donner des conseils. Vous êtes

1. Notamment colportée par Roger Peyrefitte

de ceux qui se recueillent à ces heures-là [1]. Que Dieu vous inspire et vous éclaire, cher ami. »

Une vieille corneille élégiaque...

Que la grande dispute sur l'épuration se soit prolongée, et d'une certaine façon amplifiée en un débat qui oppose Mauriac aux staliniens français et russes, on ne saurait s'en étonner. De 1944 à 1947, le PCF avait assumé globalement la fonction du Fouquier-Tinville de l'épuration. Sa presse, ses dirigeants, les veuves ou les parents de ses innombrables martyrs, les jurés-militants des cours de justice composaient un chœur de l'accusation dont le réquisitoire pouvait se résumer, non seulement dans le cri cité par Mauriac · « Nous avons des morts à venger ! » mais en cet autre, de Jacques Duclos, plus explicite encore : « Il faut savoir juger avec haine ! »

Il n'est donc pas étonnant que l'alliance entre ces procureurs permanents et l'avocat Mauriac n'ait pas survécu à la saison des juges. Une telle contradiction dans les points de vue devait aboutir à une incompatibilité radicale dans les comportements. Rien ne divise plus gravement qu'un mot utilisé de façons contradictoires. « Justice », pour les communistes, signifie châtiment ; pour Mauriac, longanimité. Pour les uns, il y a des morts à venger et une classe à promouvoir. Pour l'autre, des raisons de vivre à restituer à des désespérés et une société réconciliée à reconstruire.

Pour que le conflit n'éclatât que plus d'un an après la Libération, il fallait que les organisations communistes attachassent le plus grand prix à la coopération avec le grand romancier bourgeois par excellence, symbole de ce « front large » qui fut si longtemps — du milieu de 1935 à 1939, de 1941 à 1947 et de 1972 à 1978, le leitmotiv de la stratégie du PCF, et que Mauriac lui-même fût très attaché à cette situation paradoxale, qui lui avait d'ailleurs donné l'occasion de connaître, non seulement le « gros lion populaire », mais quelques militants et cadres de valeur dont Pierre Villon était pour lui le modèle.

Les premières escarmouches étaient intervenues dès avant ce congrès du Front national où, attaqué par le pasteur Jézéquel, il avait été défendu par Villon aussi bien que par Debû-Bridel, et bouleversé de cette manifestation de solidarité. Il tenait à cette « complicité » du temps de guerre : qui ne tient à se souvenir de ce par quoi il s'est honoré, des risques qu'il a courus pendant ces « grandes vacances » que sont les guerres ? Mais de fortes influences s'exerçaient contre ce compagnonnage de l'éditorialiste du *Figaro* avec les frères prêcheurs du stalinisme — influences familiales, et notamment celle de Claude, relayant, on l'a vu, celle du général ; influences professionnelles, et avant tout celle de Pierre Brisson son directeur : influences du milieu.

1 Leader du MRP Teitgen est un catholique pratiquant.

Ajoutons que l'acharnement de ses alliés communistes contre son frère Pierre ne manqua pas de jouer son rôle dans le divorce qui s'opéra vers la fin de 1945.

Le premier signe public de la dissociation entre l'auteur du *Cahier noir* et ses alliés de Résistance remonte au 6 décembre 1944. *Action*, hebdomadaire contrôlé par le parti communiste, où s'exprimaient non seulement des militants comme Pierre Courtade, Pierre Hervé et Victor Leduc, mais des intellectuels plus libres d'allure comme Roger Vailland, Jacques-Francis Rolland et Claude Roy, et qui fut avec *Combat* le plus intéressant des journaux issus de la clandestinité, avait écrit à propos d'un éditorial de Mauriac : « ... L'impureté gagne la politique. Ce n'est pas beau, un homme qui a faim. Des problèmes plus distingués agitent les personnages de Mauriac... » L'éditorialiste du *Figaro* bondit : « Ce n'est pas beau, un homme qui a faim ? [...] Le collaborateur d'*Action* n'a pas osé mettre cette saleté entre guillemets ! » Et de se dresser contre la hiérarchie des valeurs que cette publication communiste lui impute, et d'affirmer que « l'homme ne vit pas seulement de pain, mais il vit d'abord de pain ! ».

Une première brèche est apparue, que ses familiers avaient repérée depuis des mois, depuis qu'il apparaît que le PCF a déclenché contre le général de Gaulle une guérilla politique camouflée sous l'Occupation, et suspendue pendant quelques mois après le retour du chef du gouvernement provisoire d'un voyage en URSS où il avait reçu de Staline une onction sacrée aux yeux de ses fidèles d'Occident. Mais en mars 1945, ce mot d'ordre a perdu de son autorité. Lors d'un déjeuner chez un diplomate ami, François Mauriac est frappé de la violence de l'antigaullisme qu'exprime le leader syndicaliste Louis Saillant, qui apparaît alors, du fait du prestige qu'il s'est acquis dans la Résistance, comme un dauphin possible de Thorez. Et, recevant Maurice Bardèche quelques semaines plus tard, il se dit préoccupé de la croissance du parti communiste.

Le 8 mai 1945 prend fin l'état de guerre. Et avec lui le souci primordial de faire front face à un ennemi jusqu'au bout redoutable. Chacun se retrouve libre de « reprendre ses billes ». Ni Mauriac ni les communistes n'en abusent d'abord. Mais les contradictions vont se faire de plus en plus claires : non seulement à propos du procès Pétain, mais aussi du référendum constitutionnel. Alors que de Gaulle, les socialistes, le MRP et Mauriac recommandent aux Français de répondre par un double « oui » aux questions posées sur la nécessité de refondre les institutions, mais aussi de limiter les pouvoirs de l'Assemblée unique, le PCF préconise un « oui » à la première et un « non » à la deuxième question. Le débat s'aigrit.

En novembre, c'est l'éditorial de Claude Morgan : « Où allez-vous, François Mauriac ? » dans *les Lettres françaises*, l'organe commun de naguère qui, sous la plume de Léon-Pierre Quint, avait déjà dénoncé la coupable indulgence du romancier en matière d'épuration. Et l'on trouve Mauriac de plus en plus irrité par certaines contradictions chez ses alliés de guerre. A son ami le diplomate Jacques Dumaine, il confiera, en avril 1946 : « .. Voyez les communistes : un mot les étrangle à dire, les assourdit à entendre, brûle leurs paupières à lire, c'est le mot liberté... »

C'est ainsi que le « saint François des Assises », que ce « grand bourgeois déguisé en saltimbanque prolétarien[1] » va faire place au Pascal des *Provinciales*. Mais Mauriac est trop homme d'humeur pour s'en prendre à une idéologie, trop psychologue pour s'attaquer à une abstraction, trop habile pour mitrailler un monument historique. Il lui fallait un interlocuteur, une cible vivante, substituée à Camus (dont il s'est aperçu que rien de politique, au bout du compte, ne le séparait, mais plutôt des questions d'éthique, de générations — et de métaphysique). Et il se trouve que, de ce bloc d'histoire en mouvement qu'est le PCF, de cette forteresse de dogme et de bonne conscience collective, se détache une silhouette, et qu'elle vient à sa rencontre. Une personne, face à une autre personne, comme un guerrier grec sortant seul (apparemment seul...) du camp des Achéens, à la rencontre du héros troyen. Cet Ajax s'appelle Pierre Hervé.

Breton, professeur de philosophie mué pour un temps en journaliste, il a 35 ans. Dans la Résistance, il n'a pas seulement fait preuve de beaucoup de courage, il a aussi rédigé un texte, le « rapport Chardon », qui, en janvier 1943, a servi de charte à la politique d'union des classes et des idéologies permettant d'insérer l'action du PCF dans le collectif de la Résistance et d'atteler au même char un Mauriac et un Hervé. Et c'est précisément l'auteur du « rapport Chardon » qui va être l'exécuteur des hautes œuvres du parti, à l'heure où les contradictions de classes ont définitivement pris le pas sur les nécessités d'une stratégie unifiante.

Il a du talent, Hervé, de la « patte », une culture politique et philosophique, l'usage de Diderot et de Pascal, de Vallès et de Jaurès. Ce prolétaire breton de *l'Humanité* tiendra, des mois durant, la dragée haute au gentilhomme du *Figaro*. Et si l'histoire politique et littéraire a retenu, mieux que ses moulinets, les parades, esquives et ripostes du bretteur gascon, c'est que, même manquée, une épigramme de Voltaire a la vie plus dure qu'un bon mot de Fréron et, fût-il dans son tort, qu'un coup porté par Pascal contre les molinistes a plus d'écho que ceux qu'il a reçus. Encore que l'histoire du journalisme ait plutôt retenu le sobriquet dont Hervé affubla alors Mauriac, cette « vieille corneille élégiaque », que ceux qu'inventa alors pour son contradicteur l'éditorialiste du *Figaro*. Au surplus, dans une telle joute, Pierre Hervé subissait le handicap de porter la livrée du stalinisme, le plus pesant harnachement de contrevérités et de fausses disciplines qui ait pesé, depuis le temps de *l'A.F.*, sur l'esprit, les épaules et le style d'un intellectuel français.

De ces morceaux de polémique, on ne retiendra ici que deux ou trois exemples, moins pour ce qu'ils révèlent du génie combatif de Mauriac — un sujet sur lequel on reviendra à loisir — que pour manifester la rupture, à la fin de 1945, entre ce cofondateur des *Lettres françaises*, cet écrivain que le

1. Pol Vandromme, *op. cit.* p. 17

congrès du Front national acclamait encore huit mois plus tôt, et ses alliés de la veille.

Le 11 décembre 1945, à Pierre Hervé qui dénonce les menaces du cléricalisme français, Mauriac riposte :

> « Un grand souffle de libéralisme est entré à *l'Humanité* en même temps que ce jeune homme qui, au nom de l'unique parti, dénonce avec horreur cette menace de parti unique. Qui aurait cru qu'un communiste pût frémir devant le spectre du totalitarisme ? Vraiment... cela ne lui rappelle rien ? M. Pierre Hervé frémit, c'est un fait, et, survolant le champ de bataille politique, ce jeune aigle voit d'abord d'où vient la menace : savez-vous quels sont les hommes qui, liés par une aveugle obéissance, reçoivent des directives étrangères et qui méditent d'imposer à la République une camisole de force ? C'est... eh bien ! non, vous n'y êtes pas, il s'agit du Tiers Ordre... »

Quelques jours plus tard, dans *Action* cette fois, Hervé ayant donné à sa nouvelle attaque contre les forces occultes du catholicisme ce titre très pascalien « Il n'est rien de tel que les jésuites », Mauriac se sent cette fois moins giflé que cambriolé, et réagit sans mesure :

> « Quand M. Hervé passe à l'attaque contre ce qui nous tient à cœur plus que tout au monde, je lui conseille d'aller plus doucement... [il] s'est aperçu qu'il allait un peu fort, ou peut-être a-t-il obéi à un signe qu'on lui a fait ? Toujours est-il que, dans *l'Humanité*, il rectifie son tir : " Nous ne disons pas que tout catholique est par là même politiquement un paria ", concède-t-il, soudain bonhomme. C'est à vous tirer les larmes : ce garçon veut bien ne pas traiter comme une tribu d'intouchables cette illustre Église de France, toute rayonnante, depuis des siècles, de sainteté et de génie. Bien sûr ! si jamais vous deveniez les maîtres, il faudrait que vous nous supportiez ; car la parole de Tertullien est toujours vraie : si nous nous retirions d'au milieu de vous, vous seriez effrayés de votre solitude. Et puis, on ne peut pas tout de même se débarrasser de tant de gens à la fois ; et vous n'auriez pas ici les commodités de la Sibérie. »

Et les choses, de coups d'épingles en coups de couteaux et de rosseries sournoises en apostrophes courroucées, iront ainsi jusqu'à ce qu'un an plus tard, un jour de décembre 1946, Mauriac décoche ceci à Hervé — qui signifiait que, pour de longues années, l'alliance de guerre avait décidément vécu :

> « ... J'avais comparé les ministères colonisés par les communistes à ces places de sûreté que, durant les guerres de Religion, la royauté affaiblie abandonnait aux protestants. Voici le commentaire de Pierre Hervé : " Cette association d'idées trahit une tentation sourde, un obscur souhait. Allons, avouez ! Vive la Saint-Barthélemy ! Vivent les dragonnades ! Vive la Révocation de l'édit de Nantes ! Et que l'on extermine charitablement les troupes avec les dirigeants ! " [...]
> Ou vous êtes un misérable, Pierre Hervé (ce que je ne crois pas, sachant ce que vous avez été et ce que vous avez fait dans la clandestinité), ou vous conviendrez que vous avez cédé ici à la haine la plus basse. Car enfin, vous aussi vous me connaissez. Ai-je manqué, dans ma vie publique, beaucoup

d'occasions de prendre parti contre Machiavel, même quand il recouvrait sa face du masque chrétien ? Je vous défie d'agir de même lorsque c'est d'un déguisement marxiste qu'il s'affuble.
Mais je parle de haine... J'ai bien tort de vous en croire capable. Mieux vaudrait que vous en éprouviez réellement, car il y a dans la pire passion un élément sain, une chaleur humaine. Ce qu'il y a d'affreux, c'est que vous ne haïssez même pas, c'est que vous n'accomplissez rien qu'avec réflexion et calcul. Tous les procédés d'écriture dont vous usez pour dissimuler mes raisons à vos lecteurs, les propos que vous m'imputez et que je n'ai pas tenus, les arrière-pensées ignobles que vous dénoncez en moi, tout cela relève d'une nécessité tactique : rendre odieux un ennemi de classe. [...]Vous appartenez à l'espèce qui accuse, qui accable et exécute par devoir un adversaire innocent et marqué d'avance.
Avec cette espèce-là, il ne reste plus que de rompre le dialogue, celui qui régnait entre les grands esprits antagonistes, et où s'exprimait la civilisation d'une époque. Ce dialogue, voilà longtemps qu'il s'est tu à l'est de l'Europe. Le jour où le silence de l'abjection aura gagné notre France, la plus humaine des patries, ce jour-là, l'humanité sera entrée vraiment dans l'ère du termite. »

Fin d'une époque.

Le malin, l'enfant et les hussards

Pour impliqué, pour emporté qu'il soit dans cet immense débat, Mauriac reste un homme de lettres. Si tout son génie semble mobilisé pour la défense de ces causes de l'après-guerre, il publie beaucoup. Et, de la mort de Paul Valéry (1945) qu'il salue fraternellement, à la réception de Claudel à l'Académie (1947) qu'il accueille respectueusement et à la disparition de Gide (1951) qu'il momifie subtilement, on le retrouve plus ardent citoyen que jamais de la république des mots.

La legende veut que, dévitalisé par le journaliste, le créateur, chez lui, se soit alors affaissé. De même qu'il advint à Jules Renard écrivant son journal de voir son œuvre dévorée par ce monstre intime (et que dire de celle de Gide ?), ce Mauriac entré dans le siècle politique, ce Mauriac des prétoires et des tribunes se serait, de ce fait, exilé de la littérature. Il est vrai que, pendant près de cinq ans après la Libération (près de dix ans après *la Pharisienne* et *le Sang d'Atys*), Mauriac ne publie ni roman, ni poème. Mais on le retrouve mémorialiste — à son sommet déjà — avec *la Rencontre avec Barrès* et *Du côté de chez Proust*, de 1945 à 1947, biographe (avec *Sainte Marguerite de Cortone*, l'un des livres où, selon Julien Green, il a mis le plus de lui-même) et surtout dramaturge, avec *les Mal-Aimés* (1945), *Passage du Malin* (1947), *le Feu sur la terre* (1950).

Dramaturge, Mauriac ? Il a souvent parlé des espérances qu'avait fait lever en lui le succès d'*Asmodée*, très réel, mais un peu artificiel aussi ; nul n'a jugé avec plus de lucidité que lui cette pièce qui n'est que le brillant écho d'un art romanesque lui-même sur le déclin. Dans une lettre écrite pendant la guerre, Jean Paulhan lui disait, avec cette fausse naïveté qu'il pratiquait avec une virtuosité sans égale, son étonnement de voir les auteurs dramatiques si soucieux de voir représenter leurs pièces — à moins que ce ne fût pour leur plaisir personnel…

Ce plaisir, François Mauriac l'éprouve à nouveau le 1er mars 1945, quand la Comédie-Française représenta pour la première fois *les Mal-Aimés,* pièce qu'il avait écrite et lue à ses amis — dont Gide, ému — dès 1939. Une ombre cruelle sur cette joie : la mort, six semaines avant la générale, d'Édouard Bourdet. Présentant la pièce au public dans le programme du Théâtre-Français, Mauriac rappelait que Bourdet, « à qui je dois d'être devenu auteur dramatique », après avoir monté *Asmodée,* avait « recueilli » *les Mal-Aimés* à la Comédie-Française. La dernière parole qu'il entendit de son ami à la veille de sa mort, précisait Mauriac, fut une promesse d'assister à une répétition. Et de conclure : « Il manquera toujours à ces trois actes d'avoir été jugés une dernière fois par ce maître du théâtre. »

Jugés, soufflent ses adversaires, ou revus ? A comparer la facture, le développement dramatique d'*Asmodée* et des *Mal-Aimés,* on est tenté d'écrire que c'est la seconde pièce qui est la plus aboutie, la plus « professionnelle », et que, pour chevronnés qu'ils fussent, Bourdet ni Copeau n'auraient pu y changer grand-chose. La maîtrise est là — plus évidente que l'originalité du thème et la spécificité de cet art. Étant donné ces quatre personnages, les passions qui les animent et les valeurs qui inspirent leur comportement, on ne saurait tirer plus d'émotion, par des moyens artistiques plus sûrs, que ne le fait Mauriac. Et le personnage de Virelade, le père possessif, « saturnien », qui dévore ses enfants, ce « Genitrix » mâle, est de ceux qui tenteront longtemps les comédiens. Un « monstre », écrit encore Mauriac, s'en excusant. Il en fut excusé : le succès fut grand, immédiat, durable, porté par trois artistes exceptionnels — Madeleine Renaud, Renée Faure et Aimé Clariond. Dans le même avertissement au public, Mauriac faisait observer que « cette pièce a été rêvée et écrite dans un autre monde que celui où nous nous retrouvons. Mes personnages […] vont-ils sortir vivants de ces cinq années ténébreuses ? »

Ce décalage historique ne fut pas sans éclairer différemment que s'il se fût manifesté en 1939, le personnage de M. de Virelade. Quand, à la veille de la guerre, un officier en retraite et qui a « de la branche » jette sur une scène que la politique est un « combat de singes » et qu'il refusera de s'y intéresser tant qu'il n'y aura pas de « dompteur » — il se fait acclamer par la majorité d'une salle parisienne, celle qui attend Pétain et Henriot. Au lendemain de la guerre, ce trait prend une signification satirique : c'est Vichy qui est ainsi évoqué, et le récent passé vilipendé. Les lauriers que l'auteur eût reçus de Lucien Dubech, critique de *l'Action française* avant la guerre, il les reçoit, en 1945, de Jacques Lemarchand, l'exemplaire chroniqueur de *Combat.*

Bref, le dramaturge prospère. Qu'il se hâte d'en tirer gloire : ses deux pièces suivantes, *Passage du Malin* et *le Feu sur la terre,* seront l'une un échec, l'autre un demi-succès De la première, on a retenu un jeu de mots qu'il était le premier à colporter, assez intelligent pour savoir qu'il en dissolvait ainsi le venin : « le ratage du malin ». On raconte que le soir de la générale, pendant l'entracte, alors que l'on pouvait entendre les ricanements satisfaits de quelques confrères, cet auteur heureux gémissait : « Je ne suis pas fait pour l'échec ! »

Et il supporte très mal la critique. On l'a déjà vu faire mauvaise figure au malveillant Souday, agresseur de *Thérèse*. Lors de la création du *Passage du Malin,* le critique du *Figaro,* Jean-Jacques Gautier, réputé pour sa rigueur — mais Mauriac ne comptait-il pas sur leur appartenance commune au journal, et leurs très cordiales relations, pour en être ménagé ? — accompagna leur directeur commun, Pierre Brisson à la représentation dite des « couturières » plutôt que d'assister à la « générale », le lendemain, après laquelle se prononcent d'ordinaire les professionnels. Son article était donc prêt de bonne heure le soir du verdict. L'ayant lu, Pierre Brisson, ancien critique dramatique lui-même, avait simplement murmuré : « Les ennuis commencent, pour sept semaines, pour sept mois, ou pour sept ans... »

Quand Mauriac rentra chez lui, après l'inquiétante générale du théâtre Antoine, il trouva le numéro du *Figaro,* déjà porteur de l'article de Gautier Une heure plus tard, le journaliste était réveillé par le chauffeur de l'écrivain, porteur d'un pli : « De la part de M. Mauriac ». Gautier le décacheta sans joie. Il y était accusé d'avoir violé les règles du métier en n'assistant pas à la générale, pour laquelle une scène avait été rétablie après la représentation des couturières, et d'avoir, par sa hâte à blâmer, risqué de ruiner Marie Bell, principale interprète et directrice du théâtre. Il ne leur fallut pas moins de trois ans pour se réconcilier...

Quelques années plus tard, préfaçant le volume de ses *Œuvres complètes* où sont rassemblées ses pièces, il écrivait : « *Passage du Malin* est une pièce remarquable... au moins par la presse qu'elle a eue [...] l'un des tirs de barrage les plus violents et les plus nourris dont on se souvienne au théâtre... » Il en fut touché — comme par l'article de Sartre contre *la Fin de la nuit :* à ceci près que sa veine romanesque était assez riche pour surmonter un tel attentat, quand sa verve théâtrale ne pouvait lui donner qu'un sursis, un seul.

Ce fut *le Feu sur la terre,* qu'il renonça à intituler *le Pays sans chemin,* et cet abandon d'un titre auquel il tenait, pour se plier aux exigences d'un directeur de théâtre, est déjà un signe de désintérêt. Les personnages sont directement inspirés d'Eugénie et Maurice de Guérin, de l'amour insondable que cette sœur exigeante et dévote portait à son frère consumé. Laure vit, brûle, et pour elle seule, et par elle seule ; certaines scènes du *Feu sur la terre* (que créa Jany Holt, comédienne frémissante) valaient d'être représentées, le deuxième acte surtout. Mais l'échec était latent. La critique et le public furent beaucoup plus généreux que pour « le Malin », et l'estime l'emporta. Mais personne n'eut à crier à Mauriac le « holà ! » qu'entendit Corneille après *Attila*.

En conclusion de l'aventure, Mauriac écrivit plus tard qu'il est périlleux quand on entre « tête baissée » dans la bataille politique, de « se livrer sans défense sur une scène à la meute ».

Faut-il attribuer aux coups qu'il a reçus depuis tant d'années, de tous les bords, ou au sentiment profond qu'il a alors d'une sorte de tarissement poétique, l'extrême susceptibilité qui est alors la sienne ? La virulence de ses répliques à Camus, à Hervé, on la retrouve dans le moindre de ses mots, de ses « performances » de grande vedette des salons parisiens. Il est adulé, surveillé aussi. On l'exhibe. C'est tout juste si les maîtresses de maison n'impriment pas sur leurs cartons d'invitation, comme elles le faisaient du temps de l'affaire Dreyfus pour Anatole France ou Barrès : « M. Mauriac parlera. » On le guette, on le fait briller, on le harcèle, on le cite à tort et à travers.

En visite à Paris en juillet 1947, Curzio Malaparte a une algarade avec lui, pour lui avoir cité un mot d'ailleurs extrait de *la Rencontre avec Barrès :* « Si le Christ n'est pas ressuscité, je me fiche du christianisme », sur un ton sarcastique qui exaspère l'auteur du *Nœud de vipères.* Un rien l'irrite. Il brille de mille feux, mais ce feu dévore.

Le roman ? Il écrit, dans les *Nouveaux Mémoires intérieurs,* que pris dans les remous de la Libération, ayant reçu des coups de toutes parts et lassé de la politique, un « dernier désir » l'avait alors possédé : « prouver que le romancier en moi était encore vivant. Ce fut un printemps de la Saint-Martin et le vieil arbre refleurit en plein hiver[1]... »

En 1948, il se met à la rédaction d'un roman qui, plusieurs fois abandonné et repris, deviendra *l'Agneau* (publié en 1954). Puis il travaille à un récit, déjà ébauché sous l'Occupation, qui sera *le Sagouin.* Et il s'attaque, en 1950, à l'intrigue de *Galigaï.* De l'ensemble du cycle, il dira lui-même : « Ce n'est pas un art qui décline, c'est une œuvre qui dure... qui se survit. Rien ne sert de ne pas mourir. » Cruel propos. Qui dément cet autre, à propos du *Sagouin :* « Mon œuvre la plus achevée ».

Que les caprices de la grâce mènent aussi l'univers de la création littéraire, que le dieu des poètes dispose avec une « adorable injustice » du beau et du laid, on en trouve une preuve dans ce miracle du *Sagouin,* nouvelle ébauchée vers 1941 à Malagar, abandonnée, oubliée, et retrouvée sept ans plus tard. Mauriac a conté lui-même à quels hasards le *Sagouin* dut la vie. En 1948, il vient de fonder avec quelques amis la revue *la Table ronde.* « Nous ne pouvions mettre la main sur le roman court dont nous avions besoin. Je songeai alors à le fournir moi-même [...] Je fouillai mes cartons et mis ainsi la

1 *Nouveaux Mémoires intérieurs,* p. 355.

main sur une quarantaine de pages dactylographiées dont j'avais oublié l'existence : amorce de roman qui datait de l'Occupation. »

L'histoire de Gillou, pris entre la haine de sa mère, l'impossible affection d'un instituteur et la défaite vivante qu'est son père qu'il entraîne (qui l'entraîne ?) dans la mort, est la plus poignante peut-être qu'ait écrite Mauriac, et celle où sa maîtrise culmine. Le travail accompli, pendant l'été de 1950, sur le brouillon de 1941, est l'un des plus impressionnants que cet écrivain d'instinct, et souvent trop pressé, ait jamais accompli. Si jamais Mauriac romancier a mérité le nom de maître, c'est bien pour cet ajustage, ce traitement, cette harmonisation où tout conduit à la sobriété, à l'économie. D'un premier jet de roman raté, faire cette nouvelle frémissante, comme tremblante d'oser vivre, cet oiseau palpitant échappé des mains de son créateur, c'est affirmer la jeunesse et la validité d'un art.

François Mauriac, alors plongé dans la relecture de l'ensemble de ses livres, en vue de la publication de ses *Œuvres complètes* chez Fayard, à partir de 1950, n'a pas de peine à découvrir que, pour être celui d'un « vieil arbre » à peine « reverdi », ce fruit est le plus précieux qu'il ait donné. Et d'autant plus savoureux que l'art du romancier s'est enrichi des expériences du journaliste, du témoin. Le personnage de l'instituteur[1], eût-il seulement songé vingt ans plus tôt à en faire le « héros positif » de ce petit texte désespéré, lui qui, au temps de *Thérèse* ou de *Destins*, tenait la « laïque » et l'enseignement public pour l'enfer où s'abîmait la collection française ? *Le Sagouin*, ce n'est pas seulement son récit le plus achevé. C'est aussi celui où le romancier Mauriac intègre les apports du Mauriac combattant de 1935 à 1950, devenu l'ami de Blanzat, de Guéhenno, ces archétypes de l'enseignement républicain.

Du temps et des soins que Mauriac consacra à la revue *la Table ronde* (1948-1953), on dira d'un mot que ce fut une « aventure », dans le sens que les romans du début du siècle, plutôt que ceux de Malraux, lui donnent. Iraiton jusqu'au mot « passade » ? Ce serait tomber d'un niveau, et pousser trop loin le dédain. Mais, pour en rester à un langage un peu suranné, quoique plus politique, on dira qu'il s'agit là d'une réaction. Celle du Mauriac lié pendant trois ou quatre ans à une gauche « résistancialiste » contrôlée ou manipulée par les communistes, et dont le rejet explosif de 1946-1947 n'a pas fini de s'exprimer. Celle d'un Mauriac empêtré pour un temps dans la « politique », les querelles publiques, et qui a envie de s'ébrouer dans une eau, une source différente. Celle enfin d'un Mauriac qui en a par-dessus la tête des grandes idées et des beaux sentiments, redevenu l'homme qui, écoutant tel discours d'un orateur du Front populaire, écrivait qu'il avait eu soudain envie d'entendre les propos cyniques d'un vieux réaliste, bon connaisseur du cœur humain.

Cette attitude d'esprit, il l'exprime avec une merveilleuse brièveté dans les

1. J'ai rencontré à Malagar, en octobre 1979, le personnage qui servit de modèle à Mauriac, étant lui-même instituteur dans un village voisin pendant la guerre. Il assure que la trame du récit est véridique — mais que lui n'a pas abandonné à son sort l'enfant du château.

Nouveaux Mémoires intérieurs : « ... Je donne, dans ces moments-là, l'impression d'être léger. Le vrai est que je cède à ce qui m'amuse sans me faire la moindre illusion[1]. » La fuite allègre dans la désinvolture à laquelle les temps de la Résistance-Libération le faisaient aspirer, il en trouve l'occasion, ou le prétexte, avec la rencontre de ceux qu'on appelait alors les « hussards » — jeunes écrivains impertinents et doués, de formation ou de réflexes de droite[2] en rupture avec l'esprit de la libération — bien que certains n'eussent été nullement acoquinés avec la collaboration[3]. Bien qu'il n'ait rejoint l'équipe qu'à son quatorzième numéro, en février 1949, après la publication de ses *Épées,* le plus talentueux de ces jeunes écrivains était Roger Nimier, auteur du brillant *Hussard bleu,* qui fit bientôt figure de chef de file, ou de porte-drapeau. A ses côtés s'ébrouaient Jacques Laurent, Jean-Louis Curtis, Gilbert Sigaux, Jean-Louis Bory, Robert Kanters, Antoine Blondin, Roland Laudenbach, Philippe Heduy, Maurice Pons...

A la fin de juillet 1949[4], Mauriac recevait de Bretagne une lettre de Roger Nimier qui, dans un flot de gracieuses insolences, lui lançait ce manifeste : « ... Je suis heureux que vous attendiez beaucoup de *la Table ronde.* Il serait bien, en effet, qu'elle remplaçât la vieille *NRF* sans les rancunes, l'hypocrisie qui caractérisaient celle-ci. Je pense au mot que vous employez : un dialogue. Cependant, nous sommes quelques-uns, généralement appelés chrétiens, qui imaginons que la Vérité existe. Dans cette mesure, entre deux contradictions, il y aura une victoire et une défaite — une conversion. Bien entendu, il y a mille façons de convertir le monde, mais le Seigneur (conseillé par son ange, encore endolori et rancuneux des coups reçus par Jacob) n'est pas l'ennemi d'une certaine violence. Le tout est d'affirmer que cette violence n'est pas gratuite : cela réclame une déclaration liminaire. Pour le reste, c'est-à-dire mon cas personnel, Proust a très bien dit que les durs étaient des mous que la vie avait bousculés et d'assez pauvres garçons en somme. Cette idée me plaît... »

Si fort que ce ton l'ait enchanté, Mauriac était prévenu. « Victoire », « défaite », « violence », « conversion », il allait à un combat — bien loin de ceux, tout intériorisés, que menait la *NRF* avant Drieu. S'agissait-il de « remplacer » la revue de Gide, Rivière et Paulhan ? C'était admettre qu'un coup de poing pût être substitué à une épigramme... *La Table ronde* était, sous ses airs railleurs, une revue de choc, et qui s'y associait se situait plus près de *l'Action française* que du Sillon — pour s'en tenir aux deux tropismes de la vie politique de Mauriac.

Mais ces « hussards », Nimier surtout, avaient tant de charme... Ils étaient si vifs, jeunes, impertinents, si peu semblables à Francisque Gay le MRP, à Félix Gouin le socialiste, à Étienne Fajon le communiste, à Jacques Soustelle le gaulliste... Ils avaient les uns l'âge de François découvrant l'Italie, les

1. P. 355.
2. Plusieurs évolueront vers la gauche — et très loin.
3. Mauriac écrivait : « Je suis entouré de condamnés à mort... » En fait, il n'y en avait semble-t-il que deux — tous deux belges — à *La Table ronde,* Claude Elsen et Robert Poulet
4. Date approximative.

autres l'allure du Mauriac pénétrant au « Bœuf sur le toit ». Et ils avaient bon goût, du point de vue de Mauriac — c'est-à-dire que, nés au siècle de Sartre, ils préféraient publier *le Sagouin* que *les Chemins de la liberté*.

Quant à la prétention qu'avait eue l'auteur du *Cahier noir* de faire converger, sous la houlette de ces iconoclastes au talon rouge mais au cœur tricolore, les écrivains « de gauche » avec ceux de la droite, c'était plus que de la « légèreté » — pour parler comme lui. Y avait-il la moindre apparence de faire cohabiter Blondin et Simone de Beauvoir, Guéhenno et Elsen ? Que Camus ait donné un article à *la Table ronde* ne signifiait pas grand-chose du point de vue de la gauche : lui-même était aiguillonné des mêmes appétits de rupture désinvolte que son adversaire de 1944-1945. Quant aux autres, Mauriac a drôlement résumé la situation en écrivant qu'à part lui, Thierry Maulnier était de loin ce qu'il y avait de plus à gauche dans ce groupe ! Thierry Maulnier...

Alors François Mauriac, roi Arthur provisoirement mobilisé du côté de Camelot, écrit : « Il faut que le scandale arrive ! » et couvre la « rentrée » littéraire de Marcel Jouhandeau, de Giono et de Montherlant aux côtés de Paulhan, de Camus et de Raymond Aron. Il en subira bon nombre d'avanies — Pierre Hervé écrivant que cette attitude s'explique par le tarissement de son inspiration, *Esprit* déplorant ces services « latéraux » rendus à la « collaboration ». Il paraît n'en avoir cure. Il « cède à ce qui l'amuse », tout en brisant avec quelques impostures.

On s'est étonné de l'aisance avec laquelle l'éditorialiste du *Figaro* s'était associé, intégré même, à une Résistance dominée par les communistes. On n'en reste pas moins perplexe sur le « grand écart » qu'il fit en passant des *Lettres françaises* à ce climat de fronde blanche qui régnait autour de Nimier. Pourquoi parler de Greco à propos de Mauriac, si c'est pour oublier que les pieux personnages du Crétois sentent parfois le soufre, mais flottent dans une apesanteur qui permet, la foi irradiant leur face, d'innombrables voltes, évolutions et mutations ?

L'ange Mauriac, à la différence de ceux de Fra Angelico — sinon de ceux de Cocteau — déploie ses ailes pour s'assurer de plus gracieuses évolutions. La fidélité à soi-même va-t-elle sans contradiction ? C'est dans le mouvement et l'alternance que ce type d'être trouve sa ligne de vol. Dans le combat entre Jacob et l'Ange qu'évoquait Roger Nimier pour mieux le séduire, qui songerait à exiger de l'un ou de l'autre qu'il ne porte de coups que d'un seul côté ?

« Expérience manquée, et d'ailleurs absurde dès le départ... Ces chevau-légers... étaient à mes antipodes... » Cela, Mauriac l'écrit de son passage à *la Table ronde* (pour laquelle il inventa néanmoins le célèbre *Bloc-Notes*) près de vingt ans plus tard, après la traversée de la fournaise nord-africaine, après les batailles de *l'Express* et les grandes chevauchées du gaullisme monarchique.

A-t-il si peu cru à cette entreprise qu'il l'écrira plus tard ? N'y a-t-il pas vu le brillant substitut à la *NRF* dont il avait souvent rêvé d'être l'instigateur ? Quand, en janvier 1953, la vieille revue fondée par Gide et Copeau reparaît, sous le titre de *Nouvelle Nouvelle Revue française* et sous le patronage de Jean Paulhan, il regimbe avec une virulence qui montre la profondeur des illusions qu'il s'était faites à propos de *la Table ronde*. Son *Bloc-Notes* du 2 janvier 1953 contre la *NNRF* est si cruel, si injuste dans certains de ses traits, qu'il le retirera de sa sélection publiée en volume.

La flèche lancée contre cette « chère vieille dame tondue dont les cheveux ont mis huit ans à repousser » est atroce. Là où il est mieux inspiré, c'est quand il dénonce le silence fait par Paulhan et Arland sur la « période Drieu ». Mais il le fait de singulière façon : « Drieu n'est plus là pour expliquer comment les choses se sont passées rue Sébastien-Bottin durant ces quatre années (et il est là, pourtant, notre ennemi, plus présent, plus près de notre cœur qu'aucun de vous). » Étrange, bien étrange propos, à l'adresse de Jean Paulhan qui, en ces temps troubles, agit comme il le fit — et Mauriac peut en témoigner mieux que personne. Aveuglement où mène la « guerre » des revues...

Dans cette rhapsodie qu'est la vie de Mauriac, ce thème saugrenu, celui des hussards, devait revenir après ceux de *l'Ange Heurtebise* et celui du « Bœuf ». Tranchant sur les tonalités graves qui composent la toile de fond, de Sangnier à de Gaulle, du 6 février aux maquis algériens, ces ruptures de ton, de rythme et de coloris, l'intrusion des *Corps tranquilles*[1] et du *Singe en hiver*[2] dans la biographie de l'auteur de *Souffrances du chrétien* sont autant de signes du souverain caprice de l'œuvre d'art.

1. De Jacques Laurent.
2. D'Antoine Blondin.

18. Un prix Nobel pour le Maghreb

En hiver, la gare de Stockholm est — briques et neige — un énorme gâteau de framboises à la crème. Ce mardi 9 décembre 1952, un troupeau de pelisses piétine sur le quai dans la nuit persistante quand, à 8 h 45, le Nord-Express parti de Paris trente-six heures plus tôt, entre en gare. Jeanne Mauriac en descend, suivie de son mari et de son fils Jean. Les hôtes suédois et les journalistes d'une dizaine de pays se précipitent vers François Mauriac venu recevoir le prix Nobel de littérature, décerné un mois plus tôt. Mais le représentant de l'ambassade de France leur arrache un instant le lauréat pour confier à Mauriac que sa joie risque d'être assombrie par la lecture des dépêches parvenues dans la nuit du Maroc : depuis le 7, des troubles ont éclaté à Casablanca. La répression, d'après les premiers chiffres, aurait fait plusieurs dizaines de morts.

Ces nouvelles choquent d'autant plus François Mauriac que, depuis quelques semaines, des chrétiens anticolonialistes comme Robert Barrat le sollicitent pour qu'il entre dans le combat à leurs côtés. Qu'est-ce donc qui a pu les encourager à de telles démarches ? Mauriac, un pied au *Figaro*, un pied à *la Table ronde*, est à mille lieues de ce type de position. Peu de signes donnent à penser qu'il songe à reprendre la lutte politique.

Mais qui connaît, qui fréquente Mauriac ainsi que le fait alors depuis quelque temps un homme comme Robert Barrat, chaleureux militant d'un exigeant catholicisme évangélique, sent vibrer en lui, en toute occasion, cette pitié, cette compassion et cette fusante capacité d'indignation qui l'a conduit à s'élever contre l'invasion de l'Abyssinie, contre la « croisade » franquiste, le racisme nazi et certaines formes de l'épuration. Le sourcier a joué son rôle : mais la nappe d'eau pure était là.

Il faut se garder néanmoins des erreurs d'optique. Sauf en de brefs moments, l'écho des fusillades de Casablanca ne viendra guère troubler le beau voyage suédois. Tous ceux qui ont côtoyé Mauriac cette semaine-là gardent le souvenir d'un homme jubilant. Avec ce génie qu'il a de vivre l'instant, il se donne à cette fête solennelle, à ces honneurs qui lui sont faits. L'heure viendra de la tragédie.

Un mois plus tôt, le jeudi 6 novembre 1952, tous les Mauriac s'étaient réunis autour de François dans le salon de l'avenue Théophile-Gautier, sauf Jean qui, à son bureau de l'Agence France-Presse, guettait la nouvelle : la décision des académiciens suédois chargés de décerner le prix Nobel de littérature. Depuis près de trois semaines, le bruit court que quinze ans après Roger Martin du Gard, cinq ans après Gide, l'auteur de *Thérèse* serait le prochain lauréat français de Stockholm.

La campagne de sondages, contacts et suggestions qui, comme tous les ans, s'est développée à l'instigation du comité Nobel à partir du mois de février entre Pen Clubs, universités, instituts, académies des différents pays et anciens lauréats, a fait apparaître, comme à l'accoutumée, une douzaine de noms : et d'abord celui de Mauriac et ceux de deux autres écrivains : l'Anglais Graham Greene et l'Espagnol Menendez Pidal. [C'est l'année de la culture catholique.] Certains suggèrent que le prix pourrait être partagé entre Mauriac et Greene — perspective qui agace l'auteur de *Genitrix*. Pour un peu, il préférerait y renoncer. Mais une majorité se dégage pour estimer que l'auteur de *Brighton Rock* est, d'une certaine façon, le disciple de celui des *Anges noirs* et qu'il est de trop d'années son cadet pour lui être accouplé. Ainsi Mauriac est-il, en ce début de novembre 1952, presque assuré d'être le lauréat. Sa surprise, son incrédulité même n'en seront pas jouées pour autant.

L'anneau de Polycrate

Le 6 novembre, la délibération du jury de Stockholm s'est ouverte un peu avant 15 heures. Dans le salon d'Auteuil, François Mauriac est nerveux comme un bachelier avant l'oral. « En tout cas, marmonne-t-il, c'est mon dernier résultat d'examen... » Vers 16 heures, Pierre Brisson entre en coup de vent : « Ça y est. Reuter vient de l'annoncer[1]... » Le conseiller de l'ambassade de Suède les prévient par téléphone que l'ambassadeur est en route pour leur communiquer officiellement la nouvelle.

Quelques minutes plus tard, M. Westman est là. Ajustant son monocle au bout d'un large ruban noir, il lit au lauréat et aux siens le message de l'académie de Stockholm, qui a décerné le prix Nobel de littérature à François Mauriac « pour l'analyse pénétrante de l'âme et l'intensité artistique avec laquelle il a interprété, dans la forme du roman, la vie humaine ».

Texte déconcertant. Le jury de Stockholm, si soucieux d'ordinaire des attitudes publiques, du témoignage social de ses lauréats, souci qui lui fait choisir Gide plutôt que Claudel et Martin du Gard de préférence à Valéry, ne souffle mot ici du Mauriac engagé, témoin, militant. Pas la moindre allusion à l'Espagne ni à la Résistance. Il est même spécifié que ce qui est élu en lui, c'est ce qui a pris « la forme du roman ». Dix ans après *le Cahier noir*, sept ans après les campagnes pour une vraie justice, après *la Rencontre avec Barrès*...

1. Reuter fut-il bien le premier informé ? A Stockholm, Claude Roussel, correspondant de l'*AFP*, avait la nouvelle depuis deux heures. A la demande du secrétariat du jury, il en différa la diffusion, par loyauté.

On s'empresse. On le presse. On lui tend des micros. Le salon de l'avenue Théophile-Gautier crépite de flashes. Il ne sait que répéter : « Ce n'est pas possible... c'est incroyable... » Il bredouille sourdement : « Je ne sais rien dire quand on me regarde... même pas faire des mots croisés. Vais-je m'acheter une glacière ?... Refaire ma salle de bains de Vémars... A combien se monte le prix ? 178 000 couronnes... Combien cela fait-il ? » Son étonnement se perd dans un borborygme intérieur, derrière la main repliée en cornet.

On improvise une conférence de presse au *Figaro,* où il n'en dira pas beaucoup plus. S'agit-il de le découvrir ? Ou même de le démasquer face aux honneurs ? En ce domaine, il n'a jamais triché : il les aime, et le fait paraître. Aux décorations et à la gloire dans le siècle, il réagit en cadet de Gascogne, parfois même en adolescent. Et puis il y a ces remontées, en lui, du bourgeois girondin, cette lettre qu'il griffonne à l'adresse de son ami d'enfance Roger Touton : « Si nos pères avaient vu le chèque ! »

Bref, il est assez heureux pour entendre sans sourciller et rapporter volontiers en riant le mot qui circule aussitôt, attribué à Claudel : « Je m'étonne que l'on donne le prix Nobel à un écrivain régionaliste ! » La revanche qu'il en prendra est drôle : « Quand je pense à lui, je me sens terriblement indigne d'avoir le prix. Il est si grand, Claudel, c'est le Cervin... Si grand qu'il ne peut plus recevoir que les récompenses éternelles... » Le son de cloche venu du « Cervin », on ne l'entend guère dans la presse sinon (par un détour) dans un article, au demeurant enthousiaste, de la *Svenska Dagbladet* de Stockholm : « Il a quelque chose qui manquait à Dostoïevski : une mélancolie contenue, un langage clair, concis [...] On n'écrit pas une prose française plus noble que celle de Mauriac où la pureté classique trouve une saveur supplémentaire dans un recours à certains provincialismes... »

Le Figaro littéraire a, entre autres réactions, la bonne idée de susciter celle de Jean Cayrol, Bordelais qui emprunte à Montaigne de quoi louer Mauriac : « ... Son univers où Dieu, sans fin, fait les cent pas, est encore le pays de notre naissance... Sa voix sourde et tendue témoigne sur *ce grand ouvrier de miracles qu'est l'esprit humain...* » A quoi Nimier ajoutera gaiement : « C'est une victoire de la personnalité sur la bonne conduite. » Et Jacques Laurent, second hussard de la garde : « ... Il est resté, pour ses amis comme pour ses adversaires, imprévu... Lui-même ne pourrait pas prédire où le périlleux mariage de sa logique et de sa passion va le conduire... »

Dans une interview accordée à Paul Guth, il met surtout l'accent sur tout ce qu'il doit à Graham Greene, son rival face au jury suédois, qui a beaucoup contribué à le faire connaître du public anglo-saxon, obtenant que Gérard Hopkins traduise quelques-uns de ses livres — *le Désert de l'amour, Thérèse, le Nœud de vipères...* Il bouffonne un peu à propos de sa célébrité devenue encombrante, de l'usage qu'il fera des millions (« exempts d'impôts ! ») du prix Nobel, montre quelques télégrammes émouvants, comme celui de M. Rivallan, le correcteur d'épreuves de ses œuvres, ou cocasses : celui d'un père rédemptoriste de Namur qui le félicite d'obtenir « le prix Nobel des hommes avant celui de Dieu » (« Cette manie des bons pères de vous parler toujours de votre mort ! »). Et toujours à propos des honneurs : « Le Panthéon ? Il se peut que je sois plutôt pendu... Je n'aurai peut-être le choix qu'entre le Panthéon et la fosse commune... » (Curieuse notation, à cette époque, pour lui paisible — comme s'il se reportait à 1943, ou se projetait en 1957...)

Il se rendra donc à Stockholm pour y recevoir son prix, le 10 décembre. Que se passe-t-il en de telles circonstances ? Quel est le rituel ? Comment se comporter ? Le provincial qu'il est resté, en dépit de lui et des autres, demande à Roger Martin du Gard de l'éclairer. Le 20 novembre, l'auteur des *Thibault* vient, tout pesant et bonhomme, son visage de comique 1900 ombré d'une indicible mélancolie, lui rappeler qu'un lauréat du Nobel est inévitablement la proie d'une presse internationale dont la finesse intellectuelle n'est pas toujours le fort, et qui estime que le surcroît de gloire assuré par une telle distinction doit se payer d'un abandon total à la voracité des chasseurs d'images et de mots.

« Martin du Gard, toujours compliqué, note Claude Mauriac, avait refusé de venir dîner sous prétexte que cela ne servirait à rien de se regarder manger. » Rencontre extraordinaire et donnée comme telle, car Martin du Gard continue de défendre farouchement sa tranquillité [...] Il donna force détails, encore sous le coup, plus de dix ans après, de ce que sa timidité (sinon sa modestie) avait eu à subir. Il avait commencé par fuir les journalistes, descendant à la gare qui précédait celle où on l'attendait. Mais [...] une conférence de presse avait eu lieu :

— J'entrai comme le taureau dans l'arène. La salle était bondée. Je dus faire face aux questions les plus indiscrètes. Et même à celle-ci : “ Comment se fait-il que l'auteur de *Jean Barois* ait eu une fille élevée dans la religion catholique ? ”

Pour vous, ce sera beaucoup plus facile car vous avez l'habitude des honneurs. Mais je vous préviens que c'est une épreuve... »

On parle d'argent : l'équivalent de 11 millions de francs. « Mais, fait Martin du Gard, il faut en laisser beaucoup en route... » Sur quoi Mauriac s'enquiert des œuvres suédoises à ne pas oublier. Quant aux françaises, il sait déjà :

> « Je venais à peine d'apprendre que j'étais couronné que les demandes d'argent affluèrent, émanant *toutes* de prêtres ou de religieuses. Je sais bien qu'ils ne réclament pas pour eux, mais il y eut dans leur hâte un manque de tact — un côté chantage aussi — qui me fut désagréable. C'est bien là l'éternelle indiscrétion ecclésiastique ! Les plus modestes, fort nombreux ceux-là, sont des curés qui me demandent un vélomoteur... Mais le vélomoteur n'est pas la forme de charité vers laquelle je me sens incliné... »

Le 7 décembre, au début de la soirée, Jeanne, François et Jean Mauriac prennent le train pour Stockholm. Ils sont le lendemain en gare de Copenhague, où les admirateurs les attendent, les suppliant de descendre du train pour un entretien sur le quai. Mais le lauréat a si peur des voyages que, chaque fois qu'il quitte son wagon pendant l'arrêt du train, il tremble de le voir filer sans lui... Et le 9, les voilà à Stockholm dont la beauté nocturne, maritime et solennelle les émeut. A peine installé au Grand Hôtel, face au port et au palais royal — il a toujours aimé ce type de luxe — il lui faut repartir pour l'ambassade de France et affronter les journalistes (ô Martin du Gard !) pour une conférence de presse :

— Pourquoi la religion a-t-elle tant d'importance dans la littérature française contemporaine ?

— Ne jugez pas les écrivains français d'après moi ! Les influences dominantes, en France, aujourd'hui, ce sont celles de Sartre et du surréalisme. Dieu en a peut-être assez des hommes de lettres. Mettez-vous à sa place !

— Vos convictions ne vous gênent-elles pas, quand vous écrivez vos romans ?

— Quand je veux défendre mes idées, j'ai le journal, abcès de fixation qui permet d'épurer le roman des idées qu'on ne doit pas y mettre...

— Quel est votre livre préféré ?

— *Le Mystère Frontenac* est celui qui m'émeut le plus...

— Ne songez-vous pas, comme Guéhenno, à enquêter sur l'état actuel des colonies françaises ?

— Je ne voyage guère. Je connais un peu la Tunisie. Ce n'est pas par les voyages que je m'instruis. Je ne sais pas ce que je ferai de l'argent de mon prix Nobel, mais je sais ce que je ne ferai pas : le tour du monde... (Il a donc refusé de saisir la perche qui lui était tendue là pour parler du Maroc...)

On s'en va, à deux pas de la petite cathédrale et du palais de Bernadotte, visiter l'académie de Suède où, dans d'exquises salles rococo, se déroulent les délibérations des dix-huit qui décernent le prix[1]. C'est le poète Anders Österling qui les accueille dans cette ravissante demeure bâtie pour Gustave III, souverain raffiné, assassiné lors du fameux *Bal masqué* dont s'est inspiré Verdi. Mais c'est plutôt Mozart qu'on chanterait ici, dans ce décor pour *Cosi Fan Tutte* que la littérature partage bizarrement avec la Bourse. L'après-midi, on visite la fondation Nobel.

Mauriac ne s'étonne que d'une chose : la nuit est tombée dès avant 3 heures. La ville ne brille que des feux de Noël déjà allumés un peu partout. Et rien n'enchantera mieux le voyageur venu de Gironde que d'être réveillé le surlendemain matin, jour de la sainte Lucie, patronne de la lumière, par un groupe de jeunes filles à la tête couronnée de bougies pénétrant dans sa chambre d'hôtel...

La cérémonie se déroule le 10 décembre, au Konzerthuset, le palais des concerts, après une soigneuse répétition. Les lauréats sont exercés le matin à descendre l'escalier vers le roi, à s'incliner, à reculer vers leur place, car il ne faut jamais tourner le dos au souverain. Mauriac se réjouit d'être le dernier à passer : il imitera les autres, « ceux qui ont inventé la poudre. Pas moi. Mais eux n'ont que la moitié du Prix. Moi, je l'ai tout entier. Aux innocents les mains pleines... ».

1. Ils doivent être au moins douze pour voter

A 16 h 30, les six élus — les physiciens américains Emile Bloch et Edward Purcell, les chimistes britanniques Archer Martin et Millington Synge [1] et le médecin américain Selman Waksman, précédant Mauriac, en habit comme eux et le col et la poitrine ornés de décorations qui lui donnent l'air d'un vieux gentilhomme retour de l'émigration, accueilli au son de *l'Arlésienne* de Bizet — ce que les musiciens suédois ont trouvé de plus « régionaliste » pour saluer un émissaire du pays d'Oc.

Ecoutons le récit d'un témoin, l'ambassadeur Jean-François Duflos, alors conseiller à l'ambassade de France à Stockholm :

« Utilisant avec une habileté consommée les ressources du micro, l'auteur du *Nœud de vipères* remercie. Avec quel art il remplit la salle de son demi-silence ! Puis il descend lentement les marches de l'estrade pour recevoir des mains du roi son parchemin et son chèque. Parfaits son salut au souverain, son inclinaison devant la reine Louise. Dans cet habit qui sied à sa minceur, il est certainement conscient de ce qu'il représente alors pour nous. Nul doute qu'il se soit soigneusement préparé à cet instant solennel. »

Le soir, au banquet que préside le souverain à l'Hôtel de Ville, François Mauriac prononce une allocution où, comme toujours, il se met tout entier, avec cette ferveur fragile et brûlante qui n'est qu'à lui. Et lui que le jury n'a voulu distinguer que pour son œuvre romanesque, va s'évader de ce domaine. Ce n'est pas un discours complaisant qu'il prononce là :

> « L'absurde livre l'homme à l'inhumain [...] L'être humain, vidé de son âme et donc frustré d'une destinée personnelle, devient cette bête de somme plus maltraitée par les nazis, et par ceux qui aujourd'hui usent des méthodes nazies, que ne sont les bêtes de somme... De la bête humaine, il n'y a rien à tirer que du rendement, jusqu'à ce qu'elle crève... Que le mal soit le mal, nous payons assez cher pour nous rendre à cette évidence, nous qui vivons sous un ciel où la fumée des crématoires rôde encore. Nous les avons vus sous nos yeux dévorer des millions d'innocents... Et la même histoire continue. Le système concentrationnaire s'enracine profondément dans de vieux pays où le Christ a été adoré et servi pendant des siècles. Nous regardons avec terreur se contracter sous notre regard, comme la peau de chagrin du roman de Balzac, l'espace de terre où l'homme jouit encore des droits de l'homme, où l'esprit humain demeure libre. »

Il tient aussi à rendre hommage à son concurrent et ami avec lequel il a trouvé ainsi le moyen de partager le prix Nobel, parlant de « l'accord mystérieux qui s'établit entre une œuvre d'inspiration catholique comme celle de mon ami Graham Greene et l'immense public déchristianisé qui dévore ses livres et chérit ses films [...] Cette humanité déchristianisée [qui] demeure une humanité crucifiée »... Mais il conclut sur une note plus sereine, assurant son auditoire que lui ayant, « à travers ses personnages, livré les secrets de son tourment », il lui devait aussi de l'« introduire ce soir dans le secret de sa paix ». Ce dernier mot surprit, venant de ce maître des abîmes et en conclusion d'un texte dont le ton tragique avait ému. Cette humanité « crucifiée », n'était-elle pas celle qui souffrait à Casablanca ?

1. Descendant du grand dramaturge irlandais.

C'est la question qu'il se pose à coup sûr le lendemain, agenouillé dans la chapelle des dominicains de Stockholm, au cœur d'une méditation qu'il devait ainsi résumer quelques mois plus tard : « ... Que j'échappe enfin à la futilité du journalisme brillant durant la traversée de cette frange de clarté avant que je m'endorme, que je témoigne en faveur de ce qui me tient à cœur plus que tout au monde[1]... »

Prévenu on l'a vu par Martin du Gard, le lauréat sait qu'il lui faudra distraire de l'aubaine en couronnes de substantielles oboles au profit des œuvres locales — en attendant Paris. L'ambassadeur Armand du Chayla lui glisse le chiffre du don qu'a fait Gide : « Oui ! mais Gide était alors célibataire, lui ! »

Mauriac a demandé de terminer son séjour par une visite à la célèbre université d'Uppsala, pour dialoguer avec les étudiants. Les voilà face à face, eux un peu intimidés, hésitant à poser des questions. Lui : « Vous vous demandez à qui il aurait fallu décerner le prix ? A un romancier comme Camus (une moue) ou à un poète comme Claudel ? Bien sûr ! Mais Clau-del, Clau-del... Le bon Dieu en a assez que l'on parle de lui... »

Ils ne rentreront que le 17 décembre à Paris, après un séjour marqué d'autant d'attentions amicales que de témoignages d'admiration. Des porteuses de bougies de la sainte Lucie aux étudiants de l'université d'Uppsala, Mauriac gardera un bon souvenir de cette Suède où le protestantisme, le froid et la longue nuit lui ont semblé moins rébarbatifs qu'il n'avait prévu. Et tant de gloire ne parvient pas encore à le lasser.

Mais elle le bouleverse. Le prix Nobel qui met le comble à cette longue distribution de prix qu'est sa vie depuis près d'un demi-siècle, il le sent sur lui comme un comble d'exigence, un excès de responsabilité. Il l'a écrit lui-même avec plus d'insistance peut-être qu'il convenait. Mais comment retenir un écrivain comme lui de faire d'un balbutiement biographique un quatrième acte de Racine ?

> « J'en fus terriblement accablé, assura-t-il[2]. Que faire de cette distinction formidable, excessive, la refuser comme fera Sartre, ou la faire servir en quelque aventure périlleuse, quelque croisade téméraire ? La reverser en somme à un compte collectif ? C'est l'heure où Polycrate arrache l'anneau de son doigt et cherche pour l'y jeter, une eau profonde qui ne le rendra plus. Or, une rencontre me frappa : je recevais le prix Nobel le jour et presque à l'heure où, à Casablanca, une foule misérable tombait dans le traquenard qui lui avait été tendu. A mon retour, un dossier irréfutable m'était apporté comme une réponse à ma secrète prière au milieu des fastes de Stockholm : qu'il me fût permis de rendre à la mer ce trop bel anneau que la fortune me passait au doigt. Désormais je fus engagé. »

1 *Bloc-Notes*, 1, p 22
2 *Ibid.*, p. 200

Ce racisme né du lucre et de la peur...

Comme toujours, la réalité est plus complexe que la métaphore qui prétend l'exprimer. Autour de l'anneau de Polycrate, de la mer qui l'engloutit (pour le rendre plus scintillant sur la roche ?) raisons, impulsions et passions s'entrecroisèrent dans un climat et à un niveau de haute exigence, de courage lucide et de fronde sarcastique. Analysant le phénomène, l'un mettra surtout l'accent sur les raisons intellectuelles ; l'autre sur tel ou tel type d'amitié ; un troisième, sur le goût du risque ou le non-conformisme ; un autre encore sur l'exigence chrétienne et un dernier sur l'exacerbation de l'esprit critique. On parlera enfin de « conscience coupable », d'inconscient rejet propre aux intellectuels.

Raisons, passions, compassion : l'entrée de Mauriac dans le grand débat maghrébin à la fin de 1952 est la résultante d'une vie, d'une culture et d'un tempérament aussi bien que celle de circonstances exceptionnelles et d'un certain courant d'informations. De cette coïncidence entre l'excès de gloire qui le couronne et l'excès de misère où sombre une collectivité en faveur de laquelle sa sensibilité depuis quelque temps s'intéresse, à l'entreprise de séduction qu'exerce brusquement sur lui l'une de ces « fraternités » chrétiennes qu'il a souvent connues et parfois méconnues du temps du Sillon à celui des Basques, les facteurs de détermination sont innombrables et mal dissociables.

Si l'on prétend tout de même décrire le système de forces qui va faire de Mauriac, ce colonel de « hussards » plus ou moins maurrassiens du début des années cinquante, la figure de proue du progressisme promarocain, on doit relever d'abord la réaction du chrétien indigné par le cynisme et la brutalité de l'opération du 8 décembre 1952 ; ensuite, l'impatience du grand écrivain provisoirement exilé de la politique, en quête d'un thème de renouveau conforme à ses convictions et à son esthétique ; enfin un ensemble d'adjurations, incitations et invites qui font de lui, d'abord, le porte-drapeau du mouvement, puis l'épicentre du cyclone.

Que le chrétien en lui ait d'abord été entraîné, emporté dans le débat par une colère évangélique plus ou moins contrôlée, c'est indubitable. Avant que s'exercent sur lui les multiples influences qui finiront de le jeter à la pointe du combat, c'est du côté catholique et même religieux qu'il reçoit la première information. L'inquiétude qui s'exprime dans le dernier des entretiens avec Amrouche au début de 1953 est née en lui à la lecture d'informations sur le Maroc fournies par des petits frères de Jésus, ordre fondé par le frère Voillaume dans l'esprit de Charles de Foucauld. Et sur le drame de Casablanca, ce qui le frappera surtout, ce seront les témoignages des petites sœurs des pauvres dont le siège, à Casablanca, est tout proche des « carrières centrales », le bidonville où s'est déroulé l'épisode le plus sanglant des journées des 7 et 8 décembre 1952.

Dans toutes ses réflexions de l'époque, cette source d'informations est citée, et le christianisme allégué comme origine de ses décisions. Ainsi le titre de l'article qui fera éclater le « scandale », le 13 janvier 1953, se rapporte-t-il à la « vocation des chrétiens ». Comme dans l'affaire espagnole, c'est en tant que chrétien que d'abord il se dresse, citant dans son premier article, celui qui fit de lui le porte-drapeau des uns et la cible des autres, un texte de Mgr Amédée Lefebvre [1]. L'évêque de Rabat faisait dès le mois de mars 1952, et, en des termes certes pleins d'onction, le procès moral de l'exploitation coloniale et exhortait fermement les chrétiens du Maroc à pratiquer vis-à-vis des « indigènes » les préceptes de justice qui sont le fondement même de l'enseignement évangélique. Admonestation si ferme dans le fond que beaucoup de curés refusèrent d'en faire lecture en chaire. Comment Mauriac n'aurait-il pas été frappé par ce texte, et l'incident ?

Quelques mois après la rentrée de Mauriac dans ce nouveau combat, le 3 juillet 1953, André Maurois, ami de naguère que sa « prudence » entre 1940 et 1944 a beaucoup éloigné de lui, fait, de son air de mouton diplômé d'Oxford : « C'est excellent pour vous, cher ami, de vous occuper des indigènes... » Autrement dit : quand on n'est plus capable d'inventer, il n'est pas mauvais de trouver de nouveaux thèmes d'inspiration. Alors, les indigènes...

Pour aimablement perfide qu'il soit, le propos de l'auteur du *Colonel Bramble* dit une part de vérité : il n'est pas douteux que le Mauriac accablé de gloire de 1952 est, sur le plan artistique, en état d'angoisse. C'est vrai qu'il vient d'écrire l'un de ses chefs-d'œuvre, *le Sagouin*. C'est vrai qu'il vient d'en inventer un autre, le *Bloc-Notes*. C'est vrai qu'il croit, à tort ou à raison, à l'importance de cet *Agneau* qu'il est en train d'achever. Mais il doute. Il cherche. Cette « bataille d'hommes » vient à point dans sa vie.

Rien pourtant n'aura été plus important, dans l'engagement marocain de Mauriac, que les personnes, amis et ennemis, qui l'y auront entraîné.

Les amis ? Quelques religieux d'abord, comme le frère Voillaume, fondateur et prieur général des fraternités Charles de Foucauld, et parmi ses jeunes « frères », Patrice Blacque-Belair, fils d'un compagnon de Lyautey devenu l'un des notables « libéraux » du protectorat et qui a l'oreille de Pierre Brisson, le directeur du *Figaro*. Quelques militants catholiques : Robert Barrat et sa femme Denise, dont la maison de Dampierre sera le centre des activités et réunions du groupe et, animateur d'*Esprit*, Jean-Marie Domenach avec lequel Mauriac entretient depuis des années des relations aussi orageuses mais plus fraternelles que celles qui le liaient à Mounier ; de grands universitaires spécialistes de l'islam, Louis Massignon qu'il connaît depuis près de quarante ans, Charles-André Julien, Régis Blachère. Enfin, de jeunes militants de l'indépendance marocaine, et avant tous, Taïbi Benhima (plus tard ministre des Affaires étrangères), Abderrahim Bouabid, futur leader de la gauche marocaine, et Ahmed Alaoui, puis Mehdi Alaoui.

Tels sont les responsables les plus directs de l'entrée en lice de Mauriac, sans compter les membres de la famille de Chaponay, apparentée au comte de Paris (elle, née princesse de Vendôme, est la cousine germaine du prétendant) très liée à celle du sultan de Rabat, et dont les avis et

1 Dont les textes disent assez qu'il ne s'agit pas de celui d'Ecône

avertissements pèseront lourd dans l'affaire. Bref, du clergé aux jeunes nationalistes marocains et de la plus prestigieuse université à la noblesse la plus titrée, le siège de Mauriac est bien fait.

Les ennemis ? C'est au cours du combat qu'il les découvrira.

A son retour de Stockholm, le 17 décembre, le voyageur se replie sur sa vie familiale. Mais quatre ou cinq jours plus tard, il reçoit la visite de Robert Barrat qui, le 20 décembre, a été informé par des religieuses et religieux mêlés de près au drame, que l'« émeute » de Casablanca a été en grande partie provoquée, puis transformée en guet-apens par la police, et que depuis lors la répression fait rage : les déportations de militants ou sympathisants se multiplient. Barrat, animateur du Centre catholique des intellectuels français (CCIF), va désormais mettre cet organisme au service de la cause marocaine. Et Mauriac au service de cet organisme et de cette cause...

Il serait bien sûr absurde et déplaisant de faire de l'auteur du *Cahier noir*, en cette affaire, l'instrument de quelques jeunes militants idéalistes plus ou moins exaltés. Pour les raisons éthiques et esthétiques que l'on a évoquées, Mauriac fait de cet engagement un combat très personnel. Mais on ne peut manquer de citer cette confidence faite à son fils Claude : « ... Je suis comme un vieux drapeau qu'ils brandissent, après s'être aperçus qu'il peut encore servir[1]... » Ce « ils » vise surtout Robert Barrat qui joua le rôle décisif, Patrice Blacque-Belair et Taïbi Benhima. Mais il faut le redire : pas plus que Bourdet ou Copeau n'écrivit *Asmodée*, pas plus que Claude n'intervint à sa place en faveur de Brasillach, nul ne se substitua à lui dans son engagement marocain qui fut total et assumé comme tel.

Depuis le 16 juin 1952 sont diffusés par la radio nationale des entretiens de François Mauriac avec Jean Amrouche, écrivain catholique algérien qui s'était signalé par ses interviews de Gide et de Claudel. Si les premiers dialogues n'avaient guère porté que sur l'enfance, la formation et les romans de l'auteur de *Nœud de vipères*, les derniers, diffusés en janvier 1953, font paraître une anxiété proprement politique à propos du Maghreb, du Maroc surtout.

Parlant soudain du « désordre établi » qu'est l'injustice des puissants, sa voix prend alors une force singulière. De toute évidence, il aspire à parler de cette Afrique du Nord qui lui jette comme un appel ou un défi. Ses antennes se sont dressées. Il sent monter du Maroc enfiévré — sur lequel il est encore très mal informé — comme une plainte. Il témoigne d'une sorte de compassion.

Sitôt mis en possession du dossier de Barrat, à la fin de décembre, il s'interroge sur le type d'intervention auquel son prix Nobel donnera le plus de poids. Il hésite encore un peu. Mais le 3, puis le 9 janvier, il reçoit les deux visites qui, plus encore que celle de Barrat à la fin de décembre, vont le déterminer à entrer dans le combat : celle du frère Voillaume et celle de

1 *Le Temps immobile*, 3, p 471.

M. de Chaponay. Entre-temps, il a accueilli au *Figaro* Jean-Marie Domenach accompagné d'un ami malgache, qui lui signifient que son silence couvre non seulement une iniquité au Maroc, mais aussi la répression qui, depuis quatre ans, ne cesse de meurtrir Madagascar, sous la férule de gouverneurs réputés chrétiens.

Madagascar ? Incrédule, il fait aussitôt appeler un journaliste du *Figaro,* spécialiste de ces questions, qui minimise placidement les informations de Domenach. « Vous voyez... » Mais cette démarche d'un homme qu'il estime d'autant plus qu'il a polémiqué loyalement avec lui et en qui il reconnaît l'héritier de la pensée de Mounier le laisse préoccupé et prend place dans la chaîne des influences qui vont le conduire à l'éclat du 13 janvier.

Le 7 janvier, son fils aîné déjeune à la table familiale. François Mauriac a passé la soirée précédente chez son ami Hamelet, du *Figaro,* avec leur ami commun l'abbé Depierre, prêtre-ouvrier qu'il respecte entre tous et qui a longuement évoqué la misère des différents prolétariats, en France et hors de France. Claude note ceci :

« Mon père plus jeune, ardent, combatif que jamais. Révolté par ce qu'il a appris de source certaine (non révolutionnaire, prend-il soin de préciser : seulement chrétienne) sur ce qui s'est réellement passé au Maroc lors des derniers événements sanglants — mais sanglants surtout pour les Arabes.

— La France se déshonore aussi à Madagascar où l'on continue de fusiller des Malgaches pour des crimes, ou prétendus tels, vieux de plusieurs années ! La justice est embouteillée...

— Si l'on peut appeler cela la justice...

— Oui, je sais bien, ajoute mon père, c'est de plus en plus, dans le monde entier, le règne de la police... Mais de la France, au moins, on aurait pu attendre autre chose [1]... »

Le 12 janvier, François Mauriac est invité à participer à un déjeuner organisé par l'abbé Berrar, aumônier du Centre catholique des intellectuels français de la rue Madame, avec Robert Montagne, historien du Maroc, professeur au Collège de France, directeur du Centre d'études d'administration musulmane, quelques spécialistes de l'Afrique du Nord, le porte-parole des étudiants marocains à Paris, Taïbi Benhima, et Robert Barrat. C'est moins Mauriac que Montagne qui est ici sollicité : pour les militants du CCIF, il s'agit avant tout d'entraîner dans le combat un expert de réputation internationale des affaires d'Afrique du Nord. Montagne, ancien officier de marine, a été le négociateur de la reddition d'Abd-el-Krim, un quart de siècle plus tôt. Les vieux routiers du pouvoir colonial ne pourraient le récuser pour naïveté, incompétence, ignorance de la situation.

Mais Montagne se récrie. Pas question pour lui de se mêler de cette affaire explosive : « Vous allez mettre le feu aux poudres. Je sais comment vont réagir les Français du Maroc. Vous allez faire plus de mal que de bien ! » Mais quoi ? Les chrétiens, dont il est, ne doivent-ils pas témoigner de la vérité plutôt que de s'en « laver les mains » ? Montagne n'en disconvient pas.

1 *Ibid.*, p. 441-442.

Mais il se récuse personnellement, arguant de ses responsabilités à la tête du Centre d'études d'administration musulmane.

Mauriac n'en réagit que plus vivement. Cette prudence le met hors de lui. C'est lui, propose-t-il, qui prendra la tête de l'opération. Déjà, il s'offre à présider la réunion prévue au CCIF pour le 27 janvier, et à laquelle doivent également prendre part le frère Voillaume et le pasteur La Gravière. Il a franchi la frontière qui sépare le monde paisible où l'on ne cesse de lui offrir les suffrages des académies et les triomphes littéraires, pour pénétrer dans la zone des tempêtes.

C'est ce soir-là qu'il écrit, en hâte, l'article qui va signifier au monde son engagement, « La vocation des chrétiens dans l'Union française » — titre significatif à bien des points de vue. D'abord parce qu'il met l'accent sur l'idée religieuse de « vocation », et en parlant des « chrétiens », non des seuls catholiques. Ensuite parce qu'il situe le débat dans le cadre de l'« Union française », à laquelle n'appartient pas le Maroc et dont se défient ses amis marocains. Formulation malhabile du point de vue politique, mais qui dit bien qu'au-delà de la tragédie de Casablanca et des intrigues de l'oligarchie de Rabat, c'est tout le problème des rapports entre les croyants et le système de domination coloniale qui se pose pour lui et qu'il pose en retour à l'ensemble du monde chrétien.

Ainsi, le 13 janvier au matin paraît, en tête du prudent quotidien du Rond-Point des Champs-Élysées, un article que Pierre Brisson n'a pu lire sans appréhension, mais pour lequel il a eu le courage — ou le bon sens — de ne pas demander à Mauriac la moindre retouche. Au soir du *Passage du Malin*, il avait prévu pour sa maison « sept jours, sept mois ou sept ans » de remous. Cette fois, ce sont des orages qui s'annoncent, et pour un temps peut-être plus long.

C'est en récusant clairement l'autorité de tous les pouvoirs en place au Maroc que Mauriac en appelait à cette « chrétienté [qui] a pris racine en terre d'islam, qui n'est pas ennemie de l'islam, qui au contraire l'aime et le comprend. C'est de ce côté-là, précisait-il, que nous chercherons des témoins si jamais il nous était demandé compte du sang répandu et s'il était prouvé qu'il l'a été injustement »...

Et il rappelait aux chrétiens que leur incombait « le rôle de témoins » et aussi la charge de

> « réparer dans tous les sens du terme : à la fois prier, panser les plaies et rétablir entre les deux peuples les liens brutalement rompus [...] A l'ensemble des chrétiens, catholiques et protestants de l'Union française s'impose le devoir de faire front contre ce racisme né du lucre et de la peur, qui enfante des crimes collectifs ».

Et de conclure sur un ton plus mesuré, mais en forme d'avertissement :

> « Il reste que les autorités responsables du maintien de l'ordre cèdent souvent à des raisons qui échappent aux témoins de bonne foi. Elles détiennent des renseignements que le public ignore. Nous ne songeons à

juger ni à condamner personne sur des rapports qui, pour être désintéressés, n'en demeurent pas moins passionnés. Simplement, nous voulons voir clair dans cette sanglante histoire. Nous n'accepterons pas que la page soit tournée. »

Ni sa signature, apposée au bas du manifeste pour les Basques de Guernica, ni sa fidélité au Front national de 1944 à 1946, ni ses campagnes contre l'épuration n'avaient jamais soulevé de tels remous. Cet article du 13 janvier 1953 provoque un scandale majeur. Qu'un membre de l'Académie française, catholique notoire, grand bourgeois, éditorialiste du *Figaro,* puisse évoquer des « crimes » et parler du « racisme né du lucre et de la peur » à propos du Maroc, de cet empire chérifien que la bonne conscience française tenait pour le chef-d'œuvre de la colonisation, enfanté par le grand, l'intouchable Lyautey, il y avait là de quoi stupéfier un monde de bonnes âmes pieuses et nanties, la clientèle du *Figaro.* La stupeur qu'elles éprouvèrent ce matin de janvier 1953, à l'heure du petit déjeuner, il faudrait, pour le dire, être Proust évoquant les réactions du Jockey Club face aux propos dreyfusards du prince de Guermantes. De l'Académie à la résidence générale de Rabat, de la Banque de Paris et des Pays-Bas à la presse d'extrême droite, ce fut un tollé. Dès le 17, le général Guillaume écrivit à Mauriac : « Monsieur, l'article du *Figaro* dans lequel vous exposiez récemment le rôle du chrétien au Maroc en face des événements actuels a retenu mon attention. Me rendant prochainement à Paris, je serais très heureux de vous y rencontrer. Nous pourrions [...] nous entretenir de cette question marocaine qui préoccupe à juste titre une opinion parfois mal informée... »

Ce militaire consciencieux, tenu pour un bon spécialiste du monde berbère, ne s'était pas fait une réputation de finesse, ni de courtoisie. Le ton de ce billet, la formule relative, l'opinion « mal informée » (qui diable avait ainsi posé le problème ?), la pesanteur du propos, tout dut ancrer Mauriac-le-subtil dans la piètre idée qu'il se faisait du personnage. La rencontre qui eut lieu, en présence de Pierre Brisson, n'arrangea rien. Si sévères que puissent être les préventions que l'on entretenait à l'encontre du général Guillaume, rien ne pouvait mieux les aggraver qu'une rencontre avec lui, en cette année 1953 où sa lourdeur naturelle s'épaississait encore du sentiment confus d'être le jouet d'une camarilla d'intrigants qui lui faisaient commettre faute sur méfait. Aucun des trois interlocuteurs n'a, semble-t-il, jugé bon de donner un écho durable à cet entretien — le général confiant à son entourage qu'il n'avait « rien de particulier à en dire ». Rien de particulier, après deux heures d'entretien avec François Mauriac et Pierre Brisson en de telles circonstances ?

L'article du 13 janvier a néanmoins suscité des réactions qui émeuvent davantage Mauriac. Celle d'un prêtre du Maroc notamment, que lui communique Robert Barrat : mettant l'accent sur le racisme brutal qui règne autour de lui, ce religieux fait néanmoins des réserves sur l'article du *Figaro.* « Tous les milieux, même le clergé, se sont insurgés contre cet article et certains accusent Mauriac d'être tombé par vieillesse dans la main de ceux qui veulent chasser la France du Maroc (Walter et les communistes[1]). »

« Par vieillesse »... Voilà bien de quoi calmer Mauriac ! Lequel est réconforté par un article du journal *l'Éclair* de Nancy confirmant les informations du dossier Barrat ; par une lettre du grand islamisant Régis Blachère qui, le 15 janvier, l'assure que sa position « est non seulement celle du courage mais également de la clairvoyance et du bon sens » ; et par un télégramme de Louis Massignon, alors en Jordanie, qui l'encourage ardemment à faire entendre à la « France chrétienne » la voix de la justice pour « nos hôtes en Occident ». L'acceptation du frère Voillaume de témoigner au cours de la réunion du 26 janvier au Centre des intellectuels catholiques lève ses derniers doutes.

Ce n'est certes pas un vieillard qui se rend ce soir-là rue Madame, mais un combattant plein de fougue et délivré de ses perplexités par la violence des réactions qu'il a suscitées, la grossièreté des ripostes qu'il essuie, la bassesse des imputations qui circulent autour de lui.

L'affichette apposée à l'entrée du Centre des intellectuels de la rue Madame portait ces mots : « Les problèmes d'Afrique du Nord devant la conscience chrétienne. » La salle, prévue pour 450 auditeurs, était comble et l'on dut installer alentour des haut-parleurs pour la foule retenue au-dehors. A la tribune, autour de Mauriac qui présidait avec le frère Voillaume à sa droite, se tenaient André de Peretti, ingénieur, fils d'un directeur de journal de Rabat, animateur du Comité d'entente islam-chrétienté, auteur dès 1947 d'un article d'*Esprit* en faveur de l'émancipation du Maroc ; Pierre Corval, journaliste de l'aile libérale du MRP (remplaçant le pasteur La Gravière) et Robert Barrat.

C'est Mauriac qui ouvre le feu, d'une voix d'abord presque inaudible, étouffée, mais qui porte de plus en plus sur la salle. Il évoque ses précédents combats, parle de l'Éthiopie et de Guernica à propos des fusillades de Casablanca. Ce ton qu'il a donné ne faiblira ni quand de Peretti affirmera que c'est la pensée même de Lyautey qui est trahie par les responsables de Rabat, ni quand Corval évoquera l'exemple symétrique de la Tunisie, avec d'autant plus de pertinence que c'est l'assassinat par des extrémistes européens du leader syndicaliste tunisien Ferhat Hachad qui fut à l'origine des troubles de Casablanca.

Robert Barrat présente son rapport sur les sanglantes journées des 7 et 8 décembre, réclamant la création d'une commission d'enquête pour déterminer aussi bien le nombre exact de victimes (« le chiffre officiel de 50 morts paraît singulièrement faible... Beaucoup de Français du Maroc... parlent de 1000 à 1200 morts ») que des conditions dans lesquelles se poursuivent la répression et la déportation.

Le frère Voillaume, rappelant les exigences de loyauté et de respect qui inspiraient Charles de Foucauld à l'égard des musulmans, met l'accent aussi

1. Robert Barrat, *Justice pour le Maroc*, p. 27. Walter était un grand industriel dont la collusion avec les communistes et les nationalistes fut la fable ridicule, de cette presse

bien sur les complexes de supériorité de la civilisation technique européenne que sur une « conception du patriotisme inadaptée aux rapports nouveaux entre les peuples », oublieuse des « droits et intérêts d'autres nations et d'autres races ». Puis il élargit le débat à l'Indochine, à Madagascar. Et il conclut : « N'oublions pas que le premier précepte de notre religion est celui de l'amour universel [qui] cherche l'égalité et non la supériorité, qu'il suppose le respect de la personne et de l'homme, et tend à n'exclure personne. »

Deux interventions inopinées devaient suivre : celle de Charles-André Julien qui tint à s'associer, en protestant agnostique, aux propos des catholiques qu'il venait d'écouter ; et celle de François Mitterrand, député de la Nièvre, ancien ministre qui, prenant place à la tribune, prononça un vif réquisitoire contre la politique française outre-mer depuis 1945. Dans le livre qu'il publia quelques mois plus tard[1] Robert Barrat écrivait de cette soirée quelques lignes qu'aurait pu signer Mauriac :

« Nous avons tous plus ou moins le sentiment qu'il s'est passé quelque chose ce soir : la gravité du ton, la qualité unique du recueillement, la ferveur de l'auditoire ont immédiatement conféré à cette séance une importance que nous ne soupçonnions pas il y a quelques jours. De quoi va-t-elle être le point de départ ? »

« Il y en a marre, monsieur Mauriac ! »

La presse conservatrice réagit violemment, comme le général Guillaume qui, trois jours plus tard, à l'American Club de Paris, dénonce les « calomnies » et limite à trente-trois le chiffre des morts « dénombrés et identifiés ». Imprudente prudence... Mais le 3 février, au cours d'un entretien avec Charles-André Julien et Robert Barrat, le chef des services de sécurité du Maroc, M. Duteil, reconnut clairement que, le 7 décembre, la police avait monté une « souricière » à la maison des syndicats de Casablanca, et que les manifestants y avaient passé « une demi-heure assez dure ».

Au journaliste Jean-Marie Garraud, du *Figaro,* le même fonctionnaire devait avouer quelques jours plus tard qu'au lieu de grenades lacrymogènes, les policiers avaient usé de mitraillettes, et que les internés portaient d'innombrables traces de sévices. Quant aux expulsions du Maroc, les vérifications faisaient paraître qu'elles se fondaient sur des dossiers truqués, le pire cas étant celui de Pierre Parent, ancien combattant du Rif, vieux mutilé de guerre qui, ayant écrit quelques mois plus tôt dans un journal

1 *Ibid*

marocain *(Al Istiqlal)* qu'il « y avait d'autres moyens que de faire couler le sang », se voyait accuser par la police d'incitation à la violence...

Le dossier est si lourd, et si efficace l'usage qu'en font Mauriac et ses amis, que de partout se manifestent les réactions de colère. Dans son *Bloc-Notes*, en date du 5 février, l'auteur du *Cahier noir* écrit ceci :

> « Je découvre à des signes souvent imperceptibles que mes articles du *Figaro* troublent des intérêts puissants. Tout un système de sonnettes d'alarme se déclenche : " Ne vous occupez pas du Maroc !... " Ce mufle que je viens de chatouiller, inconsidérément, appartient à une très grosse espèce. On me glisse à l'oreille : " Il y a de grands intérêts en jeu... " Je manque de sérieux, je ne sais pas de quoi je parle. " Vous êtes un enfant au fond ! " Oui, peut-être. »

Rien ne peut mieux aviver sa verve que ce type d'imputation. Sa verve *contre* les prudents, les nantis. Sa verve *pour* tout ce qui est juvénile, audacieux. Quel rêve : être celui qui dit, candidement : « Le roi est nu », quand on a dès longtemps dépassé l'âge du roi !

Publié le 10 février, un nouvel éditorial du *Figaro,* « La justice est une politique », approfondit sa critique du système du protectorat, avive les rancunes, exacerbe les polémiques et lui vaut une mise en garde de son frère Pierre. Il y répond sous cette forme très inattendue chez lui, d'homme de science ou d'homme de loi, mais avec une force de conviction évidente — qui fait de ce texte une clé pour comprendre pourquoi et comment François Mauriac fit de cette affaire, après celles d'Espagne et de la Résistance, une des causes de sa vie :

> « Cher Pierre,
> Comme tu dois en entendre de toutes les couleurs à propos de ton malheureux frère, je veux seulement t'avertir et attirer ton attention sur plusieurs points.
> 1. Tu penses bien qu'à 67 ans je n'ai pas jeté mon prix Nobel dans cette bagarre terrible sans réflexion et sans être mû par des motifs puissants.
> 2. Je suis approuvé *à fond* ou plutôt nous sommes approuvés à fond (le Centre des intellect. cathol.) par le président de la République [1] qui m'a dit à moi-même des colons du Maroc et de Tunisie : " Ils sont en train de nous faire perdre l'Afrique du Nord ", et par les éléments les plus vivants du Quai d'Orsay.
> 3. Pierre Brisson, nullement prévenu [2], a envoyé deux enquêteurs il y a trois semaines au Maroc, nullement prévenus eux-mêmes, avec le seul mot d'ordre de se tenir éloignés de la Résidence et de la police (nous connaissons leurs thèses) et d'enquêter parmi les témoins oculaires sur les lieux mêmes et dans tous les milieux. J'ignore encore le résultat de cette enquête. Mais je doute qu'elle contredise le dossier du Centre des intellectuels catholiques, *qui est accablant.*
> 4. Notre action, *surtout ma présence,* a des conséquences que tout ce qui n'est pas colon reconnaît : dans l'Islam entier des garçons arabes, parlant

1. Etait-ce un très bon argument à l'adresse du royaliste Pierre Mauriac ?
2. Hum !... En ce temps-là ?

français, nourris de culture française, se tournent de nouveau vers la France avec une immense espérance.

5. Je voudrais que tu puisses comparer les lettres que je reçois en français, sur de pauvres papiers quadrillés, de ces Arabes si imbécilement méprisés et celles que m'adressent certains de leurs employeurs qui les paient neuf mille francs par mois (ici, je me trompe, ces lettres viennent d'étudiants).

6. Enfin grâce à nous on ne torture plus pour l'instant dans les prisons et on y regardera à deux fois avant de tirer à nouveau dans la foule. Sur le côté " aveux sous la torture " que révèlent les dossiers fournis aux avocats par le juge d'instruction, nous n'oserons même pas parler...

7. Les étudiants marocains que je vois sont plus près de toi et de Daniel[1] que de moi. Ce sont des nationalistes de style français, très intelligents, sur lesquels on a beaucoup de prise en leur parlant de l'évolution de l'idée de nation, etc.

8. Tous réclament l'indépendance mais tous acceptent et reconnaissent indispensables la présence française et notre prédominance diplomatique ; tous reconnaissent que notre départ entraînerait l'effondrement de leur patrie. En somme ils acceptent, non le mot « Union française » qu'ils n'aiment pas, mais *la chose.* Comme ils parlent, raisonnent français, que leur culture est française, qu'*ils acceptent l'armée française chez eux*, pourquoi ne pas jouer le jeu ? Mais ici la discussion reste ouverte.

9. Il y a — ce qui est beaucoup moins connu — contre un matérialisme stalinien, une profonde possibilité d'entente islam-christianisme. Hier encore, avec un jeune Marocain très pieux, j'ai eu une conversation passionnante : nous avons d'ailleurs avec nous l'évêque du Maroc, les petits frères du père de Foucauld, tout ce qu'il y a de sainteté vivante au Maroc [...].

10. Un des témoins qui a le plus influencé mon action, je te le dis en confidence à toi et à tes fils, c'est la marquise de Chaponay, princesse d'Orléans, cousine germaine du comte de Paris. Je voudrais que tu la voies, tu l'entendes. Elle vit là-bas, elle connaît cette pègre, le groupe Mas, le groupe Walter, les détenteurs de ces deux cents milliards qui tiennent tout là-bas. Et tu sauras alors...

11. ... qu'il existe un problème *uniquement français* qui est la résistance de ces quelques milliers de capitalistes, depuis peu au Maroc où ils ont investi des capitaux immenses, à la métropole pauvre qu'ils méprisent et qu'ils bravent. Ceux-là veulent un proconsul à leurs ordres pour faire « suer les burnous ». Mais ils sont une poignée au milieu de huit millions de Marocains qui n'ont même pas le droit syndical. C'est un *problème français* de gouvernement. »

Texte extrêmement clair, et révélateur. On peut en discuter bien des arguments, aussi bien la « nouveauté » au Maroc de beaucoup de tenants de l'immobilisme (la grande majorité des « vieux Marocains » était aussi conservatrice que le groupe Mas, et plus que le groupe Walter) que le caractère strictement « français » du problème (après tout, l'Istiqlal, soutenu par le souverain, exigeait l'indépendance, dans le cadre de la seule « zone franc »), la « fermeté » de l'approbation de l'Élysée et l'influence des éléments « les plus vivants » du Quai d'Orsay (c'est-à-dire MM. Léon Marchal, Geoffroy de Courcel et Jean Basdevant, qui étaient minoritaires). Mais on ne saurait nier la cohérence du propos, ni une assez bonne

1 Le quatrième fils de Pierre Mauriac, monarchiste convaincu lui aussi

connaissance du dossier, pour un « débutant » comme Mauriac. Le plaidoyer adressé à son frère, dont on a dit souvent que l'opinion lui importait fort, doit en tout cas être tenu pour le meilleur condensé de la « doctrine Mauriac » à propos du Maroc.

L'envoi par Pierre Brisson de « deux enquêteurs » au Maroc, trois semaines plus tôt, avait suscité quelque espoir dans les milieux conservateurs de Rabat et de Paris. Jean-Marie Garraud notamment passait pour « averti des choses nord-africaines » — ce qui signifie, dans ces milieux, formé par les leçons de la Résidence. Mais François Mennelet et lui-même, fort modérés, étaient mus l'un et l'autre par leur conscience professionnelle et l'horreur d'être manipulés par des services d'information, quels qu'ils soient.

L'enquête qu'ils publièrent, du 15 au 20 mars 1953, dans *le Figaro,* apparaît pour l'essentiel comme un démenti des thèses officielles, et notamment de la version du « complot » nationaliste de décembre 1952. Garraud et Mennelet ne se contentèrent pas de passer au crible d'une critique sérieuse le dossier du général Guillaume. Ils donnèrent la parole à diverses personnalités de la colonie française d'après lesquelles, si on ne « changeait pas de politique, tout était perdu ». Ils mettaient l'accent avant tout sur la mentalité profondément dominatrice et inconsciemment raciste de l'ensemble de la population européenne du Maroc. En fait, leur enquête étayait pour l'essentiel les adjurations de Mgr Amédée Lefebvre, sinon toutes les accusations de Mauriac : au point que, dès la publication du second de leurs articles, la maréchale Juin écrivit à Pierre Brisson pour annoncer qu'elle se désabonnait du *Figaro* pour se tourner vers *l'Aurore*[1] !

De cette enquête qui conforte ses thèses, Mauriac ne cessera pas de tirer argument. On l'a accusé de trancher dans le vide. Et voilà que des professionnels de l'information, et non prévenus contre le système colonial, abondent dans son sens. Comme il se sent fort, soudain, le politique gascon qui cohabite en lui avec le chrétien justicier ! Et le 21 mars 1953, il publie dans *le Figaro,* sous le titre « Pour une nouvelle alliance entre la France et l'Islam », une sorte de manifeste où on aurait probablement tort de voir de la suffisance, non de trouver quelques traces d'exaltation :

> « Oserai-je dire qu'il a suffi de mes deux articles[2] et de l'intervention du Centre des intellectuels catholiques pour rendre l'espérance à un peuple ? Eh bien oui, j'oserai le dire. Je ne m'en rapporte pas seulement à tant de lettres bouleversantes mais à des témoignages concordants venus de tous les points du Maghreb et plus encore à des conversations, à des rencontres. Tout est redevenu possible entre nous : la jeunesse intellectuelle de l'Islam, qui s'était détournée de la France, je connais aujourd'hui son sourire confiant et triste, cette sombre douceur de ceux qui ont beaucoup supporté et qui pardonnent tout si on les respecte et si on les aime. [...] Au risque d'être dupe, je crois que c'est l'heure ou jamais, au Maroc, d'une politique généreuse, c'est-à-dire confiante et fraternelle [...]
>
> Que nos enquêteurs ne se troublent pas des réactions qu'ils ont suscitées.

1 Incident qui paraît d'abord bouffon, mais qui en annonce d'autres.
2 Du 13 janvier et du 10 février.

Jamais, moi qui ai le goût de la polémique, je ne fus moins tenté de répondre à une certaine presse et à de certaines gens. Nous les dérangeons, nous les dérangerons plus encore. Cela seul importe qu'en Afrique du Nord, au milieu des merveilles accomplies par le génie français, par la ténacité française, la France et l'Islam scellent une nouvelle alliance [...] il dépend de nous, et d'abord de nous, croyants, qu'à Casablanca, le sang des pauvres n'ait pas été répandu en vain [...] Nous ne les abandonnerons pas. »

Il lui fallait encore répondre à la question qui montait vers lui de partout, de tous les milieux conservateurs, s'entend : « De quoi vous mêlez-vous ? » A ceux qui lui opposaient qu'il ne connaissait rien au Maroc, à d'autres qui allaient répétant qu'un écrivain doit se garder d'intervenir dans les choses politiques [1], il répondit en avril dans un article de ton sartrien, « L'engagement de l'écrivain », qui résume bien sa position : il met l'accent sur « l'exigence de justice, [...] la nécessité de rendre témoignage », et conclut : « Je demeure du côté de ceux qui se méfient des prétextes et des excuses que la force invente pour assurer son règne et pour faire croire qu'elle est le droit. »

Le voilà donc « engagé », plus fermement encore qu'à l'époque des Basques bombardés, aussi totalement qu'au temps des enfants juifs déportés. Et pas plus impunément qu'en ces occurrences passées. Contre lui, la polémique se déchaîne, dans la presse française du Maroc, dans les journaux de droite français, et à travers un flot de lettres. A Casablanca, tel journal fait dire par un centenaire que jamais un tel « coup de poignard dans le dos » n'avait été « porté contre l'œuvre de Lyautey », tandis qu'un aumônier militaire nommé Jarraux donne la mesure de la qualité de son esprit en choisissant pour titre de son article : « Il y en a marre, monsieur Mauriac ! »

Il a lui-même, dans son *Bloc-Notes,* rassemblé un florilège d'insultes révélatrices du niveau culturel de ses détracteurs :

Un Français de Casablanca : « Vieux crabe, le jour où tu as " fait " dans la Résistance, les Français (je parle des vrais) t'ont jugé. Lorsque j'écris que tu as " fait " dans la Résistance, j'entends par là qu'on peut faire dans la Résistance comme on chie dans un pot de chambre. Ce jour-là les Français (je parle toujours des vrais) ont compris que tu n'étais qu'un vieux con. »

Deuxième Français de Casablanca : « ... Tu es un sale individu traître au maréchal Pétain... Prends bien garde, car tu vas recevoir une de ces raclées maison... J'ai des poings en excellent état, ceux d'un agriculteur qui te vomit à la gueule tout son mépris, sale lâche, salaud, on n'a que l'injure à la bouche pour te parler et tu te dis catholique, chrétien, crotte ! »

Il y a aussi ce qu'il a préféré ne pas rendre public. Ainsi la lettre d'une certaine Odette Pannetier, journaliste qui avait eu son heure de notoriété à *Candide,* dans les années trente :

« ... J'ai pu en seize ans connaître les peuplades marocaines — et non " le peuple marocain " comme vous l'écrivez de façon trop simpliste [...] —

1. Comme lui en 1925, par exemple.

Malheureux, les Arabes " opprimés " par les Français ? Les fatmas gagnent mieux leur vie en faisant la lessive et le ménage quatre heures par jour [...] et les bourgeois arabes ont, grâce à nous, troqué leur chevaux — voire leurs bourricots — contre des voitures américaines de haut luxe. Il y a encore des gosses qui vont pieds nus, des miséreux vêtus de haillons ? Bien sûr. Il s'agit précisément de ne pas contraindre à travailler, ne serait-ce que pour se vêtir, des êtres qui préfèrent se prélasser au soleil dans des hardes trouées [...] »

Que ce type de littérature ait fait de lui un enragé, lui ait donné de la population française du Maroc une image caricaturale, comment s'en étonner. Une certaine bassesse de l'adversaire le piquera toujours au vif. L'ancrera dans ses positions les plus aventurées. Surtout si, sur la même rive que lui, des réconforts viennent d'hommes qu'il estime. Il se trouve que ses articles du *Figaro* reçoivent en avril, dans le même journal, l'approbation publique du général Catroux, prestigieux interprète de la tradition lyautéenne. Et que pour avoir pris ce parti, le général, qui devait prononcer au Maroc deux conférences sur Lyautey à la fin d'avril, se voie purement et simplement interdire le territoire marocain par Guillaume ! Mauriac, qui vient de recevoir du frère Voillaume de nouveaux encouragements, bondit : « L'accès du Maroc interdit à un illustre compagnon de Lyautey, voilà une de ces affaires dont le cardinal de Retz disait qu'elles couronnent l'abominable par le ridicule ! »

Cet alliage de la plus chaude complicité et de la plus violente polémique, qui fait l'essentiel de la « bataille d'hommes » mauriacienne, marque bien ce nouveau combat. Au moment même où il pourfend l' « abominable » et le « ridicule », la tendresse du groupe l'investit : Robert Barrat et Patrice Blacque-Belair l'entraînent le 24 et le 25 mai, jour de la Pentecôte, dans le pèlerinage des étudiants à Chartres, auquel ils ont invité des camarades marocains à participer — notamment Taïbi Benhima et Ahmed Alaoui. Les jeunes gens gagnent la basilique à pied. Mauriac est en auto. A une halte, on se retrouve. Beaucoup parmi les trois mille marcheurs-pèlerins le reconnaissent, l'acclament.

« Je sens, note Robert Barrat, qu'il est bouleversé par ces témoignages de sympathie spontanée de la jeunesse, et qu'ils vont l'encourager à aller jusqu'au bout de la vérité [1]. » Mauriac salue l'effort accompli par les jeunes Marocains : « Oui, c'était dur ce pèlerinage, fait l'un d'eux, mais nous sommes appelés à faire d'autres marches, sous un soleil plus féroce, sur les pistes du Sud marocain, vers l'exil... » Sur quoi il note : « Sentiment intolérable d'appartenir à la race qui opprime. »

C'est l'époque où François Mauriac reçoit de Rabat, par le canal de ses amis Benhima et Alaoui, une photographie du sultan Sidi Mohammed dont la dédicace est à la fois un témoignage de gratitude et un traité d'alliance : « A Monsieur François Mauriac, grand ami de Notre Majesté et des Musulmans, qui a tenu à exprimer ce que lui dictait sa Conscience généreuse,

1 Robert Barrat, *op. cit.* p 100

pour sauvegarder cette Amitié franco-marocaine à la continuité de laquelle on doit tant veiller. Sidi Mohammed Ben Youssef, Emir des Croyants. »

La réponse qu'il rédigea à l'intention du souverain, Mauriac l'adressa, en toute innocence, au palais de Rabat, Maroc — soulevant l'indignation de ceux qui montaient la garde autour du sultan « protégé ». Reçu alors chez les Bidault, au Quai d'Orsay, Robert de Saint-Jean entend l'épouse du ministre, Suzy, s'indigner : « Mauriac a écrit directement au sultan... Le général Guillaume a refusé de transmettre le message[1] qui a été porté par le dernier des chaouch[2]. Georges a raison d'écrire qu'il n'y a plus d'autorité en France. S'il y en avait, Mauriac serait en prison[3]. »

Quelques jours plus tard, c'est le savant islamique le plus prestigieux du Maroc, le *fqih* Larbi el Alaoui, menacé d'être expulsé de son pays, qui lui écrit pour l'encourager à poursuivre le combat « contre le funeste antagonisme entre islam et chrétienté et en faveur de la liberté religieuse ». La signature du vieux docteur de la loi était précédée de cette formule : « Cela a été écrit par votre ami sincère. »

C'est l'époque aussi où un ami lui apporte de Rabat un mystérieux paquet, hommage, dit-il, d'un prisonnier politique. Il l'ouvre, intrigué : c'est un petit morceau de pain grisâtre, celui de sa ration du jour. Le témoin de cette scène revoit encore Mauriac tenant longuement entre ses mains cette offrande, et lui parlant de Charles de Foucauld.

Mais voilà, alternativement, de quoi nourrir sa colère : tandis qu'on apprend que les responsables de Rabat et le pacha de Marrakech, Si Thami El Glaoui, font circuler parmi les caïds marocains une pétition en faveur de la déchéance du sultan Sidi Mohammed qu'il est fermement conseillé de signer — les récalcitrants, comme le caïd d'Oulmès, Mahjoubi Aherdane, paieront chèrement leur refus — *Témoignage chrétien* publie une circulaire des autorités de Rabat interdisant, sous peine des sanctions les plus graves, toute collecte pour venir en aide aux familles des internés politiques... Infamie médiocre, qui qualifie un système.

Alors, il faut aller au-delà : il faut se grouper, s'organiser, institutionnaliser la résistance, quitte à y aliéner — ce qu'il a en exécration — une part de sa chère indépendance. Ce sera « France-Maghreb », dont les linéaments se dessinent dès la fin de mai 1953, et dont chacun sait que Mauriac sera le président et la figure de proue.

Le solstice de juin

Comment isoler *une* exigence de justice ? Comment se battre pour une seule cause, quand déferlent autour de vous les iniquités ? Mauriac a peut-

1. Il l'avait donc entre-temps intercepté.
2. Gardes.
3. *Journal d'un journaliste*, p. 304

être cru se vouer au Maroc, au seul Maghreb, quand se multiplient autour de lui les conflits et les dénis de justice. En quelques semaines, en ce mois de juin 1953, c'est comme un tournoiement d'appels et de cris autour de lui. Depuis qu'il est monté sur le forum, comme l'orage du monde le soufflette !

Voici qu'on le sollicite de présider une conférence en faveur de Julius et Ethel Rosenberg, que depuis trois ans guette la chaise électrique :

> « J'ai résisté longtemps... crainte d'être dupe du jeu communiste, état de péché mortel dans lequel se trouvent les Français pour tout ce qui touche à la justice... Je marche d'abord à cause de X... que je ne veux pas décevoir... Mais on va croire que je cherche toutes les occasions d'être à la pointe... »

Comme le voilà bien, tout entier, Mauriac. Ce « péché mortel », cette « crainte de décevoir X... », ce « être à la pointe ». Mauvaise conscience, bonne foi, fraternité frileuse, respect humain, obsession du péché... Souffrances et bonheur du citoyen...

Il y a aussi l'affaire Finaly, le cas de ces deux enfants juifs enlevés par un prêtre qui affirme les sauver, et c'est pour lui l'occasion d'une polémique, qui lui est très cruelle, avec certains porte-parole de la communauté juive. Il y a surtout l'Indochine, sur laquelle il est resté étrangement muet depuis sept ans, sinon pour condamner la « subversion communiste », et d'où l'ignominie suinte chaque jour. Une péripétie apparemment mineure va le faire sortir de sa réserve en ce domaine.

Le 23 juin, Mauriac donne sa démission du Conseil de l'ordre de la Légion d'honneur qui se refuse à retirer ses décorations à un adjudant convaincu d'avoir fait périr sous la torture un civil vietnamien. Pour minimiser le crime, un professeur de faculté, consulté, a osé déclarer : « Certes, sa rate éclata sous les coups. Mais il faut penser qu'avec le paludisme, les rates sont particulièrement fragiles dans ces pays-là... »

Mais c'est l'affaire marocaine bien sûr qui mobilise surtout son intérêt et sa passion. Il voit, comme tout le monde, se nouer, s'amplifier le complot en vue de la déposition du sultan que font prévoir prochaine la « pétition » déjà signée par deux ou trois cents pachas et caïds (la moitié des fonctionnaires chérifiens) et une déclaration péremptoire du pacha Glaoui, passant par Paris sur la route de Londres où Churchill (qui fut souvent son hôte à Marrakech, et aimant les grands fauves comme lui) l'a invité au couronnement de la reine Elizabeth.

Bien sûr, contre cette conjuration nouée de Rabat à Casablanca et à Marrakech, il y a des mises en garde, formulées au Quai d'Orsay, dans les milieux politiques (y compris chez les gaullistes, de la part de Pierre Clostermann, par exemple) et par le général Catroux qui leur donne une force particulière dans *le Figaro* du 11 juin, rappelant que « le traité de 1912... engage la France... à protéger le trône et la personne du souverain » et signifiant que la déposition du sultan « serait indigne de la France [qui] en bannit résolument la pensée ».

Mais cette pensée est celle qui anime au contraire les meneurs d'une conjuration dont les chefs sont le pacha Glaoui, le chérif El Kittani, de Fès (qui ne songe qu'à tirer vengeance de l'exécution d'un parent par le Maghzen de Rabat), le chef de la région de Rabat, Boniface, le ministre délégué auprès du général Guillaume, de Blesson, le directeur de l'Intérieur, Vallat, et les patrons du « groupe Mas » — avec le patronage, l'encouragement, l'appui déclaré du maréchal Juin, qui vient de faire, au Maroc, un voyage de chef d'état-major au cours duquel ont été mis au point les détails de l'opération.

C'est le moment où ce chef militaire qui n'avait apporté aucune contribution à la littérature de son pays, élu quelques mois plus tôt à l'Académie française, va y être reçu. Mauriac a bien vu ce que signifie ce geste de ses confrères. Il y décèle un écho des campagnes qui avaient entraîné l'élection de Farrère contre Claudel en 1935, celle de Maurras en 1938. Visiblement, l'Académie est « de la conjuration ». Elle l'est si bien que la cérémonie de réception d'Alphonse Juin sous la coupole, le 25 juin — à laquelle Mauriac se gardera d'assister — sera en quelque sorte le triomphe du Glaoui, invité personnel du maréchal, et le procès de Mauriac et autres intellectuels qui se mêlent de choses trop sérieuses pour être confiées à des civils...

Écoutons ce maréchal si fier de sa rigoureuse virginité littéraire.

Il succède à Jean Tharaud, auteur — avec son frère — d'un livre pittoresque sur Fès. Voilà un sujet qui sied au Nord-Africain Juin. Mais le maréchal et l'équipe des fonctionnaires zélés qui ont été chargés de rédiger son discours n'ont que faire de cette littérature de naguère. Ils se hasarderont certes à glisser dans cette harangue quelques maximes qu'ils jugent bien venues (« la pensée des hommes d'action est parfois de nature à piquer la curiosité littéraire » — emprunt à Mac Mahon, ou à Canrobert ?). Mais l'essentiel n'est pas là. Le maréchal ne confond pas une offensive avec une retraite, fût-elle sous un autre dôme que celui des Invalides. Il va remplir son austère mission, qui consiste en un hommage solennel au pacha révolté contre le sultan du Maroc, et un réquisitoire contre Mauriac et ses amis. « Un nationalisme [dont] les méthodes sont ingénieuses mais criminelles [...] a mobilisé à son profit ce qu'on est convenu d'appeler la religion du cœur. Des consciences prêtes à s'émouvoir sur de faux rapports et sensibles à l'excès à l'argument des affinités morales et spirituelles ont pris délibérément fait et cause pour lui... »

De mémoire d'homme en habit vert, on n'avait jamais entendu cela — ce dithyrambe en faveur d'une personnalité politique étrangère en conflit avec un allié de la France, et surtout cette philippique prononcée contre un aîné — au surplus absent. Surprenante manifestation que cette réception académique transformée en meeting, les ovations des membres d'une grande institution française exaltant un rebelle à la politique officielle de l'État, cette mise en accusation d'un des plus grands écrivains français vivants honoré six mois plus tôt de la plus haute distinction internationale...

Le maréchal Alphonse Juin, homme de guerre jovial et d'ailleurs compétent, n'avait jamais donné l'exemple du raffinement, et le ton des conversations à la résidence de Rabat, de son temps, n'était pas de ceux qu'eussent goûté ses prédécesseurs Lyautey et Noguès. Mais ce jour-là, il inventa une forme nouvelle de muflerie.

Il lui importe assez peu, à Mauriac, d'être ainsi attaqué, en son absence, par ce valeureux combattant. Mais ses « confrères »... Quoi ? Pas un n'a eu la simple honnêteté de le prévenir. Pas un des membres du bureau, où siège son ami Maurois qui, alors directeur de l'Académie, avait entendu le discours de Juin lors de sa lecture en commission ?

Interview de Mauriac avec Henry Magnan, pour *Combat :*

— Avez-vous été prévenu ?

— Non ! J'aurais bien aimé l'être — pourquoi pas ? — par le journal de mon collègue André Maurois, dans *Carrefour.* Nous devrions vivre dans un club. Avec ce que cela implique...

Deux jours plus tard, les deux écrivains se rencontrent chez des amis communs. Claude Mauriac raconte : « Mon père un peu trop pâle, la bouche serrée et légèrement de travers (comme toujours lorsqu'il met à exécution son « Je le lui dirai ! » familial et habituel). Je l'entends qui commence : — Eh bien ! j'ai été blessé... oui, blessé [1]... »

Mauriac ne pouvait évidemment s'en tenir à ce « blessé ». Il se devait de riposter. La cible était si belle ! Et l'occurrence si grave... Il le fit, dans un article resté fameux, publié le 30 juin 1953 dans *le Figaro* sous le titre « Un coup de bâton étoilé », dont il faut citer de larges extraits :

> « Ah ! la vanité des gens de lettres ! Dès que j'ai vu apparaître dans le discours du maréchal Juin ces beaux mots « religion du cœur », « consciences chrétiennes », pas un moment je n'ai mis en doute qu'ils me fussent destinés. Même s'ils avaient été soulignés d'un clin d'œil complice à l'adresse du vénérable [2] Glaoui, je les aurais accueillis avec gratitude. Mais comment douterais-je du respect qu'a toujours voué aux valeurs que de tels mots recouvrent, un maréchal de France ami du pacha de Marrakech ? Pour mon malheur, ils recouvraient aussi une accusation précise et grave, formulée par le maréchal, dans une conjoncture solennelle, et qui ne visait pas seulement le simple écrivain que je suis. Elle atteignait un professeur au collège de France, Louis Massignon, ce savant et ce chrétien à qui la grâce a été donnée de connaître et d'aimer l'Islam comme le père de Foucauld le connaissait et l'aimait. Elle n'épargnait, cette accusation, ni mon ami Georges Duhamel, ni notre collaborateur le général Catroux, compagnon de Lyautey, ni ces maîtres, honneurs de la Sorbonne, les professeurs Charles-André Julien et Régis Blachère qui ne sont pas des consciences religieuses, eux, mais des consciences humaines [...] J'entends bien qu'à ces historiens, à ces savants, à ces philosophes, le maréchal Juin accorde la circonstance atténuante d'être des inconscients. Il n'a pas craint de dénoncer " le concours inespéré que cette croisade apporte inconsciemment aux ennemis de notre pays ". Eh bien, il ne trouvera pas mauvais, j'espère, que nous le payions de la même monnaie.
> Par cette agression publique contre un confrère qui depuis vingt ans siège dans l'enceinte où il vient de pénétrer, le maréchal Juin est sans doute

1. *Le Temps immobile,* 3, p. 473.
2. L'adjectif prend son sel du fait que le pacha de Marrakech tirait, de notoriété publique, ses revenus du rapport des maisons closes de la ville.

> inconscient d'avoir comblé le plus ardent désir de ces puissances économiques qui, protégées contre le fisc, tiennent le Maroc en leur pouvoir et dont nous nous sommes permis de déranger le jeu. Que le maréchal Juin me pardonne : c'est pourtant de cela d'abord qu'il s'agit. Il le sait, nous le savons tous : le drame se joue entre la métropole affaiblie et des féodaux insatiables.
> Quant à nous, [...] inféodés à aucun parti français[1] ou marocain [...], comme ce sont aujourd'hui les nationalistes marocains qui subissent l'emprisonnement, la torture et l'exil, ce sont eux qui bénéficient de notre effort. Ce pourrait être demain un quelconque Glaoui, si par un imprévisible renversement et pour un délit du même ordre, il subissait à son tour le supplice de la soif et en était réduit à boire l'eau des latrines. »

Mais cette leçon de comportement, de talent et d'humanité donnée au chef de la conjuration contre ce sultan qu'Alphonse Juin n'a pas osé prendre lui-même la responsabilité de renverser deux ans plus tôt alors qu'il en avait les moyens, ne suffit pas à modifier le rapport de forces, désormais défavorable aux hôtes du palais de Rabat. Le 20 juin 1953 en effet, Joseph Laniel, succédant à René Mayer, forme le gouvernement le plus ouvertement réactionnaire de la IVe République. La différence n'est pas tant à la tête du ministère (M. Mayer était beaucoup plus intelligent mais, en matière coloniale, aussi conservateur que son successeur) elle est dans l'installation au ministère clef de l'Intérieur de Léon Martinaud-Deplat, homme lige des prépondérants de Tunis à Rabat. Le mécanisme est en marche. Le retour du Glaoui au Maroc, où son compère Boniface lui réserve, à Casablanca, une réception de chef d'État, va manifester que les conjurés, qui avaient été retenus en 1951 par la prudence de Juin, mais font peu de cas des hésitations du modeste Guillaume, iront jusqu'au bout.

« France-Maghreb »

C'est contre leur entreprise qu'est créé « France-Maghreb ». Il y a quatre ou cinq mois que Robert Barrat tente, à partir du noyau du Centre des intellectuels catholiques, de former ce front de la résistance à l'irrémédiable. Les protagonistes de la conférence du 26 janvier au CCIF y sont évidemment conviés, comme leurs garants inspirateurs ou conseillers les plus éminents, Louis Massignon, Charles-André Julien, Régis Blachère, ainsi que Me Georges Izard, cofondateur *d'Esprit*, Jean Rous, animateur du Congrès des peuples contre l'impérialisme, le jeune député socialiste Alain Savary, partisan déclaré de l'émancipation des colonisés, et plusieurs journalistes et universitaires hostiles à la politique coloniale du régime.

Mais Barrat et ses camarades refusèrent l'entrée dans leur comité de Jean Dresch, prestigieux géographe du Maghreb, estimant que son appartenance

1. Voir plus bas l'exclusive prononcée contre Jean Dresch.

au parti communiste serait exploitée par leurs adversaires pour dénoncer la collusion entre « le communisme international » et la défense des nationalistes marocains — argument auquel ne cesse d'avoir recours la presse internationale.

Si Robert Barrat — et, à un moindre degré, Roger Paret — sont les éléments moteurs de l'entreprise, c'est Louis Massignon qui est l'inspirateur, le prophète. Qui n'a pas rencontré cet initié, ce lumineux, ne peut imaginer ce que put être son emprise sur quelques êtres. Marqué par le génie d'une éloquence parfois fulgurante, torturé, irradiant, il s'imposait, interpellait, entraînait. On ne peut mesurer l'influence qu'eut sur Mauriac sa parole inspirée. Tout lui parlait, dans ce langage semé d'éclairs, où le plus ardent amour jette son cri à travers les aveux les plus violents.

C'est le 3 juin que fut formée l'association qui se donnait « pour objet de contribuer à renforcer les liens d'amitié entre la France, le Maghreb et les pays musulmans [...] d'établir entre eux et la France des relations confiantes [...] de développer les relations culturelles et économiques entre la France et les pays musulmans ». Le siège en était fixé au domicile de Claude Julien, collaborateur du *Monde*. La présidence était confiée à François Mauriac, entouré à la vice-présidence de G. Izard, Ch.-A. Julien et L. Massignon (Blachère leur serait bientôt adjoint).

L'association publiait aussitôt un communiqué adressé à tous les journaux, dénonçant « l'aggravation quotidienne de la situation en Afrique du Nord [...] les déportations et arrestations massives et arbitraires [...] les manifestations tolérées ou encouragées par l'administration contre un souverain contrairement aux traités et à la parole donnée », et annonçant que France-Maghreb mettrait en œuvre « tous les moyens légaux pour que les principes des droits de l'homme [...] soient appliqués, sans discrimination, en Afrique du Nord ».

Les premiers signataires de ce manifeste, dès le 23 juin, furent François Mauriac, Louis Massignon, Charles-André Julien, Régis Blachère, Alain Savary, Georges Izard et le père Daniélou. Se joignirent aussitôt à eux Marcel Bataillon, Albert Camus, le général Catroux, Jean-Marie Domenach, Georges Duhamel, Jacques Duhamel, Pierre Emmanuel, Georges Gorse, Edmond Michelet, François Mitterrand, David Rousset, Léopold Senghor, Jean-Jacques Servan-Schreiber. Bien d'autres devaient s'associer à l'initiative, de Jean Cayrol au père Congar, de Jean Daniel à Édouard Depreux, d'Étiemble à Daniel Mayer, de Jean Paulhan à Louis Vallon, de Roger Stéphane à Robert Verdier, du pasteur Westphal à Gaston Wiet, professeur de civilisation musulmane au Collège de France. On a même la stupéfaction de trouver dans les listes qui figurent au dossier le nom d'Émile Roche, ami intime des conjurés de Casablanca (et que le congrès de son parti [radical] devait féliciter cinq mois plus tard pour sa participation à l'opération marocaine !). Quant au bureau, il était formé autour de François Mauriac et des vice-présidents, de Robert Barrat, Claude Bourdet, Pierre Corval, Claude Julien, Roger Paret, André de Peretti, Jean Rous, Alain Savary, Georges Suffert et Guy Thorel.

Tous les témoins des travaux de France-Maghreb sont unanimes à signaler l'assiduité de Mauriac à ces réunions, la part très active et chaleureuse qu'il prit à ces délibérations, son ardeur, sa pétulance. Compagnons de ce temps-là, Charles-André Julien, Jean-Marie Domenach et Ève Paret voient aujourd'hui en lui un « élément de pointe », dont tel ou tel des universitaires présents, ou Me Izard, se donnait pour mission de réfréner les ardeurs combatives et « juvéniles ».

Il ne lui arriva qu'une fois, à la fin de 1953, de manquer une réunion importante. Massignon, qui entretenait avec lui des relations passionnées, faites d'estime mais aussi d'irritation pour le côté trop « mondain » à ses yeux du romancier et aussi parce que Mauriac se moquait parfois de l'importance qu'il donnait au rôle du Glaoui en tant que « bordelier », que « proxénète », le poursuivit à travers la France d'appels téléphoniques. Et, l'ayant joint en province, lui lança devant le bureau assemblé : « Ne laissez pas croire que vous nous présidez ! » Exigence du prophète.

D'autres, comme Jean Rous, que Mauriac qualifiait un jour devant Léopold Senghor de « saint laïque », font observer que Mauriac contribua, plus que tout autre, à faire de France-Maghreb un « France-Maroc », sinon un « France-Palais de Rabat ». Mais était-ce là le fait du seul Mauriac ? Si des hommes comme Rous ou Corval pensaient beaucoup à la Tunisie, Bourdet ou Savary à l'Algérie, Massignon et Blachère à l'Islam entier, la plupart de ces militants s'étaient rassemblés à partir du drame de Casablanca et, de Barrat à Peretti, étaient d'abord des défenseurs de la légitimité sultanienne, des adversaires de la répression là où elle se manifestait alors le plus brutalement. Au surplus, Mauriac n'agissait pas en mauvais stratège en concentrant ardeur et moyens sur le point focal de la bataille. Il y avait un ordre des urgences, et chacun sentait bien que, victoire ou défaite, c'était le défi lancé au palais de Rabat par le Glaoui, Boniface et Juin, et la façon dont la démocratie française le relèverait, qui déciderait du proche avenir de l'ensemble nord-africain.

Le 29 juin, France-Maghreb lance sa première contre-attaque en convoquant à la maison des centraux une conférence de presse présidée par Mauriac, où les « grands premiers rôles » de l'organisation : Massignon, Julien, Blachère et le général Catroux devaient prendre la parole à propos de la campagne de signatures des « pachas et caïds » du Maroc réclamant la déposition du sultan. Un texte, diffusé avant la séance, dénonçait ces « manœuvres séparatistes » mettant en péril « l'unité du Maroc », et plaidait pour la « reprise du dialogue franco-marocain dans une atmosphère de loyauté et de confiance réciproques ».

C'est encore Mauriac qui ouvrit le feu :

« N'en déplaise au maréchal Juin, nous ne sommes pas ici pour faire de la littérature, et surtout pas de celle qui s'est faite l'autre jour sous la coupole :

nous sommes réunis pour donner des informations objectives sur l'Afrique du Nord et rechercher les conditions d'une entente loyale avec ces peuples, en faisant notamment disparaître le régime d'exception actuellement en vigueur. »

Levant au-dessus de l'assistance ses yeux qui ne voient plus, Blachère soutient que les fonctionnaires d'autorité marocains n'ont aucune qualité pour apprécier l'orthodoxie et la légitimité du sultan ; Massignon, frémissant et fragile, dénie tout droit à intervenir en matière islamique au pacha Glaoui, que le prophète récuse d'avance en tant que « proxénète » ; Charles-André Julien, savant et volubile, dénonce les encouragements donnés à cette dissidence par l'État français comme une violation du traité de 1912 ; enfin le général Catroux, sur le ton du prince de Guermantes défendant Dreyfus, fait le procès d'une politique française qui ne cesse de contredire l'esprit lyautéen du protectorat — auquel elle a substitué une administration directe infidèle à l'esprit du fondateur et aux textes qu'il a signés. « Il n'y a qu'un interlocuteur possible, conclut Catroux : c'est le sultan Sidi Mohammed. »

Trois jours plus tard, Mauriac commentait cette réunion au cours d'un dîner chez des amis peu inclinés à en approuver l'esprit :

> « J'étais assisté des meilleurs spécialistes. Ils possédaient si bien leur sujet que tous les petits messieurs qui étaient venus dans l'espoir de nous embarrasser eurent le bec cloué. Louis Massignon fut notamment admirable. Il se laissa soudain aller à penser tout haut et sa méditation, si noble et si belle, fut profondément émouvante… »

Mais jusque dans ce milieu supposé amical, il doit faire face à de rudes assauts, notamment de l'ambassadeur Roland de Margerie, augure de l'aile conservatrice du Quai d'Orsay.

« Mon père, raconte Claude Mauriac, attaqué de tous les côtés, pressé de donner des chiffres, des détails, perdit légèrement pied, se défendit maladroitement, évoquant des dossiers qu'il avait feuilletés, des faits dont il avait eu connaissance — mais sans précision. Je souffrais pour lui [...] Acculé, il s'écria en riant (il ne perdit jamais sa bonne humeur — et je l'en admirais) :

— A moi, Massignon !

Marie-Claude [1] me dit, par la suite, que si mon père avait accepté sans se fâcher tant de critiques, c'était sans doute qu'il y était habitué ; qu'il lui fallait faire face chaque soir, dans le monde, à des meutes semblables. »

Et Claude Mauriac d'ajouter, en toute sérénité :

« Mon père nous apprit, au cours du dîner, qu'un certain Boniface, [...] chef de la région civile de Casablanca, affirmait " avoir la preuve que François Mauriac avait été acheté " [2]. »

Les réunions de France-Maghreb, qui ont lieu le plus souvent chez Georges Izard, 195, boulevard Saint-Germain, se multiplient, notamment à l'occasion d'incidents qui, lors du défilé du 14 juillet 1953, font plusieurs

1. L'épouse de Claude Mauriac.
2 *Le Temps immobile*, 3, p. 475.

victimes parmi les Nord-Africains. Mais chacun sent bien que palabres et conseils ne suffisent pas : il faut tenter de parler au sommet, de se faire entendre au-delà même de Maurice Schumann, secrétaire d'État aux Affaires étrangères qui sympathise avec le comité — faisant visiblement ce qu'il peut pour détourner l'hésitant Guillaume de l'aventure de la déposition qu'il qualifie, lui, Schumann, d'« erreur suprême ». Georges Bidault, le ministre, est acquis aux conjurés. Alors, toucher le chef du gouvernement ? Personne ne se fait d'illusion à son propos. Mauriac a déjà décelé l'immobilisme fondamental de cette « tête de bœuf ». Mais l'immobilisme, en l'occurrence, pourrait être une vertu. Ne faudrait-il pas l'opposer à l'aventurisme ?

Le 3 juillet, Mauriac écrit au président Laniel :

> « Monsieur le Président,
> Je viens vous demander, au nom du comité France-Maghreb que j'ai l'honneur de présider, de bien vouloir m'accorder quelques instants d'entretien, ainsi qu'aux vice-présidents et membres du bureau, Izard, Massignon, Julien, Blachère, le général Catroux, Barrat, Corval et Peretti. Nous croyons qu'il est de notre devoir de prendre quelques minutes de votre temps si précieux pour vous mettre au courant de nos efforts et projets. Un ministre de votre cabinet, M. Mitterrand, appartient d'ailleurs à notre comité.
> Veuillez accepter l'expression de notre gratitude et de notre haute considération.
> François Mauriac »

Le chef du gouvernement ne trouva pas, dans les jours et les semaines suivantes, « quelques minutes de son temps précieux » à accorder aux demandeurs, qui durent l'attendre jusqu'au 15 août. Mais y avait-il encore, le 15 août, l'ombre d'une chance d'éviter « l'erreur suprême » ? Dès le 27 juillet, tentant une fois encore d'en détourner Guillaume, Maurice Schumann a constaté que le résident général, reçu le soir même par son ministre, avait entendu d'autres avis... L'air ragaillardi du visiteur sortant de chez Bidault lui donne à penser que Guillaume a reçu du principal responsable une manière de blanc-seing. Les démarches des adversaires de l'aventure ne s'en multiplient pas moins : les député gaulliste Pierre Clostermann rend visite au souverain, obtient de lui les preuves que la plupart des pachas et caïds ne signent « leur » pétition que sous la contrainte, et transmet à Paris son appel à l'aide.

Le 11 août, le président de la République, Vincent Auriol, reçoit de Sidi Mohammed une lettre le pressant de conjurer le péril : mais le même jour à Moulay Idriss, le pacha Glaoui, le chérif Kettani et quelques centaines de leurs partisans jurent, sur deux taureaux noirs égorgés, qu'ils ne se sépareront pas avant d'avoir éloigné du palais de Rabat « les ennemis de la religion ». (Cérémonie que Massignon qualifiera de « sinistre bouffonnerie du point de vue islamique », de « magie » pour le Glaoui, de « savoureux sacrilège » pour le Kettani.) L'eût-on voulu à Paris, à Rabat même, on ne pouvait plus arrêter ces « amis de la France » sans verser beaucoup de sang

Que signifient alors les deux télégrammes adressés par le Quai d'Orsay au général Guillaume, le 12 et le 14 août, qualifiant la « déchéance » du souverain d'« abdication de la France » et l'opération du Glaoui de « pronunciamiento » ? M. Bidault les désapprouva, les ayant signés sans les lire...

C'est le lendemain de l'envoi de ce dernier texte — d'eux alors inconnu — que François Mauriac et quatre de ses compagnons de France-Maghreb furent reçus par Joseph Laniel, président du Conseil.

Depuis quelques semaines, ce ne sont plus seulement des injures que reçoit le président de France-Maghreb, mais des menaces très précises contre sa vie. Il s'en est ouvert à quelques amis, à Robert Barrat notamment qui a eu cette réplique : « Mieux vaut finir martyr que gâteux ! » qui n'a plu à Mauriac que l'espace d'un instant...

Le 29 juillet à Vémars, il a reçu une délégation de Marocains porteurs d'un message de Sidi Mohammed Ben Youssef, accompagnés d'Eve Paret qui assure le secrétariat de France-Maghreb (et collabore à *France-Observateur.*) Note de Claude Mauriac :

« Ils sont inquiets, nous dit mon père. On s'attendrait à un coup de force au Maroc, le sultan serait déposé... Il m'étonnerait que le gouvernement commette une telle bêtise... un tel crime. Ils se fondent sur des informations concordantes du Maroc (où nous avons des amis bien placés) et sur le fait que le Glaoui, qui devait faire une cure à Vittel, vient de renoncer à tous ses projets et de rentrer au Maroc... Je n'arrive pas à y croire. Ce serait grave, très grave. L'ère des attentats serait ouverte, comme en Tunisie — mais de façon beaucoup plus terrible, parce qu'il s'agit de populations plus primitives... Si cela se faisait, je ne sais pas ce que nous ferions, ni ce que nous deviendrions (à chaque jour suffit sa peine) mais ce que je sais c'est que la Haute Cour ne serait pas de trop pour punir les misérables... Car en Indochine, tout a commencé comme cela... »

C'est lui, Mauriac, qui va partir au début d'août pour Vittel. Il note le 12, dans son *Bloc-Notes :*

> « Seul dans cet hôtel, sans journaux, sans lettres, sans téléphone, quelques phrases à la radio m'apprennent que le coup de force est déclenché au Maroc. “ La saison du crime ” : c'est le titre d'un de mes derniers articles de *Témoignage Chrétien...*
> Tout se ramène à ceci : le gouvernement est-il d'accord ? Et comment ne le serait-il pas ? Il n'y a pas lutte. Je me couche sans dîner. A neuf heures surgissent de jeunes amis marocains : [...] Ils auront fait sept cents kilomètres dans la nuit, pour m'apporter les journaux et un projet de communiqué. Je prends la responsabilité du communiqué au nom du comité France-Maghreb. Je m'efforce de les rassurer. »

Le 14, dans la soirée, envoyés par France-Maghreb, Roger Paret et Taïbı Benhima viennent le chercher pour l'accompagner à l'Hôtel Matignon où il sera reçu le 15 par Laniel. On lit dans le *Bloc-Notes :*

14 août :

« Téléphone : on vient me chercher. On veut que je voie Laniel. A quoi bon ? Mais j'interrompai ma cure ; je ferai la plus vaine des démarches, simplement pour être avec eux. Un moment de la vie où on ne peut rien faire pour ceux qu'on aime que de demeurer à côté d'eux.

Le lendemain, à 18 heures, Mauriac, Blachère, Aimery Blacque-Belair et Roger Paret entrent chez le président du Conseil.

Bloc-Notes, 15 août : « Laniel : il profite de ce que notre camarade X. parle sans arrêt, pour se reposer, pour penser à autre chose. Je connais le truc, j'en use moi-même quand mon visiteur m'expose une affaire qui m'est étrangère et que je suis assuré d'avance de ne rien pouvoir pour lui. " Le Maroc, cela regarde M. Bidault... " Se doute-t-il de ce qui est en jeu ? »

(Dans un *Bloc-Notes* rédigé quelques mois plus tard, Mauriac reprend et précise ce souvenir : « ... Ce que nous lui disions du Maroc n'atteignait pas cette cervelle dont la grève des postiers épuisait d'un coup toutes les ressources... Le Maroc, ce n'était pas sa vitrine. Il nous renvoyait au chef de rayon voisin... »)

Version parallèle d'un autre des protagonistes : « Il est immédiatement clair que le président du Conseil ne peut et ne veut rien faire. Devant ce mur mou, Mauriac bafouille, sentant que Laniel ne souhaite qu'une chose : le départ de ces gêneurs. Blachère, évoquant les réactions du monde arabe, prononce le mot de schisme. De toute évidence, un mot inconnu de Laniel... " Je suis débordé, fait celui-ci. En acceptant la présidence du gouvernement, je ne pensais pas rencontrer tant de difficultés... " Sur le seuil de la porte, il lance à Mauriac : " Vous voyez bien, je ne l'ai pas déposé, votre sultan, alors qu'on est bien souvent venu me demander sa tête ! " (A la même heure, précisément, Mohammed Ben Youssef est déchu de son titre d'imam des Croyants marocains...) Blachère résume : " Journée du crétinisme intégral ! " »

Déclaré déchu de ses prérogatives spirituelles, assiégé dans son palais, Sidi Mohammed refuse de s'incliner. Un autre imam des Croyants est proclamé à Marrakech : Moulay Arafa. A Paris, la réunion du Conseil de ministres, enfin consultés, fait éclater les contradictions : Edgar Faure, Mitterrand, July, Corniglion-Molinier dénoncent l'opération en cours. Seul Mitterrand démissionnera... Et le 20 août, le général Guillaume entouré de ses argousins en armes pénètre vers 14 heures au palais de Rabat et somme le sultan d'abdiquer. Le souverain refuse. Le représentant de la puissance « protectrice » intime alors l'ordre à Sidi Mohammed Ben Youssef et aux siens, avant même qu'ils aient pu se vêtir (ils faisaient la sieste) de prendre place dans des autos entourées par la troupe qui les conduisent à l'aéroport d'où ils sont emmenés en Corse, puis transportés à Madagascar Un rapt.

Consummatum est

Ce jeudi 20 août, au milieu de l'après-midi, François Mitterrand annonce aux autres membres du comité l'enlèvement du sultan Sidi Mohammed. Une réunion chez Blachère est immédiatement convoquée.

De l'Agence France-Presse, Jean Mauriac téléphone à son père le texte de la dépêche reçue au moment même de Rabat : « Sa Majesté a refusé d'abdiquer. Il a été éloigné et non déposé. Les autorités françaises ont enregistré ce fait et mis Sa Majesté à l'abri de son peuple... » Texte répugnant d'hypocrisie.

Patrice Blacque-Belair à François Mauriac :

— Quelle est votre première réaction ?

— Je me sens accablé et humilié.

Bloc-Notes, 20 août 1953 :

« *Consummatum est.* Nous sommes quatre ou cinq réunis chez le professeur Blachère. Interview pour *Combat.* »

(Téléphone de François à Claude Mauriac pour s'excuser de ne pas pouvoir passer la soirée avec lui :

« Je suis avec mes camarades... Nous avons le cœur déchiré et puis nous avons des choses à préparer... »)

Retour au *Bloc-Notes :*

« Personne, en dehors de cette petite poignée que nous sommes, pour faire comprendre au pays que nous risquons de perdre à jamais ceux qui eussent été en Afrique du Nord nos interlocuteurs naturels et qui nous aimaient quoi qu'on ait dit et en qui, je le crains, vient de s'allumer une haine inextinguible... »

Cependant, le président Vincent Auriol note dans son Journal. « ...Hier, Bidault a donné lecture d'un communiqué disant que Guillaume était chargé de veiller à l'avenir du trône... Or, au moment même où nous siégions, il déclarait [...] que Ben Arafa était élevé sur le trône. Quelle comédie ! Le gouvernement délibérait, Bidault faisait de belles instructions lues au Conseil des ministres et approuvées par lui, mais tout était décidé par ailleurs, arrangé, arrêté... Tout était en place, le départ en Corse, les tanks dans le palais... Il n'y a plus de gouvernement, plus d'État en France, il y a des messieurs là-bas qui décident d'après leurs intérêts et leurs passions ! »

Le 21, de nouveau entouré de plusieurs de ses amis du comité, Mauriac entend Louis Massignon clamer de sa voix de prophète : « France-Maghreb a perdu une bataille, il n'a perdu la guerre ! » Et le grand islamisant de citer une formule de son collègue Levi-Provençal, illustre rival dont il goûte peu d'ordinaire la prudence politique : « En accomplissant le rapt du sultan le jour de l'Aïd-el-Kebir, la France s'est déshonorée aux yeux de l'Islam ! »

Bloc-Notes, 22 août 1953 :

« Une guerre de Sécession : les sudistes ont gagné la première manche. ... L'Afrique du Nord et l'Afrique du Sud, théâtre du même drame. Malan[1] : un grand homme et un modèle pour Casablanca. »

26 août 1953 :

« Dans tout ce malheur : la joie que m'apporte le télégramme de R.[2] daté d'Agadir, reçu le 22. Il a pu passer la frontière. Il revient avec les C.[3]. Je l'attends aujourd'hui. Quelles amitiées se seront fortifiées et durcies dans cette épreuve ! Dieu le sait. »

Des amitiés renforcées, certes. D'autres, au contraire, brisées, menacées. François Mauriac confie alors à Claude :

> « Ma situation menace de devenir impossible au *Figaro.* Je comprends Pierre Brisson, mais il est aussi mal informé que possible. Il faudrait qu'il m'autorise à écrire ailleurs, à *Combat* par exemple ! Je suis libre d'y donner au moins sous la forme d'interviews mon opinion, puisque je ne suis pas libre d'écrire au *Figaro* ce qui me tient à cœur[4]. »

Confidence complétée par celle que fait presque simultanément Pierre Brisson à Claude Mauriac :

« L'ennui est que François soit mal informé. Son tort a été d'accepter la présidence de France-Maghreb, alors que son rôle devrait être de rester au-dessus des mêlées. On ne lui envoie que des garçons de qualité, ce qu'ils ont de mieux, spirituellement très nobles. Et François se place au seul plan spirituel tout en n'ignorant pas que sa position a une grande importance politique... »

Les deux hommes s'entretiennent le surlendemain, en présence de Patrice Blacque-Belair. Leur accord formel cache de profondes divergences. C'est avec le plus jeune des deux visiteurs que s'accorde Mauriac, c'est-à-dire avec l'esprit qui a animé au plus profond la campagne contre la déposition de Sidi Mohammed Ben Youssef. Claude Mauriac le perçoit très bien :

« A peine en eut-il fini avec P.B. que mon père s'en alla avec le jeune Patrice. Leur promenade dura beaucoup plus longtemps. Leur essentielle complicité, dans un domaine qui n'était certes pas celui de la politique, était sensible de loin. Je les observais depuis mon jardin japonais où je travaillais. Il y avait autour d'eux comme une irradiation... »

C'est au cours de l'entretien que Mauriac glisse à son jeune interlocuteur : « A Vittel, les acheteurs du *Figaro* avaient les mêmes gueules que les lecteurs de *l'Aurore* ! »

1. Alors chef du gouvernement de Prétoria.
2. Robert Barrat, parti en reportage pour le Maroc deux semaines plus tôt
3. Chaponay.
4 Claude Mauriac, *Le Temps immobile,* 3, p. 482

Conversation d'autant plus importante que François Mauriac, alors repris par sa verve romanesque (divertissement ?), s'est remis à la rédaction plusieurs fois interrompue de *l'Agneau*, et que ce jeune religieux lui est apparu soudain comme le modèle confusément entrevu de son héros — de la même façon que le père de Bavier, rencontré à Rome au début de 1935, avait incarné pour lui ce personnage de prêtre qu'il attendait depuis des années pour « convertir Thérèse ». Fallait-il avoir l'esprit aussi profondément religieux et romanesque que François Mauriac pour voir une déchirante conjonction de signes dans cette rencontre entre son personnage imaginaire et le même être vivant ?

François Mauriac est alors familier de Louis Massignon, intime de Robert et Denise Barrat. Il baigne dans un climat où, faisant mentir Péguy, la mystique ne s'est pas encore dégradée en politique. Le 30 août, partant pour Damas et Jérusalem où l'envoie son ordre, Patrice Blacque-Belair vient faire à Mauriac de tristes adieux. « Vous me précédez, fait Mauriac, j'ai l'intention de faire le pèlerinage en Terre Sainte... » Mais on sait que les voyages ne sont pas son fort. Ses croisades, il continuera de les mener à domicile.

Du bon usage de la défaite

C'est une défaite, une cruelle défaite pour ces hommes rassemblés pour éviter ce qui vient d'être accompli. Mauriac ressent-il cela tout de suite ? Non. Il se produit d'abord cette manière de détente liée au passage de l'inaccompli menaçant à la menace exécutée. Il y a quelque confort à être enfoui dans l'irrémédiable. Notation de Claude Mauriac, le 23 août :

« ... Sa juvénilité.

— J'ai repris du poil de la bête... Nous avons beaucoup de projets... Le gouvernement a perdu la face... Bien sûr, les arrestations sont innombrables... Mais il faut que ça aille très mal pour que cela puisse aller bien demain... Oui, je suis tout ragaillardi et plein d'espoir...

De fait il pète le feu...

Le professeur Régis Blachère, arabisant de la Sorbonne, un homme glacé, l'a paraît-il, embrassé, lui disant :

— C'est bien, vous êtes allé au canon [...]

A Paris, ses amis sont filés. L'un d'eux a dû prendre trois taxis pour aller chez Massignon.

[...] Mon père prend tout cela au sérieux, mais sans être tout à fait dupe de la distraction qu'il espère au fond et qu'il obtient de cet engagement dans une action si nouvelle pour lui. Et puis il y a ce réconfort que je lui envie de la camaraderie et de la complicité en un combat qui donne bonne conscience. »

Mais l'éditorial qu'il donne au *Figaro,* s'il s'efforce à la sérénité, rend un son déchirant et indigné :

> « ... Si je faisais l'historique du complot qui a abouti à la déposition du sultan, si je rappelais les noms des meneurs de jeu ici et là-bas [...] je serais tenté de leur crier comme Pascal au jésuite dans le fragment d'une 19e Provinciale qu'il n'a jamais rédigée : " Consolez-vous mon Père, ceux que vous haïssez sont affligés... " [...] Que mes adversaires me croient si je les assure de mon vœu le plus ardent : que rien ne se passe en Afrique du Nord qui nous oblige à parler et à crier [...] Que je souhaite pour la France de m'être trompé dans mes prévisions ! [...] Si c'est vers cet âge d'or que nous nous acheminons, j'accorde qu'il faudra beaucoup de temps pour en approcher et que nous devons montrer de la patience : car il y a loin de l'âge de l'or à l'âge d'or. C'est déjà beaucoup si, au moment où j'écris, le Maroc demeure calme. Ce n'est pas que sur les conditions de ce calme qu'il n'y aurait fort à dire... Mais quoi, j'ai fait vœu de silence, et déjà j'allais l'oublier.
> Quel dommage que l'absence du Parlement ait enlevé à M. Georges Bidault la gloire d'annoncer du haut de la tribune à la France et au monde que " l'ordre règne au Maroc " comme en d'autres temps à Varsovie. Mais tant de paroles historiques n'ont jamais été prononcées que nous pouvons faire cadeau de celle-là à M. le ministre des Affaires étrangères : Dieu sait qu'il l'a bien mérité. »

Note du journal de Vincent Auriol : « Mauriac a écrit un article magnifique d'indignation contenue... Il est dur pour Bidault. Il est certain que si Bidault a été complice, il a fait preuve d'une affreuse duplicité, mais il m'est pénible de le croire... Par moments, je suis plein de honte. L'autorité de l'État républicain et surtout la dignité de la France sont bafouées... »

Le 27 août 1953, c'est dans un climat de fin du monde que le comité de France-Maghreb se réunit. Mauriac lance à Bourdet : « C'est vous qui aviez raison ! Je ne connaissais pas le colonialisme ! » Tandis que Jean-Marie Domenach note dans son carnet : « L'affaire marocaine a révélé à Mauriac tout un monde de violence et de corruption qu'il soupçonnait à peine. Sa naïveté est admirable. Cette naïveté va faire sa force : furieux d'avoir été dupé, il mord désormais jusqu'au sang " l'éternelle droite aux yeux crevés " qui est en train de déshonorer la France et de la brouiller avec ses amis. »

Mais les débats du Comité, auxquels participent quelques parlementaires comme Léo Hamon, Edmond Michelet et Édouard Depreux, impressionnés par l'approbation que recueille le coup de force de Rabat dans les milieux politiques, tournent court. On entend le rapport de Barrat, on déplore, on tempête. Mais quoi ? Que faire ? Ne pouvant plus rien tenter pour le sultan du Maroc, on évoque les risques que « le maréchal » (Juin) fait courir à la démocratie. Ne vient-il pas de se voir confier une charge mystérieuse de « conseiller permanent » du gouvernement ? Que signifie cela ? Certains, dans le comité, seraient partisans de s'appuyer sur de Gaulle contre Juin. Mais les divergences à son sujet sont trop vives pour que l'on ose aborder la question. Et Mauriac de résumer cette séance, le soir, à l'intention de son fils aîné : « Réunion pitoyable ! »

Le lendemain, il ira plus loin, confiant à Claude que « la défaite est totale au Maroc ». Et il met l'accent sur l'emprisonnement des militants, sur le

« lâchage » d'innombrables Marocains sur lesquels on comptait. « Et dans nos propres rangs... et cela m'a étonné », ajoute-t-il, trouvant que Georges Izard aurait pu rentrer de vacances pour participer à la réunion du 27, que Mitterrand met du temps à remettre sa démission de ministre de la Justice[1]... « Les gens n'aiment pas la défaite », soupire-t-il, ajoutant qu'il n'a réussi qu'à grand-peine à dissuader Robert Barrat de convoquer une conférence de presse à propos de sa mission au Maroc : « Nous sommes battus, dispersés. C'eût été un désastre ! »

L'action de France-Maghreb à propos du Maroc a été souvent évaluée et commentée. Un historien du Maroc, le Belge Stéphane Bernard, la juge avec sévérité. Pour lui, ces conjurés de la paix ont fait plus de mal que de bien à la cause qu'ils voulaient défendre, aveuglant d'illusions leurs amis de Rabat et les détournant de recourir aux défenseurs qui eussent pu les sauver, en France et hors de France. Qui peut croire que telle autre puissance aurait pu agir mieux en France que celle-ci qui s'était assurée d'appuis aussi forts qu'un Edgar Faure ou un Mitterrand ? Quant à l'ONU, au gouvernement des États-Unis, on voit bien comment ils auraient pu intimider les gouvernants de Paris : mais pas du tout en quoi ils pouvaient arrêter le genre de personnages qui agissaient à Rabat, Casablanca et Marrakech.

Ce que fit France-Maghreb, c'est ce qui pouvait être fait : mobiliser consciences et sentiments, répandre des informations, assurer les victimes d'une espérance à long terme, maintenir une confiance et des amitiés. Tout cela se retrouvera, ouvrant la voie à ceux, de Grandval à Parodi et à Seydoux, qui auront à reconstruire sur les décombres accumulés par les auteurs du « pronunciamiento » du 20 août 1953 et de la répression policière qui suivit. L'espoir de Mauriac, de Massignon, de Julien, celui de préserver l'essentiel, dans les domaines de l'intelligence, de la foi et du cœur, entre la jeunesse marocaine et ses amis naturels en France, ne fut pas réduit à néant. Ce qui fut sauvé en ces mois de 1953 a certes été altéré depuis par d'autres « machiavéliens », de M. Mollet à Hassan II : quelque chose subsistait pourtant, dont de Gaulle fit une des composantes de sa politique maghrébine.

Le Maroc et France-Maghreb n'encombrent pas totalement l'horizon de François Mauriac. En cet automne de 1953 assombri par le coup de Rabat et les divisions qu'il provoque au sein du groupe de camarades qui a tenté de l'éviter, paraît le chaleureux petit livre que Pierre-Henri Simon, vieux compagnon de *Sept* et de *Temps présent,* lui consacre dans la collection « Écrivains de toujours », au Seuil. Il en a relu les épreuves, annoté les marges : une précision, entre autres, sur son « anticommunisme » qui, précise-t-il fermement, n'est que de « l'antistalinisme ». C'est alors aussi qu'il reçoit Roger Leenhardt, venu à Malagar réaliser un film sur lui — qui restera l'un des plus beaux documents mauriaciens dont puissent se servir les historiens et biographes de l'avenir. A Leenhardt qu'il connaît peu mais

1 Il la donnera quelques semaines plus tard

estime fort, il glisse : « Vous êtes protestant ? » Et après un temps, rêveusement : « C'est une belle hérésie... »

Qu'en cette fin de novembre 1953, François Mauriac ait subi une crise de découragement qui le conduisit à envisager, sinon une démission de France-Maghreb au moins une prise de champ très nette, on en a pour preuve la lettre que lui adresse alors Robert Barrat pour le supplier de « ne pas abandonner les Marocains ». L'animateur du Centre des intellectuels catholiques reconnaît que Mauriac ne peut être le président d'un comité « qui va servir de cellule-mère au fameux Front démocratique et social[1] ». Peut-il n'être plus que le président d'honneur d'un France-Maghreb où les « secteurs politiques et religieux » seraient plus clairement « scindés » ? De grâce, qu'il reste celui qui (Barrat l'a constaté lors de son séjour mouvementé au Maroc) a « rendu l'espoir, la confiance en la France » à tant d'hommes de ce pays ! Une simple association chrétienne vouée à la prière serait-elle aussi efficace que le comité existant, que cette campagne de presse dont lui, Mauriac a fait une arme éclatante ? On ne peut, ayant témoigné, quitter le prétoire en se lavant les mains. Abandonner les Marocains, aujourd'hui incarcérés, torturés, serait selon Barrat « un crime ».

Quelques semaines plus tard paraissait le livre de Robert Barrat, *Justice pour le Maroc,* avec une préface de François Mauriac, fort peu « distanciée ». Sans dissimuler l'ampleur du désastre subi par France-Maghreb, il fait valoir à quel point la défaite est l' « état naturel du chrétien [...] depuis le Calvaire et l'immolation du pauvre sur le gibet des esclaves [...] ». Mais, ajoute ici Mauriac :

> « ce n'est pas que nous soyons dispensés de rendre témoignage à la justice et de nous battre pour elle, aurions-nous perdu tout espoir de la faire triompher. L'espérance n'est pas l'espoir : cette contradiction nous paraît simple et logique sur le plan de l'éternité. Mais c'est dans l'ordre temporel que nous nous affligeons [...] parce que, nous l'affirmons, notre défaite a été la défaite de la France. Une défaite irréparable ? Qui peut le dire ? ».

Et il continuera le combat, à la tête de France-Maghreb, en signant tous les manifestes et quelquefois en accentuant le ton polémique.

A la fin de 1953, l'association a décidé de publier un bulletin mensuel d'information. C'est naturellement Mauriac qui rédige l'article liminaire du premier numéro qui est l'un de ses textes les plus percutants sur le drame marocain et les conséquences du coup de force d'août 1953 :

> « A quoi bon nous crever les yeux ? Jamais Sidi Mohammed Ben Youssef ne fut si puissant qu'aujourd'hui. Nous sommes sous sa dépendance beaucoup plus que lui sous la nôtre. Nous tenons son corps, mais lui tient les esprits et les cœurs de millions de Marocains qui, fait sans précédent, vont jusqu'à refuser de prier puisqu'ils ne peuvent plus prier en son nom [...] Les responsables de la politique française [...] semblent avoir été créés et mis au monde pour témoigner qu'après la suprême gaffe, il en subsiste toujours

1 « Fameux » ? Comme il arrive souvent, le qualificatif est mis pour voiler une absence

une autre à laquelle nous n'avions pas pensé, une gaffe de derrière les fagots. Du moins Sidi Mohammed est-il vivant [...] En sa personne ou tout au moins celle de ses enfants réside la dernière chance de réconciliation de deux peuples [...] que seule la réparation des torts causés par cet attentat pourrait de nouveau réunir. »

Dix-huit mois plus tard, les « torts » étaient « réparés ». Sidi Mohammed rentrait dans sa capitale et remontait sur le trône.

La victoire de son parti, pour user de mots qui n'ont guère de sens pour lui, ne peut que détacher Mauriac du débat — sans le lui faire oublier, ni regretter. Il ne se refusera pas, bien sûr, aux honneurs qui s'ensuivent : sitôt rentré en France le sultan Sidi Mohammed Ben Youssef, devenu Mohammed V, le reçoit en audience le 3 novembre 1955, premier de tous ses « amis », au pavillon Henri-IV de Saint-Germain-en-Laye où l'a installé le gouvernement français. Trois jours plus tard, François et Jeanne Mauriac sont, toujours à Saint-Germain-en-Laye, les hôtes à dîner du souverain rétabli dans ses droits, en compagnie de leurs amis Catroux, Julliard[1], Clostermann, Julien, Mes Izard et Weile, avocats de Mohammed V.

Quelques semaines plus tard, c'est René Julliard qui accueille chez lui le souverain et ses amis français, avant que, le jour de la proclamation de l'indépendance du Maroc, Mohammed V et son Premier ministre Si Bekkaï reçoivent à dîner les principaux de leurs partisans français — et naturellement Mauriac est au premier plan, traité avec des égards tout particuliers. Mais on ne saurait être plus discret que lui sur ces hommages rendus. Ni dans ces carnets ni dans ses articles publiés ne sont mentionnées ces réceptions, ou les témoignages de gratitude qui y sont prodigués.

Il préfère s'intéresser aux causes profondes de ce scandale marocain auquel un terme vient d'être mis par le gouvernement Edgar Faure, mais qui n'en reste pas moins planté comme un poignard au cœur de notre vie nationale, et n'a pas fini d'épuiser ses conséquences. N'évoquant qu'avec pudeur le prosternement du Glaoui devant son ennemi le sultan de retour d'exil (« un vieillard qui s'humilie a droit à notre inattention »), il cite les paroles du vieux pacha : « Que la malédiction du ciel soit sur ceux qui m'ont trompé ! » et poursuit : « Qui a trompé le Glaoui ? Ce n'était donc pas lui le meneur de jeu ? [...] Sur qui appelle-t-il la justice de Dieu ? »

Comme il se détache vite, ensuite, des choses du Maroc ! Par le truchement de son fils Jean qui, à l'Agence France-Presse, s'intéresse particulièrement aux affaires de ce pays, ou par la voix d'Henryane de Chaponay, fille de ces amis qui ont tant contribué à l'entraîner dans le combat, ou encore par celle du prince héritier Hassan, le 6 juin 1959[2], les dirigeants de Rabat n'auront de

1. L'éditeur, ancien collaborateur de Lyautey, a été l'un des plus constants partisans de la restauration du sultan.

2. Il avait d'abord accepté l'invitation (cf. *Bloc-Notes,* 2, p. 210 : « ... J'irai donc à Rabat en novembre. »

cesse qu'ils ne l'aient accueilli chez eux. Il s'y refusera, à la fois par pudeur (de recevoir quelque laurier du vainqueur...), par lassitude et horreur des voyages. A vrai dire, dans la bataille marocaine, ce n'est pas pour un peuple, pour une famille qu'il s'est battu, mais contre une injustice. Et aussi parce que dans une affaire où politique et religion s'entrelaçaient si étroitement, il lui convenait de faire triompher, au nom de la foi, la vérité.

Justice faite, réparation accordée au souverain, son indépendance reconnue au Maroc, qu'a-t-il encore à s'en mêler ? Louis Massignon, Charles-André Julien ou le général Catroux, attachés par leur science et leur devoir à cette terre, avaient des raisons permanentes de s'y manifester. Lui se tint à l'écart, plus sensible que d'autres peut-être à l'altération par l'exercice du pouvoir — surtout après la mort de Mohammed V, en 1961 — d'une cause qui lui avait paru si pure. Que la monarchie marocaine était belle, en proie aux intrigues de Boniface et du Glaoui...

Au surplus, les affaires de Tunisie d'abord, puis surtout d'Algérie, devaient très vite l'arracher à la contemplation des épreuves et des triomphes de la famille alaouite.

A la Tunisie, bien qu'elle fût le seul des trois pays maghrebins qu'il eût visité, il consacra peu de temps et d'articles. Il eut pourtant, le 5 février 1956, un long entretien avec Habib Bourguiba qu'il reçut chez lui, avenue Théophile-Gautier, cloué au fond de son lit par la maladie. Puis un dîner les réunit, chez Brigitte Gros, la sœur de Jean-Jacques Servan-Schreiber. Il retira de ces entretiens une impression assez favorable pour se prononcer très fermement en faveur de la solution cautionnée par le leader tunisien dont il disait qu' « il faut ne pas le connaître pour croire qu'il ne dit pas ce qu'il pense et n'agit pas conformément à ce qu'il dit ».

Et deux ans plus tard, il est de ceux qui, au grand scandale de la presse de droite, vont saluer l'ambassadeur tunisien Mohammed Masmoudi au moment où le bombardement par l'aviation française du village tunisien de Sakhiet-Sidi-Youssef (abritant de nombreux combattants algériens) contraint M. Bourguiba à rappeler son représentant en France.

L'imitation des bourreaux

L'Algérie ? Il est communément admis que, militant très « engagé » à propos du Maroc, François Mauriac fut infiniment plus prudent, d'autres disent timoré, s'agissant de l'Algérie. Pour un peu, on le décrirait, à partir de 1955, comme un anticolonialiste repenti, effarouché par son passé et ne sachant pas découvrir, dans l'Algérie bien « française » de son enfance et de son âge mûr, la nation vivante qui y était tenue captive.

S'il est vrai que l'affaire algérienne le trouvera plus hésitant et déchiré que l'affaire marocaine, et qu'il en viendra souvent à se contredire en ce domaine, c'est que le débat était plus confus, les droits plus partagés, l'arrachement plus terrible. C'est aussi que les amis des Arabes étaient là plus circonspects, à l'exception de quelques groupes et personnalités d'« avant-garde » — Sartre, Jeanson, Claude Bourdet, Robert Barrat, Jean Rous, Daniel Guérin — et qu'on retrouvait dans le camp hostile aux solutions exigées par le FLN des hommes aussi peu suspects de complicités avec le colonialisme que Paul Rivet ou Albert Camus.

Mauriac partagea ces interrogations, ces tâtonnements, encore qu'il se soit dressé dès les premiers jours, avec un courage sans nuance, contre les tortures, « ratissages », et autres formes de répression massive et qu'il ait très tôt plaidé pour la négociation avec le FLN. Les textes publiés sont là pour le prouver, et aussi maints passages de sa correspondance.

S'il y eut en effet une rupture dans la « ligne » de Mauriac à propos de l'Afrique du Nord, ce ne fut pas quand la tragédie algérienne prit le relais du drame marocain, avec un accroissement de violence et d'horreur, et un poids accru sur le destin de la nation : autre chose en effet était de se dresser, au Maroc, contre le capitalisme français et ses complices locaux, et autre chose de dénier toute réalité politique au million d'Européens d'Algérie. Ce ne fut pas quand il fallut oser passer du rétablissement de la légitimité marocaine à l'instauration d'une légalité algérienne que Mauriac s'écarta de la mêlée : c'est quand le général de Gaulle vint aux affaires.

C'est là que se situe, au cours d'une évolution de plusieurs mois d'ailleurs, la vraie « frontière » entre le Mauriac « militant » d'avant le mois de mai 1958 et le Mauriac « observateur » des choses du Maghreb à partir de 1959. Si le ton de voix a changé, ce n'est pas parce que le combat est plus périlleux, le champ de bataille plus miné : c'est parce que la solution est entre les mains de l'homme auquel il a choisi d'accorder un crédit illimité.

Le soulèvement algérien du 1er novembre 1954 où ceux dont c'est le métier de prévoir et d'agir ne voient qu'aventure éphémère ou provocation, lui apparaît d'emblée dans toute son ampleur. Il a d'abord ce cri, dans le *Bloc-Notes :* « Coûte que coûte, il faut empêcher la police de torturer ! » Et il va, sans tarder, beaucoup plus loin : « La responsabilité des *fellagha* dans l'immédiat n'atténue en rien celle qui, depuis 120 ans, pèse sur nous d'un poids accru, de génération en génération... » Peu le disaient alors, tout entraînée qu'était l'opinion (y compris le chef du gouvernement qui est encore pour quelques semaines Pierre Mendès France) à se cabrer d'abord, à refuser de plier devant l'ultimatum de la violence.

Deux semaines plus tard, c'est dans le climat dramatique créé par l'explosion algérienne que, chargé de prononcer l'allocution de clôture de la semaine des intellectuels catholiques en présence de Giorgio La Pira, le maire très franciscain de Florence, il se livre à la plus bouleversante méditation de sa vie d'homme public. De cette séance, il revint, écrit-il, « épuisé », et comme saigné — « comme si cet auditoire, qui à cause de ma voix blessée retenait son souffle, s'était nourri de ma substance pendant trois quarts d'heure... » Il a parlé aussi de « transe », de « navrement », d' « une sorte d'agonie ». Quel texte ! On n'en peut donner ici que quelques phrases. Mais de cette « imitation des bourreaux de Jésus-Christ », il faudrait tout citer :

> « Ce n'est pas l'imitation de Jésus-Christ, mais l'imitation des bourreaux de Jésus-Christ, au cours de l'histoire, qui est devenue trop souvent la règle de l'Occident chrétien [...] Nous avons feint de croire que le nazisme avait empoisonné les peuples qu'il avait asservis et que si la torture est pratiquement rétablie chez nous, il faut voir dans ce malheur une séquelle de l'Occupation [...] La flagellation, le couronnement d'épines ne tendaient pas à obtenir des aveux mais sans doute, dans l'esprit de Pilate, à donner (à Jésus) un aspect si misérable que ses ennemis eux-mêmes le prendraient en pitié. Nous n'avons pas aujourd'hui, quand nous attachons un homme à un poteau, dans une salle de police — je dis « nous » parce que nous sommes en démocratie et nous sommes tous solidaires de ces choses — nous n'avons aucun désir d'apitoyer personne [...] Après dix-neuf siècles de christianisme, le Christ n'apparaît jamais dans le supplicié aux yeux des bourreaux d'aujourd'hui, la Sainte Face ne se révèle jamais dans la figure de cet Arabe sur laquelle le commissaire abat son poing.
> Que c'est étrange après tout, ne trouvez-vous pas ? qu'ils ne pensent jamais, surtout quand il s'agit d'un de ces visages sombres aux traits sémitiques, à leur Dieu attaché à une colonne et livré à la cohorte, qu'ils n'entendent pas à travers les cris et les gémissements de leur victime sa voix adorée : « C'est à moi que vous le faites ! » Cette voix qui retentira un jour, qui ne sera pas suppliante et qui leur criera et qui nous criera à nous tous qui avons accepté et peut-être approuvé ces choses : « J'étais ce jeune homme qui aimait sa patrie et qui se battait pour son roi, j'étais ce frère que tu voulais forcer à trahir son frère ! » Comment cette grâce n'est-elle jamais donnée à aucun bourreau baptisé [1] ? »

Cette voix de feutre froissé frôlée par les sanglots, cette plainte accusatrice, étouffée et formidable qui évoque ce que dut être Lacordaire, on veut bien croire qu'avant de le laisser « saigné », lui, Mauriac, elle bouleversa cet auditoire d'intellectuels catholiques comme elle en eût bouleversé bien d'autres, fussent-ils manipulateurs de techniques d'interrogatoires « poussés ». Plusieurs témoins nous ont dit n'avoir pu retenir leurs larmes. Décidément, Mauriac n'est pas retiré du combat.

Le 17 novembre 1954, toujours président de France-Maghreb, il prend la responsabilité d'un communiqué qui contredit durement les thèses officielles :

> « Le comité France-Maghreb, angoissé par les troubles d'Algérie, demande que la lumière soit faite sur leur genèse [...]
> Les solutions de violence et de désespoir deviennent le seul recours des citoyens algériens musulmans qui ne peuvent plus se fier à la légalité républicaine, sont privés de tous moyens d'expression légaux et réduits à une misère sans cesse croissante.
> Le comité France-Maghreb déplorerait que les événements actuels servent

1. *L'Imitation des bourreaux de Jésus-Christ*, Paris, 1954, aux dépens de Raymond Gid

les desseins de tous ceux qui, où qu'ils soient, souhaitent l'échec de toute politique constructive en Tunisie et au Maroc.
Le Comité ne saurait admettre que sous prétexte de rétablir l'ordre, on aboutisse à une répression aveugle et féroce, et qu'on en vienne à supprimer ce qui reste des libertés publiques et à tolérer un contre-terrorisme qui rendrait impossible à jamais tout retour à l'égalité dans la justice... »

Quelques jours plus tard, il dénoncera, à propos de l'Algérie, le « racisme policier », ce qu'il y a d' « absurde » à parler de démocratie à propos de l'Algérie, ce qu'il y a de « ridicule » dans ce système, et prendra ardemment la défense de Mitterrand, ministre de l'Intérieur, dont le parti de l'Algérie française fait alors sa cible préférée. Et puis, le 14 janvier 1955, c'est ce terrible article en forme de dialogue où, donnant la parole à un interlocuteur anonyme (c'est Me Pierre Stibbe) qui revient d'Algérie les yeux pleins d'horreurs et le supplie de les raconter (« Vous seul pouvez parler ! Vous seul ! »), il tente de mettre en doute les accusations du visiteur (« Ce n'est pas possible ! Comment faire la preuve ? ») et finit par rendre public l'effrayant témoignage[1].

Au début de février 1955, ce sera l'exécution, la « mise à mort » de Pierre Mendès France par une coalition des grands intérêts nord-africains représentés par René Mayer, et du MRP implacablement attaché à la destruction de l'homme qui, en six mois, a commencé de panser les plaies ouvertes par la folle stratégie coloniale des Bidault et des Letourneau. Cette nuit-là, celle du 4 février 1955, Pierre Mendès France, acculé, mis en accusation, presque renversé déjà, entend René Mayer traiter François Mauriac de « Basile ». Alors il se dresse à son banc et défend l'écrivain qui a jeté dans la balance, à ses côtés, le poids de son incomparable talent. Et, quelques heures plus tard, encore dans le feu de l'action, il trouve le temps d'écrire cette lettre à l'auteur du *Bloc-notes :*

Mon cher Maître,
L'hommage de
cette nuit, je vous le devais
depuis longtemps. En vérité,
il me tardait de vous le
rendre avec l'autorité que
me confère très provisoirement
ma fonction. Car si je me sens
personnellement endetté envers vous,
notre pays et son prestige le
sont aussi.
Grâce à vous, l'esprit créateur
français apparaît au-dehors toujours
imprégné de la générosité humaine

1. *Bloc-Notes,* 1, p. 151-154

dont trop souvent on a
oublié qu'elle est en
quelque sorte la sève de notre
génie.
Recevez, mon cher Maître,
l'assurance de mon admiration
et de ma sympathie.

Pierre Mendès France

Cette élimination du seul homme qu'il juge, depuis le départ de De Gaulle, à la mesure des problèmes posés à la France (« désoccupée » plutôt que libérée) venant après la réussite du complot de Rabat, le déconcerte et le met au bord du découragement. Son *Bloc-Notes* du début de 1955 porte traces de ce désarroi :

> « ... Le " pourrissement " n'a pas d'histoire. Il continue. Il gagne. Certains me reprochent de moins insister sur l'Afrique du Nord, d'avoir laissé mettre en veilleuse France-Maghreb. C'est que ce qui me paraissait assuré il y a un an ne l'est plus aujourd'hui. De sombres visages amis ont disparu de ma vie. La France meurt chaque jour dans des milliers de cœurs [...] La " parole d'honneur ", ce beau vieux mot d'usage courant : si notre politique, en Afrique du Nord, s'en était inspirée, que de morts seraient aujourd'hui en vie ! Que de victimes n'eussent pas été torturées ! »

Il faut attendre le 3 septembre 1955 pour le voir rentrer clairement dans le combat. Témoin ce paragraphe du *Bloc-Notes :*

> « L'anéantissement de dix villages dont Radio-Alger a fait état, et qu'a relaté *le Monde,* la fuite de tous les hommes dans la montagne, le massacre d'une cinquantaine de femmes, d'enfants, et de vieux imprudemment demeurés à Zef-Zef, près des Carrières romaines, ces crimes répondaient à des crimes, comme au Maroc une répression sauvage vient de répondre à un massacre sauvage ; mais ce massacre s'inscrivait aussi dans la cervelle obscure des assassins, à la colonne des comptes à rendre.
> Tel est l'affreux enchaînement qui fut enrayé en Tunisie, grâce à l'action conjuguée de deux hommes : Pierre Mendès France et Bourguiba, et qui a été au moment de l'être au Maroc, et qui le serait aujourd'hui si les ministres modérés n'avaient donné la mesure de ce que peuvent quelques comparses mis en place et tenus à l'œil par les maîtres occultes du régime... »

De mois en mois, sa « doctrine » algérienne se dégage, se rapprochant de celle qui s'imposait au Maroc, de plus en plus accordée à la rumeur qui monte d'un peuple frustré. Justice, égalité, alliance, voilà les maîtres mots qui peuplent désormais ses articles où les causes algérienne et marocaine ne sont plus dissociées. Ainsi dénonce-t-il le 24 septembre 1955 « l'imposture qui consiste à nous prêter l'intention d'abandonner le Maroc et l'Algérie, alors que la question est de savoir si nous nous y maintiendrons grâce à un statut nouveau et dans l'égalité d'une alliance consentie, ou si nous préférons courir le risque d'en être chassés par la force, selon cette politique incomparable que Dien Biên Phu désigne à jamais ».

Argumentation discutable, bien sûr. Nul Dien Biên Phu algérien n'est alors en vue. C'est ailleurs, en d'autres termes que se pose le problème algérien. Mais ce qui est clair, c'est que dans l'esprit et le cœur de Mauriac, désormais, la solution algérienne est, et ne peut être que politique. Et quelle autre solution politique que la négociation avec ceux qui se battent ? Par là, il rejoint pas à pas, sinon les sartriens partisans de la « violence révolutionnaire » comme instrument de la rédemption des colonisés, mais les vues de l'ensemble du mouvement anticolonialiste français à la veille du retour de De Gaulle au pouvoir.

« Tous les Rodrigue de la terre... »

De ce mouvement s'est très vite exclu Guy Mollet, chef « socialiste » d'un gouvernement qui s'incline face aux sommations des tenants de l'Algérie française, leur sacrifie le représentant à Alger qu'il avait désigné, le général Catroux dont le nom seul disait que les idées de France-Maghreb allaient enfin être prises en considération, et lui substitue les hommes qui se feront les exécuteurs des basses œuvres de la colonisation — Robert Lacoste et le général Massu. Des mois durant, c'est à ce président du Conseil socialiste, otage et écho de la droite la plus conservatrice, qu'il réservera ses flèches les plus meurtrières.

Il ne se contente pourtant pas, ce « polémiste », de pourchasser la bêtise et la cruauté, de défoncer les erreurs obstinées. Il propose. L'idéologue du MRP, Etienne Borne, le raille de « poursuivre dans la sincérité du cœur et le sommeil de l'esprit un grandiose rêve éveillé ». Rêve éveillé, le rappel fait au « peuple algérien de notre double résolution : ne pas nous séparer de lui mais lui rendre dans tous les ordres ce qui lui est dû » ? Sommeil de l'esprit, ce qui sera la stratégie du machiavélien de Gaulle ? Où est la lucidité — chez ceux qui croient encore à une Algérie confondue avec la nation française ou chez Mauriac qui demande à Borne si « ce qui se passe en Afrique du Nord est sans lien avec ce qui se passe dans le reste du monde et ne se rattache pas à un mouvement universel qui affecte toutes les races que l'Europe a dominées... » ? En ce temps-là, en effet, c'étaient ceux qui posaient ce type de question qui étaient appelés les « rêveurs ».

Et quelques jours plus tard, le 23 juin 1956, dans une lettre à sa femme, François Mauriac, après avoir déploré l'expulsion d'Algérie des prêtres de la Mission de France qui y manifestaient inlassablement leur attachement au peuple musulman et leur confiance en une fraternité à retrouver, commentait ainsi les exécutions de trois militants du FLN : « Je suis accablé de tristesse par la haine qui monte là-bas. Ces exécutions ont été la dernière folie de ces fous. »

Et chaque fois que se déroulera, dans l'euphorie d'une opinion manipulée par la presse conservatrice et la radio d'État, l'un des épisodes de la stratégie suicidaire qui allait conduire la IVe République à l'agonie de mai 1958, la voix de la « vieille corneille élégiaque » s'élève, dans une manière de sanglot désespéré, pour mettre en garde ce peuple étourdi. « Le risque m'accable ! » lance-t-il après la capture de Ben Bella et de ses compagnons entre Rabat et Tunis. Et alors que Guy Mollet et ses collègues anglais déclenchent leur intervention militaire à Suez, il parle de « coup monté par un maître fourbe » et il ajoute : « l'hypocrisie en politique est-elle une vertu ? Je le nie pour la France... » Quand on garde en mémoire le flot de passion qui alors balaya la France, cette explosion de militarisme revanchard qui poussait un éditorialiste célèbre à crier sa joie de « humer cette odeur de sang et d'acier » qui flottait autour de notre armada en partance à Toulon pour Port-Saïd, on mesure mieux le sang-froid du vieux monsieur de *l'Express*.

Au-delà du sang-froid, il y a l'audace. Celle qu'il montre en s'engageant dans chacun des combats qui ne mettent plus seulement en cause le « racisme policier », mais, de plus en plus, le comportement de cette armée qu'il est, nationaliste barrésien, si enclin à vénérer. Quand éclate « l'affaire Audin », l'enlèvement et la liquidation de ce jeune professeur de mathématiques, communiste comme son ami Alleg (qui survivra, lui, à ses tortures pour écrire l'admirable *Question*), il réclame que le dossier soit ouvert, que le procès des assassins soit fait : il le croit même, naïvement, commencé.

Et quand paraît l'acte d'accusation qu'est le livre consacré par Georges Arnaud et Jacques Vergès à la militante algérienne Djamila Bouhired, « interrogée » sur la table d'opération avant que ses défenseurs ne manquent d'être lynchés à la sortie du tribunal, c'est toujours de lui que viennent les coups les plus douloureux pour le pouvoir qui couvre ces horreurs. Et il a ce mot qui va plus loin que tous : « L'histoire dira que la torture a été rétablie en France par ceux qui se sont tus. »

On le trouve aussi bien parmi les signataires — aux côtés de Sartre — du premier manifeste d'« intellectuels » en faveur de la négociation, le 7 novembre 1955, que président du comité pour la libération du Pr André Mandouze, exégète de saint Augustin, incarcéré et inculpé pour avoir rencontré des responsables du FLN (et comme il s'avère alors que le gouvernement prend pour sa part des contacts avec les représentants des « rebelles », Mauriac lance ce trait à M. Mollet : « Une de ses politiques a inculpé l'autre ! »).

Sa « politique algérienne » à lui, il ne cessera de la chercher avec gravité, avec scrupule, avec passion. Le 4 janvier 1957, rudement interpellé par un article du *Moudjahid*, organe du FLN sur « les intellectuels français et la révolution algérienne », il écrit notamment ceci

> « Ou nous sortirons de cette impasse, ou cette immonde guerre prendra un caractère endémique. Elle l'a déjà... De ces deux souffrances qui s'affrontent, il n'en est aucune qui ne puisse être indéfiniment supportée. Pourquoi céderiez-vous ? Mais nous, qui nous fera céder ? Vous êtes insaisissables et donc indestructibles. Nous, nous sommes là et nous resterons là. La guerre d'Algérie, c'est la forme que va prendre le service militaire des Français. Vous nous empoisonnez, à la lettre, par cette guerre, mais d'un poison qui nous corrompt sans nous tuer... »

Et sur le texte de ce *Bloc-Notes,* il a ajouté à la main, *in fine,* ces quelques mots : « Le pays, dans ses profondeurs bourgeoises, est d'accord avec cette politique qu'on pourrait définir : la politique des intérêts immédiats... »

Et le 28 mars 1958, il accepte de signer, en compagnie de Sartre, Malraux et Martin du Gard, une adresse au président de la République protestant contre la saisie du terrible témoignage d'Henri Alleg, le journaliste communiste torturé par des parachutistes. Mais deux mois plus tard, de Gaulle sera au pouvoir. Dès lors, la voix du vieux monsieur de *l'Express* se fera plus circonspecte...

Parce qu'il ne se tait pas, parce qu'il se tait même de moins en moins, on le fera comparaître comme témoin — d'autres disent en accusé — devant la commission d'enquête sur les sévices commis en Algérie que préside le député socialiste Victor Provo. Rien ne l'abat. Pas même d'entendre Robert Lacoste, exécuteur de la politique officielle à Alger, proclamer à la tribune du Luxembourg que rien n'a été prouvé, en matière de tortures, par ces « prétendus intellectuels qui ne sont qu'apparemment intelligents ».

Un quart de siècle plus tard, on est tenté de voir dans le Mauriac du milieu des années cinquante l'éclatant poète-lauréat d'une intelligentsia de gauche abonnée à *l'Express,* exerçant ce magistère et distribuant fleurs et poisons dans une ardente euphorie. C'est oublier trop vite le climat qui régnait alors, et pas seulement à Alger. Ne parlons pas trop des risques physiques, des « plasticages », des lettres anonymes de menaces de mort, des petits cercueils adressés aux adversaires réels ou supposés de l' « Algérie française ». Retenons seulement les polémiques, insultes, mises en demeure qui rappelaient si fort aux historiens l'atmosphère de l'affaire Dreyfus.

Règne-t-il au moins sur la presse, Mauriac, mis hors d'atteinte, d'un coup d'aile, par le talent ? Non. Les contradicteurs — il ne lit pas les insulteurs — foisonnent et le harcèlent. Pendant des mois, les salons bien pensants jouent à opposer les citations du Mauriac de 1930 à celles du François de 1950, tel de ses articles de 1955 à tel autre de 1957, une phrase écrite un mois à celle publiée un autre. Et l'on ressort certain « dictionnaire des girouettes » où il tient une bonne place [1], brocardé par un certain « Orion ».

Nul ne joue à ce jeu avec plus d'éclat que Maurice Schumann, dans un

1. Voir plus loin, chap. 19.

petit pamphlet paru en 1957 et intitulé *le Vrai Malaise des intellectuels de gauche.* L'ancien président d'honneur du MRP, très lié avec Mauriac aux temps de la guerre d'Espagne et de la Libération, mais qui préfère alors ses amis politiques à ses amis tout court, a beau jeu d'opposer à des prises de position de l'auteur du *Bloc-Notes* en faveur de la négociation avec l'adversaire la réaction que lui inspire, le 7 juin 1957, « l'ignoble tuerie de Melouza », perpétrée par un groupe d'insurgés contre un autre — les premiers relevant du FLN, les seconds du MNA (Messaliste). Horrifié, comme beaucoup d'autres, partisans de la négociation ou pas, Mauriac jette alors aux chefs des maquisards :

> « Si vous aviez tous vos frères avec vous, vous ne chercheriez pas à les dominer par la terreur. Vous n'êtes pas, et de loin, toute l'Algérie et vous-mêmes êtes divisés [...] Un cessez-le-feu ne saurait être négocié qu'avec les combattants, cela va de soi, et là-dessus l'horreur de Melouza ne saurait nous faire renoncer à ce que nous avons toujours cru et soutenu. Mais aucune condition du cessez-le-feu ne devrait engager, sur l'essentiel, le statut futur de l'Algérie, qui concerne le peuple algérien tout entier. »

Est-ce donc une si grande palinodie que de distinguer cessez-le-feu et négociation sur le fond, et rappeler qu'à côté ou en face du FLN dominant subsistent d'autres organisations — et notamment celle dont les partisans, d'autres fois massacreurs, viennent d'être égorgés à Melouza ? Il y a là modulation d'attitude, infléchissement (ou fléchissement dû à l'horreur brusquement aggravée ?) non reniement. On eût aimé que le contradicteur de Mauriac, sur sa rive, connût de tels instants d'interrogation, de contradiction, et les manifestât publiquement, en apprenant l'assassinat d'Audin, en lisant *la Question*... Au surplus, les évolutions et contradictions de la politique algérienne du général de Gaulle ne furent-elles pas autrement voyantes, et pesantes, que celles de l'auteur du *Bloc-Notes ?*

La riposte de Mauriac fut de celles où l'auteur des *Provinciales,* chez lui, se manifeste sans entrave :

> « L'admiration que j'inspire à M. Maurice Schumann me touche mais elle m'étonne. Si je suis le vieux gosse attardé qu'il décrit, cet adolescent " noué ", ce septuagénaire qui ne risque pas de retomber en enfance puisqu'il n'a jamais cessé d'être un enfant, cette espèce de gâteux génial qui se contredit à son insu d'une phrase à l'autre comme il ferait sous lui [...] ce vieillard pétulant et insane [...] je le déclare tout net à M. Maurice Schumann : sa ferveur me scandalise ; c'est du dégoût et du mépris qu'il devrait ressentir. Il entre du vice dans son comportement à mon égard... »

Avec ses amis (séparés) du *Figaro,* les choses ne vont guère mieux, du fait de l'Algérie. Les billets qu'il échange avec son plus vieux et fidèle compagnon dans la maison, Michel P. Hamelet, sont de plus en plus acides. A ce correspondant qui a repris contre lui et ses amis, à propos de l'Algérie, l'imputation d' « intellectuels » qui vise à déconsidérer les prises de position politiques de tout personnage étranger au milieu des professionnels, il riposte en mai 1956 :

> « ... C'était déjà l'injure dont les antidreyfusards avaient plein la bouche, mais aussi les nazis... [les intellectuels] on les appellera quand tout sera perdu, pour la liquidation, et pour les rendre responsables du désastre. Là est toute la politique du flambeau dont la lumière vous inonde : c'est à Robinet[1] que je pense.
> Sur un point tu as raison : la politique est pleine d'embûches et je suis un chemin dangereux. Il est vrai que je prends mes risques [...] Comme pour le Maroc, je me trouve être un central PTT où parviennent des renseignements de tous les bords, et ton désarroi n'est que trop motivé... »

Le texte qui symbolise le plus vigoureusement son état d'esprit de l'époque, ce n'est pourtant pas dans un article consacré à l'Afrique du Nord qu'on le cherchera, bien qu'elle occupe alors tout son esprit. C'est dans une oraison funèbre, celle qu'il consacre, le jour de Pâques 1955, à Paul Claudel pour lequel son admiration reste immense :

> « Je me demande si Claudel a jamais songé que son Rodrigue, comme d'ailleurs son Mésa, était un conquérant, un homme de sang... Le Jésuite au lever du rideau du *Soulier de satin,* attaché au mât, et qui exhale pour son frère Rodrigue cette prière sublime, ne donne pas une pensée à tous ces peuples que tous les Rodrigue de la terre ne se sont jamais interrompus de massacrer... »

1. Alors rédacteur en chef du *Figaro*.

V

... Et si notre cœur nous condamne

19. Le plus grand des journalistes

> « Que la passion politique m'entraîne ou m'égare, il n'en reste pas moins que je me suis engagé sur ces problèmes d'en-bas pour des raisons d'en-haut. »
>
> François Mauriac

Ah ! ce cri du cœur que pousse François Mauriac quand son fils Claude, un jour de 1938, lui confie que sa collaboration à *la Flèche,* l'hebdomadaire de Bergery, le passionne au point qu'il a décidé de se consacrer au journalisme : « Tu vaux mieux que cela ! » Écoutons-le pourtant, un quart de siècle plus tard, le vieux gentilhomme de lettres reçu à la table de l'Association de la presse étrangère de Paris, le 27 février 1963 :

> « Vous ne sauriez croire comme c'est merveilleux de finir sa vie comme journaliste... Grâce au journalisme, je suis encore dans la vie... Sans le journalisme je serais, comme tant d'hommes de mon âge, sur une voie de garage [...] Moi, je suis une vieille locomotive mais qui marche encore, qui traîne des wagons, qui peut siffler, et il m'arrive encore d'écraser quelqu'un ! L'horreur de la vieillesse, c'est de ne plus pouvoir servir à rien. Le journalisme me donne le sentiment de pouvoir servir encore les idées qui me sont chères, de servir la foi, et de défendre mes amis... »

Voilà donc une « clé » pour Mauriac-journaliste : ce métier lui aura été une eau de jouvence, un élixir de longue vie. Le vieil Antée touche cette terre, y plonge ses racines, et retrouve ses forces. C'est beaucoup pour reprendre élan, pour se ranimer du vent du large des souffles du monde, que l'oiseau déploie ses ailes dans l'orage, se laissant d'abord emporter, et puis dressant contre la bourrasque cette voilure vivante qui le projette vers le ciel.

Mais pour être alors plus grand, le journaliste, chez Mauriac, ne se manifeste pas seulement avec l'approche de la vieillesse et le tarissement apparent de la veine romanesque. Trente ans déjà avant ce vol d'albatros du *Bloc-Notes,* François Mauriac exerçait le métier de journaliste, y consacrant plus de la moitié de sa vie. Quoi qu'il en dise, il a déjà derrière lui une carrière dans la presse et il entame, après de longs apprentissages, la seconde époque d'une vie de professionnel du journalisme — celle des grands combats contre une certaine forme d'épuration et contre le stalinisme — quand, au mois de mars 1946, il prononce à l'université des Annales une conférence sur ce métier auquel il a consacré déjà autant d'heures qu'à ses livres[1].

Pour « jeune journaliste » que se dise alors ce « vieux romancier », il se juge en mesure de définir ce que doit être en ce domaine, un vrai professionnel.

> « Un bon journaliste est d'abord un homme qui réussit à se faire lire [...] C'est celui qui retient le lecteur malgré lui, qui le raccroche en quelque sorte [...] Il ne faut pas que l'article soit un soliloque, un remâchement, un ruminement de ses propres idées, il faut que le journaliste tienne par le bouton de sa veste un interlocuteur invisible et s'efforce de le convaincre. Le bon journalisme relève du dialogue. »

Dialogue ? Le premier débat de Mauriac, il est avec lui-même. Et c'est peut-être là la seconde clef de cet admirable écrivain de presse : ce souffle qui passe à travers ses articles, c'est ce qui bouge à l'intérieur de lui-même, cette interrogation pathétique, cette indétermination gidienne au centre d'une foi, cette envie irrépressible de donner raison à l'autre, de rendre les armes — et qui lui fait les ressaisir avec d'autant plus d'emportement, de fougue ou de fureur. Tout article de Mauriac est le monologue d'*Hamlet.* Être ou ne pas être... Dire ou ne pas dire... La virulence de ses pointes est due pour beaucoup à l'interrogation qui l'agite, le retient, le noue. Dialogue interne qui éclate en fusée.

Cette clef-là, il l'a livrée sous une autre forme, plus belle, empruntée comme il se doit à son cher Pascal, écrivain dont on ne saurait dire qu'il donna toujours l'exemple d'une si profonde tolérance — que l'on accorderait plutôt à l'auteur des *Essais.* (Mais Pascal est-il jamais si grand que quand il arme de sa foudre la sagesse de Montaigne ?) : « Quand on veut reprendre avec utilité et montrer à un autre qu'il se trompe, il faut observer par quel côté il envisage la chose, car elle est vraie ordinairement de ce côté-là, et lui avouer cette vérité, mais lui découvrir le côté par où elle est fausse. »

Mauriac a-t-il toujours ouvert lui-même cette porte à l'adversaire ? Lui a-t-il en toute occasion laissé sa chance ? Rien de tel qu'un maître de justice pour s'engouffrer à l'occasion dans un certain délire...

Cette exigence du dialogue, avec lui-même et avec l'autre, c'est elle qui lui permettra l'étonnante « performance » qui fut, des années durant, celle d'un éditorialiste du *Figaro* écrivant contre son public, et celle, plus remarquable encore, de l'auteur du *Bloc-Notes* ferraillant pendant plus de deux ans contre son directeur, et faisant du journal qu'il couronnait de sa gloire une manière de champ clos où s'affrontaient, en un duel permanent, le pouvoir et le talent, ou plutôt le talent de tête et le génie du cœur...

De la carrière du journaliste, plus encore que de celle du citoyen Mauriac, on a dit et écrit qu'elle crépitait de contradictions. Girouettes ? Il est vrai

1. Les liens entre Mauriac et le journalisme ne cessèrent de se renforcer, ses deux fils (avant son petit-fils le dessinateur Wiaz) ayant pratiqué ce métier, l'aîné, Claude, de façon très régulière comme critique littéraire et cinématographique et chroniqueur, le second comme grand reporter à l'Agence France-Presse (AFP).

que, du *Journal de Clichy* de 1913 à *l'Express* de 1960, du *Gaulois* de 1919 aux *Lettres françaises* de 1944, de *l'Écho de Paris* de 1930 à *Temps présent* de 1938, il n'a pas toujours dit la même chose, ni parlé du même ton, ni visé le même public.

Mais le boy-scout frémissant de Clichy lègue quelque chose de sa ferveur et de son tremblement au bretteur illustre du *Bloc-Notes,* et déjà dans le très réactionnaire *Gaulois,* organe des badernes du Jockey Club et des chaisières de Saint-Honoré-d'Eylau, un grincement se fait entendre, qui est encore celui de *Préséances* et déjà celui de *Temps présent.* « Traitre à sa classe », Mauriac n'aura jamais cessé de l'être un peu, et d'autant plus qu'il aura vécu au milieu d'elle, usant de son langage, pratiquant ses usages, hantant ses institutions, « 5e colonne » du talent chez les bien-pensants. Comme ces saumons qui remontent le cours des rivières pour s'en aller frayer aux origines, ainsi le journaliste Mauriac ne cessa de s'acharner à contre-courant, mais dans des eaux familières, pour pondre ses œufs. De cette contradiction naît la richesse du journaliste, mieux encore que celle du romancier.

« Tout entier dans le moindre article... »

Sur ce qui a fait de lui un journaliste — non, comme Hugo, Balzac ou Barrès, d'occasion, de divertissement ou d'obligation, mais en vrai professionnel, responsable et ponctuel — Mauriac s'est expliqué dans un article écrit pour *le Figaro,* resté inédit à notre connaissance, qu'il a intitulé « L'écrivain-journaliste ».

Cet « animal bizarre » naît, dit-il, de deux désirs, l'un de l'espèce noble, l'autre de nature médiocre. Le second, il le définit comme celui de compléter « ses fins de mois », surtout s'il appartient à cette race qu'admirait Péguy, celle des « grands aventuriers du monde moderne », les pères de famille. « Chaque fois que surgissait une dépense imprévue — éducation, médecins, vacances, cure à la Bourboule », raconte-t-il, la famille lui soufflait : « Tant pis, vous ferez un roman de plus ! — Eh ! bien non : tout plutôt qu'un roman que je n'eusse pas envie d'écrire... » C'est alors que l'écrivain se hâte vers le journal " comme la guêpe vole au lys épanoui ". »

La seconde exigence, celle qui, selon Mauriac, « fait de nous un journaliste que nous considérons avec respect quoique avec modestie, moi surtout, qui suis né modeste, c'est que nous avons des idées à défendre ». Et avec le sens des réalités qui, dit-il,

> « ne m'a jamais [...] manqué et qui fait de moi (à mon idée !) un observateur politique très sagace, je me suis toujours efforcé de faire coïncider ces idées que je défendais avec les articles substantiels, je veux dire nourrissants, dont j'ai parlé. Je n'y ai pas toujours, ni même très souvent réussi.. Après tant d'années de métier, je ne suis pas encore

parvenu à accorder ces deux exigences qui ont fait de moi un journaliste. Ni *le Figaro* ni *l'Express* n'ont pu me supporter plus de quelques années... »

Quelques années ? Pour *l'Express,* plus de sept ans tout de même. Pour *le Figaro,* de 1934 à 1954 — et par le biais du *Littéraire,* une bonne trentaine d'années... Si insupportable que l'on soit, quand on a du talent et un public, on risque d'être assez longtemps supporté : la bourgeoisie peut se définir comme la classe qui fait affaire de tout, et d'abord des coups qu'on lui porte.

Sa conception du journalisme, mieux que dans une conférence de 1946 ou dans ce brouillon d'article de 1965, c'est dans la préface du volume de ses *Œuvres complètes* (le tome XI) consacré à cette forme d'expression[1] que Mauriac l'a résumée. Observons pourtant qu'il écrit ce texte en 1952, avant d'avoir atteint, avec le *Bloc-Notes* (qu'il n'entame que quelques mois plus tard) la plénitude de sa maîtrise.

> « Il me semble que cette conception du journalisme (celle d'un " journal intime à l'usage du grand public ") m'est particulière... Je me suis toujours efforcé de donner autant d'importance à un article de journal qu'à la page d'un livre, et de ne jamais oublier que je suis d'abord un écrivain. Le moindre croquis de Manet ou de Cézanne a une valeur absolue : pourquoi n'en serait-il pas de même pour nous ? [...] J'ai pris le journalisme au sérieux : c'est pour moi le seul genre auquel convienne l'expression de " littérature engagée[2] ". La valeur de l'engagement m'importe ici au même titre que la valeur littéraire : je ne les sépare pas... »

En d'autres circonstances, il a conté que c'est son camarade Francis de Miomandre qui lui avait suggéré de ne donner aux journaux que les « scories » de sa création. Dans l'article inédit déjà cité, il récuse vivement cette idée, insistant sur le soin mis à ne donner à la presse, fussent-ils « nourrissants », que des textes soignés (« Je vous remercie, mon Dieu, de ce que je ne ressemble pas à X ou à Y et que je sois ce journaliste, et non un autre ! »). Et plusieurs fois il se compare à Picasso « qui est tout entier dans la moindre ébauche comme je veux être tout entier dans le moindre article ».

Dans la préface du tome des *Œuvres complètes* consacré au journalisme, il distingue ses chroniques de *l'Écho de Paris,* du *Figaro* et de *Temps présent* qui « traitent de sujets littéraires », des articles où « la politique... se manifeste à propos de la guerre civile espagnole (et) s'installe puis règne en maîtresse... ». Étrange défaillance de mémoire : la « politique », sous ses formes les plus nobles ou les plus étroites, n'a jamais manqué de hanter, d'animer, d'orienter Mauriac journaliste. Qu'étaient ses articles contre le « vieux Pirouge » du *Journal de Clichy,* en 1914, sinon de la politique ? Et ses

1. Ce tome regroupe le *Journal* 1 à 5, le *Journal du temps de l'Occupation, Le Cahier noir* et *Le Bâillon dénoué.*

2. C'est oublier *Les Provinciales* autant que *La Lettre sur les aveugles* ou *Les Châtiments*

articles du *Gaulois* de 1920 sur les négociations de paix, sur la SDN, sur les procès intentés aux anarchistes et sur Joseph Caillaux, sur les « deux Internationales » de Moscou et de Rome ?

En 1935, ses reportages sur Rome, le pape et Mussolini sont aussi politiquement engagés « à droite » que le seront « à gauche » ses chroniques inspirées, à la fin de la même année, par la guerre d'Éthiopie, bien avant le combat espagnol. Journaliste politique, Mauriac n'a jamais commencé de l'être : il l'a toujours été. Ce n'est pas pour rien que son premier texte publié le fut dans un organe du Sillon et rien n'est moins « apolitique » que certaines de ses chroniques sur Chateaubriand ou Benjamin Constant — voire sur Wagner.

Ce qui ne signifie pas que Mauriac n'a pas varié, et dans le champ politique (débat presque absurde. Que signifie ne pas « varier » en politique ? Il n'est pas jusqu'aux dogmatiques par excellence, maurrassiens ou staliniens, pour virer de bord du tout au tout, s'agissant du IIIe Reich, par exemple. Ah ! cette droite française qui prétend démasquer les « girouettes » sans y inclure Maurras, ni Pétain, ni aucun tenant de l'ultranationalisme qui finissent dans l'ultracollaboration !) et dans ses rapports avec « la politique », dénoncée en 1925 comme le marécage d'où l'artiste digne de ce nom doit se détourner — louée trente ans plus tard comme l'objet par excellence de la responsabilité du chrétien, et mieux encore de l'observateur chrétien.

D'où la différence de regard, d'attitude. Le journaliste des années vingt se voit (ou fait mine de se voir) agressé, envahi par la politique, et lui opposant préoccupations morales et soucis esthétiques. Le publiciste des années soixante, spectateur d'une pièce de Graham Greene où les êtres ne s'affrontent qu'en débats intimes, cite un mot de Barrès : « La politique, il n'y a que cela... » et confie aux lecteurs du *Bloc-Notes :* « ... Je ne crois pas que la politique m'ait détourné de ma tâche d'écrivain, mais je suis sûr qu'elle a obligé le chrétien inconséquent que j'étais à parler et à écrire selon ce qu'exigeait sa conscience. » C'est-à-dire à défendre, lui, « inconséquent » parce que né « du côté des injustes », la cause, les causes de la justice.

Ce qui rend Mauriac singulier entre ses pairs, c'est peut-être l'acharnement « professionnel » qui fait de sa carrière (de romancier comme de journaliste) une constante marche vers le progrès : le mot est pris ici dans son acception étroite de progression technique. Il n'est pas évident que de *la Relève du matin* aux *Jeunes Filles,* Montherlant s'avance vers la perfection, ni Bernanos du *Soleil de Satan* à *Monsieur Ouine.* Mais Mauriac, de *la Chair et le Sang* à *l'Adolescent d'autrefois* (compte tenu de quelques faux pas) c'est une ascension constante : et sensible dans le domaine de la presse et de l'essai tout autant que dans celui du roman.

Pour s'en persuader, il suffit de lire l'excellent livre où M. Jean Touzot, sous le titre *Mauriac avant Mauriac,* a rassemblé, de l'auteur de *Thérèse,* les écrits et notamment les articles antérieurs à la maîtrise du milieu des années vingt. On y découvre certes de très bons morceaux, de l'article du *Gaulois* consacré à Lamennais[1], à celui de *la Revue hebdomadaire* où il salue Georges Carpentier, boxeur, et à cet autre qui sert de linceul à Edmond Rostand. Presque toutes les qualités de Mauriac journaliste — sensibilité, pénétration, alacrité, finesse du trait, brièveté de l'éloquence, éclectisme, — y sont déjà perceptibles : mais comme *le Bourgeois gentilhomme* l'est dans *Monsieur de Pourceaugnac*.

Peut-on remonter jusqu'en 1914 pour trouver les prémices du plus éclatant polémiste de notre temps ? Non. On a cité quelques extraits des chroniques du *Journal de Clichy*. Pour y déceler le merveilleux escrimeur de *l'Express*, il faut jouer les prophètes du passé. Les arguments assenés par Mauriac aux francs-maçons ennemis de l'abbé Fontaine et des candidats cléricaux sont d'une épaisseur banale. Cette guérilla verbale ne s'élève pas au-dessus du niveau de celles qui opposent, à la veille de la guerre, les héritiers essoufflés des protagonistes du grand combat pour ou contre le « combisme », médiocre retombée de la guerre dreyfusienne. Il n'est que de lire une page du Péguy polémiste de ce temps-là, la *Note conjointe* par exemple, pour constater la relative médiocrité du journaliste Mauriac au temps de *l'Enfant chargé de chaînes*.

C'est au lendemain de la guerre qu'explose le talent, mûri dans *le Journal d'un homme de trente ans* et dans certaines pages des *Petits Essais de psychologie religieuse*. Parallèle à l'épanouissement soudain du *Baiser au lépreux*, voici cet article du 1er novembre 1919 où, à propos du procès fait à Joseph Caillaux, le vrai Mauriac perce par instants :

> « Chez les hommes dans les grands emplois, rien de plus dangereux qu'une ambition qui les incline peu à peu non plus à servir le pays mais à se servir de lui. Ils vont au crime sans le savoir, sans le vouloir ou même en croyant vouloir le mieux : c'est là, sans doute, qu'il y a matière à plaidoirie. Devant le Sénat, et aussi devant l'Histoire, M. Caillaux peut essayer de plaider l'excellence de sa politique et ne retenir à sa charge que le peu de discernement qu'il montra dans le choix de ses amis. Ce fut le talent de Fouquet de choisir les siens : le goût des belles relations n'est pas un goût bas. Plût au ciel que M. Caillaux ait été capable de snobisme ; ce grand bourgeois avait l'invitation facile : il n'avait pas peur pour son argenterie. Si l'Histoire hésite à condamner tout à fait Fouquet, c'est que les nymphes de Vaux ont pleuré son malheur ; il bénéficie pour l'éternité des témoins à décharge qui s'appellent La Fontaine et qui s'appellent Sévigné. Les meilleurs amis de M. Caillaux, s'ils ne sont pas en exil, c'est qu'on les a étranglés dans une prison ou fusillés à Vincennes : ne nous moquons plus des ministres qui aiment avoir de belles relations. »

Le Gaulois disparaît en 1929. Et avec lui ce Mauriac à la recherche de Mauriac, qui ne se trouvera pas vraiment à *l'Écho de Paris* quitté en 1934 on l'a vu, pour des raisons politiques — non sans garder des rapports d'estime

1. Le seul que signale la bibliographie mauriacienne de M. Keith Goesch.

avec Henri de Kerillis[1]. C'est Pierre Brisson qui l'appelle au *Figaro* où le libéralisme qui inspire ce directeur intelligent, cultivé et amical le délie des entraves imposées par le conformisme chauvin des deux quotidiens précédents. C'est dans *l'Écho de Paris* pourtant que parut le 3 décembre 1932 l'éblouissante chronique intitulée « Un soir Greta Garbo », où Mauriac est déjà tout entier :

> « J'ai rêvé qu'elle poussait la porte de mon cabinet, qu'elle s'asseyait en face de moi qui ne la cherche pas... A cette heure indécise du chien et loup, j'entrevoyais une forme merveilleuse... L'écran, barrage mystérieux, ne laisse filtrer que les éléments impérissables de ce nez, de cette bouche. Peut-être pâtes et onguents servent-ils à en absorber et à en dissoudre tout l'éphémère ? La pensée que Dieu eut, en créant un tel visage, apparaît dans ce dessin d'une simplicité céleste, nettoyé de toute souillure, préparé pour l'éternité [...] Les yeux merveilleux de Greta Garbo, un garçon faible et fiévreux, perdu dans ces foules innombrables, en supporte tout seul le trouble immense. Chaque désir est éveillé par cette créature à la fois réelle et inaccessible... Elle est là, vivante et offerte à des millions d'hommes ; mais si l'un d'eux, pris de folie, se précipitait, il ne trouverait rien de plus que le chiffon tendu sur le vide dont le taureau se leurre...
> Peut-être Greta Garbo sait-elle qu'un soir, à Philadelphie, à Buenos Aires ou à Melbourne, l'un de ses amants inconnus se leva soudain, et que se frayant un chemin à travers les corps furieux, marchant sur la foule comme sur la mer, les bras tendus vers la forme adorée, présente, insaisissable, il donna de la tête dans l'écran crevé. Scène étrange qu'évoque pour mon cœur une phrase de Rimbaud : " ... Puis, ô désespoir, la cloison devint vaguement l'ombre des arbres, et je me suis abîmé sous la tristesse amoureuse de la nuit... " »

Faut-il s'étonner que ce soit par l'évocation de la Femme comme leurre, plus insaisissable encore qu'admirable, que Mauriac impose sa maîtrise ? Il est non seulement le romancier, le poète, le chrétien de l'incarnation, celui à travers lequel s'accomplit le mystère (oui, mystère, car c'est une étrange religion que celle où ce par quoi le scandale arrive et aussi ce par quoi Dieu se manifeste) où se résume le christianisme, la religion où le Verbe s'est fait chair (et charité, qui n'en est, pour certains, que le doublet) mais aussi le journaliste de l'incarnation. Et par là incomparable, parce que le journalisme n'est, dans sa fugacité périssable et fallacieuse, que l'art de l'incarnation, la saisie d'une vérité par le réel et le fait. Être journaliste, c'est peut-être cela : incarner dans l'instant sa part de vérité. Qui l'a fait mieux que lui ?

Champs-Élysées

C'est pourtant avec son entrée dans ce que le même Rimbaud appelait la « bataille d'hommes », la politique dans son sens le plus large, que François

1. En novembre 1938, Kerillis écrivait à Mauriac une lettre chaleureuse pour le féliciter de ses analyses pessimistes sur les accords de Munich.

Mauriac s'empare du sceptre délaissé depuis Barrès et dont, sur d'autres rives, Vaillant-Couturier d'une part, Daudet de l'autre ont tenté de se saisir, mais à l'usage de leurs seuls dévots. Le champ dans lequel s'avance l'éditorialiste du *Figaro* et de *Temps présent*, à partir de 1936-1937, c'est celui, non clos, d'un débat où chacun peut entrer et débattre.

L'éditorial du *Figaro*, si marqué qu'il soit par la classe sociale, l'environnement mondain, le niveau de vie, la culture très spécifique et le personnage de l'auteur, c'est tout de même une parole jetée à tout vent. Au-delà des « 500 000 douairières et valets de chambre » qui, selon Sartre, composent la clientèle du quotidien du Rond-Point des Champs-Élysées, il y a une frange indéterminée de curieux, d'indécis, de consommateurs, d'amateurs de « produits finis » (*le Figaro* en est un, par l'élégance, le souci de la présentation, la mise en pages, la collaboration d'hommes de la qualité de Gérard Bauer ou d'André Siegfried) qui font de l'auditoire de ses éditorialistes autre chose que les abonnés du *Gaulois* ou de *l'Écho de Paris*.

Ainsi pourra-t-il faire de cet organe par excellence de la bourgeoisie le reflet d'une profonde remise en question des valeurs et intérêts de la droite conservatrice liée aux entreprises de Mussolini et de Franco, — du 24 septembre 1935 (« Un dessin de Sennep » au 30 décembre 1938 (« L'offensive de Noël »). Il a certes, en ce temps-là, une autre tribune, *Sept*, d'abord, puis *Temps présent*, où il lui est loisible d'exprimer les déceptions et les colères que lui inspire la montée du fascisme. Mais avec l'admirable sens de l'efficacité qui n'a jamais cessé de faire de lui le journaliste qu'il est — et aussi, pour se référer à l'autre volet du diptyque où lui-même s'est peint, le sens de ses intérêts bien compris [1], c'est au *Figaro* qu'il réserve, qu'il impose pour être plus juste, la publication de ce voyage au bout de la nuit d'un totalitarisme paré des vertus d'une croisade pour « l'Occident chrétien ».

On a largement cité déjà les plus belles interventions de Mauriac face à Mussolini, Hitler et Franco. Il faut encore faire écho à ceci, écrit pour *le Figaro*, le 4 novembre 1939 :

> « C'est Shakespeare qui me permet de suivre avec les yeux de l'esprit les grands premiers rôles de cette guerre. Certains magazines m'y aident, il faut le reconnaître. Je songe à cette photo où Staline, derrière les diplomates allemands très corrects, semble avoir encore du sang au museau ; et cette autre plus récente où le long d'un ballast, en Pologne, le chancelier Hitler et son ministre des Affaires étrangères marchent, le dos arrondi, les mains comme liées sur les reins, les pieds traînant un boulet qu'on ne voit pas. Shakespeare sait ce que se dit le chancelier du Reich quand il demeure seul et qu'il appuie son front à une vitre ou qu'il se regarde dans une glace ou qu'il touche sa joue en murmurant : " C'est moi, Hitler... " Alors la vision de Varsovie éventrée l'oblige à demeurer un long temps immobile au milieu de la pièce. Comme Richard III dans l'horreur de sa dernière nuit, peut-être

1. Ses articles de *Sept* et de *Temps présent* n'étaient pas rétribués.

murmure-t-il : “ Est-ce que j'ai peur de moi-même ? Il n'y a que moi ici. Richard aime Richard, et je suis bien moi... ” »

Ce qui fait le grand journaliste, ici, ce n'est évidemment pas la référence, très attendue, à Shakespeare. C'est ce « museau » sanguinolent de Staline, ce « boulet » invisible que semble traîner le chancelier, cette « vitre » où s'appuie le front du dictateur. Ce sont ces traits fulgurants de simple vérité, au carrefour exact du quotidien le plus épais et de l'imaginaire le plus audacieux, par quoi le génie romanesque épouse les lois de la chronique de presse. Ce museau, ce boulet, cette vitre, ils nous accompagneront tout au long de la guerre, nourrissant frayeurs et confiance. Par ce museau, par ce boulet, par cette vitre, Mauriac réduit à néant l'éloquence des sous-Barrès qui alors foisonnent, jetant la fausse ardeur au cœur des citoyens revêtus ou non de l'uniforme.

Au-delà, ce seront les tâtonnements de la défaite, les balbutiements de juin 40, les hésitations du citoyen, tout ce remue-ménage et tremblement qui, dans les vapeurs de l'orage, font de Mauriac un Français très semblable aux autres, et qui cherche et appelle dans la nuit. Non un prophète : un vrai journaliste, en somme, celui qui regarde et ressent et écrit, et balbutie au jour le jour.

Pourquoi reparler du couronnement de l'éditorialiste du *Figaro,* de ce règne qui fut le sien à dater de la fin d'août 44 — règne strictement fondé sur le journal et que nulle autre force ne confortait — ni relations spéciales avec de Gaulle, ni influence réelle sur le MRP, ni audience secrète auprès du « Front national ». Tous le lisent, et le général ne dissimule pas à Claude Mauriac l'intérêt qu'il prend, parfois le réconfort qu'il trouve, à lire dans *le Figaro* les articles de son père, dont il salue le « courage ». Mais son autorité, son pouvoir ne va pas au-delà. Et l'affaire Brasillach a montré que, tentant de sortir de ce cadre-là et de s'adresser privément au Pouvoir, il n'est pas entendu.

Ce qu'il fut, jetant de la dunette du *Figaro* son regard perçant et ses mots envoûtants sur une certaine société politique, celle de la fin des années quarante, du début des années cinquante, encore malade de la guerre, de sa fausse victoire, d'une irrémédiable décolonisation, d'une infaisable Europe, on se le représente mal aujourd'hui. C'est de l'intérieur qu'il faudrait considérer le déploiement de ce prestige, tel que l'orchestrait le très sagace Pierre Brisson, aussi habile à mettre le génie de son grand homme au service de son journal que *le Figaro* à la dévotion de ce personnage hors du commun.

La correspondance entre le directeur du journal et son plus éclatant collaborateur dit assez ce que fut ce jumelage amical, et les raisons de la longue patience de Brisson face aux irrépressibles audaces de l'écrivain. Il n'est pas de formule que le premier ne trouve pour exprimer, nuancer, préciser à l'autre son admiration, son attachement. Mais après la mort de

Brisson en 1965, et surtout un an plus tard, Mauriac rendit au centuple à son ami tout ce qu'il en avait reçu :

> « ... Je sentais Pierre Brisson respectueux d'une foi qu'il n'a jamais soupçonnée d'insincérité : le mal qu'il entendait dire de moi n'a pas mordu sur lui dont, pourtant, l'indulgence n'était guère le fort. Il m'a toujours fait confiance, il n'a jamais donné raison à mes ennemis, ni même à cet ennemi que je porte au-dedans de moi et qui est moi-même... » (*Bloc-Notes,* 27 décembre 1965.)

Certes, il leur arrivait de se heurter : dès avant la grande crise marocaine, et surtout la « brouille » à propos de *l'Express,* c'est curieusement une interprétation de *Phèdre* par Marguerite Jamois, célèbre comédienne des années trente, qui les mettra au bord d'une rupture : il est vrai que tout ce qui touche à la Crétoise intéresse le cœur de Mauriac, et que Brisson était critique dramatique de profession.

Mais il faut voir de quel ton le directeur du *Figaro* interpellait Mauriac pour le « trop excellent article » qu'il avait publié dans *Paris-Soir* au début de 1939, lui rappellant que *le Figaro* était sa tribune, son foyer, son moyen d'expression, que jamais il n'y publierait suffisamment, « en toute occasion et sur tous les sujets », et concluant par cet appel pressant : « Vous devez rester notre chef de file, dans ce *Figaro* que j'ai dédié, vous le savez, aux écrivains. »

A partir du 20 août 1944 et de cet article sur de Gaulle qu'à la demande pressante de Pierre Brisson, Claude Mauriac s'en est allé chercher à Vémars encore peuplé de soldats allemands, l'auteur du *Cahier noir* devient vraiment ce « chef de file » que, depuis des années, son ami le pressait d'être. Jusqu'à ce jour de 1953 où la colère des douairières, d'une maréchale, de mille colons et de quelques banquiers contraindront Pierre Brisson à faire ses comptes et à mettre en balance la gloire scandaleuse de l'un et la coûteuse rancune des autres (« personne, déclarait plus tard Mauriac, n'aurait eu la patience si longue »), les articles réunis plus tard dans *le Bâillon dénoué,* puis dans les tomes IV et V du *Journal*[1] scintilleront en tête du très convenable quotidien du Rond-Point des Champs-Élysées, avec un éclat souvent suspect aux bien-pensants.

Avant de se lancer dans la bataille marocaine, ce n'était pas ménager beaucoup la clientèle du *Figaro* que de consacrer au chef du Front populaire, peu de jours après sa mort, un éditorial intitulé « L'exemple de Léon Blum ». Et sur quel ton ! Combien de monocles, ce matin-là, dégringolèrent de nobles orbites !

> « [Blum] appartient à ce très petit nombre d'êtres dont la vie, quand on la considère du dehors, apparaît comme une lente montée, comme un perfectionnement continu. « Vivre avilit » : ce raccourci sinistre d'Henri de Régnier ne vaut pas pour Léon Blum [...] Voici le miracle : Blum n'est pas sorti désespéré de ce monde recru d'horreurs.. Jusqu'à la fin, il a cru aux

1 Chez Flammarion

> idées éternelles : la lumière qui ne lui était venue, tout du long de sa vie d'humaniste, que réfractée à travers les œuvres du génie humain, on eût dit qu'il l'apercevait enfin sans intermédiaire à mesure qu'il approchait de la mort...
> Le passage de Léon Blum au pouvoir fut une occasion manquée, non par sa faute, mais parce qu'il était coincé entre une droite irréductible et des alliés communistes qui le trahissaient. C'est sa grandeur de n'avoir pas cédé à l'amertume ni conclu de l'échec d'une génération à celui de la destinée humaine [...] L'exemple de Léon Blum nous rappelle que l'ennoblissement est possible et qu'en dépit de toutes les défaites, la vie est une partie que, jusqu'à la fin, nous restons libres de gagner. »

Être abonné au *Figaro* pour lire cela, moins de quinze ans après avoir cotisé aux Croix-de-Feu... Mais qu'est-ce qui lui prend, à ce Mauriac ? Il n'a pas tout ce qu'il veut, celui-là — et appartement à Auteuil, et propriété dans les vignes, et ses pins, et ses livres, et ses pièces ? Et quoi encore : il veut nous apitoyer sur ce socialiste juif qui a fichu la France par terre en payant des vacances aux ouvriers et en imposant les quarante heures ! On n'écrit pas impunément *le Nœud de vipères,* on ne vilipende pas par hasard Maurras et le Maréchal !

Passe encore pour Blum, et pour Pétain, et pour l'*AF.* Vieux débats... Mais tout changera quand la cible sera, très actuelle, très présente dans l'économie, dans le système bancaire français, la colonisation française au Maroc. Quand il s'attaquera « à ces capitaines d'industrie qui ont des généraux pour lieutenants »... Et quand, pour que soit mis un terme à la main-mise d'un certain capitalisme de proie sur le Maghreb et ses relations avec la France, il choisira de soutenir les hommes qui lui semblent les seuls capables de rompre cette chaîne : Pierre Mendès France et François Mitterrand.

C'est par eux que viendra la crise qui rejettera François Mauriac hors du confortable empire qu'il s'est taillé sur le Rond-Point des Champs-Élysées. Jusqu'à l'été 1954, en effet, où il se retrouva bombardé de lettres indignées (notamment celles signées d'une « comtesse de X., catholique 100 % » — catholicisme au pourcentage qui, pour Mauriac, touchait au sublime...) et crucifié de désabonnements en série, Pierre Brisson soutint fermement le plus illustre de ses collaborateurs, dont il avait un temps partagé l'indignation relative au Maroc.

Mais avec la venue au pouvoir de Pierre Mendès France, flanqué du trop brillant et insaisissable Mitterrand, les choses s'aggravent. Ce n'est pas seulement le Maroc, la stratégie française en Afrique du Nord qui sont mis en question. C'est tout le corps social, tout le système économique, financier, diplomatique et militaire qui se voit menacé d'une réforme que son auteur présente comme une « révolution par la loi ». Autour de M. Brisson, on prend les choses au sérieux : Ce « PMF », ne serait-ce pas Kerensky ? Et ce Mitterrand qui lui fait cortège, n'a-t-il pas avec les communistes, ou en tout cas avec les « compagnons de route » du PCF et de l'URSS, des relations très suspectes ?

C'est dans cet état d'esprit que *le Figaro,* déjà méfiant à propos de la politique de décolonisation de Mendès France en Indochine et en Tunisie, accueille à la fin de l'été 1954 « l'affaire des fuites ». Selon un certain commissaire Dides, des renseignements politico-militaires auraient été livrés aux puissances de l'Est par des amis très proches du président du Conseil et de son ministre de l'Intérieur, Mitterrand. Celui-ci n'a pas beaucoup de mal à dévoiler la machination : mais *le Figaro* aura, tout au long de la crise, prêté une oreille si complaisante aux assertions de l'agent double Baranès, homme-lige du commissaire Dides et du préfet Baylot, que Mauriac s'est senti visé dans ses amitiés. Au-delà du désaccord politique à propos du « mendésisme » et de Mendès France en qui lui paraît s'incarner l'espoir d'un renouveau national, il a vu dans l'attitude du *Figaro* une dénonciation de son évolution personnelle, provoquée par le scandale nord-africain et consolidée par le style du nouveau chef de gouvernement et les perspectives qu'il ouvre.

Le 19 octobre 1954, Mauriac écrit à Brisson :

> « Mon cher Pierre [...] J'ai dû interrompre ma collaboration au journal [en raison] de la position de combat prise par *le Figaro* alors que le président du Conseil[1] négociait à Londres, et des incidents Baranès [...] Le ministre de l'Intérieur[2], sous le coup de la colère, souhaitait que je revienne à Paris. Sans doute voulait-il me demander une prise de position publique. Je suis resté à Malagar [attendant] de m'être entendu avec vous... Il m'a demandé de venir au ministère où il m'a fait étudier le dossier jusqu'à une heure du matin [...]
> Je connais Mitterrand depuis vingt ans : c'est un garçon très intelligent, très ambitieux qui ne doute pas que son destin soit d'être président du Conseil, mais aussi très patriote. Les raisons psychologiques qui eussent dû suffire à prouver que Dreyfus ne pouvait pas avoir trahi ne sont rien auprès de celles qui rendent absurdes toute idée de collusion[3] entre Mitterrand et les communistes [...] Le guet-apens contre Mitterrand est, à mon avis indéniable dès qu'on étudie le dossier [...] Je suis sa caution morale, il m'a connu et admiré dès son adolescence. Il compte sur moi [...] Si vous vous refusez à examiner la question, que puis-je devenir... Il resterait donc à envisager, cher Pierre, de quelle manière je pourrais sortir de cette impasse... Mon vœu le plus cher serait que ce fut sans porter tort au journal... »

Le ver est dans le fruit. Cette désaffection à l'égard du *Figaro* va se manifester d'autant plus clairement que le mendésisme n'est pas seulement une stratégie gouvernementale. Il a trouvé aussi des moyens d'expression, et notamment l'hebdomadaire qui depuis sa création, le 15 mai 1953, lui sert en quelque sorte de porte-parole, *l'Express*, dont le directeur et propriétaire est un jeune homme au talent manifeste, au caractère tranchant, à l'entregent sans limites : Jean-Jacques Servan-Schreiber.

Autour de ce leader dont les visées excèdent évidemment le cadre du journalisme s'est groupée une équipe éclatante, formée de quelques-uns des meilleurs journalistes de l'époque, Françoise Giroud, Pierre Viansson-

1. Pierre Mendès France.
2. François Mitterrand.
3 « Collusion » implique un élément souterrain, étranger au mot alliance

Ponté, Jean Cau, Jean Daniel notamment. Sur un François Mauriac touché par la grâce mendésiste et en coquetterie politique et intellectuelle avec la vieille maison de Pierre Brisson, comment ce journal phosphorescent peuplé de jeunes génies n'exercerait-il pas une attraction vigoureuse ? Elle s'exerce avec d'autant plus d'efficacité que depuis des mois, l'un des collaborateurs les plus prestigieux de *l'Express,* Pierre Viansson-Ponté, harcèle ses camarades et son directeur pour qu'ils fassent en sorte d'arracher Mauriac au *Figaro* et de lui ouvrir les portes de leur hebdomadaire.

François Mauriac, si tenté qu'il fût par ce divorce et ce remariage politiques et professionnels, aurait hésité plus longtemps à sauter le pas si les circonstances ne lui avaient fourni un plus gracieux détour. Depuis deux ans, on l'a vu, il s'intéresse de très près à la revue qu'il a fondée avec Thierry Maulnier et les « hussards », *la Table ronde,* pour laquelle il a écrit l'un de ses chefs-d'œuvre, *le Sagouin.* A la fin de 1952, il a inauguré dans cette revue une nouvelle rubrique, une manière de journal à bâtons rompus, une confrontation plus ou moins quotidienne entre l'événement et lui-même (selon une formule qu'il avait proposée quarante ans plus tôt à Francis Jammes pour *les Cahiers de l'amitié de France,* et qu'il avait envisagée de pratiquer, en alternance avec Gide, dans la *NRF*). Ainsi pendant dix mois, entre deux ruades de Roger Nimier et quelques insolences de Bernard Franck, *la Table ronde* avait recueilli ces feuillets où, libéré de toute entrave, le génie discursif de Mauriac pétillait à l'aise.

A l'aise ? Pour un temps seulement. Car il apparaissait de mieux en mieux que cette revue fondée, dans l'esprit de Mauriac, pour être un carrefour d'idées, et dont il avait dû bientôt constater que Thierry Maulnier incarnait ce qu'il y avait de « plus à gauche » après lui, était devenue l'organe d'une fronde néo-maurrassienne où on ne le tolérait plus que par égarement esthétique. Comment faire taire une musique si délicieuse ? Pour être hussard, on n'en est pas moins homme, sensible à d'autres harmonies que celle des tambours et trompettes. Mais si peu de goût qu'eussent ces jeunes gens et bon nombre de leurs lecteurs pour le capitalisme casablancais, le vieux monsieur leur parut bientôt anathème, qui tournait en dérision le maréchal Juin, dénonçait dans le pacha Glaoui un patron de bordels et confiait parfois sa prose à ses amis progressistes de *Témoignage chrétien.*

De la fin de juin au début de novembre 1953, *la Table ronde* se trouve ainsi reproduire de bien étranges textes : la défense par Mauriac de son intervention en faveur des Rosenberg voués à la chaise électrique, un plaidoyer pour les prêtres ouvriers interdits par Rome, un réquisitoire contre les nationalistes « qui ont rendu la nation inhumaine », et la proclamation de cet axiome : « L'ordure est à droite. » C'en est trop. A la musique, les hussards préfèrent l'ordre. Ils le firent savoir au tzigane du désordre arabe, assez clairement pour que ce *Bloc-Notes* ingénu dut cesser de paraître, ou émigrer vers d'autres cieux.

« Ah ! l'adultère... »

C'est alors, en novembre 1953 qu' « à l'aveuglette », dit-il, il déposa le « bloc-notes » dans un journal « inconnu de moi », *l'Express.* Chacun de ces mots des *Nouveaux Mémoires intérieurs* fait sourire — et y vise probablement. Il aurait dû être bien « aveugle », et sourd au surplus, pour que le journal lancé sept ou huit mois plus tôt par Servan-Schreiber avec un génie publicitaire peu banal, restât « inconnu de lui », et que les admirateurs très éloquents qu'il y comptait — à commencer par Pierre Viansson-Ponté — n'eussent point attiré son attention et aiguisé la tentation à laquelle il rêvait de succomber. Mais la veine romanesque ne se tarira jamais en lui : cette découverte d'une revue inconnue où l'on vient pondre ses œufs par mégarde a plus de charme que les négociations, fort amicales d'ailleurs, qui aboutirent à sa « liaison » avec *l'Express.*

On emploie à dessein ce mot du vocabulaire passionnel et romanesque. La première fois qu'il ouvrit la porte des locaux de l'hebdomadaire du 91, Champs-Élysées, il glissa à Françoise Giroud, dans un de ses sous-rires étouffés d'où jaillissaient ses mots préférés, et comme en se détournant du Rond-Point tout voisin : « Je me cache... Ah ! l'adultère... » Lui qui avait dit à propos de l'aventure de *la Table ronde :* « Je cède à ce qui m'amuse », il cède ici à quelque chose de plus fort encore que l'alliage de la jeunesse et du talent chez les « hussards » de Nimier : s'y mêlaient une conviction profonde, une ardeur à séduire plus brûlante encore à mesure qu'il avançait en âge, et la griserie du risque. Pendant les sept années qu'il passe en compagnie de ces nouveaux « hussards », ceux de la gauche moderniste, il ne cessa de vivre dans l'état d'esprit du péché délicieux, ou plutôt d'une marginalité lourde de risques et de chances. D'un jeu dangereux.

Et c'est dans *l'Express* que paraît le 14 novembre 1953 le morceau de bravoure consacré aux candidats à l'élection présidentielle, qui inaugure le nouveau *Bloc-Notes,* celui qu'il a remis à Servan-Schreiber, et qu'il intitule « Les prétendants » :

> « Ils aspirent à l'Élysée comme pour se reposer d'avoir cassé tant d'assiettes. Ils ne ressentent aucun trouble. Ce qui les rassure, j'imagine, c'est que les fautes politiques ne sont jamais le fait d'un seul homme : en politique, il n'existe guère que des crimes collectifs. Si jamais les nouvelles du Maroc leur devaient quelque jour donner de l'inquiétude, ils savent bien qu'aucun box assez vaste n'existe dans aucun tribunal pour accueillir tous les responsables du coup de force de Rabat. Et de même si les choses tournaient au pire en Indochine ou en Tunisie, les fougueux prétendants se persuadent que la nation ne demandera jamais de comptes à tant de gens à la fois, ni à de si huppés. Voilà pourquoi c'est le palais de l'Élysée qui brille de mille feux dans leurs songes et non (comme on eût pu le croire pour certains d'entre eux) la Haute Cour de justice.
>
> .. Nous autres, gens de la rue, nous les observons rêveusement, nous hochons la tête, nous soupirons... Comment savoir si, derrière tel vieillard à bout de course, ne se dissimule pas une robuste Éminence grise, et si cette

faiblesse n'est pas en réalité plus redoutable que la vigueur de tel autre rival bâti en force ?

Il faut rendre justice à M. Joseph Laniel : en voilà un qui ne trompe pas son monde ! Ce président massif, on discerne du premier coup d'œil ce qu'il incarne : il y a du lingot dans cet homme-là. Sans doute ignore-t-il « le grand secret de ceux qui entrent dans les emplois » que nous livre le cardinal de Retz, et qui est « de saisir d'abord l'imagination des hommes ». On ne saurait moins parler à l'imagination que M. Joseph Laniel. Ce président-là nous ferait découvrir rétrospectivement de la fantaisie chez M. Doumergue, et chez M. Lebrun, de la verve... »

La rupture avec *le Figaro* n'en fut pas simplifiée, ni rendue plus sereine. Dès l'instant que le *Bloc-Notes* n'est plus publié à *la Table ronde* où il faisait figure de divertissement discret, mais éclate à la dernière page du brillant *Express* comme la queue du paon, et donne un surcroît de prestige à cet hebdomadaire (qui pourrait bien, avec sa rédaction pléthorique et son directeur conquérant, devenir un quotidien) Pierre Brisson se voit trahi. Il bombarde de lettres son ami François. Quoi, est-ce contre lui, contre la vieille maison qui a tant fait pour sa gloire, que l'auteur du *Bâillon dénoué* ferraille désormais ?

Mauriac peut arguer qu'il n'est pas facile de rester fidèle à qui vous est infidèle, et qu'en faisant la guerre à ses amis nord-africains (à partir de l'été 1953) et à Mendès France candidat à la présidence du Conseil, l'aile la plus conservatrice du *Figaro* s'est détaché de lui ; Brisson peut faire valoir, lui, sa patience, le stoïcisme dont il a fait preuve face aux douairières, concierges des beaux quartiers et colonels en retraite, pour garder son éditorialiste miracle. Mais la lutte n'est pas égale. Brisson n'est pas unique. Mauriac l'est. Arnolphe peut raisonner Agnès. Agnès, même septuagénaire, a le dernier mot. A l'école des génies, qu'il s'agisse du Titien ou de Wagner, le pape et le roi peuvent faire leur grosse voix : c'est le créateur qui décide.

Alors le débat peut durer, s'envenimer au fur et à mesure que les développements de la guerre d'Algérie et les débats inter-européens avivent les divergences, rejetant *le Figaro* du libéralisme de 1953 à son conservatisme foncier, et radicalisant le réformisme de *l'Express*. Dès lors que Mauriac, séducteur séduit, s'enkyste plus voluptueusement à *l'Express*, ardent, inventif, audacieux, et ne retrouve plus dans la vieille maison du Rond-Point que prudence, aigreur et reproches, les jeux sont faits. Bien que Mauriac et Brisson en aient débattu avec virulence, l'arrestation de Roger Stéphane, toujours prêt à faire des moustaches au buste de Marianne guerroyant en Algérie et ami de l'homme du *Bloc-Notes*, que *le Figaro* condamne plus vite que les juges, n'est qu'un épisode de cette longue scène de ménage, un prétexte de la rupture.

Le feu est mis aux poudres, enfin, par la création de *l'Express* quotidien. Concurrence ? Oui. Et mise au clair, sur le plan des intérêts, d'une rupture déjà consommée dans les cœurs. Tout l'été 1955 sera occupé à ce douloureux détachement. Mauriac n'aurait-il pas tout à fait décidé de se joindre à l'équipe de *l'Express* quotidien, hypothèse impie pour les gens du *Figaro* qui ont déjà souffert mille morts de son passage à l'hebdomadaire de Servan-Schreiber, les reproches, récriminations, arguties de Brisson, pour justifiés qu'ils puissent être, l'y auraient conduit.

On recherche tout de même un compromis, sur les bases proposées par le romancier : une sorte de bigamie. Le 15 août, François écrit à Jeanne Mauriac : « C'est à P. B.[1] en somme de savoir s'il veut me garder ou me perdre... » et le 18 : « ... Sans réponse de P. B. C'est la preuve qu'il consulte et ne va peut-être pas m'opposer un refus absolu. J.-J.[2] tremble. Je vous parlerai en détail du débat. En tout cas tout se passe jusqu'à présent, de ma part surtout, dans un climat d'amitié. » Mais le 22 août, le ton change : « ... La réponse de P. B. est aussi incompréhensive que possible [...] Il dit qu'il va consulter les autres membres du conseil. A une proposition d'un gentleman-agreement entre les deux journaux, il répond du point de vue concurrence... » Et un peu plus tard il notera, encore à l'adresse de sa femme que la vraie « noblesse » est de l'autre côté... Ajoutant à propos du *Bloc-Notes :* « Que pourrais-je faire d'autre que de frapper des médailles à l'effigie de la vérité ? »

Le 22 septembre 1955, il rédige à l'adresse de Pierre Brisson cette lettre, qui ne fut peut-être jamais envoyée, mais qui paraît bien résumer son point de vue de l'époque :

> « Mon cher Ami,
> *l'Express,* vous le savez, va devenir un quotidien. Je ne puis continuer d'y collaborer en demeurant administrateur de la « Société fermière[3] » du *Figaro.* Je ne saurais pourtant renoncer à l'action que je mène depuis deux ans[4]. Il s'agit pour moi de ne pas abandonner ce combat, tout en restant fidèle à une amitié qui date d'un quart de siècle et qui est demeurée sans ombre en dépit de la différence de nos vues sur la situation politique. Je vous demande donc d'accepter ma démission de membre du Conseil d'administration de la Société fermière. Mais, si vous y consentez, je demeurerai ce que je suis actuellement, le collaborateur régulier du *Figaro littéraire.* Ainsi je continuerai à appartenir à une maison qui me reste chère. Si dans une circonstance exceptionnelle vous souhaitiez de moi un article au *Figaro,* je serai toujours heureux de répondre à votre appel. Veuillez croire, mon cher ami, à mes sentiments affectueux. »

C'est un « divorce mais... ». Et avec *l'Express,* une liaison enthousiaste qui dépasse le cadre professionnel, pour déboucher sur un véritable engagement affectif et politique.

Le 12 avril 1954, il écrit à son fils Claude : « Il n'y a pas de doute que *l'Express* représente beaucoup plus qu'un hebdomadaire qui a réussi — et même mieux qu'une équipe. Si M. F.[5] dure, nous comptons faire un gros

1. Pierre Brisson.
2. Servan-Schreiber.
3. La structure de direction administrative du journal.
4. A *l'Express.*
5. Mendès France.

effort du côté de la jeunesse et devenir, dans le temps, une force politique… »

Cette confiance, cet enthousiasme, sont pour beaucoup dus à l'affection un peu éblouie qu'il porte à « J.-J. S.-S. ». Ce qu'il y a de carré, d'emporté, de musculeux chez le directeur de *l'Express* l' « épate » et le séduit. Un jour où, à Megève, en vacances, il paraît désœuvré, un ami lui demande : « Vous ne vous ennuyez pas ? », il a ce mot : « Non. J'attends Jean-Jacques… »

Tout au long des pourparlers qui ont conduit à ce traité d'alliance, et des crises politiques qui ont marqué ou marqueront les prodromes, la vie et la chute du cabinet Mendès France, l'auteur du *Cahier noir* fera constamment valoir à ses proches à quel point le jeune directeur de *l'Express* lui témoigne d'amitié et d'attentions. Et d'abord à sa femme.

11 août 1954, de Megève : « Vous ne pouvez imaginer comme ce marcassin de J.-J. se montre avec moi gentil, déférent, affectueux […] Mais quelle graine de dictateur ! Il ira loin car il a une clarté d'esprit peu commune… »

30 mai 1955, de Venise : « Évidemment, je suis pour lui sa vieille poule aux œufs d'or. Mais je crois qu'il a un peu d'amitié pour moi. »

6 août 1955, de Megève : « J.-J. ne me laisse guère de répit et m'envoie aujourd'hui deux secrétaires, une pour mon article, l'autre pour mon courrier ! Quand il partira, je le regretterai, mais je serai plus tranquille… Il serait bien étonné s'il savait que ce qui m'attache à lui, c'est sa force apparente et sa faiblesse réelle… »

Cette « faiblesse », elle peut se manifester de bien des façons. Par exemple quand l'hebdomadaire se mue en quotidien pour mieux soutenir Mendès France. Pourquoi pas, si le quotidien a la qualité de l'hebdomadaire auquel il a lié son sort ? Mais le 11 octobre 1955, (jour de ses 70 ans…) le « N° zéro » du nouveau journal, reçu à Malagar, le plonge dans un abîme de déception. Les gros titres excitent son ironie : « Madame Biche a tué son fils pour une boîte de cassoulet. » Et que dire de l'article intitulé « Doit-on mépriser les intellectuels ? ». Il le lit à voix haute, sans rien ajouter à son sourire moqueur… « Les jambes les plus courues de Paris » l'alertent d'autant plus qu'il s'agit d'une photo. « Tant qu'on n'en voit pas davantage[1]… »

Quand, le soir, Servan-Schreiber l'appelle pour avoir son avis, il se contente de glisser « … *Combat*[2] peut dormir tranquille ! » A quoi « J.-J. S.-S. » riposte, furieux : « Possible, mais pas *le Figaro !* »

Mauriac commente l'épisode à l'intention des siens : « Je vais avoir bonne mine là-dedans. On va se moquer de moi. Enfin, j'ai acheté ce cheval, c'est avec lui que je dois marcher[3]… »

Le quotidien s'affirme en tout cas l'organe du mouvement qui, dans la perspective des élections générales prévues pour la fin de l'année 1955, s'est donné pour mission de ramener Pierre Mendès France au pouvoir, comme

1. Claude Mauriac, *Le Temps immobile*, 3, p. 262.
2. Le quotidien fondé par Camus et ses amis, et qui survivait non sans mal, mais non sans qualité.
3. *Le Temps immobile*, 3, p. 263

chef d'un gouvernement de législature à l'enseigne du « Front républicain ».

Ce Mauriac qui a toujours eu horreur d'être « attelé », soumis à une discipline, à des mots d'ordre, le voilà embrigadé dans une manière d'organisation, ou plutôt dans la mouvance d'un homme d'État qu'il admire et respecte, et pour qui il accepte peu ou prou d' être mis, comme on dit des attelages sur les chemins des Landes, « à la voie ». Pour ombrageux qu'il soit, et intransigeant pour ce qui touche à la « tenue » du journal, il subira sans révolte cette très relative sujétion. En tout cas le temps d'un combat, celui du Front républicain, et d'une victoire — à cela près que le peuple qui avait cru voter en majorité pour un mouvement auquel Mendès France servait d'enseigne avait, ce faisant, porté au pouvoir M. Guy Mollet.

L'Express... Sept ans de la vie de François Mauriac. Sept ans de fièvres, d'alertes, de combats, d'intense témoignage et de présence au monde, de frémissant dialogue avec un public exceptionnellement jeune, libre et informé. Sept ans de journalisme au sens plein du mot — car il y eut non seulement le *Bloc-Notes,* régulièrement publié d'avril 1954 à avril 1961, mais la rubrique de télévision tenue par Mauriac de 1959 au début de 1961.

S'agissant de la collaboration de Mauriac au journal de Servan-Schreiber, rien ne serait plus faux que de l'imaginer calfeutré dans son grand bureau de la rue François-Gérard, (contigu à son appartement) se contentant d'y rédiger chaque semaine un bloc-notes remis hâtivement à un porteur. Mauriac fut, à *l'Express,* un sociétaire à part entière, présent, participant, militant, mêlé à tout. Il venait au moins trois fois par semaine au journal, sans compter les déjeuners ou dîners pris « sur le pouce » à la cantine du journal — où ce gourmet surmontait sa souffrance en l'offrant au Seigneur.

D'abord son témoignage, tel qu'il l'a rédigé pour *les Nouveaux Mémoires intérieurs :*

> « Autant *la Table ronde* avait été une expérience manquée, et d'ailleurs absurde dès le départ, autant le premier *Express* sut réunir pour une action commune des esprits que tout aurait dû séparer, et que tout sépara d'ailleurs, après peu d'années. N'importe ! Il y eut une période où les dissonances même servaient l'harmonie de l'ensemble. Je touchai quant à moi l'espèce de public avec lequel je m'accorde le mieux : celui qui résiste, qui regimbe, mais qui s'interroge parce qu'il comprend. Ce n'était pas ce public catholique où j'ai trouvé certes de ferventes amitiés, mais sur un fond de méfiance et de hargne qui dure encore... »

Quand il rompra avec *l'Express,* c'est moins la séparation d'avec ces journalistes de talent dont plusieurs étaient devenus des amis qui l'affligera, que l'interruption du dialogue avec cet incomparable public. Ce qu'il écrivait notamment dans une lettre à Jean Daniel, faisant le bilan de ses relations avec *l'Express,* et saluant les amis comme lui qu'il y avait laissés et dont il admirait la brillante persévérance.

Très vite, pourtant un problème se posa, fondamental : le 18 juin 1954, l'investiture de Pierre Mendès France comme chef du gouvernement ne risquait-elle pas de faire de *l'Express* un hebdomadaire officieux ? Avant même d'exprimer la satisfaction que lui apporte le succès de « P. M. F. »,

Mauriac prenait précipitamment position : « ... Ma vocation est d'irriter... Quand nous ne serons pas d'accord [...] il ne faudra pas se retenir de le dire [...] mais comme ce sera cette fois la charité qui armera mon bras, je ne reculerai devant aucun carnage ! »

Sur ce que fut Mauriac à *l'Express,* il faut citer ceux qui y furent ses compagnons d'emblée admiratifs, comme Pierre Viansson-Ponté, ou plus réservés, plus curieux sinon sceptiques d'abord comme Jean Daniel, et bien sûr Françoise Giroud, qui le présente ainsi, au milieu d'eux :

« Point avare de sa présence, il se rendait volontiers là où on le priait, pourvu qu'il n'eût pas à s'y ennuyer. D'une exactitude implacable, il arrivait, grand, sec, poncé, leste, recevant avec une sereine courtoisie hommages et effusions. Et partait en deux temps. D'abord on le surprenait absent, l'œil mi-clos, posé plutôt qu'assis, le visage dans l'ombre de ses mains croisées, ses longues jambes toujours prêtes à se déplier pour accélérer sa retraite si quelqu'un, si quelque chose, d'un coup, lui pesait[1]... » « En 1953, tout était joué pour lui. Et gagné... Il était libre comme personne n'est libre, ou si rarement... Libre des autres et de lui-même... Alors il captait toutes les ondes, sans brouillage. D'abord celles qu'émettaient les personnes, bien sûr, déclenchant ses jugements foudroyants, terribles. Et naviguant à l'instinct : " Je suis comme les chats, ma chère amie, m'a-t-il dit un jour : je choisis mon panier[2]. " »

La directrice de *l'Express* garde aussi le souvenir, entre eux, de passes d'armes assez dures, notamment à propos du *Repos du guerrier,* de Christiane Rochefort, roman « audacieux » (comme on disait encore...) applaudi par son journal. Le *Bloc-Notes* porte trace de la colère de Mauriac — qui écrivait aussitôt ce mot à Françoise Giroud : « J'espère que vous ne serez pas fâchée de ce que j'écris dans ce BN du *Repos du guerrier.* Je l'ai fait le plus « doucement » [souligné deux fois...] possible, mais il fallait que je prenne position, tant l'indignation de certains a été grande... Pardon et de tout cœur... »

Le souvenir de Pierre Viansson-Ponté est lui aussi tout baigné de tendresse amusée :

« Il venait souvent à la rédaction, avec un frisson tout mauriacien de plaisir un peu équivoque : au moment où il balançait encore entre *le Figaro* et *l'Express,* n'avait-il pas lâché un jour dans un soupir, qu'il était bien agréable de pouvoir se rendre ainsi, en traversant simplement les Champs-Élysées, du domicile conjugal au boudoir de sa maîtresse ?

Il s'asseyait — « Continuez à travailler, faites comme si je n'étais pas là... » — et, l'œil en vrille sous la paupière tombante, interrogeait bientôt de sa voix déchirée : « Avez-vous lu *les Mandarins* de Mme Simone de Beauvoir ? » Puis, sans attendre la réponse : « C'est un livre assez horrible, un livre dont un chrétien doit penser beaucoup de mal. » Et très vite, deux octaves plus bas, en confidence : « C'est bien intéressant tout de même. En

1 *L'Express,* 5 septembre 1970
2 *Si je mens,* p 148

somme, cela pourrait se résumer en deux mots : on baise ou on cause ? » Aussitôt, l'air faussement confus, la main sur la bouche : « Qu'est-ce que vous m'avez fait dire là ! »

Au soir de la formation de son gouvernement Pierre Mendès France passait en revue, au cours d'un dîner à *l'Express,* les ministres qu'il avait choisis. François Mauriac interrogeait : « Ce monsieur X., cher président, quel homme est-ce ? » Tranchant, « J.-J. S.-S. » coupait court : « C'est une cloche ! — Et ce monsieur Y… que vous avez nommé ? — Une cloche aussi ! — Mais alors, reprenait Mauriac, mais alors, cher président, votre gouvernement, c'est un vrai carillon[1] ! »

Amusement admiratif encore de Jean Daniel, qui ne cache pas les réserves qui étaient les siennes au moment où entra à *l'Express* ce « vieil écrivain [qui] sentait le fagot et la sacristie »… Et puis ils se lièrent d'estime et d'amitié, pendant ces sept années au cours desquelles, raconte l'auteur du *Temps qui reste,* « j'ai assisté à l'événement hebdomadaire que constituait la remise par Mauriac de son *Bloc-Notes* aux responsables de *l'Express.* Nous nous le passions de main en main avant de l'envoyer au marbre. Lecture sacrée même lorsqu'elle était critique. On pouvait dire : « Mauriac est moins bon que d'habitude », on pouvait s'étonner que des mots si naturels fussent si explosifs parce qu'ils venaient de Mauriac, on ne cessait pas moins de s'émerveiller de la construction des phrases, des trouvailles, des ruses de vocabulaire, et de cette preuve éclatante qu'il donnait d'être un artisan accompli avant d'être un grand artiste[2] ».

Et Jean Daniel d'évoquer un déjeuner pris par l'équipe du *Nouvel Observateur* (dont il avait pris entre-temps la direction) avec François Mauriac qui venait de célébrer son 80e anniversaire : « Il est de beaucoup […] le plus jeune […] Curiosité avide, présence aiguë, information jamais prise en défaut… C'est lui le moins conservateur d'entre nous, le moins nostalgique[3]… » Tous ceux qui l'ont connu ou côtoyé, au temps où il pratiquait ce métier, à *l'Express* ou ailleurs, y ont admiré son application studieuse, sa conscience professionnelle, son sens de l'information, son « flair ». Jean Daniel raconte que, mis en cause dans un *Bloc-Notes,* à tort selon lui, il écrivit à Mauriac qui lui répondit « par un mot d'une rare humilité artisanale. Il s'accusait… de maladresse d'expression […] Il se souciait peu de m'épargner. Il entendait seulement être compris et ne voyait que dans sa seule hâte à écrire les raisons de sa méprise. Oui, Mauriac était authentiquement journaliste : il avait le sens de l'actualité, de l'éphémère, de la couleur, de l'évocation[4] ».

Et de quels soins entourait-il ce scintillant *Bloc-Notes,* écrit sur ses genoux, du canapé de Vémars à la charmille de Malagar, puis retravaillé avec une minutie dont témoignent les manuscrits. Tel développement consacré à Roland Barthes qui s'était gaussé de lui parce que *l'Express* avait publié sa

1. *Le Monde,* 3-4 décembre 1978.
2. « Mauriac », in *Génie et Réalités,* p. 153.
3. *Ibid,* p. 159.
4. *Ibid.,* p. 155

photo en pyjama — sujet moins grave, à tout prendre, que l'affaire Audin ou l'expédition de Suez — est récrit plusieurs fois, raturé, recouvert. Un vrai palimpseste. Ainsi ces deux phrases : « Je m'étonne qu'un esprit si délié n'ait pas compris que ce que je cherche ici, ce n'est pas d'apprendre à l'univers que je porte des pyjamas bleus et que seule l'efficacité m'importe » et « Tout de même, si quelques milliers de lecteurs ont repensé, durant ces derniers mois, le problème français, c'est peut-être, dans une humble mesure, parce que j'ai su assouplir la vieille chronique en qui j'en ai rompu le cours monotone, grâce au récit d'un jour de vacances, à des notes de lectures ou à un croquis esquissé dans la marge » ont été plusieurs fois surchargées et récrites. Travail d'horlogerie.

La nouvelle adolescence de guerrier septuagénaire qu'il vécut à l'*Express* n'allait pas sans orages, avant même que s'interposât entre ses nouveaux amis et lui-même cette formidable statue du Commandeur : de Gaulle. Mauriac n'était pas antisémite. Mais on n'était pas impunément, dans cette génération, originaire d'un milieu de la province catholique. Engagé dans le combat d'un journal dévoué (sinon voué) à la cause d'un homme d'État d'origine juive, lancé avec l'appoint d'un groupe de presse animé par des juifs, au sein d'une rédaction où prédominaient les journalistes juifs, il ne pouvait tout à fait se retenir de se croire parfois une sorte d'otage, de « goye » pour la montre, de « gentil » tête d'affiche : en quelque sorte « leur » chrétien, comme les grandes sociétés américaines ont « leur » Noir, le régime soviétique « son » musulman par organisme d'État — et comme les chrétiens-progressistes de France-Maghreb avaient trouvé en lui « leur » académicien — on l'a vu... Il en éprouvait parfois un imperceptible agacement. Indicible ? Rien ne l'était tout à fait pour ce maître de la litote oblique, de la « gaffe » chuchotée, retenue, annulée et pourtant prononcée.

Mais plus que ce filet de venin raciste, le troublait ce que l'étincelant journal que fut *l'Express* de la fin des années cinquante véhiculait de parisianisme avantageux, de mondanité glorieuse. Ah ! la « nouvelle vague », comme il en gloussait, la cravate secouée de sarcasmes. La « nouvelle vague »... Pour ce vieux capitaine, qui avait dès l'adolescence — la première... — vu appareiller les esquifs les plus « nouveaux », et déferler sur toutes les plages les lames du nietzschéisme, de la psychanalyse, de *dada* et du surréalisme, les beaux tours d'Apollinaire, de Cocteau et de Diaghilev, qui avait vu mourir un certain théâtre et naître le cinéma, les inventions de « Madame Express » faisaient, disons, petite figure...

Mais il s'en accommodait, parce qu'il avait toujours été sensible à l'imagination, amoureux du talent, parce qu'il avait le goût du risque, parce que tout cela lui apportait l'odeur de jeunesse, de brise et d'embarquement pour le large qu'il avait cru trouver à *la Table ronde :* et cette fois, sur des thèmes, avec des objectifs dont plusieurs étaient aussi les siens, qu'il s'agisse de la restauration d'un État respectable et capable de proposer à la société française un peu plus de justice, ou de l'émancipation de peuples auxquels la France était par la guerre ou le conflit, asservie.

Bref, des derniers jours de 1953 au printemps 1961, et de l'entreprise mendésiste — qui requit toute son énergie — à la lutte pour la paix en Algérie contre les gouvernements Mollet, Bourgès-Maunoury ou Gaillard, il fut profondément solidaire de Jean-Jacques Servan-Schreiber, Françoise Giroud et leur brillante équipe.

Le Commandeur…

Vient le 13 mai 1958, le soulèvement algérois, l'appel à de Gaulle d'un Salan investi par l'émeute et sacré par l'État. Depuis des années, depuis le complot parlementaire qui a abattu Mendès France, Mauriac — et d'ailleurs Servan-Schreiber — ont laissé entendre que de Gaulle restait un recours pour la République et contre le colonialisme. Mais les conditions dans lesquelles s'opère ce recours, la qualité de ses promoteurs, les premières manifestations verbales du général, tout détourne en bloc *l'Express* (Mauriac compris…) de cette poussée néo-gaulliste qui ébranle, puis abat la IVe République.

Pendant quelques jours, l'auteur du *Bloc-Notes* refuse de se rallier à cet homme qu'il a tant admiré, qu'il continue à révérer, mais dont le retour au pouvoir s'est opéré dans des conditions qu'il est d'accord avec Pierre Mendès France pour condamner. En lui, qui confondrait volontiers les deux vocables, le mendésiste empêche d'abord le gaulliste de renaître. Mais dès la fin de mai, dès qu'il se croit assuré que de Gaulle se bat sur deux fronts, qu'il n'est nullement l'otage des « ultras » civils et militaires d'Alger, et que la décolonisation (à sa manière) est son objectif, Mauriac salue en lui le rénovateur, le libérateur qu'il espérait. Ainsi débute la crise qui, en un peu moins de trois ans, va faire voler en éclats l'équipage Mauriac-Servan-Schreiber.

A partir des premiers mois de 1959, la publication du *Bloc-Notes,* pièce maîtresse du plus influent des journaux français avec *le Monde,* est le produit d'une incessante négociation entre l'auteur et son directeur, dès lors que de Gaulle est au centre de tout, occupe formidablement le paysage politique français, sinon international, et semble à l'un le Sauveur, quand il paraît à l'autre le grand responsable d'un coup d'État permanent [1]. Cette guérilla fut, quelque temps, dérobée aux yeux du public — mais qui, dans Paris tout au moins, n'en percevait les échos ? Quand il écrivait à Françoise Giroud : « Votre dernier billet a tellement scandalisé autour de moi (je ne parle pas seulement de ma famille) qu'il fallait marquer le coup si je ne voulais pas être « sommé » de me déclarer plus nettement. Vous savez ce que vous devez faire et je n'en suis pas juge. Il me semble pourtant que le respect à la *personne* de De Gaulle et à son caractère devrait s'imposer à vous — ne fût-ce que tactiquement », de tels propos ne pouvaient manquer de filtrer à

1. C'est le titre d'un livre de François Mitterrand

l'extérieur. La faille fut relevée publiquement dès avril 1959 par la publication d'un article intitulé « Le point », où Mauriac signalait ce par quoi tel article, tel dessin parus dans *l'Express* lui semblaient incompatibles avec sa propre collaboration au journal.

Dès lors, pendant deux ans, *l'Express* fut une étrange machine dont, si l'on peut dire, la tête combattait la queue, l'éditorial de « J.-J. S.-S. » vouant aux gémonies une politique que le *Bloc-Notes* de Mauriac, en dernière page, portait aux nues. Situation dont certains journaux vraiment démocratiques (*le Populaire* de Blum, par exemple, accordant l'hospitalité aux articles de ses adversaires Déat, en 1933, ou Marceau-Pivert, en 1937) avaient donné l'exemple — et, d'une autre façon, *le Figaro* de 1953, publiant des éditoriaux de Mauriac que plusieurs collaborateurs du journal s'efforçaient de mettre en pièces à coup d'informations contradictoires.

Mais la transformation en champ clos de l'hebdomadaire des Champs-Élysées pendant plus de deux ans surprit d'autant plus que la notoriété des compétiteurs était plus grande, et l'autoritarisme de Servan-Schreiber plus évident. Il faut avoir lu les billets adressés par le directeur de *l'Express* au plus illustre de ses collaborateurs, en 1959 par exemple, pour avoir une idée de l'effort qu'il fit sur lui afin de poursuivre une collaboration aussi conflictuelle.

Mauriac avait son public personnel — considérable — et il était la gloire du journal. Mais l'auteur de *Lieutenant en Algérie* ne se tenait pas non plus pour une personne négligeable, et il faut lui rendre cette justice que ses convictions, antigaullistes et autres, pesaient aussi lourd dans ses décisions que le sens aigu qu'il avait des intérêts de son journal. On mettra la patience dont il témoigne vis-à-vis de Mauriac de 1959 à 1961, la latitude qui fut laissée au franc-tireur Mauriac de se « croiser » pour de Gaulle dans le *Bloc-Notes*, au compte de la passion du débat d'idées qui animaient « J.-J. S.-S. », du souci de maintenir le ton de *l'Express* à un niveau élevé, sinon d'une volonté d'équilibre démocratique.

Mauriac, n'ayant en charge que ses propres responsabilités, ses convictions et sa gloire, ne se sentait pas tenu à la même patience. Jean-Jacques Servan-Schreiber ayant comparé de Gaulle à Pétain, puis à Franco, puis à Hitler — avec cet abandon quelque peu suicidaire qui constitue la part d'humanité inattendue chez un « bulldozer » aussi organisé, déterminé et cuirassé — Mauriac jeta le holà. Les limites du tolérable étaient, de son point de vue, dépassées. Il le dit, dans plusieurs *Blocs-Notes* publiés du printemps 1959 à janvier 1961, et fit prévoir sa retraite.

Depuis ce 14 juin 1958 où il a admis qu'à *l'Express* les « violons n'étaient plus toujours accordés », depuis cet article d'avril 1959 où il avoue son « malaise » devant un numéro de *l'Express* où, précise-t-il, « certains textes et caricatures m'offensent » bien qu'il ne fût pas « dans un journal comme le nôtre, ennemi des dissonances », se pose le problème du maintien de cette coopération. Il sait que dans la rédaction du journal, certains rêvent de lui voir tourner les talons, tel le dessinateur Siné qui déclare : « Je déteste de plus en plus François Mauriac et si je pouvais être cause de son départ, j'en serais content... »

A la fin de 1960, Mauriac est encouragé à se retirer, non seulement parce qu'il apparaît évident que de Gaulle est en train de lui donner raison et d'amorcer enfin une tentative sérieuse de faire la paix en Algérie — qui tend à discréditer l'intégrisme antigaulliste de Servan-Schreiber — mais aussi par les drames internes qui secouent alors *l'Express* et plus précisément le couple qui le dirige. Y contribue aussi le départ de certains des collaborateurs du journal, suivant l'exemple de Pierre Viansson-Ponté. Celui-ci, devenu chef du service politique du *Monde,* écrit à Mauriac, le jour de Noël 1960 pour faire le point de l'évolution de l'hebdomadaire auquel ils ont l'un et l'autre donné le meilleur d'eux-mêmes. Pour ce journaliste qui s'est fait de son métier l'idée la plus haute, *l'Express* est devenu un mélange de *France-Dimanche*[1] et de *Time*[2] où se manifeste surtout l'effort d'atteindre de nouvelles couches de clientèle.

A cette argumentation, Mauriac répondait le 30 décembre 1960 :

> « Je dois dire que l'avalanche de lettres qui m'arrivent tous les jours me suppliant de rester à *l'Express* montre à quel point ce serait grave tout de même de renoncer à cette tribune... Le fond de tout, c'est que je n'aurais pas dû accepter de tenir une si grande place dans un journal comme rédacteur et de n'en tenir aucune à la direction. »

L'intention de se retirer qu'il a exprimée dans son *Bloc-Notes* a déclenché un bombardement de courrier tel qu'il n'en a jamais reçu. Ce ne sont qu'appels pressants, supplications et sommations pour qu'il maintienne, dans l'hebdomadaire lu par la majorité de la jeunesse et de l'intelligentsia, une présence, une voix, un ton jugés irremplaçables. Étudiants, jeunes prêtres, vieux militants laïques, mères de famille : l'éventail le plus large — dont s'excluent seules la droite « vychiste » et une frange d'extrême gauche — se déploie chaque matin dans le courrier qui couvre son bureau, ou l'attend à *l'Express.* Il hésitera trois mois encore à sauter le pas. Mais quand il lit, à la fin de mars, sous la plume de Servan-Schreiber, l'épithète « canaille » accolée au nom du général de Gaulle, il explose et s'en va.

C'est le 14 avril 1961 que sa lettre parvient à la rédaction de l'hebdomadaire. Le jour même, au début de l'après-midi, il reçoit un télégramme où Jean-Jacques Servan-Schreiber se dit « bouleversé » et, sans prétendre le faire revenir sur sa décision, le supplie de ne pas encore la rendre publique, au nom de leur amitié. Mais le temps n'est plus aux soucis de forme. Ou plutôt d'autres soucis ont supplanté ceux-là... Le lendemain, 15 avril, le général de Gaulle, à l'occasion d'une visite officielle en Aquitaine, fait halte à Langon dont Malagar n'est distant que de 5 kilomètres. Mauriac est là, venu saluer « à l'improviste » le chef de l'État. De Gaulle va vers lui et se déclare « très heureux de saluer ici ce très grand écrivain qui explique, qui

1 Type de l'hebdomadaire à sensation
2 Grand hebdomadaire « apolitique » américain

assiste, qui rehausse l'homme et qui illustre la France ». C'est alors que l'Agence France-Presse[1] communique la nouvelle : « Mauriac quitte *l'Express !* » François Mauriac a-t-il brusqué les choses avec Servan-Schreiber pour pouvoir annoncer la nouvelle à son grand homme, sur ses terres ? Le directeur de *l'Express* l'a écrit. Mais lui aussi était parfois poussé par le démon romanesque.

Ce choix, Mauriac ne l'a pas fait parce que les positions de *l'Express* sur « le problème algérien sont opposées au siennes », comme l'écrit M. Jacques Petit dans la remarquable chronologie qu'il a établie en tête de son édition des romans de Mauriac pour la bibliothèque de la Pléiade[2]. Ce n'est pas sur le fond du problème que les oppositions se manifestèrent, c'est sur la personne du chef de l'État. Que la solution algérienne soit alors la pierre de touche des jugements portés sur de Gaulle, c'est un fait. Mais ce n'est pas sur ce qu'il faudrait faire en Algérie que s'opposaient Mauriac et Servan-Schreiber, tous deux préconisant la négociation (sur le thème de l'autodétermination) avec, comme principal (sinon unique) interlocuteur, le FLN. C'est sur le crédit qu'on pouvait accorder à de Gaulle pour le faire. L'un fait, en bon pascalien, un pari en forme d'acte de foi (conforté par quelques indications sérieuses) et proclame : « Il le fera, parce qu'il est de Gaulle. » L'autre assure, de façon tout aussi essentialiste et plus irrationnelle encore : « Il ne le fera pas, parce qu'il est de Gaulle. »

Ce que Servan-Schreiber, dans un « bloc-notes » de son cru publié au lendemain de la retraite de Mauriac, exprime ainsi, le 20 avril 1961 :

« Nous sommes en désaccord sur la *méthode* du général de Gaulle... Ce qui a décidé Mauriac, c'est une certaine dévotion : celle qu'il porte à la personne du chef de l'État [...] Ce qu'aucun agent de corruption, aucune puissance d'argent ne pouvait réussir contre [sa] liberté d'expression, de Gaulle l'a obtenu [...] Ce n'est pas une divergence politique qui a séparé [Mauriac] de nous, c'est la conception de l'homme dans la cité. Qu'il nous pardonne nos principes. Et qu'il veuille bien trouver ici le témoignage de notre gratitude ; nous ne perdrons jamais le souvenir des batailles qu'il sut mener. »

Bref, c'en est fini avec *l'Express* — mais non avec le *Bloc-Notes* qui, né à *la Table ronde,* grandi à *l'Express,* va trouver asile, non sans perdre quelque chose de sa pointe, ou de son éclat, au *Figaro littéraire.* Ce léger fléchissement n'est dû en rien à l'hôte nouveau qui le recueille mais au fait que plus rien désormais ne freine les effusions gaullistes qui en font largement la trame. Et si grand soit le général de Gaulle, et sujet pittoresque ou inspirant et objet d'intérêt ou d'admiration, ou de stupéfaction, si digne de compréhension et de soutien soit alors la politique algérienne où il s'engage à tous risques (c'est l'époque de la première conférence d'Évian d'avril 1961), il reste que le dithyrambe est un genre difficile, et que de toutes les oraisons

1. Où Jean Mauriac « couvre » les voyages du général.
2 Tome I, p. CXI.

funèbres, les plus contestables sont celles qui s'adressent à un vivant. On y reviendra...

Ces réserves marquées, on ne saurait voir, dans le « troisième âge du bloc-notes », celui du *Figaro Littéraire,* un crépuscule esthétique. Certains des textes publiés dans ce cadre par l'octogénaire Mauriac sont parmi les plus beaux, voire les plus allègres, qu'il ait jamais écrits : ainsi, comme les « prétendants » de 1954 dans son premier article de *l'Express,* jauge-t-il du regard les candidats aux élections de 1967, tels qu'ils défilent sur l'écran de son poste de télévision :

> « On ne se lasse pas de les observer dans le miroir magique où chacun d'eux croit ne montrer de lui-même que ce qui le rend irrésistible. Ils ont exercé leur voix, écouté les critiques des amis et des ennemis, et même peint et orné leurs visages comme des Jézabel. Celui qui souriait trop [1] a maintenant la bouche serrée d'un maître de cérémonie de chez Borniol, ou du traître de l'ancien mélodrame qui dit à la cantonade : " Dissimulons ! ".
> Valéry Giscard d'Estaing, lui, est un autre monsieur. Si étudié que soit son numéro, il atteint sans effort apparent au naturel. Le plus jeune ministre des Finances de tous les temps est obligé de ralentir, de faire du surplace pour ne pas arriver trop tôt, pour ne pas être obligé de s'asseoir sur les marches du perron de l'Élysée. Que c'est beau à voir, l'héritier d'une grande dynastie bourgeoise ! Les téléspectateurs et les téléspectatrices n'épuisent pas ce bonheur départi à tous d'être heureux par procuration : la chance de quelques-uns féconde le rêve de beaucoup.
> Nous ne pouvons pas tous être ministre des Finances à 40 ans, ni placés dès ce moment-là comme une belle locomotive bien huilée du salon de l'Enfance sur la voie dont le terminus se trouve faubourg Saint-Honoré, mais nous pouvons tous rêver que nous y roulons nous-mêmes. Comme disait Léon-Paul Fargue : " Dieu tient à d'autres le bonheur qu'il nous avait promis... "
> Ces deux play-boys de la politique, si fascinants qu'ils soient, je sais bien qu'on aura peine à me croire si je déclare qu'ils me fascinent moins que M. Waldeck Rochet, encadré par mon petit écran. Jamais sur visage humain le nettoyage par le vide du marxisme-léninisme n'aura fait à ce point place nette. On se demande si un citoyen de ce modèle est capable de ressentir un goût particulier, une préférence pour l'ail ou pour l'échalote, en dehors de ce qui est prévu par la ligne générale... »

Feu sur les fantoches !

Évoquant Mauriac journaliste, Jean Daniel rapporte cette réflexion qu'il faisait un jour devant cet illustre confrère, tenu pour le polémiste le plus cruel de son temps : « En somme, on a tort de [vous] croire méchant : [vous] n'acceptez en effet d'exprimer que quelques-uns des traits acérés et innombrables qui se bousculent au bord de [vos] lèvres. » Ravissement de

1 Allusion évidente à Jean Lecanuet

l'auteur du *Bloc-Notes* qui s'empresse de compléter ainsi l'ingénieuse proposition de Daniel : « Vous ne savez pas ce que je peux raturer dans mes manuscrits ! » Comme Pierre-Henri Teitgen, visant l'ensemble de la presse hostile à la « pacification » en Algérie, lui promettait un jour, à lui Mauriac plus encore qu'à nous, ses émules, « 6 balles pour les demi-traîtres », ainsi ne tirait-il souvent que la moitié des projectiles qui se pressaient sous sa plume. Comble de la charité... Mais les décharges faisaient encore assez mal. Il confessait un jour qu'il avait pour plus grand défaut d'être vindicatif. Comme on lui demandait si c'était un aveu, il rétorqua : « Non. C'est un avertissement. »

Se défendant d'être le polémiste-né que ses admirateurs comme ses ennemis voyaient d'abord en lui, il qualifiait les plus célèbres pamphlétaires, de Rochefort à Daudet, de « faux témoins » qui ont déposé à la barre de l'histoire « avec prévention et haine » (ah ! justice de l'épuration...) et soutenait volontiers que « les polémistes ne font jamais que cribler de leurs flèches les fantoches qu'ils ont eux-mêmes fabriqués, de toutes pièces, comme les poupées d'un jeu de massacre ».

Autocritique ? Il n'en aurait pas convenu. Il est pourtant vrai que « son » Lecanuet, « son » Guy Mollet, « son » Bidault sont des « poupées » fabriquées pour les besoins de la cause, sans beaucoup tenir compte de leurs mobiles profonds et de leur vérité intérieure. Réduire l'un à une dentition, le second à des tomates, le troisième à ses égarements relève de la « justice » d'épuration plus que de l'équité. Mais ce qui distingue Mauriac des autres grands polémistes contemporains — presque tous catholiques, on l'a souvent relevé, sans tout à fait l'expliquer... — c'est qu'il ne recourt jamais à l'injure personnelle, à l'imputation intime. C'est qu'il ne vise jamais bas. Enfin, jamais très bas... Jamais aussi bas en tout cas que les gens de *l'Action française* ou de *Je suis partout*, un Daudet, un Rebatet, et même un Bernanos (dont certains philippiques de jeunesse, avouons-le, consternent).

De Léon Daudet, qu'il avait bien connu et sincèrement admiré, il dit ceci, qui va loin : « Une existence consacrée à l'invective prend toujours sa source dans un cimetière d'œuvres avortées... sur les cadavres de ses romans et de ses pièces... » Il ajoute ceci, beaucoup plus autocritique : « Cet écrivain magnifiquement doué [...] rend au *style* son sens étymologique de *poinçon*, de *petit poignard*, avec un courage qu'il ne choisit pas... » Mauriac, lui, choisit où piquer son *style*. Il choisit parce que, très souvent, il caresse plutôt que de piquer ou avant de piquer. Sa critique aura été le plus souvent d'admiration, et ceux qu'il aura le plus cruellement griffés auront d'abord été abondamment loués — les dirigeants du MRP par exemple, jusqu'en 1950. Pour un Beaumarchais ou un Bourget ou un Cocteau qu'il égratigne, que de fleurs, et superbes, pour ses prédécesseurs, ses maîtres, ses rivaux... Qu'il se bat bien pour ceux qu'il aime, et d'autant plus bravement qu'il les sent plus fragiles, comme Benjamin Constant, ou sensibles à l'outrage, comme Mitterrand, ou mal-aimés et rejetés par l'intelligentsia, comme Anna de Noailles, comme Jammes, comme Sagan...

Ce qui fait sa grandeur polémique, c'est en vérité la précision chirurgicale de ses coups de *style*. C'est le choix des cibles, ou des points d'impact. S'il ne frappe jamais trop bas, il le fait avec une précision, prescience ou mémoire de bourreau chinois. Comme les séducteurs cherchent les zones érogènes chez leurs partenaires ou leurs proies, lui trouve les zones de sensibilité, les plus secrètes failles, les replis dérobés, et y plante son dard. Il arrive même que cette précision clinique trouve sa source dans les souvenirs de relations qu'une longue vie, éclatante d'orages et de fêtes d'amitié, lui a réservées.

La célèbre lettre ouverte qu'il adressait à Cocteau, au lendemain de la « générale » de *Bacchus*, pièce assez superficiellement anticléricale (et moins peut-être qu'*Asmodée*), puise ses arguments crépitants dans un passé qui leur appartient à tous deux (et à quelques autres) mais qu'il utilise trop librement pour n'en avoir après coup, éprouvé quelques remords :

> « " Nous sommes à l'époque du Dieu est mort ". Cette idée est dans l'air et tu as passé ta vie à attraper les courants d'air. Voilà le moment ou jamais, n'est-ce pas, de régler ses comptes avec ce mort, et plus encore avec l'assommante vieille Église radoteuse qui s'obstine à vouloir nous faire peur en nous racontant des histoires de l'autre monde, cette Église qui, longtemps après que nous l'avons quittée, réussit encore à gâcher notre plaisir, qui ne se lasse pas d'écrire de sa vieille main aux doigts noueux, sur le mur de la salle du festin, le Nom qui est au-dessus de tout nom. L'enfant Cocteau tape du pied : " Il n'y a pas d'enfer ! Il n'y a pas d'enfer ! " [...]
> La " femme-tronc ", tu es bien content d'avoir trouvé ce mot pour désigner la Sainte Église. C'est un joli crachat. Ah ! il y a de quoi " rigoler ", et en effet le Tout-Paris a rigolé un bon coup comme la cour d'Hérode et comme Hérode lui-même devant le Seigneur défiguré : " On a beau dire, ce Jean, il n'y a que lui pour trouver de ces mots ! " Et pourtant le prêtre qui un jour, dans cette petite maison de Meudon, a levé sa main au-dessus de toi en prononçant la parole qui délie ne demandait rien en échange qu'un peu de repentir et un commencement d'amour [...]
> La femme-tronc ? Qui es-tu toi, pour te dresser contre elle ? En 1926, tu écrivais à Jacques Maritain : " J'ai perdu mes sept meilleurs amis. Autant dire que Dieu, sept fois, m'a fait des grâces sans que j'y prenne garde. " Et, depuis, Jean Desbordes[1] est mort en héros, Max Jacob[2] a subi le martyre et je le prie pour toi et pour moi. Et comment a fini ce Maurice Sachs[3] qui récitait sa prière devant ta photographie ? O Jean ! Qui sommes-nous pour faire les braves contre Dieu ! La corde où tu avances en dansant depuis des années se perdra dans les ténèbres de l'agonie. Dieu veuille qu'alors la femme-tronc pénètre une dernière fois dans ta chambre, sous l'aspect d'un homme consacré à qui elle aura communiqué son pouvoir de délier : " A l'heure du *Christus venit*, au chant du coq... " Le coq chantera, et contre le cœur de son Seigneur, Arlequin pleurera amèrement. »

De ce texte terrible, trop terrible, Mauriac écrira[4] qu'il n'avait « peut-être

1. Ami de Cocteau torturé à mort par la Gestapo.
2. Également assassiné par les nazis.
3. L'auteur du célèbre *Sabbat*, disparu en Allemagne (probablement recruté par la Gestapo) à la fin de la guerre.
4. Dans une note du *Mauriac par lui-même*, de Pierre-Henri Simon, Éd. du Seuil, réédition 1974, p. 177-180.

pas le droit de toucher publiquement à la vie religieuse de Cocteau, à ses amitiés »... C'est peu dire. Comme le Pascal de la 19e Provinciale, comme le Racine de la « lettre à Nicole », ici il est allé trop loin. En l'occurrence, la charité chrétienne fut plutôt du côté de l'auteur du *Coq et l'Arlequin,* qui, des années plus tard il est vrai, après une longue brouille, écrivait à Mauriac :

« ... Je te jure sur ce que j'ai de plus sacré au monde que je n'arrive pas à comprendre tes griefs. La pièce [...] vient de remporter un triomphe dans les villes catholiques d'Allemagne. Alors voilà ce que je te demande : je vais t'envoyer un exemplaire sur lequel tu marqueras en marge ce qui te choque. Prends un crayon de couleur et sabre ce qui te semble apte à être mal interprété, en France où les propos de table de Luther sont mal connus... et qui sera omis quand je reprendrai *Bacchus...* J'avais demandé ce service à deux pères dominicains : mais eux ne voient pas la moindre irrévérence... »

Les dominicains... Il arrivera à Mauriac de choisir au milieu d'eux ses amis, comme Maydieu ; aussi de trouver parmi eux les cibles que Pascal avait découvertes chez les jésuites. Et dans un cas au moins, il put avec assez bon droit se dire agressé pour justifier l'applaudissement qu'on lui marchande après l'exécution du malheureux Cocteau.

Nous sommes en juin 1959. Un père dominicain chargé de la critique littéraire à *Témoignage chrétien,* le révérend père Pie Duployé, rendant compte des *Mémoires intérieurs* de François Mauriac, a cru bon d'écrire qu'il donnerait un quarteron de *Thérèse Desqueyroux* pour une page d'*Arcane 17.* Pourquoi pas un kilo de Racine pour cinq lettres d'Isidore Isou ? Et sept kilomètres carrés de Rembrandt pour une tache de Miró... De tels arguments appellent d'ordinaire le rire. Mauriac devait être de mauvaise humeur. Il se mit à son bureau. Et le morceau est si bon que la postérité remerciera le révérend père Pie Duployé de sa bévue :

> « Un dominicain " à la page " n'est pas pour me faire peur. Dans ce grand Ordre, l'imprudence est souvent une vertu et la témérité toujours un charme [...] Le révérend père Duployé, de *Témoignage chrétien,* s'attriste de ne pas découvrir, dans mes *Mémoires intérieurs,* les noms d'André Breton et de Paul Éluard. " Celui de Lautréamont n'a droit qu'à une mention insignifiante ", ajoute ce père scandalisé, qui aura eu de la peine, j'imagine, à communiquer ce scandale aux innocents lecteurs de *Témoignage chrétien.*
> André Breton, surtout, fait ses délices. Il ne nous cache pas " qu'il donnerait un quarteron de *Thérèse Desqueyroux* et du *Mystère Frontenac* pour une page d'*Arcane 17* [...] Étrangement limitée par la plus funeste des traditions chrétiennes et françaises au monde ' intérieur ', au monde des ' âmes ' et des ' cœurs ', l'œuvre littéraire de Mauriac n'a pas de dimension cosmique ". Arrêtons-nous ici et reprenons haleine. Quelle étroite limite, en effet, pour un dominicain de cette envergure, que l'âme humaine ! Quelle petite chose que le cœur !
> Je sais que je suis, et vous n'avez pas tort de me le rappeler : " un écrivain sans culture ", bien que j'aie passé ma vie à lutter contre ce malheur et à tâcher d'y parer. Je me garderai donc de rappeler à un père d'avant-garde ce qui a jailli, en France même, du cœur ouvert par la lance. Tout de même, pensez-vous que nous autres, pauvres écrivains sans culture, nous comptions sur les dominicains pour nous initier à Lautréamont ?

[...] Est-ce que je vous fais la leçon, moi, sur saint Thomas ? Ce n'est pas que je n'aie envie de vous prêcher. Si un dominicain m'annonce Lautréamont, pourquoi me priverais-je de lui annoncer Jésus-Christ ?
[...] Il faut pourtant vous faire une raison : votre monde à vous " si étrangement limité ", c'est le monde intérieur, celui des âmes. C'est le mien, c'est le nôtre, à tous deux. Je n'y peux rien, ni vous non plus ; cette tradition que vous trouvez funeste, elle a sa source dans des paroles que vous avez reçu mission d'annoncer et qui toutes nous ramènent à cette âme qu'il faut préférer à l'univers — " que sert de gagner l'univers ? " — à ce royaume " au-dedans de nous ". Mais il n'y a pas là de quoi vous désespérer, mon père, si ce que vous découvrez dans ce comble d'étroitesse dépasse infiniment le cosmos auquel vous regrettez que je ne me mesure pas.
[...] Quant à moi, qui ne suis pas un auteur " cosmique ", et qui m'y résigne, je ne me sens pas à l'étroit dans ce monde intérieur, j'ai mes raisons de m'y trouver heureux. Je ne sais si au noviciat vous étiez autorisé à lire ce négligeable Pascal qui a tant fait pour répandre la " tradition funeste " dont le Christ est le premier responsable, mais enfin cet endroit fameux des *Pensées* vous est peut-être connu : " Tous les corps, le firmament, les étoiles, la terre et ses royaumes ne valent pas le moindre des esprits : car il connaît tout cela, et soi ; et les corps, rien. Tous les corps ensemble et tous les esprits ensemble et toutes leurs productions ne valent pas le moindre mouvement de charité. Cela est d'un ordre infiniment plus élevé. " [...] Vous me jugez puéril. Les laïcs qui croient que " c'est vrai ", à la lettre, ont souvent cette impression avec certains clercs. N'attendez pas de moi, mon père, le clignement d'œil de l'augure. Je crois que le Christ est vivant. Et je crois que vous le croyez, vous aussi. [...] Et si vous protestez qu'il n'entre point, dans votre goût pour Lautréamont et pour Breton, une once de snobisme et que vous les aimez vraiment, je vous ferai l'honneur de le nier ; je jurerais que vous vous calomniez...
" C'est par une référence constante au sacrilège et à la profanation, assure Julien Gracq, que le mysticisme surréaliste peut être compris. " Alors, mon père, qu'allez-vous faire dans cette galère ? *Arcane 17* est imprégné de magie, vous devez le savoir puisque vous l'avez lu de si près. Son mot clef tient dans l'incantation des mystères d'Éleusis : . " Osiris est un dieu noir. " Un quarteron de mes innocents ouvrages contre ces cinq mots dont Breton nous dit qu'ils sont " plus brillants que le jais ", ce n'est pas un marché que je vous conseille, mon père, si vous souhaitez que nous puissions poursuivre ce débat dans la lumière du loisir éternel[1]. »

Il avait beau se dire que « ce par quoi le Christ, en tant qu'il est un homme, nous ressemble le plus [c'est] par sa violence » il savait ajouter : « Voilà le beau côté de nos colères. Mais j'en discerne un autre, moins flatteur : c'est l'incroyable plaisir que donne à l'écrivain le morceau écrit de verve et d'une seule coulée et qui, à peine échappé de ses mains, vibre dans la cible tandis que les spectateurs poussent des oh ! et des ah ! Mais la cible est vivante, monsieur le chrétien ! »

Polémiste, donc : mais la polémique n'est qu'un des innombrables domaines où se déploie son génie du témoignage. Dans un article intitulé « François Mauriac, athlète complet du journalisme », Jean Touzot a mis en lumière l'exceptionnel éclectisme, la plasticité de ce guetteur mélodieux. Des

1. *Bloc-Notes*, 2, p. 212-215.

comptes rendus de livres des *Cahiers du Temps présent* à la rubrique poétique du *Journal des jeunes,* de la chronique « académique » du *Gaulois* — très vite teintée de politique — à la critique dramatique de la *NRF* (1925-1926), du reportage en Italie pour le *Journal* aux considérations sur les mœurs de ce temps que publie *Gringoire* (notamment un violent réquisitoire contre l'autocratie automobile, « la déesse à gueule de capot qui crève les paysages sans les voir »), des nombreuses réflexions sur la musique que lui inspirent *Don Giovanni, Tristan* ou *Carmen* aux considérations sur la peinture qui font la trame d'un grand article sur l'exposition d'art italien au Petit Palais, en 1936, des portraits en forme d'essais qu'il trace de Gide et de Malraux, de Claudel et de Valéry aux adieux qu'il adresse à Anna de Noailles, à Giraudoux, à Martin du Gard — il n'est pas de domaine où refuse de s'aventurer cet observateur intrépide. On a dit son goût pour la tauromachie qui lui inspirera nombre de textes nostalgiques, jusqu'à certain jour de 1952 où il rompra l'envoûtement — et ce sera le sujet d'une amère chronique [1]. Il n'est pas jusqu'aux sports qui ne l'aient inspiré, de sa chronique sur Georges Carpentier à un article du *Temps présent* de juin 1938 et aux commentaires du chroniqueur de *l'Express* sur certain Tour de France où s'affrontaient Poulidor et Anquetil...

La fenêtre nouvelle ouverte sur le monde de cet intellectuel casanier par la télévision requiert de lui une incessante curiosité, une inlassable attention — qu'il ne cherche nullement à marchander. A-t-il, comme l'affirme Jean Touzot « tâté de toutes les chroniques spécialisées... à l'exception de la rubrique gastronomique » ? Il faudrait avoir fouillé plus d'archives, bulletins paroissiaux et comptes rendus de colloques pour l'affirmer : il parlait si bien des ortolans de chez nous, que tel de ses cousins dégustait comme une hostie, se couvrant la tête de sa serviette pour mieux s'enfermer dans les délices absolues de la gastronomie mystique... Et son goût pour les vins, pour l'armagnac... Ne jurons de rien, pour ce qui est de sa contribution à un art où Brillat-Savarin ne saurait avoir tout dit.

Art de relation — dans tous les sens du mot, fut-ce en jouant sur le mot — le journalisme implique, dans sa pratique, un certain type de rapports avec ceux qui, à vos côtés, face à vous, contre vous, malgré vous, l'exercent. On peut être un romancier seul — Flaubert —, un poète seul — Vigny —, un philosophe seul — Kierkegaard. Mais un journaliste seul...

Maître absolu en ce métier pendant un quart de siècle, de 1945 à 1970, François Mauriac n'aura pas eu à faire seulement à des camarades de combat (Brisson, Servan-Schreiber, Frossard) ou à des adversaires (Camus, Hervé, Boutang), mais aussi à ceux qui, souvent proches de lui, parfois en contradiction avec lui, ont fait du journalisme contemporain l'arme d'un combat d'idées — tels Hubert Beuve-Méry et Claude Bourdet. De celui-ci, il

1 « Le dernier taureau », *Le Figaro,* 12 août 1938.

n'aura jamais été tout à fait l'ami, bien qu'il fût par mille traits beaucoup plus proche de lui que de son père, Édouard, auquel le liait une véritable affection. Souvent mêlés aux mêmes combats, à *Temps présent* d'abord, puis contre le nazisme et le colonialisme, ils se déchirèrent aussi souvent. Mauriac appelait volontiers Bourdet « l'ange Hurluberlu » et décocha ce trait au directeur de *France-Observateur* indigné de son ralliement à de Gaulle : « Eh oui, nous dûmes choisir, face à des éléments de l'armée mutinée, entre de Gaulle et ce rien dont, cher Bourdet, vous avez toujours été, en politique, l'expression ! » Quitte à serrer le « cher Bourdet » sur son cœur...

Avec Hubert Beuve-Méry, directeur du *Monde*, et par là voué par un vieux collaborateur du *Figaro* à quelque chose comme la méfiance qui arme, contre les dominicains, les jésuites — ou réciproquement — François Mauriac entretint ce type de rapports qu'à propos de ses relations avec Gide on a appelé une « amitié armée ». Il faut lire à ce propos son étincelant portrait d'*Arcturus* (Beuve-Méry avait choisi le pseudonyme de Sirius) pour goûter la saveur de cette relation :

> « Parmi les gens de notre profession, qui est plus estimé qu'*Arcturus ?* Aux yeux de tous, il apparaît à la fois comme un cerveau et comme une conscience : assemblage peu commun chez ceux qui font métier d'écrire dans les feuilles publiques. S'il en est parmi nous qui ne trouvent guère d'agrément au commerce d'*Arcturus* (il est un « docteur-tant pis » redoutable et croit toujours que le pire arrivera) même ceux-là, ce grand confrère les rassure. " Il existe pourtant des journalistes comme Arcturus ! " se disent-ils. Il n'était pas besoin de placer Arcturus aux nues : le consentement général l'y avait placé une fois pour toutes, et il s'était donné lui-même le nom d'une étoile... »

Lui qui a écrit qu'« un journaliste professionnel est un homme qui déforme les faits, consciemment ou non » (il se tenait pour un amateur...) ; lui qui a dit « d'un tour du monde, je ne ramènerais pas dix lignes » (mais sur l'Italie, l'Autriche, la Grèce, il a esquissé de très beaux reportages) ; ce casanier, ce moraliste, cet homme d'une foi (qui, selon Gide, « remplace la bonne ») aura été le plus grand journaliste de son temps, le plus grand qui se soit exprimé en notre langue. On peut même dire qu'il aura été l'homme par qui ce moyen d'expression si trouble et si fragile aura trouvé sa dignité, sa noblesse — celles que Voltaire a données au genre épistolaire et Baudelaire à la critique d'art.

Traitant de tout, et d'abord de lui-même avec une verve apparemment capricieuse mais très maîtrisée, une gravité sarcastique, un amusement profond, mêlant avec une virtuosité confondante le pamphlet, l'oraison, la confidence, l'éloquence, voire le pastiche, souvent amusé, parfois effrayé et se moquant de son effroi ou feignant l'effroi de lui-même et de sa propre causticité, vibrant, tendu, emporté et lardant de flèches inoubliables les puissants du jour, l'auteur du *Bloc-Notes* aura en quelques années (surtout de 1954 à 1958) donné le modèle d'un vrai regard critique sur le monde, de l'imagination polémique et de ce qu'on pourrait appeler la satire lyrique

Pour cruel qu'il lui arrive d'être, Mauriac ne cesse jamais d'écrire en poète[1]. Ses maîtres sont bien sûr le Pascal des *Provinciales,* Retz, Saint-Simon, aussi le Barrès trop oublié de *Leurs figures* et trop peu connu des *Cahiers.* Il incarne la rencontre quelque peu miraculeuse d'une fine sensibilité, d'un univers tonitruant et d'un style infaillible. Le tout porté par une vraie passion professionnelle qu'aucun de ses maîtres, prédécesseurs ou rivaux, n'a connue ou vécue.

« Affrontement de l'individuel et de l'universel », le *Bloc-Notes* l'est mieux encore que le *Journal*[2]. Ce journaliste ordinaire, homme-reflet, n'existe qu'en fonction du bonheur et beaucoup plus souvent du malheur des autres, du crime ou du talent d'autrui. Il ne vit que de catastrophes empruntées, de joies dérobées. Le journaliste regarde ailleurs. Quand le poète explore, à coups de mots, l'espace du dedans, le reporter balaie, à coup de phrases, l'espace du dehors. Son univers est à la cantonade. Il s'intercale entre l'arbre et l'écorce, entre chair et peau, entre la vie et son écho. Mais Mauriac n'est pas ce journaliste-là.

Ce qui fait de Mauriac à la fois le plus grand et le plus étrange des journalistes, c'est qu'il est lui-même vie, foyer, réalité. « Tout drame inventé, assure-t-il, reflète un drame qui ne s'invente pas. » Que dire alors de ces drames non inventés qu'il a reflétés, réfractés, éclairés de cet autre drame très réel — le sien ?

1. En croira-t-on un journaliste à qui il arriva — en novembre 1967 — d'être pris pour cible par cet archer, et n'en a gardé que le souvenir de la beauté des traits qu'il lui décocha...
2. Le premier est publié en 5 tomes (Flammarion, 1958-1975). Le second, en 5 tomes également (Grasset 1932-1939, Flammarion 1953-1955).

20. De Gaulle-Soleil...

> « Racine aimait le roi. Pourquoi tant de critiques se sont-ils à ce propos, voilé la face ? Nous parlons de cet amour du roi comme des couleurs et des formes un aveugle-né. Nous avons perdu ce sens, ou plutôt nous l'avons transposé. C'est un plus grand miracle d'être ému par une étoffe tricolore que de l'être par une créature de chair et de sang en qui s'incarne la France [1]... »

Ceci est écrit en 1927, de longues années avant que François Mauriac connût Charles de Gaulle. Mais ces quelques lignes en disent assez long sur la nature d'une relation publique et d'un sentiment intime, pour qu'on leur donne ici valeur d'exergue et d'enseigne.

Suffit-il d'avoir été barrèsien à 20 ans pour fonder sa vie sur l'appel au soldat, le culte du héros ? Suffit-il d'être spontanément antiparlementaire pour tout miser sur l'homme providentiel ? Suffit-il d'être un Français patriote, catholique et fortuné pour tirer du désastre de 1940 et des déboires de la IVe République une seule leçon : que l'Etat, la nation, la communauté française ne peuvent survivre que livrés aux mains d'un consul tout-puissant ?

Il faut tout cela et bien d'autres choses, dont la première — s'agissant de Mauriac — est que le héros en fin de compte élu n'est ni Boulanger, ni Pétain, ni Salan, mais un homme d'État d'une envergure, d'un talent, d'un rayonnement exceptionnels ; au surplus, un homme de communication, de mots ; un personnage enfin dont l'imagination ordonne l'action — ou couvre l'inaction — et dont la politique associe une passion toute romanesque à une habileté manœuvrière propre à séduire un renard de Gascogne.

Ce type d'homme-là, le citoyen François Mauriac l'a très longtemps appelé de ses vœux, à travers ses lectures du *Roman de l'énergie nationale,* puis de Bainville ; il a cru vaguement en voir l'ébauche dans un Tardieu, un Henriot. Mais il a vite compris que le chef attendu ne saurait tirer sa légitimité que d'un très large consentement social et d'une politique orientée vers la justice. D'où plus tard, et beaucoup plus haut, l'élan qui le porte vers Pierre Mendès France. Mais entre-temps, l'ouragan de la guerre aura fait surgir de Gaulle — lui aussi élève des pères, barrèsien, homme de lettres. Le long désaccord qui les sépare de 1946 à 1954 avivera une nostalgie que l'expérience « mendé-

1. *La Vie de Racine,* p. 127.

siste » de 1954-1956 ne fait que rendre plus poignante. Vient 1958 — et une décision qui ne va pas sans débats, internes et publics.

Deux Français de province

Voici un Français provincial, catholique et bourgeois, né à Bordeaux en 1885. Voilà un Français provincial, catholique et issu d'une manière de petite noblesse bourgeoise, né à Lille en 1890. Les points de convergence sont forts Les dissonances aussi. Les Mauriac « ont du bien ». Les de Gaulle, pas. Chez les Mauriac, on possède de la terre et de la vigne, on négocie — et si l'un des fils se hasarde à vouloir enseigner ou « écrire », il passe d'abord pour un déviant. Chez les de Gaulle, on est professeur, magistrat ou officier, au service d'un État qui, s'il revêt provisoirement la forme républicaine dédaignée, exprime la France, seule digne de requérir l'activité d'un homme ; et il n'est de grand-mères qu'écrivains, d'oncle qu'érudit, de cousin que poète. Tous deux élevés chez les pères. Mais Charles de Gaulle est passé un temps par les mains des jésuites, François Mauriac longtemps par celles des marianistes : ce sont des choses qui comptent, pour peu que l'on attache quelque importance à Blaise Pascal.

De 1940 à 1944, les alliés Churchill et Roosevelt n'étaient, disait-on, « séparés que par une langue commune ». De même vers 1910, le jeune Mauriac en rupture avec l'école des Chartes et le jeune de Gaulle affecté au régiment d'Arras ne sont distingués que par une « classe sociale » commune : ils vivent leurs conditions voisines de façons contradictoires. Nous avons cité quelques lettres de François à sa mère, où il est assez souvent question de fermages, de meubles et de beaux mariages. A-t-on gardé des lettres qu'échangeaient Mme Henri de Gaulle et son lieutenant de fils ? Gageons qu'il y est plutôt question de « gloire » et de « service ».

Tout de même, l'un et l'autre auront été fouettés par des drames communs — les derniers épisodes de l'affaire Dreyfus, tous deux choisissant d'ailleurs de rallier le camp dreyfusard, ce qui n'allait pas de soi dans ces milieux-là... — la séparation de l'Église et de l'État (qui contraint Charles à finir ses études en Belgique), Tanger, Agadir, Sarajevo... Et surtout, l'un et l'autre auront lu à quelques années d'intervalle les mêmes livres reflétés par le même public. Pour l'un et l'autre, France et Bourget, Taine et Brunetière... Pour tous les deux surtout, Barrès. Péguy ? Charles le lit mieux que François. Et quand l'un découvre Bergson, l'autre se saisit de Proust. Mais c'est en poésie que leurs voies surtout divergent, le lieutenant goûtant fort Rostand et Samain, le « chartiste » préférant Jammes et Valéry. Et s'il est vrai que l'imprégnation « de gauche » subie par le jeune Mauriac fut plus forte que l'influence du même ordre exercée sur le de Gaulle du début du siècle et qu'à l'inverse le maurassisme marque le général plutôt que l'écrivain, il ne faut pas oublier que si Mauriac fut membre du Sillon, de Gaulle fut abonné aux *Cahiers de la quinzaine.* Au Sangnier de l'un répond chez l'autre Péguy qui, vers 1910 n'est plus le combattant de l'affaire Dreyfus mais reste l'incarnation d'un populisme mystique encore suspect aux bien-pensants.

Si le lieutenant de Gaulle, tout attaché qu'il fût à ses devoirs, avait au cours d'une permission à Paris, passé quelque soirée chez les Vallery-Radot par exemple, milieu point éloigné du sien, et rencontré là le pétulant poète bordelais salué par Barrès, nul doute que la rencontre eût été savoureuse. Gageons que le lieutenant se serait vu proposer une rubrique militaire aux *Cahiers de l'amitié de France.*

Le fait est qu'aucun échange n'eut lieu, ni avant ni après la guerre et que nulle trace n'existe, chez le « journaliste » Mauriac, de la patiente percée faite vers l'intelligentsia par cet officier qui, dès 1927, haranguait un public très civil dans un amphithéâtre de la Sorbonne sous la présidence du maréchal Pétain, et allait frayer avec des collaborateurs de *l'Écho de Paris* au début des années trente, époque où Mauriac est l'un des chroniqueurs les plus fidèles du quotidien d'Henri de Kérillis, lui-même attentif aux idées de l'auteur du *Fil de l'épée* et de *Vers l'armée de métier.*

Le parti que prend Mauriac en 1937 contre Franco est-il entre eux un point de convergence ? On manque d'informations sur l'attitude qui fut alors celle du colonel de Gaulle. Que le thème de la « croisade » de Franco ait exaspéré aussi ce catholique, comme l'autre, on peut le croire. Mais ce qui dut le déterminer dans le même sens que Mauriac, c'est que ce stratège voyait bien la puissance militaire de l'Axe investie en Espagne. Et comme son collègue, le colonel maurrassien Morel, attaché militaire à Madrid, il ne pouvait manquer de prévoir que la conjonction de Berlin, Rome et Madrid serait mortelle pour la France.

Quant au Front populaire dont il est peu de dire que Mauriac-le-bourgeois se défia, non sans reconnaître sur le tard les mérites de l'homme qui l'incarna, c'est de Gaulle qui put en prendre le premier la vraie mesure, conduit chez Léon Blum par son ami le colonel Mayer. Pour déçu qu'il fût par les hésitations du leader socialiste, il constata que ce gouvernement était le premier, depuis dix ans, à tenter d'armer la France contre le péril extérieur.

Juin 1940. Le 18, on l'a dit, Mauriac n'est pas à l'écoute de la radio de Londres. Il est, comme presque tout un chacun, fort attentif à ce que dit le vieux maréchal — dont il salue d'abord, sans s'engager beaucoup, les propos et le « sacrifice ». On a vu aussi que, contrairement à la légende, l'article publié par Mauriac le 19 juin dans *le Figaro* ne récuse pas les arguments du général au profit de ceux du maréchal. Et les quelques phrases de louanges à l'adresse de Pétain que l'on trouve alors sous sa plume sont, pour la plupart, antérieures à la divulgation des clauses de l'armistice. Aucune n'est postérieure au choix fait en faveur d'une forme quelconque de collaboration.

Les signes ne sont pas évidents, pendant des mois, de l'espoir suscité en lui par l'homme de Londres. Il est frappé à coup sûr par l'appel frémissant que lui adresse, le 17 août, Maurice Schumann[1] mais celles de ses lettres du temps que l'on a pu conserver[2] sont discrètes à propos du général de Gaulle. Ce qui éclate, c'est son antipathie croissante pour le système pharisien de Vichy, pour les groupes collaborationnistes de Paris, et surtout pour le racisme qui inspire cette politique, manifesté par le « statut des Juifs ». Peut-être dissimule-t-il par prudence en parlant à Guillemin de son « prétendu gaullisme ». Il est clair, en tout cas, qu'à partir de l'automne de 1940, François Mauriac est déjà acquis à la Résistance. Il n'est pas aussi évident que ce soit alors sous la forme du gaullisme militant.

On peut conjecturer aussi que l'écrivain de Gironde mettait en balance, dans le jugement qu'il portait sur l'homme de Londres, la réputation de maurrassien que faisaient à de Gaulle ceux des journaux de la collaboration qui ne se réclamaient pas du vieux chef monarchiste. Mais connaissait-il les liens établis entre le colonel de Gaulle, auteur du *Fil de l'épée*, et *Temps présent ?* Stanislas Fumet avait convaincu l'officier d'adhérer, comme le romancier, à l'association des « amis » de ce journal. Avec Mauriac, un trait d'union qui passa peut-être inaperçu.

Mauriac n'a pas « boudé » la France libre, ni son chef. Les évocations faites, quelques mois plus tard, de ces soirées de Malagar où l'on écoutait la radio de Londres tandis que les bottes de l'officier allemand martelaient, au-dessus des têtes des auditeurs, le plancher de la « chambre rouge », ne sont évidemment pas fabriquées après coup. Mais les échos que l'on recueille sur cette époque ne font pas sentir chez lui le frémissement mystique qui fut celui de certains gaullistes de ce temps-là.

Il a certes évoqué, dans son article du 20 août 1944, le temps où « nous écoutions les poings serrés, nous ne retenions pas nos larmes. Nous courions avertir ceux de la famille qui ne se trouvaient pas à l'écoute : le général de Gaulle va parler, il parle ! ». Ce branle-bas sous le toit des Mauriac signifie-t-il plus que ceci : qu'un parti étant pris et un espoir né, nul mieux que le chef des Français libres n'était apte à servir l'un, à nourrir l'autre. Sans doute ce gaullisme de raison et du cœur était-il mieux bâti pour durer que celui, plus exalté, qui se manifestait dans d'autres foyers.

L'adhésion de François Mauriac à l'homme de Londres s'affermit en outre des signes de connivence qu'il en reçut : par exemple, l'écho donné par le général à certain article du *Figaro littéraire* du 30 juin 1942. Dans le discours qu'il prononçait à Alger le 30 octobre 1943 en hommage à la culture française, et bien qu'il ait d'abord précisé qu'il s'abstiendrait de donner, parmi ceux des écrivains patriotes, « le nom de ceux qui demeurent en France », le général citait, après trois vers d'Aragon, cette « page admirable et récemment écrite (où) François Mauriac dépeint la place de la Concorde vide et muette, telle qu'elle l'est le soir, en vertu des ordres de l'ennemi. On dirait, dit-il, que Paris, accroupi au bord de son fleuve, cache sa face dans ses bras repliés ». Cette citation, le ton de ce discours, la ferveur de l'hommage

1 Voir p. 362 s.
2 A son fils Claude, à Louis Clayeux, à Henri Guillemin

rendu à la littérature, à Bernanos, Gide et Maritain comme à lui, contribuaient à souder le destin, l'esprit et le cœur de Mauriac à ce chef de guerre qui parlait du ton d'un roi-philosophe protecteur des lettres et des arts.

Que les dernières réserves soient alors tombées, ou plus tôt, ou plus tard, importe assez peu. Il est difficile de trouver trace d'une telle évolution dans le *Journal du temps de l'Occupation* tel qu'il est publié (en 1952) ou dans le précieux *Temps immobile* qui ne portent guère de traces de la relation de François Mauriac à Charles de Gaulle sous l'Occupation. L'enthousiasme même avec lequel est accueillie, chez les Mauriac, la nouvelle du débarquement allié en Afrique du Nord[1] est moins marqué d'esprit gaulliste que dans d'autres foyers : le nom du général n'est guère prononcé. Mauriac ne sait évidemment pas que de Gaulle a d'abord réagi en dénonçant l'initiative anglo-saxonne en « terre française », rugissant à l'adresse de son chef d'état-major : « Il faut les jeter à la mer ! » Informé de cette réaction, Mauriac eût-il donné raison à de Gaulle ? On jurerait que non. La libération approchée lui importait plus que la personne du libérateur et les procédures choisies.

Dans le long et magnifique article écrit à la fin de 1943, « La nation française a une âme[2] » incorporé plus tard au *Cahier noir*, Mauriac ne cite qu'une fois le général de Gaulle (« son insistante et inlassable voix ») ; et quand, dans sa conclusion, il fait appel à l'union de tous les résistants, il les énumère dans cet ordre : « communistes, socialistes, gaullistes ». Mais peut-être est-ce là de sa part, lui qui se range plutôt dans le troisième groupe, courtoisie…

Peu importent ces nuances : quand Pierre Brisson lui demande, le 19 août 1944, un premier article pour *le Figaro* libéré, c'est tout naturellement à de Gaulle « le premier des nôtres », qu'il le consacre. Il ne s'agit pas là d'un simple dithyrambe, on l'a vu. La résistance collective, la Libération et ses martyrs sont salués ici autant que l'homme du 18 juin. Parfait équilibre entre la fidélité aux combattants et l'hommage à leur chef. Il s'agit moins de culte ici, que de reconnaissance pour les services rendus par les uns et l'autre. Mauriac a trouvé d'emblée le ton juste. C'est plus tard que le fléau de sa balance inclinera du côté de l'homme providentiel, au détriment peut-être de ceux dont les fautes ultérieures lui feront souvent oublier le rôle primordial qu'il leur assignait alors équitablement.

Un cormoran…

Quand ses fils, venus le chercher à Vémars le 30 août, l'avertissent qu'il est attendu rue Saint-Dominique, le surlendemain, pour son premier tête-à-tête

1 Voir p. 376-377
2. Voir p. 395

avec de Gaulle, dans quel esprit se trouve-t-il, François Mauriac ? Il va d'abord à la rencontre d'un héros, de l'incarnation d'une légende.

> « Des personnages, écrira-t-il plus tard, j'en avais inventés beaucoup, mais le croirait-on, je n'en avais jamais vu, ce qui s'appelle vu. Et celui-là [...] se tenait enfin sous mon regard, à la fois mythique et de chair et d'os, shakespearien et contemporain, à la fois plein de vie, en pleine histoire et en pleine libération [1]... »

Jamais « vu » de personnages, vraiment ? Pour casanier qu'il se veuille, Mauriac a déjà abordé deux papes et Mussolini, Laval et Titulesco, Lyautey, Reynaud et Pétain, Barrès, Claudel, Bruno Walter, Picasso... Mais cette fois, il fait face à un monstre deux fois sacré : par le mystère qui l'enveloppe encore et par la mission qu'il remplit.

Le Mauriac aux yeux de qui l'histoire de France, dit-il, se résume en quelques mots, positifs ou négatifs : « Il y a eu quelqu'un à un moment donné » ou bien « à ce moment-là, il n'y avait personne » (comme si en 1792, il y avait « quelqu'un » et en 1814, « personne »), il va bien sûr au-devant de ce « quelqu'un » avec, dans la tête et dans le cœur une bouffée d'exaltation mythique, d'attente mystique.

« Le général va venir... », entend l'invité de De Gaulle.

> « Comment ceux qui n'ont pas vécu, souffert et sinon combattu, du moins obscurément résisté dans la France occupée sans avoir un seul jour (ce fut mon cas) franchi la ligne de démarcation, pourraient-ils comprendre que je dus, pour ne pas défaillir, m'appuyer au mur. Mais ce fut ma dernière " transe ". Quelques instants après, assis à sa table en face du général de Gaulle, je le regardais, je l'observais comme je n'allais plus cesser de le faire, à la fois déconcerté et intéressé, non plus " sous le charme " comme on dit — au contraire délivré du charme... mais pris dans le mouvement d'une pensée souveraine [2]... »

La relative déception qui perce ici ne se mesure pas aux mots que lui inspire ce tête-à-tête : plutôt à ceux qu'il ne lui inspire pas. On ne s'attendait pas à tirer de ce texte des informations, des « tuyaux », des secrets d'État. Mauriac n'était pas là pour ça. Ni de Gaulle d'ailleurs (encore que, trente ans plus tard, dans un *Bloc-Notes,* le romancier ait rappelé qu'au cours de ce repas, de Gaulle lança d'un air excédé, à propos de Pétain sur le sort duquel son hôte l'interrogeait : « Ah ! celui-là, qu'il se retire dans sa maison de Sainte-Marguerite et qu'on n'en parle plus ! »)

C'est ailleurs qu'est la surprise. Quoi, pas une description, une évocation, un portrait ? Quoi, cet admirable journaliste, ce romancier qui a donné la vie à tant d'êtres, ce « singe de Dieu » ne trouve pas l'occasion de camper de pied en cap, dans le style de Philippe de Champaigne, ce personnage « quelque peu fabuleux » dont toute la France rêve, ne l'imaginant qu'à

1 *De Gaulle*, p. 18.
2 *Ibid.* p 15

demi en cet âge d'avant la télévision ? On sait vaguement qu'il est grand, maigre, péremptoire et prophétique. Le corps qui porte cette éloquence (celle d'une Jeanne d'Arc qui n'eût pas eu « ses » voix mais « sa » voix), comment n'a-t-il pas eu l'idée d'en proposer une image aux Français émergeant de l'abîme et qui ont un peu aussi le droit de savoir ?

Tous ceux qui ont rencontré alors de Gaulle, qui l'ont vu se dresser, gigantesque, presque démesuré, et qui ont écouté ces phrases tombées du haut du donjon, carrées, tout droit sorties du latin pour entrer dans un micro, ont dit leur étonnement, leur saisissement : à commencer par Malraux, qu'on n' « épatait » pas facilement. Et ce provincial de Mauriac, lui, ne réagit pas ? Ce « voyeur », ce badaud inspiré, ne donne pas libre cours à ce génie qui saura faire penser, à l'occasion, au Chateaubriand des *Mémoires ?* Étrange sobriété. Tout ce qu'il trouvera à nous dire, c'est qu'il fut étonné d'entendre de Gaulle ne lui parler et ne lui faire parler que d'André Gide...

D'où la surprise que l'on éprouve à lire, vingt ans plus tard, dans le livre qu'il consacra alors au général, ce développement :

> « Au sortir de ce déjeuner du 1er septembre 1944, [...] il se produisit en moi comme un renversement des valeurs. La vraie grandeur [...] m'apparut dans la gloire d'un homme qui s'est identifié à son peuple... Je n'entre pas en transe devant de Gaulle, mais c'est vrai qu'à partir de ce premier déjeuner, j'ai eu un sentiment nouveau de ce qu'étaient la vraie grandeur et la vraie gloire. »

C'est une déception d'un autre ordre qui s'exprimera, pourtant, onze jours plus tard, ou plutôt qui se dévoilera beaucoup plus tard, dans le *De Gaulle* publié en 1964, à propos du comportement du général lors de la réunion organisée le 12 septembre 1944 au palais de Chaillot par le Conseil national de la Résistance.

> « Nous avions cru que de Gaulle s'adresserait aux survivants que nous étions de cette lutte dans les ténèbres qui avait duré quatre années ; mais il s'en moquait bien. Ce qui l'obsédait, ce jour-là [...], c'était ce qui l'obsède encore aujourd'hui : convaincre nos alliés de ce qui est dû à la France [...] Un froid de banquise soufflait sur nous. Notre déception était faite de toutes les larmes que nous n'avions pas versées... »

Des larmes, il allait avoir l'occasion d'en verser, du fait de ce général-banquise et de sa politique d' « épuration ». On a évoqué déjà cette confrontation entre l'homme de la raison d'État et celui de la raison du cœur — non sans suggérer que le plus « politique » des deux n'était peut-être pas alors le machiavélien. On n'y reviendra guère que pour souligner l'amertume que Mauriac en éprouva — avant de découvrir (trente ans plus tard) que, pour les affaires de justice, de Gaulle avait eu tort de se fier aux démocrates-chrétiens...

Cette amertume s'explique dans le style le plus mauriacien, par l'image en quoi il résume, à l'intention de son fils Claude, son second entretien avec de Gaulle, celui qui se déroule le 3 février 1945, où il fut question du recours en grâce de Robert Brasillach : « J'ai eu l'impression désagréable d'être enfermé pendant une demi-heure avec un cormoran, et qui parle cormoran... » Et comme Claude lui avoue qu'il pense plutôt, lui, à un toucan, son père abonde dans le même sens « ... Oui, mais qui serait aussi un échassier. Ce qui est sûr, c'est qu'il relève de l'ornithologie... » Et de mettre l'accent aussi sur « l'impression assez effrayante » qu'il a ressentie devant cette « force de mépris », ce côté officier noble dont il avait lui-même tracé un portrait à peine caricaturé, celui de M. de Virelade des *Mal-Aimés* — un personnage « rempli d'orgueil et de la conscience de sa supériorité » qui a dû le trouver idiot, lui, François Mauriac...

Le compte rendu de la conversation faite ensuite à son fils — qui est alors, rappelons-le, secrétaire du général — n'est pas pour atténuer la cruauté de ce portrait. Les railleries à propos du Front national et des partis de gauche étaient prévisibles. Mais comme Mauriac lui parle des trusts, de Gaulle ricane : « Ça n'existe pas ! » (ce qui, observe son visiteur, ne laisse pas d'être inquiétant). Quand l'écrivain lui fait observer que Vichy avait eu, un temps, l'apparence de la légitimité, il ne l'écoute pas, lui répond « à côté », et a l'air surpris et sceptique quand il entend parler d'un « mythe Pétain »... Conclusion de Mauriac : « On le sent de formation maurrassienne », ce qui, dans la bouche de l'auteur du pamphlet écrit un an plus tôt contre le nationalisme intégral sous le titre « La nation française a une âme », est rien moins qu'un compliment.

Alors, une rencontre manquée, faisant prévoir une rupture ? Non. Les éditoriaux du *Figaro* restent fermement gaullistes, et d'autant plus que les rapports du romancier avec le Front national tournent à l'aigre. Au-delà de l'épisode du 3 février, il y a un jeu politique où Mauriac se sent appartenir au même camp que cet homme « assez effrayant » — dont il découvre peu à peu l'œuvre d'écrivain et dont les discours, les interventions, les manifestations le fascinent chaque jour davantage.

Mais le 20 janvier 1946, de Gaulle annonce du ton le plus haut, le plus assuré, qu'il se retire, le « train » étant « sur les rails » ! Ainsi ce chef, en qui l'auteur du *Bâillon dénoué* sentait grandir sa confiance, jouait avec le sort de la France et des Français pour apparaître plus grand et plus indispensable — allant jusqu'à « scandaliser » Claude Mauriac, alors fidèle entre les fidèles, à lui donner un sentiment d'« inconscience ». Note de Claude dans son journal : « J'ai l'impression que mon père n'approuve pas ma fidélité au général et je m'alarme soudain... » Le jeune homme va jusqu'à se poser ces questions : « De Gaulle sera-t-il un jour considéré comme un factieux ?... Je saurai ne pas être complice de choses que je réprouve... Toutes les déceptions qu'il nous inflige depuis dix-huit mois, comment croire qu'elles sont seulement le fruit de notre ignorance [1] ? »

L'article de François Mauriac, dans *le Figaro* du 14 février, est d'une lucidité sans concession : « Le départ du général de Gaulle a chassé les

1 *Le Temps immobile*, 5, p. 234-235.

dernières brumes de grâce et de miracle qui flottaient encore sur la France ressuscitée. Le charme de la Libération achève de se dissiper... »

C'est alors que le général lui fait savoir qu'il souhaite s'entretenir avec lui dans sa retraite provisoire de Marly[1]. Le 15 février, François Mauriac y est accueilli par Charles de Gaulle tandis que Claude, dans l'antichambre, ne peut se retenir de prêter l'oreille :

« Je suis parti parce qu'on me guettait à chaque tournant... Et puis quoi, la France est le seul pays d'Europe qui soit indépendant. Et nul n'y meurt de faim. On n'y trouve même plus de clochards... » Pour convaincre le visiteur, il faudrait des arguments plus sérieux... De temps en temps, on entend la voix de François Mauriac : « Je ne doute pas de tout ce que vous pouvez savoir à ce sujet... Je voulais seulement dire, mon général... » Elle est vite couverte par l'autre. En sortant, au bout d'une heure, François glisse à Claude : « Ça a été passionnant. C'est vrai qu'il pète le feu... »

Les confidences de son père permettent à Claude de reconstituer ainsi la conversation : « De Gaulle lui a dit qu'il était dans l'obligation de s'en aller, les partis lui rendant le gouvernement impossible. Il le savait et s'y était résolu depuis longtemps. Le choix du moment importait peu, à huit jours près.

" C'est un fait qu'il est impossible de gouverner avec les partis. C'est un fait aussi que jamais une assemblée, quelle qu'elle soit, n'a gouverné en France — que toujours le pouvoir a échappé au Parlement quelle que soit sa forme. C'est un chef qu'il faut au pays... " " Il m'a alors exposé son point de vue sur la Constitution, commente mon père, et je t'assure que s'il triomphait, le président aurait des pouvoirs ! " " Il y a trois institutions qui ne doivent jamais être mises en discussion, dit de Gaulle : l'Armée, la Diplomatie, la Justice. " Selon lui, la situation n'est point si mauvaise qu'il le paraît pour la France. L'URSS et les USA ont de multiples difficultés... »

« Les hommes. Son mépris pour eux a frappé mon père. Roosevelt, Churchill étaient deux grands hommes et qui ne seront pas remplacés. Il s'est assez opposé à eux pour leur rendre cette justice " On peut vraiment dire que ce n'est pas une époque de géants ! " En France notamment il n'y a personne : " Ces ministres du père Gouin, je les connais : ce sont les mêmes que les miens... " Gouin, Philip, les communistes : il les englobe tous dans le même dédain, avec une certitude d'avoir raison et d'être le seul homme en France à avoir de la valeur, qui impressionne. " Devant lui, continue mon père, on se sent devenir complètement idiot... Il ne vous voit pas. On n'existe pas à ses yeux en tant que personne distincte. Il juge *in abstracto* ce qu'on lui dit sans le rattacher à ce que l'on est, à ce que l'on sait... "

Selon lui, il y a trois possibilités pour les jours qui viennent : " Ou bien cela durera assez longtemps dans le cafouillage et la médiocrité présents ; ou bien les communistes prennent le pouvoir — et alors c'est la certitude de la guerre étrangère, car les Russes s'installent en France, ce que les Américains et les Anglais ne peuvent en aucune sorte accepter ; ou bien mon retour.. "

1 La maison de Colombey était en voie d'aménagement.

La troisième hypothèse a bien été expressément formulée, avec cette sereine simplicité... »

François Mauriac se dit persuadé que le général a voulu répondre à un article qu'il vient de publier dans *le Figaro* par ces trois propositions : 1. Il n'y a pas de crise monétaire, ou plutôt il n'y en avait pas jusqu'à son départ. « La belle affaire qu'on imprime quelques billets... Il y avait la confiance. Maintenant où l'on étale ce qui doit être tenu caché, la catastrophe est certaine. » 2. La France est indépendante, elle est même la plus indépendante des nations d'Europe. 3. L'entente avec la Résistance est impossible en raison de sa contamination intérieure.

Et il y a « ce malheureux Bidault », « ce pauvre Philip ». Toujours, un adjectif péjoratif précède le nom de la personne dont il parle... « Impossible de ne pas voir là un point faible de ce grand esprit[1]. »

Le voilà perplexe, entre son rêve de 1944 et une réalité plus proche des mémoires de Retz que du Sermon sur la Montagne. Il écrira cinq ans plus tard : « Je ne tenais aucun compte des espaces interstellaires qui séparent le cerveau d'un général français de celui d'un bourgeois libéral, poète et inventeur de fictions[2]... »

Non au RPF

Tout ce qui n'est encore chez Mauriac qu'interrogation anxieuse, discrète remise en question, lente érosion d'un immense capital de confiance va se muer soudain en refus catégorique quand de Gaulle annonce la création du Rassemblement du peuple français à Strasbourg, le 7 avril 1947. Dans son livre sur le général, publié dix-sept ans plus tard, Mauriac écrit étrangement :

> « J'ai peine à comprendre aujourd'hui pourquoi et comment je ne fus pas avec lui, ni à ses côtés, ni derrière lui, dans la bataille du RPF. La raison essentielle se ramenait à ceci qu'à mes yeux ce prétendu rassemblement des Français ne rassemblerait que des Français de droite, que de Gaulle contre les partis galvaniserait certains éléments nationaux et qu'il se couperait de la gauche résistante. Que j'en aie jugé ainsi, ce n'est pas ce qui me choque aujourd'hui ; mais ma profonde raison était d'un autre ordre et l'événement m'a donné tort au point que je dois ici en faire l'aveu.
> Ce que j'ai craint, à ce moment-là, et peut-être même ce que j'ai cru, c'est que de Gaulle allait d'un seul coup perdre ce pouvoir étrange qu'il détenait depuis 1940, lui, l'homme seul face à tous les partis ligués contre lui, l'incroyable pouvoir d'oser dire : " Moi, la France ! " et d'être cru. Je me persuadai que par la faute du RPF il allait devenir pareil à l'un de ceux contre lesquels il se dressait. On m'accuse d'être en transe devant de Gaulle. J'ai été capable pourtant à ce moment-là de perdre ma foi en lui. Ou plutôt, j'ai été aveugle soudain. »

1 *Le Temps immobile*, 5, p. 238-244.
2 *Mémoires politiques*, p. 287

Dans la préface de ses *Mémoires politiques* publiés trois ans plus tard, il écrit plus simplement que le Rassemblement avait échoué « comme je m'y étais attendu ». Ce qui est peu dire. En fait, le François Mauriac de 1947-1948 souhaita ardemment, publiquement, l'échec du RPF et y contribua. Bien qu'il ait cru bon de ne pas reproduire dans ses *Mémoires politiques* les articles fort hostiles au Rassemblement qu'il écrivit alors, il est loisible de reconstituer son évolution face à l'aventure déclenchée par Charles de Gaulle au printemps 1947 — en dépit des conseils de modération ou du peu d'enthousiasme de bon nombre de ses proches, parmi lesquels on citerait volontiers André Malraux et Claude Mauriac.

C'est le journal de son fils aîné qui décrit, mieux encore que les articles du *Figaro,* l'attitude de François Mauriac face au RPF. Dès le 30 mars et le discours prononcé à Bruneval par le général de Gaulle (qui saisit là l'occasion de la commémoration d'un épisode de la Libération pour lancer les idées qui inspireront le « rassemblement ») Claude note que son père est « méfiant ». Le 18, le retrouvant après la manifestation du 7 avril à Strasbourg, qui marqua la création officielle du RPF, il le voit « tellement monté contre de Gaulle qu'il accusait *le Figaro* (pourtant si prudent et réticent) de gaullisme excessif ». Mais Brisson s'étant expliqué avec lui de la position qu'il a dû prendre, « les deux compères... se trouvent unis dans la même hostilité ». D'où le titre de *France-Dimanche,* cette semaine-là : « Claude Mauriac contre François son père » (où est grossièrement résumée une opposition qui n'atteint pas plus leur affection que le monarchisme de son frère n'a séparé sur l'essentiel François de Pierre Mauriac).

Le 21 mai 1947, justement, de Gaulle parle à Bordeaux, dont il veut faire un fief gaulliste : l'un de ses fidèles, Jacques Chaban-Delmas, s'emploie à en devenir le maire. De Malagar, François vient, curieux de voir s'opérer l'amalgame entre sa ville conservatrice et l'homme qui en était parti, un 16 juin, à demi inconscient encore de son destin. Sarcastique, il tente de deviner les raisons qui jettent aujourd'hui Bordeaux, naguère bienveillante au maréchal, dans les bras du général. Malraux est là, lyrique. Et Mauriac, lui prenant le bras : « Comme c'est étrange pour moi, Malraux, de me retrouver aujourd'hui à votre gauche... » Non, décidément, ce RPF, flottant sur la houle informe où se mêlent les classes moyennes affolées et les possédants en quête d'un rempart contre le communisme, n'est pas sa « vitrine », comme il aime à dire.

Comment pourra-t-il vraiment s'étonner plus tard de s'être tenu à l'écart d'un mouvement dont le triple visage plébiscitaire, nationaliste et plébéien ne pouvait que lui déplaire, manteau gaullien jeté avec emphase sur un appareil essentiellement conservateur ? Et comment aurait-il pu endurer longtemps, lui qui n'a pas encore pris position en ce sens, mais sent déjà la gravité des crises encore sous-jacentes, la stratégie coloniale du « Rassemblement », si conservatrice et provocante que le général Catroux la dénonce en quittant le mouvement ? Il est peu de dire que le RPF, chauvin avec ostentation, lui fut étranger. Si étranger qu'il refusa de collaborer à *Liberté de l'esprit*, la revue des intellectuels du mouvement — il y en eut plus qu'on ne le croit aujourd'hui — dirigée par son fils Claude, et qui était d'ailleurs excellente.

Depuis que son second fils, Jean, est devenu l'un des meilleurs reporters de l'Agence France-Presse, ils sont trois Mauriac à écrire — et à s'exprimer sur de Gaulle. (« Les gros tirages de la famille, disait en riant l'auteur du *Cahier noir*, c'est Jean : une dépêche de l'AFP, ça peut être diffusé à un million d'exemplaires... ») Des trois Mauriac alors, François est le seul non gaulliste. Claude ne dissimule pas, de temps à autre, la difficulté qu'il éprouve à être RPF... Souffrances et bonheur du gaulliste... Jean, lui, ne met jamais en doute l'excellence des intentions du général, ni la fermeté de son dessein, ni la sûreté de sa démarche. S'il ne reste qu'un gaulliste dans la famille, c'est lui. Ce qui arrive de temps à autre. A ces trois âges de gaullistes correspondent trois manières de l'être, trois courbes, trois regards.

La nature des relations entre ses fils et Charles de Gaulle n'influencera guère François Mauriac. Mais grâce à eux, la communication entre la « maison » de Gaulle et la « maison » Mauriac sera ininterrompue. Quand Claude aura cessé d'être l'un des intimes du général, Jean deviendra professionnellement (et restera sentimentalement) un familier des de Gaulle[1]. Les relations personnelles entre l'homme d'État et l'écrivain n'en resteront pas moins espacées, sporadiques.

Un avatar nommé Mendès France

A partir d'avril 1947, l'homme du 18 juin s'éloigne donc, enferré dans cette « erreur absolue[2] » qu'est, aux yeux de François Mauriac, le RPF, puis exilé dans un désert où l'imagination et la mémoire de Mauriac le devinent parfois sans s'arrêter longtemps à cette haute solitude. Le nom du général traverse, l'espace d'un éclair, le célèbre article sur « les prétendants » par quoi s'ouvre la collaboration de Mauriac à *l'Express* (amusant coup d'avertisseur...) puis reparaît lors de la conférence de presse que donne Charles de Gaulle cinq mois plus tard, afin de tirer un trait sur l'échec du RPF et de prendre date pour l'avenir — séance d'où le collaborateur le plus prestigieux de *l'Express* sort « avec au cœur le regret poignant de ce qui aurait pu être[3] ».

C'est un regret donc, qui s'exprime, non un espoir qui veut survivre. Une semaine plus tard, Mauriac note pourtant que « sans oublier de se méfier, des hommes qui, à gauche, ne sont pas communistes, recommencent de tourner les yeux vers lui, dont le regard (et c'est là le drame) passe par-dessus

1. Il est l'auteur d'un beau récit *La Mort du général de Gaulle* qui a reçu en 1974 le prix Aujourd'hui.
2. *Bloc-Notes*, 1, p. 72.
3. *Ibid.*

toutes les têtes [1] »... Six mois plus tard enfin, la publication des *Mémoires de guerre* du général de Gaulle donne l'occasion à François Mauriac de saluer « le grand style » d'un homme « plus vivant que jamais ».

Mais déjà un autre personnage occupe son horizon. Autre ? Pour différent qu'il puisse être du général, Pierre Mendès France se confond presque avec de Gaulle dans l'esprit de François Mauriac. On ne s'arrêtera pas aux différences qui, mises ensemble, font de l'un l'antithèse de l'autre. Mais le fait est que l'homme qui entra en histoire un 18 juin et celui qui, quatorze ans plus tard, fut investi du pouvoir un autre 18 juin occupent, dans l'œil du romancier-citoyen, un même « créneau » : celui que tient l'homme seul voué au service public, en butte à la haine des « médiocres », des assemblées et des comités. L' « un » face à « tous ».

Comme le « détournement » du général par la camarilla dirigeante du RPF et les foules chauvines des meetings du Rassemblement conduisent Mauriac de Charles de Gaulle à « PMF », de même le hallali qu'organise le Parlement contre le négociateur d'Indochine et de Tunisie ramène l'auteur du *Bloc-Notes* de Mendès à de Gaulle. Une seule conjuration, deux passions, un regard.

C'est lentement que Pierre Mendès France, député de l'Eure, entre dans le champ de vision de Mauriac. Un radical, l'espèce d'homme qu'il a longtemps haïe le plus fort... Il lui arrivera de s'interroger sur le choix d'une telle monture — le parti radical — par le jeune avocat Mendès France entrant dans la carrière et préférera évoquer drôlement les enfants Mauriac se disputant autrefois « l'âne qui avait le plus bel œil » que de se souvenir qu'au début des années trente, le radicalisme, c'était la gauche.

Quoi qu'il en soit, il a apprécié les plaidoyers pour la paix en Indochine prononcés à l'Assemblée nationale par l'ancien ministre de De Gaulle et annoncé avec une étonnante lucidité que les partis ne lui confieraient les responsabilités qu'assurés qu'il ne pourrait que se perdre à tenter de corriger leurs erreurs. Leurs vues sur les désastres d'Afrique du Nord les rapprochent, bien que Mendès n'ait pas accompagné Savary et Mitterrand à France-Maghreb. Mais c'est à *l'Express* que les deux hommes se lient : l'un en est l'augure, l'autre l'illustration. Ils auraient pu se détester. Ce qui naît entre eux, au contraire, est une estime qui s'épanouira presque en amitié.

Le 18 juin 1954, l'investiture de « PMF » enchante Mauriac sans le griser. Il s'empresse d'abord de proclamer que *l'Express* ne sera pas un « hebdomadaire officieux ». Mais il assure que le nouveau président est « le seul homme d'État français vivant [2] qui ait des vues dégagées de l'opportunité parlementaire et électorale et qui soit résolu à les traduire en actes en dépit des intérêts qu'il irrite ». Il va jusqu'à écrire que « Pierre Mendès France, tout radical qu'il est, a agi en Indochine, à Tunis et va agir demain au Maroc selon ce qu'exigent notre foi et notre espérance de chrétiens »... Il sait aussi, et le dit, que son entreprise est aléatoire, son équipe fragile. Au lendemain du voyage

1 Bloc-Notes 1, p. 75
2 Voilà de Gaulle du coup, oublié

éclair de « PMF » à Tunis, il a néanmoins cette image superbe : « Vie exténuante. Y résistera-t-il ? Mais c'est ce " tempo " qui, pour l'instant, le rend invulnérable. Un ministère se tire au posé. Les meilleurs fusils ne sauraient l'abattre en plein vol[1] ».

Le « posé », Mauriac le voit s'opérer en Afrique du Nord où, passé le coup d'éclat salubre de Tunis, il trouve le chef du gouvernement bien timide au Maroc d'abord et puis en Algérie — où l'orage éclate le 1er novembre 1954. Et très vite, ce mendésiste enthousiaste va se souvenir que le gaullisme, ou plutôt Charles de Gaulle, est l'autre face du recours permanent auquel il pense.

Écoutons-le, le 21 décembre, se confier aux lecteurs de son « Bloc-Notes » de *l'Express* — journal qui est plus que jamais le moyen d'expression d'un président du Conseil qui se bat désormais sur deux fronts, ses amis et ennemis de gauche le harcelant pour qu'il poursuive, à Rabat et surtout à Alger, l'opération de décolonisation amorcée six mois plus tôt en Indochine et à Tunis. C'est à propos d'une interview de Malraux publiée par *l'Express*, où le compagnon de De Gaulle se déclare assuré que, renversé par la Chambre, Mendès en appellera directement au pays, que Mauriac écrit :

> « ... Pierre Mendès France est-il mendésiste ? J'en accepte l'augure, mais je n'en jurerai pas. Achille se retirera-t-il sous sa tente, à l'ombre du fanion radical ? ou bien concevra-t-il son destin comme ont conçu le leur Clemenceau ou de Gaulle ?
> D'ailleurs, quel sera le rôle de De Gaulle ? Il est toujours là. Ses dernières interventions dans la vie nationale ont montré qu'il n'a rien perdu de son prestige et qu'au contraire la liquidation du RPF l'a remis à sa vraie place. Devant le phénomène mendésiste, à la chute du ministère, de Gaulle restera-t-il neutre, ou simplement bienveillant ? ou admettra-t-il au contraire que sa mission continue en la personne du plus prestigieux de ses fils spirituels, dont la politique est la vocation ? »

Ainsi, la confusion entre les deux personnages est telle en son esprit, que, Mendès France encore au pouvoir et s'y battant avec acharnement, le problème qui se pose à Mauriac est de savoir si de Gaulle lui succédera ou se jugera assez authentiquement représenté pour se reconnaître dans le plus prestigieux de ses « fils spirituels »... L'hypothèse, considérée en 1980, paraît absurde. En 1954, elle l'était moins. Si de Gaulle était resté fort discret à l'égard de la tentative de « PMF », plusieurs de ses lieutenants s'étaient prononcés en faveur des initiatives du nouveau gouvernement — dont Jacques Soustelle avait accepté de devenir le représentant à Alger, et auquel participaient d'autres gaullistes, aussi notoires que Jacques Chaban-Delmas, aussi intransigeants que Maurice Lemaire.

Quand le 5 février 1955, la Chambre abat Mendès France dans un hourvari d'insultes, Mauriac, avant de se retrouver gaulliste, réagit d'abord en mendésiste gaullien :

1. *Bloc-Notes*, 1, p. 118.

> « Ce dont doit guérir la France grégaire incarnée dans l'Assemblée d'aujourd'hui (c'est) de l'envie haineuse que lui inspire tout individu supérieur, même si elle a eu recours à lui au lendemain d'un désastre, même si tant bien que mal il a renfloué la barque et l'a remise à la mer... Pourquoi tant de haine ? [...] A cause de ce contraste qui les rend furieux. Les assemblées n'ont pas de vergogne [...] Sont-ils aussi persuadés qu'ils le proclament d'avoir écarté pour toujours l'homme qui avait réveillé ce peuple ? »

De colère, de dégoût, il en oublie un temps l'autre sauveur. Il faudra que, seize mois plus tard, Charles de Gaulle tienne une conférence de presse où il parlera sur un ton amical du sultan marocain exilé à Madagascar, pour que François Mauriac rappelle la survivance de ce « protagoniste irremplaçable ». Aussi bien gaullisme et mendésisme ont-ils alors conjugué certaines de leurs démarches. Le « Front républicain » dont Pierre Mendès France prend la tête comprend une aile gaulliste — dont Chaban-Delmas est l'animateur. Mais la victoire du « Front » symbolisé par « PMF » aboutit à l'escamotage du leader, écarté au bénéfice de son « second », Guy Mollet, sous la pression de la vieille majorité et des « prépondérants » de l'Afrique du Nord.

S'il ne l'écrit guère, Mauriac en veut à l'ancien chef du gouvernement de s'être ainsi laissé supplanter par l'opiniâtre, par le terne secrétaire général du Parti socialiste. Pierre Mendès France, homme de caractère, intègre et d'intelligence vigoureuse, devait-il s'incliner devant les lois (non écrites) d'un système dont il est la plus illustre victime ? Avait-il le devoir de n'être que loyal ? N'avait-il pas une sorte de droit à la prépondérance sur ses alliés ? Ne serait-il donc pas une alternative, seulement un otage ? De Gaulle, lui...

Quand le ministre d'État Mendès France donne à Guy Mollet sa démission, trois mois plus tard, pour les raisons qui sont celles qu'attendait Mauriac — et d'abord le refus du président de négocier sérieusement en Algérie — il reconquiert la confiance de l'auteur au *Bloc-Notes.* Et aux injures dont est abreuvé chaque jour davantage l'homme d'État abattu, Mauriac réplique avec une fervente fidélité : « Il faut que ses ennemis s'y résignent : Pierre Mendès France tiendra comme Clemenceau a tenu ! »

Honneur au valeureux champion éliminé. Mais pour Mauriac, le salut se situe bientôt ailleurs. Le 11 mai 1956, au moment même où, conduits par Guy Mollet et Robert Lacoste qui ont trouvé un agent d'exécution nommé Massu, la guerre d'Algérie s'enfle et s'approfondit, c'est ce grand appel à de Gaulle que lance Mauriac, trouvant d'un coup le ton de la prophétie .

> « Le général de Gaulle n'a jamais cessé d'incarner pour moi une espérance Dans notre malheur présent, cette espérance échappe au vague. J'en dessine les contours. Oserai-je la définir ? Il m'apparaît comme le seul Français détenteur d'une gloire assez pure et doué d'assez de prestige pour susciter en Afrique, autour de la France, une fédération de peuples libres L'Algérie y occuperait la première place. Il noierait en quelque sorte l'incendie algérien dans cette révolution qui, pour tous les ressortissants de la France, marquerait la fin de l'ère coloniale. [...]
> O fête de la Fédération que je vois en esprit, plus triomphante que celle de

> 1790 où Talleyrand officiait ! Elle n'intéresserait plus seulement la vieille nation, mais tous les peuples d'outre-mer qui ont mêlé leur sang au sien sur les champs de bataille, et dont l'Histoire se confond avec son Histoire.
> « Le général de Gaulle est à mille lieues, j'imagine, de concevoir une telle pensée. Qu'il pardonne au songeur car, je le sais bien, ce n'est qu'un songe. Il n'empêche que le Français qui ferait de l'Histoire avec ce songe pourrait s'endormir tranquille, les mains jointes sur la garde d'une épée qui ne serait plus qu'une croix. »

Avec trente mois d'avance sur l'événement...

Cette fois-ci, le choix est fait ? Le recours est décidément incarné ? L'avatar radical et laïque a fait place au sauveur militaire étoilé, catholique ? Pas tout à fait encore. Écoutons-le, Mauriac, répondre quelques semaines plus tard à ceux qui s'indignent des critiques qu'il adresse à la stratégie de Guy Mollet, d'Alger à Suez, et lui lancent : « Que feriez-vous d'autre ? » Il riposte : « Demandez-le donc au général de Gaulle et à Pierre Mendès France. Sans doute ne recevrions-nous pas les mêmes réponses. Du moins pourrions-nous les confronter. Et qui nous dit que finalement elles ne se rejoindraient pas ? » (S'agissant de Suez, la synthèse rêvée par Mauriac était problématique, le leader radical étant hostile à l'expédition, le général ayant, lui, trouvé insuffisants les moyens engagés par les gouvernements anglais et français...)

De Gaulle *ou* Mendès ? Mendès *et* de Gaulle ? Le glissement s'opère en l'esprit de l'homme du *Bloc-Notes*, du civil au militaire. Le 30 novembre 1956, désespéré par l'accumulation de cruelles balourdises en quoi se résume la politique du cabinet Mollet, il s'écrie :

> « Quel recours nous reste-t-il ? Pierre Mendès France suscite la haine la plus furieuse qu'ait inspiré un parlementaire français depuis Clemenceau... Il faut toujours en revenir au mot de Teitgen : " Tout plutôt que Mendès France... " de Gaulle ! de Gaulle ! Mais comment réintroduire ce grand homme intraitable dans le système qu'il a dénoncé et qu'il s'est efforcé de détruire... ? »

Tout au long de l'année 1957, il ne dissociera presque jamais les deux noms, de celui que l'on refuse et de celui qui se refusa — en février, en mai, en septembre, en octobre. En novembre, pourtant, le nom du général apparaît seul sous la plume de François Mauriac. Et le « Plutôt crever ! » (que de recourir à lui) prononcé par « un de nos maîtres » qu'il ne nomme pas, c'est cette fois au seul de Gaulle qu'il se rapporte. Aussi bien l'idée du recours à l'homme de la France libre fait-elle alors beaucoup de chemin. Un jour, c'est Habib Bourguiba qui en parle (dans une interview à *l'Express*), un autre jour c'est Maurice Duverger qui pose la question dans *Le Monde*. Il n'est pas jusqu'à Servan-Schreiber qui n'y fasse allusion.

Encore quelques « de Gaulle, sinon Mendès ». Mais quand il évoque, en février 1958, le dernier acte de *Don Juan* et les semelles de pierre du Commandeur qui font retentir le vestibule, épouvantant les Leporellos du Palais-Bourbon, c'est bien du général, du seul de Gaulle qu'il s'agit. « Le pays savait qu'il pourrait recourir à lui quand tout paraîtrait perdu. Eh bien, cette heure a sonné ! »

Une bataille dont de Gaulle est le champ

Trois mois encore, et ce sera le 13 mai — après les hésitations sur lesquelles on reviendra — le ralliement de François Mauriac à la Vᵉ République. Et de ce fait, la dislocation du mythe collectif Mendès-de Gaulle. Le négociateur de Genève rejette catégoriquement ce régime né d'un coup de force auquel le général a prêté la main, ne combattant l'incendie qu'après avoir jeté sur lui quelques fagots. Dans les premiers jours, c'est bien ainsi que réagit d'abord François Mauriac — fortement conditionné par l'atmosphère de refus à de Gaulle qui règne à *l'Express* et dans l'entourage de Mendès France. Témoin cette phrase écrite dans la nuit du 13 mai — quand il apparaît clair que l'une des forces qui a déclenché le *pronunciamiento* d'Alger est gaulliste et a pour chefs de file Léon Delbecque et le général Massu : « Nous espérons toujours en de Gaulle, mais non en un de Gaulle qui répondrait à l'appel d'un Massu. »

Cinq jours plus tard, pourtant, Mauriac amorcera un ralliement au nouveau pouvoir qui le conduira aussi bien à féliciter Guy Mollet de son adhésion au régime qu'à ironiser sur ceux qui lui opposent un refus obstiné. Il reçoit alors de Pierre Mendès France une lettre à la fois mélancolique et sereine où l'ancien chef du gouvernement justifie son attitude non sans ajouter : « Je comprends [votre] position ; elle est fondée sur des sentiments et sur des espoirs que je partage — même si, pour moi, d'autres considérations font pencher de l'autre côté l'aiguille de la balance qui détermine nos jugements et nos décisions [...] Vous ne pouvez douter de l'importance que j'ai toujours attachée à vos avis et à vos jugements... Aujourd'hui, ils peuvent exercer une influence décisive sur l'homme qui sauvera ce qui nous reste, ou qui le perdra sans rémission. »

« Sauvera » ou « perdra » ? Trois mois plus tard, Mendès France sortira de ce dilemme, arguant que la perte est certaine. Dans le même temps, Mauriac fera le choix inverse. Désormais, pour lui, le sauveur est au singulier. De Gaulle, de Gaulle seul... Reviendront souvent sous sa plume des mots aimables ou admiratifs pour « P.M.F. », même quand il aura quitté *l'Express.* Mais le divorce intellectuel est total. Il en tirera en quelque sorte la conclusion en écrivant, près de dix ans plus tard, de Mendès France agrippé à son « non » à de Gaulle :

« Ah ! celui-là, c'est bien peu de dire qu'il m'aura déçu. Non que nous attendions de lui la moindre complaisance pour ce à quoi il s'oppose de toute sa passion et qui est le pouvoir personnel [mais] il refuse tout, d'aussi mauvaise foi que les autres auxquels pourtant il ressemble si peu[1] ! »

Son adhésion au pouvoir né du grand chambardement d'Alger, Mauriac ne l'avait pas donnée, on l'a dit, sans perplexité ni hésitations. Il n'est pas de lui, ce mot prononcé au cours du grand examen de conscience collectif de mai 1958, mais on pourrait le lui attribuer : « De Gaulle, ce n'est pas un général, c'est un champ de bataille. » Une bataille que se livrent autour de lui militaires algérois, politiciens parisiens, réseaux gaullistes, intellectuels de gauche, militants algériens…

Vers quoi et comment faire pencher le général ? Mauriac a d'abord écrit : « Puisse le général ne pas dire un mot, ne pas faire un geste qui le lierait à des généraux de coup d'État. » Ce mot, ce geste, il l'attend de la première manifestation publique de l'ancien chef du RPF, la conférence de presse où il a convoqué les journalistes au Palais d'Orsay. Mauriac s'y rend avec son fils Claude, Françoise Giroud, Jean-Jacques Servan-Schreiber et Robert Barrat. Les propos que tient le général dont la maîtrise, l'autorité, la lucidité éclatent avec une sorte de jubilation, l'inquiètent. De Gaulle se refuse à condamner les émeutiers. « Pourquoi le ferais-je, quand le gouvernement ne l'a pas fait ? » Certes. Mais quand de Gaulle s'est-il placé au niveau d'un Pflimlin, d'un Coty ? Et surtout s'agissant d'une sédition militaire…

Bref, François Mauriac, entré « l'air sombre » au Palais d'Orsay, en sort dans un état d'esprit voisin de celui où le mettaient les meetings du RPF, climat de tragédie en plus. Ici, donnons la parole à Maurice Clavel : « A la fin, dans la cohue, je m'approchai. “ Qu'en pensez-vous ? ” Il me répondit : “ Le plus grand mal ! Je suis contre ! ” avec une violence qui m'apparut définitive… Je plaidai, au nom des colonisés, avec précipitation, véhémence, l'accaparant dans l'escalier sous prétexte de le protéger des bousculades. Il ne cessait de répondre “ Non ! ” Je continuais. Au bas des marches, il parut m'entendre un peu… Je ne le lâchai qu'en voyant s'avancer Jean Amrouche, militant de l'indépendance algérienne et gaulliste […] Je pense encore à […] cette nuit où il fut seul pour décider, pour écrire, où se jouèrent les douze dernières années de sa vie[2]… »

Dans *le Temps immobile*[3] Claude Mauriac donne un écho un peu différent de ces instants de trouble et de doute : « Je quittai la salle […] avec une impression de déchirement au cœur. Mon père, Robert Barrat, Jean Amrouche et moi, nous partîmes ensemble du Palais d'Orsay, passâmes les barrages de police, nous retrouvâmes dans un petit café du boulevard Saint-Germain. Étonnement de découvrir cet homme d'extrême gauche, Barrat, et ce Kabyle ami du FLN, Amrouche, entièrement gagnés par de Gaulle — et mon père plutôt favorable, quoique partagé… »

1. *Bloc-Notes,* 20 février 1967.
2. *Le Nouvel Observateur,* 7 septembre 1970.
3. Tome 3, p. 9-10.

Quant à Françoise Giroud, elle résume la situation en disant : « J'entrai au Palais d'Orsay avec Mauriac. Je me sentais gaulliste par résignation. J'en sortis antigaulliste. Mauriac y arriva hostile, en repartit presque convaincu... » C'est au tour de Mauriac d'être un champ de bataille.

Que ce soit Clavel, ou Amrouche, ou Barrat, ou tel autre gaulliste ami de France-Maghreb comme Edmond Michelet qui l'ait conduit à ce choix — et pourquoi pas une méditation personnelle ? — le fait est que, le 19 mai dans la soirée, il écrit pour *l'Express* ces lignes décisives : « ... Ici même, plusieurs fois, j'ai crié vers le général de Gaulle. Maintenant qu'il est aux portes, vais-je me dresser contre lui ? »

Arguant de ce qu'une « immense fraternisation » rassemble les communautés d'Algérie à l'appel de De Gaulle et opposant aux propositions de celui-ci l'aveu de Massu qui, interrogé sur la torture, a assuré qu'on ne pouvait « faire autrement », Mauriac poursuit :

> « Si le général nous montre comment " faire autrement ", si les Français et le peuple algérien se réconcilient sous son égide dans une Algérie autonome où les deux drapeaux flotteront [...] eh bien, je me consolerai de voir la République devenir autoritaire [...] Cette puissance d'orgueil, d'indifférence et de mépris, on peut s'(en) offenser... mais quoi !... Nous n'en pouvons plus, ne le voyez-vous pas ? [...] Je mesure le risque. S'il ne dépendait que de moi, j'accepterais de le courir. »

Le pas est fait. Il n'ira pas sans réserves, remords, débuts de rétractation. Trois jours plus tard, il résume ainsi sa position : « *Pour* le général de Gaulle, *contre* ceux qui exigent que la République lui soit livrée », ajoutant : « Je tourne en rond dans cette absurdité... » Et le 10 juin : « Je crains de trop espérer... » Mais la voie est tracée, il s'y engouffre.

En suiveur ? En simple membre de la « claque » ? Il ne le croit pas, se considérant l'un des précurseurs du régime, de ce par quoi la Ve République n'est pas le RPF constitué en État mais un système pluriel de forces démocratiquement coordonnées, arbitrées par le grand homme. C'est à propos de France-Maghreb qu'il dira : « Nous avions posé là les assises sur lesquelles de Gaulle a pu construire. »

Que cette organisation ait joué un tel rôle, fût-ce dans le seul domaine du Maghreb, on peut le mettre en doute. Plusieurs de ses animateurs refusèrent de se rallier à de Gaulle. Certains autres — Michelet, Léo Hamon, Paret, Barrat — sont ou deviendront gaullistes (quitte, pour le quatrième, à s'écarter ensuite). La plupart de ses inspirateurs observeront, à l'égard de la Ve République, une attitude critique au moins jusqu'à l'ouverture des pourparlers avec le FLN algérien. Et les hommes auxquels de Gaulle confiera des responsabilités en ce domaine, de Delouvrier à Joxe et de Tricot a Fouchet, n'auront rien eu à voir avec France-Maghreb. Tant il est vrai qu'aux yeux du machiavélien de l'Élysée, rien n'est plus suspect qu'être mû, au service de l'État, par les raisons du cœur.

Reste un état d'esprit, une disponibilité à entendre les arguments de patriotes africains et de croyants musulmans que les campagnes de France-Maghreb auront préparés dans les années où se jouait le sort de la France en Algérie. Le fonds de doctrine, le système d'argumentation, le capital d'informations de base rassemblées et diffusées par le groupe dont Mauriac assuma la présidence ont discrètement contribué à faire mûrir les esprits des commentateurs, puis des lecteurs du *Monde,* du *Figaro* ou de *Sud-Ouest.* Que Mauriac s'en soit fait le porte-parole put contribuer à rendre tel ou tel de ces arguments accessible à l'homme dont tout, en fin de compte, dépendait.

Tout dépendait... C'est en se fondant sur cet axiome, en choisissant de s'abandonner, *perinde ac cadaver,* au sauveur, que Mauriac fera de la dernière période de sa vie publique cet acte de foi en un homme. Foi que complète, dans l'esprit de Mauriac, la conscience d'une charité vécue, et qui s'exprimera ainsi, le 17 juin 1965 : « De Gaulle a besoin de moi. Une voix, cela compte dans la conjuration de la haine. » Car chez le gaulliste Mauriac, le premier axiome (de Gaulle *peut* seul...) est complété par un second (de Gaulle *est* seul, assiégé par la haine...). Tous ceux qui ont tenté, en ce temps-là, de nuancer les ardeurs de François Mauriac se sont toujours vu assener les deux arguments — et souvent le second plus fort que le premier. Là encore, on aime la « faiblesse » de l'être élu autant que sa « force apparente ».

Acte de foi, « témoignage » que Mauriac a voulu total et auquel les ennemis qu'il a en commun avec de Gaulle voudront conférer une sorte de dimension tragique. Le 2 juin 1961, on découvrit à quelques dizaines de mètres de la maison de Malagar un engin explosif dissimulé dans un ballon de football. Les gendarmes, alertés, le firent exploser. Dans les débris de l'engin, on trouva des cartouches de cheddite, un détonateur très sophistiqué avec système de mise à feu électrique relié à un réveil. C'est la pluie, abondante depuis quelques jours, comme il en va souvent en Gironde, qui avait noyé ce mécanisme. Avait-on voulu tuer l'écrivain ou l'un de ses proches ? Il se garda de dramatiser, mais une manière de sceau était ainsi apposé sur son engagement.

D'autant que, quelques semaines plus tard, il recevait dans son courrier ordinaire un tract ainsi rédigé :

OAS Bureau offensif extérieur, base n° 3.

« Aux traîtres ci-après désignés

Souvenez-vous du destin tragique du maire d'Évian, de Gavoury, de l'avocat Popie[1] tous traîtres à la patrie française et à l'Algérie. C'est le sort qui vous attend. Vous serez liquidés au plastik *(sic)* au poignard ou au revolver dans le dos comme agissent vos amis du FLN.

Vos femmes et vos enfants seront kidnappés, ainsi que ceux du traître de Gaulle.

Vos demeures sauteront comme celle de Chaban, le maire de Bordeaux. Quand la nuit viendra, les kommandos *(sic)* de l'OAS passeront à l'action

1. Tous trois furent assassinés par l'OAS

offensive... Nos moyens aériens bombarderont les gares de Paris et de Tours. Tous les traîtres seront liquidés. »

L'homme de la Grâce

Mauriac s'est défendu de s'être « prosterné » devant de Gaulle, de s'être abîmé dans un transport mystique. Vingt fois il a, à propos du « pari » de douze années pris en 1958, cité non Blaise mais Jacqueline Pascal, qui assurait être entrée à Port-Royal pour y « faire [son] salut raisonnablement ». Nous, ajoutait-il, nous sommes enfin « gouvernés raisonnablement ». La référence à elle seule en dit long. Moins parce qu'il est difficile de voir attitude moins « raisonnable » que celle des jansénistes par eux-mêmes livrés pieds et poings liés à un dieu criminel — que pour le parallèle implicitement établi entre cette foi héroïquement suicidaire et l'option politique d'un citoyen français au milieu du XXe siècle.

Raisonnable ou pas, mais raisonnée et raisonnante, et souvent irrésistible, la foi gaulliste de Mauriac ne saurait être appréciée qu'à travers des textes, les siens. Ce gaullisme-là est esthétisant, narcissique, chargé d'autant de nostalgies délicieuses et déchirées, d'autant de révérence harmonieuse que tout ce qu'aura écrit Mauriac sur Benjamin Constant, Proust ou Valéry. Un florilège s'impose.

D'abord, ne pas oublier les réserves qui, ici ou là, percent tout de même. Dans cet emportement de dévotion frémissante dressé comme un contre-feu landais face à l'incendie de haine qui devrait faire du gaullisme un intéressant chapitre de l'histoire des passions françaises, le Gascon Mauriac n'aura pas toujours perdu la tête.

Quand, en juillet 1958, un « ami de gauche » lui dit : « Bientôt vous éclaterez ! », il répond : « Peut-être [1] ». Le 5 septembre de la même année, après certain discours de De Gaulle place de la République, il convient de son « désarroi » et se déclare « divisé contre lui-même [2] ». Il l'est assez pour hésiter longtemps (et en faire confidence à son fils aîné), à voter pour l'UNR, le parti fondé par Michel Debré et les gaullistes officiels. Il lui arrivera même de s'abstenir pour ne pas soutenir le même parti que trop de vichystes mal repentis et trop d'« ultras » d'Algérie. Trois ans plus tard, il avoue que ce qu'il appelle « les silences du général » à propos des Européens d'Algérie, ce « n'est pas une histoire à dilater le cœur ». Et on trouvera, ici et là, la brève désapprobation de telle déclaration anti-israélienne du général, de tel défi bravache et creux lancé aux Américains, de tel propos malveillant tenu sur les Anglais. Mais le reste relève, pour l'essentiel, du dithyrambe.

1 *Bloc-Notes*, 2, p 76
2 *Ibid.*, p 99

Ainsi, après le discours adressé à la nation le soir où se dressèrent les barricades d'Alger, en janvier 1960 :

> « Que les jeunes Français qui écoutaient vendredi soir Charles de Gaulle en croient ceux de mon âge, témoins d'une longue Histoire : il n'arrive pour ainsi dire jamais qu'un homme appelé à la première place soit égal à son destin, qu'il prononce les paroles que son peuple et que tous les peuples attendent, et qu'il le fasse sans vaine éloquence : " Mon cher et vieux pays, nous voici donc encore une fois ensemble, face à une lourde épreuve... " Qui a jamais parlé à la Nation sur ce ton-là, avec cette voix-là ? Il ne s'agit pas de style ici : ce sont les mots ordinaires qui valent pour chacun de nous, Français de tout âge et de toute condition. Chrétien, je me suis senti, quant à moi, confirmé dans ma certitude : Charles de Gaulle n'est pas l'homme du destin, il est l'homme de la Grâce[1]. »

Il fallait être Mauriac pour penser, pour oser écrire cela. La Grâce — à propos de ce machiavélien ? Pourquoi pas l'innocence ? Mais on ne haussera pas les épaules. Dans la mesure où Mauriac est ici au comble de la sincérité, de son authenticité. Dans la mesure aussi où de Gaulle peut être vu comme l'instrument objectif, l'occasion d'une grâce, celle que Mauriac lie à la paix algérienne, à tout échec fait à la violence. Mais tout de même, le trait déconcerte. L'homme de la Grâce...

Dans une autre perspective, voici Mauriac jugeant de Gaulle quatorze mois plus tard, en avril 1961, un an avant la conclusion de la guerre d'Algérie, au moment de remettre à son éditeur le deuxième tome du *Bloc-Notes.* C'est aussi son dernier article publié par *l'Express...*

> « Le drame de ce drame, si j'ose dire, c'est ce qui se révéla au 13 mai et qui donne au *Bloc-Notes* de ces trois années son caractère le plus noir. Ce que personne d'entre nous n'avait prévu : qu'à la menace directe des légions, rien ne répondrait dans la métropole, hors sur la place de la Nation, un long troupeau désarmé et que les communistes eux-mêmes n'aient pas réussi un embryon de grève chez Renault, c'était la démonstration d'une vérité si triste qu'aucun de nous n'avait osé la regarder en face : comme force de résistance efficace, la gauche en France n'existait plus. Non que ses éléments ne fussent là toujours. Ce qui les avait dissociés constitue une autre histoire et qui se dégage, elle aussi, du Bloc-Notes de ces trois années. [...]
>
> Ma défense de De Gaulle ne relève pas du sentiment [...] Elle est fondée en raison alors qu'au contraire la hargne de la gauche à son endroit ressemble à celle de M. Perrichon contre l'homme qui l'a retenu à l'extrême bord de l'abîme et à la dernière seconde [...] le retour du général de Gaulle fut la sanction et non la cause de la malfaisance d'un régime, celui des gouvernements d'assemblée, avec lequel toute une génération politique avait, pour son malheur, partie liée et dont elle doute de pouvoir jamais se dégager. Voilà son drame : si le flot de la popularité avait ramené de Gaulle, il n'y aurait qu'à attendre le reflux ; mais qui est moins populaire que de Gaulle au sens où Boulanger le fut ? Ce qui le rend si redoutable à ses adversaires de la gauche non communiste, ce n'est pas sa popularité, c'est sa nécessité. Lui disparu, il ne faut pas espérer que disparaîtront en

1 *Ibid.*, p. 295

même temps les raisons qui l'avaient rendu nécessaire, ni que tout rentrera au sérail parlementaire dans l'ordre (ou dans le désordre) accoutumé. Quel roman plus poignant que celui-là ? Quelle histoire inventée l'emporterait en intérêt sur ce que je raconte ici et qui ne s'invente pas ? »

Là où François l'Apologiste triomphe, ce n'est peut-être pas quand il encourage ou encense son héros, c'est surtout quand il flagelle ses contempteurs. Sur le ton bouffon d'abord : c'est Jules Romains qui lui sert de cible — ayant pris contre de Gaulle le parti des colonels de l'« OAS » :

« Mon confrère Jules Romains se range, nous dit-il, parmi les Français qui, selon le mot fameux d'Édouard Herriot, ont la " tripe républicaine ". Nous l'en croyons volontiers : comment ne l'aurait-il pas eue, cette tripe ? Ce même Jules Romains qui se glorifie de sa tripe républicaine exhale en même temps vers le soldat un soupir de tendresse nostalgique, vers cette OAS dont les initiales signifient pour lui « Organisation de l'armée souffrante », — non qu'il ne réprouve sincèrement les violences, nous glisse-t-il en une prudente parenthèse. Il n'y a pas d'adverbe dont je me méfie plus que de « sincèrement », et même quand c'est au bout de ma plume que je le trouve.
Pourquoi ne se révolte-t-elle pas, cette tripe, comment frétille-t-elle au contraire d'espérance devant la menace du *pronunciamiento ?* C'est trop peu dire que notre confrère ne s'est pas réjoui du fiasco de Salan, et que ce qui fut le cauchemar des radicaux-socialistes, sous la IIIe République, n'a pas été le sien. Nous n'en pouvons croire nos yeux et pourtant cela est : Jules Romains met, si j'ose dire, sa tripe républicaine en berne, parce que le général de Gaulle a sauvé la République. »

Sur le ton sérieux ensuite, le 1er avril 1962, lendemain de la signature des accords d'Évian, contre l'éternel négateur :

« Dans *l'Express,* J.-J. Servan-Schreiber écrit du général de Gaulle : " Je ne discerne pas clairement ce qu'il a fait de plus que ce qu'aurait fait à sa place et au bout de quatre ans, contraint comme lui par l'événement, un Félix Gaillard, un Antoine Pinay... " Rien, et pas même les accords d'Évian ! car, nous laisse entendre le directeur de *l'Express,* ce n'était pas malin de céder au FLN et le premier Pinay venu en aurait pu faire autant. Comment ose-t-il... On a été à *l'Express* et j'ai été moi-même trop mêlé à ces débats depuis sept ans, pour ignorer ce que fut la répugnance du GPRA, ou enfin de certains de ses éléments, à la collaboration, et plus encore, et par-dessus tout, à l'association avec la France. J'ai cru longtemps, quant à moi, qu'il ne s'y résignerait jamais. C'est cette phobie de l'adversaire qui aura été surmontée par de Gaulle seul et vaincue par lui seul. [...] Quel Pinay, quel Gaillard, quel Mitterrand, quel Mendès France n'eussent été balayés en huit jours par le premier général venu ? Mais il eût suffi de tomates... Au vrai, l'Algérie, l'Afrique Noire, le monde entier entrent pour peu, n'entrent pour rien dans cette rage des ennemis de De Gaulle. Ce qui porte à son comble une haine cuite et recuite pendant quatre ans, c'est la malice sombrement angélique qu'on lui prête d'obliger ceux qui le haïssent à lui dire " oui ". Un de Gaulle capable, en lisant *l'Express,* de murmurer le vers de Néron : " Je me fais de sa peine une image charmante... " serait un autre homme que celui qu'il est ; et il paraîtrait sans doute moins haïssable à ses ennemis s'ils le sentaient attentif à les humilier, à leur nuire, car ils auraient le sentiment d'exister pour lui. C'est son indifférence qui les désespère, ce regard qu'il porte au loin par-dessus et par-delà toute une génération politique, qu'il a mise comme entre parenthèses, qu'il ne se donne même pas la peine de combattre et qui est devant ses yeux comme si elle n'était pas [1]. »

François Mauriac ne fut pas le moins du monde consulté par de Gaulle. Hormis les deux entretiens du 3 février 1945 puis du 15 février 1946 et quelques brefs échanges au cours de réceptions ou dîners officiels, aucune relation particulière ne s'établit entre les deux hommes. Il arrivera à Charles de Gaulle de répondre à un visiteur qui lui demande si Mauriac lui écrit : « Oui, dans *le Figaro*... » — ce qui est dit avec une sorte de regret. (Et d'ailleurs inexact. Une correspondance s'instaura entre eux, à laquelle on se référera.) Que de Gaulle ne fit-il signe au romancier : il fût accouru en hâte... Mais il fallait, pour avoir un entretien avec le général, faire acte de candidature. Mauriac avait scrupule à empiéter sur un emploi du temps qu'il jugeait précieux. S'il envoyait des livres au général de Gaulle, suscitant des réponses significatives, il s'interdisait de jouer les « chronophages » et sut rester sur son quant à soi. A André Séailles qui lui demandait, en 1968, s'il voyait le président de la République, il répliquait : « ... Je le rencontre très peu souvent. Je suis invité à l'Élysée une fois par an, comme tout le monde, à une réception officielle avec beaucoup de gens, avec les grandes étoiles. Je suis invité avec Louison Bobet... »

Une fois pourtant, François Mauriac et les siens eurent droit à un accueil tout particulier : le jour de mars 1960 où le président de la République remit à l'écrivain les insignes de grand-croix de la Légion d'honneur, la plus haute des décorations que puisse recevoir un citoyen français.

En conférant à François Mauriac cette dignité exceptionnelle au mois de novembre 1958, alors que, s'agissant de l'Algérie, le régime oscille encore entre la répression et la négociation, de Gaulle a fait un geste très politique et donné une indication, un « signe » qui suscite un tollé dans bon nombre de milieux. On raconte qu'à Alger, l'un des compagnons de Massu a grommelé : « En somme, nous avons renversé un régime le 13 mai, non pour pendre Mauriac, comme nous le croyions, mais pour faire de lui le plus grand dignitaire de l'ordre créé par Napoléon ! » Au Conseil des ministres, Guy Mollet (dont de Gaulle a fait l'un de ses ministres d'État) a tenté de s'opposer à cette promotion. D'autres l'ont imité au Conseil de l'ordre. Mais ici comme là, le général a rudement fait savoir qu'il s'agissait d'une décision personnelle et irrévocable...

Bref, le 19 mars 1960, à l'Élysée, Mauriac, entouré de tous les siens (à l'exception de Claire, absente) vient recevoir la grand-croix des mains du général de Gaulle. La cérémonie a dû être reportée deux fois : le jour d'abord choisi, en janvier, était celui où, à Alger, les barricades venaient de se dresser contre de Gaulle... L'un des petits-fils de François Mauriac (Gérard, huit ans) est là aussi. De Gaulle lui tend cordialement la main : « Je

1. *Bloc-Notes,* 3, p. 127-128.

suis heureux de vous connaître. » Commentaire de Claude Mauriac : « Le général y mit tant de gentillesse, de spontanéité, comme dans toute la suite de la cérémonie et du déjeuner, qu'il ne semblait pas accomplir, parmi tant d'autres, un des devoirs, une des corvées de sa charge, mais au contraire recevoir une famille qu'il aimait bien. » Du même témoin, ces notations : « Le colonel de Bonneval[1] s'affairait autour de mon père, lui passant le large ruban rouge, essayant tant bien que mal de faire tenir la plaque que le général avait encore plus maladroitement accrochée. Mon père, très droit, paraissait presque petit en face de De Gaulle » [...] Le général ayant prononcé la formule sacramentelle, ajouta *mezza voce :* « C'est un honneur que la France se fait à elle-même. »

Comment résister à tant de grâces... Que la nature du lien noué entre de Gaulle et Mauriac soit différente de celui qui attachait le général à Malraux est évident. La complicité, le côté « compagnon de la Table ronde » qui unit le « colonel Berger » au chef de la France libre — si tardive qu'ait été la « résistance » du premier et différents leurs champs d'intervention — la soudure « à chaud » qu'ont opérée les batailles du RPF, les rapports de « maréchal d'empire » à « petit caporal » qu'ont inventés, non sans génie romanesque, l'auteur des *Mémoires de guerre* et celui des *Antimémoires,* rien de tel bien sûr, entre de Gaulle et Mauriac. Aux yeux du fondateur de la Ve République, que sa « liaison » avec Malraux distrait, amuse, passionne, flatte (n'a-t-il pas réussi, se dit-il, ce que Napoléon a manqué avec Chateaubriand ?) mais dérange un peu (ce Malraux que Mme de Gaulle trouve si peu convenable, et lui-même souvent abscons...) ses rapports avec l'auteur du *Cahier noir* sont plus exactement ce qu'ils devraient être. Admiration esthétique de l'homme d'État, fidélité louangeuse de l'artiste.

Pour s'en tenir à la littérature, de Gaulle situe Mauriac au-dessus de Malraux. Une anecdote qu'il faut prendre pour ce qu'elle est (un éloquent lapsus) tend à fonder cette prédilection. Quand il annonça au Conseil des ministres qu'il avait décidé d'élever François Mauriac à la dignité la plus haute dans l'ordre de la Légion d'honneur, de Gaulle précisa que cet honneur était « rendu au plus grand écrivain français vivant ». Les regards se tournèrent aussitôt vers Malraux, assis à la droite du général — qui, se penchant vers son compagnon, corrigea en riant — mais un peu tard : « Je veux dire : l'un des plus grands. »

Les indications sont nombreuses de la prédilection de l'auteur du *Fil de l'épée* pour celui du *Nœud de vipères*. Qu'il passe les deux journées de 1943 où il se ronge d'impatience, bloqué à Gibraltar avant de pouvoir gagner Alger, à lire *la Pharisienne* ou que, partant faire le tour du monde, dix ans plus tard, il emporte pour toute lecture les *Œuvres complètes* de Mauriac — du domaine imaginaire à l'expression politique — le fait est que son attachement à cette œuvre ne se dément jamais.

Conscient d'avoir réalisé, avec Malraux, un chef-d'œuvre de relation baroque, de Gaulle retrouve, avec Mauriac, le type de rapports traditionnels

[1] Aide de camp du général de Gaulle.

qu'il aime mieux encore. Il y est, à Versailles, roi-soleil honorant Racine et révéré par lui, se délectant de son génie. La liaison avec Malraux flatte et nourrit ce qu'il a de singulier en son génie, de provocant. Le commerce avec Mauriac enchante ce qu'il a préservé en lui de classique et de conformiste. L'Académie, le grand style, les distances, l'historiographie dévote...

Les lettres que Charles de Gaulle adressa à François Mauriac témoignent du bonheur qu'il retira de ces échanges. Quelques exemples. Le 15 mai 1950, il répond à l'envoi du *Journal :* « ... En relisant ces beaux articles on voit avec quelle saisissante rapidité les attitudes — sinon les sentiments — se succèdent et se précipitent pendant l'entracte d'un drame à l'autre.

Voici pour moi, mon cher Maître, une occasion de vous assurer de ma plus haute considération et de ma constante admiration. » Et le 5 août 1958, de Gaulle est chef du gouvernement quand il écrit à Mauriac : « J'avais lu, semaine après semaine, ces bloc-notes que vous lanciez, hérissés ou déchirés, mais toujours irrésistibles [...] Les voici, maintenant, réunis en un monument que j'admire... » Plus mystérieusement, le 30 avril 1961 : « Ce que j'ai dit est une chose. Ce que je puis faire en est une autre. Mais en ceci et en cela, vous ne pouvez mesurer pour combien vous avez compté... »

Le 6 novembre 1961, à propos du nouveau *Bloc-Notes* (1958-60) : « ... Ce ne sont plus des articles, c'est un livre (et quel livre) ! de François Mauriac. Un drame traité dans les trois unités : le lieu : notre pays ; le temps : trois années ; l'action : une certaine entreprise. Vous y êtes le chœur, celui de l'antique tragédie.

Mais, du coup, vous avez écrit une partie de vos mémoires. Par conséquent vous avez pris vos risques. Car, tandis que vous évoquez les hommes et les événements, on vous voit vivre à leur sujet, c'est-à-dire participer, conscient que vous êtes, qu'à travers eux, on vous juge vous aussi en même temps que vous en jugez... »

Et ceci, où culmine ce commerce d'admiration : « Quant à moi, sous votre lumière, je me connais comme un caillou battu par les flots et je sais, qu'en fin de compte, tous les cailloux succombent à la mer. Mais n'est-ce pas ce que Dieu a voulu ?

Je vous remercie, mon cher Maître, de m'avoir, une fois de plus, enchanté de votre immense talent... » (Et à cela encore, comment résister ? On imagine de quel cœur Mauriac dut lire ce texte. Le cœur de l'« heureux enfant » salué un demi-siècle plus tôt par Maurice Barrès...) Notons toutefois que c'est l'artiste seul qui est ici loué, le « regard », le « talent ». Non la fidélité. Mais, dans l'esprit de Charles de Gaulle, n'allait-elle pas de soi ?

Ce qu'il en coûte d'être gaulliste

Le seul de Gaulle... Seul, coupé de la république des lettres, de cette classe qui innocente Dreyfus, met Barrès en jugement et confie à Sartre un prix Nobel permanent qu'elle marchande à Camus ? De Malraux à Jouve, de

Claudel à Clavel et de Gaétan Picon à Mauriac précisément, on ne saurait dire que de hauts répondants littéraires aient manqué à ce règne. Il est vrai pourtant que l'écrivain gaulliste fut, pendant dix ans, en situation fausse : comme tout intellectuel inféodé ou allié à un pouvoir.

L'intelligentsia parisienne peut être lâche et conformiste : elle ne supporte pas de n'être pas en situation de fronde, et tout entière. Elle peut tolérer pendant vingt ans de se faire dicter la loi par un quarteron de bureaucrates ou par un aventurier féru de révolution en Rolls-Royce ; elle se résigne à proclamer grands hommes les fabricants de doctrines qui parlent plus haut que d'autres. Elle ne tolère pas qu'un écrivain trouve du mérite au responsable des affaires publiques ou partage une escalope de veau avec le chef de l'État. C'est ainsi.

Bien que les escalopes républicaines aient eu peu de part, de 1958 à 1970, au régime alimentaire de François Mauriac, son cas était pendable. Avocat déclaré du chef de l'État, un général de surcroît… Sans compter qu'il est tenu par beaucoup pour un transfuge. Lui qui avait, à la tête d'un organisme d'opposition comme France-Maghreb, mené contre le pouvoir précédent une guérilla si conforme au code de l'intelligentsia, on le voyait soudain donner dans le prône du prince et le plaidoyer permanent pour le pouvoir. Suicidaire, de ce point de vue.

L'admirable est que le prestige de Mauriac ait si peu pâti de son ralliement à de Gaulle, de son retrait de *l'Express,* d'une docilité croissante aux pouvoirs établis. Pourquoi cette relative immunité ? D'abord ceci : qu'aux jours même de sa plus grande déviance politique, il n'avait jamais été tenu que pour un allié provisoire, un visiteur chaleureux, un audacieux excursionniste sur la planète de la gauche parisienne. Du *Temps présent* à *l'Express,* du Comité pour les Basques ou les réfugiés autrichiens de 1938 à France-Maghreb, les embardées de Mauriac vers la gauche intellectuelle s'étaient multipliées au point de s'institutionnaliser — un temps. Mais ce qu'on n'aurait pardonné ni à Camus ni à Breton ni à Barthes, on le trouvait seulement irritant chez lui. Il y mettait tant de drôlerie et de frémissement à la fois, une foi si naïve et une roublardise si redoutable…

Non que la droite extrême ait jamais désarmé à son sujet. Depuis l'affaire d'Éthiopie, en 1935, et quoi qu'il arrive, Mauriac est la cible favorite de cette secte. (Quand ce n'est pas, à partir de juin 1940, Charles de Gaulle.) On a donné quelques exemples de ce que fut cette chasse à l'homme, à peine atténuée par les campagnes de Mauriac contre l'épuration à partir de 1944. Et il faut dire que l'attitude de l'auteur du *Bloc-Notes,* en 1962, à propos des responsables des complots qui manquèrent d'abattre physiquement le général de Gaulle, était de nature à ranimer les vieilles haines.

Comment celui qu'on avait appelé le « saint François des Assises » n'eut-il pas un mot pour tenter de sauver, ou seulement de comprendre un Bastien-Thiry qui, voué à la cause de l'Algérie française, tenta d'immoler de Gaulle et fut fusillé par un appareil répressif aussi contestable que celui de la Libération ? La faute de Brasillach, la collaboration avec le nazisme était-elle moins lourde que le crime d'État au service d'une certaine conception de la fidélité ? Certes, ce parti-là n'était pas tout à fait vaincu. Il pouvait frapper encore. La clémence comportait des risques. Qu'importe : ce Cadoudal condamné, Mauriac aurait été fidèle à lui-même en réclamant sa grâce [1].

Mais c'est de ses propres amis qu'en une autre occasion sa dévotion gaulliste le sépara. Pénible rupture que celle qui l'éloigna de France-Maghreb. L'association fondée en juin 1953 ne se survivait guère — bien qu'entre Paris et l'Afrique du Nord, la menace que faisait planer la guerre d'Algérie fut autrement cruelle que celle qu'avaient tenté de conjurer dix ans plus tôt les adversaires de Juin et du Glaoui. Mais cette fois les enjeux paraissaient trop énormes, les armes trop lourdes, les combattants trop déterminés et les risques trop démesurés. Qu'irait faire dans ce vacarme, dans cette tenaille, un simple comité ?

A la fin de 1965 pourtant, alors que se préparait la réélection difficile de Charles de Gaulle à la présidence de la République, un complot sinistre alertait les amis de France-Maghreb : non plus tramé à partir de Paris ou de Marrakech, mais de la capitale marocaine, Rabat, et par l'une des victimes du coup de main d'août 1953, Hassan II, fils de ce Sidi Mohammed Ben Youssef au nom duquel s'étaient mobilisés tant d'amis français. Cette fois, le gibier n'était plus un souverain mais un leader politique, Mehdi Ben Barka, dont les activités semblaient, aux gardiens de ce trône rétabli si dramatiquement douze ans plus tôt, menaçantes.

Que le souverain lui-même en ait donné l'ordre, ou que son plus proche et puissant collaborateur, le général Oufkir, ait outrepassé des instructions moins sanguinaires, le fait est qu'au début d'octobre 1965, Ben Barka fut enlevé en plein Paris par des agents à la solde des services spéciaux de Rabat, torturé dans la banlieue parisienne et assassiné par ses ravisseurs quelque part entre le nord de la France et le sud du Maroc. Que le crime ait eu lieu sur le territoire français, avec la complicité active des policiers français et la connivence de quelques secteurs de l'administration, constituait, pour les hommes de France-Maghreb, un défi d'autant plus intolérable que la victime était un vieil ami de la plupart d'entre eux.

Quoi ? Des agents marocains, aux ordres d'un souverain supposé entretenir avec notre pays, et surtout avec le général de Gaulle, des relations d'exceptionnelle amitié, transformaient Paris en Far-West et piétinaient règles de l'hospitalité, code de l'honneur et lois internationales, sous le règne d'un homme qui s'était donné pour tâche de rétablir l'État français dans son autorité, son indépendance et sa grandeur ? En guise de représailles, de Gaulle multiplia les camouflets au souverain de Rabat, et manifesta une sympathie solennelle à la famille du leader assassiné. Mais le procès n'impliqua que des comparses et l'affaire fut enterrée « à mi-corps », si l'on peut dire.

1. Le bloc-notes ne comporte qu'un court développement sur ces « chrétiens » qui s'arrogent le rôle de sacrificateurs.

Pour les hommes qui s'étaient dressés contre le *pronunciamiento* de 1953, il y avait matière à ranimer une vigilance quelque peu assoupie. S'ils avaient refusé de laisser la France se déshonorer en trahissant un souverain protégé, la laisseraient-ils se salir dans l'étouffement de l'assassinat d'un hôte ? Décapité par la mort de plusieurs de ses animateurs (dont Louis Massignon), France-Maghreb retrouva vie pour exiger que la vérité fût découverte, les principaux coupables saisis et toutes les complicités françaises châtiées. Et quel autre que Mauriac, resté président de l'association, pour se faire le champion d'une telle querelle ? On se précipita chez lui. Il réclama d'y regarder de plus près, demandant audience au ministre de l'Intérieur, Roger Frey. Alors ? Alors, en réponse à une adjuration à lui adressée par Domenach, dans *Esprit,* il répondit que rien de très condamnable du point de vue français ne ressortait de ce que lui avait confié le responsable de la sécurité en France, homme de confiance du général, et dont il ne voyait pas de raison de suspecter la parole. Il ajoutait que trop d'arrière-pensées électorales se mêlaient à la querelle ainsi cherchée du régime...

Ne marchez-vous donc pas avec nous, François Mauriac ? Ne vous associez-vous pas à une sommation adressée au pouvoir pour que justice soit faite, ou au moins cherchée — pour que le fer de l'enquête soit porté au cœur de ces réseaux aussi aptes à recréer une OAS qu'à liquider la première, au sein de ce système de troubles « barbouzes » qui s'affirmait de plus en plus comme la face noire, l'envers du gaullisme ? Non. Le vieux monsieur se récusait... Ce que lui avait dit Frey lui paraissait sans réplique. Quand on a la chance d'avoir un de Gaulle, qu'irait-on faire dans une campagne lourde d'arrière-pensées politiciennes, à la veille de l'élection présidentielle ? Le régime n'avait-il pas fait son devoir en condamnant le rôle de Rabat, en clouant Hassan II au pilori, en faisant arrêter des policiers français ?

Enfin le 22 janvier 1966, dans *le Figaro Littéraire,* alors que de Gaulle était bel et bien réélu, que nulle occurrence électorale ne venait troubler le jeu, François Mauriac publiait ce texte que beaucoup de ses amis jugèrent peu digne de lui :

> « Ces balles parties de nos propres rangs m'obligent à donner ma démission de président du comité France-Maghreb que l'affaire Ben Barka a ressuscité. Au vrai, j'étais un ressuscité malgré lui, condamné à signer, tous ces jours-ci, des communiqués que je n'avais pas rédigés. Certes j'en approuvais l'esprit et la lettre — mais non toutes les intentions. Je ne veux pas qu'on puisse me croire d'accord avec ces gaullistes [1] qui, pour tirer sur les ministres de De Gaulle, ont attendu l'heure du guet-apens.
> Oui, un guet-apens. Qui en pourrait douter ? Un peu avant, ou un peu après l'assassinat de Ben Barka (je ne retrouve pas la date de cette visite), un ami marocain, qui connaît bien le dessous des cartes, me parlait de l'étroite liaison du général Oufkir et des services secrets américains. Ce qui en est réellement, je l'ignore. Il reste que pour une fois ces services viennent de réussir un magnifique coup double, contre le tiers monde, en se débarras-

1 Maurice Clavel et David Rousset entre autres

> sant de Ben Barka, et contre de Gaulle. Si les services américains sont innocents dans cette affaire, c'est le diable qui aura joué pour eux. »

La faute aux Américains ? La thèse n'est pas tout à fait indigne d'examen. Elle a inspiré depuis lors un film[1]. Mais s'en emparer ainsi comme d'un bouclier et, du coup, rejeter les innombrables complicités (qui prouveraient peut-être une collusion profonde entre certains réseaux « gaullistes » et les services américains) complicités établies par des documents et que le procès ne fit qu'effleurer, voilà qui relevait d'un confort intellectuel où n'aurait pas sombré le Mauriac de 1945 ou celui de 1953...

Pouvait-on attendre une autre attitude de l'auteur du *De Gaulle*[2] publié un an plus tôt par François Mauriac, qui avait consterné certains de ses amis et enchanté les autres, les nombreux autres, qui l'aiment moins. Le livre était, il est vrai, le fruit d'une sorte de malentendu. Invité à écrire sur ce sujet qui semblait s'imposer et lui inspirait encore, même noyé dans la dévotion, des articles si beaux, François Mauriac avait fait appel à son fils Claude pour constituer à son intention un choix de textes du général de Gaulle : ils serviraient de base à son travail. Claude s'exécuta en expert, apporta les documents à son père et constata six mois plus tard que — lassitude, timidité, révérence devant l'immensité du thème ? — François Mauriac avait publié l'essentiel du dossier en question, agrémenté d'une manière de longue introduction.

Quelques réserves faites ici ou là sur la froideur glaciaire de ce chef (« rien d'humain ne battait sous son épaisse armure », hasarde-t-il, citant Lamartine), sur son goût du secret, sur les risques qu'aurait pu faire courir au monde la détention par un tel homme des moyens de puissance dont disposent Washington ou Moscou, sur l'étrangeté de l'alliance entre ce Machiavel et un antimachiavélien comme lui, Mauriac, ou encore sur la « disproportion entre la politique de grandeur telle que le général de Gaulle la mène au-dehors et l'indifférence des Français, l'abandon dans lequel est laissée la jeunesse de France », ne préservent pas le *De Gaulle* de Mauriac d'être une hagiographie souvent laborieuse, et parfois désinvolte à l'égard des faits : à propos de l'indépendance de la Syrie et du Liban, ou des relations avec Staline en 1944, ou du rôle joué dans la destruction de la IVe République par le RPF et les réseaux gaullistes, entre beaucoup d'autres épisodes.

Qui pouvait prévoir une telle déconvenue ? Certes, depuis trois ou quatre ans, des derniers « Bloc-Notes » de *l'Express* à ceux du *Figaro littéraire*, on sentait bien que la ferveur gaulliste ne portait pas toujours le génie mauriacien à son état de plus haute incandescence. Non que la verve fut glacée toujours, ni paralysé le bras de cet archer prestigieux. Mais il apparaissait que, le pouvoir remis aux mains d'un homme face auquel son admirable génie critique cessait souvent de s'exercer, Mauriac n'était plus

1. *L'Attentat* d'Yves Boisset.
2 Publié chez Grasset.

que le styliste le plus miroitant d'une presse fascinée par (pour ou contre) ce personnage d'exception.

Non certes qu'il se refusât à fonder cette foi : d'article en article, il s'efforçait de démontrer comment la France était enfin « gouvernée raisonnablement ». Mais cet élan dévotieux, cette soif jubilante qui inspiraient jadis le « Grand Roi, cesse de vaincre ou je cesse d'écrire ! » de Boileau[1], l'historiographe du roi, ce doublet de Jean Racine, l'exaltaient inégalement. Fallait-il porter ces faiblesses au compte de l'âge ou d'un appétit inlassable d'admirer, de révérer ? Son talent en parut émoussé. Mais le talent émoussé de Mauriac l'emportait encore sur les autres...

Le général ne parut pas s'apercevoir de l'ombre qu'il avait ainsi jetée sur le beau génie de son historiographe. Il écrivit à Mauriac une lettre où perce néanmoins plus de politesse cérémonieuse que d'enthousiasme vrai :

« C'est au large, à bord du Colbert, que j'ai lu les épreuves de votre livre. Ainsi le personnage était-il seul avec son auteur.

Ceux qui admirent celui-ci sans détester celui-là vous rendront grâce d'en avoir écrit comme vous l'avez fait. Ceux qui n'aiment pas l'un ou pas l'autre s'irriteront de votre jugement. Mais tous, tout haut ou tout bas, reconnaîtront votre magnifique talent.

D'en avoir été le sujet, sur ce ton, à cette hauteur, c'est pour moi, en tout cas, un honneur d'un prix extrême. »

« Dulcipompien », plutôt ?

Voici venir les jours crépusculaires. En mai 68, cette jeunesse de France que Mauriac reprochait quatre ans plus tôt à de Gaulle de laisser dans l'« abandon » fait savoir au vieux chef que « dix ans, c'est assez ». La réaction de Mauriac est d'abord celle de l'intellectuel, plus que du grenadier gaulliste. Il signe avec Jacques Monod un appel au président de la République contre la répression policière du soulèvement étudiant. « Si la Sorbonne avait été livrée à ces jeunes anarchistes, cela n'eût pas été pire », fait-il valoir dans son *Bloc-Notes*. Les jours suivants, pourtant, il retrouvera des réflexes d'ordre constamment équilibrés, balancés par ce qui émane de Rimbaud, de son cher Rimbaud, dans le lyrisme hirsute du mouvement de mai.

Le 25 mai, au lendemain de la médiocre intervention télévisée d'un de Gaulle tentant à coup de mots usés de regagner l'autorité perdue, Claude Mauriac trouve son père penché sur son roman[2], parce qu'« il ne reste rien que le travail ». Et bien qu'il « fasse bon visage », estime son fils, le vieil homme soupire : « Ce qui est extraordinaire, c'est la soudaineté de tout cela. De Gaulle touchait au but. [...] Et cette catastrophe soudaine, cet écroule-

1 Epître VIII (1675).
2 *Un adolescent d'autrefois*, qui paraîtra dix mois plus tard.

ment... Bien sûr j'ai été déçu par lui à la télévision... J'attendais plus de... Il avait l'air... Je ne sais pas, mais j'ai eu comme l'impression qu'il était résigné à s'en aller... Si profondément, si totalement[1]... »

Trois jours plus tard, Claude voit son père « accablé » et travaillant à son livre avec plus d'ardeur que jamais. Mais le 30, quand la fausse sortie du général à Baden-Baden a fait basculer le rapport de forces et précipité le retour à l'ordre, on verra François Mauriac arpentant les Champs-Élysées au bras de Maurice Schumann, saluer la renaissance de la Ve République. Le lendemain, Claude le trouvera « *triomphant. Un peu trop, sans doute* ».

Sans doute... Le ton du *Bloc-Notes* n'en est pas grandi. Il entonne le péan à propos de cette journée du 30 mai :

> « A la veille de ce rassemblement sur la Concorde si hâtivement préparé, certains fidèles étaient anxieux, ils se voyaient plutôt une cause d'échec dans sa rencontre avec le discours du général et avec la dissolution de l'Assemblée. On sait ce qu'il en fut : j'ai vu depuis le ministère de la Marine, sur cette place dont chaque pierre est saturée d'histoire, des fleuves humains se déverser, et au-dessus d'eux le drapeau tricolore, insulté depuis tant de jours par celui de l'anarchie... »

Mais Mauriac ne serait pas Mauriac s'il ne savait aussi rappeler que de cette foule dont il est solidaire est parti le cri immonde : « Cohn-Bendit à Dachau ! » — et que cette tache restera sur ce triomphe. Il lui reste à ne pas abuser de la victoire gaulliste (ou plus précisément pompidolienne) du 30 juin. Il en mesure bien la signification et la portée en écrivant, le 1er juillet : « La Chambre introuvable est retrouvée. » Référence qui dit l'essentiel, au moins à ceux qui savent un peu d'histoire.

Le général ne paraît pas en avoir tenu rigueur à Mauriac. A vrai dire, il considère ce trop énorme succès comme celui de Georges Pompidou, beaucoup plus que comme le sien. Et le fera sentir à son trop heureux Premier ministre, renvoyé dans ses foyers. Et quand, en mars 1969, l'auteur du *Bloc-Notes* publie *Un adolescent d'autrefois,* le chef de l'État s'empresse de l'en féliciter — affirmant que c'est là le plus beau peut-être de ses romans, celui qui l'a touché entre tous. Lui qui vient d'être défié par les adolescents d'aujourd'hui, comment ne retrouverait-il pas avec délices un de ces jeunes hommes qui, soixante années plus tôt, toléraient que leurs mères choisissent leur épouse et orientent leur vie...

Un mois plus tard, le général de Gaulle, poussé par on ne sait quel démon de l'aventure (suicidaire selon Malraux ; tendant à une résurrection selon d'autres...) joue son pouvoir aux cartes en organisant un référendum dont les prétextes dissonants sont la « régionalisation » (vocable esthétiquement irrecevable) et la survie du Sénat... Mauriac a très vite senti l'étrange péril où s'est jeté le grand homme :

> « ... Jouer à quitte ou double son destin... Rien ne l'y forçait.. Si les risques sont tels que vous nous les découvrez [...] comment avez-vous

1 Claude Mauriac, *Le Temps immobile*, 3, p. 169

> décidé de les courir alors que la décision ne dépendait que de vous et qu'il n'y a aucune proportion entre l'intérêt de la réforme [...] et le péril encouru par l'État en cas d'échec, sur tous les plans et dans tous les ordres... ? »

Et le développement comporte cette incise : « ... De Gaulle, ce joueur », glissée par un homme qui précise : « Nous qui détestons le jeu... » Alors, rupture ? De Gaulle, répudié par Mauriac, moins pour avoir renoncé le pouvoir que pour avoir divorcé d'avec cette « raison », cette « logique » dont son exégète lui faisait si généreusement crédit ?

Il se trouve qu'une manière de fatalité, en abattant physiquement l'écrivain à l'heure où l'homme d'État était politiquement éliminé, prévint la manifestation de cette rupture. Dans la salle de bains où il s'habillait avant de se rendre au bureau de vote, le 27 avril 1969, journée qui devait se clore par la retraite du chef de l'État mis en minorité sur des questions mineures, François Mauriac se brise l'épaule droite, est transporté en clinique et cesse, pendant plusieurs semaines, d'écrire.

Dans une interview accordée — pour remplacer son *Bloc-Notes* — au *Figaro littéraire* un mois plus tard, il tirera de l'affaire des conclusions qui, s'agissant de De Gaulle sont des plus réservées. Une distance s'est décidément glissée entre eux :

> « ... J'ai beaucoup souffert du départ du général de Gaulle, mais [...] plus pour les Français que pour de Gaulle... Il est impossible que de Gaulle ait commis cet acte gratuit [...] sans avoir de profondes raisons [...] C'est pour la France que je souffre, plus que pour de Gaulle... »

Quelle insistance à distinguer la France du général ! Nouveau chez lui. Et qui tranche violemment sur sa vision du gaullisme, doctrine de l'incarnation unifiante.

Le 17 novembre 1968, chez Claude Mauriac, en présence de sa femme, de Jeanne et de François Mauriac, Georges Pompidou fait un récit extraordinairement vivant et « objectif » de l'épisode de mai[1]. Décrivant sans les farder les ruses du général, fût-ce celles dont il a pâti, Premier ministre, il les déclare « inadmissibles », et laisse sa femme affirmer : « Je ne le lui pardonnerai jamais ! » François Mauriac ne tente nullement de défendre le chef de l'État ou de lui trouver des excuses. Il écoute, abasourdi, et tout indique que c'est à Pompidou qu'en l'occurrence, il donne raison. « Son gaullisme est atteint », observe Claude. Ne serait-il pas, désormais, « plus pompidolien que gaulliste » ?

A la question que pose ainsi Claude Mauriac répond une curieuse correspondance qui s'établit alors entre l'ancien Premier ministre et François Mauriac, surtout pendant l'interrègne qui conduira le premier de Matignon à l'Élysée. Je vous considère comme mon confesseur, avait écrit le député du Cantal. A ce « confesseur », Georges Pompidou confia en effet bon nombre

1. *Le Temps immobile*, 2, p. 257-271.

d'apparents secrets d'Etats et notamment l'histoire de sa « disgrâce » et de l'appel à Couve de Murville — dont Mauriac aurait pu faire la trame d'un merveilleux pastiche de Saint-Simon. De toute évidence, une complicité s'est nouée entre eux. On ne saurait dire qu'elle soit inspirée d'une fidélité inconditionnelle à la personne et à la stratégie du général. Pour se qualifier face au nouveau sauveur, Mauriac saura inventer ce ravissant vocable : « dulcipompien »...

Désormais, de Gaulle se fera plus rare dans les *Bloc-Notes* que Mauriac écrira jusqu'à deux semaines de sa fin. Il ne se gardera plus de lui lancer les flèches naguère retenues à propos d'Israël ou du Québec. Et l'une des dernières occasions où le nom du général apparaît dans le *Bloc-Notes* est celle de son voyage en Espagne, en juin 1970, et de sa visite à Franco : « J'en reste glacé, glisse le vieil écrivain, et je l'ai subie comme une offense[1]. » De Gaulle, qui n'a pas pu manquer de prévoir ce type de réaction, ne tente pas de s'en expliquer ni auprès de Malraux ni à l'intention de Mauriac. Il est si loin déjà, si à part...

Mais cette histoire d'amour ne saurait se clore sur cette note lugubre. Le 8 septembre 1970, quelques jours après la mort de Mauriac et peu de semaines avant la sienne, Charles de Gaulle recevait à Colombey l'ambassadeur Léon Nœl. La conversation s'orienta tout naturellement sur la disparition de l'écrivain. « Le général, note le visiteur, a été très frappé par la mort de Mauriac. Il avait pour lui une affection et une admiration très grandes. Il a paru comme surpris que Mauriac l'ait soutenu si fidèlement jusqu'au bout. Il lui témoignait un grand sentiment de reconnaissance. »

Ce « surpris » étonne. Le « jusqu'au bout » est un tout petit peu abusif. Mais si peu... Et Léon Noël de passer directement la parole au général : « Deux raisons ont poussé Mauriac vers moi, l'ont amené à notre entreprise : un patriotisme ardent, avec lequel il ne transigea jamais et qui peut surprendre chez un homme plein de divergences, de finesse, de subtilité, d'une sensibilité aiguë, que la vie, sous toutes ses formes, sollicitait, qui frémissait au moindre appel, qui percevait tous les drames de l'homme. Mais il avait aussi le sens de la grandeur et c'est la deuxième raison de son adhésion.

Dans le choix qu'il fit de se ranger à mes côtés et d'y combattre jusqu'au bout, son esthétisme joue un rôle important. Il avait compris toute la beauté qui se dégageait de l'entreprise et que, dans la politique comme dans l'art, la qualité se perçoit au premier coup d'œil. Son intuition lui avait laissé entrevoir que ce que nous faisions se situait à un niveau qui n'était pas ordinaire. L'artiste retrouvait, par la sûreté de son jugement, le même chemin que lui indiquait aussi son patriotisme[2]. »

La dernière remarque est pénétrante. Elle peut orienter partiellement une réflexion sur les raisons et la nature du gaullisme de François Mauriac.

1. *Dernier Bloc-Notes*, p. 323.
2 Jean Mauriac, *La Mort du général de Gaulle*, Grasset, 1972, p 135-136.

Le Machiavel de l'histoire...

> « Le chrétien que je suis [...] qui n'a jamais séparé la politique de la loi morale (et donc religieuse) devrait être gêné d'avoir partie liée avec Machiavel, fût-ce avec le Machiavel de l'Histoire, si différent de celui de la légende [...] Le « oui » inconditionnel donné à de Gaulle semble contredire certains de mes partis pris dans le passé [1]. »

Comment l'auteur du *Cahier noir* oublierait-il que la plus belle page de son plus beau texte politique est un défi lancé à Machiavel ? A vrai dire, c'est moins Machiavel qui est visé dans le *Cahier noir* que Maurras et le dictateur qui a prétendu fonder le fascisme sur l'enseignement du secrétaire florentin. Que de Gaulle soit plus proche du Machiavel réaliste de l'histoire que de celui, cynique, de la légende, c'est un fait. Il n'en est pas moins fort éloigné du *Sermon sur la montagne.* Au surplus, l'auteur du *Prince,* lui, n'est pas un avocat du pouvoir personnel, du « oui » inconditionnel à César. Ses préceptes tendent à armer le Prince contre ses adversaires, mais attirent aussi son attention sur le sort du peuple et la nécessité de s'appuyer sur lui.

Ne faisons pas dire à Mauriac plus qu'il n'a écrit. Le « partie liée » avec Machiavel, ce « oui » inconditionnel ne résument pas totalement son gaullisme dont on a signalé les retraites, les sursauts, les remords. Reste le lien étrange entre cet héritier voltairien de Pascal et le fondateur très monarchique de la « république consulaire » — puisque telle est la qualification que donne Mauriac au régime qui, sur le tard, combla les vœux de ce citoyen giflé par l'histoire.

Bien qu'elle date de 1927, c'est dans l'œuvre la plus autobiographique de Mauriac (avant le *Mystère Frontenac* et *Un adolescent d'autrefois*) qu'il faut chercher, on l'a vu, la clef de l'étrange relation entre de Gaulle et lui. Revenons à ce texte lumineux :

« Racine aimait le roi... créature de chair et de sang en qui s'incarne la France. » Cet « incarne » est éloquent, et cette « chair », et ce « sang ». On a vu Mauriac chrétien amoureux du Christ, romancier de la chair, journaliste des êtres, historien de la personne. Voici le moment de découvrir en lui un politique de l'incarnation. C'est en se persuadant, après Michelet, que la France est une personne, et en assurant, avec beaucoup d'autres, qu'il est cette personne-là, que Mauriac a reconnu à Charles de Gaulle la mission de sauver les Français. Ou tout au moins la France (de lui, cette remarque

1. *De Gaulle*, p. 70 et 84.

curieuse, dans un de ses derniers *Bloc-Notes :* « ... Pétain a préféré les Français à la France, de Gaulle la France aux Français. »)

Mais cette incarnation ne saurait aller sans le contentement de ce que de Gaulle lui-même appelle son « esthétisme ». Ce gaullisme-là se fonde en effet sur une double dimension esthétique. Celle qui inspire l'entreprise du « héros », celle que prend la mise en forme de sa stratégie.

Que de Gaulle soit un artiste de la politique, considérant le cours des choses comme Corneille un sujet de tragédie, comme Stendhal un thème de roman, qu'il se saisisse arbitrairement de la vie pour en faire de l'histoire, qu'il pratique en tout cas un art de l'imaginaire manipulé avec un réalisme voyant, qu'il soit à la fois un inventeur de crises et un metteur en scène incomparable des actions dramatiques par lui déclenchées ou saisies, qui en douterait ? C'est à partir d'une « réalité » fort dissemblable de celle qu'aperçoit le vulgaire que ce formidable dramaturge agence ses intrigues et combine ses dénouements. Comment un romancier, un auteur de « comédies », un lecteur de Chateaubriand et de Barrès n'en serait ébloui ?

Il l'est aussi par le déroulement majestueux d'une politique qu'à partir de ces étranges prémisses, le général de Gaulle met en œuvre sans cesser de l'expliquer à l'auditoire. L'enchaînement des faits — ou de données présentées comme tels — la logique qui semble s'en dégager, le climat d'imminence périlleuse qui enveloppe les entreprises, le style dans lequel se drape le champion des grandes causes — oui, tout concourt à enchanter François Mauriac, venu à l'observation de la vie publique aux temps prosaïques de Deschanel et de Doumergue. Et il est vrai qu'à partir du moment où l'on accepte la « donne » de Charles de Gaulle (le désastre de 1940 tient à ce qu'on n'a pas suivi ses avis ; la libération de la France eut son unique source à Londres ; la IVe République fut détruite par son infirmité, non par le sabotage organisé par le RPF ; l'intervention gaulliste de mai 1958 ne visa qu'à éteindre l'incendie ; l'avenir des Français est fonction de la grandeur de la France, etc.) le jeu est, du point de vue esthétique, superbe.

Ce jeu touche au chef-d'œuvre dans la saisie du pouvoir, à Alger, par l'homme de Londres ; dans la reprise en main de l'autorité, en France, en 1944 ; dans la transmutation en pompiers des incendiaires d'Alger, en 1958 ; dans l'aller-retour Paris-Baden-Baden-Paris de mai 68. Comment, alors, ne pas être subjugué ? Mauriac l'est. Combinez cette extase avec une longue lassitude de citoyen, la certitude que la politique est un système d'incarnation, la volonté de croire que l'histoire est un évangile dicté par une personne investie d'une mission, et ajoutez-y le charme d'un Prince ami des lettres, et notamment des œuvres de François Mauriac, de sa personne, de sa famille. N'est-ce pas là beaucoup de titres à l'amour-estime, voire à l'amour-passion, d'un homme de lettres dont la soif d'absolu avait, pour s'étancher, le champ religieux ?

Revenons à Racine. En 1927, Mauriac écrit, à propos du poète-courtisan : « Un roi de France dirait aujourd'hui à tel ou tel : « Laissez-là votre roman annuel, je vous nomme gentilhomme de ma chambre et vous ne ferez plus rien que raconter mes exploits... » Ah ! Qu'il quitterait de bon cœur son écritoire ! »

En somme, nous l'avons échappé belle. Pour un peu, réduit au rôle d'historiographe du roi, François Mauriac nous eût privés des *Mémoires intérieurs,* des *Bloc-Notes* et de l'*Adolescent d'autrefois.* A moins qu'un groupe de jansénistes ne l'eût, pour son honneur, détourné de faire le « gentilhomme de la chambre ». Cela ne fut pas. Pour ébloui qu'il fût par la stature et la virtuosité du Prince, François Mauriac resta, jusqu'à sa mort, un écrivain de plein exercice.

C'est à Jean-Marie Domenach qu'il dit un jour ce mot qui résume assez bien les choses. Citant le trait de Rimbaud sur Verlaine : « J'ai aimé un porc ! », Mauriac prit un temps, soupira et lâcha : « Moi, j'ai aimé un éléphant... »

21. Un printemps en hiver

Écarlate et doré, gracile et robuste, dessiné pour Marivaux et le Mozart des *Noces,* exquise enseigne d'une cité alors à son apogée, le Grand Théâtre de Bordeaux s'est ouvert ce soir pour lui, le 18 octobre 1965, pour lui seul. Une semaine plus tôt, il a fêté en famille son quatre-vingtième anniversaire. Aujourd'hui, la ville qu'il a fuie il y a cinquante-huit ans lui réserve ce triomphe, dans le cadre le plus beau qu'elle puisse offrir — ce théâtre de Louis où, à 16 ans, le jeune François découvrait *les Caprices de Marianne* et *la Traviata.*

Il est là ce soir, sur cette scène où il a vu souvent Don José poignarder Carmen, et Scapin se glisser dans un sac. Il n'est pas seul sur la scène, le grand monsieur à la silhouette desséchée de pin battu par le vent, et qui penche vers la salle son regard voilé. Autour de lui siègent deux de ses confrères de l'Académie française, Maurice Genevoix, le secrétaire perpétuel, et Marcel Achard ; son contemporain le bâtonnier Cadroy, président de l'académie de Bordeaux, Jean Babin, recteur de l'université, le préfet Gabriel Delaunay et Jacques Chaban-Delmas, député et maire de Bordeaux. Les institutions...

Un seul être lui manque ce soir-là, dont la présence eût donné tout son sens à cette réconciliation solennelle : son frère Pierre, disparu deux ans plus tôt (cette mort l'a tellement affecté qu'il se détourne même de Malagar) et qui incarnait pour lui les ambivalences de sa relation avec sa ville, ses origines, sa classe et son passé. Mais dans la salle, aux côtés de sa femme, se tient sa sœur Germaine (87 ans), dont le regard noir brûle dans la pénombre...

Le théâtre est empli jusqu'au faîte de ces Bordelais qui longtemps lui ont voué une rancune aiguisée par l'envie. Beaucoup lui ont pardonné *Préséances* et *le Nœud de vipères,* mais le tiennent pour responsable des malheurs de Pétain, de la perte de l'Algérie et de la perpétuation d'un règne, celui de Charles de Gaulle, qu'ils ont en exécration. Ce soir pourtant, comme le disait ce général trois ans plus tôt, « les couteaux doivent rester au vestiaire ». On est venu pour une fête. Rien ne doit la troubler. Et quand, dans son discours de bienvenue, Jacques Chaban-Delmas parle à propos de son hôte d' « âme militante » et de « courage de témoigner », aucun ricanement ne vient du parterre pour rappeler que ce militantisme, que ce « témoignage » faisaient naguère grincer les dents des honnêtes gens qui ce soir, bouche bée, célèbrent d'un cœur serein le plus illustre des indigènes de Gironde — de ceux qu'Audiberti appelait *les Naturels du Bordelais.*

« La vie qui n'en finit pas... »

Son tour est venu de parler, debout, dressé derrière le micro comme pour y appuyer ce long corps fragile, y poser son visage creusé, y chercher un tuteur. Jamais plus que ce soir il n'a fait penser à un de ces personnages de Giacometti, étirés dans une aspiration inlassable, tendus à se briser vers le sommet d'eux-mêmes, épuisés d'ardeurs à s'élancer vers le haut. Il est planté là, sur la scène où naguère souffraient *les Mal-Aimés,* bien droit, ne portant sa courbure que dans son regard et dans son cœur.

Écoutons une fois encore ce halètement de feuilles mortes balayées par le vent, la voix chuchotante d'un chuchotement innombrable, ce murmure au monde qui, à force de faiblesse, bouscule les montagnes. Ce soir, elle est comme un chant étouffé, et semble voiler, par pudeur, l'écho de celle d'un jeune Girondin du temps de *la Robe prétexte,* si sonore et mousquetaire, si vibrante qu'elle enchantait de ses harmonies Anna de Noailles et Jean Cocteau :

> « L'honneur que vous me faites, en cet extrême soir de ma vie, j'en ressens une grande joie, mais une joie grave — oserais-je dire : une joie triste. Oui, je l'oserai avec [ma] voix blessée [...] Je n'ai qu'à lever les yeux pour revoir ces deux places du paradis où un de mes frères et moi nous étions montés en secret : c'était la première fois que je passais le seuil d'un théâtre. On jouait *Mireille.* Me revoilà dans ce même théâtre, soixante-cinq ans plus tard, et le paradis dont j'approche n'est plus celui du Grand Théâtre de Bordeaux... »

Il prend un temps, dans un murmure de sourires. Il parle de ses amis disparus, de sa mère, de ses frères morts. Il parle de ce « Bordeaux immuable à qui je dois d'être devenu l'écrivain que vous fêtez aujourd'hui, un écrivain dont je ne me fais pas une grande idée, croyez-moi... », et de ses créatures « pétries de l'argile de Malagar et de l'alios de Saint-Symphorien ». Et de hausser un peu sa voix d'accusé triomphant pour s'affirmer innocent

> « du crime de vous avoir calomniés, vous, mes frères bordelais et landais... *Thérèse Desqueyroux* s'est reconnue à Stockholm. Elle est suédoise, elle est anglaise, elle est de tous les pays où il y a des femmes mal mariées et qui souffrent [...] mon œuvre, je la reconnais dans le titre d'un de mes romans : *le Désert de l'amour :* car ce n'est pas tant la haine que j'ai décrite dans les êtres que leur solitude, et surtout cette solitude à deux, si j'ose dire, la solitude du couple humain. [...] Ce que je dois à Bordeaux et à la Lande, ce n'est pas l'âme tourmentée de mes personnages, qui est de tous les temps et de tous les pays. Ce que je dois à notre Guyenne, c'est son atmosphère dont j'ai été pénétré dès l'enfance. Cet éternel orage qui rôde dans mes livres, ces lueurs d'incendie à leur horizon, voilà ce que ma terre m'a donné »

Il lui faut reprendre haleine. La partie était gagnée d'avance. Mais ce discours d'une distribution de prix dont il est le seul lauréat, il en fait un de ces triomphes dont sa vie est tissée. « ... Non, mon Bordeaux, je ne t'aurai pas trahi. Il est vrai que pendant des années on a parlé de malentendu entre nous, d'une mésentente à cause, j'imagine, de ce médiocre roman de mes débuts, que je n'ai jamais relu : *Préséances...* » Mais cet écarteur landais ne saurait se satisfaire d'une esquive. Il sait que la plaie est ailleurs. Il aborde de plein fouet le vrai sujet de la discorde, ce qu'il appelle « mes partis pris politiques ». C'est au Pays basque et à l'Espagne voisins qu'il doit, assure-t-il, en remodelant un peu l'histoire, d'être devenu en 1936, au temps de la guerre civile, le « partisan [que je fus] dès ce moment-là ». Mais une opposition d'idées politiques, rappelle-t-il, ne saurait engendrer la haine : témoin « la grande et secrète tendresse qui nous unissait, mon frère Pierre le maurrassien et moi le silloniste ».

Allons, il faut conclure :

> « ... Bordeaux, c'est mon enfance et c'est mon adolescence : mais mon enfance, mais mon adolescence, c'est ce qui frémit, c'est ce qui brûle encore dans mes livres demeurés vivants [...] Il arrive assez souvent qu'un lecteur étranger m'écrive qu'il s'est arrêté à Bordeaux et qu'il a visité les landes, à la poursuite de mes personnages. Je me dis que peut-être, quand je ne serai plus là, mes livres continueront, au moins pendant un peu de temps, à faire aimer le cher et doux pays auquel je dois tout, qui m'aura donné ce soir une de mes dernières joies et à qui, de tout mon cœur, je dis merci. »

Quelques semaines plus tard, le 10 novembre, à Paris alors tout plein des rumeurs de l'affaire Ben Barka, Bernard Privat, directeur des Éditions Grasset, organise en l'honneur de ce solennel anniversaire un dîner au Ritz, où sont conviés quelque deux cents amis, admirateurs, curieux — et secrets adversaires. Les amis ? Il n'a plus trouvé beaucoup de noms à donner aux organisateurs, lui qui a suscité et éprouvé tant d'élans du cœur, de passions, de fidélités. Presque tous sont morts — d'André Lafon à Georges Duhamel, de Jacques Rivière à Pierre Brisson, de Charles Du Bos à Édouard Bourdet, d'André Lacaze au père Maydieu. Lui restent tout de même Blanzat et Clayeux, et Jean Cayrol, et quelques autres...

Le vieil homme s'appuie des deux mains à la table où il vient de dîner. La silhouette est fière encore, bien qu'un peu moins cambrée que l'autre jour, sur la scène du théâtre bordelais. Ces Gascons... Mais n'est-ce pas un tour qu'il nous joue de se donner cet air si fragile, comme pour mieux faire jaillir, du regard dissymétrique, ce crépitement d'étincelles ? La voix fameuse de soie griffant un velours, le rire insonore et le geste effarouché, tout nous reste du gentilhomme à la plume en forme de fleuret qui, depuis cinq ou six décennies, fait rendre aux feuilles des carnets où il écrit, à même les genoux, recroquevillé comme Ugolin sur son rocher dévorant ses enfants, un chant si profond, si pénétrant, que les cœurs en sont saisis, les esprits décapés. Entendons-le une fois encore, si simple, ce soir, plus spontané peut-être qu'à

Bordeaux : « ... Je suis parti dans la vie avec un cœur débordant d'espérance. Comme tout le monde, j'ai trébuché... J'aime la vie comme je ne l'ai jamais aimée, la vie qui n'en finit pas... » Comment ne pas l'aimer, alors ?

Le lendemain, dans le *Bloc-Notes,* il refusera pourtant de se donner « une aussi bonne note » que l'ont fait, dit-il, ses amis de la soirée du Ritz. Non qu'il ait, improvisant, oublié de citer un ministre présent, Christian Fouchet, ou un écrivain ami, Gérard Bauer. Mais parce qu'il a brocardé Paul Bourget. Les patriarches ne devraient pas se dévorer entre eux. Mais il ne se prendra jamais tout à fait pour le patriarche qu'il est devenu, le pétulant, le capricant, le frémissant Mauriac.

Le coup de couteau

« Comment ne pas l'aimer ? » Ils sont nombreux à savoir s'en défendre ! Aidés souvent par la cruauté, le « style » du vieux bretteur. Lui qui, dans son milieu académique, avait longtemps su envelopper ses flèches d'une apparente bénignité et affecté de parler d'Henry Bordeaux comme d'un écrivain et d'André Chaumeix comme d'une manière d'honnête homme, a jeté le masque. L'affaire Maurras en 1938, l'affaire Juin en 1953 l'ont libéré. Désormais, il appelle l'amiral Lacaze un gâteux, et Georges Lecomte un balourd. D'ailleurs, il ne se hasarde plus guère en cette maison du quai Conti où lui fut tendu le guet-apens « marocain » de 1953. Mais il est encore capable d'y exercer quelque influence à l'encontre des nullités qui font de si bons candidats.

Il a une autre faiblesse, Mauriac. Celle de parler des morts avec sincérité. Cette crème sanglotante et pâle qui, dans les journaux, au lendemain de la mort des « personnages », nappe les cadavres comme on fait des gâteaux, ce n'est pas le genre des oraisons funèbres du *Bloc-Notes.* Lui qui ne ménage pas les vivants ne dupe pas les pauvres morts. Sous son regard, ils sont les faibles, les tricheurs, les médiocres qu'ils furent *aussi.* En octobre 1963, il a salué la mort de Jean Cocteau d'un article[1] chaudement impitoyable, lucide à faire peur. Il a voulu être « sec, net, ne rien écrire qui ne soit vrai, dussé-je choquer ». Il a choqué. Il va subir les retombées de cette réprobation.

Quittant *l'Express,* il n'a pas seulement porté au *Figaro littéraire* son *Bloc-Notes.* Il y rédige aussi une chronique de télévision qu'il intitule « Les hasards de la fourchette ». Le 23 avril 1964, après un hommage chaleureux adressé à l'adaptation par Robert Bresson du *Journal d'un curé de campagne,* il décrit « cette tristesse, ce dégoût, presque ce désespoir » que lui a infligés le spectacle d'enfants mimant la communion, pour les besoins d'une adaptation à l'écran des *Amitiés particulières,* de Roger Peyrefitte. Il dénonce l'interven-

1. *Bloc-Notes,* 3, p. 333.

tion à l'écran de l'auteur affirmant qu'il n'a songé qu'à édifier, à venir en aide aux éducateurs, à permettre aux écoliers de « mieux régler leurs sentiments » — alors que cette adaptation, selon Mauriac, exige

> « que des garçons de 12 ans soient délibérément plongés, pour votre profit, dans ce bouillon de culture d'où leur âme ne sortira pas vivante... Les petits garçons que vous montrez sur l'écran, à quelle histoire osez-vous les mêler [...] Ce sont des intérêts que vous servez : ces enfants rapportent[1] ».

Mauriac — à qui il arriva d'être mieux inspiré, sur tous les plans — sait-il vraiment à quoi il s'expose ? Il connaît un peu le personnage qu'il attaque (dont il a d'ailleurs reçu des lettres débordantes de louanges). Il sait aussi que le terrain où il s'est aventuré est pour lui-même périlleux. Il ne peut ignorer non plus l'avidité publicitaire de l'interpellé, que cet article un peu cafard lui donnera l'occasion d'assouvir. Une polémique avec Mauriac, et bien scandaleuse, quelle aubaine !

Deux semaines plus tard, le 6 mai 1964, une publication intitulée *Arts*, qui se qualifie en manchette d' « hebdomadaire de l'intelligence française », publie sur trois colonnes, en première page, à côté d'une reproduction (assez opportune) du *Chiffonnier* de Manet, une « Lettre ouverte à M. François Mauriac, prix Nobel, membre de l'Académie française », par Roger Peyrefitte. Ce texte immonde, il faut en évoquer quelques passages, parce qu'il fut l'une des épreuves de la vie de Mauriac et des siens, parce qu'il témoigne aussi du degré et du niveau de la haine qui a assiégé l'auteur du *Cahier noir* — et surtout parce qu'il était l'auteur du *Cahier noir*...

L'article, qui s'étend sur plusieurs colonnes de l'hebdomadaire, s'ouvre par une évocation particulièrement malveillante des débuts littéraires et mondains de François Mauriac à Paris. Sans faire la moindre référence à Barrès, ni à Jammes, ni à Robert Vallery-Radot, les vrais amis et protecteurs du jeune écrivain, il situe cette période de la vie de l'auteur des *Mains jointes* sous les « auspices » de « nobles vieillards du faubourg Saint-Germain » qui passaient pour ne pas protéger les jeunes écrivains sans quelques arrière-pensées.

Dénonçant des auteurs plus ou moins proches de Mauriac (comme Daniel-Rops parce qu'il aurait choisi pour pseudonyme le nom de plume d'un auteur à scandale), l'auteur multiplie les allusions relatives aux relations entre François Mauriac et Jean Cocteau : il prétend résumer leurs correspondances volée au poète de *Plain-Chant* par Maurice Sachs, qui tenta d'en faire commerce, sans grand succès apparemment — en une phrase : « J'embrasse tes lèvres gercées » — formule empruntée à un poème où il n'est question que de femmes, et qui d'ailleurs s'inspire d'Anna de Noailles. Le libelle publié dans *Arts* met ensuite en cause, pêle-mêle, Jean-Jacques Servan-Schreiber, certains amis marocains de François Mauriac, les « Eliacins

1. *Le Figaro littéraire*, 23 avril 1964.

littéraires » du *Figaro* et un danseur de l'Opéra-Comique — amalgame qui parut si étrange que personne d'entre eux ne réagit à ces imputations.

Ayant ainsi tenté d'assimiler à la sienne la carrière littéraire de l'écrivain qu'il prétend abattre, le collaborateur d'*Arts* s'en prend à sa vie publique. Il s'efforce de réduire tant de débats et de combats à une série de faux-semblants, de volte-face et de trahisons. Ainsi prétend-il qu'avant de se rallier au général, Mauriac s'était inféodé à Charles Maurras, au général de Castelnau, au maréchal Pétain et au lieutenant Heller, de la *Propaganda staffel.* Et l'ensemble des innombrables activités de l'auteur du *Cahier noir* face à l'épuration de 1944-1945 est ainsi résumé : « Vos démarches en faveur de Brasillach [...] vous [les] avez peut-être faites parce qu'elles étaient sans espoir. Mais comment juger ce que vous avez répondu à l'un des avocats de Laval pour qui vous refusiez d'intervenir : " Après sa mort, tout ce que vous voudrez... " »

Il y a des lettres anonymes signées, disait précisément Cocteau. Il y a aussi des chantages qui vont sans que le maître chanteur tende la main. Chaque ligne ici appelle le fructueux scandale, la gifle qui fera jaser, le procès à manches rabattues. Cette odeur de latrines et ce froissement de lettres volées, ce mépris surtout de la moindre véracité... Ce qui est vérifiable, ici, est calomnieux, des relations amicales de Mauriac avec Castelnau à la signification de ses rapports avec Brasillach ou Heller, et à son attitude au moment de la condamnation de Laval.

La première réaction de Mauriac est, comme toujours, de se moquer. Françoise Verny, qui a rendez-vous avec lui le matin où a paru la chose, l'ayant vue, hésite à s'y rendre, et s'y étant décidée, trouve son vieil ami gloussant, cette feuille à la main : « A mon âge, tout de même, faire encore parler de " ça " ! »

Très vite pourtant, la boue l'asphyxie. Non qu'il n'ait très vite reçu les témoignages de fidélité qu'il attendait. Pierre Brisson lui communique le jour même le double du billet qu'il fait tenir à Peyrefitte : « Vos pages trempées de bave goutte à goutte... Je pensais à l'admirable phrase de Saint-Simon sur Tonnerre : " Il était tombé à un tel point d'abjection qu'on avait honte de l'insulter... " » Et dans *le Monde,* dont les relations avec Mauriac sont alors fort acides, Pierre-Henri Simon dénonce la lettre « scandaleuse », la « bassesse » de ce technicien du « crochetage des secrets », cette « poubelle » [1].

De partout, de presque tous, lui parviennent des lettres de solidarité indignée. De François Mitterrand à Philippe Sollers, qui dénonce « ce porc qui se roule dans son ordure », à Jean Cau, dont la lettre dit le dégoût infini, l'éventail politique et esthétique est largement ouvert. Deux lettres le touchent entre toutes — celle du directeur de cette revue *Montalembert* du 104 de la rue de Vaugirard où il a fait en 1907 ses débuts parisiens, ici

1 Dans un de ses derniers *Bloc-Notes,* Mauriac remerciera Pierre-Henri Simon d'avoir été ainsi l'un des premiers à essuyer, sur sa face, « ce crachat »

insultés ; celle de sa sœur Germaine, juge souvent sévère de ses œuvres, qui lui dit, avec plus de ferveur qu'elle ne l'a jamais fait, sa tendre confiance.

Mais il doit bien constater aussi que beaucoup d'autres se proclament neutres (certains collaborateurs de *Combat,* notamment, comme Gabriel Matzneff). *Témoignage chrétien* fait de même, saisissant cette occasion pour citer, contre Mauriac, le père Duployé (qui, rudement moqué, on l'a vu, à propos du surréalisme, avait riposté en traitant son interlocuteur de « fouille-au-pot »), faisant ainsi à ce religieux l'injure de l'accoupler avec Peyrefitte. Cette attitude de *Témoignage chrétien* suscite une protestation collective et indignée dont Jean-Marie Domenach prend l'initiative, et qui associe entre autres Pierre Emmanuel, Jacques Madaule, Robert Barrat, Robert Buron, Edmond Michelet et Daniel Pézeril. Il se trouve aussi des gens pour applaudir Peyrefitte, tel le peintre Mathieu et le président de la Société des gens de lettres, un nommé Chabannes, qui a la naïveté de féliciter par écrit Peyrefitte — lequel s'empresse bien sûr de publier sa lettre... D'où la démission immédiate des trois quarts des membres du bureau de cette société, dégoûtés... Quelque temps plus tard paraît dans *Minute* un article signé Brigneau où Mauriac est apostrophé ainsi, noir sur blanc : « Si vous n'étiez déjà un vieil homme malade — toujours malade, jamais mourir — je crois que l'on aurait pris plaisir à vous frapper [1]... »

Mais François Mauriac lui-même ? Le samedi 9 mai, trois jours après la publication de l'article insultant, il rédige un *Bloc-Notes* afin, dit-il, de « prendre ses distances ». Il n'y consacre qu'une trentaine de lignes, qu'il lit le dimanche soir à sa famille, en présence de Pierre Brisson. Tous suggèrent d'abréger encore cette « réponse ». Celle-ci se résumera à trois paragraphes, qui paraissent le 14 mai :

> « Le B.A. BA de la calomnie — s'il existait une école de la calomnie — serait pour le calomniateur de ne jamais mêler l'invérifiable d'un passé très lointain avec ce qui peut être observé et jugé, ici et maintenant, par les amis comme par les adversaires de l'homme à abattre... Mais j'en ai déjà trop dit : le malheureux qui a cherché à me frapper dans mes enfants, je ne lui dois désormais que le silence.
> » Je voudrais tout de même consoler tant d'amis qui ont souffert pour moi. C'est à eux que je m'adresse, et à eux seuls. Je ne réponds à personne, je ne me confie, je ne me livre qu'à ceux qui m'aiment. Eh bien, qu'ils se rassurent : le coup de couteau d'un assassin de lettres, s'il ouvre une blessure, ce n'est pas le sang qui jaillit, ni le fiel, mais à cause de l'endroit où le coup a été porté, c'est " le lait de l'humaine tendresse " qui se délivre, cette confiance sans limite et sans ombre de l'enfant pour son père, et qui

1. Le même, dans un numéro de *la Parisienne* consacré à Mauriac, en 1956, avait écrit ceci . « L'autre jour, bien que n'entendant pas l'arabe, je lisais M. Mauriac et m'étonnais de le trouver si flambard. Certes, la semaine avait été bonne pour lui. Dans le Constantinois, cinquante Français, victimes des colons, avaient été égorgés par des fellagha [...] M. Mauriac pourrait bien faire la connaissance du talon de fer : cloué sous une botte d'officier, il n'en est que plus implacable ... »

> dure, et que la vie n'altère pas. Je le savais, nous le savions, mes filles et mes fils, mais peut-être ne l'éprouvions-nous plus…
> Que ce ne soit pas la haine, ni même le mépris qui aujourd'hui m'étouffe, mais que l'indéfectible amour des miens me garde sans cesse au bord des larmes, et que ces instants […] se chargent de douceur, et même d'une sorte de joie déchirante (car nous n'avons plus beaucoup de temps à être ensemble), c'est une grâce, certes, et une grâce telle qu'il me semble qu'elle pourrait tourner au miracle et desceller les pierres sous lesquelles dorment, depuis tant d'années, les témoins de ma jeunesse insultée… »

Deux textes, deux styles, deux personnes (enfin, une personne et un individu).

Le premier geste de François Mauriac a été d'interdire à ses deux fils — Claude est rentré en hâte du festival de Cannes — de faire quoi que ce soit contre l'insulteur. Certains amis pourtant, comme Hamelet, du *Figaro,* insistent pour qu'une correction lui soit administrée. Pour le vieil écrivain, il n'en est pas question. Reste la plaie faite, le climat créé.

François Mauriac, dans le jardin de Vémars, peut chantonner l'air de la calomnie, tous ses proches le sentent profondément atteint. (« S'il voulait nous faire mal, note encore Claude, oui, il a réussi. ») On l'entend marmonner qu'il a « l'impression d'avoir été éclaboussé ». Une autre fois, il murmure à son fils Jean : « Je suis couvert de sang », et à Claude : « J'en crèverai… » Mais, lorsqu'on lui communique la protestation de Domenach contre *Témoignage chrétien,* on le voit « le visage rajeuni et frais, lavé, purifié ». Et aussi le jour où son fils aîné lui rapporte le propos de Nathalie Sarraute, qui ne rencontre que des amis indignés par un texte disqualifiant non son auteur, « déjà déshonoré, mais la presse française » ; elle a ajouté, rapporte Claude, que si une seule personne avait devant elle ou les siens si peu que ce soit approuvé cette « ordure », il était tenu pour « un pestiféré, comme dans la résistance lorsqu'on avait affaire à un collaborateur ».

Tout cet été-là restera poissé des jets de bave du mois de mai. En automne lui revient une manière de sérénité, avec la publication de son *De Gaulle* — qui certes ne lui vaut pas que des louanges ! mais l'occupe, le replonge dans un combat à armes avouées. Et puis il y a l'opération de la cataracte qu'il a décidé de subir, n'y voyant plus (« ce qui m'empêche de lire les journaux : quel gain de temps ! »). Tout se passe bien, le 17 novembre. Mais, comme son médecin s'inquiète d'une poussée de température, le troisième jour, il soupire : « Ne vous inquiétez pas, docteur : moi, je commence toujours par la convalescence ! »

Le fleuve de mémoire

Quatre-vingts ans. Son œuvre n'est pas achevée pour autant. Sa « copie », comme il dit, n'a pas fini d'être rendue. La vieille main indomptable s'acharne, et pas seulement à des tâches obligées, à des besognes dès longtemps contraignantes, à ce bourreau ami qu'est le *Bloc-Notes.* Il fait des projets, il accepte que d'autres en fassent pour lui. Il est toujours François Mauriac, et non son ombre lasse.

Quatre ans plus tôt, il a répondu favorablement à l'invitation venue de la maison Grasset — qui se partage avec Flammarion, depuis 1945, l'édition de ses œuvres — de prendre sa place dans la collection *Ce que je crois.* Qu'a-t-il écrit d'autre, jamais ? Le petit essai qui paraît en 1962 sous ce titre collectif le dévoile, le révèle pourtant plus nu, plus spontané qu'il n'a jamais été, plus juvénile. C'est là qu'il livre, avec plus de bravoure qu'en ses livres antérieurs, les secrets indicibles ; là qu'il évoque la torturante crise de 1925-1928, ces « souffrances » qui devaient devenir « bonheur » avec l'intervention de Charlie Du Bos et de Jean-Pierre Altermann.

Ce que je crois donne plus de « clefs » pour Mauriac qu'il n'en a jamais proposées. La première a trait à l'éducation puritaine reçue dans son enfance :

> « Les suites en étaient graves pour les garçons trop sensibles. Les refoulements et les complexes chez certains, cela peut donner le pire. Cela peut donner au mieux ce qui s'appelle un romancier catholique, et alimenter une fructueuse carrière d'écrivain. Ce qu'il en a coûté réellement au bénéficiaire, Dieu seul le sait... »

La seconde se réfère au *Soulier de satin :*

> « Prouhèze... renonçant à son amour, le garde à jamais [...] Nous possédons à jamais la créature à laquelle nous avons renoncé. Ce cœur, ce pauvre cœur plein de la créature aimée, ou désirée, y renonce, mais pas en échange de rien. Nous la donnons en échange d'une perle sans prix que chacun de nous, pécheurs, peut tenir dans son poing serré... »

Et enfin ceci, qui va plus loin (mais où ?) que tout le reste :

> « ... Le plus monstrueux de nous-même est presque toujours la part héritée et non acquise. »

C'est là aussi qu'il raconte l'étrange histoire du paroissien de Colette, que connaissaient bien ses amis, non ses lecteurs. Lors d'un déjeuner sous l'occupation, la romancière de *Sido* demande à Mauriac de lui envoyer un livre de messe, un de ces vieux paroissiens « comme il y en a dans les familles ». Mauriac lui promet de le faire, en cherche un et ne le trouve pas. Trois jours plus tard, Colette lui annonce qu'on vient de lui remettre le livre demandé. Elle a d'abord cru que Mauriac a tenu sa promesse. Mais non : c'est une amie polonaise, hospitalisée et vouée à une fin prochaine, qui le lui a envoyé, précisant qu'elle l'a vue en songe, elle, Colette, lui réclamant ce paroissien...

Colette presse Mauriac de venir le voir. C'est bien le livre décrit et demandé. Mais là n'est pas la plus grande merveille. L'ayant ouvert, l'auteur de la *Vie de Jésus* lit, tracés par la donatrice, ces mots de saint Jean en quoi il a si souvent résumé son christianisme : « Et si notre cœur nous condamne, Dieu est plus grand que notre cœur. » Telle est la réponse, conclut-il, à la question posée par le titre de ce livre :

> « Je crois que je suis aimé tel que j'ai été, tel que je suis, tel que mon propre cœur me voit, me juge et me condamne [...] Mon Dieu, je suis un homme de lettres, et Vous êtes le sujet de mon livre, et je suis payé pour l'avoir écrit. " L'homme de lettres, l'assassin et la fille de bordel... " ce raccourci horrible de Paul Claudel est imprimé au secret de mon âme comme par un fer rouge. Mais cet homme de lettres, Vous l'avez aimé dès l'enfance [...] Je crois que je suis pardonné. »

Livre fondamental.

Depuis de longues années, en marge du *Bloc-Notes* il publie dans *le Figaro littéraire* des articles-essais qui, négligeant la polémique, expriment l'infatigable homme de lettres, l'intraitable lecteur qu'il est resté. Choisissant et ordonnant les meilleures de ces pages, il en a fait, en 1959, ses *Mémoires intérieurs,* qui sont, à sa manière, des *Antimémoires.* Non, comme Malraux, parce qu'il méprise les « misérables petits tas de secrets ». Mais au contraire parce qu'ils l'épouvantent.

Il est capital pour la compréhension de Mauriac, ce premier chapitre des *Mémoires intérieurs* où il expose pourquoi il se refuse à l'autobiographie :

> « Je ne me laisserai pas tenter... l'auteur d'une autobiographie est condamné au tout ou rien [...] Je ne dirai donc rien [...] A la source de nous-même, il n'y a pas nous-même, mais le fourmillement d'une race [...] Ce qu'exigerait l'autobiographie : la désarticulation de ces écorchés humbles et tragiques dont chacun peut-être propose une réponse à l'énigme posée par l'écrivain sorti d'eux. Dormez en paix. Je ne parlerai pas de moi, pour ne pas me condamner à parler de vous[1]... »

Dans une lettre adressée à son frère Pierre une quinzaine d'années plus tôt, à l'occasion d'une algarade familiale provoquée par une interview qu'avaient publiée *les Nouvelles littéraires,* où il racontait quelques histoires de famille et notamment celle de la « côtelette du vendredi » de Jean-Paul Mauriac, leur père, il assurait, non sans désespoir, renoncer désormais à toute confession publique : « Je n'écrirai donc pas mon *Si le grain ne meurt !* »

Faute de confession, ou d'aveu, reste à l'écrivain masqué la faculté de rechercher son reflet dans les œuvres qu'il a aimées, de pourchasser de livre en livre l'ombre de ce qu'il fut, l'homme qu'il est devenu du fait de ces lectures. « Ainsi ces œuvres épousent-elles notre plus secrète histoire. » Tels sont les *Mémoires intérieurs,* qui racontent un esprit et une âme à travers un demi-siècle de dialogue avec des livres. Qui douterait que, parlant de Chateaubriand, de Pascal et de Racine, de Benjamin Constant, de Dostoïe-

1. *Mémoires intérieurs,* p. 8-9.

vski, de Barrès, de Gide, de Newman, de Proust, l'auteur des *Mémoires intérieurs* parle de lui ? Si un doute survenait de l'intimité réflexive de ces propos, de leur valeur de confession critique, telle évocation des vendanges girondines et des plaintes de la lande, telle référence à Malagar, et, à propos de Schumann ou de Musset, l'intervention d'un enfant bordelais au crâne tondu et à l'œil blessé, suffiraient à convaincre que c'est encore d'un certain être qu'il est d'abord question dans ce livre où le « lecteur » a mis tellement de lui-même qu'il le dit ainsi au dédicataire, Claude Mauriac : « Je te donne cette image de moi-même : mon reflet dans les lectures de toute une vie... »

Ces admirables confessions par intercession, ces aveux dans un jeu de miroirs s'achevaient en 1959 par ces quelques mots écrits au temps où la saisie des responsabilités par de Gaulle et l'usage qu'il en faisait étaient la seule histoire qui puisse tout à fait l'occuper : « J'interromps ici ces Mémoires. Ils auront une suite, si ma vie intérieure en a une — la seule vie qui vaille d'être racontée — et si je garde mes yeux, et si je puis continuer à remonter le cours du temps à travers mes lectures d'autrefois. »

Maîtrisée dans les *Mémoires intérieurs,* la tentation autobiographique l'emporte, victorieuse, dans les *Nouveaux Mémoires intérieurs,* que Mauriac publie en 1965 ; comme si l'approche de sa fin, le faisant plus familier des « pauvres morts » qu'il voulait laisser reposer, le libérait. Mauriac a-t-il rien écrit de plus beau que ce livre de ses 80 ans, où soudain ruisselle sous sa plume, et sur sa face, le cours d'une vie qui ne se voile plus derrière de grands livres, mais sourd librement, intime méditation sur un passé, confession de lectures ?

Certes, il formule à nouveau ici son refus de l'autobiographie, rappelant qu'il a naguère amorcé la tentative avec ses *Commencements d'une vie,* et que la plume lui est tombée des mains. Mais le voici, en 1965, moins assuré de la nocivité de l'entreprise que six ans plus tôt. Que ses plus anciens souvenirs l'aient fui, voilà ce que ne fait pas apparaître le petit livre consacré à ses jeunes années. La mémoire lui venant, les Mémoires naissent, timides, discontinus. Une flaque d'enfance brille dans le soleil, une autre... Et puis une amitié, un chagrin. Le personnage d'André Lacaze surgit et celui de la grand-mère Coiffard, et son frère Jean l'abbé, et André Lafon, Caillard, Du Bos et l'abbé Altermann, et Gide, et Bernanos... Tous accourent autour de lui — familiers, accusateurs, révélateurs.

Jamais l'art de Mauriac n'a été à ce point souverain. Jamais ce qu'un critique appelle la « divine musique [1] » de son style ne s'est élevé avec une si légère et exacte plénitude. Adagio et fugue en souvenir de moi-même et des miens... C'est un système de notation musicale qu'il faudrait ici retrouver pour parler de cette pudique et profonde confidence au soir d'une vie à la fois offerte et camouflée. La pratique de la confession engage parfois très loin

Mauriac s'est laissé entraîner si avant dans ce fleuve de mémoire, qu'il lui faut, pour être plus fidèle « à ce qui fut, dit-il, mon propos dans ces *Mémoires,* remonter à mes sources cachées ». Il rédige une postface

1 Jacqueline Piatier dans *le Monde.*

clairement biographique, « rapide survol de ma vie apparente », à laquelle il croit bon d'ajouter : « La part importante fut bien ce qui se passait au-dedans de moi. Car au-dehors il ne s'est à la lettre rien passé : je n'ai pas fait une seule vraie guerre, ni un seul vrai voyage. »

Admirable naïveté que cette idée de « vraie guerre » et de « vrai voyage ». Faut-il avoir « fait » Verdun ou pris le Transsibérien pour avoir empli sa vie ? « Il ne s'est rien passé », pour cet homme mêlé à toutes les batailles de son siècle, visé par toutes les haines, présent dans tous les combats — hormis ceux de la Marne et des Glières ? Il lui suffira, deux ans plus tard, en 1967, de laisser paraître ses Mémoires « politiques » pour que s'y dévoile l'une des existences les plus « responsables » et les moins préservées de notre temps.

Les *Mémoires politiques* (« Ce n'est pas moi qui ai choisi ce titre », tint-il à préciser — et il est vrai qu' « Écrits politiques » eût été plus juste) déçoivent un peu. On n'y trouve pas la réorchestration, la mise en perspective, qui contribuent à donner aux deux livres précédents leur miraculeuse et coulante unité. Avec les *Mémoires politiques,* on se trouve devant un très classique recueil d'articles qui ne sont ni précisément datés, ni replacés dans leur contexte, ni rapportés au journal qui les publia : ce qui n'est pourtant pas sans importance. Une bonne préface ne peut dissimuler ce que cette anthologie a de mystifiant.

A lire le François Mauriac de 1967, on pourrait croire que, hormis quelques dérapages (au début des années trente vers l'antiparlementarisme, par exemple), une pensée unifiante a ordonné l'ensemble de ses prises de position — le christianisme social qui, venu de Lacordaire et d'Ozanam, l'a conduit à Sangnier, à l'antifascisme, à la résistance, à l'illusion du MRP, à Mendès France et enfin, synthèse suprême, aboutissement naturel, à de Gaulle l'unificateur.

Il ne s'agit pas ici de ranimer la vieille querelle à propos de Mauriac « girouette ». Il ne l'aura été qu'autant que peut — que doit ? — l'être un esprit libre, conduit par sa sensibilité et sa loyauté, assumant les responsabilités d'un engagement dans la vie publique et se frayant la voie à travers les orages d'un siècle de sang. Mais pourquoi tenter de rogner, de gommer telle inflexion, telle bavure ? Que le collaborateur de *l'Écho de Paris* des années vingt fût un journaliste imprégné d'esprit conservateur, que l'éditorialiste du *Figaro* ait d'abord eu, à la fin de juillet 1936, un réflexe profranquiste, que l'interlocuteur fameux de Pierre Hervé ait, pendant sept ans, à peu près ignoré la guerre d'Indochine et les premiers soubresauts de la crise africaine en Tunisie — qui pourrait s'en étonner, et l'en blâmer ? Ce qui gêne ici n'est pas que Mauriac ait tâtonné, c'est qu'il n'ait pas choisi d'assumer, dans ces *Mémoires politiques,* ces tâtonnements où s'exprimaient le débat entre un déterminisme de classe et une vraie passion pour la justice.

Regrettable aussi le silence fait sur sa période de résistance au RPF. Le François Mauriac de 1967 n'était-il pas un assez vieux briscard du gaullisme, n'avait-il pas assez de titres à l'estime et à la reconnaissance du parti gaullien pour s'afficher comme l'adversaire déclaré du « Rassemblement » qu'il avait été ? Sans compter que l'option faite en 1947 par l'auteur du *Cahier noir* confirmait, s'il en était besoin, la sagacité politique de ce Gascon aux antennes frémissantes. Le RPF fut bien l'« erreur absolue » qu'il avait dite — à ceci près, qui ne pouvait être pris en compte vers 1948, qu'en sapant la IVe République dès le lendemain de sa naissance il prépara les voies à son effondrement, et au grand retour de 1958. Mais en politique, on ne peut être prophète sans éveiller la suspicion.

Si l'autorité, la « crédibilité » de Charles de Gaulle survécurent au naufrage du RPF en 1953, c'est parce que les dévergondages de l'histoire pesèrent plus lourd que les vagabondages de l'homme, et que l'énigme algérienne imposait le recours à un personnage quelque peu mythologique. Le diagnostic de Mauriac, en son temps, n'en était pas moins bon, et méritait de figurer dans ces *Mémoires politiques* — qui pèchent ainsi par quelques vacances de la mémoire, plutôt que par quelques erreurs du jugement.

Un air d'autrefois

Pendant toutes ces années-là, depuis 1963 environ, François Mauriac tient quelque part caché un cahier sur lequel s'inscrit peu à peu une histoire. Un roman ? Eh ! oui, un roman. Lui qui a paru renoncer décidément à la fiction, tout envoûté qu'il est par le drame politique (combien de fois ne relève-t-il pas, dans le *Bloc-Notes,* que la vie publique est infiniment plus digne de retenir l'intérêt que des histoires proposées par l'imagination des romanciers ?), on le sent parfois repris par le démon romanesque. Les adaptations pour la télévision de plusieurs de ses œuvres (*Destins,* par exemple, en 1965), après la vigoureuse version cinématographique de *Thérèse Desqueyroux* due à Georges Franju en 1962, contribuent-elles à le rassurer sur la validité de son œuvre romanesque ? Le semi-échec de *l'Agneau,* en 1954, l'a découragé au point de lui faire écrire : « Rien ne sert de ne pas mourir. » En 1955, il souffle : « A quoi bon ? Il est trop tard pour que le vieil écrivain ajoute rien à sa copie[1]... » Un an plus tard, néanmoins, il note : « ... Si le roman auquel je songe vaut d'être écrit, je sais bien qu'il sortira de moi à son heure[2]. » Et pendant l'été 1957, au plus fort de son combat contre la guerre d'Algérie :

> « ... Je suis comme porté [au travail romanesque] ces jours-ci, par une marée venue des étés d'autrefois. J'ai vu un garçon de 17 ans, sur les marches de la faculté des lettres d'une ville de province [...] immobile et comme fasciné, au bord de la vie[3]... »

1. *Bloc-Notes,* 1, p. 173.
2. *Ibid.,* p. 248.
3. *Ibid.,* p. 337.

Telle est la première apparition d'Alain Gajac, qui deviendra l'*Adolescent d'autrefois*.

Le 27 juin 1964, l'image se précise en lui, avec cette indication curieuse :

> « ... Le roman que je serais capable d'écrire aujourd'hui, si j'en avais le goût et la patience, [...] ne serait plus, comme mes autres romans, l'histoire transposée de mon propre cœur et de mon propre corps, mais [...] ressusciterait les habitants du bourg landais de mes vacances, il y a soixante-dix ans. »

Oui, curieuse notation. Moins pour ce qu'elle fait prévoir du roman en gestation, qui s'orientera de façon fort différente, que pour ce qui est dit de ses œuvres passées, « histoire de mon propre cœur et de mon propre corps »... Ce mot deux fois répété, si possessif...

Certes, toute œuvre romanesque n'est qu'un reflet, un aveu, et si la sienne l'est moins que celle de Proust, elle l'est plus que celle de Bernanos. Mais cette « histoire de mon propre corps », est-ce ainsi qu'il faut interpréter *Genitrix* ou *les Anges noirs ?* Façon de parler... En tout cas, l'œuvre qui bouge en lui et fait son chemin démentira bravement les intentions du créateur.

Sitôt qu'il a mis la dernière main à la postface des *Nouveaux Mémoires intérieurs*, Mauriac confie à son *Bloc-Notes :* « L'idée de roman est donc devant moi, toute dégagée [...] Plus aucun prétexte pour me dérober. » Il s'attelle à ce récit, qu'il tient pour son œuvre ultime, avec ténacité. On l'a vu, au plus fort du drame de mai 68, s'y appliquer, confiant à son fils Claude qu'il ne saurait trouver meilleur remède à son abattement. Le travail se poursuit tout au long de l'été.

Le 2 septembre, il mentionne dans le *Bloc-Notes :* « J'ai pu ajouter chaque matin deux ou trois pages au manuscrit de mon roman... [...] Ce dernier roman, c'est à moi-même qu'il s'adresse ; je me chante à moi-même un air d'autrefois [...] je m'invente des malheurs que je n'ai pas eus sous cette forme-là... » Et le 5 : « ... Rien ne m'intéresse plus au monde, en ce mois de septembre 1968, que le roman dont je suis sûr maintenant de venir à bout [1]. » Il y est si bien parvenu qu'une semaine plus tard Claude est déjà son premier lecteur. Le vieux monsieur s'interroge sur la signification réelle des louanges de son fils : ne s'agit-il que d'étonnement affectueux, tenant à cette « performance » du vieillard qui s'apprête à célébrer son quatre-vingt-troisième anniversaire ? Il n'a pas fini de se poser la question...

Le côté « pour son âge » l'agace d'autant plus que, confie-t-il au *Bloc-Notes*, « je n'ai eu à aucun moment, devant la page blanche, le sentiment d'être un autre écrivain que celui qui composait il y a quarante ans *le Désert de l'amour* ou *Thérèse Desqueyroux*... Mon âge... se rappelle souvent à moi, ces jours-ci... mais jamais devant la page blanche »...

« Un octogénaire plantait.. » Depuis La Fontaine, on n'a pourtant pas

1 *Bloc-Notes*, 5 p 87

fini d'opposer à l'âge la grandeur des desseins. *Un adolescent d'autrefois*, histoire du jeune bourgeois bordelais Alain Gajac — dont la fiche d'identité est plus semblable à celle du jeune François Mauriac que celle d'aucun de ses héros, Yves Frontenac excepté — pris entre les ambitieux conseils de son ami Donzac (évocation évidente de l'abbé Lacaze), l'amour que lui portent Marie la libraire et l'ingrate fillette que sa mère lui destine pour femme, et les exigences étouffantes d'une autre Genitrix, exprime l'ambition du vieux romancier de « tout réunir de sa vie en une seule page ». Étonnante entreprise de négation de la durée et de l'histoire, chez un homme qui a si passionnément, depuis un demi-siècle, épousé son temps, ses colères et ses crimes, et s'isole soudain, se baigne dans cette flaque de passé, fragment du *Temps immobile* que son fils Claude s'efforce déjà de prendre dans les glaces attentives de sa mémoire.

L'accueil fait à *Un adolescent d'autrefois* relève de cette interminable distribution de prix qu'aura été, à l'en croire, la vie de François Mauriac. Aucun de ses livres, en soixante années, n'avait été si communément loué — pas même *le Nœud de vipères*. Quelle « presse » ! Mais plutôt que de choisir quelques-uns des éloges dont firent assaut les critiques, on citera ceux qu'adressèrent plus discrètement au vieux champion deux observateurs inégalement disposés à son égard : le général de Gaulle et Henry de Montherlant.

Le premier, à la veille de sa chute, en parle comme d'un « très grand livre... admirable... et que ne dépasse rien de ce que vous avez écrit ». Quant au second, il reste fidèle à un certain ton : « ... Tout le monde bien entendu (sauf moi) espérait qu'il serait très mauvais. Mais il est très bon. Excellent. C'est l'un de vos meilleurs romans, et on est stupéfait — puisque n'est-ce pas personne n'ignore nos âges... que vous l'ayez écrit à l'âge que vous avez[1]. » L'auteur de *la Rose de sable* devait, plus lourdement, dans une interview à *France-Soir,* saluer cette « performance athlétique extraordinaire ». Mais on sait qu'à ses yeux un bon « chrono » aux 800 mètres valait bien un sonnet.

Le meilleur peut-être des innombrables articles consacrés à cet *Adolescent* est dû à un romancier hongrois, et publié dans le journal belge *Spécial-Express :* « Le message de Mauriac, c'est que nous n'en finirons jamais d'être cet enfant, cet adolescent qui joue à l'homme, et qui ne connaît pas très bien les règles du jeu. On peut ignorer le catholique provincial qu'est ce vieux gaulliste d'auteur à la clavicule cassée lors d'un faux pas, au moment où il allait voter pour un référendum perdu d'avance ; on ne peut qu'admirer sa démarche secrète, profonde, inspirée par une ténébreuse psychologie qui à chaque pas, il est vrai, semble trébucher, mais qui nous donne aussi l'idée de grandeur à l'échelle humaine, de cette grandeur de l'autre homme que l'auteur admira » (Tibor Tardos, 14 mai 1969).

La réussite est évidente. Que Mauriac octogénaire reste l'égal de l'auteur

1. Dans son *Bloc-Notes,* Mauriac cite ce texte, sans en nommer l'auteur. Lequel est de douze ans plus jeune que lui.

du *Nœud de vipères* est hors de doute. Mais là n'est pas tout à fait la question que pose ce livre étonnant.

Ce qui devrait retenir l'attention, c'est en quoi le vieil artiste a su, tel le vieux Verdi (qu'il se donnait en exemple vingt-cinq ans plus tôt dans un entretien avec Claude), se renouveler, s'enrichir des apports et découvertes du temps. « Dernier grand roman du XIXe siècle », comme l'écrivait un critique communiste [1], ou noces d'un romancier du XIXe siècle avec l'esthétique de son temps ? Compte tenu du soin avec lequel est conduit le récit du « point de vue » du personnage central, sans recourir aux artifices du romancier-démiurge dénoncés par Sartre dans son article de 1939 — qui n'a cessé de hanter Mauriac —, on voit mal en quoi l'auteur d'*Un adolescent d'autrefois* a « subi l'influence de [ses] cadets » — ceux du « nouveau roman [qui] ne m'a pas corrigé des vices de l'ancien » [2].

Il y a certes un plan sur lequel l'*Adolescent* rend un son neuf : celui des rapports entre l'auteur et ses personnages, de la clarté du point de vue. L'effort entamé dans *la Pharisienne,* après la semonce de Sartre, est ici poussé avec plus de bonheur, jusqu'à la maîtrise. Mais c'est là une réussite qui ne saurait passer pour un hommage à l'avant-garde... Cette liberté des personnages, elle est celle que tout le mouvement romanesque moderne, russe et anglais aussi bien que français, lui a donnée pour modèle. Indépendamment de ce « progrès », ni dans la coupe du récit, ni dans les recherches de langage (encore que le séminariste de l'*Adolescent* use de mots plus directs que ses prédécesseurs), ni dans les rapports entre les êtres, ni dans les méthodes d'investigation psychologique, on ne peut parler d'un nouveau Mauriac. Son *Falstaff* est plus fidèle à son *Rigoletto* que le Giono du *Hussard* à celui du *Serpent d'étoiles.* Si pourtant cet *Adolescent* n'est pas tout à fait d'autrefois, et rend un son plus neuf que ne le donne à croire une lecture rapide, c'est peut-être parce qu'une greffe a été subie par l'auteur, où « l'avant-garde » n'a rien à voir, et c'est tant mieux : celle de Bernanos.

Sans que rien vienne altérer la vigoureuse originalité du vieux romancier, une référence s'impose, tout au long de la seconde partie du livre, qui conte la fugace intrusion, la poursuite et la mort du « Pou » : celle de Mouchette. Non que la petite victime du récit de Mauriac ait la violence sauvage et la force tragique de celle de *Sous le soleil de Satan* et de la *Nouvelle Histoire de Mouchette.* Mais quelque chose de haletant, d'irrémédiable, d'aveuglément criminel se manifeste ici et là. Et le style de Mauriac, alors, perd un peu de son velouté, de sa joliesse musicienne, pour gronder lui aussi comme un fauve. Il serait facile, et désobligeant pour Mauriac, de définir cette seconde partie d'*Un adolescent d'autrefois* comme « *le Sagouin* réécrit par Bernanos ». Mais regroupei ce titre et ce nom dit assez la réussite poignante de ce roman des adieux.

Des adieux ? Il a parlé à son propos de dernier roman. Mais voici que trois ou quatre mois après la publication d'*Un adolescent* il se met à penser qu'une

1 S. Gilles dans *France nouvelle,* 7 mai 1969
2 *Bloc-Notes,* 5 p. 85.

suite pourrait lui être donnée. Le 22 juillet, il convient d'avoir l'esprit occupé d'une autre pensée que celle de son heure dernière : « Je songe à revivre encore, à recommencer de vivre dans un être qui sera moi et pourtant un autre. » Le 4 août : « Je bute contre un mur dans cette suite que je rêvais de donner à *Un adolescent d'autrefois* et je désespère de trouver l'issue. Je ne tiens pas le coup contre la meute des souvenirs de ma propre vie. Le mémorialiste en moi barre le romancier. » (Étrange notation : *Thérèse* et *Genitrix* ont-elles tant pâti de surgir de l'étang profond de sa mémoire ?) Et le 9 décembre : « Je commence aujourd'hui à dicter le peu que j'ai écrit de mon roman [1]... »

Ah ! il n'est pas résigné, ni abattu, le vieux monsieur, au moment d'entrer dans l'année 1970, qui est sa quatre-vingt-cinquième. Le 29 décembre, un collaborateur de *Combat* a écrit ces lignes sinistres : « Semaine après semaine, on sent le pouls du vieil écrivain décroître, on devine l'ultra-vieillissement de ses os, on subit l'aveuglement progressif de ses yeux. » Alors il regimbe : « Quand me suis-je plaint de ma vue [2] qui ne me donne aucun sujet de plainte, ou de mes os ? Une épaule de 20 ans n'eût pas mieux évité la fracture, après le choc que j'ai reçu... Mais enfin, mon délicat confrère, je ne suis ni plus ni moins promis à la mort que vous-même ! »

Il lui faut pourtant courber de plus en plus la haute silhouette — l'encoigner dans le canapé du salon, l'enfouir, si longue, si maigre, dans le petit lit étroit de la chambre de Vémars qui donne sur le jardin et le « trou des garçons » — creusé par Claude, puis par Jean pour rejoindre la Chine... C'était la chambre de sa belle-mère, morte depuis peu. On l'y a installé. Claude voulait l'en dissuader. Il riposte : « J'ai l'impression d'une promotion ! » Coupant de temps à autre son travail d'une heure de mots croisés, écoutant sa radio qui lui donne Mozart ou Debussy, il griffonne, un plaid sur le genou, le long nez penché sur le cahier quadrillé, son *Bloc-Notes* où reparaissent inlassablement Barrès et de Gaulle, André Lafon et Bernanos...

Mais que sont mes amis devenus ?

Il se décrit alors

> « pareil à un homme [...] tombé violemment du train, qui a erré longtemps le long du ballast, entendant gronder les convois qui se succédaient et regardant s'effacer dans la brume le fanal du dernier wagon dans lequel il ne croyait pas qu'il pût remonter jamais. Et puis il a été recueilli, soigné, comme s'il n'était pas voué à la mort. Il s'est aperçu que beaucoup d'autres hommes tombent comme lui chaque jour du train, survivent et se souviennent de ce dont il se souvient et qu'il peut encore parler avec eux de ce qui n'intéresse plus les hommes d'aujourd'hui. Il y a aussi ce qui continue à nous arriver, et qui est la mort [3] ».

1 *Ibid.*, 5, p. 260.
2. Que l'opération de la cataracte, quatre ans plus tôt, lui a rendue, on l'a dit
3 *Bloc-Notes*, 5, p. 274.

Ainsi, certain jour de janvier 1970, apprend-il simultanément la fin de Bernard Barbey et de Robert Vallery-Radot. Deux des êtres qui auront été beaucoup plus que des témoins de sa vie. Plus même que des témoins de son amour de la vie :

> « Le soir du 25 janvier, mon ami Bernard Barbey était pressé de rentrer chez lui. Il a traversé l'avenue Georges-Mandel qu'il habite et tout à coup il n'a plus été là. Il ne sera jamais plus là. Ce qu'il représentait dans ma vie... Ils étaient arrivés de Genève, sa jeune femme et lui, à 20 ans, pleins de projets de livres. Je les ai rencontrés dans cette rumeur délicieuse que créent les premiers succès. Nous sortions beaucoup en auto, je redevenais jeune avec lui, et lui, il humait cette odeur de ma renommée naissante [1]... »

De Robert Vallery-Radot, François Mauriac ne dit pas tout à fait du même ton « ce qu'il représentait dans ma vie »... Mais on a évoqué ce qu'avait été, pour le jeune François de 1910, la rencontre du très catholique romancier de *l'Homme de désir* et de sa jeune femme, Paule « au front bombé » qu'il appelait Ismène et qui les faisait pouffer d'un rire attendri. Au moment de dire adieu à cet ami essentiel — qui, entré à la Trappe après la mort de son épouse, y a pris le nom de « père Irénée » —, Mauriac sait très simplement dire qu' « il avait trouvé auprès de Bernanos ce que je ne lui avais pas donné ».

Comment exprimer tout ce qu'il a encore à dire ? Les journalistes qui sollicitent une interview, il ne les repousse pas plus qu'il n'a écarté ceux qui, un an plus tôt, pour la télévision, lui demandaient de se montrer, d'aller et venir, de parler, d'être lui : il sut être encore merveilleux de naturel et de charme avec Christian Bernadac qui, amicalement promené de Malagar à Saint-Symphorien, réalisait, à la fin de 1968, le dernier bon portrait de Mauriac, digne de ceux de Roger Leenhardt et de Roger Stéphane. Et pourtant, note-t-il, « la télévision, c'est une chance de survie à laquelle je ne crois pas [...] car les films qui nous concernent, on ne les tournera après nous que dans la mesure où nous ne serons pas oubliés »...

Mais il y a tant de façons d'être oublié — et de survivre. Et quand on a été ce vivant de mille vies, ce parlant de mille paroles, ce séducteur spontané, cette drôlerie faite homme, ce tragique bouffonnant, c'est se mal connaître que de ne pas croire que ces gestes-là, et ces mots-là, que ces soupirs et ces sourires ne sont pas des armes de survie autonomes. Que l'on lise ou non *Galigaï* dans un siècle, on souhaitera revoir et réentendre ce séducteur déchirant.

Dans une interview publiée par *l'Express* le 4 mai 1970, il parle de « grand âge » (si différent de la banale vieillesse) et de la mort avec une simplicité bouleversante :

> « En vérité tout le monde se moque de la mort. C'est toujours la mort des autres, l'enterrement des autres. Le glas ne sonne jamais pour vous Il n'y

1 *Ibid.*, p. 275.

> a qu'une seule agonie pour chaque homme et la mienne n'est pas commencée [...] L'approche de la mort ne crée pas de terreur. C'est simplement la fin d'une histoire. De mon histoire. L'autre continue, à bride abattue. Parfois j'entends encore, assourdi par la distance, le fracas de ses galops... »

Il parle aussi de l'Église, de son évolution, dit ses méfiances pour ce qui lui paraît être une sournoise liquidation de l'institution. Lui, le « moderniste » du début du siècle, il s'avoue « traditionaliste », et résume ainsi, sur ce point, son attitude : « Je suis un vieux zouave pontifical... »

Quelques semaines plus tard, en juin, c'est aux *Nouvelles littéraires* qu'il donne sa dernière interview. Il raille encore, assure qu'il s'est souvent demandé comment il aurait pu subsister s'il n'avait pas été écrivain : « Je pense que j'aurais pu être garçon de café... » Mais il se reprend. « C'est une grande prétention que d'espérer surnager. D'ailleurs, je ne l'espère qu'à demi... Je ne sais pas ce qu'il adviendra du *Baiser au lépreux* ou de *Thérèse Desqueyroux,* mais je pense que le *Bloc-Notes* est une chose importante [...] mon histoire personnelle curieusement mêlée à l'histoire générale. »

Le « vieux zouave pontifical » assure qu'il a « toujours été un animal d'arrière-garde ». Et à propos de Gide : « L'erreur littéraire de Gide, à mon avis, c'est d'avoir agité un drapeau sur l'homosexualité. L'homosexualité n'est pas une cause. C'est comme un bossu qui écrirait " Vive les bosses ! ". Ça n'a pas de sens. » Et encore ceci, dernière bouffée de joyeuse férocité : « ... Le grand mystère, croyez-vous, c'est que nous sommes tous aimés, donc tous dignes d'être aimés. Il s'agit de savoir pourquoi Dieu aime autant Michel de Saint-Pierre que François Mauriac... »

L'enlisement [1]

De la chute du 27 avril 1969, suivie d'une hospitalisation mélancolique à l'hôpital Pasteur, s'est-il jamais remis ? Mais il s'acharne doucement à vivre — ce qui signifie pour lui écrire. Son *Bloc-Notes,* maintenant, il ne le crée que par petits fragments. Sa main est trop fatiguée, et lui trop souvent allongé, pour qu'il ne se voie pas résigné à dicter, comme le faisait jadis son cher Charlie Du Bos. C'est Mme Mauriac qui prend sous sa dictée, avant de les taper à la machine, les fragments qu'il a écrits dans sa tête pendant les longues insomnies, et qu'il énonce comme s'il les lisait, de sa voix qui n'est plus que fêlure.

Le 18 juin 1970 il note, en tête du fragment : « Anniversaire ». Mais de

1. Ces pages ont été écrites grâce aux notes prises au jour le jour par Claude Mauriac, qui a bien voulu me les communiquer

Gaulle est à peine nommé. Quelques phrases sur la faiblesse initiale de la résistance, et il en vient à lui-même :

> « “ Plutôt souffrir que mourir. ” Nous savons que c'est la devise des hommes. Ce fut la mienne en tout cas. Même si je n'avais pas été chrétien, j'aurais résisté à la tentation du suicide que j'ai ressentie à certains moments de ma vie. J'aurais choisi de ne pas mourir. Je suis heureux d'avoir jusqu'à présent échappé à l'infarctus, au cancer[1]. En somme, comme je l'ai souhaité, je mourrai plein de jours. De quoi donc me plaindrais-je ? Aussi je ne me plains pas. Préservé de souffrances violentes, j'aurai goûté dans le grand âge la vieillesse à l'état pur. J'aurai eu cette épreuve. Je n'arriverai pas les mains vides dans l'éternité[2]... »

Il reçoit avec joie son confesseur, le très simple père bénédictin Massabki. (« Il est apaisant. Il a une foi si profonde. Il me fait du bien... ») Il parle avec Claude, à bâtons rompus, de ses relations avec sa famille bordelaise : « Ils ne m'ont pris au sérieux qu'après le prix Nobel... — Pas après l'Académie ? — Non, après le Nobel. Quand ma sœur entendit la nouvelle, elle poussa un grand cri, et elle fut dessillée... » Il parle aussi du père Plazenet, le directeur de la maison du 104 rue de Vaugirard où il avait inauguré soixante ans plus tôt sa vie parisienne, qui, avec une passion balzacienne, grignotait les propriétés voisines, et auquel il avait dit un jour : « Vous vous présenterez devant Dieu avec une couronne d'immeubles... » Sa drôlerie lui sert d'armure...

Vémars, août 1970. Il ne marche plus que pour descendre du premier étage où est située sa chambre, malaisément, au bras d'une infirmière, et gagner son fauteuil du jardin, sous le grand tilleul. Parfois encore, il peut se hisser jusqu'à son bureau, au deuxième étage : il y a là un divan où il se sent bien. Il s'y tient le plus souvent immobile, « marmoréen », note Claude, ne tournant guère la tête quand rentre l'un des siens. Il passe moins de temps que naguère à faire des mots croisés. Ses heures se passent à ruminer, puis à dicter l'un de ses *Blocs-Notes.*

Le dernier est très beau — arraché, par l'amour d'écrire, à ce vieil homme épuisé. A propos d'un film présenté par la télévision où paraît Toulouse-Lautrec, il rappelle avec tendresse la silhouette de ce voisin génial, mort à 3 kilomètres de Malagar, à Verdelais :

> « Durant les derniers jours son père s'efforçait d'attraper les mouches sur le lit de son fils [...] qui murmurait : “ Vieux c... ” Il fut enterré d'abord au cimetière de Saint-André-du-Bois, puis sa mère le fit transporter en carriole à Verdelais où il repose aujourd'hui, sans que les gens du village aient la moindre idée de ce que fut cet homme qui reçoit de temps en temps des visites étrangères.
>
> A la fin de sa vie Toulouse-Lautrec fréquentait une petite station balnéaire sur le bassin d'Arcachon, Taussat, que ma famille fréquentait aussi ; et je

1. Échappé au cancer ? C'est beaucoup de force d'oubli.
2. *Bloc-Notes,* 5, p. 326.

me souviens d'avoir entendu parler avec dérision de cet ivrogne qui avait du cognac en réserve dans sa canne... »

Et le voilà tourné du coup vers ce qui est pour lui l'essentiel :

« ... Croire à la vie éternelle, ce n'est pas forcément croire qu'il y a le moindre trait commun entre ce qui est réellement et les représentations que notre anthropomorphisme enfanta. Je me suis souvent imaginé l'étonnement des saintes femmes de ma famille à leur entrée dans l'éternité. Mais après tout, qu'en savons-nous ? Tel est l'amour de Dieu pour nous qu'il est bien capable d'avoir fait en sorte que bonne-maman et maman auront une vue fulgurante des choses qu'elles ont crues quand elles étaient sur la terre[1]. »

Ainsi s'achève le dernier *Bloc-Notes* de François Mauriac.

8 août. Il parle amèrement de « dégringolade ». Pourra-t-il seulement reprendre son *Bloc-Notes,* ses « vacances » finies, en septembre ? Il se sent et se dit au « bout de son rouleau », au moment où le travail n'est plus possible ; où, à la lettre, on ne peut plus. Et comme Mme Mauriac, pour essayer de le faire sourire, lui glisse gentiment un mot sur la « paresse » qui le fait cesser d'écrire, il a comme un cri de détresse, bouleversant : « Ma paresse ! »

12 août. Sa grande affaire, maintenant, c'est son nouveau roman, *Maltaverne,* suite d'*Un adolescent d'autrefois.* Un nouveau roman ! Extraordinaire vieil homme diaphane, indomptable homme de lettres jusqu'à ses dernières forces. Forçat de *mots* qui aime son boulet — qui l'aime en essayant de faire croire à son fils aîné qu'il n'écrit que pour gagner quelque argent, murmurant : « Si, si, ma seule raison est une question de gros sous... » Et se tournant vers sa femme, dans un sourire : « Je scandalise Claude... »

Le 17 août, étendu dans la chambre, presque invisible sous la couverture, impalpable, il parle de son roman qui sera « moins bien que l'autre, mais... » Et après un temps : « Je sais ce que je veux écrire... Mais la dramatisation me manque. » Il décrit le vieux de Maltaverne, l'Alain Gajac de l'*Adolescent d'autrefois* resté dans sa vieillesse l'homme d'un seul livre, très admiré par un jeune écrivain doué qu'il adopte pour faire son bonheur avec la jeune fille dont il partage la vie. Et ce faisant il le voue au malheur : « ... Quelle est, demande le romancier à ses fils, la plus belle voiture aujourd'hui ?... Mettons la Ferrari... » Et de poursuivre, en haletant, son récit : « La jeune fille prévient le vieux de Maltaverne que s'il offre à Jean la Ferrari dont il a envie, il signe son arrêt de mort. Et en effet il se tuera. [A-t-il pensé à Nimier ?] Je voudrais parler de ces jeunes gens qui ont tout pour être heureux, et meurent désespérés... »

Il s'acharne à faire revivre ce vieil homme, auquel il prête tel ou tel de ses traits, de ses mésaventures de jeune provincial à Paris. Il ose même, bravement, six ans après l'agression de mai 1964, rappeler à son (à leur)

1 *Bloc-Notes,* 1 p. 338-339

propos ce mot qu'il avait entendu dire autour de lui : « Un jeune homme couci-couça, plutôt couça que couci... » Sérénité...

Le lendemain 18 août, il confie à Claude qu'il se sent mieux, qu'il croit désormais pouvoir finir son roman — qui sera court, précise-t-il... — et lui en raconte la suite. Claude n'a pas sur lui de quoi prendre de notes. (Et ne se pardonne pas aujourd'hui d'avoir laissé s'évaporer ainsi le canevas de la fin de *Maltaverne.*) François Mauriac a pris la décision, confie-t-il à son fils aîné, de se faire transporter ensuite à Malagar en ambulance pour ne plus se consacrer qu'à son *Bloc-Notes.* Bouleversante ténacité — suicidaire ? Il lui arrive de se plaindre de sa tête, d'une sorte de lassitude à penser, à réunir ses idées : « Ma pauvre tête... »

A la fin de l'un de ces après-midi-là, il a demandé sa femme, pour lui dicter un *Bloc-Notes* — qui aurait été le dernier. Elle est sortie, pour une heure. Quand elle revient, il se trouve trop fatigué pour dicter, et d'ailleurs a oublié ce qu'il avait en tête. Jeanne Mauriac ne s'en console pas...

Le 19, il s'affaiblit. Il ne se plaint que d'une chose, c'est que tout cela remet en question ses projets de roman. Il ne quitte plus son lit. Son souffle se fait plus heurté. Il ne parle plus guère, ne souhaite plus voir que l'aînée de ses filles, Claire, avec laquelle il a toujours eu une communication plus mystérieuse. Claude est reparti pour Paris. Jean revient du Sud-Ouest.

Le dimanche 23, il est transporté une fois de plus « pour examens » à l'hôpital de l'Institut Pasteur, rue de Vaugirard — dans le service du pavillon Émile-Roux, dirigé par le Dr Sudreau. C'est lui qui a choisi ce refuge. Il se dit, pudiquement, « découragé ». Dans la soirée, il reçoit la visite de Claude, accompagné de sa femme Marie-Claude. Celle-ci, arrivant de chez Félicien Marceau à Capri, lui dit y avoir rencontré Christine de Rivoyre, qui a parlé de lui avec affection. Le malade se souvient de leur dernière rencontre, à Claude et à lui, avec l'auteur de *la Mandarine,* devant un garage de la rue Bernard-Palissy, et rappelle en souriant qu'elle n'avait parlé qu'au vieux monsieur, et que le plus jeune en avait été un peu jaloux... Ce seront les dernières paroles conscientes que Claude Mauriac et sa femme entendront de lui.

Dès lors, ce qui lui reste de vie n'est plus guère qu'un long sommeil. Sa tension est très basse. On lui a mis une sonde. Mais le médecin l'estime surtout déshydraté. Il ne lui trouve qu'un mal irrémédiable : ses 85 ans, bientôt... Le 24, il a un léger collapsus. Le 25, le 26, le 27, il sommeille presque constamment. Le vendredi 28, le médecin déclare qu'il « s'enfonce ». Il reçoit, inconscient, le sacrement des malades. De Rome, le cardinal Villot, secrétaire d'État, lui fait parvenir la « bénédiction apostolique » du souverain pontife.

Alors va commencer le harcèlement des reporters. L'un, au téléphone, appelle Claude, pour avoir des nouvelles. Il se dit le petit-fils de l'écrivain « Votre nom ? — Claude Mauriac... » Dans le jardin de la clinique, des photographes se sont cachés. « Pas de flashes ! » en sont réduits à crier les enfants de François Mauriac.

Le 29, Jean prend la relève de son frère au chevet de son père, constamment surveillé par une infirmière. Dès lors qu'il n'y a plus d'espoir de sauver François Mauriac, sa famille souhaite le ramener en ambulance chez lui, afin qu'il s'éteigne dans son décor familier. Mais elle n'en aura même pas le temps. Le dimanche 30 août, le docteur croit percevoir un léger mieux. Quelques visites chuchotantes dans le couloir : Claude Rostand, Michel Hamelet, Philippe Sollers — que Claude Mauriac, exaspéré qu'il est par les intrusions de journalistes qui tentent de photographier le mourant en se hissant jusqu'à la fenêtre, prend d'abord pour un reporter, manque de refouler, puis accueille fraternellement, sachant à quel point son père eût été touché de ce retour vers lui d'un jeune écrivain dont il avait salué avec chaleur les éclatants débuts. Mme Mauriac prend toutes les décisions urgentes, lucide, ferme, luttant ainsi contre le désespoir.

Le 31, à midi, le médecin renonce à soutenir le cœur. Vers minuit, c'est Jean qui veille son père avec Mme Crone, l'infirmière. Mais l'aggravation est si rapide qu'il prévient son frère aîné. Claude accourt. Les voilà tous deux, de part et d'autre de leur père mourant, partageant la dernière épreuve. Vers 1 heure, le râle qui paraît à Claude « prodigieux », ce souffle de forge qu'ont certains mourants, décroît. A 1 h 40, le cœur de François Mauriac cesse de battre : le mardi 1er septembre 1970.

Les adieux

Une telle vie ne se défait pas dans le doux silence qu'il souhaitait. Même si l'interrompt une mort toute proche d'un ensevelissement dans le sommeil, d'un lent déhalage vers d'autres rives. On n'a pas été impunément criblé d'honneurs souvent désirés, toujours acceptés.

Le corps de François Mauriac, ramené au cours de la nuit de l'hôpital Pasteur[1], est étendu sur un canapé du petit salon de l'appartement où il vit depuis quarante ans. Son visage est détendu, poli, moins raviné qu'au cours de la dernière année. Ses mains de gisant tiennent un bouquet d'œillets des champs. Tous les siens, alentour, accablés. Des visiteurs silencieux surgissent dès avant midi : le père Laval, le cardinal Daniélou, Pierre Mendès France, Jean-Jacques Servan-Schreiber, Michel Droit, René Clair, Michel Hamelet...

Les télégrammes affluent — signés de Paul VI, de Georges Pompidou, chef de l'État, du Premier ministre Jacques Chaban-Delmas, d'Edmond Michelet, ministre des Affaires culturelles, de l'Académie suédoise. Au milieu de l'après-midi, le colonel Desgrées du Lou, aide de camp du général de Gaulle, remet une lettre à Mme Mauriac :

1. Comme il était censé être mort à son domicile, l'heure officielle de sa mort fut celle du retour de la dépouille avenue Théophile-Gautier : 2 h 40.

Paris, 1er septembre 1970

« Chère Madame,

Dans le grand chagrin qui vous frappe, laissez-moi vous dire que ma pensée et ma prière, auxquelles ma femme joint, de tout cœur, les siennes, sont auprès des vôtres et de celles de votre chère famille. Votre peine m'émeut d'autant plus que je sais quelle affection profonde et dévouée vous unissait à Monsieur François Mauriac.

Son souffle s'est arrêté. C'est un grand froid qui nous saisit. Qu'il s'agisse de Dieu, ou de l'Homme, ou de la France, ou de leur œuvre commune que sont la pensée, l'action et l'art, son magnifique talent savait, grâce à l'écrit, atteindre et remuer le fond des âmes, et cela d'une telle manière que nul ne reviendra jamais sur l'admiration ressentie.

Quant à moi, je lui voue une reconnaissance extrême pour m'avoir si souvent enchanté, pour être un des plus beaux fleurons de la couronne de notre pays, pour m'avoir honoré et aidé, dans mon effort national, de son ardente adhésion, de sa généreuse amitié, de son immuable fidélité. Ce concours m'aura été sans prix... »

Dès le soir du 1er septembre, la télévision étend à un public immense l'hommage au disparu en reprenant une bonne adaptation du *Désert de l'amour.* Et la presse, aussitôt, d'embaumer cet homme prodigieusement controversé, dont pas un seul jour, depuis 1944, elle n'avait tu le nom, pour le meilleur et pour le pire. Comme l'ombre sur l'empire des Habsbourg, le silence ne s'était jamais étendu sur ces quatre syllabes vouées à l'exécration des uns, à la fidélité des autres — au débat. *Le Monde* salue la « grandeur du témoignage », *l'Humanité,* « l'audace de la critique de sa classe et de son époque », le *New York Times,* son « intégrité ».

A peine sorti de l'appartement de l'avenue Théophile-Gautier, Jean-Jacques Servan-Schreiber — auquel l'avant-dernier *Bloc-Notes* était consacré — a réclamé, pour « ce géant », les « funérailles de Victor Hugo ». Le Conseil des ministres en délibère, le 2 septembre. Bien que la décision relevât de trois amis personnels du disparu, Georges Pompidou, Jacques Chaban-Delmas et Edmond Michelet, la France ne fera pas à Mauriac des obsèques nationales, comme à Valéry. Il recevra un « hommage national », comme Claudel.

On ne s'inquiète apparemment pas des dernières volontés du disparu. Or il se trouve que François Mauriac a, dans son testament, expressément interdit toute forme d'honneur militaire, toute présence armée lors de son inhumation, n'ayant lui-même jamais porté les armes et ayant peu de goût pour les formes martiales de l'appareil d'État. C'est même le seul vœu qu'il ait émis, indépendamment d'une recommandation de simplicité et de discrétion. On passera outre, et deux détachements militaires rendront les honneurs lors de la première des deux cérémonies officielles prévues, celle qui doit se dérouler le vendredi 4, à 20 heures, devant l'Institut, et au cours de laquelle Edmond Michelet, ministre des Affaires culturelles, et Pierre Gaxotte, directeur en exercice de l'Académie française, sont chargés de se partager l'éloge de l'écrivain et du citoyen.

L'hommage du public, avenue Théophile-Gautier, est significatif. Beaucoup de visites, des plus prévisibles — celle du Premier ministre, de Jacques Monod, de François Mitterrand, du recteur Robert Mallet — à d'autres plus inattendues, comme celle de Michel Simon qui surgit là, hirsute et bouleversé, avec sa tête de Boudu et ses phrases mastiquées par une très vieille otarie : « Voyez-vous, j'aimais beaucoup cet homme-là. Malgré toutes ses bondieuseries et ses " Je-vous-salue-Marie ", il avait su rester un homme libre. Il savait prendre parti avec fracas… C'est curieux, un catholique qui a le sens de l'humour… »

Le vendredi 4, il fait presque nuit quand la dépouille de François Mauriac est déposée sur un plan incliné installé sur les marches de l'Institut, au pied de cette coupole qui a été si souvent pour lui un champ de bataille. Mme Mauriac est accompagnée de ses quatre enfants : elle est venue d'Auteuil entourée de ses deux fils. Claude Mauriac laisse parler sa mémoire : « … avec maman et Jean dans *sa* voiture, par un itinéraire à jamais inoubliable. Quais rive gauche. Dans les contre-allées du quai d'Orsay, la maison de Denise Bourdet… Devant la Chambre des députés, je le *revois,* enivré, avec Maurice Barrès… C'est la dernière fois que je suis aux côtés de mon père… » L'itinéraire ébloui du 16 novembre 1933 — jour de sa réception à l'Académie.

Ils sont là maintenant, tous les Mauriac, si minces et droits dans leurs voiles et leurs vêtements noirs. Le vent chargé de la pluie d'automne fait frémir les feuillets des discours prononcés par les orateurs qui se succèdent sur le petit podium : les deux hommes au monde les plus dissemblables. Quel ange noir a donc voulu que l'éloge de l'académicien fût prononcé par l'ancien rédacteur en chef de *Je suis partout,* illustration de ce que le citoyen, le chrétien Mauriac avait le plus détesté au cours de sa vie, l'éternel maurrassisme, le catholicisme d'ordre, le machiavélisme orné du sourire de Voltaire ? Et aussi le XVIIIe siècle dont Gaxotte s'était fait, non sans brio, l'historien : nulle période que Mauriac aura moins aimée et comprise — mis à part ce Jean-Jacques que précisément abominait *l'Action française.*

Ce que dit Pierre Gaxotte n'est ni médiocre, ni désobligeant. Il a beaucoup de talent, entre autres celui de parler le langage de l'admiration. Mais cette voix, pour le silloniste, le pascalien, l'ami des Basques, l'auteur du *Cahier noir,* le défenseur des Arabes, l'ami de De Gaulle…

L'antithèse de cette rhétorique poudrée, c'est ce que dit, ce que soupire Michelet. Dix jours plus tard, il sera mort. Il s'épuise là, se consume, pitoyable et admirable, bafouillant de tout son cœur un texte bâclé avec ferveur, où revit toute cette part, indestructible, de Mauriac : le Sillon. Comme il ressemble ce soir, dans cette nuit de deuil, à tous les garçons à pèlerine qui avaient fait leur chef de file du charpentier juif de Galilée, à tous les petits Péguy, à tous les compagnons du jeune Mauriac de Bordeaux, à Philippe Borrell, l'assassiné de 1914… La voix épuisée de Michelet, ce soir, c'est aussi celle de l'homme qui a sauvé de la guillotine la tête de dizaines d'Algériens. Tout malhabile qu'il soit, et gauche, et survivant à peine, il est celui qu'on attendait, que Mauriac méritait.

Une veillée commence jusqu'à minuit. Beaucoup de monde. Beaucoup de jeunes gens, autour du catafalque déposé devant l'entrée de la chapelle Mazarin, dont les portes sont ouvertes. Maintenant que les officiels, les militaires et les curieux sont partis, il se fait là comme une sorte de paix. Des gens prient. On entend des accords de Beethoven. Puis un véhicule emporte le cercueil vers Notre-Dame, où il est placé dans la grande nef, à hauteur du transept.

Le samedi 5 septembre, à 9 h 30, le cardinal Marty accueille à l'entrée de la cathédrale le chef de l'État et la famille du disparu. Deux des souhaits implicites de François Mauriac seront ici exaucés : la musique jouée par l'organiste de la cathédrale, Pierre Cochereau, sera de Mozart et de Bach, et une partie de l'office sera chantée en latin. Rituel étrange, qui mêle le traditionnel aux formes nouvelles, que le « vieux zouave pontifical » goûtait peu. Tout le gouvernement est là, et toute l'Académie en état d'y survivre. Deux des prêtres amis de Mauriac, Jacques Robinet et Jacques Laval, participent à la célébration.

Mgr Daniel Pézeril, qui fut le confesseur et l'ami de Georges Bernanos, et qu'une estime commune liait à François Mauriac, monte en chaire. Il lit un fragment du testament écrit en 1951 par François Mauriac :

> « Dans ma soixante-sixième année, je crois comme lorsque j'étais enfant, qu'aucune souffrance n'est perdue, que chaque larme compte, chaque goutte de sang, que le secret du monde tient dans le *Deus Caritas est* de saint Jean, Dieu est amour. »

« François Mauriac, poursuit le prêtre, voit s'ouvrir les portes éternelles contre lesquelles battait son espérance. L'homme chargé d'ans, de considération et d'honneurs fut en un instant débarrassé de lui-même parce que l'ancien monde s'en est allé. Il est devant son Dieu, nu comme il est né. Le défenseur passionné des opprimés aux jours de détresse a été introduit à son tour par le crucifié au royaume des pauvres.

François Mauriac avait connu dans ses rapports avec Dieu ce qu'il appelait " les intermittences du cœur ". Non qu'il ait jamais perdu la foi. S'il a cheminé dans la nuit, comme les disciples d'Emmaüs, ce n'était point pour ce qui le concerne qu'il ait douté des promesses de Dieu. C'est qu'il lui est arrivé comme à nous d'aimer ses propres ténèbres... »

A la fin de la matinée, le corps est transporté à Vémars, et inhumé dans le petit cimetière que seule la route sépare du jardin de la vieille maison de famille où il a passé les deux derniers mois de sa vie. « Les cimetières, disait-il, sont les seuls lieux du monde où je ne retrouve pas mes morts. » Mais ici, il est dans une ombre familière, celle des grands arbres qui abritaient quelques jours plus tôt le vieil écrivain acharné à dicter en haletant ses derniers *Blocs-Notes*, à tenter d'achever son ultime roman.

D'autres cérémonies suivront, de Bordeaux, le 8, à cette chapelle des bénédictins de la rue de la Source où il priait souvent, et où, le 10 octobre,

Dom Charles Massabki évoque son souvenir avec une vigoureuse simplicité, une franchise de confesseur, évoquant la grande crise de la fin des années vingt.

Mais de tous ces mots, de tous ces rites et gestes faits et prononcés pour saluer, perpétuer sa mémoire, aucun probablement ne l'aurait touché autant que la veillée organisée le jour de Noël à l'église Saint-Roch. Le père Connan[1] a demandé à Claude Mauriac de choisir quelques textes de son père, et à Laurent Terzieff de les lire. Le premier, écrit à l'occasion de l'un des derniers Noëls de sa vie, François Mauriac aurait aimé le réentendre :

> « ...Les milliers de bouchons de champagne qui sautent cette nuit dans tous les cabarets de l'Occident en l'honneur d'un petit pauvre né en Galilée il y a mille neuf cent cinquante-sept ans, ce malentendu résume toute l'histoire chrétienne... »

La voix pathétique de Laurent Terzieff porte, sous la voûte de Saint-Roch, des mots si beaux qu'ils manquent ensevelir dans leur musique la cruauté de ce qu'ils disent :

> « ...Les hommes ont fait de Noël une priapée, mais les chrétiens savent que ce mystère joyeux touche de toutes parts à la douleur humaine... Du petit être vagissant de cette nuit, il ne restera, au soir du vendredi saint, qu'un cadavre adulte, un cadavre torturé pareil à tous les cadavres torturés avant et après lui, dans tous les corps de garde et par toutes les polices...
> ... Nous partirons ensemble retrouver la source. Nous l'atteindrons par-delà les pauvres devantures, l'odeur du trottoir mouillé, l'estuaire immense, par-delà l'océan qui ronge les dunes. Nous remonterons jusqu'à la cause de notre joie. Éternelle enfance de Dieu ! Et je saurai alors pourquoi, il y a soixante ans, dans le brouillard de ce vieux quartier, je bondissais comme un chevreau... Nous n'en aurons pas moins été ce jeune homme et cet homme, nous n'en aurons pas moins vécu cette vie coupable, ce trouble destin ; mais au-dessus des eaux limoneuses, la Grâce fait émerger, comme ces statues de dieux sauvées d'un très ancien naufrage, une petite figure brune et pensive, gardée intacte dans la profonde boue... »

1. Prêtre qu'admirait François Mauriac, ancien curé de Saint-Séverin.

22. Le salut n'est pas solitaire

Quand il entrait, il se faisait comme un silence, un pianissimo dans l'orchestre. Chacun accordait spontanément son ronron à ce gémissement sarcastique et frôleur qu'était devenue sa voix. Il était peu avare de ses mots, et qui n'eût été désolé d'en perdre un soupir ?

Il semblait plus grand qu'il n'était, et plus fragile encore. Oblique un peu le visage, dissymétrique le regard sous le front plus dévasté que celui de Thérèse, et la bouche mince, tréfileuse de mots, ombrée d'une manière de soupçon de moustache ironique. Ce regard... On croyait le capter, noir d'encre, bien sûr, glissé sous les paupières contrastées, celle pour cacher l'angoisse, celle pour laisser filtrer l'ironie. Mais le rire d'un œil se jouait si bien des larmes de l'autre ! L'un aigu, scintillant de malice. L'autre éteint — éteint comme peut l'être un incendie, dans les Landes, un soir d'été, quand souffle le vent du golfe.

De ce long corps un peu déjeté, si malhabile à tout (qu'il habillait d'étoffes souples avec une élégance retenue), de cette espèce de mât sans voile qu'il dressait sur la houle des particuliers comme pour mieux asperger leurs crânes des gouttelettes de son ironie, que faire ? Assis, il croisait les jambes en biais le long du canapé. Toujours de profil, comme pour mieux réserver la moitié de regard de celui qui n'en pense pas moins, pour souligner aussi la grâce brisée de sa silhouette. Ou encore il s'enfonçait, s'encoignait, s'encagnardait tout au fond du fauteuil, là où la tête est bien abritée, où les bras sont comme des fleurets protégeant la retraite du bretteur, là où les mains si longues volettent devant la bouche comme pour camoufler, pour retenir peut-être (qui sait ?) les traits qui jaillissaient en étincelles.

Cette longueur, cette langueur, cette brisure, cet étouffement crépitant, ce quelque chose de déchiré, d'avide et de rieur qu'il portait, cette façon de se moquer de sa gloire et de sa foi comme on frotte les cuivres, pour les faire briller, ces arrêts de chien de chasse, ces ruptures de rythme, cette alternance d'élans fougueux et de replis soudains, le tout recouvert d'une cape de gentilhomme du temps de la Fronde pour mieux y envelopper (dissimuler ?) sa vie, ses bonheurs, ses angoisses — c'était lui, François Mauriac, du temps que nous l'avons connu, acteurs ou témoins des débats de la libération, de la décolonisation, du gaullisme.

Le Greco, chacun l'a dit, avait préfiguré ce qu'il y avait d'oblique en ses traits, d'étiré dans sa silhouette, cette lumière légère et trouble qui l'enveloppait, cette pâleur d'ironie mystique : tel le gentilhomme à la droite du comte d'Orgaz, le Saint Maurice du Prado, le Saint Jean de Tolède. Mais c'est là l'enfermer dans un univers de fatalité irréelle et brûlante, ce Gascon très lucide, ce Landais aux pieds posés — en dépit de Pascal, de Rimbaud — sur le sol mi-sableux, mi-limoneux de la Gironde.

Alors, pour corriger le Greco, Giacometti, Germaine Richier, Gruber et ses maigres survivants de tous les holocaustes ? Buffet l'a peint — peint ses angles et ses ombres. Mais angles et ombres n'étaient que la part du feu. Restait la part de la source. Son climat était espagnol, et ses couleurs, et son regard sur l'infini. De Picasso, de Daumier ou de Richier (et pourquoi pas de Cervantès ?) la référence à Don Quichotte est savoureuse. Mais si les tons sont espagnols, les lignes sont italiennes aussi, de Toscane ou d'Ombrie, du pays de François d'Assise et de Fra Angelico, et si l'on veut évoquer son univers esthétique, sa « classe » culturelle, il faut peut-être les chercher dans les foules où la Sainte Ursule de Carpaccio se fraie sa route vers Rome.

Espagne, Italie ? Mais combien plus notre Midi, cette Occitanie qu'il n'a peut-être jamais appelée de ce nom mais dont il fut un citoyen, une vivante enseigne. Entre vignes du Médoc et ceps de Languedoc, entre pins de la grande lande et oliviers de Provence, entre tabac de Guyenne et maïs de Gascogne, entre cyprès d'ici et platanes de là, il faut le voir d'abord, ce grand diable de Landais efflanqué, béret sur l'œil à la lisière de sa pinède, quelque part entre les étangs de Biscarosse et les amandiers d'Aix, un pied sur les contreforts des Pyrénées, jetant un œil sur Montségur, et l'autre au bord limoneux de la Garonne. Méridional avec ses *o* qui sonnent toujours un peu trop fermés ou trop ouverts, ses *é* un ton au-dessus ou en dessous, ses diphtongues comme des cymbales, et ces mains qui s'envolent à la queue des mots, et cette façon mousquetaire de porter le panama, ces rires bruns, cette sécheresse de cep de vigne, de frère prêcheur, ses foucades, ses ardeurs, cette chaleur à convaincre... Ce charme anguleux, longiligne qu'ont souvent les mangeurs de pruneaux, de palombes et de confits d'oie, ce profil d'oiseau du grand large qui fut aussi celui de Fénelon, cette silhouette de pelotari, d'écarteur et de berger de Chalosse, il l'a portée jusque dans son style, vibrant de maigreur, et dont la musique frémit d'autant plus dans le vent qui fait aussi gémir les pins.

Un détour s'impose vers l'ornithologie, qui servit si bien son génie descriptif, et celui de ses portraitistes. La plus belle esquisse de ce Mauriac-oiseau, c'est probablement à André Frossard qu'on la doit, celle qu'il ébaucha lors du colloque de Rome, en décembre 1977, de « cet échassier fragile aux ailes repliées piqué au bord d'une eau endormie pour y repêcher du souvenir »... Repliées, ses ailes ? Il en battait souvent l'étang ombreux de sa mémoire et puis prenait son vol, dans un songe de musique, dans un élan de rêve. En de Gaulle, il avait vu — et entendu — un cormoran. En lui, nous avons vu un fameux navigateur d'espace tournoyant sur son propre champ, un frôleur de cimes domestiques soudain posé dans le feuillage du bois voisin. N'est-ce pas dans un « vol plané » qu'il trouvait lui-même le secret de son style ? Mais il faut aussi le voir lié à la terre, de bond en bond, antilope à l'œil tendre, izard dressé sur quelque pic pyrénéen, dominant un gave, côtoyeur d'abîmes qui ne perd jamais pied.

Sa drôlerie... On les a souvent rapportés, les « mots » de Mauriac. Mais privés de ses mines de haut gamin méprisant des années, de collégien libéré des terreurs adolescentes, privés surtout de cette voix de chuchotement filtrant sous la porte du confessionnal, de ces inflexions et harmoniques dont la force pénétrante venait de son infirmité, privés de cet étonnant organe de théâtre dont ont dû rêver les grands comédiens chargés de faire entendre les secrets d'État aux « enfants du paradis », mais non au traître dressé contre le portant, côté cour — privés de sa voix d'agonie jubilante, que ne perdent pas les mots de ce rusé paysan de Paris ?

Celui-ci, tout de même, « au hasard de la fourchette » — pour user d'une formule qu'il aimait bien, et qui ajoute une touche au portrait, celle du gourmet intrépide qu'il fut, au palais si sensible, aux narines impitoyables, goûteur de civets, dégustateur d'armagnac. On est à table, précisément, dans un grand restaurant de la rive gauche, avec Jean-Marie Domenach. Le maître d'hôtel s'approche : « Des huîtres, Maître ? — Six », murmure-t-il, les paupières baissées sur sa convoitise. « Voyons, François Mauriac, fait Domenach, vous en prendrez bien une douzaine ! » Un court silence. « Neuf... » souffle le vieux monsieur. Et coulant un regard jubilant vers l'autre : « Une petite macération... »

L'ironie, chez lui, ne se prenait pas pour une cuirasse, ni pour un alibi. Si tragique qu'ait pu être, à telle ou telle époque, sa vie, et si violents les débats, combats et polémiques où il fut impliqué pendant un demi-siècle, et si assurée sa conviction du néant des choses du monde, son rire n'était pas un rideau tiré sur son désespoir. Il aimait la vie, il aimait les gens — et surtout ses victimes. Séducteur insatiable, tendre prédateur, il cherchait la rencontre, la connivence, quitte à s'évader très vite, parfois avec effroi, tantôt avec ennui.

Traversant la vie dans un murmure d'admiration querelleuse, dans une gloire de torero ou de comédienne, il ne se lassa que très tard de ce hourvari jaloux. De tous ses succès, il goûta surtout ceux qu'il obtint dans les cercles de jeunes gens, des pieux compagnons des *Cahiers de l'amitié de France* aux mécréants de *l'Express,* des hussards de *la Table ronde* aux militants de France-Maghreb. Comme il aimait briller là, et pas seulement par les mots, par les initiatives et les audaces aussi, le vieil enchanteur au sac plein de tours ! Comme il aimait alors se moquer de lui-même, de ses rubans et de ses croix, de ses titres et de ses prébendes — parfois même de ses proches... Se moquer, à condition de n'y pas renoncer...

De ses rares échecs (*Passage du Malin, Galigaï, De Gaulle*) il sut toujours faire le matériau d'autres triomphes — sauf au théâtre. Car il y avait en ce fluet un acharné, celui qui sous l'occupation fait face aux insulteurs de la rue du Dragon, ce singulier agonisant qui, ligoté à son fauteuil, griffonne encore quelques feuillets de *Maltaverne*, et qui espère encore, les « vacances » finies, dicter quelques *Bloc-Notes* sur la terrasse de Malagar, trois jours avant de glisser dans un sommeil sans aurore.

Beaucoup l'ont détesté — jusqu'à la haine, jusqu'au désir de tuer. D'aucuns pour cette gloire trop « facile », cet applaudissement continu, cette apparente approbation des pouvoirs et des Églises. D'autres l'ont dénoncé comme traître à sa classe, qui démasquait les misères de la bourgeoisie, les horreurs du pharisaïsme, les mensonges de la croisade franquiste, les hontes de Vichy, et qui prenait tour à tour le radical Mendès et le franc-tireur de Gaulle pour incarnation de sa foi politique — et le second, pour objet d'un culte quelque peu délirant. D'autres ont détesté en lui le double jeu, le compromis entre Dieu et Mammon, un moralisme de « père-la-pudeur » qui ne le cuirassait pas contre toutes les ripostes. Beaucoup enfin ont maudit cette terrible griffe qu'il avait et qu'il ne rentrait guère sans qu'une goutte de sang perlât à la joue du contradicteur. Don Juan, Cœlio, Dracula ? Nous étions si nombreux à l'aimer ainsi...

Et lui, il était fait pour aimer. Et pour le dire. Il se trouve que sa vie fut ainsi faite, à partir de certaines données naturelles et sociales, qu'il dut longtemps s'avancer masqué, comme le philosophe, et que le secret de son art tient pour beaucoup au secret de sa vie. Mais s'il y eut dans cette existence phosphorescente et camouflée une part où l'amour s'affirma sans réserve, c'est à l'intérieur du cadre familial qu'il avait bâti — cette famille qui fut l'une des œuvres dont il était le plus fier, le second tome du *Mystère Frontenac,* non plus reçu et vécu ou subi comme celui qu'il décrivit en 1932, mais façonné de ses mains, dressé contre les tentations du monde et de lui-même, cet ennemi.

Jointe à son testament, François Mauriac avait laissé une lettre. Elle était adressée à sa femme. Il lui disait sa reconnaissance bouleversée pour l'avoir « sauvé », moralement et socialement. Il y rappelait cet amour qui les liait, cette tendresse sans relâche qu'il exprimait un jour, sur un tout autre ton, un jour de l'été 1963 où, recevant à Vémars la visite d'un jeune confrère [1] qui lui demandait ce qu'il ferait de ses vacances, il répondait dans un sourire radieux : « Je reste ici, en compagnie de Mme Mauriac... »

L'amour-tendresse, il avait fondé sur lui une vie naguère secouée d'orages. A Jean Amrouche qui lui demandait en 1952 si ce type de sentiment n'était pas fondé sur la sécurité, il répondait : « L'amour-tendresse est toujours menacé parce que autour de lui rôde indéfiniment un fauve, l'amour-passion... » Mais la tendresse entre Jeanne et lui, dont témoigne une correspondance empreinte à la fois d'abandon et d'attentions, ne cessa jamais de se fortifier. Ils avaient su en outre créer entre eux une relation de type professionnel, qui contribuait à souder mieux leurs intelligences et leurs sensibilités. Ce rôle de décrypteuse, de première lectrice et de critique, de

1. Pierre de Boisdeffre.

dactylo enfin qu'elle avait accepté de jouer insérait étroitement Jeanne Mauriac dans le processus de création de son mari.

Quelquefois pourtant une note de douleur ou de mélancolie se mêle à ces échanges. Le 9 septembre 1952 — à la veille du prix Nobel — il lui écrit :

> « ... Quand nous sommes seuls cela va toujours mieux... Le tout est de ne pas s'exaspérer l'un l'autre. Et puis enfin dites-vous que le vieil homme que je suis déjà a besoin d'être traité un peu doucement. Il y a un tel contraste entre vos manières d'être avec vos enfants et avec moi ! C'est que dans la vieillesse on devient sensible. Je reçois beaucoup de coups dont je ne vous parle pas, d'atroces injures, des articles affreux. *Rivarol* disait l'autre jour (ou plutôt me faisait dire dans un pastiche de mes conversations avec Amrouche) que j'ai du sang sur les mains. Tout cela est sans portée et personne ne le lit. Je l'ai lu par hasard. Surtout ne me croyez pas malheureux. Mais je voudrais que vous fussiez plus douce. »

« Vos manières d'être avec vos enfants... » La formule suggère un décalage entre le rôle de femme-mère et celui de femme-épouse. Elle ne saurait donner à croire que deux systèmes d'éducation s'affrontèrent chez les Mauriac, d'un côté libéral et de l'autre plus proche de celui qu'avaient connu, ou subi, les fils de Claire Mauriac. A l'exemple de sa femme, François Mauriac fut un éducateur plutôt bienveillant — sauf en deux domaines : celui du « péché », et celui qui touchait à son travail d'écrivain.

Tant que l'exubérance ou la vitalité des unes ou des autres ne mettait pas en péril la « vertu » de ses enfants (et quelle autre « vertu » serait prise ici en considération que celle qui a trait à la retenue des mœurs ?) et tant qu'elle ne troublait pas l'élaboration fiévreuse de son œuvre, l'auteur de *Frontenac* savait être un père jovial, parfois fraternel. On objectera, s'agissant de ses filles, le petit opuscule sur l'éducation des demoiselles qu'il publia à partir du texte d'une conférence sur *l'École des femmes,* et qui rend un son plus proche de celui de Molière que de celui des inventeurs de Vassar College. Mais qu'étaient les pères de contemporaines des *Jeunes Filles ?*

Relatant un dîner chez les Mauriac, au début des années trente, Jacques-Émile Blanche se dit frappé de la gaieté qui règne, de cette connivence tribale, même lorsque le petit Jean fait à son habitude le diable, bravant ses sœurs chargées de le faire passer sous la douche... Même son de cloche, beaucoup plus tard, en 1960, chez Robert de Saint-Jean : « Dîné hier soir chez Jeanne et François Mauriac. Claude et sa femme, Jean et Luce : rires, complicité des enfants avec leurs parents. François aussi preste que jamais[1]... »

Complicité, oui, à condition que l'on ne prétendît pas « sortir » le soir avant 18 ans, que l'on ne fît pas étalage, à la maison, de relations où la sexualité eût pu avoir quelque chose à faire. (Quel esclandre quand, à Malagar, un après-midi, François Mauriac trouve dans la chambre de son second fils une demoiselle, d'ailleurs assise auprès de la fenêtre à bonne distance de son hôte...) A condition aussi que fût religieusement respectée la

1 *Journal d'un journaliste,* p. 362

zone de silence dont s'entoure volontiers un écrivain. Que l'un ou l'autre — le plus souvent Jean — fît retentir de quelque éclat l'appartement de l'avenue Théophile-Gautier ou le salon de Vémars, et l'explosion se produisait. Quand un chahut, ou des jacassements trop forts, troublait les séances de dictées avec Jeanne, ou quand il était en période d'« accouchement », à la table familiale aussi bien que sous la charmille de Malagar, il pouvait être violent et d'autant plus impressionnant que sa voix, étranglée, prenait le ton d'une agonie.

Bien qu'il eût écrit que rien n'est plus trompeur que les lettres, et qu'une « correspondance » n'avait pour objectif que de « correspondre » à l'idée que le destinataire se fait du scripteur, il faut recourir ici à ce genre de témoignages. On peut imaginer qu'un père « joue au père » avec ses fils, et nulle relation humaine n'est tout à fait exempte de « représentation » ou de simulation. Mais le ton des lettres à ses fils qu'on va lire n'en conduit pas moins à ranger François Mauriac dans la catégorie des pères tendres. A cette époque-là, étaient-ils si nombreux à s'adresser à leurs fils avec cet accent ?

De François à Claude le 17 avril 1933 (le jeune homme vient de fêter ses 19 ans) :

> « Que ta lettre me touche, mon petit Claude ! Pendant des années, on tient à ses enfants " comme à la prunelle de ses yeux ", mais ni plus ni moins : on ne les connaît pas. On n'y pense que lorsqu'ils sont malades. C'est incroyable ce que la jeunesse dure en nous. Elle n'en finit pas de mourir et nous empêche de rien voir en dehors de nous. Et puis voici tout à coup l'âge du déclin, les coups durs [1] les années de bilan, les années d'échéance : et ce grand jeune homme qui est là, c'est votre fils. Ce que nous aimons le plus au monde et ce qui nous intimide le plus — peut-être parce qu'il se fait sur nous trop d'illusions [...]
> ... Tu es bien mon fils : individualiste en diable ! Il faut trouver — c'est très difficile — dans un catholicisme conquérant une atmosphère de liberté. La Grâce nous rend libres, on ne le comprend qu'à mon âge, lorsqu'on connaît le degré d'asservissement où l'accoutumance au mal nous abaisse. A 20 ans, c'est plus dur de comprendre les liens invisibles qui unissent pureté et liberté. Mon chéri, je te souhaite de comprendre qu'il n'y a *rien de plus monotone au monde que le vice,* et que le Christ vient rompre dans notre vie un morne enchaînement de chutes. Mais ne rougis pas de ton cœur. Et lorsque tu aimeras, accueille l'amour comme un sentiment sacré. Ne te méfie pas trop des femmes. La femme n'est pas le péché " en soi " Et je souhaite que tu trouves un jour celle qui t'aidera à supporter le dur destin d'un homme. Et sur ce plan-là, mon chéri, quoi qu'il doive t'arriver, quelles que soient tes difficultés, dis-toi bien qu'il n'y a *personne au monde* qui peut te comprendre, te guider, te conseiller avec plus (je ne dirai pas d'indulgence, car je n'aurais rien à te pardonner) mais je crois, de compréhension et d'amour. A bientôt mon chéri, mon grand garçon, mon ami, mon fils bien-aimé. F. »

Tout aussi tendre, et attentive, cette lettre qu'il adresse à Jean (15 ans), pensionnaire à Lourdes, au mois de janvier 1940 :

1 Il a subi l'opération à la gorge un an plus tôt.

« Mon petit Jean, je suis content de tes notes, content de ta lettre aussi, mais un peu moins de celle que tu as adressée à Claude. Tu te lamentes sur ta “ jeunesse perdue ”, malheureux enfant dont la jeunesse n'est même pas encore commencée ! Tu te trouves à peine sur les lisières de l'adolescence et tu as la vie de travail, d'études qui a toujours été celle des garçons de ton âge. Tous ne sont pas pensionnaires, bien sûr. Mais pour toi, prisonnier de ton enfance comme tu l'es, c'est à mon avis un bonheur que les circonstances t'en aient un peu rudement séparé. Le péril qui guette une nature comme la tienne, c'est de ne pouvoir se dépêtrer d'une enfance trop douce. Sois conscient du péril. Accepte. Prête-toi à ce perfectionnement que la vie t'impose.

La vie... Bien sûr, elle est dure, amère, tragique et pourtant, telle qu'elle est, *magnifique,* pour qui sait la dominer. On a souvent reproché à ton papa d'avoir écrit des livres trop sombres. Mais on n'a pas compris que pour lui, aimer la vie, c'est l'aimer sans la déguiser, comme on aime une créature fût-elle pleine de misères. Rien n'est si beau ni si grand que la vie d'un homme ; elle est belle jusque dans ses défaites. Et sans doute il y a la mort. Ta grand-mère, ta mère, moi-même, nous te précéderons [...] Mais [...] nous nous retrouverons dans cette lumière inimaginable et qui pourtant existe et dont tu vois le reflet jouer au-dessus des vers et des musiques que tu aimes. L'art est un pressentiment de l'éternité. Remercions Dieu de ce qu'il nous a donné le pouvoir d'entendre la parole et le chant de ses messagers : Mozart, Bach, Baudelaire.

Sois heureux même quand tu souffres. Car la souffrance aussi est riche d'enseignement. Être jeune, c'est souffrir d'avance de la vie inconnue. Être vieux, c'est porter le poids de la vie vécue, des deuils et des péchés de toute une vie. Mais sous ces deux aspects, vivre est une grâce, dont il faut bénir l'auteur de la vie. Avoir 15 ans est une *merveille,* que l'on soit à Lourdes ou à Paris, près ou loin de son papa et de sa maman.

Je t'embrasse de tout mon cœur, mon enfant chéri, et *heureux.* F. »

Avec quelle sollicitude cet écrivain illustre considère-t-il la carrière, l'œuvre de son fils aîné, pour différente qu'elle fût de la sienne... (« Il est plus intelligent que moi, disait-il, moi je suis plus fin... ») Les notations abondent, du *Bloc-Notes* au *Temps immobile,* de cette attention affectueuse. Les remarques sont d'un grand confrère avide d'échanges, de critiques. De tous les signes de ce qu'il fut heureux et fier de l'œuvre de Claude (« *L'A-littérature contemporaine ?* Ce livre est très important... Il m'a beaucoup appris[1]... »), on retiendra surtout la dédicace des *Mémoires intérieurs,* dont on a cité déjà la première partie, mais qui doit être complétée ici par ces mots : « C'est le témoignage de ma confiance en ta destinée d'écrivain, et d'une tendresse qui ne finira jamais. » Destinée, et pas simple avenir. Le mot est choisi à une altitude que pouvait apprécier l'auteur d'un livre sur Malraux[2]...

La vie de journaliste de Jean semble lui importer moins. Les voyages, il ne les a jamais beaucoup aimés pour lui, ni pour personne. Tout ce malheur qui vient aux hommes de ne pas savoir rester en paix dans leur chambre... Il restera jusqu'au bout l'écrivain qui, au moment de découvrir l'éblouissement

1. *Bloc-Notes,* 5, p. 178.
2. Claude Mauriac, *Malraux ou le mal du héros.*

du Sud tunisien, en 1928 crayonne une suite à *Thérèse Desqueyroux*, l'homme qui écrit alors sur son petit carnet de route :

> « ... Je suis impropre au voyage comme à tout ce qui divertit. Voilà le même garçon qui ne sait pas comment tenir un jeu de cartes, qu'aucun sport n'amuse et que tout ennuie qui le détourne de son propre cœur. Pour que le voyage me fût une joie, il faudrait qu'il entre dans le jeu de ma passion. Mais alors Asnières ou Versailles [...] me conviendrait aussi bien que Le Caire ou Stamboul... Je n'aime que les paysages humains et rien ne m'intéresse que l'émotion qu'ils me donnent [1]... »

Mais si les voyages du reporter Jean Mauriac semblent l'intéresser médiocrement, même ceux qui ont de Gaulle pour raison d'être, le voyageur, lui, l'intéresse fort. Et quand il reçoit un appel téléphonique de Madagascar où le jeune journaliste accompagne le général, à la fin d'août 1958, quelle inquiétude soudain... Qu'est-il arrivé à Jean ? Une lettre à sa femme fait écho à cette émotion violente.

Le bourgeois Mauriac avait avec l'argent des relations assez simples, fondées non sur la conservation et la mise en valeur, mais sur l'acquisition et la dépense. Jusqu'à 1945, et bien qu'ayant gagné beaucoup d'argent à partir de 1933 (*le Nœud de vipères* fut tiré à 140 000 exemplaires, et l'élection à l'Académie fit grimper d'un coup la « cote » de ses articles), il se débattit souvent dans des problèmes d'argent : quatre enfants, une maison largement ouverte, une propriété campagnarde n'équilibrant presque jamais son budget... Après 1945, ses enfants établis et son prestige régnant, il n'eut plus guère à résoudre ce type de problèmes. Mais un bourgeois de province né dans un certain climat d'économie domestique ne se refait jamais tout à fait : la sagesse des Béatitudes, ce n'est pas par l'imprévoyance des « oiseaux du ciel » qu'il y parvient. Pas ladre pour un sou, ni pour mille. Souvent, très souvent généreux. Et pas seulement après la réception du prix Nobel... Mais n'oubliant jamais tout à fait la valeur de l'argent. Et capable de murmurer jusqu'aux portes de la mort, mi-narquois, mi-sérieux, qu'il écrit *Maltaverne* pour « gagner des sous »...

Malagar. Ce fut une de ses joies, l'une de ses peines aussi. Il détestait que l'on n'aimât pas cette maison simple de bourgeois-paysan du pays de Garonne. Tel écrivain notoire qui, accueilli, ne put retenir un : « C'est ça, Malagar ? » se vit ranger (justement) au rang des imbéciles et rayer de ses papiers.

Le vieux « livre de raison » ouvert en 1843 par son arrière-grand-père Jean Mauriac devint entre ses mains une sorte de journal intime, très inégalement tenu, que l'on a cité parfois ici, et où se reflètent beaucoup des préoccupations, des peines et des joies du Mauriac girondin. La méditation politique,

1. Tout de même, il aimera visiter l'Autriche, la Grèce, l'Italie, le Portugal

morale ou religieuse ne parvient jamais à expulser des notations du genre de celle-ci :

> « Le 9 mai 1938, j'achève un séjour d'un mois dans Malagar restauré : agrandi de mon cabinet et de deux chambres et de trois cabinets de toilettes pris sur le cuvier. Jeanne a travaillé elle-même à l'installation intérieure... »

A l'issue de son dernier séjour à Malagar, le 30 septembre 1968 — depuis la mort de son frère Pierre en 1963, il ne s'y plaît plus guère —, il écrit sur le « livre de raison » ces notations mélancoliques :

> « Nous rentrons demain, bien avant la date prévue, dégoûtés de la campagne pluvieuse et triste [...] J'ai presque achevé ce roman auquel je ne croyais plus. Mais ce dernier chapitre que je comptais achever ici, ce fut impossible. Je suis sans cesse dérangé... Des jeunes gens, des étudiants, des interviewers de je ne sais quel magazine... J'étais épuisé.
> Comme chaque dimanche, après leur départ, visite de Gaston Duthuron, ce Langonnais dont j'aurais dû parler ici. Il faudra que je raconte son histoire... Il vient de perdre son père qui avait 85 ans et la douleur, et l'indignation contre Dieu et contre le destin qu'il en ressent, augmente de jour en jour. Je n'aurai jamais été témoin d'un tel deuil chez un fils. Et moi qui vais avoir 83 ans dans quinze jours...
> Je ne parlerai pas du vin... Cette année sera pire que les précédentes [...] Grande pitié de ce pauvre peuple qui s'éreinte, qui s'endette... »

Ici, sur ces mots, s'interrompt le « livre de raison » de Malagar.

Ce père si tendre entre deux bouffées d'agacement est un virtuose de l'amitié. L'une de ses amies disait : « Je fais peut-être mal l'amour, mais bien l'amitié... » Lui « faisait l'amitié » en maître, avec une fougue et une délicatesse qu'attestent aussi bien les correspondances que les témoins survivants. Une délicatesse qui n'excluait pas les ruades. Une fougue qui n'allait pas sans quelques retraits.

A 20 ans, il agaçait son frère Pierre d'être aussi brillant et chaleureux hors de chez lui que terne parmi les siens. Quand il aura créé son foyer, il y allumera ses meilleures flambées. Tous ceux qui ont été reçus chez les Mauriac, de 1913, rue de la Pompe, à 1970, avenue Théophile-Gautier, à Vémars ou à Malagar, témoignent de la qualité de l'accueil, de la verve du maître de maison, du climat de liberté ardente qui régnait. Les lettres de Gide ne tarissent pas sur le sujet du séjour à Malagar. Et tous les familiers de l'une ou l'autre demeure, des Duhamel aux Maurois, des Chardonne aux Barbey, des Guillemin aux Mondor, des Bourdet aux Brisson, des Izard aux Garçon, de Clayeux à Jacques-Émile Blanche, ont dit cent fois la qualité du commerce d'amitié qui se dispensait là. Au point que l'on n'y épargnait pas toujours les amis. « Vous en dites du mal ? » s'effarait un jour un visiteur de Mauriac. Et lui : « Ce serait beaucoup se priver... »

Certes, l'âge mûr ne lui rendit peut-être pas tout à fait les Lafon, les Lacaze et les Vallery-Radot de sa jeunesse. Avec Cocteau, Maurois, Vaudoyer, Chardonne, voire Francis Jammes, Julien Green et Pierre Brisson, les liens d'affection se détendirent ou se brisèrent parfois. La politique fut souvent responsable de ces ruptures, ou (s'agissant de Cocteau et pour un temps de Green) certains coups de « style » de l'auteur du *Bloc-Notes.* Mais tout au long de sa vie, il aura connu les camaraderies les plus chaudes, comme celles qui le lièrent à Blanzat ou à Michel Hamelet, aussi bien que les affections les plus exigeantes — avec Rivière, Charles Du Bos, Maritain, Maydieu, Guillemin. L'amitié des femmes ne lui manqua pas : celles de Jean Balde (Jeanne Alleman), de Madeleine Le Chevrel, de Denise Bourdet, de Marcelle Duthil, et d'une certaine façon de Colette, qu'il appelait la « grosse abeille »... Et il connut aussi que parfois les frontières entre l'amitié et l'amour sont mal tracées.

Arrêtons-nous à ce passage de ses entretiens avec Jean Amrouche où, à propos de *Thérèse Desqueyroux* et du *Feu sur la terre*, François Mauriac dit ceci :

> « ... Thérèse pourrait être du côté des impurs et du côté de Proust, qui disait que l'amitié n'existe pas, est un pseudo-sentiment. Il y a les êtres qu'on aime et ceux qu'on n'aime pas [...] Ce sont des sujets extrêmement délicats, extrêmement scabreux, qu'il est très difficile de traiter, même la plume à la main... Car cela touche à des abîmes... »

Ces « abîmes »-là, François Mauriac, écrivain voué à y « jeter des torches », les aura en fin de compte peu sondés. Infiniment moins que ces écrivains contemporains dont il fut si proche par l'art, l'amitié, les préoccupations : Marcel Proust, André Gide, Marcel Jouhandeau, Julien Green. Tel personnage de danseur médiocrement luciférien du *Mal ;* le Bob Lagave de *Destins* dont on nous donne à entendre que la débauche (tarifée ?) ne fut pas toujours hétérosexuelle ; le sinistre Landin des *Chemins de la mer*, pédéraste mal camouflé ; peut-être l'avidité de Jean pour Xavier dans *l'Agneau ;* et quelques notations d'amitiés juvéniles teintées de passion, comme celle de Thérèse pour Anne de La Trave, et que l'on peut transposer : c'est assez peu pour ce type d' « abîmes », par rapport à cette obsession d'inceste qui est l'un des thèmes majeurs du romancier et du dramaturge Mauriac. Et que l'on y voie ou non un autre type de transposition (comme on l'a suggéré plus haut), le fait est que le thème de l'homosexualité n'affleure guère dans une œuvre qui ne pèche pas par la timidité du regard sur la nature humaine en lutte avec la grâce.

La vie, plus que l'œuvre, de Mauriac fut hantée par ce type de rapports humains : on l'a déjà noté. Que Malraux y fasse allusion dans une conversation avec Robert de Saint-Jean comme, en termes plus bas, un moine dominicain[1], que tel dénonciateur évoque en termes insultants sa

1. R.-L. Bruckberger, qui affirmait aussi, lors d'une émission de télévision, que si les Allemands avaient gagné la guerre, Malraux se serait rallié au nazisme ; et qui a écrit que si Bernanos a quitté la France, en 1939, c'est parce qu'il avait peur.

jeunesse orageuse, l'homophilie revient comme une manière de trouble leitmotiv de cette vie triomphante et pathétique. Et le vieux Mauriac, au seuil de la mort, dans une page de *Maltaverne*, parle encore de ce jeune homme « plutôt couça que couci » qui lui ressemble comme un frère.

S'agissant d'un écrivain, il faut d'abord retenir ce qu'il a écrit. En un temps où, de Proust à Gide, mais aussi de la part d'écrivains s'assumant comme chrétiens — Jouhandeau et Green —, l'homosexualité a été ouvertement revendiquée comme mode de vie et voie vers un véritable amour, François Mauriac n'a cessé de porter sur les diverses formes d'uranisme le jugement le plus sévère, la condamnation la plus nette. Il est vrai qu'il n'a pas marchandé ses éloges aux écrivains que l'on vient de citer (hormis Jouhandeau, auquel il ne pardonnait peut-être pas d'associer à l'assouvissement déclaré de ses penchants des effusions mystiques et une religiosité effervescente — ni peut-être de se le voir préférer, en tant qu'artiste, par Gide, Paulhan et Drieu...).

Mais l'admiration qu'il porte — et souvent avec courage, au risque de sa propre réputation — aux grands écrivains homosexuels de sa génération, comme elle se nuance de réserves, se barde de refus dès lors qu'il en vient à l'objet même de leur étude !

Du côté de chez Proust pourrait apparaître comme un « tombeau » du genre de celui que Ravel offre à Couperin. Mais l'oraison funèbre tourne court. Mauriac oppose soudain l'artiste au thème central de sa recherche. Il voit les derniers tomes de la *Recherche, Sodome et Gomorrhe, la Prisonnière,* « infectés » par le « vice » qui occupe désormais le centre de la scène, non plus transposé, comme au temps de Swann, mais placé au centre du tableau par un clinicien obsédé :

> « Nous nous découvrons aujourd'hui plus sensibles que nous ne le fûmes dans l'éblouissement de la première lecture, à cette contamination de tout un univers romanesque par ce morbide créateur qui l'a porté, trop longtemps confondu avec sa propre durée, tout mêlé à sa profonde boue[1]... »

Ici, la pédérastie est dénoncée, non comme le modèle éthique que voulait en faire Gide, mais comme simple matériau romanesque : si bas qu'il en viendrait à corrompre même l'œuvre poussée sur ce terreau. Mais l'inceste de Phèdre ? Le crime de Stavroguine ? Celui de Thérèse ?

Face à Gide, l'argumentation de Mauriac sera plus claire et d'une certaine façon plus forte. Ce n'est pas pour avoir évoqué ce type de sexualité tout au long de son œuvre — et avec la sincérité que l'on sait dans *Si le grain ne meurt* — que François Mauriac querelle André Gide.

A la différence de celle de Proust, il ne voit pas cette œuvre « corrodée » par le « vice ». S'il la met en cause sur ce plan, c'est d'abord, dans sa correspondance avec Jacques Rivière — sur un thème proposé par son ami —, à propos de la supposée incapacité des homosexuels à évoquer la femme, son cœur, son corps et ses passions. Il est vrai qu'Emmanuelle ou Alissa

1 *Du côté de chez Proust*, p 41

restent moins en mémoire que Ménalque ou Lafcadio. N'en dirait-on pas de même pour Lucien et Esther, pour Grandet et sa fille ? Mais c'est surtout au théoricien de l'amour grec, au chantre de l'uranisme que Mauriac s'en prend. Entre cent protestations que suscite *Corydon* (et qui ont déjà trouvé ici quelques échos), on retiendra l'article qui jaillit en lui lorsqu'il apprit que Gide avait reçu le prix Nobel, et qui s'intitulait : « D'Oscar Wilde à André Gide. » (Pierre Brisson le retint...) A quoi il faut opposer ce très curieux texte, celui d'une réponse qu'il fit à une enquête de la revue *les Marges* sur l' « homosexualité en littérature » (1926). On y trouvera beaucoup de compréhension — dès lors qu'il s'efforce de ne pas juger en chrétien :

> « ... Dans une société qui se veut de moins en moins chrétienne, ce que saint Paul appelle " des passions d'ignominie ", les condamnerons-nous au nom de la Nature ? Mais l'homme normal pèche aussi septante-sept fois contre la Nature (saint Paul : " Leurs femmes ont changé l'usage naturel en celui qui est contre nature ", *Épître aux Romains,* I, 26). *Tout est dans la nature, mais la nature étant déchue, tout n'y est pas selon Dieu...* Je ne vois pas, dans une société païenne, que nous ayons à " tolérer " ou à " condamner " les invertis plus que les malthusiens ou que les gens qui ont des habitudes solitaires ou que ceux qui usent mal de leurs femmes. Nous ne saurions, en ces matières, admettre la compétence d'aucun autre tribunal que la Sainte Inquisition... »

Le trait final — et pas seulement lui, tout le développement — est d'un laxisme qui dut alerter beaucoup de bonnes âmes. L'amitié de Gide put y trouver aliment — avant que l'éloquence de Mauriac ne retrouvât l'occasion de s'exercer contre le prosélytisme uraniste de Gide, soit qu'il le moquât de prétendre se poser en « martyr » de la cause, soit qu'il insistât sur le caractère absurde de la sacralisation d'une anomalie, le " Vive les bosses ! " » d'un bossu... (texte de la dernière interview, de juin 1970).

Retenons pourtant qu'il put parler de cette question grave — et qui pour lui en vint à revêtir un caractère tragique — sur un ton serein. Ainsi quand il évoque, à la fin de sa vie, la visite de Gide à Malagar, il observe que ce n'est pas pour lui que l'auteur de *l'Immoraliste* était venu jusqu'en Gironde, mais « pour Claude ». S'il se permet cette observation, s'agissant de son fils, c'est que rien de trouble ne vient alors se mêler à sa pensée. C'est qu'il lui apparaît « naturel », dans le sens le plus large du mot, qu'un vieil écrivain ait plus d'attirance pour un jeune homme doué que pour un fameux confrère, qu'il en attende plus de surprise, de spontanéité, de plus neuves critiques ou suggestions. (De cette petite notation, on pourra tirer quelques enseignements touchant à François Mauriac lui-même.)

Bref, dans sa relation avec Gide et son œuvre, François Mauriac manifeste une compréhension, une intelligence des cœurs et des corps admirable. Tel ou tel de ces traits paraissent, dans la société permissive d'aujourd'hui, désuets ou rétrogrades. Mais qui se reporte aux temps de l'entre-deux-guerres où ces choses relevaient, soit du scandale où n'a cessé de vivre Gide, soit du sarcasme le plus bassement gaulois (ou parisien), ce ton-là est celui d'un homme qui avait, sur ce plan, trouvé son équilibre. Ce qui n'était pourtant pas le cas...

Recevant Robert de Saint-Jean quelque temps après son opération de 1932, l'auteur de *Thérèse* lui dit de Gide qu'il avait peur de mal vieillir « car, observait Mauriac, lorsqu'on est jeune, tout cela importe peu ». Même type de notation sur la page de garde de l'exemplaire de *Corydon* de la bibliothèque de Vémars : « ... La jeunesse est l'âge de l'indétermination. » Indétermination ? N'est-ce pas là abattre les frontières entre les différents types d'affectivité, comme le souhaitait Proust (sans pour autant limiter son précepte aux jeunes gens) ?

Ainsi apparaît dans l'univers mauriacien cet éternel jeune homme, qui est d'abord lui-même à jamais préservé, à jamais présent. Ce jeune homme qui est le sujet de ceux de ses poèmes qu'il préférait (la poésie étant ce qu'il estimait surtout dans son œuvre) : Atys, Endymion, adolescents trop beaux, trop aimés, et dont le profil délicat, si souvent crayonné en marge de ses manuscrits, les hante, en alternance avec quelques grotesques — coiffés ou non du bicorne académique. Ce visage de Fabien, de Bob, de Xavier ou de Jean de Cernès, que signifie-t-il ? Que manifeste-t-il ? Quelque chose à coup sûr qui fut plus qu'une simple hantise, qu'une nostalgie, qu'un narcissisme récurrent. Pour une part, le jeune homme qui s'enfuit de Bordeaux un jour de septembre 1907, et pour une part aussi un autre qui lui ressemble et qui l'épouvante.

Atys, Endymion, c'est lui un peu et beaucoup un autre, instrument d'une torture. Il y a cette phrase de *Ce que je crois,* qui sonne comme une violente protestation : « Le plus monstrueux de nous-même est presque toujours la part héritée et non acquise. » Protestation, et non aveu, car elle voisine avec cette autre, à propos de la Prouhèze de Claudel : « Nous possédons à jamais la créature à laquelle nous avons renoncé. Ce cœur, ce pauvre cœur plein de la créature aimée, ou désirée, y renonce... » Est-il besoin de rappeler que son poème essentiel, *Orages,* est un hymne à l'inaccomplissement ? « Héritée et non acquise », cette tendance est-elle si tyrannique qu'elle ne puisse être vaincue ?

Souffrances du chrétien fut écrit au plus fort d'une crise de ce type, d'une lutte contre cette tyrannie. L'indignation qui inspire ces pages contre l'autre tyrannie, l'adverse, celle qu'impose l'ordre chrétien — celui du franc-tireur Pascal aussi bien que Bossuet, détenteur du pouvoir ecclésial —, exprime la souffrance de l'écartelé. Mais dans la violence même de la protestation contre la torture qui lui est infligée par le conflit entre sa nature et les préceptes auxquels il demeure soumis, il y a une manière d'habileté gasconne. Lui qui souffre d'un appel que ne peut (alors) admettre le plus souple des théologiens, le voilà qui proteste contre une rigueur qui n'est pas celle qui le jugule. Cette « chair » à laquelle l'Église ne fait pas la part la plus humaine, qu'elle nie, par la voix de Bossuet, avec une férocité presque criminelle, est-ce bien celle qui obsède ce chrétien-là ? Son réquisitoire est de portée beaucoup plus générale que le débat dans lequel il est plongé. Serait-il aussi entendu s'il posait le problème en termes précis ? L'anathème contre toute forme de pratique sexuelle, tel que l'ont formulé Pascal et Bossuet dans les textes terribles qu'il cite, le concerne aussi ; il est en droit de hurler sa souffrance. Frappé de biais, il est encore frappé, lui qui se sent doublement condamné, sans pouvoir accomplir son amour. Réprouvé ? Éprouvé en tout cas au-delà de ce que sa nature frémissante est en état de supporter.

Sur ce type d'épreuve, de lutte, de refus, rien peut-être n'a été écrit de plus beau que le texte de Charles Du Bos intitulé « Le labyrinthe à claire-voie », dans *le Dialogue avec André Gide.* A propos d'un des plus admirables sonnets de Shakespeare :

> The expense of spirit in a waste of shame
> is lust in action...

déchirant réquisitoire contre la luxure, « Charlie » écrivait, en 1928, au plus fort du débat où Mauriac s'épuisait avant qu'il vînt lui porter assistance, ces lignes dont rien d'ailleurs ne permet d'affirmer qu'elles visent précisément l'auteur de *Souffrances du chrétien :* « ... Ce texte s'inscrit comme l'irrécusable témoin du tragique de la vie des sens. Mais si nous rencontrons ici un tragique investi d'un caractère d'universalité, il va de soi que dans le cas de la " déviation de l'instinct " (ayons soin de nous servir du terme même dont use Corydon), nous sommes en présence, avec la pédérastie, d'un tragique aggravé. » A quoi Du Bos ajoute en note cette remarque qui va au fond des choses : « Aussi le cas de ceux qui sont sujets à cette déviation, et qui obtiennent d'eux-mêmes de n'y point succomber, mérite-t-il une pitié elle aussi aggravée — et plus qu'une pitié, une estime, une admiration sincères. Chez ceux qui ont la vocation pédérastique, qui n'ont qu'elle, et qui se refusent à la suivre, le tragique de la vie des sens atteint à son maximum. » Et dans une autre note, l'ami de Gide jette ce coup de patte, sur un ton qui ne lui est pas coutumier — de là beaucoup plus frappant : « Lorsqu'il pénètre, s'installe en pareils domaines, l'esprit dit gaulois est tout ensemble intolérable, odieux et criminel... Baudelaire " s'ennuyait en France parce que trop de Français ressemblent à Voltaire ". Il faisait bien plus que s'ennuyer lorsqu'il lui fallait constater qu'un bien plus grand nombre encore ressemblent à Béranger[1]. »

Le cas évoqué sur ce ton magnifique par Du Bos est celui d'un Gide (du type de ceux « qui ont la vocation pédérastique et qui n'ont qu'elle »), d'un Gide qui eût, selon son propre précepte, « suivi sa pente — en remontant », et non celui, beaucoup plus complexe, plus ambigu, contradictoire, de Mauriac. Aussi bien celui-là ne cherche-t-il qu'à aménager son état, théorisant et sublimant une donnée fondamentale de nature. Celui-ci n'est pas à ce point enfoui dans l'irrémédiable qu'il ne trouve la force de lutter, de résister, au sein d'une vie familiale et sociale vécue dans sa plénitude.

Mais ne nous y trompons pas. Ce contre quoi lutta l'auteur de *Souffrances et Bonheur du chrétien* ne fut pas mineur, ni passager. Et si pudiques que soient, fidèles à coup sûr au climat dans lequel se déroulèrent ces débats, ces

1 *Le Dialogue avec André Gide*, p 200-201

phrases extraites de deux lettres à un ami datant d'une période un peu plus tardive que celle de la grande crise, entrouvrent sur un monde de passions et de conflits :

> « C'est un mystère terrible que des êtres bons, tendres et qui ne savent qu'aimer soient jetés sur ces routes affreuses. Et pourtant nous devons croire, malgré et contre tout, que nous sommes aimés, que cette croix a un sens, une signification, qu'il nous appartient de transformer pour notre perfectionnement ce qui semble nous avoir été donné pour nous souiller et pour nous perdre... »
> « ...Non, Dieu n'est pas loin : non, il n'est pas " de l'autre côté des corps ". Il est au-dedans de nous, avec nous, non pas malgré notre misère, mais à cause d'elle ; pour elle. " Le Fils de l'homme est venu chercher et sauver ce qui était perdu. " Le pire de nous-même, c'est cela qui nous livre au Christ, c'est par cela, c'est par cette plaie que nous lui sommes voués... A qui irions-nous ? Les corps, les corps ! Je connais bien leur puissance terrible. Mais au centre de cette armée formidable qui nous assaille de partout, il reste votre propre cœur et Dieu-enfant qui l'habite et que vous aimez [...] et qui vous a aimé depuis toujours...
> Je compte beaucoup sur l'âge qui vient ; chaque jour s'appesantit sur moi ; j'ai résolu de confondre vieillesse et paix, vieillesse et amour, vieillesse et approche de Dieu. C'est peut-être le meilleur, le plus beau temps de la vie... »

Le « pire de nous-même qui nous livre au Christ... » Singulière reprise, inversée, du thème de la prédestination. Quelle autre voie vers la Sainteté que le péché ? l'humiliation ? De nouveau Pascal : « Par les humiliations aux inspirations. » Cette idée, qui revient souvent chez Mauriac — et qu'on avait trouvée exprimée dans une lettre à sa femme, de Malagar, à propos de Gide y séjournant alors —, c'est un thème central chez Dostoïevski. Mais ici le romancier de *Ce qui était perdu* l'inscrit dans une ligne très précise, qu'il ne reprendra pas dans ses derniers livres, et notamment dans *Ce que je crois,* son testament en ce domaine.

Il n'est pas de notre ambition, ni à notre portée, de proposer une « lecture » ainsi éclairée des œuvres de Mauriac. D'Albertine à Thérèse, il y a loin. Et s'il est manifeste que la dernière Thérèse, celle de *la Fin de la nuit,* est plus autobiographique encore que la première, s'agissant du drame, du rapport entre les héros, ce type d'interprétations exigerait une information plus complète que celle dont nous disposons.

On ne saurait tout rapporter ici à des « tendances », à un décret de la nature qui pesa de tout son poids mais n'agit pas seul. Sur les terribles effets de son éducation puritaine, bigote, pharisienne, Mauriac s'est souvent exprimé, fortement dans *Dieu et Mammon,* et plus encore dans *Ce que je crois.* On a lu l'étonnante phrase adressée à son fils Claude : « La femme n'est pas le péché en soi... » Qu'il ait cru bon d'écrire cela montre de quel abîme il venait. Cette manière d'épouvante organisée au temps de la puberté aviva à coup sûr un système d'inhibitions lié à la fois à la conscience qu'il avait, enfant, de sa « laideur », d'une sorte de débilité physique, de sa fragilité ; s'y ajoute la vulgarité des « révélations » de l'univers féminin qu'il reçoit de la rue, des affiches, des baraques foraines — et dont on perçoit des échos dans certaines notations de ses livres, sur telles odeurs, tels dessous — contrastant violemment avec la furieuse respectabilité de l'univers, également féminin, des « régentes » familiales. La femme, c'est à la fois la loi extrême et l'extrême rupture de la loi. Deux raisons d'être en garde...

A l'époque où il achevait la rédaction des *Anges noirs,* il connut chez le sculpteur Baumel une jeune femme qui l'émut profondément. Il écrivit à un ami commun : « ... Je crois qu'il ne faut pas souhaiter l'irréparable... » Et l'autre le pressant de questions, peut-être d'incitations, il réagit, effarouché : « N'allez surtout pas croire qu'il se soit passé des choses définitives... » Irréparable, définitif : vocabulaire négatif, pessimiste.

S'agissant de femmes, pourtant, il avait connu des amitiés vraies, et notamment celle qu'il entretint — de concert avec Jeanne — avec Marcelle Duthil, épouse d'un avocat bordelais. Elle fut en quelque sorte le modèle « physique » de Thérèse (n'était le nez court de l'héroïne du roman...) et le modèle moral et intellectuel d'Irène de Blénauge, qui meurt dans une manière de refus stoïque de la grâce — l'un des rares personnages réellement héroïques de son univers romanesque. Mauriac a dit à plusieurs reprises l'admiration qu'il éprouvait pour cette femme. Ne nous hâtons donc pas de parler de misogynie, et de retenir comme définition de ses rapports avec les femmes l'étrange note rédigée dans une marge du manuscrit du *Désert de l'amour,* et selon laquelle il n'y aurait d'échange, avec les femmes, que sexuel, de connaissance que par la possession. Comment, à partir d'une telle conviction, ne pas trouver liberté et « légèreté », au sens nietzschéen du terme, aux relations entre les hommes ?

Cette « indétermination » qu'il attribuait à la jeunesse, n'en vécut-il pas une sorte de prolongement dans l'âge mûr ? Comment aurait-il lu le roman de son fils Claude, *Le Bouddha s'est mis à trembler*[1], qui est en quelque sorte un hymne à un amour sans frontière sexuelle, si ample et libre que le mot pour le dire reste peut-être à inventer ? A partir, suggère l'auteur, des textes admirables inspirés à Montaigne par son amitié passionnée avec La Boétie. Tel ce cri déjà racinien : « Parce que c'était lui, parce que c'était moi... »

Ces choses indiquées, il n'en faut pas moins rappeler que François Mauriac vécut pleinement sa vie publique et privée de chef de famille, de père, de mari aimant une femme admirée et respectée, au sein d'une communauté sociale, politique, religieuse où ce genre de déchirements fait vite surgir ce que Du Bos appelle « l'esprit de Béranger ».

Dans l'article intitulé « Cinquante ans » publié dans la *NRF* au lendemain de l'une des crises les plus violentes qu'il ait traversées, il écrivait : « Toute la noblesse de l'homme consiste à remonter le courant qui l'entraîne et à vaincre sa nature partout où Dieu exige qu'elle soit vaincue. » A propos de Racine, il écrivait aussi que ce qui importe, chez un homme, ce n'est pas ce qu'il est, c'est ce qu'il est devenu. Dans un autre choix, d'autres ont trouvé joie ou sagesse. Lui a pris ce chemin — celui du refus. Ce n'est pas la

1 Paris, Grasset, 1979

moindre des raisons pour lesquelles Julien Green qualifiait la vie de François Mauriac de « tragique ».

Tragédie enfouie au plus profond de sa conscience de chrétien, baignée dans un climat intensément religieux, à des niveaux, selon des courants variables, presque contradictoires, mais où il faut retrouver une continuité. De la vie intérieure de Mauriac, Pierre Brisson disait qu'elle était « comme une phrase unique entamée dès l'enfance, semée de virgules mais nulle part arrêtée par des points, continuité mouvante et respirante [du] moins " fractionnable " des êtres ». Ainsi sa vie religieuse, amorcée dans la plus étouffante, la plus asphyxiante des atmosphères, répressive, placée sous le signe du modernisme dans le sillage d'André Lacaze, imprégnée de progressisme social au temps du Sillon, reprise en main par le rigoureux abbé Altermann, épanouie au temps de Vatican II, repliée plus tard dans une sorte de retraite nostalgique, qui reste l'axe fondamental d'une vie à tous vents.

On ne videra pas ici la querelle qui s'est élevée à propos du « jansénisme » de Mauriac. Mais faut-il qualifier de janséniste tout climat religieux marqué par le pessimisme, l'angoisse, l'extrême exigence ? Il est vrai que la référence la plus constante et vibrante du chrétien Mauriac est celle qui le tourne vers Pascal, de tous les écrivains celui qu'il aura cité le plus souvent et avec le plus de ferveur. Et que dans la mesure où l'artiste en lui déborde souvent le chrétien, c'est à Racine qu'il emprunte la sonde qu'il jette dans les abîmes, à Pascal encore, celui des *Provinciales,* la pointe aiguë de son esprit. Où et comment fuir Port-Royal ? Il l'a fait pourtant, et l'on a vu que l'essai qu'il consacre à Blaise Pascal et à sa sœur Jacqueline est le congé le plus net qui se puisse donner au jansénisme comme enseignement et doctrine. Mais la sensibilité ? Mais la fidélité du cœur ?

« Ma jeunesse janséniste », « pour un janséniste comme moi » : ce sont là des formules que l'on retrouve souvent sous sa plume, au hasard des *Bloc-Notes.* Mais dans les textes les plus élaborés, de *Dieu et Mammon* à *Ce que je crois,* et à ses interventions à la Semaine des intellectuels catholiques à partir de 1954, on le verra attentif à situer plus justement le type de formation qu'il reçut, et, cessant de la rapporter au jansénisme, parler plutôt de « l'éternel pharisaïsme », formule qui recouvre mieux la conscience sociale dont s'inspirait ce type d'éducation, son caractère ritualiste et puritain.

Reste un augustinisme qui imprègne sa spiritualité, son angoisse aussi. « Je crois que je suis pardonné ! » Ce cri qui sert, en quelque sorte, de conclusion à *Ce que je crois* est moins de confiance que de défi au pessimisme tragique augustinien — qui reste le sien. Comment n'aurait-il pas été ramené à la croyance en une forme quelconque de prédestination, lui qui se voit ou se croit comme lié à son péché, à cette tentation incessante et inassouvissable, à sa condition de réprouvé inguérissable, de détenu ? Mais il y a, venu lui aussi de la tradition augustinienne, ce constant dialogue en tête à tête avec un Dieu incarné qu'il définit par l'amour — et le « tout est grâce » du prêtre de

Bernanos, auquel il ne donne pas la même signification que les messieurs de Port-Royal.

C'est dans un sens très esthétique que Claude-Edmonde Magny a choisi de faire de lui un romancier « quiétiste » — formule qui l'avait moins exaspéré que l'argumentation qui prétend la fonder — pour dénoncer la passivité de ses personnages et de l'univers où elle les voyait flotter. Mais peut-être trouverait-on chez le vieux Mauriac, au contact des mystiques qu'il a longtemps lus à travers l'abbé Bremond, une croissante familiarité avec son presque compatriote Fénelon. Du jansénisme au quiétisme, le chemin traverse ce XVIIe siècle qui lui fut plus cher qu'aucun autre, par le sentiment religieux qui l'inspire au moins autant que par l'art.

Singulière vie chrétienne, d'abord « chargée de chaînes » et marquée par la terreur puritaine, vite orientée vers un modernisme et un « socialisme » également condamnés par la Rome intégriste de Pie X, et achevée dans un climat plus serein, celui d'une religion de l'amour et du pardon, — mais alors retournée contre le « modernisme » de l'Église conciliaire, dans une mélancolique protestation de traditionaliste. Faut-il donc voir le jeune Mauriac comme un chrétien pessimiste et novateur, le vieux Mauriac comme un catholique optimiste et conservateur ? Pour éviter les commodités simplificatrices de l'antithèse, mieux vaut considérer de plus près ce qui est repérable et vérifiable — les rapports entre François Mauriac et la hiérarchie.

Dans une interview donnée à *l'Express* en 1954, André Malraux décrivait Mauriac comme une sorte de rebelle dressé contre les autorités catholiques, au moins contre l'épiscopat. Point de vue de nature à lui plaire, à lui Malraux, à Mauriac aussi et aux lecteurs de *l'Express,* mais qu'honnêtement l'auteur du *Bloc-Notes* contestait :

> « D'aucuns de nos archevêques je ne me souviens d'avoir reçu le moindre blâme. Du temps de la guerre d'Espagne, le cardinal Verdier, chaque fois qu'il me voyait, m'approuvait et me bénissait. Puis est venu ce cardinal Suhard qui passait pour réactionnaire, qui pourtant a été le père des prêtres-ouvriers et dont le dernier message a été l'un des plus lucides et des plus prophétiques qui soient sortis d'une plume épiscopale. »

(Mais il y a ce trait, qu'il rapportait dans un article de mai 1951 : « Je me souviendrai toujours de cette visite du cardinal Suhard, durant l'occupation, et de ma brusque demande : " Éminence, ordonnez-nous de prier pour les juifs ! " et de son exclamation : " Ah ! monsieur, que me dites-vous là ! " »)

> « Quant à notre cardinal[1], j'ignore ce qu'il pense de mon action[2] mais je constate que lorsque nous[3] lui avons demandé d'ouvrir Notre-Dame, la nuit, pour une veillée de prières en union avec nos frères de la France d'outre-mer et en faveur de l'amnistie, il nous l'a accordé — et Dieu sait ce qu'a dû être son courrier à ces moments-là ! »

1. Feltin.
2. On est alors au début de la guerre d'Algérie.
3 Les organisations catholiques hostiles à la guerre

Ce manifeste de bonne conduite dans le diocèse doit être corrigé par des propos plus personnels. Moins par les « mots » prononcés ici ou là contre tel ou tel personnage de la hiérarchie catholique, que par de très significatifs extraits de correspondance. Celle adressée par exemple à Henri Guillemin. A qui s'en prenait-il, Mauriac, ce 24 octobre 1959, écrivant ceci (il s'agissait en tout cas de porteurs de camail et de barrette) :

> « Cher Ami, c'est incroyable et répugnant ! Et quels imbéciles ! Ils ne contrôlent que des organes de néant et l'énorme torrent de la vie roule au-dessus de leurs sapes de taupes. Et le Christ est attaché par eux, non pas à un gibet mais à un vieux carrosse brinquebalant de cardinaux octogénaires. Et c'est une bien autre horreur que la croix... Mais l'Église vivante demeure, mais le pain vivant, mais les paroles qui délient. Et il faut vivre du Christ et avec le Christ, et nous attacher aux deux paroles que l'Église garde : *Tes péchés te seront remis. Ceci est mon corps livré pour vous.* C'est cela qui compte. Moquons-nous du reste. Si l'Opus Dei insiste, je [deux mots illisibles] en mettant les pieds dans le plat. Vous verrez ! Et nous fonderons une société rivale, les Enfants de Dieu, dont la mission sera de dénoncer les manœuvres occultes des Tartuffes d'Académie et de Sorbonne... »

Ni avec les « cardinaux octogénaires », ni avec les papes, Mauriac n'eut jamais des relations très sereines. Certes, aux derniers moments de sa vie, et au soir de sa mort, Paul VI lui manifesta une affection probablement sincère : entre l'intellectuel chrétien-démocrate issu de la bourgeoisie milanaise qu'était Gian Baptista Montini et François Mauriac, le « courant passait » assez bien. Et la prudente sympathie avec laquelle Mauriac avait salué le mouvement conciliaire était exactement le ton que pouvait attendre de lui le successeur de Jean XXIII.

Ses rapports avec Rome, avec la Curie, la bureaucratie vaticane ? « Comme Montaigne aimait Paris " jusque dans ses verrues ", j'ai aimé et j'aime l'Église jusque dans ce qu'elle a gardé des siècles qu'elle a traversés [...] Bien loin de m'en scandaliser, je me plaisais beaucoup à voir, dans un dîner à l'ambassade de France [à Rome] les cardinaux précédés dans les escaliers par des porteurs de torchères, la pourpre flottant sur leurs épaules... » Hum...

Ce souvenir remonte à 1935, au fameux voyage à Rome avec Laval. Apparemment, ces torchères et cette pourpre ont mieux « tenu », dans son souvenir, que son compagnon de voyage et que l'éclatant secrétaire d'État Pacelli, appelé à devenir un pape qu'il estima peu — Pie XII. Le « saint » qu'il avait cru voir en janvier 1935 devint ce chef de la diplomatie vaticane qui accorda à Franco la reconnaissance *de jure* du souverain pontife [1], puis le pape qui se contenta d'opposer au génocide du peuple juif une réprobation de bonne compagnie.

Quant à Jean XXIII, avant de louer justement son surprenant pontificat,

1. Bien qu'il ait empêché la mise à l'index des *Grands Cimetières sous la lune* en disant : « Ce feu brûle, mais il éclaire... »

Mauriac avait entretenu avec lui, du temps que celui-ci était à Paris le nonce Roncalli, des rapports aussi méfiants que ceux de tous les autres catholiques français impatients de voir s'accomplir l'*aggiornamento.* Exaspéré par ce prélat démagogue, et cafard, commensal favori des sénateurs radicaux du Midi, il s'était fait traiter publiquement par lui d' « abominable Mauriac » pour avoir osé dénoncer la « mariolâtrie » romaine en tant qu'obstacle à l'œcuménisme. Mais quand le choix du conclave eut fait de Roncalli le plus inattendu des « miraculés », François Mauriac révisa profondément son attitude et se fit l'avocat enthousiaste de ce novateur par acclamation.

Peu suspect d'ultramontanisme, Mauriac était pourtant un catholique respectueux. Lui qui, en tant que « moderniste », que « silloniste », que frère et familier de militants d'*Action française,* avait souvent ressenti avec amertume ou douleur les sanctions des tribunaux d'Église, pouvait encore écrire en novembre 1969, à propos du nouvel « ordinaire de la messe » patronné par Paul VI, que « ce serait absurde d'être avec le Saint-Père chaque fois que ses paroles et ses actes vont dans le sens de nos préférences et de nous opposer à une réforme qu'il approuve et qui ne nous plaît pas... ». (Absurde, vraiment ? Et pourquoi donc ? Et pourquoi, jusque dans les choses mineures, cette soumission ? Où l'on trouverait la clef d'un autre comportement de Mauriac, par rapport à l'autre « père »...)

Mouvementés avec la hiérarchie, les rapports de Mauriac avec les clercs réguliers et séculiers purent être orageux, voire polémiques. On a fait écho à quelques passes d'armes avec le père dominicain Duployé. Il n'honora pas Bruckberger d'une réponse publique, n'en ayant reçu que des coups trop bas pour appeler une riposte à son niveau. Non plus qu'un autre dominicain qui ne lui pardonna pas la façon dont il accommodait Jean Lecanuet. Il faut citer les propos de cet homme de Dieu, dont Mauriac put d'abord sourire — avant d'en être atteint :

« O grand chrétien ! Mais savez-vous que vous paraîtrez un jour, bientôt peut-être[1] devant Dieu, et qu'il vous demandera compte de vos injures[2] — non pas seulement à l'égard de Lecanuet, mais de tous ceux qui ont voté pour lui — de vos calomnies, de vos mensonges, de votre haine, et tout cela pour garder vos prébendes, vos honneurs, cette aura de flagornerie qui vous entoure, ce misérable encens qui, au seuil de la mort, vous est encore indispensable [...] Triste sire, que je vous plains ! Et je plains le maître, d'avoir de tels valets. » C'est signé F.A.J. Festugière, dominicain, membre de l'Institut...

Avec les jésuites, en dépit de Pascal, ses rapports furent faits d'autant d'amitiés que de hargne. On a fait allusion à ce père qui l'avait cité par lettre devant le tribunal de Dieu, en 1941 : c'était le révérend père Doncœur, célèbre prédicateur de Notre-Dame. Et *les Études,* sous la signature du révérend père Blanchet ou de quelque autre, ne le ménagèrent pas — mais sans jamais aller jusqu'au ton d'un Bruckberger ou d'un Festugière. Avec

1 Mauriac vient d'avoir 80 ans.
2. Les propos de Mauriac étaient cinglants, non injurieux.

d'autres jésuites notoires, Henri de Lubac ou Jean Daniélou, il entretint des relations amicales. Et si le teilhardisme ne trouva pas grâce à ses yeux, il ne faut y voir qu'une incompatibilité de démarche intellectuelle entre Teilhard et lui, mais pas la moindre animosité personnelle.

S'il trouva en définitive l'accueil le plus serein, le plus durable et le plus fraternel chez les bénédictins, ce n'est évidemment pas pour la seule raison que leur couvent de la rue de la Source n'est situé qu'à une centaine de mètres de chez lui. Au début des années trente, et bien qu'elle fut éloignée d'Auteuil, c'est déjà dans une chapelle des bénédictines, celle de la rue Monsieur, qu'il entendait la messe, le dimanche, aux côtés de Charles Du Bos, de Gabriel Marcel, d'Isabelle Rivière, de Roland Manuel et quelques autres. Faut-il voir, dans cette inclination vers l'ordre de Saint-Benoît, le relatif silence dont il s'entoure, la discrétion de ses orateurs, la sobriété de son rituel ? Ce qu'il a appelé leur « paix » ?

Le fait est que, pendant près de trente ans, c'est au couvent Sainte-Marie de la rue de la Source, dans la chapelle des bénédictins, qu'il entendit la messe, longtemps quotidienne et matinale, puis un peu plus espacée et tardive : depuis le début des années soixante, il assistait presque tous les jours à l'office de 11 h 45, y recevant très souvent la communion. Et c'est encore un bénédictin qu'il choisit pour confesseur, Dom Charles Massabki, religieux libanais qui était venu à sa rencontre, en 1931, témoignant que la lecture de *Destins* avait contribué à sa vocation religieuse. « Mon frère, mon père et mon ami » : ainsi appelait-il Charles Massabki, dont un monumental ouvrage, *le Christ, rencontre de deux amours,* devint en quelque sorte son livre de méditation quotidienne : l'épigraphe en est empruntée à saint Augustin : « C'est par amour de votre Amour que je fais cela. »

Ce n'est pas son confesseur, mais lui-même, qui faisait le choix des lectures propres à éclairer sa vie spirituelle. D'abord les mystiques : sainte Gertrude, dont certaine prière du soir fut celle qu'il récita le plus souvent à la fin de sa vie, saint Jean de la Croix — et bien sûr l'auteur du quatrième Évangile dont les préceptes posent les fondements de son christianisme : « *Deus caritas est*... Et si notre cœur nous condamne, Dieu est plus grand que notre cœur... » Et puis le cardinal Newman, dont, plus qu'aucune autre, l'attitude religieuse, résumée dans la formule qu'a si souvent citée Mauriac, le séduisait : « Mon créateur et moi. » Tutoiement intime où sa sensibilité créatrice trouvait son miel. Mais plaçant très haut la leçon de Newman, dont il aimait aussi répéter le mot prononcé alors que la mort posait la main sur lui : « Je ne mourrai pas, parce que je n'ai pas péché contre la lumière », il convenait que ce chuchotement mystique souffrait d'une sorte de confinement, et que l'homme moderne ne saurait s'abîmer dans cet angélisme trop aveugle aux injustices du monde[1].

Ainsi le dernier Mauriac, celui qui s'exprime dans *Ce que je crois,* dans les *Mémoires* et dans les derniers *Bloc-Notes,* est à la fois l'homme qui renâcle avec une croissante irritation contre le « dégel » de l'Église catholique qu'il

1 *Mémoires intérieurs,* p. 205.

appelait depuis plus d'un demi-siècle de ses vœux et qui s'évade avec une croissante audace de la notion du salut individuel, devenant plus conscient de ce que le christianisme propose de plus fertile, spirituellement, intellectuellement, socialement : les concepts de communion des saints et de réversibilité des mérites.

Il y a bien sûr le « vieux zouave pontifical », qui guerroie contre de jeunes prêtres aussi généreux que le Mauriac d'Espagne, du Maghreb et du *Cahier noir*, et que tout ferait croire accordés à lui, comme Jean-François Six [1]. Ce vieux Mauriac-là s'attire les redoutables félicitations de Mme Henriette Charasson, qui quarante ans plus tôt menait la charge au nom de la morale chrétienne contre *Thérèse Desqueyroux*, et salue maintenant en lui le défenseur du rituel ancien. Ne mérite-t-il que nos sarcasmes ? Dans sa protestation contre l'*ordo missae* des années soixante, ne faut-il pas voir aussi une rébellion esthétique ? Eût-il réagi avec cette hargne si le texte français de la nouvelle messe avait été demandé à Paul Claudel ou à Pierre Emmanuel, si l'on y chantait les cantiques de Jean Racine plutôt que des chansons de route pour patronage ? La réaction du « vieux zouave » fut à coup sûr celle d'un vieillard que l'on ampute d'un fragment de ses mémoires intérieurs. Mais aussi celle d'un homme de goût, et d'un artiste chrétien aux yeux (et oreilles) duquel une certaine beauté est liée à la communication d'une certaine croyance.

Il va de soi que la « résistance » du Mauriac des dernières années à l'*aggiornamento* de l'Église va bien au-delà des affaires de rite et de langage. L'épouvante surtout la remise en question radicale de l'Église comme institution, et d'un certain type de spiritualité intuitive, ce qu'il appelle quelque part le « sens du miracle ». Cette communauté égalitaire, réaliste, spontanéiste qui, en blue-jeans et en bras de chemise, tente à la fois de réinventer les catacombes et de relativiser le dogme, non, ce n'est pas « sa paroisse ». Non...

« Dieu sait si j'ai souffert de l'immobilisme de la vieille Église dans ma jeunesse, confiait-il en avril 1969 à son *Bloc-Notes*. Mais infiniment moins que de voir, aujourd'hui, ébranler ce roc sur lequel elle est bâtie. » Dans une prédication comme celle du père Cardonnel, il retrouve cette conviction qui a animé une grande partie de sa vie, « que le Christ a été accaparé par une classe et que depuis Lamennais il existe au-dedans de l'Église un parti qui cherche à l'en délivrer ». C'est pour ajouter aussitôt : « ... Je voudrais être sûr que ce dominicain en veston ne le confisque pas lui aussi [2]... »

Quel article l'aura jamais plus scandalisé ou plus remué que celui que l'abbé Laurentin publiait, dans *le Figaro* du 9 octobre 1968, sous le titre « Panique dans l'Église ? ». Alors il éclate :

1. Une polémique les opposa, à propos du livre d'André Frossard, *Dieu existe . je l'ai rencontré*. L'abbé Six formulait les plus expresses réserves sur ce type de révélation. A quoi Mauriac riposta en citant le texte d'une pancarte apposée jadis à l'entrée du cimetière Saint-Médard : « Défense de faire miracle en ce lieu ! »

2. *Bloc-Notes*, 5, p. 48.

> « Le débat porte sur cette part de notre héritage que nous, les vieux, nous résignons mal à jeter par-dessus bord. Les sacrifices auxquels nous avions d'abord consenti de bon cœur concernaient la liturgie, l'usage du français, ne touchaient pas à l'essentiel. Mais s'il s'agit du péché originel, du mystère de Marie, de l'Eucharistie, de la Résurrection du Seigneur, il y va de tout pour la foi. Nous n'avons pas envie de rire ni de nous demander avec l'abbé Laurentin, à la fin de son article, si " Dieu est humour "... Je n'ignore pas que le souci de sauver dans ce message ce qui à leurs yeux peut être sauvé inspire les exégètes et les réformateurs d'aujourd'hui. Ils taillent la robe sans couture du Seigneur à la mesure de ce monde dont nous nous efforçons de croire que ce n'est pas celui dont le Seigneur a dit : " Je n'ai pas prié pour le monde ", ou encore " J'ai vaincu le monde "[1]... »

Mais ce dogme auquel il s'agrippe de toutes ses forces, le vieux combattant, il l'éclaire aussi des lueurs d'une vie qui s'est ouverte sur l'univers, et qui a fait naître en lui le sens de la fraternité. Ses « souffrances » et son « bonheur », le chrétien qu'il est devenu sait qu'il ne les vivra pas solitaire — même si la mort qui approche est bien en fin de compte un tête-à-tête. Dans cette longue, très longue marche qu'il a faite à travers un catholicisme dont l'institution, en s'effondrant, fait jaillir des flammes éclatantes, il n'a pas seulement découvert la puissance de la parole qui délie, mais aussi cette vérité plus difficile à saisir pour un homme de sa génération, de sa culture : « Aucun chrétien ne conçoit plus la vie aujourd'hui sous l'angle du salut individuel qui dominait tout dans le système d'éducation que j'ai subi[2]... »

S'agissant du christianisme de Mauriac, de son ouverture, de son déploiement, il faut en revenir à l'admirable lettre de son ami André Lacaze, écrite à l'occasion de la mort de Jacques Rivière, à ce manifeste pour la « connaissance », pour le vitalisme, pour des noces avec le monde sous le signe du grand Pan. Le Mauriac replié, frileux, assoiffé de tête-à-tête avec Dieu, avait vu dans ce panthéisme chrétien une sorte de défi sacrilège. Mais quarante ans plus tard, cent combats l'auront soudé au monde, arraché à l'isolement en quelque sorte déplié, déployé. *Sentire cum ecclesiam :* le vieux précepte du père de l'Église, il ne le ressent plus comme un mot d'ordre de militant catholique, mais comme un appel à vivre avec le monde, son temps, le siècle — avec et pour une communauté immense et sans frontière, ni religieuse, ni dogmatique, ni rituelle. Communauté, coresponsabilité, communion. Le salut n'est pas solitaire.

« Nos rapports avec Dieu (les miens en tout cas) sont d'ordre passionnel et les intermittences du cœur les bouleversent comme tout autre amour... », écrivait-il en 1960. De sa foi, Mauriac n'a cessé d'être en quête, tâtonnant et souffrant, allant jusqu'à dire à son fils Claude qu'il quitterait le monde d'un cœur plus serein s'il lui était prouvé qu'au-delà il n'y a rien ; jusqu'à écrire que la foi d'un Claudel ou d'un Bernanos, d'un Maritain ou d'un Mounier lui

1 *Bloc-Notes*, 5, p. 99
2 *Ce que je crois*, p 84.

faisait douter de la sienne ; jusqu'à écrire à sa mère, on l'a vu — oui, à sa mère —, que, peu sûr de sa foi, il n'avait vraiment qu'un peu de charité, et qu'il en était réduit à dire : « Je crois en lui, puisque je l'aime... »

Un peu de charité ? Certains traits de sa vie en feront douter tel ou tel. Mais il y a, entre mille autres, celui-ci, à propos de Molière, qui l'unit à ce grand homme et à beaucoup d'autres beaucoup moins « grands », dans notre commun amour.

Ce jour-là, Mauriac prononçait une conférence sur *Tartuffe* à l'université des Annales, devant un public peu guetté par la faim. Il choisit de la conclure ainsi : « Ce 17 février, voyant qu'il était à bout, Armande et Baron le supplièrent de ne pas jouer ce soir-là. Comment voulez-vous que je fasse, répondit-il. Il y a cinquante pauvres ouvriers qui n'ont que leur journée pour vivre ; que feront-ils si l'on ne joue pas ? » Et de conclure : « Mesdames et messieurs, me souvenant de l'anathème de Bossuet contre Molière, je ne crois pas qu'il y eût dans toute la vie de l'Aigle de Meaux, un seul trait qui vaille celui-là »

« Pelaudé à droite, pelaudé à gauche, gibelin aux guelfes, guelfe aux gibelins... » Ainsi se décrivait un maire de Bordeaux qui s'appelait Montaigne. Mauriac ne fut point maire (à Dieu ne plaise !) et ses *Essais* se faufilent à travers vingt livres. Mais « pelaudé » à droite et à gauche (à droite plus qu'à gauche), oui certes, il le fut, et le reste... Clemenceau, Blum et de Gaulle mis à part, il fut l'homme le plus décrié, le plus dénoncé de la France du XXe siècle. Et c'est à bon droit que, vers 1960, il revendiquait le titre de « plus vieil insulté de France ».

Mais enfin, il avait embarqué sur la galère politique, et y naviguait sans timidité, à grands coups de barre, à grands coups de gueule, et par grand vent. Eût-il choisi de n'écrire que *le Nœud de vipères* et les *Mémoires intérieurs,* il se fût assuré une vieillesse presque aussi glorieuse et à coup sûr plus fructueuse et tranquille, le même prix Nobel, et des jeudis plus calmes sous la coupole du quai Conti. Mais pouvait-il choisir ? Pouvait-il seulement se taire, pouvait-il ronronner, encoconné dans les jolies phrases et les vilains sentiments de ses personnages, pelotonné dans son vocabulaire, « pelaudé » par les seuls cauchemars de Thérèse et de Galigaï ?

S'il y a une chose qu'a cru ce croyant, c'est qu'il ne fut pas libre de choisir de s'engager dans le débat public. C'est qu'à l'heure où Franco massacre les catholiques basques, où Hitler fait arracher à leurs mères les enfants juifs de Paris, à l'heure où des patriotes algériens blessés sont achevés sur leur lit de l'hôpital Mustapha d'Alger, un chrétien nanti d'un porte-voix ne peut se retenir de porter témoignage. Ce thème du « témoignage », de l'obligation, de l'urgence de crier, est central dans sa vie. « L'histoire dira que la torture fut rétablie en France par ceux qui se sont tus... » Dans ces quelques mots qu'il prononçait en novembre 1954, on trouverait toute sa morale publique.

Non qu'il n'ait réfléchi, parfois même hésité, non qu'il n'ait tenu compte, doublement, de son infirmité politique et des « réalités » de la raison d'État. Non qu'il n'ait cédé à cet entraînement auquel il se croyait impropre et qui est l'embrigadement intellectuel : dès avant son embaumement anthume dans le Tombeau des Nobles du gaullisme, il se conduisit, au temps de la guerre d'Indochine, en docile électeur du MRP, faisant confiance à Georges Bidault pour le génie, et à Jean Letourneau pour la compétence... Il lui arriva d'affirmer, comme à tant d'autres, et même à propos du Maroc, que les détenteurs français du pouvoir devaient avoir « leurs raisons », qui devaient s'ajuster à l'intérêt national. Il lui arriva aussi, en août 1950, de douter du droit de l'intellectuel à intervenir dans les affaires publiques, à trancher en tout cas du haut de son génie, ou de sa chaire :

> « ... Nous en sommes restés sur ce point à l'idée que Victor Hugo avait de sa mission. L'écrivain, en France, croit être encore le " mage effaré ", le " pâle Zoroastre " détenteur de la sagesse infuse. J'avoue qu'avec l'âge, j'en suis venu à prendre de l'homme de lettres une vue plus modeste [...] à dénier à nous autres, hommes de lettres, non le droit d'analyser la situation politique, mais celui de rendre des oracles au nom de la conscience humaine, ce qui est comique si l'on songe à ce qui fait le fond de nos ouvrages. Quant à moi, je suis bien résolu à ne plus donner mon nom pour tous ces manifestes et ces appels [1] que lorsqu'il s'agira d'empêcher quelque part un homme d'être pendu [2]. »

Il est bien bon d'autoriser l'intellectuel à « analyser » la situation politique et de ne pas réserver ce rôle aux coiffeurs et aux marchands de limonade. Analyse ? Ce n'est pas exactement le mot qui convient au *Cahier noir,* ni au ***Bâillon dénoué,*** ni bientôt à ses articles sur le Maghreb. Aussi bien assumera-t-il bientôt, avec les risques, les ridicules mêmes qu'il comporte, le rôle du « pâle Zoroastre » jetant l'anathème sur la torture et des répressions dont il n'aura pas « analysé » toutes les données, n'ayant été ni pied-noir, ni père d'une enfant amputée par une bombe explosant dans quelque café d'El-Biar, ni parachutiste, ni commandant en chef dans une ville assiégée, ni arabisant, ni islamisant, ni sociologue du Maghreb, ni polémologue — et n'ayant au surplus jamais posé le pied sur la terre d'Algérie.

Il le fera pourtant, assuré non de son droit à le faire, ou de sa compétence, ou de son impunité, assuré seulement de son devoir. Zola n'avait pas en main, lui non plus, toutes les pièces du dossier de l'« affaire ». Mais il sut qu'il devait parler. Mauriac n'en savait pas aussi long que Massu sur la situation en Algérie vers 1956. Mais il sut qu'il devait parler.

Au nom de quoi ? On ne saurait résumer la « doctrine Mauriac », en aucune matière, à ce qu'il a appelé lui-même « une politique du Sermon sur la Montagne ». Ce lecteur de Jean l'Évangéliste était aussi un renard gascon, et le paysage de Malagar, ni les trottoirs de l'avenue Théophile-Gautier, ni le grand escalier du *Figaro* — ni même la salle de rédaction de *l'Express* —

1. En l'occurrence, il s'agissait d'un texte qu'on lui avait proposé de signer en faveur de la reconnaissance de la Chine populaire.
2. *Mémoires politiques,* p. 284-285.

n'entretiennent l'esprit dans le sublime détachement, l'exaltation mystique qu'y infuserait l'expérience du désert. A « l'inévitable », au « raisonnable », aux « nécessités », ce bourgeois illustre s'est souvent résigné. Mais il y avait des commandements auxquels il obéissait et des seuils qu'il s'interdisait de franchir, pourvu qu'il fût informé ou averti.

Ce credo politique ou mieux « public » de Mauriac, que l'on a déjà tenté de desssiner en pointillé, on peut le résumer en ces quelques propositions. D'abord que le chrétien est dans le monde pour y combattre l'injustice, pour témoigner d'un Dieu de charité. (N'est-ce pas lui qui a écrit, à propos du procès d'une meurtrière, que rien n'est pire au monde qu'une justice sans charité ?) Corollaire à ce premier précepte, on trouverait celui-ci : que le chrétien ne saurait suivre Machiavel qui distingue fondamentalement la politique de la morale. Dieu laisse à César son domaine, mais sans abandonner son droit de regard sur ce domaine. Troisième axiome mauriacien : que l'Église ne saurait en quelque manière lier son sort, son comportement, ses manifestations à César — fût-il français. C'est sur ce thème, à propos de l'affaire Dreyfus d'abord, puis du comportement du catholicisme européen jusqu'au milieu du XXe siècle, que Mauriac est entré dans le combat public. Il n'en sortira pas.

Jusque-là, nous ne trouvons rien qui distingue François Mauriac de tout bon lecteur des textes chrétiens. Sa « politique » est un christianisme en action. Le trouvera-t-on, sur d'autres points, plus spécifique, plus folklorique, plus marqué par sa classe et sa province, son temps et son niveau de vie ? Il aime l'ordre, mais pas au point de ne pas trouver, dans les fûts de colonnes brisées de ce qui reste de l'abbaye de Port-Royal, le plus beau des témoignages contre la tyrannie ; pas au point de tolérer que Chateaubriand parle méchamment de la « canaille », ou que les pauvres des « Carrières centrales » de Casablanca soient attirés dans une souricière de police, ou que les étudiants révoltés de la Sorbonne n'aient pas droit à voir rouvrir leurs facultés enfiévrées.

Il croit que, de César à de Gaulle, « quelques hommes », toujours, font l'histoire (et il en résulte ce que Michel Winock appelle une « mythologie de nonne apeurée » où les Vulcain et les Wotan que sont Cromwell et Robespierre, Hitler et Staline, font et défont les empires). Mais il sait aussi reconnaître les « fatalités historiques dont nous voyons mal comment elles eussent pu ne pas se produire ». Et la faim des uns, l'humiliation des autres finiront par lui sembler aussi décisives que les calculs de Bismarck.

Passion de la justice, mythologie des « personnages », charité diffuse, grandes peurs, sages calculs, pénétration psychologique, sensibilité au mal, divination des êtres, attachement à des principes empruntés à l'humanisme aussi bien qu'au judéo-christianisme, voilà une panoplie « politique » qui n'implique ni n'impose une grande rigueur dans l'appréciation du monde. Qui attendrait de ce témoin passionné, sensible, indiscipliné, continuité dans le jugement, stabilité dans l'adhésion ? A la fin des années quarante, l'auteur du *Dictionnaire des girouettes* opposait le chroniqueur de *l'Écho de Paris* au collaborateur des *Lettres françaises,* le notable du Front national au « Saint-

François des Assises », le gaulliste de 1944 à l'adversaire du RPF, le fondateur du CNE au pourfendeur de Pierre Hervé... Jeu de société. Une dame lui ayant écrit qu'elle avait bien envie de lui envoyer ce livre, Mauriac répondit ceci, en avril 1949 :

> « ... Ce ne sont point mes changements qui me scandalisent, mais au contraire ces positions d'attente que je croyais provisoires et que je tiens encore et dont je crois bien que je ne sortirai plus. " Se prêter aux perfectionnements de la vie... " ce conseil qu'au départ Barrès me donnait, l'ai-je suivi ? Voilà ce qui importe, et non une fidélité servile et littérale à des mots d'ordre. Nous sentons bien qu'un Maritain, qu'un Gide [...] se sont développés chacun dans son sens, selon le modèle intérieur qu'ils s'étaient proposé. Il importe peu que Maritain soit passé du bergsonisme au thomisme, qu'il ait subi un temps l'emprise de Maurras pour se retourner contre lui avec violence ; et il importe encore moins que Gide ait été un protestant passionné, puis cet immoraliste, et qu'il ait eu des retours chrétiens puis ce goût brusque et passager pour le communisme : à travers tant de mouvements contradictoires et de remous, ces deux vies se sont construites selon leur loi profonde [...]
> Comprenez-vous, Madame, que la vie de tout homme digne de ce nom doit être à la fois une recherche et une lutte, non une soumission à des consignes politiques ou idéologiques [...]Quelle sécurité certains trouvent dans leurs chaînes ! La vraie question au fond n'est pas de savoir si nous avons été des girouettes, mais si la crainte de le paraître ne nous a pas rendus prisonniers d'un système [...] Trompeuse énergie des hommes bornés, qui eux-mêmes sont des bornes ! Plutôt qu'un dictionnaire des girouettes, je vous propose un dictionnaire de Dieux-Termes, d'hommes arrêtés, fixés, figés, pétrifiés à la lettre, mais dont s'élève parfois, s'ils sont poètes, ce chant, cette plainte, que l'aurore arrachait à la statue de Memnon[1]. »

A cette dame, Renan avait répondu d'avance, plus sèchement, plus subtilement : « Les hommes réfléchis ne changent pas, ils se transforment. Les hommes ardents, au contraire, changent et ne se transforment pas... » Non que Mauriac fût impropre à la réflexion. Mais l'ardeur primait en lui, et le jeta dans ces combats contradictoires et vifs. Il savait, comme Bernanos, que « ce ne sont pas les mêmes hommes que Dieu choisit pour garder sa parole ou pour l'accomplir ». Ainsi se fit-il « la mauvaise conscience vivante de la bourgeoisie catholique, toujours encline à prendre l'Évangile pour l'un de ses verrous de sûreté[2] ».

Faut-il s'attarder ici sur deux types de mobiles qui n'ont pas laissé d'orienter aussi les prises de position publiques de Mauriac : son sens esthétique et ses rancunes personnelles ? Sur le premier point, on a cité de Gaulle, qui dit l'essentiel dans ses propos à Léon Noël[3]. Sur le second, maints développements de ce livre répondent, non sans limiter parfois la portée de cet argument. Ses « rancunes » n'ont pas détourné Mauriac de

1. Qui est double. De cette dualité des colosses immobiles de la vallée des Rois, Mauriac (que n'a-t-il mieux lutté contre son dégoût des voyages, le cher homme !) eût pu tirer de si justes variations...
2. Michel Winock, « Mauriac politique », *Esprit*, décembre 1967
3 Voir p. 563

jouer le rôle qu'il a assumé face aux tribunaux de la libération. Et la cruauté de ses jugements sur les responsables du MRP n'a rien à faire avec des griefs personnels. On le retrouvera à la fin de sa vie réconcilié avec Massis, dont il avait été l'implacable adversaire (il avait coutume de dire qu'il se souvenait mal des coups qu'il avait portés, ce qui était sa façon à lui de pratiquer l'oubli des injures...), et ses dernières rencontres avec Pierre Hervé furent simplement cordiales.

Mais tant de combats, de débats, la traversée de tant de fournaises, pour quoi faire ? Cette grande œuvre de polémiste, de témoin, d'observateur, faut-il la voir comme la côte sauvage de l'archipel Mauriac, la face la plus belle, en tout cas la plus fascinante d'une grande vie d'écrivain — simplement ? Ou bien comme une intervention décisive dans la vie publique des Français, de 1935 à 1970, et dans les relations entre la France et le Maghreb entre 1953 et 1962 ? On pencherait volontiers vers la seconde hypothèse.

D'autres, bien sûr, ont combattu sur une ligne plus exposée — Decour, Paulhan, Sartre, Jeanson, Bourdet, Mandouze, Barrat... Mais ce qui fait la grandeur de Mauriac publiciste politique, c'est qu'il n'a cessé de manifester un sens aigu de l'efficacité. C'est qu'il a mis au service des causes qu'il avait choisi de défendre l'éloquence la plus chaude, le style le plus diapré, l'argumentation la plus claire, la culture la plus chatoyante, l'émotion la mieux communicable. C'est aussi qu'il a su trouver les tribunes d'où sa voix pouvait être le mieux entendue. C'est enfin qu'il a su demeurer au sein de sa classe, de son milieu, comme un virus. Il ne s'agit pas là, bien sûr, d'un calcul stratégique. Si François Mauriac est resté jusqu'au bout, parmi les siens, le notable comblé et scandaleux, l'accusateur-lauréat que tous ont connu, ce ne fut évidemment pas, comme l'espion ou le militant, parce qu'un chef de réseau ou un secrétaire de cellule l'y avait apposté, « vieille taupe » chargée de creuser, au cœur d'Auteuil, du *Figaro* et de l'Académie, sa taupinière mélodieuse.

Son goût seul, son esprit casanier, l'amour des siens, la délectation du confort, voilà en l'occurrence ses maîtres. Mais le résultat est le même. Et ce n'est pas pour rien que ce monde repu et décoré dont il fut l'éternel enfant prodige et prodigue à la fois lui porta une haine si vive. Comment parer des coups partis de ses propres rangs ? La bourgeoisie française n'a aimé ni Gide, ni Malraux, ni Aragon, ni Sartre. Mais tous, sortis d'elle, ou de ses franges, ou de ses normes, la gênaient moins, la mettaient moins en cause que ce « régulier dans le siècle » dont l'œuvre entière pourrait porter en sous-titre : autocritique de la bourgeoisie.

Parce que ce qu'il écrit ne lui est dicté ni par Moscou ni par Le Caire, ni par une haine entretenue par une longue misère ou l'échec esthétique ou social, parce qu'il n'est ni un poète maudit, ni un agitateur stipendié, ni un naïf, ni un reclus, il en sera mieux cru de ceux qui ne conçoivent la critique sociale que liée à une « malformation » morale, historique, raciale ou physique : si Marat n'avait pas été malade de la peau, si Lénine n'avait pas vu pendre son frère, si Trotski n'avait pas été juif... Mais lui s'avance les bras chargés des livres de toutes les distributions de prix. Il vient, son billet de confession à la main, d'une ville immodérément modérée, d'un doux pays baigné d'eaux grasses, ourlé de vignes, et que les pins protègent du vent du large. Toutes les cautions bourgeoises et climatiques, et pour ancêtres, l'auteur des *Essais* dans sa sagesse, celui de *l'Esprit des lois* dans son légalisme. Et pour lui encore, les moyens d'expression les plus efficaces et complémentaires, l'organe de la droite modérée, l'hebdomadaire de la gauche confortable. Quel délicieux démon pouvait inventer plus subtile machine de guerre, plus délectable poison, pour une bourgeoisie en procès ?

Il est vrai que Sartre n'a pas agi seulement sur les abonnés des *Temps modernes,* ni Bourdet sur les seuls lecteurs de *France-Observateur,* ni Jeanson sur les seuls militants de *Vérité Liberté,* ni Mounier sur les seuls fidèles d'*Esprit,* ni Jacques Decour sur les seuls membres du CNE, ni Massignon sur les seuls auditeurs de son cours au Collège de France. Ne serait-ce que parce qu'ils ont agi sur Mauriac, levain de cette pâte qui brûlait de lever... « Écho sonore », homme-reflet ? Non certes. Il n'eut besoin ni de Bernanos ni de Malraux pour dénoncer le cléricalisme militaire espagnol ; ni Maydieu ni Blanzat ne lui a dicté le *Cahier noir.*

Mais son rôle dans les débats de la France contemporaine a ceci d'exceptionnel qu'il fut joué sur le terrain même où se prenaient les décisions, en des lieux où toute parole comptait. De quel poids pesait tel paragraphe du *Figaro,* telle colonne de *l'Express ?* « Un article de Mauriac, ça vaut dix bataillons de fellagha ! » maugréait devant nous un colonel d'Alger. Mesurable ou non, positive ou non, cette influence de l'homme à la parole d'étoupe, à la griffe d'ange musicien, s'exerça avec une puissance d'autant plus grande qu'elle était, comme le levier d'Archimède, placée au point qui en multipliait l'effet. De 1953 à 1962, il fut plus lu et écouté qu'aucun autre — pour s'en tenir à la période qui fut celle de son « règne », précédé et suivi de campagnes fameuses, de réquisitoires et de plaidoyers éclatants. Son audience, alors, était immense. Il en était d'autant plus conscient qu'un énorme courrier, débordant de ferveur ou de rage, l'en assurait chaque jour. Comme les réactions de la presse. Comme les avertissements du pouvoir — jusqu'au 1er juin 1958.

C'est parce que son autorité fut telle que l'effacement de François Mauriac face à Charles de Gaulle prit, pour beaucoup, le sens d'une démission. Non son adhésion : l'enfouissement de son esprit critique dans les plis d'une dévotion minutieuse. Le droit de voir en de Gaulle le restaurateur de l'État, l'émancipateur de l'Algérie, le champion de l'indépendance nationale — qui pouvait le lui contester ? Qui ne devait convenir que ce pari qu'il avait fait, son héros s'employait, non sans génie, à le lui faire gagner ? Mais quoi ? Parce que le combat avait changé d'âme — à partir d'une manipulation où l'auteur du *Cahier noir,* avant de perdre son sang-froid, avait su voir la main d'un Machiavel parachutiste —, fallait-il ne plus entendre les cris des torturés, les plaidoiries des condamnés, les protestations des spoliés ?

Le général de Gaulle, fondateur de la Ve République, chef de l'État, dépositaire du Pouvoir majuscule, maître (après Dieu ?) du « domaine réservé », était-il plus « atteignable », plus « questionnable » que le chef du gouvernement provisoire de 1945, détenteur du droit de grâce ? S'il l'était, rien probablement ne pouvait mieux le toucher que telle phrase écrite par Mauriac sur Israël[1] ou les tribunaux d'exception, sur l'accueil aux « pieds-noirs » ou sur Ben Barka. L'auteur du *Bloc-Notes,* préféra alors se taire — hormis quelques chuchotements effarés. Et c'est alors que l'on sut le bruit que faisait son silence.

« Qu'est-ce qu'un grand romancier, un grand écrivain ? Non point certes celui qui manie habilement une technique ou une langue constituée — mais celui qui ajoute une rêverie inédite et singulière à l'ensemble des rêveries humaines, celui qui ajoute un accent entre tous reconnaissable, un accent signé, à l'ensemble des accents humains... » C'est Gaëtan Picon, compatriote de l'auteur de *Thérèse* et du *Bloc-Notes,* qui mesure ainsi la grandeur de Mauriac. Pourquoi, après cela, rechercher s'il fut d'abord romancier ou poète, mémorialiste, biographe ou essayiste, témoin de son temps ou polémiste ?

Que l'auteur de ce livre ait privilégié, sur le romancier ou le poète, le mémorialiste et le journaliste, n'est peut-être que l'expression d'une immense nostalgie pour un certain usage de la mémoire en vue de dire la vérité, un certain usage de la parole afin de dire la justice.

Écrivain par la grâce de Dieu, sensible, puis magistral, sourcier de passions, enchanteur de ténèbres, grand romancier enfin, Mauriac n'aurait-il pas été traité par la postérité avec plus de politesse que de ferveur s'il n'avait été aussi un homme dérangé par l'injustice et refusant de la subir ou de la constater sans crier ? Par ce cri, qui était de poésie, François Mauriac, de l'Académie française, prix Nobel de littérature, propriétaire de quelques arpents de vigne, auteur de quelques maîtres livres qui s'intitulent *le Nœud de vipères, le Mystère Frontenac, la Vie du Racine* ou les *Mémoires intérieurs,* était devenu l'un des très rares hommes de son temps capables de rendre l'espoir au cœur d'un prisonnier de la Gestapo, de transformer en fraternité l'acharnement d'un maquisard algérien, de faire que quelques mots écrits par lui soient pour tout un peuple une source d'espérance.

1. Au lendemain de la conférence de presse où de Gaulle avait prononcé la fameuse phrase sur le peuple juif « dominateur et sûr de lui », Mauriac reçut la visite d'Élie Wiesel, qu'il aimait comme un jeune frère et dont il avait patronné et préfacé le premier livre, *la Nuit.* L'ancien détenu d'Auschwitz le somma de prendre ses distances par rapport à l'auteur de cette formule. Mauriac refusa de s'y engager. Wiesel cessa de le voir. Mais au cours d'une émission de télévision, l'auteur du *Bloc-Notes* opposa aux mots du général l'expression de la sympathie la plus fraternelle. Wiesel redevint son ami, renouvelant profondément la vision qu'avait Mauriac de l'Ancien Testament et du judaïsme. Au point que — m'a raconté Wiesel en novembre 1979 — le vieil écrivain catholique s'interrogeait à la fin de sa vie sur la possibilité d'une révision profonde des rapports entre judaïsme et christianisme : « Pour moi, il est trop tard... »

Mais il avait su, aux heures décisives, écrire une préface pour le livre de Léon Poliakov, *le Bréviaire de la haine. Le IIIe Reich et les Juifs* (Calmann-Lévy, 1951).

Parce qu'il ne voulut jamais, à partir d'une certaine époque et jusqu'à une certaine date, se tenir au-dessus ou même en marge de la mêlée, l'homme du *Cahier noir* et du *Bloc-Notes*, qui avouait volontiers être né « du côté des injustes », sera toujours plus fort que les honneurs dont on a voulu recouvrir ou étouffer ses colères. Ni plaque, ni musée, ni ruban ne sauront faire oublier tout à fait les haines qu'il avait osé faire lever autour de lui et contre lui (et jusque dans sa période la plus dévotement gaullienne qui, pour paraître décadente du point de vue de l'esprit critique et du « service public », fut encore pour lui un temps de risques, d'épreuves et de menaces).

Ce Mauriac qui disait : « D'un voyage autour du monde, je ne rapporterais pas dix lignes », avait suscité amitiés et passions à travers plusieurs continents. On n'oubliera pas l'écho de sa voix de feuilles mortes brassées par le vent qui sut se faire violente pour les violents, et pour beaucoup d'injustes, stridente.

Ainsi cet homme de lettres heureux, ce chrétien tourmenté d'une inguérissable blessure rencontra-t-il, au soir de sa vie, le mode d'expression qui assurera le mieux sa survie — qu'on appelle, faute de mieux, le journalisme mais pour lequel, depuis qu'il en a fait un art, il faudra peut-être inventer un autre vocable — et qu'il mit au service d'une cause dont la défense lui assure beaucoup mieux que la gloire littéraire, que le « salut » individuel de l'homme ou de l'artiste : l'amitié des humiliés.

Bibliographie

La meilleure source pour le biographe de Mauriac est évidemment l'œuvre elle-même. Peu d'écrivains en ont dit autant sur eux-mêmes — compte tenu de ceux qui ont écrit « en clair » leurs confessions. En revanche, près de dix ans après sa mort, aucune biographie de Mauriac n'avait encore été publiée — en langue française tout au moins : c'est en anglais que M. Robert Speaight a écrit le premier récit de la vie de l'auteur du *Désert de l'amour* (publié à Londres en 1977).

Du point de vue biographique, se détachent de l'œuvre de Mauriac cinq ouvrages essentiels :

Commencements d'une vie, suivi de *Bordeaux ou l'Adolescence.* (Paris, Grasset, 1932.)

Le tome IV des *Œuvres complètes* (Paris, Fayard, 1952), où sont réunis la plupart des textes autobiographiques suivants (sur Barrès, Proust, Rivière).

Nouveaux Mémoires intérieurs (Paris, Flammarion, 1965), que complète en postface un remarquable chapitre autobiographique.

Les cinq volumes de *Bloc-Notes* (1958-1970), qui fourmillent d'indications et de confidences.

Mémoires politiques (Paris, Grasset, 1967), précédés d'une bonne préface de l'auteur

Indispensable aussi à la connaissance de la vie de François Mauriac sont les cinq premiers volumes du *Temps immobile* de son fils aîné, Claude, publiés chez Grasset de 1974 à 1978 : *Le Temps immobile,* 1, 1974 ; *Les Espaces imaginaires* (*Le Temps immobile,* 2, 1975) ; *Et comme l'espérance est violente* (*Le Temps immobile,* 3, 1976) ; *La Terrasse de Malagar* (*Le Temps immobile,* 4, 1977) ; *Aimer de Gaulle* (*Le Temps immobile,* 5, 1978). Auxquels il faut joindre, rattachés par l'auteur au même cycle, *Les Conversations avec André Gide* (Paris, Albin Michel, 1951), *Une amitié contrariée* (Paris, Grasset, 1970), *L'Eternité parfois* (Paris, Belfond, 1979).

Plusieurs numéros spéciaux de revues et ouvrages collectifs ont été consacrés à François Mauriac. Retenons notamment la livraison de *La Table ronde* (1952), le quatrième numéro des *Cahiers François Mauriac* (Paris, Grasset, 1976) le volume *François Mauriac,* collection « Génies et réalités » (Paris, Hachette, 1977), le recueil intitulé *Le Chrétien Mauriac,* Paris, Desclée de Brouwer, 1979. Et mettons hors de pair, en tête du premier des volumes où la Bibliothèque de la Pléiade rassemble les ouvrages d'imagination (et quelques autres) de Mauriac, l'excellente chronologie établie par M. Jacques Petit.

Œuvres de François Mauriac

I. POÈMES

Les Mains jointes, Bibliothèque du Temps présent, Falque, 1909.
Adieu à l'adolescence, Paris, Stock, 1911.
Orages, Paris, 1925, Champion.
Le Sang d'Atys, Paris, Grasset, 1940.

II. ROMANS

L'enfant chargé de chaînes, Paris, Grasset, 1913.
La Robe prétexte, Paris, Grasset, 1914.
La Chair et le Sang, Paris, Emile-Paul, 1920.
Préséances, Paris, Emile-Paul, 1921.
Le Baiser au Lépreux, Paris, Grasset, 1922.
Le Fleuve de Feu, Paris, Grasset, 1923.
Genitrix, Paris, Grasset, 1923.
Le Mal, Paris, Grasset, 1924.
Le Désert de l'amour, Paris, Grasset, 1925.
Thérèse Desqueyroux, Paris, Grasset, 1927.
Destins, Paris, Grasset, 1928.
Trois Récits, Paris, Grasset, 1929.
Ce qui était perdu, Paris, Grasset, 1930.
Le Nœud de vipères, Paris, Grasset, 1932.
Le Mystère Frontenac, Paris, Grasset, 1933.
La Fin de la nuit, Paris, Grasset, 1935.
Les Anges noirs, Paris, Grasset, 1936.
Plongées, Paris, Grasset, 1938.
Les Chemins de la mer, Paris, Grasset, 1939.
La Pharisienne, Paris, Grasset, 1941.
Le Sagouin, Paris, La Palatine, 1951.
Galigaï, Paris, Flammarion, 1952.
L'Agneau, Paris, Flammarion, 1954.
Un adolescent d'autrefois, Paris, Flammarion, 1969.
Maltaverne, Paris, Flammarion, 1971.

III. ESSAIS, CRITIQUE, MÉMOIRES, JOURNALISME

Petits essais de psychologie religieuse, Paris, Société littéraire de France, 1920.
La Vie et la Mort d'un poète, Paris, Bloud et Gay, 1924.
Le Jeune Homme, Paris, Hachette, 1926.
La Province, Paris, Hachette, 1926.
La Vie de Racine, Paris, Plon, 1928.
Le Roman, Paris, L'artisan du livre, 1928.
Dieu et Mammon, Le Capitole, 1929

Souffrances et Bonheur du chrétien, Paris, Grasset, 1931.
L'Affaire Favre-Bulle, Paris, Grasset, 1931.
Blaise Pascal et sa sœur Jacqueline, Paris, Hachette, 1931.
Jeudi Saint, Paris, Flammarion, 1931.
Commencements d'une vie, suivi de *Bordeaux ou l'Adolescence,* Paris, Grasset 1932.
Pèlerins de Lourdes, Plon, 1933.
Le Romancier et ses personnages, Paris, Corréa, 1933
Journal, Paris, Grasset, 1934 tome I.
Vie de Jésus, Paris, Flammarion, 1936.
Journal, Paris, Grasset, 1937 tome II.
Le Cahier noir, Paris, Editions de Minuit, 1943.
Journal, Paris, Grasset, 1940, tome III.
Sainte Marguerite de Cortone, Paris, Flammarion, 1945.
Le Bâillon dénoué, Paris, Grasset, 1945.
Les Maisons fugitives, Paris, Grasset, 1939.
La Rencontre avec Barrès, Paris, La Table ronde, 1945.
Du côté de chez Proust, Paris, La Table ronde, 1947.
Le Journal d'un homme de trente ans, Paris, Egloff, 1948.
Mes grands hommes, Paris, Editions du Rocher, 1949.
Journal IV, Paris, Flammarion, 1951.
La Pierre d'achoppement, Paris, Editions du Rocher, 1951.
Journal V, Paris, Flammarion, 1951.
Le Fils de l'homme, Paris, Grasset, 1958.
Bloc-Notes, (1952-1957), Paris, Flammarion, 1959.
Mémoires intérieurs, Paris, Flammarion, 1959.
Nouveau Bloc-Notes, (1958-1960), Flammarion, 1961.
Ce que je crois, Paris, Grasset, 1962.
De Gaulle, Paris, Grasset, 1964.
Nouveau Bloc-Notes, (1961-1964), Paris, Flammarion, 1965
Nouveaux Mémoires intérieurs, Flammarion, 1965.
D'autres et moi, Paris, Grasset, 1966.
Mémoires politiques, Paris, Grasset, 1967.
Dernier Bloc-Notes, (1968-1970), Paris, Flammarion, 1971

IV THÉÂTRE

Asmodée, Paris, Grasset, 1937.
Les Mal-Aimés, Paris, Grasset, 1945.
Passage du Malin, Paris, La Table ronde, 1948
Le Feu sur la terre, Paris, Grasset, 1951.

V SCÉNARIO DE FILM

Le Pain vivant, Flammarion, 1955

VI ENTRETIENS RADIOPHONIQUES

Avec Jean Amrouche 1952-1953

Ouvrages sur François Mauriac

Alyn (Marc), *François Mauriac,* Paris, Seghers, 1960.
Bardèche (Maurice), *Lettre à François Mauriac,* Paris, La Pensée libre, 1947.
Béraud (Henri), *Quinze jours avec la mort.*
Blanche (Jacques-Emile), « Correspondance avec François Mauriac », *Cahiers François Mauriac,* 1976.
Bleuchot (Hervé), *Les Libéraux français au Maroc,* Editions de l'université de Provence, 1973.
Boisdeffre (Pierre de), *Métamorphoses de la littérature,* 1, Alsatia, 1951.
Bourdet (Denise), *Visages d'aujourd'hui,* Paris, Plon, 1960.
Brisson (Pierre), *Vingt ans de Figaro,* Paris, Gallimard, 1959.
Debû-Bridel (Jacques), *La Résistance intellectuelle,* Paris, Julliard, 1970.
Du Bos (Charles), *Le Dialogue avec André Gide,* Corréa, 1947. — *François Mauriac et le Problème du romancier catholique,* Corréa, 1933.
Fernandez (Ramon), préface à *Dieu et Mammon,* Le Capitole, 1924.
Gautier (Jean-Jacques), *Raisons d'aimer la Comédie-Française,* Wesmael-Charlier, 1964.
Gide (André), *Correspondance avec François Mauriac,* Paris, Gallimard, 1971.
Giroud (Françoise), *Si je mens,* Paris, Stock, 1972.
Goesch (Keith), *Essai de bibliographie chronologique,* 1908-1960, Paris, librairie Nizet, 1965.
Grall (Xavier), *Mauriac journaliste,* Paris, Editions du Cerf, 1960 ?
Green (Julien), *Journal,* 1, 2, 3, Grasset.
Guitard (Louis), *Lettre à François Mauriac,* Paris, Jérôme Martineau, 1966.
Hourdin (Georges), *Mauriac, romancier chrétien,* Paris, Editions du Temps présent, 1945.
Isorni (Jacques), *Le Procès de Robert Brasillach,* Paris, Flammarion, 1946.
Julien (Charles-André), *Le Maroc face aux impérialismes,* Paris, Editions Jeune Afrique, 1979.
Julliard (Jacques), *La IVe République,* Paris, Calmann-Lévy, 1968.
Kherig (Stanislas), *François Mauriac et la Politique,* thèse pour l'université de Nice, 1965.
Kuschner (Eva), *François Mauriac,* Paris, Desclée de Brouwer, 1972.
Kuschnir (Slava), *Mauriac journaliste,* Paris, Minard, 1979.
Laurent (Jacques), *Mauriac sous de Gaulle.*
Madaule (Jacques), *Reconnaissances* 1943, Paris, Desclée de Brouwer.
Magny (Claude-Edmonde), *Histoire du roman français depuis 1918,* Paris, Editions du Seuil, collection « Points », 1971.
Marrou (Henri-Irénée), *Saint Augustin,* Paris, Editions du Seuil, collection « Maîtres spirituels », 1955.
Martin du Gard (Maurice), *Les Mémorables,* Paris, Grasset, 1978, tome III.
Massignon (Louis), *Parole donnée,* Paris, Julliard, 1962.
Mauriac (Jean), *La Mort du général de Gaulle,* Paris, Grasset, 1974.
Orion (Jean Maze), *Le Dictionnaire des girouettes,* Le Régent, 1948.
Palante (Alain), *Mauriac, le Roman et la Vie,* Paris, Le Portulan, 1946.
Pike (David W.), *Les Français et la Guerre d'Espagne,* Paris, PUF, 1975.

Rémond (René), *Les Catholiques, le Communisme et les Crises,* Paris, Armand Colin, 1960.
Robichon (Jacques), *François Mauriac,* Paris, Editions universitaires, collection « Classiques du xxe siècle », 1953.
Saint-Jean (Robert de), *Journal d'un journaliste,* Grasset, 1974.
Schumann (Maurice), *Le Vrai Malaise des intellectuels de gauche,* Paris, Plon, 1957.
Séailles (André), *Présence littéraire, Mauriac,* Bordas, 1972.
Simon (Pierre-Henri), *Mauriac par lui-même,* Paris, Editions du Seuil, 1955, réédition 1974.
Southworth (Herbert R.), *Le Mythe de la croisade de Franco,* Ruedo Iberico, 1964.
Speaight (Robert), *François Mauriac, a study of the writer and the man,* Londres, Chatto and Windus, 1976.
Stéphane (Roger), *Fin d'une jeunesse,* Paris, La Table ronde, 1954.
Suffran (Michel), *François Mauriac,* Paris, Seghers, 1973.
Sur une génération perdue, Bordeaux, Samie, 1966.
Thomas (Hugh), *Histoire de la guerre d'Espagne,* Paris, Laffont, 1961.
Touzot (Jean), *François Mauriac en verve,* Paris, Pierre Horay, 1974.
Mauriac avant Mauriac : 1913-1922, Paris, Flammarion, 1977.
Trigeaud (Françoise), *Itinéraires : François Mauriac en Gironde,* Les cahiers du Bazadais, 1974.
Vandromme (Pol), *La Politique littéraire de François Mauriac,* collection Etheel, 1957.
Winock (Michel), *Histoire politique de la revue « Esprit » 1930-1950,* Paris, Editions du Seuil, 1975.

Deux publications régulières sont consacrées à l'œuvre et à la vie de François Mauriac :

1. *Les Cahiers François Mauriac,* publiés chez Grasset (6 fascicules parus. Un septième est prévu, à l'occasion du dixième anniversaire de la mort de l'écrivain, à l'automne 1980).
2. Le bulletin du Centre d'études et de recherches sur François Mauriac que dirige M. Monférier à l'université de Bordeaux III.

Au surplus, *la Revue des lettres modernes,* éditée chez Minard, publie une série Mauriac.

Index des principaux noms cités [1]

1. Les noms des membres de la famille de François Mauriac sont si souvent cités, et cette famille si vaste, qu'ils ne peuvent trouver place dans cet index.

Journalistes et critiques — à part ceux qui ont joué un rôle direct et actif dans la vie de François Mauriac, comme Henri Guillemin ou Jean Daniel, ne sont pas cités ici. Quelques noms d'hommes illustres, comme J.-S. Bach ou Le Titien, sont également oubliés. Idem pour les toréros…

Table

I

PROVINCIALES

II

LES DÉRACINÉS

III

A TRAVERS FEU

IV

LES AUTRES

IMP. SEPC À SAINT-AMAND (7-80)
D.L. 1er TR. 1980. N° 5471-3 (373)

Ouvrages de Jean Lacouture

L'Égypte en mouvement
en collaboration avec Simonne Lacouture
Le Seuil, 1956

Le Maroc à l'épreuve
en collaboration avec Simonne Lacouture
Le Seuil, 1958

La Fin d'une guerre
en collaboration avec Philippe Devillers
Le Seuil, 1960, nouvelle édition 1969

Cinq Hommes et la France
Le Seuil, 1961

Le Poids du tiers monde
en collaboration avec Jean Baumier
Arthaud, 1962

De Gaulle
Le Seuil, 1965, nouvelle édition 1971

Le Vietnam entre deux paix
Le Seuil, 1965

Hô Chi Minh
Le Seuil, 1967, nouvelle édition 1976

Quatre Hommes et leur peuple
Sur-pouvoir et sous-développement
Le Seuil, 1969

Nasser
Le Seuil, 1971

L'Indochine vue de Pékin
(Entretiens avec le prince Sihanouk)
Le Seuil, 1972

André Malraux, une vie dans le siècle
Le Seuil, Prix Aujourd'hui, 1973

Un sang d'encre
Stock-Seuil, 1974

Les Émirats mirages
en collaboration avec G. Dardaud et Simonne Lacouture
Le Seuil, 1975

Vietnam, voyage à travers une victoire
en collaboration avec Simonne Lacouture
Le Seuil, 1976

Léon Blum
Le Seuil, 1977

Le Rugby, c'est un monde
Le Seuil, 1979

Signes du Taureau
Julliard, 1979

La vie apparente

Table des illustrations

Tous les documents proviennent des archives de Mme Jeanne François Mauriac, sauf : 1, 2, 3, 18, 20, 52 . D. R. — 8, 37 : photo Atelier René-Jacques. — 9 : archives Mauriac-photo Atelier René-Jacques. — 13, 24 . archives Mme G. Cazenave. — 19, 22 : photo Mme Jeanne François Mauriac. — 28 : photo René Dazy. — 29 : Rimbaud par Verlaine, Pascal d'après Edelink, Jammes : photos Viollet ; Racine : photo Giraudon ; Mozart Baudelaire : D. R. ; de Guérin, Barrès : photos Harlingue-Viollet ; de Gaulle : photo R. Capa-Magnum. — 31 : photo Harlingue-Viollet. — 32 : archives Alain Rivière. — 36 : photo Picherie Roger. — 40 : photo Gabriel Rozenblum. — 43 : archives Barrat. — 45 : photo H. Cartier-Bresson-Magnum. — 46, 48, 51 : photos Roger-Viollet. — 47 : photo *l'Express*. — 49 : photo Keystone. — 50 : photo Lipnitzki-Viollet

1, 2, 3. Les trois âges d'une dynastie bourgeoise, de la monarchie de Juillet au « soldat de la République ». *De haut en bas :* Jean, Jacques et Jean-Paul Mauriac.

4. Devant le chalet de Saint-Symphorien, l'oncle Louis et les petits « Frontenac ». — 5. Le groupe éternellement serré de la mère et des cinq enfants (François est sur les genoux de sa mère).

6. Grand-Lebrun. L'élève Mauriac François est assis au centre. — 7. Grand-Lebrun. Un demi-siècle plus tard un ancien élève retrouve son pupitre.

8. Vingt ans : mélancolie au bord de la Garonne.

9. Les charmes de Cybèle : il n'est de bon air que des pins.

10. L'état-major du « 104 » : le président Mauriac derrière l'abbé Plazenet.

11. Un infirmier de 1916. — 12. André Lacaze « en état d'ébriété métaphysique ».

13. « Une amitié fraternelle » : Pierre et François, avec leur mère, dans la Lande — 14. Robert Vallery-Radot, frère prêcheur de la croisade. — 15. André Lafon, l'irremplaçable.

16. Les compagnons « amitiés de France » autour de « Paule-au-front-bombé ». *De droite à gauche :* Robert Vallery-Radot, François Le Grix, François Mauriac (de profil), Georges Vallery-Radot entre Eusèbe et Philippe de Brémond d'Ars.

17. Un mariage à Talence...

18. Les mariés de 1913. — 19. Voyage de noces à Bellaggio.

20. Avec Claude, son fils aîné (20 ans), au temps du *Mystère Frontenac*. — 21. Avec Jean, son fils cadet, en vacances.

22. Autour de François, Claude, Jean, Claire et Luce.

23. Promenade romantique au bord de la Méditerranée au temps du *Baiser au lépreux*.

24. Sur la terrasse de Malagar, François avec Pierre, sa femme Suzanne et leurs deux filles, Catherine et Martine.

25. Avec ses amis Barbey, chez les Bourdet. — 26. Marcelle Duthil, amie très admirée. — 27. Jean-Pierre Altermann, « vigile » des temps troublés.

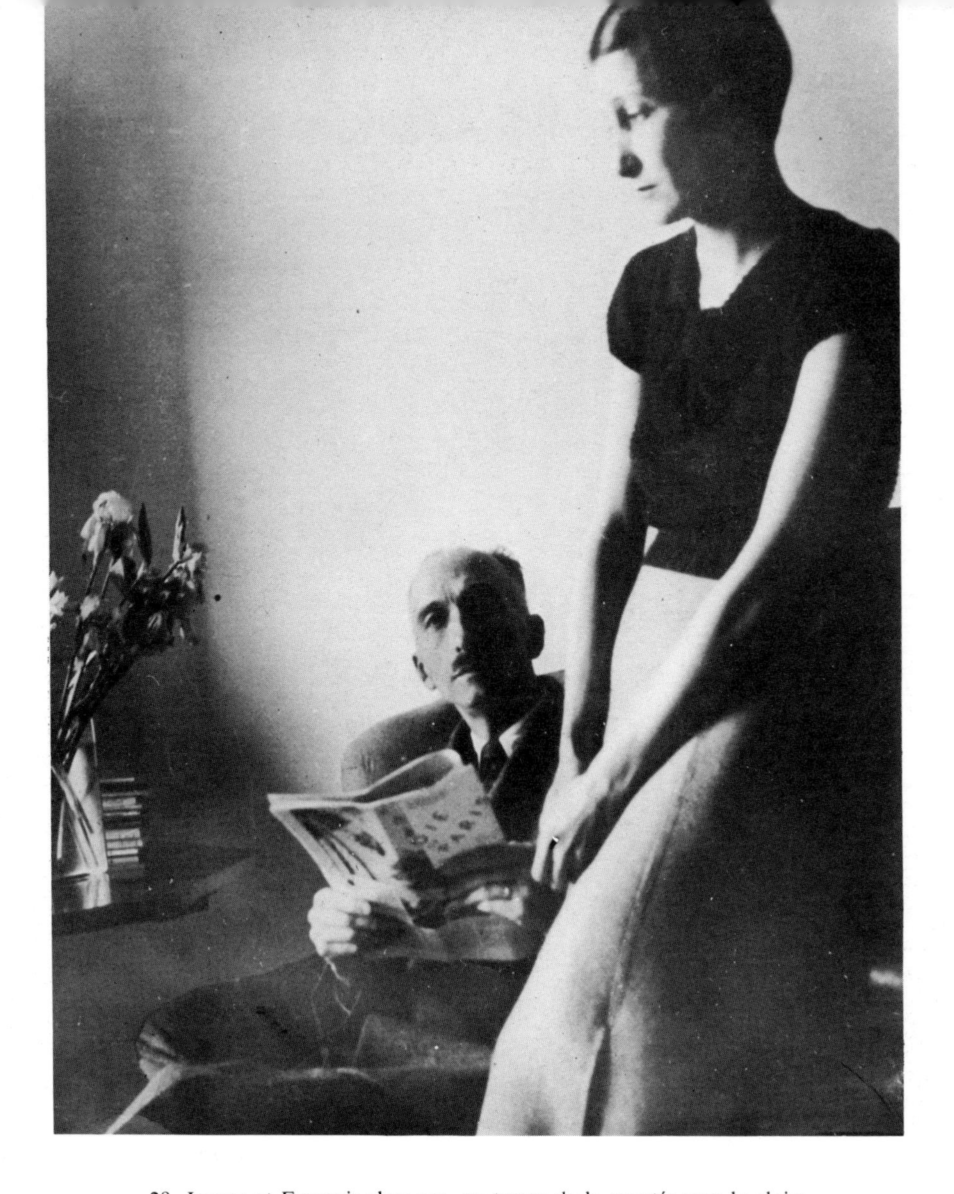

28. Jeanne et François chez eux, au temps de la montée vers la gloire.

29. Un panthéon. Rimbaud, Racine, Pascal, Jamme

ozart, Baudelaire, de Guérin, de Gaulle, Barrès.

30. Avec Colette, la « grosse abeille ». — 31. Célébration de Francis Jammes avec Claudel, au théâtre des Champs-Élysées.

32. Jacques Rivière, « anima naturaliter christiana ». — 33. « Charlie » Du Bos, le passeur du gué. — 34. Avec Gide, cette « amitié armée ». — 35. Cher et grand Claudel.

36. Les châtelains de Malagar. — 37. Un vigneron attentif à la grêle.

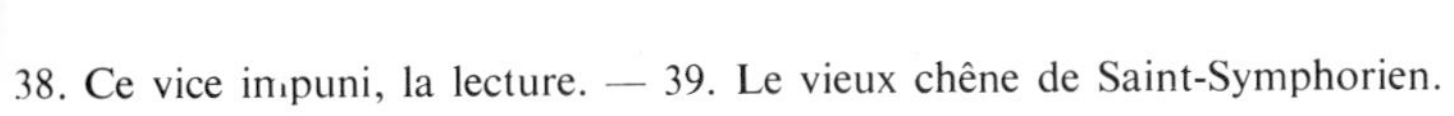

38. Ce vice impuni, la lecture. — 39. Le vieux chêne de Saint-Symphorien.

40. Le bonheur vert... — 41. ... et le sourire de l'autoportrait.

42. Avec Pierre Brisson, le dialogue du dimanche. — 43. Au temps de France-Maghreb, avec Taibi Benhima, Robert Barrat et Abderrahim Bouabid. — 44. Le père Maydieu, l'intraitable.

45. L'éditorial du *Figaro*, un lecteur sans indulgence.
46. Pierre Mendès France.

47. A *l'Express* : dernière retouche au *Bloc-Notes*, entre Jean-Jacques Servan-Schreiber et Françoise Giroud.

48. Avec Malraux, au temps de la « V^e »...
49. A la rencontre de Gaulle, sur ses terres.

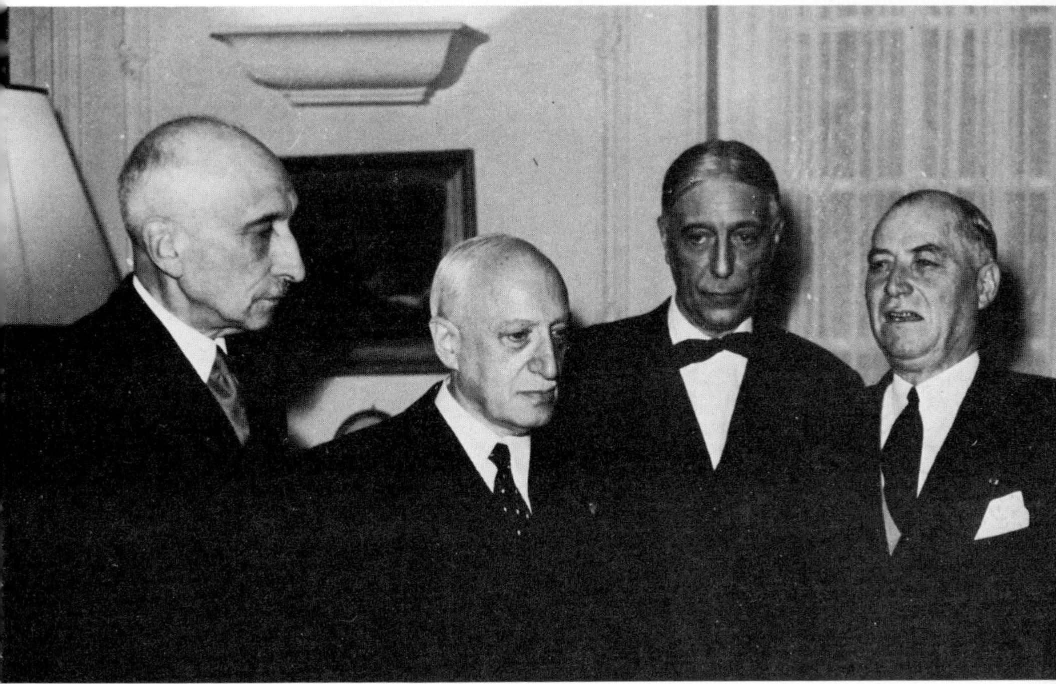

50. Conciliabule : François Mauriac et François Mitterrand, un jeune homme plein d'avenir, et d'attention. — 51. Le maréchal Juin Quai Conti : entre eux, heureusement, André Maurois et Maurice Garçon.

[illegible] d'ornière où l'eau était neige. Comme la nuit était tôt venue !
[illegible]
[illegible]. Mais il allait être livré seul
à l'instituteur. C'était le [illegible] qui l'attendait.
[illegible]
[illegible] des mots dont on lui [illegible] les oreilles.
[illegible]

52. Une écriture de guêpe, des ratures, un dessin : le manuscrit du *Sagouin*. — 53. Relecture du manuscrit de l'*Adolescent d'autrefois*.

54. Mi-août 1970 : dictée du *Dernier Bloc-Notes*.

seuil

ISBN 2-02-005471-X / Imprimé en France